工商管理经典译丛·市场营销系列

MARKETING MANAGEMENT

营销管理

（新千年版·第十版）Millennium Edition · Tenth Edition

[美]菲利普·科特勒 著
Philip Kotler

梅汝和　梅清豪　周安柱 译　梅清豪 校

中国人民大学出版社

工 商 管 理 经 典 译 丛 · 市 场 营 销 系 列

工商管理经典译丛·市场营销系列

编辑委员会

《工商管理经典译丛·市场营销系列》
总　序

　　1984 年，在上海市老市长汪道涵先生的推荐下，由中国营销学界的先驱之一、已故上海财经大学著名营销学教授梅汝和先生亲自翻译了在国内外广为流传的美国西北大学营销学教授菲利普·科特勒的巨著《营销管理——分析、计划、执行和控制》。这本书的出版，为中国打开了与国际营销学界的沟通之门。此后，国内陆续引进出版的一些营销学理论专著和优秀教材，都为改革开放后中国营销学界和企业界在计划经济向市场经济转型的过程中，转变观念，适应市场和提高竞争力起到了十分巨大的影响作用。梅汝和教授一直十分关注国际营销学界的学术发展动向，终身致力于营销学理论的引进和研究，在推动中国营销学理论和实践的发展方面做出了不可磨灭的贡献。

　　市场营销学是一门诞生于西方的学科，它是在总结了西方企业（特别是美国企业）在成熟市场经济条件下经营思想和经营战略演变与发展的基础上产生和发展起来的，经过营销学大师们的概括与提炼，已成为对所有企业具有普遍指导意义的重要理论。但随着信息技术飞速发展和经济全球化趋势的加快，自 20 世纪 90 年代以后，国际营销学界又提出了许多新的理论和方法，为世界各国的企业提供了适应新变化和新环境的有效指导。为此，成规模地系统引进国外营销学最新专著和优秀教材，提高我国营销管理教育和企业的营销管理水平，并逐步形成融国际营销学理论和中国实践特色为一体的系统化营销学本土教材，成为中国营销学界和出版界的一致共识。

　　1998 年春末，在国内首开管理学教材引进之先河的中国人民大学出版社闻洁女士，带着一批由国际著名出版商推荐的优秀教材专程赴上海，与我们共同商议切磋图书的论证、甄选和翻译事宜。为此，由我组织了上海营销学界的知名专家教授、企业界的朋友共同参与意见。大家都感到确有必要组织翻译和出版一套能全面反映 20 世纪末期国际营销学界最新理论和实践研究成果的优秀教材，此举必定能对国内 MBA 和营销学专业师生，尤其对企业中高层主管和营销管理部门人员有很大的帮助。梅汝和先生指出："这些书都有不同凡响之处，它们代表了国际营销界的新观点，是有真货色的"。大家对作者的知名度和在每个领域中的贡献、本丛书的理论框架体系、图书的论证原则、译者的选择与任用、翻译的基调和风格，以及组织工作的程序等问题进行了讨论，并根据梅汝和先生的提议推举我为本丛书的主编，组织上海和北京等各地的专家学者共同进行翻译。会后，我们又专门登门拜访了梅老先生，请他出任丛书的顾问，并听取了他对编委会人员构成、图书甄选和翻译工作的意见及建议。闻洁女士以她一贯的高效率工作风格，与我很快确定了第一批图书的版权和主要译者，以后便由各位编委组织队伍开始了艰苦的翻译工作。

　　本丛书所选的书目，皆为国际营销学界著名教授的经典之作，涵盖了营销管理、营销调研、战略营销分析、战略品牌管理、销售管理、人员推销、零售管理、服务营销、营销渠道、组织间营销、广告沟通与促销管理、营销工程与应用等所有重要的和最新的领域，反映了 20 世纪 90 年代后期国际营销学界的最新研究成果。在图书版本的甄选上，中国人民大学出版社和丛书编委会坚持"作者权威性高、知识体系完整、内容丰富充实、观点资料新颖、语言通俗流畅、能同时兼顾管理教育和企业培训两个市场"的原则，在几十个同类版本中加以精选，有时为确定一本书的版本，要同时进行多个版本的论证；国际各大著名出版公司都提供了自己最好的版本以供甄选。因而可以说，本丛书入选的图书，都经过了国内外专家教授们精心的锤炼和长期教学实践的考验。在组织翻译和出版的过程中，中国人民大学出版社在译者甄选和书稿翻译质量及编校质量上严格把关，使本丛书的质量得到了有效的保证。

现在，三年过去了，当第一批图书出版之际，我们不禁深深地怀念为本丛书出版起过决定性作用的长者。十分遗憾的是，梅汝和先生已经离开了我们，未能在有生之年看到这套丛书的出版，然而，他对这套丛书的出版，以及对中国营销学发展所做的巨大贡献，是令人永远难以忘怀的。我们谨将本丛书献给深受国内外营销界同行尊敬和爱戴的梅汝和先生；同时，我们也要对子承父业、在营销学论著引进和翻译工作中做出杰出贡献的梅清豪先生表示衷心的感谢。他不仅亲自参加了本丛书中《营销管理》（新千年版·第十版）、《营销调研》（第二版）、《销售管理》等书的翻译工作，而且在梅汝和先生病重期间，多次代表他父亲关心丛书的出版工作，使我们经常得到梅老先生的指点和帮助而受益匪浅。

我特别要感谢本丛书的各位编委们，他们在十分繁忙的教学和社会实践活动中，挤时间高质量地完成了艰苦的书稿翻译组织和审校工作，相信他们为本丛书出版所付出的辛勤劳动，会得到国内营销学界同仁和企业界朋友们的认同。我还要代表编委会感谢三年来为本丛书的出版始终给予支持的中国人民大学出版社领导和兢兢业业工作的闻洁女士，以及本丛书的责任编辑，如果没有他们的敬业精神和细致入微的努力，本丛书的出版可能还要推迟很长的时间。最后，我们要向为本书提供版权的培生教育出版集团（Pearson Education）北京办事处的谢晓琳小姐，以及为本丛书提供版权的麦格劳-希尔教育出版集团（McGraw-Hill Education）、汤普森学习集团（Thomson Learning Group）等各大国际著名出版公司，以及所有帮助、指导和关心过本丛书出版的管理学界专家教授和各界人士表示衷心的感谢。

愿本丛书能为中国营销管理教育的发展和企业竞争力的提高发挥应有的作用。

丛书编辑委员会主编　王方华

2001 年 3 月

于上海交通大学管理学院

译者前言

美国西北大学教授、当代市场学权威菲利普·科特勒博士所著《营销管理》，是美国高等学府最普遍采用的市场学教材，此书也被用做全球 MBA 教学使用教材。它被选为全球最佳的 50 本商业书籍之一，许多海外学者把该书誉为市场营销学的"圣经"。科特勒著作众多，其中 7 本著作被译为 18 种语言并已被 58 个国家用做教科书。

什么是市场学，或称营销学？作者在本版中作了最简短的定义"有利益地满足需求"。市场营销的思想起始于 20 世纪初的美国。当时，美国从自由资本主义向垄断资本主义过渡，生产规模不断扩大，专业化程度日益加强，人口迅速增加，个人收入上升，扩大的新市场为社会创造了无数的机会。人们在解决市场上所发生的种种问题的过程中逐渐形成了市场学的思想和方法。商学院把这些思想引入了大学课堂。1902 年，密歇根大学开设的这门学科的名称是"美国的分配和管理行业"；1906 年，俄亥俄州立大学开设的学科称为"产品的分配"。1910 年，威斯康星大学的拉尔夫·巴特勒提出应把这门学科改名为"市场营销学"。

许多公众把营销看成是一种力量，认为是一种广告和推销的泛滥。他们认为，营销就是促使不情愿的购买者购买他们不需要的商品。阅读过本书以后，你将会认识到，这与营销是什么和营销应怎么做，相差十万八千里！

许多人常常问，当设计出一个新技术时，这个技术在市场上会不会有需求？其实，他们这个问题问颠倒了。现代市场，是需求决定产品，而不是产品决定需求。摩托罗拉的"铱星通信系统"，是世界上最先进的技术，它被评为美国最佳科技成果。但"铱星"运营一年，损失 100 亿美元，悲情陨落。为什么？因为铱星没有市场需求。

如今的世界变化快。1997 年亚洲发生东南亚金融危机，21 世纪开端，美国的经济又发生了问题。为了驾驭市场，科特勒成了换排挡最娴熟的驾车手，从 1988 年起平均每 3 年要换一个新版本。科特勒认为，21 世纪将把人类社会带入新经济时代。这种新的经济标志着一个机会和威胁同时增加的崭新世界。对数以万计的消费者和商家而言意味着巨大机遇的事情，对其他一部分人而言就是巨大甚至是致命的一种威胁。毫不奇怪，在 21 世纪的营销难度更大，因为生产者和消费者分歧可能会更加尖锐。然而，营销并非像欧几里得几何学那样，有着对概念与定理的一套固定体系。相反，营销是经济管理学中最富能动作用的一个领域，对市场上经常出现新的挑战，我们必须作出反应。

世事匆匆，如今科特勒的著作在中国得到了广泛的传播。今天，无论是在北京的清华、北大，还是在上海的复旦、交大，在中国的大多数大学的经济管理研究生课程中，本书已成为核心教材。中国工商管理硕士教育指导委员会在 2000 年 8 月颁布的 MBA 教学大纲上，建议采用本书作为《营销管理》学科的教材，当然，各校也可结合自己的办学特色与学员构成，增加辅助教材和其他阅读材料。本书也可供我国大专院校和企事业部门培训高级管理人才之用，亦可作为广大经济工作者的参考读物。

由于本书众采百家，内容丰富，本版特别增加了跨世纪的许多新知识和新技术。本着信、达、雅的原则，译时颇费周折。在本书的译校过程中，中国人民大学出版社的领导和总策划闻洁女士，以及本丛书的责任编辑于波、张冬梅、梁硕提出了许多宝贵意见和帮助，从而力求做到正确无误，通俗易懂，对此我们表示衷心的感谢。

梅清豪

2001 年 5 月

英文版前言

当本书的第一版在1967年问世时，市场营销学还是一门非常简单的学科。消费者营销的很大一部分是在大众化营销原理上进行的，而企业营销主要从自身角度来考虑如何建立最好的营销队伍。零售业则是由百货商店、综合性超市、食品连锁店和不计其数的夫妻店所组成。当时，大部分的营销观念都集中在如何实现销售上。

在过去的这些日子里，营销者要面对许多棘手的决策。他们必须决定产品的特征和质量，建立起配套服务措施，制定产品价格，决定分销渠道，并决策在营销上投入多少资金，如何在广告、建立销售队伍和其他促销手段之间分配资源。

毫无疑问，今天的营销者也同样面对这些棘手的决策，但今天的市场环境更加复杂化了。曾一度安全地与国外竞争者相隔绝的国内市场如今成了巨人跨国公司和全球专业生产商尽情角逐的场所。科技上的巨大进步在很大程度上缩短了时空距离，新产品以惊人的速度导入，并在很短的时间在全世界范围内使用。传播载体的数目在激增，新的分销渠道和形式不断出现，竞争随处可见并日益激烈。

在这些变化当中，繁忙的消费者正在改变他们的生活方式。为了节省时间，他们通过商品目录单、电话、计算机进行购物。今天的消费者可以在因特网上寻找购买汽车的最佳价格。他们可以用电话或计算机处理大部分的个人银行业务。他们也可以不通过代理人或经纪人购买保险和进行金融业务交易。消费者甚至不需要光顾超级市场，他们可以通过因特网订货并要求送货上门。他们也不需要购买报纸来获取信息；实际上，他们可以在每个早晨都能收到一份《华尔街日报》。

对于进行商务活动的买方而言，变化也是深刻的。通过因特网，购物代理人可以搜寻到最好的出售方和价格。通用电气公司就创造了一个贸易流程网站，在这个网站上，通用电气公司和订购了通用电气公司产品的客户们，可以要求对方报价，谈判合同条款，并且与全球的供货商磋商订购活动。采购代理人可以在网上点击 **www.dell.com**，从而订购为他们定制的特殊电脑。

这种新的销售方式标志着现在是一个机会和威胁同时增加的崭新世界。以数字化、自动化、电信化、人工智能化为特点的硅谷只是这个新世界的一个大胆象征。与此同时，对数以万计的消费者和商家而言意味着巨大机遇的事情，将对其他一部分人而言就是巨大的甚至是致命的威胁。银行不得不关闭分支机构；旅行社和经纪人公司将不得不大幅度裁员；汽车制造商将不得不减少经销机构；许多书店、销售音乐磁带的商店也将关门。科技进步是一把双刃剑：它既能创造机遇，又能毁灭机遇。

这个新世界的另一特性是令人惊奇的、丰富的信息环境。消费者将会对质量和服务有着

V

日益增加的期望，人们会越来越多地在信息空间中购物，而不仅仅是在商店购物。他们可以不依赖某个制造商和零售商就得到包括成本、价格、特征、质量在内的有关竞争品牌的客观信息。在许多情况下，他们可以具体说明想要订购商品的特征，他们甚至可以具体说明愿意付给的价钱，并等候最合适的卖主的回应。其结果就是经济力量戏剧性地从卖方转移到买方。

明智的公司正逐渐意识到顾客价值的转移是不可避免的。顾客们总是不断地转向那些能提供更高价值的供应商。随着购买者采取新的购物方式，那些以传统方式提供价值而投入大笔资金的公司只有两个方案可采用，一个方案是维持不变的营销战略，即尽力让顾客们相信：他们能提供最有价值的东西；另一个方案就是追求转换的营销策略：即尽力重组公司和传递更高价值的运作方式。

明智的公司也认识到在市场和营销领域正发生着一场巨大的变革。今天的大多数公司更致力于在某一特定市场内取得领导地位，而不愿意接受大众化市场中的第二流位置。公司更注重保持已有的客户，而不是仅仅为了取得新客户。公司在扩展它们对现有客户的服务时，是以获得顾客份额为目标，而不仅仅是市场份额。公司会辨别出对公司最有利的顾客，为其提供额外的服务。公司会计算顾客的生命价值，而不是试图使眼前利益最大化。

每个公司原有的经营观念和做法都受到挑战并发生了变化：

1. 从工程师单独设计产品到使营销部门和其他部门以及顾客都参与产品的开发。

2. 从只是主观地成本加价而为产品定价到以传递或认知价值为基础的定价。

3. 从主要通过以劝说为手段的广告和销售人员的传播、销售促进到运用一套更广泛的沟通工具和平台。

4. 从主要依靠一个分销渠道到建立起一个和客户联系的组合分销渠道。

5. 从把公司当做一个独立的实体运营到建立起一个有更高价值传递的网络，并且使供货商和分销商成为联盟合伙人。

然而，即使是那些敢于进行变革的公司，也需要营销观念和营销实践技能才能成功。许多经理认为，营销只是公司的一个部门，它的工作就是分析市场，辨别机会，制定营销战略，发展具体策略战术，提出预算，建立一套控制系统。然而，营销还包含着更广泛的内容：营销有责任推动公司其他部门转为市场导向和由市场驱动。营销必须说服公司的每一个人重视营销工作和建立它的更大网络，以创造和让渡更优的顾客价值。

营销不仅仅是一个公司部门的工作，营销更是一个有条理的、深思熟虑的思考和为市场策划的过程。这一过程不仅仅适用于商品和服务，更是可以贯彻到任何事物中(如创意、事件、组织、地区、个性)，它们都可以用于销售。这一过程开始于对市场进行调研，理解该市场的动力机制、确定机会、满足现在和未来的需要；这一过程包括市场细分，选择本公司能以最优方式使之满意者作为目标市场，包括制定出全面的战略并定义具体的营销组合和行动计划，它还包括执行计划，评价结果并进行改进工作。

□ 新千年版

我们把第十版叫新千年版，因为它的出版恰逢 21 世纪的到来，以及市场变化的速度日益加快之时。回顾过去，展望未来，留住过去最好的理论并引向未来，这里有机遇之所在，新的版本反映出公司在新千年成功运作需要的营销理念、工具和实践。本书加入了几百个微型案例，以描述一些领先公司为迎接新环境下的挑战所做的努力。通过本书，我们展现了世界万维网和电子商务是如何巨大地改变了市场营销的基本面貌；同时，新千年版又继续保留了以往版本的基本特色并有所发展：

1. 管理导向。本书集中于讨论营销经理和高级管理层在使本企业的目标、能力、资源与市场环境要求、机遇相协调的努力中所面临的主要决策。

2. 分析方法。本书为分析当前营销管理中的问题提供了一个框架。用案例和事例描述了行之有效的营销原理、战略和实践。

3. 基础学科的延伸。本书充分利用了多门学科——经济学、行为科学、管理理论、数学的丰富内容，作为它的基础理念和工具。

4. 广泛的适用性。本书把营销理念运用于各种营销环境：从产品到服务，从消费者市场到企业市场，从营利性组织到非营利性组织，从国内公司到国外公司，从小企业到大企业，从制造业到中介行业，从技术含量低的产业到技术含量高的产业。

5. 全面和均衡的论述。本书包括了一个高素质的营销经理所需要认识的所有课题；也包括了在战略、战术、管理营销中的重要问题。

□ 新千年版的特点

这一版本保持了学科的整体性和延展性。虽然它与以前版本是同一本书，但它的每一个词都经过了推敲和大量的压缩，并且在本书中，集中介绍了营销学中基本的经典案例。

与前几版的区别：整合性

减少了章节 第十版将全书从 24 章压缩至 22 章，有些章节的合并使结构更自然流畅。现在的第 8 章覆盖了所有的竞争内容，包括市场领导者、挑战者、追随者和补缺者的战略。现在的第 10 章包括了在产品生命周期各阶段市场提供物的差异化和定位方法。

组织框架 本书仍分为 5 篇，但结构有所不同。第 I 篇"认识营销管理"阐述了有关营销理论与实践方面的社会、管理和战略的基本知识；第 II 篇"分析营销机会"通过分析市场和营销环境以找到抓住机会所需要的各种观念与方法；第 III 篇"发展营销战略"集中讨论定位、新的市场提供物和全球战略；第 IV 篇"制定营销决策"讨论如何开发和管理品牌和产品线、服务、定价战略及方案；第 V 篇"管理和传送营销方案"讨论营销战术和管理内容，营销渠道的后勤，零售与批发，整合营销传播，广告、促销和公共关系，销售队伍管理，直接与在线营销，考察整个营销的管理工作。

窗口材料 窗口材料包括三个系列，"营销视野"突出了营销管理中的最新研究工作和发现；"营销备忘"为营销经理在营销管理的各阶段提示要点并给以建议；"新千年营销"集中讨论技术进步和电子商务。其中，前两个系列主要是对前一版的修订和更新，同时增加了新的论题；而第三个系列则是全新的内容。

新特点和内容扩展

本书将增加的内容融为了一个整体且更加精练，其新的特征有：

1. 新的章末练习。其应用部分包括多种新的对学生具有挑战性的实证案件。

● "本章观念"回顾检查每一章中的重要内容。

● "营销与广告"集中展示现实公司和它们的广告，这帮助学生了解分析在现实世界中的营销目标广告活动。

● "聚焦技术"帮助学生学习如何处理先进的技术问题，以及怎样组织和上因特网站学习。

● "新千年营销"再一次展示真实公司和它们的网址，从而使学生有机会分析营销机遇上的趋势和变化。

● "你是营销者"要求学生以第3章假设的索尼克公司为例，设计营销计划，并要求其应用营销计划专业软件对其加以链接。

2. 修订和扩展的"管理直接营销和在线营销"一章包括了全新的营销方法和信息渠道，解释它们对营销管理战略与战术的影响。本书修订和增加了电子业务内容，如电子商务、在线消费者、在线营销的优点与不足，在线营销的操作方法和它的促销及挑战。

3. 对文中的各种短案例作了修改、更新了数据，着重增加了有关电子商务公司的材料、因特网的应用、服务型企业以及一些经典案例。新案例包括：亚马逊网站、虚拟葡萄园、信息村网站、美国在线、阿尔文·艾利·丹斯公司、达夫妮和凯迪拉克；修订的案例有：宝洁、耐克、沃尔玛、卡特彼勒和美特俱乐部；经典的保留案例有：本－杰里、阿波苏尔特伏特加和柯达等。

4. 新的和更新的"营销视野"窗口包括的主题有："学者与美元：营销和推销来到了大学校园"；"莎莉公司：从制造商到敏锐的营销家"；"失败先生的教训是为了下次获得甜蜜的成功：罗伯特·麦克曼斯新产品展示和学习中心"和"公司品牌的崛起"。

5. 新的和更新的"营销备忘"窗口，诸如"了解网络一代"，"针对儿童营销的因特网道德"和"折扣的戒律"。

6. 新的广告插页和来自真实公司的网页扫描，在各章节作为窗口材料、专题讨论或小案例。

7. 关于"新千年营销"的专栏贯穿于全书之中。

● 新千年营销专栏集中讨论21世纪的前景和趋势。这些专题包括"孟山都公司：从陈旧的化学合成剂产品线到划时代的'生命科学'"，描述了一个公司管理机关怎样脱胎换骨；关于因特网的专论包括"企业对企业的计算机网上买卖"和"在因特网时代开发产品：网景公司浏览器的故事"等。

● 新千年营销展示了关于新千年的案例、全球新千年活动、新千年产品和新千年营销创意。

● 书中的关键章节，如第1章、第3章和第21章，集中讨论了21世纪的内容。

8. 新的"科特勒论营销"在每章的开篇作概括性的引导。

□ 教学软件包

本版《营销管理》包括大量的专为教师和学生准备的辅导材料。这些辅导材料将会使营销管理课程的学习成为一种令人兴奋、生动和双向互动的经历。[①]

教师资源手册 全面广泛修订过的内容包括每章概要、教学关键内容目录、章末应用练习题的答案、详细的辅助资料建议、练习题和教学提纲幻灯片注释、详细的教学提纲一体化的录像材料和幻灯片注释。该手册的一部分作为电子文件，可从 Prentice Hall 公司网站上下

---

① 本书提到的辅导材料等的版权未授予中国人民大学出版社。

载，网址为 www.prenhall.com/kotler。

测验题汇编 它由贝蒂·普里切特（Betty Pritchett）编写，超过 2 000 道题目，类型有多项选择、是非题和论述题。题目按难易程度排列，并有测验题页码的注释。它的电子版本可在 Prentice Hall 公司测试管理者的 Mac 和视窗上获得。它们也可以打印出来。未使用计算机的教师也可以免费得到 Prentice Hall 公司的测试题服务。请拨打 1 – 800 – 842 – 2958，告诉测试题服务代表你需要何种测试问题。在 24 小时之内你的传真机将得到已编制好的测试题目。

全新彩色幻灯片 每章配有 10 个～20 个突出关键概念的幻灯片。每张幻灯片都配有一整页的教师注释，包括相关的关键词组、章节中的讨论要点和来自增补资料中的素材。所有这些都可在 PowerPoint 4.0 格式下应用。另外，该电子幻灯也是一种电子文件，可通过 Prentice Hall 网络的 www.prenhall.com/kotler 下载。

广播电视和营销教育结合 开发已用于业务教育的最激动人心和有价值的录像片系列如"本地化"和"营销常见案例"等。这些每个播放 6 分钟～8 分钟的节目都是主题导向的，通过录像阐述所有在教科书中的主要概念并吸引学生的注意力。每个节目包括学习工具、广告、产品专题、课本图例，以及与营销经理和顾客的对话。应用这些录像片，你可以不离开教室而在下列公司的营销领域中遨游：航空公司、敦豪、杜邦、哥德牛奶、蓝屋、英特尔、柯达、李维、尼斯卡、耐克、苏特尼克、星巴克、福龙、购买、WNBA、雅虎！。

纽约节日国际广告奖评比全世界最好的广告 这个著名的评审组每年评审 50 多个国家的近万个广告，并评出金、银、铜三个奖项。Prentice Hall 公司是专业的教育分销商，它在这个领域的电视和电影广告获得了金奖；其中在三个获奖录像带中有近 200 个案例取自于本书的内容。

营销计划软件 这套评价很高的软件是完全新颖的，其主要的特色是含有 10 个简单的营销计划、完美的帮助功能、定制的各种图表、具有专业化的电脑打印彩色资料。这套计划软件的迷人之处在于使人能很容易地制作满足自己营销需要的营销计划。你只需按以下步骤：定义，计划，预算，预测，追踪，测量，就可完成从战略计划到具体贯彻的过程。按一下"打印"，你的内容、插页、图表就会连接起来，创造出一个有力度的营销计划。

PhotoWars CD-ROM 一套全新的模拟系统，由莫汉·苏尼(Mohan Sawhney)(美国西北大学)、雷·马尔赫德(Raj Malhotra)与鲍·西蒙(Power Sim)、阿瑟·安德森(Arthur Andersen)编制。它提供一个以软件为基础的学习环境，帮助用户适应高度变化的数字市场；它以数字管理框架为基础，被设计成"实践学习"方式，使学生学习和应用他们学到的知识；它通过模拟引擎，使竞争环境重复再现并提供即时反馈；它允许管理者学习怎样做和怎样避免失败。这些双向互动的观察和实验使用户抓住了该模型的构造。只需微不足道的成本，它可在本版本中获得。PhotoWars 可以转给其他班级或两三个班级一起使用。

CW/PHLIP 通过今日网（Web Today），获得最高级、专门针对课本的网站来使用户的课堂内容在全年都能紧跟时代。该网站由专家为教师和他们的学生制作，内容丰富，包含多学科商务知识，并且每两个星期就由 40 多名博士专家组成的 CW/PHLIP 小组进行内容更新。这些资源对教师和学生是免费的。现在，我们的网站经过了极大的改进，它包括：为学生设置的电子学习指南，增加的网上练习和链接及一套完整的教师资料系列，其中的许多部分都是能下载的版本（试用"教学大纲设定者"来安排你的课堂教学）。快来访问 www.prenhall.com/phlip，看一看这些奇妙的资源！

WebCT 商务出版物 WebCT 教育课程的主要特征是，以因特网为基础的全部的课程管理和远距离学习。没有多少教学经验的教师可以用点击导航系统来设计他们自己的在线课堂内容，包括建立教学日程表、小测验、作业、讲课稿和学习帮助。这些课程都是由教育工作者制作，是由开发了我们内容丰富的网站的同一小组聘请了 40 名经验丰富的大学教授，分成三组制作的 WebCT 教育课程。

□ 鸣谢

本书第十版的问世，得到了许多人的鼎力相助。我在美国西北大学凯洛格管理研究生院的同事和伙伴们，对我思想的形成具有重要的影响，他们是：詹姆士·C·安德森（James C. Anderson），罗伯特·C·布拉特伯格（Robert C. Blattberg），安娜特·博德巴蒂（Anand Bodapati），波伯·J·考尔德（Bobby J. Calder），格兰格利·S·卡彭特（Gregory S. Carpenter），亚历克斯·切夫（Alex Chernev），理查德·M·克莱沃特（Richard M. Clewett），安妮·T·考勒（Anne T. Coughlan），萨恩·格普达（Sachin Gupta），道·亚科布西（Dawn Lacobucci），迪帕克·C·杰姆（Dipak C. Jain），罗伯特·科尼莱兹（Robert Kozinets），莱克西曼·克里西纳莫斯（Lakshman Krishnamurti），安吉拉·李（Angela Lee），西特尼·J·利维（Sidney J. Levy），安·L·麦克吉尔（Ann L. McGill），克里斯蒂·诺德海姆（Christie Nordhielm），莫汉伯·S·索韦尼（Mohanbir S. Sawhney），小约翰·F·谢里（John F. Sherry Jr.），路易斯·W·斯特思（Louis W. Stern），布赖恩·斯顿塞尔（Brian Sternthal），艾丽斯·M·泰伯特（Alice M. Tybout）和安德里斯·A·佐尔特纳斯（Andris A. Zoltners）。我还要感谢 S.C. 庄臣（Johnson）家族对我在凯洛格学院主讲席位的慷慨支持。组织西北大学工作组工作的是本院的院长，我的挚友唐纳德·P·雅各布斯（Donald P. Jacobs）对于他在我的研究和写作工作中经常不断的支持深表谢意。我也要感谢审阅过本书新版的其他大学的下列同事们：

丹尼斯·克莱森（Dennis Clayson），北洛沃大学

拉尔夫·盖特克（Ralph Gaedeke），加州州立大学

比尔·格雷（Bill Gray），科拉管理研究生院

罗恩·伦农（Ron Lennon），巴利大学

波尔·麦克戴维特（Paul McDevitt），伊利诺伊大学（斯普林菲尔德）

亨利·梅茨纳（Henry Metzner），密苏里大学（罗拉）

吉姆·默罗（Jim Murrow），德鲁里学院

格雷格·伍德（Greg Wood），卡尼苏斯学院

我还要感谢审阅过本书以前版本的同事们：

海勒姆·巴克斯代尔（Hiram Barksdale），佐治亚大学

鲍里斯·贝克尔（Boris Becher），俄勒冈州立大学

萨内尔·博戴尔（Sunil Bhatla），凯斯西方储备大学

约翰·伯内特（John Burnett），丹佛大学

瑟吉特·沙哈伯勒（Surjit Chhabra），德波尔大学

约翰·戴顿（John Deighton），芝加哥大学

拉尔夫·加德基（Ralph Gaedake），加利福尼亚州立大学（萨克拉门托）

丹尼斯·吉恩克（Dennis Gensch），威斯康星大学（密尔沃基）

戴维·乔格夫（Davod Georgoff），佛罗里达亚特兰大大学（芝加哥）

阿勒·杰（Arun Jain），纽约州立大学（布法罗）

H・李・马修斯(H. Lee Matthews)，俄亥俄州州立大学
玛丽・安・麦克格拉思(Mary Ann McGrath)，洛亚娜大学（芝加哥）
帕特・墨菲（Pat Murphy），诺特丹大学
尼古拉斯・纽金特(Nicholas Nugent)，波士顿学院
唐纳德・奥特兰(Donald Outland)，得克萨斯大学（奥斯汀）
艾伯特・佩奇(Albert Page)，伊利诺伊大学（芝加哥）
克里斯托弗・帕特(Christopher Puto)，亚利桑那州立大学
罗伯特・罗(Robert Roe)，怀俄明大学
迪安・西弗斯(Dean Siewers)，罗切斯特技术学院

我还要感谢对本版内容提出建议的国外版合作者：

洪瑞云，梁绍明和陈振忠，新加坡国立大学（新加坡）
弗里德海姆・W・布利米尔(Friedhelm W. Bliemel)，凯撒斯劳滕大学（德国）
彼得・契德利(Peter Chandler)、林登・布朗(Linden Brown)和斯图尔特・亚当(Stewart Adam)，莫纳斯大学和其他澳大利亚大学（澳大利亚）
伯纳特・杜波依斯（Bernard Dubois），高等商业教育中心（法国）
约翰・桑德斯(John Saunders)(洛波罗大学)和弗里利卡・王（Veronica Wong）（拉夫伯勒大学）（英国）
沃尔特・乔治奥・斯科特(Walter Giorgio Scott)，卡托利卡大学（意大利）
罗纳德・E・特纳(Ronald E. Turner)，皇后大学（加拿大）

Prentice Hall 公司有才干的职员们对本书得以成书方面的作用值得称赞。本书编辑惠特尼・布拉克（Whitney Blake）对第十版提出了很好的建议和指导。我还要感谢高级编辑珍妮・西利奥德（Jeannine Ciliotta)对本版的改进提出了有创见的建议和极大的帮助。我还要感谢约翰・罗伯茨（(John Roberts)的编辑工作、凯维・卡尔（Kevin Kall）创造性的设计工作；米歇尔・福莱斯特（Michele Foresta）的编辑帮助工作、帕蒂・阿尼森（Patti Arneson）的营销调研工作。我还要感谢我的营销经理沙努・莫尔（Shannon Moore）。特别感谢南希・布兰德温(Nancy Brandwein)为寻找本版许多新的案例做了大量艰苦的工作；玛丽・麦克格雷（Mary McGarry）、利比・罗伯斯蒂（Libby Rubenstein）和西尔维・韦伯（Sylvia Weber）也提供了帮助。最后，感谢玛丽・伍德（Marian Wood）提供了每章末的应用练习题。
我忠心感谢我的夫人南希（Nancy），她为我撰写本书提供了所必需的时间、支持和鼓励。本书是我们两人共同的著作。

菲利普・科特勒
国际营销学教授
美国西北大学 J. L. 凯洛格管理研究生院
美国伊利诺伊州埃文斯顿市

目录

第 I 篇　认识营销管理　　1

第 1 章　21 世纪的营销　　3
营销学的任务　　4
营销观念与工具　　10
公司对待市场的导向　　21
商业和营销在如何变化　　34
小结　　36
应用　　37

第 2 章　建立顾客满意、价值和关系　　42
定义顾客价值和满意　　43
高绩效业务的性质　　50
让渡顾客价值和满意　　55
吸引与维系顾客　　58
顾客盈利率:最终测试　　69
实施全面质量营销　　71
小结　　73
应用　　74

第 3 章　赢得市场:市场导向的战略计划　　79
公司和部门的战略计划　　81
业务战略计划　　93
营销过程　　104
产品计划:营销计划的性质和内容　　108
21 世纪的营销计划　　115
小结　　115
应用　　116

第 4 章　收集信息和测量市场需求 *123*
　　现代营销信息系统的构成 *124*
　　内部报告系统 *124*
　　营销情报系统 *126*
　　营销调研系统 *128*
　　营销决策支持系统 *144*
　　预测概述和需求衡量 *146*
　　小结 *157*
　　应用 *158*

第 5 章　扫描营销环境 *164*
　　分析宏观环境的需要和趋势 *165*
　　主要宏观环境因素的辨认和反应 *168*
　　小结 *186*
　　应用 *187*

第 6 章　分析消费者市场和购买行为 *192*
　　消费者购买行为模式 *193*
　　影响消费者购买行为的主要因素 *193*
　　购买决策过程 *212*
　　购买决策过程中的各个阶段 *215*
　　小结 *222*
　　应用 *222*

第 7 章　分析企业市场与企业购买行为 *229*
　　组织购买是什么 *229*
　　企业购买过程的参与者 *234*
　　采购/获得过程 *241*
　　机构与政府市场 *249*
　　小结 *253*
　　应用 *253*

第 8 章　参与竞争 *259*
　　识别公司竞争者 *261*
　　分析竞争者 *266*
　　设计竞争情报系统 *272*
　　决策竞争战略 *275*
　　在顾客导向和竞争者导向中平衡 *298*
　　小结 *299*
　　应用 *300*

第 9 章　辨认市场细分和选择目标市场 *307*
　　市场细分的层次和模式 *307*
　　细分消费者和企业市场 *316*
　　市场目标化 *331*

小结   336
应用   337

第III篇   发展营销战略   343

第10章   在产品生命周期中定位市场供应品   345
怎样差别化   345
差别化的工具   347
开发定位战略   360
产品生命周期的营销战略   366
市场演进   383
小结   387
应用   388

第11章   开发新的市场产品   396
新产品开发中的挑战   397
有效的组织安排   400
管理开发过程:创意   405
管理开发过程:从概念到战略   408
管理开发过程:从开发到商品化   416
消费者采用过程   428
小结   432
应用   432

第12章   设计全球市场提供物   439
关于是否进入国外市场的决策   440
进入哪些市场的决策   443
如何进入该市场的决策   448
关于营销方案的决策   455
决策营销组织   464
小结   466
应用   467

第IV篇   制定营销决策   471

第13章   管理产品线和品牌   473
产品和产品组合   474
产品线决策   480
品牌决策   485
包装和标签   503
小结   506
应用   507

第14章   设计与管理服务   512

服务的性质 512

服务公司的营销战略 520

管理产品支持服务 535

小结 539

应用 540

第 15 章 设计定价战略与方案 547

制定价格 548

修订价格 566

发动价格变更和对它的反应 575

小结 581

应用 581

第 V 篇 管理和传送营销方案 589

第 16 章 管理营销渠道 591

营销渠道执行什么功能 592

渠道设计决策 596

渠道管理决策 602

渠道动态 609

小结 620

应用 620

第 17 章 管理零售、批发和市场后勤 625

零售 625

批发 640

市场后勤 645

小结 653

应用 654

第 18 章 管理整合营销传播 659

传播的过程 660

开发有效传播 662

营销传播组合决策 676

管理和协调整合营销传播 683

小结 686

应用 687

第 19 章 管理广告、销售促进和公共关系 693

开发和管理广告程序 693

媒体决策和绩效衡量 703

销售促进 717

公共关系 726

小结 732

应用 733

第 20 章 管理销售力量 741

销售队伍的设计 742

销售队伍的管理 749

人员推销的原则 760

小结 769

应用 769

第 21 章　管理直接营销和在线营销 776

直接营销的成长和益处 776

顾客数据库和直接营销 780

直接营销的主要渠道 783

21 世纪的营销：电子商务 792

使用直接营销中的公共道德问题 805

小结 805

应用 806

第 22 章　管理整体营销努力 812

公司组织的趋势 812

营销组织 814

营销执行 831

评价和控制 833

小结 855

应用 856

译者后记 862

专题目录

[新千年营销]

电子商务：小猫鹰时代 13

从电话到电话网站：新的呼叫中心如何保持顾客 65

兴旺的战略联盟 99

公司转向数据库：仔细呵护 134

一种新型环保型清洁剂 179

你是一位网虫还是技术人员？新的调研关注技术型顾客关注的对象 ... 205

企业对企业的计算机网上买卖 237

虽被取代但并未气馁：电子商务正逐渐取代中间人行业 ... 264

对每个人的细分：大众化定制时代已经来临 312

孟山都公司：从陈旧的化学合成剂产品线到划时代的"生命科学" ... 383

在因特网时代开发产品：网景公司浏览器的故事 417

WWW. TheWorldIsYourOyster.com：全球性电子商务的里里外外 ... 443

在万维网上建品牌：不易实现的目标 492

为顾客授权的技术 533

数字差异化：对于卖方和买方，因特网是怎样在定价上引起革命的 ... 570

大汽车市场是如何改变汽车销售业务的 614

华纳兄弟音像商店：通过特许经销获利 639

全球广告和促销挑战 668

网站上的广告：公司攫取客户的反应 708

个人接触的自动化操作 754

如果你希望听到我们的推广广告，那么点击这里：用电子邮件的方式改写直接邮寄的规则 801

为公平用工进行的营销活动 854

[营销视野]

学者与美元：营销和推销来到了大学校园 25

顾客使产品成形：戴尔计算机公司根据顾客的点击制造产品 48

莎莉公司：从制造商到敏锐的营销家 83

营销调研者向传统的营销智慧挑战 142

费思·波普康提出的经济的 16 个趋势 166

向拉丁美洲人、非裔美国人及老年人进行营销 194

准点 Ⅱ（JIT Ⅱ）：顾客—供应商合作关系的第二阶段 240

定点超越是怎样改进竞争绩效的 269

挤入已占领市场的战略 297

隐蔽的冠军：德国中型公司通过补缺迅速成长起来 310

航空公司在定位时发现它们并非经营无差别商品 346

突破成熟产品的综合措施 378

失败先生的教训是为了下次获得甜蜜的成功：罗伯特·麦克曼斯新产品展示和学习中心 398

产品开发不只是工程师的事：跨部门团队的高明之处 403

全球标准化还是本地适应化？ 456

从哈雷－戴维森牌扶手椅到可口可乐牌鱼饵：公司品牌的崛起 499

为利润销售服务 514

用提供保证来促进销售 536

强有力的定价者：明智的公司怎样利用定价作为战略手段 551

牛仔服的其他名字……品牌或标签 606

在消费包装商品行业中的垂直渠道冲突 616

特许经营热 630

公司如何设定和分配它们的营销传播预算？ 677

把名人效应作为一种战略 699

大客户管理——它是什么和它如何运作 745

在什么时间和怎样运用关系营销 768

整合营销中的最大化营销模型 779

从体育运动来类推营销机构的变化 813

[营销备忘]

营销人员经常问的问题 8

相信营销观念的理由 30

为什么你存在和你代表什么？ 55

在顾客流失时提几个问题 59

在线数据的第二手资源 131

了解网络一代 　　　　　　　　　　　　　　　　　171

每个营销人员都应该了解针对儿童营销的因特网道德 　　201

评估顾客价值的方法 　　　　　　　　　　　　　　246

用游击式的营销调研智胜竞争者 　　　　　　　　　273

商战的好处 　　　　　　　　　　　　　　　　　　291

对全球主要价值观念的调查 　　　　　　　　　　　321

十种获得伟大新产品创意的方法 　　　　　　　　　406

让你的网站全球尽知 　　　　　　　　　　　　　　451

品牌知晓的药方:九种强化品牌的方法 　　　　　　495

超越顾客的最高愿望:服务营销自查要点 　　　　　526

折扣的戒律 　　　　　　　　　　　　　　　　　　568

批发分销商的高绩效战略 　　　　　　　　　　　　644

如何发展口碑参考资源建立业务 　　　　　　　　　672

整合营销传播检查表 　　　　　　　　　　　　　　685

作为品牌建设者的销售促进 　　　　　　　　　　　719

有原则的讨价还价谈判方法 　　　　　　　　　　　765

当你的顾客是一个委员会时…… 　　　　　　　　　785

审计:公司各部门的特征确实是顾客驱动 　　　　　829

营销效益等级评核表 　　　　　　　　　　　　　　845

第 **I** 篇
认识营销管理

第 1 章　　21 世纪的营销

第 2 章　　建立顾客满意、价值和关系

第 3 章　　赢得市场：市场导向的战略计划

21 世纪的营销

科特勒论营销：

　　未来并非遥远，它已经来临。

本章将阐述下列一些问题：

● 营销的任务是什么？
● 营销的主要观念和工具有哪些？
● 公司对待市场的导向有哪些？
● 公司与营销者怎样对新挑战作出反应？

　　法国大革命时代的作家查尔斯·狄更斯（Charles Dickens）在 100 年前写成的《双城记》（Two Cities）中说道："这是有史以来最好的时代，也是最糟糕的时代。"今天，我们有许多值得庆幸之事：现代医学的显著发展；由机械化和自动化带来的极高生产率；计算机与因特网的无限前景；全球化贸易的快速增长和冷战的结束；人类在今天已有能力在全球范围内告别饥饿，也有能力治愈许多流行性疾病。但与这些幸事相伴随的包括挥之不去和难以驾御的问题：贫困、宗教冲突、环境恶化、政治独裁、腐败、恐怖主义的威胁和大量毁灭性武器的存在。

　　那些必须设计公司未来的领导者为发现一条明智的道路面临着巨大的挑战。变化在日新月异的速度下发生着；今天不同于昨天，明天又将和今天不同。继续着今天的战略方针是危险的；同样，转向新的战略也充满着风险。

　　有这样几个确定无疑的趋势必须加以注意的：首先，全球化的力量会继续影响每一个人的商务活动和个人生活。制造业将会移向经济上更加有利的地区，而保护主义者的一些措施虽会阻止这种转移，但对每个人而言将是提高成本。其次，科技力量将会继续进步，并使我们惊奇不已。克隆羊多利仅仅是生物革命的开始。人类基因工程有希望引入新的医学良药。数字革命产生的芯片正在进入智能化的住宅、汽车，甚至服装。我们正处于智能化、机器人能为我们做大部分工作的时代开端。我们中的一些人甚至能在太空船中观光和生活。第三，经济部门管制的日益放松。越来越多的人和越来越多的国家已确信，市场在相对自由的环境中会运作得更好。买方能自由决定采购什么，去何处采购；卖方能自由决定制造、销售什么。竞争性经济能比高度管制或计划经济创造更多的财富。许多国家都在将国有企业私有化以发挥竞争的优势。

全球化、科技进步和政府管制的放松这三种发展趋势意味着无穷无尽的机会。正如约翰·戈登（John Gardner）在多年以前观察到的"每个问题后面都蕴藏着无限的机遇"。

然而，什么是营销学？营销学又和这些重大问题有什么关系呢？营销学主要是辨别和满足人类与社会的需要。对营销学所作的一个最简短的定义就是"有利益地满足需要"。无论是注意到人们不希望体重过重但又想得到可口和低热量的食品，从而发明了奥利斯特(Olestra)的宝洁公司(Procter & Gamble)，还是注意到人们在买二手汽车时想要更多的确定性，从而发明了卖二手车的新方法的汽车组合公司（CarMax）；还是注意到人们想以低价购买好的家具，从而开发了可组装的家具的宜家公司（IKEA），所有这些都说明了这是一种把社会或个人的需要变成有利可图的商机的行为。

营销学的任务

最近有一本名为《基础营销学》(Radical Marketing)的书赞扬了诸如哈雷－戴维森（Harley-Davidson）、澳大利亚维珍航空公司（Virgin Atlantic Airways)和波士顿啤酒公司等企业成功突破了营销惯例。[1]这些企业并没有委托进行昂贵的营销调研，也没有在广告上投入巨额资金和设立庞大的营销部门，而是充分利用它们有限的资源，紧密贴近顾客、针对顾客的需要创造出了令人满意的解决方案。它们成立了用户俱乐部，应用有创造力的公众关系，并致力于以较高的产品质量赢得顾客的长期忠诚。看起来，并非所有营销都必须沿着宝洁公司的路子走。

实际上，我们可以把营销活动可能经过的历程分为三个阶段：

1. 企业家的营销。大多数公司都是由一些靠聪明才智谋生的个人所创建的。他们在观察到一个机会后，就会去敲开每扇门以引起注意。波士顿啤酒公司的创立者吉姆·科克(Jim Koch)推出的塞缪尔·亚当斯牌(Samuel Adams)啤酒，如今已经成为同行业中销量最好的啤酒。但在1984年公司创立之初，他却是带着一瓶瓶的塞缪尔·亚当斯啤酒，一间酒吧一间酒吧地上门劝说酒吧老板试饮该啤酒。他极力恳求、哄着他们把该啤酒加进菜单中。将近10年之久，他仍负担不起广告预算。他只是通过直接销售渠道和基层公众关系来推销自己的啤酒。今天，他的公司的利润已达2.1亿美元，成为该行业的领头羊。

2. 惯例化的营销。随着小公司不断取得成功，它们不可避免地要转向更多的惯例化营销。波士顿啤酒公司最近花了大约1 500万美元在有选择的市场中做电视广告。公司现在雇用了175个销售人员，也有了营销部门来做市场调研。尽管波士顿啤酒公司与它的对手安休斯－布希公司（Anheuser-Busch）相比，并不是很先进的企业，但它也采用了大公司专业化营销的一些手段。

3. 协调式的营销。许多大公司陷入了惯例化的营销中，它们集中精力去阅读最新的尼尔森数据，浏览市场调研报告，试图最好地调节与经销商的关系和利用广告信息。但这些公司缺乏在第一阶段，即企业家阶段游击性的营销者所具备的那种创造力和热情。[2] 它们的品牌经理和生产经理需要走出办公室，和它们的顾客生活在一起，把那些能为其顾客的生活增加价值的新方法具体化。

其底线就是有效的营销能采取许多形式。在营销惯例化的一面和具有创造力的一面之间永远存在着紧张关系。惯例化的一面更容易学习，在本书中将吸引我们大部分的注意力。但是，我们在本书中也将看到真正的创造力和热情在许多企业内部是如何运作的，这也应该被今天和明天的经理人所运用。

营销学的范围

典型营销学的主要任务被认为是创造、推销、传递商品和服务给顾客和商家。实际上，营销界的人们涉及十种概念：商品（goods）；服务（service）；经历（experiences）；事件（evens）；个人（persons）；地点（places）；财产权（properties）；组织（organizations）；信息（information）；观念（ideas）。

商品

有形的商品在许多国家构成了生产、营销工作的大部分。仅就美国经济而言，每年就要生产、销售 800 亿个鸡蛋、30 亿只鸡、500 万个发夹、2 亿吨钢材、40 亿吨棉花。在发展中国家，有形商品，尤其是食物、日用品、服装和住房，是经济的主要支柱。

服务

随着经济的进步，经济活动将越来越多地集中于服务业。今天的美国经济就是由 70% 的服务和 30% 的有形商品组合而成。服务业主要包括：航空业、旅馆业、汽车租赁公司、理发师和美容师、保养维修服务人员、宠物寄养处和宠物医院的工作；在公司内或为公司服务的专业人士，如会计、律师、工程师、医生、软件编程人员和管理咨询专家的工作也属于服务。许多市场上的供应品都是由有形商品和服务的各种组合所构成。在纯服务的一端会有一个精神科医生在听患者的倾述，或是一个四重奏在演奏莫扎特的作品；在另一种服务水平上，需要建设一个投在厂房设备上的巨大投资所支持的电话通信服务；在一个更可见的水平上，会产生一个生产速食食品的企业，顾客既可享用食品又可享用服务，进行双重消费。

经历

通过协调多种类型的服务和商品，人们能够创造、表演和营销经历。沃尔特·迪斯尼世界（Walt Disney World）的梦幻王国就是这样一种经历。人们可以拜访童话王国，登上海盗船做太空遨游，走进鬼屋猎奇。重摇滚乐咖啡馆和行星好莱坞世界也是如此。现在有许多提供体验各种经历的市场，例如，用一个星期的时间在棒球队和一些退役的棒球巨星打比赛，或是付钱指挥 5 分钟的芝加哥交响乐团演奏，或是攀登珠穆朗玛峰。[3]

事件

营销人员还可以宣传一些有历史意义的事件，如奥运会、企业周年纪念、大型贸易展览、体育比赛以及艺术表演等。现在已有能为一个事件精心计划并负责让它完美地推出的专业人士了。

个人

创造名人效应营销已变成一种重要的商业活动。几年前，一些希望出名的人可能会雇用新闻代理机构在报纸和杂志上为他们编故事。今天，每个著名影星都有一个代理人或私人经理，以便与公共关系机构保持密切联系。艺术家、音乐家、首席执行官、医生、高收入的律师、金融家和其他专业人士正从名人效应营销家中获取帮助。[4]在演艺圈，安迪·沃霍尔（Andy Warhol）很明白如何把企业家营销原则用于树立自己的名望。管理咨询家汤姆·彼得斯（Tom Peters）是一个很善于建立自我品牌的人，他曾建议每个人都让自己成为一种"品牌"。

地点

地点，包括城市、州、地区和整个国家，都积极地争取吸引游客、工厂、公司总部和新的居民。[5]加拿大安大略省斯特拉特福是一个相当破旧的城市，它惟一的资产就是它的名声和一条名为埃文的河。这就使它成了一年一度莎士比亚戏剧节的基地，使得斯特拉特福成为一个观光地。爱尔兰岛上有许多出色的地点营销者，它已经吸引了500多家企业把它们的厂房设于此地，它又成立了爱尔兰发展董事会、旅游董事会和出口董事会，分别对内部投资、旅游、出口负责。地点营销者包括：经济发展专家，房地产经销商，商业银行，本地区商业协会、广告和公众关系机构。

财产权

财产权是指所有权（如房地产产权或股票、债券等金融资产）的无形权利。财产权可以买卖，这个过程就包含了营销的力量。房地产代理机构既为财产权拥有者出售居住用或商业性的房地产而工作，又为买方购买房地产而工作。投资公司和银行则参与既面对机构投资又面对个人投资的证券的营销。

组织

组织总是积极致力于在公众心目中树立起一种强大的、良好的形象。我们看到企业为获得更多的公众认可而做的企业形象广告（corporate identity ads）。荷兰飞利浦电器公司(Philips)打出了标志性的广告语："让我们做得更好"。博迪商店（Body Shop）和本－杰里公司（Ben & Jerry）通过推动公众事业来引起人们的注意。有些企业则应把它们显著的名望归功于企业杰出的领导人，例如，维珍航空公司的理查德·布兰森(Richard Branson)和耐克公司的菲尔·奈特(Phil Knight)。大学、音乐厅和一些从事艺术活动的组织为了能够更成功地争取到观众和资金，都要制定计划以提高它们的公众形象。

信息

信息也可以像产品一样被生产和营销。中小学和大学可以在一定的价格上对父母、学生和社团生产和分销；百科全书和许多非小说性质的书就是在销售信息；杂志像 *Road and Track* 和 *Byte* 都在提供相当多的关于汽车和计算机世界的信息；我们购买光盘或上网也是为了获取信息。信息的生产、包装和分销已成为社会的一个主要产业。[6]

观念

每个市场供应物的核心都包括一个基本的观念。露华浓公司（Revlon）的查理·雷弗逊（Charley Revson）这样阐释："在工厂里，我们制造化妆品；在商店里，我们出售希望。"钻头的购买者实际上是想获得一个洞。产品和服务只是传递一些观念和利益的平台，营销人员要努力探索它们正试图满足的核心需要。例如，设计一个教堂必须决定是使它成为一个标志性建筑，还是把它当作社会的中心。选择不同，对教堂的设计也将不同。

对营销任务的一个更拓宽的观点

营销人员要善于为公司的产品创造需求。但是，如果这只是对营销人员所从事的任务的一种看法，那就太局限了。就如同生产、后勤部门的专业人士要对供给管理（supply management）负责一样，营销人员应对需求管理（demand management）负责。营销经理为了满足本企业的目标，要试图去影响需求的水平、时机和构成，表1—1划分了需求的八种不同状态和营销经理在这些不同状态下的任务。

表 1—1　　　　　　　　　　　需求状况和营销者的任务

1. 负需求	如果绝大多数人都对某个产品感到厌恶，甚至愿意付钱回避它，那么这个产品市场便是处于一种负需求。雇主们对不讲理的和嗜酒成性的雇员也感到是一种负需求。营销者的任务是分析市场为什么不喜欢这种产品，以及是否可以通过产品重新设计、降低价格和更积极推销的营销方案来改变市场的信念和态度
2. 无需求	目标消费者可能对产品毫无兴趣或者漠不关心。农场主可能对一件新式农具无动于衷，大学生可能觉得学外语索然无味。营销者的任务就是设法把产品的好处同人的自然需要和兴趣联系起来
3. 潜在需求	有相当一部分消费者可能对某物有一种强烈的渴求，而现成的产品或服务却又无法满足这种需求。如人们对于无害香烟、安全的居住区、节能汽车等有一种强烈的潜在需求。营销者的任务便是衡量潜在市场的范围，开发有效的商品和服务来满足这些需求
4. 下降需求	每个组织或迟或早都会面临市场对一个或几个产品的需求下降的情况。如教会发现它的教徒越来越少，私立大学收到的入学申请书寥寥无几。营销者必须分析需求下降的原因，并决定能否通过开辟新的目标市场，改变产品特色，或者采用更有效的沟通手段来重新刺激需求。营销者的任务便是通过创造性的再营销来扭转需求下降的趋势

5. 不规则需求	许多组织面临着每季、每天甚至每小时都在变化的需求。这种情况导致了生产能力不足或过剩的问题。在大规模的交通系统中，大量的设备在交通低潮中常常闲置不用，而在高峰时又不够用；平时参观博物馆的人很少，但一到周末，博物馆却门庭若市；医院手术室通常在每周的前几天忙得不可开交，可到每周的后几天则无人问津。营销者的任务则可以通过灵活定价、推销和其他刺激手段来改变需求的时间模式
6. 充分需求	当组织对其业务量感到满意时，就达到了充分需求。营销者的任务是在面临消费者偏好发生变化和竞争日益激烈时，努力维持现有的需求水平。各种组织必须保证产品质量，不断地衡量消费者的满意程度
7. 超饱和需求	有些组织面临的需求水平会高于其能够或者想要达到的水平。金门大桥所承受的交通负担超过了安全载量，黄石公园在夏季拥挤不堪。营销者的任务就是设法暂时地或者永久地降低需求水平，这就是低营销。一般的低营销就是不鼓励需求，包括提高价格、减少推销活动和服务。有选择的低营销则采用尽量降低来自盈利较少和服务需要不大的市场的需求量
8. 不健康需求	不健康的产品将引起有组织的抵制消费的活动。对酒、毒品、手枪、暴力和色情电影都曾举行过抵制运动。在这里，营销者的任务是劝说喜欢这些产品的消费者放弃这种爱好，采用的手段有：宣传它们是有害的、大幅度提价以及减少供应

资料来源：See Philip Kotler, "The Major Tasks of marketing Management," *Journal of Marketing*, October 1973, pp. 42 ~ 49; and Philip Kotler and Sidney J. Levy, "Demarketing, Yes, Demarketing," *Harvard Business Review*, November-December 1971, pp. 74 ~ 80.

营销人员要作出的决策

营销经理面临着一系列的决策。从一些重大的决策（如在新产品设计中的产品特征是什么，雇用多少销售人员，在广告上投入多少资金）到一些次要的决策（如新产品的包装上用什么文字或颜色等）。"营销备忘——营销人员经常问的问题"列举了营销经理要询问的许多问题，这些问题在本书中都会予以回答。

营销备忘

营销人员经常问的问题

- 我们如何识别和选择所服务的细分市场？
- 我们如何把我们的提供物与竞争者的提供物差别化？
- 我们如何应答要求低价的顾客？
- 我们如何与低成本、低价的国内外竞争者竞争？
- 我们如何为每个顾客定制供应品？

- 我们用哪些主要的方法使我们的业务拓展？
- 我们如何建设我们的品牌？
- 我们如何减少顾客认为有价值的成本？
- 我们如何使我们的顾客保持长期的忠诚？
- 我们如何辨认哪些顾客是更重要的？
- 我们如何衡量来自广告、销售促进和公共关系的回报率？
- 我们如何改进销售队伍的效率？
- 我们如何建立多重渠道和管理渠道冲突？
- 我们如何使公司的其他部门更注重顾客导向？

营销问题的重要性也会随市场的不同而有所变化。考虑以下四个市场：消费者市场、企业市场、全球市场和非营利市场。

消费者市场

销售诸如软饮料、牙膏、电视机、航空服务等大众消费型商品和服务的企业，要花很多的时间以建立起一个高级的品牌形象。这就要求这些企业对它们的目标顾客有一个清晰的认识，知道它们的产品想满足什么样的需要，它们要对品牌定位，做有力量、有创造性的宣传。大多数品牌力量的建立主要依靠研制出一种高质量的产品，包装它，并以持续的广告和可信赖的服务支持它。销售力量在获得和保持贸易分销上起了重要的作用。但对树立品牌形象却没有太大的帮助。消费品营销人员要决策能帮助他们的品牌在目标市场赢得第一或第二的位置的产品特征、质量水平、分销覆盖率和推销费用等问题。

企业市场

推销企业产品和服务的公司所面对的是受过良好训练，信息灵通的专业化购买者，他们对评价有竞争力的报价很内行。企业买主购买商品是为了使它们能够进行再加工或再销售。他们购买的目的是为了获利。为企业服务的营销人员必须说明他们的产品如何能帮助企业顾客获得已确定的盈利目标。广告虽有一定作用，但更具决定性的因素则是销售力量、价格、公司的可信度和产品质量上的声誉。

全球市场

在全球市场上推销商品和服务的公司面临着更多的抉择和挑战。它们必须决策：进入哪个国家；如何进入（是作为出口商、特许经营商、合资企业的合伙人、合约制造商或单独制造商）；如何调整商品和服务的特色，以适应各个国家的需求；如何在不同的国家为产品定价，把价格定在一个足够狭小的幅度内以避免为其产品创出一个灰色市场；如何使企业的宣传方式适合每个国家的文化习惯。这些决策的作出要面对各国不同的法律体系、不同的谈判方式以及对如何购买、拥有、处置财产权的不同要求；它们还要面对货币价值的波动、各国政治倾向等问题。

非营利和政府的市场

把商品卖给诸如教堂、大学、慈善团体或政府机关这些非营利组织的公司，在定价时要非常小心。因为这类组织的购买力很有限，较低的价格可能会影响卖方所提供商品的特性和质量。在卖给政府组织时，要制作许多表格。许多政府的购买都以招标的形式进行，在没有其他偏袒因素的影响下，以最低标价被满足为基准。

营销观念与工具

营销学包含了一批内容丰富的观念与工具。我们首先对营销作出定义，然后再解释它的一些主要的观念和工具。

定义营销

学者们对营销作了大量的定义，但我们从中突出它的社会和管理上的定义。一个从社会角度出发的定义表示了营销的社会作用。曾有一位营销者认为营销的作用是"传递一种更高标准的生活"。从社会角度看，我们认为：

营销(marketing)是个人和集体通过创造，提供出售，并同别人自由交换产品和价值，以获得其所需所欲之物的一种社会和管理过程。

从管理的角度定义，营销经常被描述为"推销产品的艺术"。然而，当人们得知营销最重要的内容并非推销时，不免大吃一惊！推销只不过是营销冰山上的顶点。著名管理理论家彼得·德鲁克（Peter Drucker）曾经这样说：

可以设想，某些推销工作总是需要的。然而，营销的目的就是要使推销成为多余。营销的目的在于深刻地认识和了解顾客，从而使产品或服务完全适合顾客的需要而形成产品自我销售。理想的营销会产生一个已经准备来购买的顾客。剩下的事就是如何便于顾客得到这些产品或服务。[7]

当索尼公司(Sony)设计了随身听，当任天堂(Nietendo)设计出高级电子游戏机，当丰田公司(Toyota)推出凌志轿车时，这些制造商的订货多得应接不暇，因为它们在大量营销工作的基础上设计出了"合适的"产品。

美国市场营销协会(American Marketing Association)对营销所下的定义是：

营销（管理）[marketing（management）] 是计划和执行关于商品、服务和创意的观念、定价、促销和分销，以创造符合个人和组织目标的交换的一种过程。[8]

从事交换活动需要相当多的工作和技巧。营销管理是发生在当一桩潜在交易中至少有一方正考虑着如何从另一方获得其所渴求的反应的那些目的和手段的过程。我们看到营销管理作为一种艺术和科学，它需要选择目标市场，通过创造、传递和沟通优质的顾客价值，获得、保持和增加顾客。

核心营销观念

我们通过定义下面几个核心观念来加深对营销的理解。

目标市场与细分

在市场上，一个营销机构很难做到使每一位顾客都满意。顾客各有所好，他们不会都喜欢喝同一种软饮料，住同一家旅馆，在同一家餐厅吃饭，开同一个牌子的小汽车，选择同一所大学就读或喜欢看同一部电影。针对这一现象，市场人员就得从市场细分（market segmentation）开始。根据顾客所喜欢或需要的产品和营销组合的不同，营销者可以把他们分成具有明显特征的消费群体。市场营销人员往往根据消费者在人文、心理以及行为上的差异来进行市场细分。然后，公司可以判断出能为它们带来最大机会的服务对象——往往这部分消费群体更有可能购买公司的产品。

公司为每一个目标市场开发一个市场供应品(market offering)。公司供应品的开发是以目标购买者来定位(positioned)的，这些供应品的性能要能够给顾客带来核心利益。例如，富豪车的目标市场是那些把安全作为第一考虑的购买者，因此，沃尔沃公司(Volvo)把富豪车定位在消费者所能买到的最安全的小汽车上。

传统的观念认为，"市场"这个词是指买方和卖方聚集在一起进行交换的实地场所。经济学家现在则用市场来泛指一个特定产品或某类产品进行交易的卖方和买方的集合（房产市场或粮食市场）。然而，在营销者看来，卖方构成产业(industry)，买方则构成市场(market)。图1—1描述了产业和市场的关系。卖方和买方通过四个流程连接起来。卖方把商品、服务以及通过传播(广告、直邮)传送到市场；反过来，它们收到货币和信息(态度、销售资料)。图中，内圈表示货币和商品的交换，外圈表示信息的交换。

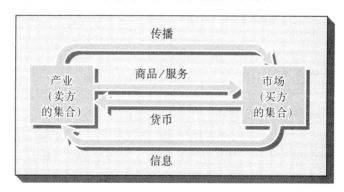

图1—1 一个简单的营销系统

商人口头上用市场这个词来概括各种不同的顾客群体。他们谈及需求市场(如减肥市场)、产品市场(如鞋类市场)、消费者群市场(如青年市场)，也谈及地区市场(如法国市场)。甚至，他们还把市场这个概念引申到非消费者群体，如选举者市场、劳动力市场和捐赠市场。

现代经济中充满了市场这个概念。图1—2显示了五个基本市场以及它们之间的流程。基本流程是：制造商在资源市场（resource market）（原材料市场、劳动力市场、金融市场）购买各种资源，然后把它们转变为产品和服务，再将其出售给中间商，由中间商把产品转售给消费者。消费者则出售自己的劳力，然后得到货币收入，以此来支付他们所购买的商品和服务的价款。政府从资源制造商和中间商市场购买产品，付钱给它们，政府向这些市场征税；同时，向其提供各种必需的公共服务。每一个国家的经济和整个世界经济都是由各种市场组成的复杂体系，而这些市场之间则由交换过程彼此连结在一起。

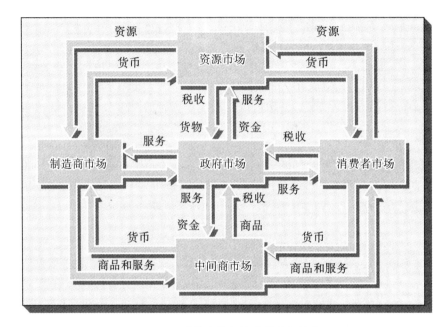

图1—2　现代交换经济中的流程结构

现在，我们已经能够区分出这两个概念，即什么是市场地点(market-place)，什么是市场空间(marketspace)。市场地点是一个物理概念，如在百货商店购物；而市场空间则是一个数字概念，如网上购物。很多观察家认为，网上购物将会有一个数量上的增长，这一增长是从传统市场地点购物方式发展而来的。[9]参见"新千年营销——电子商务：小猫鹰时代"。

莫汉·索内（Mohan Sawhney）已经提出了大市场（metamarket）的概念，这个概念用于描述一组能够互补的产品和服务，它们在消费者的观念中是密切相关的，但是，它们跨越了一系列不同的行业。汽车大市场就包括了众多方面，比如说汽车制造商、新旧车经销商、金融公司、保险公司、机械师、零件商、服务店、汽车杂志社、报纸上的分类汽车广告以及因特网上的汽车网站。如果一名顾客打算买一辆小汽车，他就得涉及这个大市场的很多部分。针对这一情况，它创造了一个大媒体（metamediaries）的机会，购买者可以借助它成功地忽视某一大市场的很多部分，虽然在物理空间上这些部分不是相互联系的。例如，伊特玛特(Edmund)(www.edmunds.com) 这个网站向汽车购买者提供了多项服务(包括不同品牌汽车的最新报价)并链接到其他网站查询最低成交价、汽车零部件以及二手车的价格。因特网也可用于其他领域的市场，比如说房地产市场、老人和婴儿护理市场以及婚礼服务市场。[10]

电子商务：小猫鹰时代

1997 年，全部电子商务（e-commerce）的销售额（即通过网上进行的交易）合计才 20 亿美元，这只相当于诸如沃尔玛大型超市（Wal-Mart）几天的营业额，相当于美国经济 85 000 亿美元总产值的很小一部分。

电子商务看起来运作得不是很好，但为什么投资者还热衷于购买网络股票呢？如亚马逊网站（Amazon. com）的股票大幅升值，而这个网站却在赔钱。

投资者们认为网络空间将会是未来的商务模式。正如亚马逊网站的首席执行官杰夫·贝左斯（Jeff Bezos）所说："现在是电子商务大显身手的时代"，他把因特网技术的运用和早期时代的飞机相类比。虽然这个进程较慢，但却是确定无疑的，消费者将离开大型商厦而去网上购物。据预测，到 2000 年，电子商务交易将会激增到 3 270 亿美元，是 1997 年销售额的 233%。任何怀疑电子商务潜在力量的人都会丢掉这种对顾客、对商家都有益的机会：

● 便利性。网络商店永远不会关门下班。在最近的一项调查中表明：热衷于网上购物的人们认为便利性是使他们在网上购物的首要原因。如家庭娱乐 REI 公司，其 30% 的订单都是在晚上 10 点到早上 7 点之间达成的。它们没有花费开店和雇用服务人员的费用。便利性还为诸如在线零售商如比波特（Peapod）和现代在线（Streamline）创造了机会，从而满足当天要货的顾客。

● 经济。戴尔计算机公司（Dell）和通用电气公司（General Electric）的商务活动都是通过因特网与供货商、生产商、分销商和顾客直接联系。它们降低销售成本，让利于顾客。在线零售商如亚马逊网站能获得逆向经营循环中的好处：当顾客订货后，亚马逊一天内就能从信用卡公司提取现金，并持有 46 天之久，才付给供货商、图书分销商、出版商。顾客也获得了很多，因为他们浏览网络以寻找最低价。甚至还有一些比较产品的网站，它们提供免费购买者指南，使用户能比较 1 万多种产品的特性。

● 选择。由于不受有形边界的限制，网络空间能提供几乎无限的选择。走入现代光盘（CDNow）和虚拟葡萄园（Virtual Vineyards）的网站，然后比较选择本地的音乐或烈酒产品。地理边界的消除使全世界的市场开放了，这使得新贵暴发户很难与历史久远的企业加以区别开来。

● 个性化。随着计算机能分割从网络上下载的信息，商务人员可把销售口号，甚至把产品个性化。CNN 网站使每个人都能制作自己的新闻剪辑，并每 15 分钟更新一次。戴尔公司使得购买其产品的顾客能定做网页，或叫主页。壳牌石油公司（Shell）能让采购经理了解到最新的产品和不断变化的价格，并能追踪在网上购买戴尔电脑的订单情况。

● 信息。虽然网络不提供面对面的人员接触，但它能比售货员以更有用的形式提供更多的信息。如电子玩具（eToys）能为父母提供来自顾客、教育界的玩具推荐。现代光盘能提供唱片记录回顾，信息两天更新一次。一个顾客每次从网上购买一种商品，企业就能获取一份有价值的市场调研信息。

电子商务的所有这些好处并不是无需代价就能获得。许多中介服务机构，如旅行社、股票经纪人、保险推销员、汽车经销商，甚至传统零售商都受到了最大的威胁。这些公司都在担心，能要求最低价格的顾客将操纵一切。最终，商家也很快认识到：仅在公司名字后面加个".com"后缀是不够的，想在网络上成功，必须对公司进行重组和定位。

资料来源：Robert D. Hof, "The Click Here Economy," *Business Week*,, June 22, 1998, pp. 122～128; Michael Krantz, "Click Till You Drop," *Time*, July 20, 1998, pp. 34～39; Tina Kelley, "Internet Shopping: A Mixed Bag," *New York Times*, July 30, 1998, p. G1～G2; Cynthia Mayer, "Does Amazon＝2 Barnes&Nobles? Market Values May Not Be So Crazy," *New York Times*, July 19, 1998, p. 4; Rajiv Chandrasekaran, "More Shoppers Are Buying Online," *Washington Post*, December 24, 1997, p. C1; Edward R. Berryman, "Viewpoint: Web Commerce: Be Prepared," *New York Times*, October 12, 1997, p. 3; Joel Kotkin, "The Mother of All Malls," *Forbes*, April 6, 1998, pp. 60～65.

营销者和预期顾客

营销者（marketer）从预期顾客（prospect）处寻求响应（态度、购买、选票、捐赠）。如果双方都在积极寻求交换，那么，我们把双方都称为营销者。

需要、欲望和需求

营销者必须努力理解目标市场的需要、欲望和需求。需要（needs）描述了基本的人类要求。人们需要食品、空气、水、衣服和住所以生存，人们还强烈需要娱乐、教育和文化生活。当人们趋向某些特定的目标以获得满足时，需要变成了欲望（wants）。一个美国人需要食品，欲望是想要得到一个汉堡包、法国烤肉和可口可乐。在毛里求斯，人们需要食品，欲望是得到芒果、大米、小扁豆和蚕豆。需要往往被人们所处的社会具体化。

需求（demands）是指对有能力购买的某个具体产品的欲望。许多人都想要一辆梅塞德斯（Mercedes）汽车，但只有极少数人能够并愿意买一辆。公司不仅要估量有多少人想要本公司的产品，更重要的是，应该了解有多少人真正愿意并且有能力购买。

上述区别澄清了对市场营销有非议的人所经常提出的责难，如"营销者创造需要"或"营销者试图使人们购买不需要的东西"。营销者并不创造需要：需要存在于营销活动之前。营销者，连同社会上的其他因素，只是影响了人们的欲望。营销者可能向消费者建议，一辆梅塞德斯汽车可以满足人们对社会地位的追求。然而，营销者并不创造人们对社会地位的需要。

产品或供应品

人们靠产品来满足他们的需要和欲望。产品（product）是任何能满足人类某种需要或欲望的东西。我们可以提到各种供应品（offerings）：商品、服务、经历、事件、个人、地点、财产权、组织、信息和观念。

品牌（brand）是一种基于被消费者认可而形成的资产。比如，提到麦当劳这个品牌，人们就会联想到汉堡包、快乐的孩子、快餐、金色拱门，这些就形成了麦当劳的品牌形象。所有公司都在为建立实力强大、受消费者钟爱的品牌形象而奋斗。

价值与满意

如果某个公司的产品或所提供的服务能够给目标购买者带来价值并令他们满意，那么该公司的产品和服务是成功的。顾客决定选择哪家公司的哪种型号产品的依据是看其是否能够给他们带来最大的价值。价值（value）就是顾客所得到（gets）与所付出（gives）之比。所得到的包括功能利益和情感利益；而所付出的包括金钱、时间、精力以及体力。由此，价值可用以下公式表达：

$$价值 = \frac{利益}{成本} = \frac{功能利益 + 情感利益}{金钱成本 + 时间成本 + 精力成本 + 体力成本}$$

营销人员可以通过以下几种方法提高购买者所得价值：

- 增加所得利益。
- 降低消费成本。
- 增加所得利益的同时降低成本。
- 利益增加幅度比成本增加幅度大。
- 成本降低幅度比利益降低幅度大。

一名顾客在两件商品中选择，这两件商品的价值分别为 V_1，V_2。如果 V_1 与 V_2 的比值大于 1，这名顾客会选择 V_1；如果比值小于 1，他会选择 V_2；如果比值等于 1，他会觉得两者之间没什么差别。

交换和交易

人们可以通过四种方式获得产品。第一种方式是自行生产。在这种情况下，既没有市场，更无所谓营销。第二种方式是强行取得。一个饿汉可以从另一个人那儿夺取食物。对另一个人而言，除了可能未被伤害之外，毫无益处。第三种方式是乞讨。饿汉可以向别人乞讨食物。除了一声谢谢以外，乞讨者没有拿出任何东西。第四种方式是交换，这个饥饿的人找到一个拥有食物的人，就用某些东西，如钱、别的实物或某些服务与之交换食物。

交换（exchange）就是通过提供某种东西作为回报，从某人那儿取得所想要东西的行为。交换的发生，必须符合五个条件：

- 至少要有两方。
- 每一方都有被对方认为有价值的东西。
- 每一方都能沟通信息和传送货物。
- 每一方都可以自由接受或拒绝对方的产品。
- 每一方都认为与另一方进行交易是适当的或是称心如意的。

交换能否真正产生，取决于买卖双方能否找到交换的条件，即交换以后双方都比交换以前好（或至少不比以前差）。这里，交换被描述成一个价值创造过程，即交换通常总使双方变得比交换前更好。

交换应被看做是一个过程而不是一个事件。如果双方正在进行谈判（negotiating）并趋于达成协议，这就意味着他们正在进行交换。一旦达成协议，我们就说发生了交易行为。交易（transaction）是由双方之间的价值交换所构成的。我们可以这样说：A 把 *X* 给 B 以换得 *Y*。琼斯给史密斯 400 美元，从而得到一台电视机，这是一种典型的货币交易。但是，在交易中并不要求把货币作为惟一的用以进行交换的价值。用交换服务来代替货物也可以构成一项实际交易，如琼斯律师为史密斯医生写一份遗嘱，而史密斯为琼斯作一次体格检查。

一次交易包括几个可以量度的实质内容：至少有两个有价值的事物，买卖双方所同意的条件、协议时间和协议地点。通常应建立一套法律制度来支持和强制交易双方执行。如果没有合同法，人们可能在交易中互不信任，从而大家吃亏。

交易与转让不同。在转让(transfer)过程中，A 把 *X* 给 B，但并不接受任何实物作为回报。一件礼物、一份补助金，或者一项慷慨的捐助，我们称它为转让，而不是交易。营销学看起来似乎只限于研究交易，而不研究转让。但是，转让行为也可以用交换的概念来解释，典型的表现是，转让者给某人一件礼物，必定是出于某种期待，比如，想得到某人的感谢，或者想看到接受者有良好行为。一些以筹措资金为职业的人十分敏锐地意识到构成捐赠行为的这种互惠动机，因此尽量使这些捐赠者受惠，如寄送表示感谢的卡片，使其在捐献者杂志上扬名，特邀其参加为捐款而举行的活动等等。近年来，营销者拓展了营销概念的内涵，不仅包括研究交易行为，也包括研究转让行为。

从最广义上讲，营销者追求的是诱发另一方的某种反应。工商企业需要的反应是购买，政治候选人需要的反应是投票，教堂需要的则是入教，社会组织需要的就是接受某种观念。营销就是诱发目标受众对某一预期产生反应所采取的种种行为。

为了促使交换成功，营销者必须分析参与交换的双方各自希望拿出什么和得到什么。简单的交换情况可以通过两个当事人和他们之间的特定资源的流程图来表明。假定世界上最大的挖土设备制造商卡特彼勒公司（Caterpillar）调查研究一个典型的建筑公司在购买设备方面所寻求的利益。这些利益动机见图1—3。一个潜在的顾客希望得到高质量的设备、公平的价格、及时的送货、优

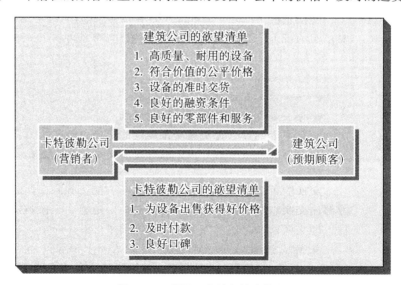

图 1—3 显示双方欲望的交换图

惠的付款条件和良好的服务。买方要求的欲望清单（want list）的重要性随不同买主而异。卡特彼勒公司的任务之一是找出买方这些不同要求的重要程度。

同时，卡特彼勒公司也有一个欲望清单，即把设备卖个好价钱、买方能及时付款并赢得赞誉。如果这些要求一览表所列的条件完全一致或部分一致，交易就有了基础。卡特彼勒公司的任务是给出一个报价并促使建筑公司购买其设备，而建筑公司则可以还价。这样一个寻求双方意见一致的过程就是谈判。若谈判结果是双方不能达成协议，那么就不能做成交易。

关系和网络

交易营销是关系营销大观念的一部分。关系营销(relationship marketing)是与关键成员（顾客、供应商、分销商）建立长期满意关系的实践，目的是保持营销者长期的业绩和业务。[11]营销者通过不断承诺和给予对方高质量的产品、优良的服务和公平的价格来实现关系营销。关系营销使有关各方建立了经济、技术和社会方面的纽带关系。关系营销还可以减少交易成本和时间；在最佳状况下，交易可从每次都要协商变为惯例化。

关系营销的最终结果是建立起公司的独特资产，即一个营销网。营销网(marketing network)由公司与所有它的利益关系方（stakeholders）（顾客、员工、供应商、分销商、零售商、广告代理人、科学家和其他人）建立互利的业务关系。这样，竞争不是在公司之间进行，而是在整个网络之间进行。一个建立了更好关系网的公司将获胜。该操作原则是简单的：与关键的利益关系者建立良好的关系网后，利润会滚滚而来。[12]

营销渠道

为了接触到目标市场，营销人员可通过三种营销渠道。一是通过信息传播渠道（communication channels）发送信息，并从买主那里获取信息。该渠道包括：报纸、杂志、广播、电视、信件、电话、招标栏、告示、传单、光盘、录音磁带和因特网。除此之外，还有人员面部表情、服饰、零售店的外观和许多其他媒介也传递着交流信息。营销人员为了弥补广告等单向渠道（monologue channels）的不足，不断增加对双向交流渠道（dialogue channels）的使用(邮件、免费电话)。

二是营销商通过分销渠道(distribution channels)向购买者和使用者展现、传递有形的产品或服务。具体包括有形商品的分销渠道和服务类商品的分销渠道，如仓库，运输工具，各种贸易渠道（分销商、批发商和零售商）。

三是营销商可通过销售渠道（selling channels）与潜在的用户打交道。销售渠道不仅仅包括分销商和零售商，也包括能方便交易的银行和保险公司。营销商在为他们的销售物选择信息传播、分销、销售这三种渠道的最佳组合时，面临着一个设计问题。

供应链

尽管营销渠道把营销者和目标购买者联系起来，但供应链描述了从原材料、零部件延伸到传递给最终买主的产成品一条更长的通路。女用手袋的供应链开始于找到皮革制品，进行染色、裁剪、制作，最终进入把产品送到消费者手中的营销渠道。供应链代表了价值传递系统（value delivery system）。每个公司都服务于供应链所产生的全部价值的某一部分。当一个公司打败竞争者，向上游链或下游链扩展时，其目标是为了获取一份更高比例的供应链价值。

竞争

　　竞争（competition）包括购买者可能考虑的所有实际存在的和潜在的竞争产品与替代物。例如，一个汽车制造企业正计划为制造汽车购进钢材。图1—4表明了几种不同水平的竞争者。汽车制造商既可从美国钢铁公司（U. S. Steel）或其他国外同一层次的钢铁公司购买，也可以用较低成本，从像纽克（Nucor）那样小型的钢铁公司购买，或是购买铝材来制造汽车部件，以减轻汽车重量；还可以购买工程塑料（而不是用钢铁）来做汽车的保险杠。

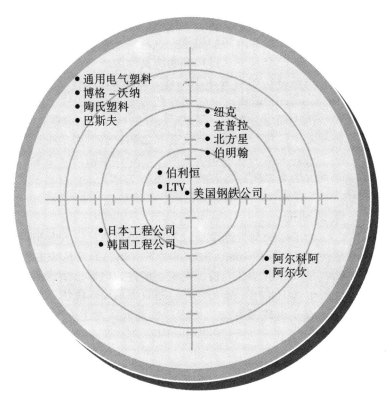

图1—4　美国钢铁公司的雷达扫描

　　显然，如果美国钢铁公司只考虑与它同一层次的竞争者，那么，它就把竞争范围想狭窄了。实际上，从长远的观点看，对美国钢铁公司最大的冲击更可能是来自那些替代产品的生产厂家，而不是直接来自它的钢铁企业的竞争对手。美国钢铁厂也必须考虑或是制造替代性材料，或是仅盯住能提供更优性能的钢铁材料。

　　根据产品替代的观念，我们可以更广泛地区分四个层次的竞争：

　　1. 品牌竞争（brand competition）。当其他公司以相似的价格向相同的顾客提供类似产品与服务时，公司将其视为竞争者。例如，被大众公司视为主要竞争者的是福特、丰田、本田、雷诺和其他中档价格的汽车制造商，但它并不把自己看成是一方面与梅塞德斯汽车竞争，另一方面又与现代汽车竞争的公司。

2. 行业竞争(industry competition)。公司可以把制造同样或同类产品的公司都广义地视作竞争者。如大众公司认为自己在与所有其他汽车制造商竞争。

3. 形式竞争(form competition)。公司可以更广泛地把所有制造能提供相同服务的产品的公司都作为竞争者。如大众公司认为自己不仅与汽车制造商竞争，还与摩托车、自行车和卡车的制造商竞争。

4. 通常竞争(generic competition)。公司还可以进一步地把所有争取同一消费者的公司都看做竞争者。如大众公司认为自己在与所有的主要耐用消费品、国外度假、新房产和房屋修理公司竞争。

营销环境

竞争仅仅是营销者所面临的机会中的一个环境因素。营销环境由工作环境(task environment)和大环境(broad environment)组成。

工作环境包括直接影响产品、分销和促销的人。这些人主要有公司内部各部门、供应商、分销商、经销商和目标顾客组成。在供应组织中还包括材料供应商和服务供应商，如营销调研公司、广告代理人、银行和保险公司、运输与电信公司。分销商和经销商中包括代理人、经纪人、制造商代表和其他推进寻找和向顾客销售的人。

大环境包括六个因素：人文、经济、自然、技术、政治和文化环境。这些环境因素成为影响工作环境的主要因素。营销人员必须密切关注在工作环境中的这些趋势与发展，并且不断调整他们的战略。

营销组合

营销者使用大量工具来引诱来自目标市场的有愿望的响应。这些工具包括在营销组合之中。[13]

营销组合（marketing mix）就是公司用来从目标市场寻求其营销目标的一整套营销工具。

麦卡锡(McCarthy)把这些工具概括为四类，称之为四个"P"：产品，价格，地点和促销。[14]每个P下面都有若干特定的变量，见图1—5。营销组合决策还应考虑贸易渠道与最终消费者。图1—6显示公司准备了一个产品、服务和价格的供给组合（offerering mix），利用销售促进、广告、人员推销、公共关系、直接邮售和电信销售等促销组合(promotion mix)，把它们送到分销渠道和目标消费者手中。

一般来讲，企业在短期内可以修订价格，增加推销力量和广告开支。而开发新产品和改革渠道则需要较长时间。因此，在短期内，企业通常只能对营销组合诸变量中的少数几个进行变更。

注意4Ps是代表了销售者的观点，即卖方用于影响买方的有用的营销工具。从买方的角度，每一个营销工具都是用来为顾客提供利益的。罗伯特·劳特博恩(Robert Lauterborn)提出了与4Ps相对应的顾客4Cs。[15]

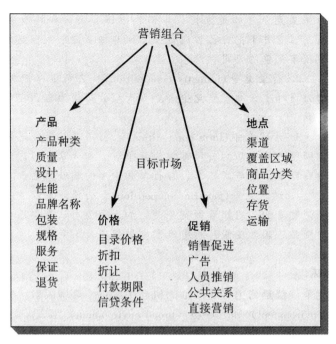

图 1—5 营销组合的 4 个 P

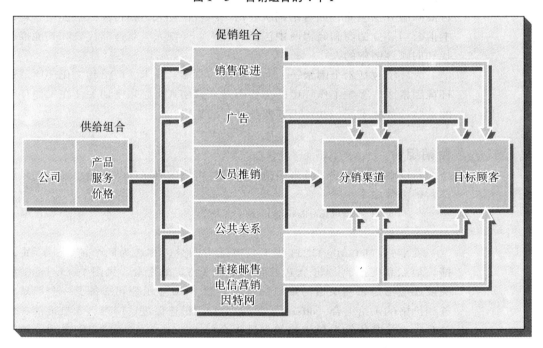

图 1—6 营销组合战略

4Ps	4Cs
产品（product）	顾客问题解决（customer solution）
价格（price）	顾客的成本（cost to the customer）
地点（place）	便利（convenience）
促销（promotion）	传播（communication）

获胜的公司必将是那些既可以经济方便地满足顾客的需要，同时又能和顾客保持有效沟通的公司。

公司对待市场的导向

我们曾把营销管理描述为在目标市场上达到预期交换结果的自觉努力。用什么理念来指导这些营销努力呢？如何摆正组织、顾客和社会三者的利益关系呢？实际上，这三者的利益经常发生冲突。

德克斯特公司（Dexter） 德克斯特公司生产最普通并有高盈利的产品，即一种防止茶叶在热水中被分解的纸。然而，生产这种纸的原材料每年使德克斯特公司产生98%的废水。因此，虽然这种产品在市场上极受顾客的欢迎，但它明显地损害了环境。德克斯特公司派专人处理公司的环境、法律、研发等方面的问题并和营销部门一起解决这个问题。它们最终完成了任务，德克斯特公司增加了市场占有率，并在实际上排除了生产过程中的有害废水。[16]

很清楚，营销活动应该在效率、效果和社会责任方面，在经过深思熟虑产生的某种思想观念的指导下进行。实际上，社会中存在着五种竞争的观念，即生产观念、产品观念、推销观念、营销观念和社会营销观念，各种组织无一不是在其中某一个观念的指导下从事其营销活动。

生产观念

生产观念是指导卖者行为的最古老的观念之一。

生产观念（production concept）认为，消费者喜爱那些可以随处得到的、价格低廉的产品。

生产导向型组织的管理层总是致力于获得高生产效率和广泛的分销覆盖面。他们认为消费者主要对产品可以买到和价格低廉感兴趣。这种导向在发展中国家是有意义的，那里的消费者对获得产品比对产品的性能更感兴趣。有些公司想要扩大市场时也采用这种观念。

得州仪器公司（Texas Instruments） 得州仪器公司是美国率先奉行"扩大生产，降低价格"理念的典范之一。该理念是亨利·福特（Henry Ford）于20世纪初开发汽车市场时首创的。得州仪器公司也尽其全力扩大生产量、改进技术，以降低成本。然后利用它的低成本来降低售价，扩大市场规模。它不断追求市场的领先地位，并且常常如愿以偿。这种经营导向也是许多日本企业的关键战略。

有些服务组织也奉行生产观念。许多医学和牙科手术按装配线原则进行组织；有些政府机构(如失业登记办公室和许可证签发局)也是如此。这样，在一小时内就可以处理许多事情，但这种管理导向将遭到无视人的性格和服务质量有问题的指责。

产品观念

另一些企业是受产品观念指导的。

产品观念（product concept）认为，消费者最喜欢高质量、多功能和具有某些创新特色的产品。

在产品导向型组织里，经理总是致力于生产优质产品，并不断地改进产品，使之日臻完善。他们认为，买者欣赏精心制作的产品，能够鉴别产品的质量和功能。然而，许多经理深深地迷恋上了自己的产品，以至于没有意识到它们并没有迎合市场需要。营销经理陷入了"更好的捕鼠器"的错误之中，幻想只要设计出一个更好的捕鼠器，人们就会踩平你店门前的路。网络电视在1996年圣诞节推出时的失败提供了一个需要警惕的例子。

网络电视（WebTV） 网络电视看上去就像一个坐在躺椅上的普通人的梦：一台电视机加一个立式箱子，就能让你既能在网上冲浪又能收看电视节目。然而，尽管网络电视公司和它的合作伙伴索尼、飞利浦电子公司，花费5 000万美元开展升级闪电战，但也只有5万人购买了它。产品本身并没有什么毛病，它能在普通的电视机上展现因特网的信息；问题在于上网电视的最先开创者（现在被微软公司拥有）并不了解市场。营销信息是错误的。普通人认为看电视只是想要更好的娱乐，而计算机使用者习惯于通过小型个人机屏幕进行网上冲浪。万维网很难与电视机竞争。对那些习惯了电视节目的人们，网络世界太慢、太静态化、太神秘，所以，现在需要修改活动，强调娱乐甚于教育。[17]

产品导向的公司在设计产品时经常不让或很少让顾客介入。它们相信自己的工程师知道该怎样设计和改进产品。它们甚至不考察竞争者的产品。通用汽车公司的经理曾说过："在我们没有发明汽车以前，公众怎么会知道他们需要什么类型的汽车？"通用汽车公司的看法是该公司的设计师和工程师会创造出一种款式讲究和耐用的汽车，然后由生产部门制造出来，由财务部门为其制定价格。最后，要求营销部门和推销员推销它们。难怪通用汽车的销售非常困难! 值得庆幸的是，通用汽车公司如今在研究顾客需要的价值所在，营销人员在汽车设计以前就介入并参与意见。

产品观念会引发营销近视症（market myopia）。[18]铁路管理当局认为乘客需要火车而非运输，他们忽略了航空、公共汽车、卡车和轿车的日益增长的挑战；计算尺制造者认为工程师需要的是计算尺本身而不是计算能力，以致忽略了袖珍计算器的挑战；大专院校、百货商店和邮局都认为自己在为公众提供适当的产品，但却不理解销售额为什么起伏不定。在这些组织应当朝窗外看的时候，它们却老是朝镜子里面看。

推销观念

推销观念是为许多企业所采用的另一种观念。

推销观念(selling concept)认为，如果让消费者和企业自行抉择，他们不会足量购买某一组织的产品。因此，该组织必须主动推销和积极促销。

这一观念认为，消费者通常表现出一种购买惰性或者抗衡心理，故需要用好话去劝说他们多买一些。公司可以利用一系列有效的推销和促销工具去刺激他们大量购买。

推销观念被大量地用于推销那些非渴求商品。所谓非渴求商品，就是指购买者一般不会想到要去购买的商品，如保险、百科全书和墓地。这些行业善于使用各种推销技巧来寻找潜在顾客，并用强力推销方法说服他们接受其产品。

一些非营利领域，像基金筹措业、大学招生机构和政治党派等，也奉行推销观念。一个政治党派总是竭尽全力把它的候选人推销给选民，像一个狂热地谋求工作的人那样，候选人到各个选区演讲，从早到晚向选民挥手致意，亲吻婴儿，会见捐助者，谈笑风生。不计其数的美元花在电台和电视的广告上，花在招贴和邮寄宣传品上。候选人在公众面前个个都是圣人，尽善尽美，缺点却被遮掩起来了，一切为了成功，至于以后满意与否就与我无关了。选举结束以后，新上任的官员继续对市民奉行推销观念。无人过问公众需要什么，迫使公众接受各种政治家和政党所需的数不清的政策法令。[19]

大多数公司在产品过剩时，也常常奉行推销观念。它们的近期目标是销售其能够生产的东西，而不是生产市场所需的产品。在一个现代化的工业经济中，生产能力已经被提高到这样一个水平，即大多数市场都是买方市场(买方居支配地位)，卖主不得不拼命地争夺顾客。潜在顾客受到大量电视广告、报纸广告、直接邮寄广告、推销电话的围攻。在每一个回合中，总有人尽力想卖掉一批东西。其结果是公众把营销同强力推销和广告混为一谈了。

然而，建立在强力推销基础上的营销有着高度的风险。这种做法的假定是：听了几句好话就去购买的顾客，会喜欢这种产品；如果不喜欢，他们也不会在朋友面前说产品的坏话，或者向消费者组织抱怨。他们也许会忘记自己对产品不满意，而又去买这种产品。这些假设无疑都是站不住脚的。有一项研究报告指出，上当的顾客会对10个或更多的熟人讲该产品的坏话，而坏消息总是传得很快的。[20]

营销观念

营销观念是作为对上述诸观念的挑战而出现的一种企业经营理念。它的核心原则直到20世纪50年代中期才基本定型。[21]

营销观念(marketing concept)认为，实现组织诸目标的关键在于正确确定目标市场的需要和欲望，并且比竞争对手更有效、更有利地传送目标市场所期望满足的东西。

营销观念有许多精辟的表述：

- 满足有利润的需要。
- 发现欲望并满足它们。
- 爱你的顾客而非产品。
- 任你称心享用。(伯克王公司)
- 你就是主人。(联合航空公司)
- 人是第一位的。(英国航空公司)
- 为了盈利而合伙。(米利肯公司)

哈佛大学教授西奥多·莱维特(Theodore Levitt)对推销观念和营销观念作了深刻的比较：

> 推销观念注重卖方需要，营销观念则注重买方需要。推销以卖方需要为出发点，考虑如何把产品变成现金；而营销则考虑如何通过产品以及与创造、传送产品和最终消费产品有关的所有事情，从而满足顾客的需要。[22]

营销观念基于四个主要支柱：目标市场(target market)、顾客需要(customer needs)、整合营销(integrated marketing)和盈利能力(profitability)。在图1—7中，它们与推销观念进行了对比。推销观念采用从内向外的顺序，从工厂出发，以公司现存产品为中心，并要求通过大量推销和促销活动来获得盈利性销售。营销观念采用从外向内的顺序，从明确的市场出发，以顾客需要为中心，协调所有影响顾客的活动，并通过创造性的顾客满足来获利。参见"营销视野——学者与美元：营销和推销来到了大学校园"。

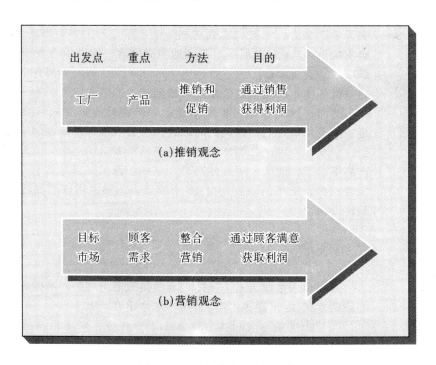

图1—7　顾客让渡价值的因素

学者与美元：营销和推销来到了大学校园

印第安纳大学负责公共事务的副校长查尔斯·辛普森（Charles Simpson）说道："在今天的高等教育中，我们正面临着一系列的挑战，迫使我们按从事商务活动的方式作出改变。"就像许多学校和大学一样，印第安纳大学也遇到了财政预算缩减的倒霉事，这使得它要具有说服力，为争取私人捐赠而竞争，并要受到媒体的监督。因此，该大学用重新定义自己形象的全面营销闪电战作出响应。其他一些曾古板严谨的常青藤大学也求助于大型商务活动中的营销策略来吸引更多的学生。

● 市场细分和定位。根据一项由宾夕法尼亚大学高等教育研究所针对 1 200 所高校的研究表明：学校正在对其自身进行分类，以形成明确的细分市场。例如，哈佛、耶鲁和普林斯顿这样的名牌大学定位于高额学费、提供小班上课和高薪师资力量。第二流大学则以便利性吸引那些既想快又想花费少并获得学历以升职的学生。波特兰州立大学进行了彻底调整，以适应这种市场划分。它大幅裁减员工和中级管理人员，并根据本地商业团体的建议设计课程，创立了大学科研活动，这些项目取决于团体合作和科技力量。还有一些大学通过远距离教学提供学历，以满足那种经常旅行或住得离校园太远的人们的需要。

● 销售宣传。在今天，以诸如这样的标题 "作家乔叟（Chaucer）和他的时代"、"对生物起源的介绍" 或 "20 世纪的小说" 来编制课程目录已经远远不够了。课程表上的课名都变得活泼、时尚了。例如，"中世纪文学的巨大冲击"（威斯莱）、"恐龙大灭绝"（仙境王）和 "真正吸引人的小说"（普林斯顿大学）等。许多教育界人士已把这样的课名看做是迫使教师推销自己和所教课程的这种制度的必然结果。当教师备完课后，他们的营销任务并没有结束，许多教师在课堂上还必须成为表演者。

● 广告活动。和印第安纳大学的全面营销闪电战相比，一些传统大学的营销努力还很难被称之为我们所理解的营销。它们典型的营销信息就是 "星期一开始注册" 或 "选这门课能找到好工作"。而印第安纳大学在 1997 年发起了一场营销运动，其目的是为了在竞争日益激烈的高等教育市场中树立其形象。这场活动历时 3 个月，耗资 82.5 万美元，在电视广告上宣传该大学是一所高质量的学府。广播、印刷广告也是这个活动的一部分，同时还包括大学校长和其他官员的演说、招贴广告牌、网站、磁带、直接营销和在新闻杂志上做广告。

● 商业化。校园商业化这种现象并不是美国所特有。英国的牛津大学在 1997 年就创造了超过 400 万美元的营业利润，它通过把自己重新定位的 "品牌标志"，准许商业第三方来特许经营。高贵的牛津在过去的 3 年中来自商务活动的收入增加了 2 倍。令人感兴趣的是，它的运作是国际性的，牛津 75% 的销售额都是在青少年极重视服装品牌的东南亚和日本实现的。

● 质量和说服力优先。面对给大学拨款的急剧减少，位于盖恩斯维尔的佛罗里达大学重新规划自身。它否定传统的学术观念，所有院系都要公开竞争资源。符合质量和生产力标准的系将获得大约 200 万美元的资金份额。但教职员工并不欢迎这种做法，他们还不习惯为使用资金的正当性而辩护。

上述方法是推销和营销概念的混合。当校区真正地研究了它的目标学生所需和所想的是什么，并准备出新的、有改进的计划和服务时，营销才会存在。如果仅是做广告，那只是推销，而不是真正意义上的营销。

资料来源：Based on Keith H. Hammonds, "The new U: A Tough Market Is Reshaping Colleges," *Business Week*, December 22, 1997, pp. 96～102; "University Launches Image Campaign," *Marketing News*, March 3, 1997, p.36; Oliver Swanton, "Higher Education: Pocahontas, Eat Your Heart Out. You've Read the Course Books, Now Buy the T-Shirt; Oliver Swanton Reports on the Universities Turning to Disney-Style Merchandising," *The Guardian*, February 25, 1997, vi; William H. Honan, "The Dry Yields to the Droll," *New York Times*, July 3, 1996, p. B7: 1.

目标市场

当公司为每个目标市场仔细定义时和制定适当的营销方案时就会做得更好。

伊思丽·鲁达公司（Estee Lauder）　在20世纪90年代以后，营销人员普查的注意力集中于少数民族群体日益增长的购买力。大化妆品公司伊思丽·鲁达把目标对准非洲裔美国人，为他们的黑皮肤设计特殊的系列产品。在1992年秋天，伊思丽·鲁达的子公司普雷斯克利夫(Prescriptive)推出了它的"所有肤色"系列产品，这些产品以暗色为基础共包括115种。该公司的负责人说，由于创造性地推出了系列产品，公司销售额增加了45%。

顾客需要

一个公司即使能准确定义它的市场，仍不能说它就是顾客导向的。考虑如下例子：

某化学公司的化学家们发明了一种能凝固成仿大理石的新物质。在寻找用途时，营销部门认为这种物质可用来生产清洁美观的浴盆。于是他们抢先制作了数种浴盆模型，在浴室家具展销会租了一个地方展出。他们打算说服浴盆生产商用这种新材料来生产浴盆。虽然制造商认为这种浴盆很有吸引力，但结果却是没有达成任何交易。理由很明显，首先，浴盆卖价2 000美元，消费者付这个价钱可以买到真的大理石或玛瑙做的浴盆；其次，这种浴盆很重，浴室地板必须要加固，从而增加费用；第三，大多数普通浴盆仅卖500美元左右，很少有人愿意花2 000美元来购买这种浴盆。也就是说，这家化学公司确实成功地开发了一个目标市场，但却因没有了解该市场顾客的要求而遭失败。

虽然人们认识到营销是有盈利地满足需要，但实际上要认识顾客的需要与欲望并非易事。有些顾客对自己的需要并不一定清楚，他们或者不能清楚地说明他们的需要，或者要对他们的话进行解释。当他们要求一辆"不贵"的汽车、一台"功率大"的割草机、一台"快速"车床、一套"有吸引力"的盥洗设备或"休闲"旅馆时，意味着什么呢？如果顾客说，他想要一辆"不贵"的汽车。营销者至少要进行深入调查。我们可以区分出五种类型的需要：

1. 表明了的需要，如顾客需要一辆不贵的汽车。

2. 真正的需要，如顾客需要的汽车是运营成本低而不是首次购买的售价低。

3. 未表明的需要，如顾客期望从销售商处得到好的服务。

4. 令人愉悦的需要，如顾客在购买汽车时，意外地得到了美国的交通地图册。

5. 秘密的需要，如顾客想要找到一个价值导向的理解顾客心思的朋友。

顾客表述的需要有时也会很快改变。例如，一位女士走进一家五金商店，要购买可以把玻璃固定在窗框上的密封胶。这位女士的意图是想解决问题（solution），而不是需要。她需要把玻璃嵌在窗框上。五金商店的营业员可以建议有比密封胶更好的解决问题的方法。在这个例子中，营业员有针对性地满足了顾客的真正需要，而不是表述的需要。

我们需要把响应营销（responsive marketing）、预知营销（anticipative marketing）与创造营销（creative marketing）区别开来。响应营销是寻找已存在的需要并满足它；预知营销要走在顾客需要前；而创造营销是发现和解决顾客并没有提出要求、但他们会热情响应的需要。哈梅尔（Hamel）和普兰哈兰特（Prahalad）认为公司应该比顾客走得更远一些。

> 顾客一般是缺乏远见的。10年～15年以前，很少会有人要求蜂窝式电话、传真机和家用复印机、全天候有折扣的经纪人账务服务、多向量汽车引擎、CD机、有导航系统的汽车、全球卫星定位接收器、自动柜员机、音乐电视或家庭购买网络。[23]

索尼公司是一个创造营销的范例，因为它成功地导入了顾客还没有询问或甚至还没有想到的许多新产品，如随身听、录像机、摄像机、CD机等等。索尼是走在前面引导顾客开展营销的一个公司；索尼是市场驱使（market-driving）的公司。索尼的创始人盛田昭夫（Akio Morita）宣布：他不是服务于市场，而是创造市场。[24]

为什么使目标顾客满意是极为重要的呢？因为公司每一时期的销售，基本上来自两种顾客群：新顾客和老顾客。据某个公司的评估，吸引一个新顾客的成本是维护一个满意的老顾客成本的5倍。[25]对盈利率来说，得到一个顾客是丧失一个顾客成本的16倍。因此，维系顾客（customer retention）比吸引顾客（customer attraction）更加重要。

整合营销

当公司所有的部门都能为顾客利益服务时，其结果是整合营销（integrated marketing）。然而，令人遗憾的是，并不是所有的公司员工都被训练或被激励来共同努力争取顾客。一家公司的一位工程师曾抱怨销售人员，说他们是"经常保护顾客而没有考虑公司的利益"，他甚至批评顾客"经常要求太多"。下述情况在很大程度上反映了协调问题。

> 一个欧洲大航空公司的营销副总裁希望增加该公司的航运份额。他的战略是通过供应较好的食物、清洁的座舱和受过较好训练的机舱乘务员来增加顾客满意，但是他无权处理这些事情。备餐部门选购食物要保持低的成本，维修部门使用清洁服务要保持低的清洁费用，而人事部门雇用人员

也不考虑其是否能友善地为他人服务。因此，这些部门通常采取一种成本观点或生产观点，从而使营销副总裁在创造和整合营销组合中处于窘境。

整合营销包含两方面的含义。首先，各种营销职能——推销人员、广告、产品管理、营销调研等等必须彼此协调。推销人员对营销人员安排的"价格太高"，或者对广告经理和品牌经理不同意对品牌开展最好的广告宣传活动而不满的事太多了。因此，所有营销职能必须从顾客观点出发彼此协调。

其次，营销必须使公司其他部门接受思考顾客的观念。正如惠普公司的戴维·帕卡德（David Packard）所指出的："市场营销太重要了，以至不能只把它看做是营销部门的事！"营销并非是一个部门的工作，而是整个公司的导向问题。施乐公司（Xerox）使其在职的各种人员都明白其工作是如何同顾客相关的。施乐公司的工厂经理懂得，如果工厂是清洁的和有效的，采用参观工厂这种方式将有助于向潜在顾客推销产品。施乐公司的会计员知道顾客倾向于施乐，是他们对账单处理的精确性和回答顾客电话的及时性的结果。

为了激励公司所有部门的团队精神，公司既要进行外部营销，又要进行内部营销。外部营销（external marketing）是对公司以外的人的营销。而内部营销（internal marketing）是指成功地雇用、训练和尽可能激励公司员工很好地为顾客服务的工作。事实上，内部营销必须先于外部营销。在公司打算提供优质服务之前促销是没有意义的。

许多经理认为，顾客是最终取得利润的关键。图1—8(a)列出了传统的组织结构图。总经理在顶端，管理人员在中间，最前线的人在金字塔偏下端，这种结构已经过时。精通营销的公司更加明白，它们应把图颠倒过来，如图1—8(b)所示。在机构顶部的是顾客；其次是第一线的人员，他们直接与顾客接触、给顾客提供服务、满足顾客的需求；在他们之下是中层管理人员，他们的工作是支持最前线的人员，使他们能更好地服务顾客；最后，在底下的是高级

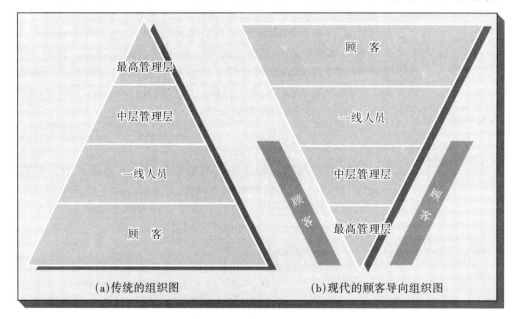

(a)传统的组织图　　　(b)现代的顾客导向组织图

图1—8　传统组织结构与现代顾客导向的组织结构图

管理层，他们的工作是支持中层管理人员，使他们能支持为使各种不同顾客最终对公司感到满意的最前线的人员。我们沿着图 1—8(b)的左右两边增加了顾客，说明公司所有的经理都包括在与顾客接触和了解顾客之列。

盈利能力

营销观念的最终目的是帮助组织达到其目标。私营厂商的主要目的是利润；非营利机构和公共机构需要生存和吸收足够多的基金以完成工作。但要知道，私营厂商关键之处不是力求利润本身，而是把创造极好的顾客价值作为结果。公司应靠比竞争者更好地满足顾客需要来赚取金钱。考虑弗兰克·珀杜（Frank Perdue）的经营理念：

珀杜鸡场（Perdue Chicken Farms）　珀杜鸡场饲养肉鸡，收入 15 亿美元，盈利率高于同行，其肉鸡在主要市场的市场占有率达到 50%，而其产品只有鸡。虽然从来鸡就是一种差别不大的商品，但该公司的创建者弗兰克·珀杜不相信"鸡就是鸡"，也不相信顾客就是顾客。他提出保证给不满意的顾客退款。他是这样专心于生产优质的鸡，使顾客愿意多付钱来购买它们。珀杜通过控制饲养环节培育出了优良的品种鸡，这种鸡的饲料中不含化学成分和类固醇成分。1971 年，弗兰克·珀杜提出了著名的广告语"硬汉培育好鸡"，从此他和他的广告语就成了该公司的标志。1995 年，弗兰克·珀杜把公司移交给了他的儿子吉姆。吉姆在几年中致力于提高鸡的新鲜度和质量，并以此为重点，他的广告队伍也是借此把他推向全国的。珀杜公司有这样一句广告词："在经历了三代的奋斗之后，珀杜对于鸡的喂养知识知道得比鸡多"。另外，吉姆·珀杜强调："我们一直努力工作，以确信您如今买的珀杜鸡与您过去从我父亲那里买到的鸡一样，肉质鲜嫩，美味可口，或者有过之而无不及。"[26]

然而，有多少企业在实践营销观念呢？答案是令人失望的，只有少数企业才是真正的营销实践者，它们是：宝洁、迪斯尼、诺特斯特罗（Nordstrom）、沃尔玛、米利肯（Milliken）、麦当劳（McDonald）、马里奥特旅馆（Marriott Hotels），美国航空公司以及日本的公司如索尼、丰田、佳能（Canon），欧洲的公司如宜家、地中海俱乐部、班－奥利逊（Bang & Olufsen）、伊莱克斯（Electrolux）、诺基亚（Nokia）、ABB、莱哥(Lego)、马莎(Marks & Spencer)。这些公司不仅以顾客为中心，而且能随时有效地对顾客需要的各种变化作出反应。这不仅得益于它们所拥有的素质良好的营销部门，同时也因为其他部门(如制造、财务、研究与开发、人事、采购)都接受了顾客就是上帝这一观念。

大多数公司都是在形势逼迫下才真正领悟或者接受营销观念的。形势发展可能促使这些公司开始把营销观念放在中心位置。

● 销售额下降。当公司销售额下降时，它们便拼命挣扎，开始寻找解决办法。今天，由于收听广播、收看电视和因特网新闻的人越来越多，报纸订阅量下降了。一些出版商这才开始意识到，他们对于人们为什么要读报以及人们从报纸中要得到什么等问题知之甚少。这些出版商正在委托有关部门进行消费者调查，打算在此基础上，重新设计报纸，使之变得更合时宜、更实际、更能引起读者的兴趣。他们同时正在编写网页报纸。

● 增长缓慢。销售增长率缓慢也会促使公司去寻找新的市场。它们认识到，要成功地判断和选择各种新机会，必须掌握营销专门技能。陶氏化学公司（Dow Chemical）为了获得新的利润来源，决定进入消费者市场，它投入大量资金，以便获得充分的营销技术来开展这项工作。

● 购买模式发生变化。许多公司都生活在以迅速变动着的顾客需求为标志的日益激烈的市场环境之中，如果这些公司希望继续为买方提供有价值的东西，便需要掌握更多的营销技术。

● 竞争日益激烈。自命不凡的公司可能会突然遭到来自营销有方的公司的袭击，从而不得不学习营销，以应付挑战。美国电话电报公司（AT&T）是一个用传统的质朴的营销方法经营的公司，到20世纪70年代，其他公司突然得到允许可向美国电话电报公司的顾客出售电信器材。在这个关键时刻，AT&T才纵身于营销之河，并雇用了所能找到的最优秀的营销人才，以便帮助它加强竞争能力。处于政府管制放松行业的公司都在学习营销的专门知识。[27]

● 营销费用增加。一些公司也许发现它们在广告、促销、市场调查和顾客服务方面的开支正在失去控制，于是管理层才意识到已到了借助营销审计功能改善营销的时候了。[28]

在向市场营销导向转变的过程中，一个公司将面临三种障碍：组织的抵制，学习缓慢和迅速遗忘。

一个公司内部的部门（常常是制造部门、财务和研究开发部门）不愿意看到营销有什么建树，因为这会威胁到它们在组织中的地位。这种威胁的性质见图1—9。最初，营销职能被看成是与其他职能具有同等的重要性。而后，需求不足的情况导致了营销职能较其他职能更为重要。一些热衷于营销的人走得更远，他们声称营销是企业的主要职能，因为没有顾客，也就无所谓公司。聪明的营销者将顾客而不是将营销置于公司的中心。他们指出，在一个以顾客为导向的企业中，所有的职能都必须为了了解、服务和满足顾客。一些营销者指出，如果要正确地判断和有效地满足顾客的各种需要，营销仍需处于一个公司的中心位置。参见"营销备忘——相信营销观念的理由"。

营销备忘

相信营销观念的理由

营销者关于营销观念的论点概括如下：

1. 没有顾客的存在，公司的财产就没有什么价值。
2. 公司的中心任务是创造和抓住顾客。
3. 顾客由于优质的产品和需求的满足而被吸引。
4. 营销的任务就是向顾客提供优质提供物和保证让顾客满意。
5. 顾客满意实际上受到其他部门业绩的影响。
6. 要使顾客满意，营销者需要对其他部门合作施加影响。

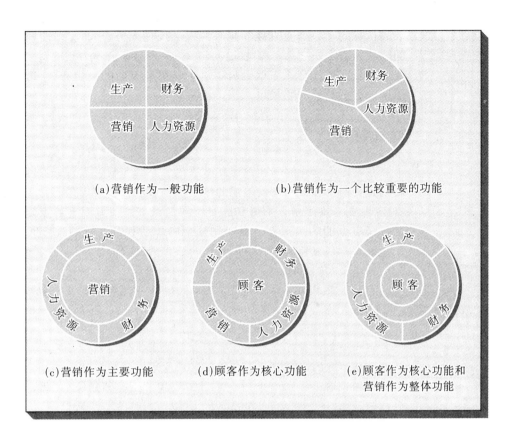

图 1—9 营销作用在公司地位的演变

反对特别强烈的是刚刚引进市场营销的行业，如律师界、大学、政府管制放松的行业或是政府代理机构。尽管存在着许多方面的抵制，许多公司最终还是在它们的组织中引进了营销管理思想。公司总裁设立了一个营销职能部门；聘用了营销专家；管理层的主要人员参加了营销研究班；营销预算大幅度增加；采用了营销计划和控制制度。但是，即使采取了上述步骤，真正了解营销为何物的过程还是进展得十分缓慢。

即使在一个组织中建立了营销部门，并有了营销成功的经验，管理层还必须同一种遗忘营销基本原则的强大倾向作斗争。例如，美国几个大公司在 20 世纪 50 年代和 60 年代进入欧洲市场，希望凭借其精美的产品和卓越的营销技能获得惊人的成功。但其中有一些公司失败了，其重要原因就是它们忘记了营销的准则：熟悉你的市场，并知道如何去满足它。美国公司并没有根据这些市场的需要重新设计它们的产品和广告节目，而是把现有产品原封不动地搬进这些市场。通用磨坊公司（General Mills）带着它的贝蒂·克罗克(Betty Crocker)糕饼配制材料进入了英国市场，然而为时不久就被迫退出了。它的天使(Angel)饼干和恶魔（Devil）糕点在英国的家庭主妇看来显得异国情调太浓了。许多潜在顾客觉得像贝蒂·克罗克包装纸上所画的那些好看的糕饼一定很难制作。

如何让公司的广告语被国际市场所接受是一项十分困难的任务。弗兰克·珀杜为其公司所做的广告语"硬汉培育好鸡"如果译成西班牙语则会被曲解为

31

令人作呕的"一个受到性欲刺激的人会找鸡成为恋人"。即使同样的语句用不同国家的语言表述意思可能完全不同。伊莱克斯公司为它的真空吸尘器所做的英语广告词为"什么东西也吸不进的是伊莱克斯的吸尘器",这句广告语在美国是根本吸引不了顾客的。[29]

社会营销观念

有人提出这样的问题:在环境恶化、资源短缺、人口爆炸性增长、世界性饥荒和贫困、社会服务被忽视的年代里,市场营销观念是不是一个适当的组织目标呢?一个在了解、服务和满足个体消费者需要方面干得十分出色的企业,是否必定也能满足广大消费者和社会的长期利益?营销观念回避了消费者需要、消费者利益和长期社会福利之间隐含的冲突。

考虑下面的批评:

汉堡包快餐行业提供了可口的然而却是没有营养的食品。汉堡包脂肪含量太高,餐馆出售的油煎食品和肉馅饼都含有过多的淀粉和脂肪。出售时采用方便包装,因而导致了过多的包装废弃物。在满足消费者需求方面,这些餐馆可能损害了消费者的健康,同时污染了环境。

上述情况的出现要求有一种新的观念来修正或取代营销观念。这样就出现了许多新观念,诸如"人道主义营销"和"生态营销"。对此,我们称之为社会营销观念。

社会营销观念(societal marketing concept)认为,组织的任务是确定诸目标市场的需要、欲望和利益,并以保护或提高消费者及社会福利的方式,比竞争者更有效、更有利地提供目标市场所期待的满足。

社会营销观念要求营销者在营销活动中考虑社会与道德问题。营销者必须平衡与评判公司利润、消费者需要满足和公共利益三者的关系。已有一些公司通过采用和实践社会营销观念,取得了令人瞩目的销售额与利润。两个实践社会营销观念的先锋是本－杰里公司和博迪商店。然而,最近有迹象表明它们也面临着困难。

本－杰里公司(Ben & Jerry) 本－杰里勺子商店在佛蒙特州伯灵顿营业了 20 年后,其营业额已经飙升到了 1.9 亿美元之多。公司拥有 600 多个雇员和 10 多家特许经营店。为什么公司会有这样的吸引力呢?首先,本－杰里公司是革新混合口味冰激凌的老手,如蓝莓馅饼、巧克力饼等;其次,顾客知道本－杰里公司税前利润的 7.5% 是捐献给各种社会与环境事业的。一段时间里,公司看起来没有什么问题。然而,在 20 世纪 90 年代中期,在超级高价冰激凌领域中公司面临着激烈的竞争,公司开始遭受了一系列的损失。于是,公司开展了一次广泛宣传,寻找新的首席执行官来领导公司的工作。作为选择,一位麦肯锡公司的咨询顾问(由于对他有高度的期望)受到了欢迎,但是,他仅仅干了 2 年。现在的首席执行官佩里·奥德克(Perry Odak)是 1997 年上任的,1998 年,他已经使公司走上正轨并获得一个给人以深刻印象的 12% 的增长率。奥德克重新确定了产品线,改革了单

薄并引起混乱的包装，整顿了公司散漫的作风和经常混乱的商务实践。并且，由于那些担心被奥德克（简历中含有反对美国武器来复枪制作者的经历）开除的人们也解除了顾虑，他们仅仅要考虑的是：抓紧公司的商务工作，不仅仅要改善销售底线，而且要促进福利事业的绩效。公司的社会使命董事伊丽莎白·A·本科恩基（Elizabeth A. Bankowski）说："现在，我们通过职能满足并且识别出了社会的使命目标，而且，它看起来和其他商业目标同样重要。"自从奥德克接管了公司的日常管理之后，公司的业绩评价甚至会影响到如何更好地识别雇员和满足他们的社会使命目标。[30]

博迪商店（The Body Shop） 1976 年，安妮塔·罗迪克（Anita Roddick）在英国的布赖顿开了一家博迪商店，那是一家极小的销售小包装化妆品的商店。现在，博迪商店在 47 个国家建立了自己的分支机构。该公司只生产和销售天然配料为基础的化妆品并且其包装是可回收利用的。该公司化妆品的配料以植物为主并多数来自发展中国家。所有产品的配方均非采用动物试验。公司还通过非贸易援助使命组织帮助发展中国家，捐款给保护雨林组织，帮助妇女和艾滋病事业活动，以及为回收建立示范。可是，像许多力图承担社会责任和获取利润的商业企业一样，博迪商店已经面临强烈的和对其伦理的质疑。另外，它也是自己成功的牺牲者，而且可能会受更年轻和更有活力的产品的冲击而被挤到市场边缘。诸如巴齐–波蒂（Bath & Body）工厂、Aveda 和 Origins，这些竞争者都没有受到昂贵的社会使命困扰。随着商店销售额的下降，尤其是在美国，摇摆中的博迪商店推出了一些新的管理和营销活动。其对外发言人安妮塔·罗迪克已经辞去了公司首席执行官的职务，但她仍然积极从事包括精心制作社会协作事项和开发新产品方面的工作。她首创的产品之一——大麻纤维，再次放在博迪商店内并被大量销售。大麻纤维行业的倡导者（一种与大麻相关的麻醉药），作为迅速成长的农作物，是纸张、布料和其他产品中所使用树木环境的良好的替代物。它的产品线都是有吸引力的固定的包装，并且这些包装都与博迪商店关于环境的观念保持一致。[31]

这些公司在从事一种社会营销观念，这被称为事业—关联营销（cause-related marketing）。普林格尔（Pringle）和汤普森（Thompson）把这种模式定义为"积极在公司中使用一种形象、产品或对市场提供的服务，具有一种'事业'或多种'事业'的、为了相互的利益而建立的一种关系或合作关系的活动。"[32]他们把这种模式看做是为公司提供改善它们社团的名声、提升其品牌知名度、增加顾客忠诚、增加销售额，以及加强新闻舆论影响的一个机会。他们认为，顾客将逐渐寻找良好公司的典范。明智的公司将通过增加"更高层次"的形象属性而非简单地从合理的和情感性的利益关系方面给予回应。然而，一些批评家抱怨说，事业—关联营销可能使消费者觉得他们已经通过购买产品履行了他们的慈善义务而无须直接向慈善事业捐助了。

商业和营销在如何变化

　　我们可以充满自信地说：“市场再也不是它过去的那个样子了”。它正在因为受到诸如技术进步、全球化和消除政府管制等主要社会力量的推动结果而根本地改变。这些主要的力量已经创造了新行为和新挑战。

　　顾客（customer）不断地期望更高的质量和服务以及顾客需要定制化。他们意识到真正的产品差异很少，并显示出较少的品牌忠诚。他们能从因特网和其他的资源中获得广泛的、允许他们更理智地购买东西的产品信息。在他们寻找价值的过程中，他们不断显示出极大的价格敏感度。

　　品牌制造商（brand manufacturers）正面临来自国内和国外品牌的激烈竞争，这不断导致促销成本上升并且降低了利润。他们也面临来自拥有国内品牌的零售商的更多竞争，这些强大的零售商拥有数量有限的货架空间，而且，正在把他们自己的商店品牌放上去。

　　仓储式基础的零售商（store-based retailers）正在遭受零售市场饱和困扰。小型零售商正在屈从于不断成长的巨型零售商和“目录杀手”的打击。仓储式基础零售商正面对来自目录商店、直接邮购公司、报纸、杂志和电视直销广告、家庭购物电视以及因特网等日渐增长的竞争；作为响应，企业零售商正在把咖啡馆、演讲厅、示范和演出等娱乐引入商店里，他们在营销一种“气氛”而不是产品类别。

公司反应和调整

　　公司正在开展大量的自我反省，而且，很多期望值高的公司正在以多种方式进行改革。下面是一些当前的倾向：

　　● 重组。从集中于职能性部门转向重新组织关键流程的组织，每个人都将受到有多种纪律的团队式管理。

　　● 利用外部资源。从公司内部获得一切资源转变为如果商品和服务能更便宜和更好地被获得时，将从外部购买它们。一些公司正在把一切都转向外部（它们所拥有的让它们实际上起作用的资产非常少），它们因此获得了惊人的回报率。

　　● 电子商务。从开办对顾客有吸引力的商店和在办公室里让销售人员打电话转变为在因特网上获得实实在在的所有可以应用的产品。消费者能访问图片上的产品，阅读规格明细，向在线售货商购买并要求最好的价格和条件，用点击键盘来订购和付款。企业对企业（B-to-B）购物在因特网上获得了快速成长：购物代理商用书签式的 Web 网址购买日常商品。个人销售能逐渐实施电子化管理，采购员和卖主在他们的计算机屏幕上能彼此看到对方。

　　● 定点超越。从依赖自我提高转变为研究“世界级别的成就者”和采用“最佳实践”方式。

● 结盟。从设法独自盈利转变为组成合伙型公司的网络形式。

● 合伙式供应者。从使用更多供应商转变为使用较少的但更相互依赖的供应商，他们与公司以一种合伙人关系的方式紧密地工作。

● 市场集中化。从通过产品组织转向通过市场细分组织形式。

● 全球化和本地化。从本地化转向既全球化又本地化。

● 分散化。从高层集中管理转向鼓励较多本地水平的创造性和"本地化企业"。

营销人员的反应和调整

营销人员也在重新考虑他们的哲学、观念和工具。下面是作为新千年方法的主要的营销学主题：

● 关系营销。从关注交易成功到集中于建立长期的、有利益的顾客关系。公司集中精力于对它们最有利益的顾客、产品和渠道。

● 顾客寿命价值。从在每次销售中获利到通过管理顾客寿命价值而获利。因为公司希望能长期获得顾客的生意，所以，一些公司表示要把某公司经常需要的产品在有规则的基础上每单位以更低的价格售出。

● 顾客份额。从集中于获取市场占有率转换到集中于建立顾客份额。公司通过向它们的现有顾客提供更多的商品变化来建立顾客份额。公司在交叉销售和向上延伸方面训练它们的雇员。

● 目标营销。公司从向每个人推销转向清楚确定目标市场并提供最好服务而努力。目标营销由于特殊兴趣、杂志、电视频道和因特网新闻组的激增而变得容易。

● 个性化。从向目标市场中的每个人提供同样的销售转换到提供个性化和顾客定制化信息。顾客在公司的网页上将能够设计他们自己的产品。

● 顾客数据库。从收集销售数据到建立一个有关个体顾客的营业额、偏好、人文统计特征、收益性等信息的丰富的数据库。公司能整理它们的相关数据库，以区分不同需要的顾客群，而且向每个群体进行差别性供应。

● 整合营销传播。从大量依赖于一种沟通工具如广告或销售队伍，转向在每一个品牌接触中组合几种工具向顾客传递一致的品牌形象。

● 像合作伙伴一样的渠道。从把中间人看成客户转变为把他们作为合作人一样向最终顾客传递价值。

● 所有的员工都是营销人员。从认为营销仅仅是营销、销售和顾客支持人员所做的工作，转变为认识到每个人都必须以顾客为导向。

● 模型基础下的决策方法。从在直觉力或细长的数据上制定决策转向基于市场是如何运作的模型和在事实的基础上进行决策。

上述主题将会通过本书得到检验，它们将有助于营销人员和公司在有风浪的情况下安全地航行。成功的公司将是那些能使它们的营销知识随着它们的市场和市场空间同样迅速变化的公司。

小结

1. 当今的企业面临着三种主要的挑战和机遇：全球化、科技进步和政府管制的放松。

2. 典型营销学的主要任务被认为是创造、推销、传递商品和服务给顾客和商家。有效的营销能采取许多形式：它可以是企业家的、惯例化的和协调式的。并且在营销中，营销者要涉及许多概念，如商品、服务、经历、事件、个人、地点、财产权、组织、信息、观念。

3. 营销者要有管理需求的技能：他们寻找影响需求的水平、时机和构成。为了做好它们，营销者面临着一系列的决策，从一些重大的决策，如在新产品设计中的产品特征是什么，到一些次要的决策，如产品包装的颜色等。他们还要操作四个不同的市场：消费者市场、企业市场、全球市场和非营利市场。

4. 针对每一个所选择的目标市场，一个公司开发的产品必须定位于购买者心中所能想到的某些利益之上。营销者必须努力理解目标市场的需要、欲望和需求：如果一个产品或提供物传递的价值是使目标购买者满意，它才会成功。市场这个概念包括了各种顾客团体。今天，不仅存在实际产品市场，还存在数字市场和大市场。

5. 交换就是通过提供某种东西作为回报，从某人那儿取得所想要东西的行为。一次交易是两个或更多方面的价值交换：它至少交换两个有价值的事物，买卖双方所同意的条件，协议时间和协议地点。从最广义上讲，营销者追求的是诱发另一方的反应：一次购买，一次投票，吸收一个成员和适应一种事业。

6. 关系营销是一种与关键对象（顾客、供应商、分销商）建立长期满意关系的活动，以便维持各方之间长期的优先权和业务。一个最高的关系营销输出是建立一种独特的公司资产，它被称为营销网络。

7. 为了进入市场，营销人员可通过多种渠道，如传播渠道、分销渠道和销售渠道。营销者在工作环境和大环境中运作。他们面临现实的和潜在的竞争产品和替代品的挑战。营销者使用的引诱来自目标市场的有愿望的响应的一组工具称为营销组合。

8. 组织在开展它们的业务时，可选择五种不同观念：生产观念、产品观念、推销观念、营销观念和社会营销观念。前三种观念在今天的用处是十分有限的。营销观念的关键是认为组织主要目标是确定目标市场的需要与欲望，并比竞争对手更有效和更有利地传送满意。它首先要很好地确定市场，着眼于顾客需求，开展一体化的影响顾客的活动，通过顾客满意获取利润。

9. 最近，由于世界人文和环境发生了重大变化，有人对营销观念是否适用提出了质疑。社会营销观念认为组织的任务是确定目标市场的需要、欲望和利益，并且在维护与增强消费者与社会利益上比竞争者更有效和更有利。这个观念要求营销者平衡公司利润、消费者需要的满足和公共利益这三者之间的关系。

应用

本章观念

1. 关系营销是当今营销学中最被看好的趋势之一，你会发现这一观念贯穿于本书的整个过程中。专家已从许多方面来定义这个术语，但是，基本意思总是"更好地了解你们的顾客（客户、公众等）就能更好地满足他们的需要和欲望"。

把下一次你参加的四个交易业务记录下来，并将每一个按"非常满意、满意、一般、不满意或非常不满意"分级。详细分析：对于那些不满意的业务，公司或销售人员原本应做什么？对于那些满意的业务，哪些具体因素导致了你的满意？

2. 描述下列组织使用的营销组合。为了获得信息，你可查阅一般商业出版物，如《酒店新闻》。具体描述每家公司关于产品、价格、地点及促销的方法：(1)伯克王；(2)佳能复印机；(3)迪斯尼乐园；(4)杰飞·卢比。

3. 拉塞尔·斯多夫公司（Russell Stover）是生产中等价位巧克力的制造商，它的产品在杂货店和折扣连锁店里出售，它正盼望提高其市场份额。拉塞尔·斯多夫应该如何和零售商豪马克公司（Hallmark）合作来实现其目标？拉塞尔和豪马克各将获得什么好处？如果这两家公司建立了战略联盟，它们将如何制作宣传它们两家产品的广告？

营销与广告

1. 图 1A—1 中的加拿大航空公司在强调其在美国和加拿大之间的飞行时间节省的同时，也强调乘客在频繁飞行的里程数上也会得到好处。这两种要素在价值等式中如何影响利益对成本的比率？相对于比它票价更低的其他公司的广告，加拿大航空公司将如何应用它的广告去影响顾客所认知的价值？向加拿大航空公司提议可以采取的至少两种特定的价值提升方法。

2. 陶氏化学公司的营销网络由广泛的利益关系方，包括顾客、员工、供应商、分销商和自愿者以及类似为人类提供居留地的非营利组织的受益者等组成。陶氏公司为什么做广告宣传它自己对提供居留地的支持（见图 1A—2），公司期望这种广告对和它的各种利益关系方建立关系会有什么影响？陶氏公司如何能以更强有力的利益关系方的关系在建筑行业获取更有效的竞争力？

聚焦技术

查尔斯·施瓦布公司（Charles Schwab）的基地设在旧金山，这是一家提供范围广泛的投资和金融服务选择权的大型折扣经纪公司。当有人访问公司或者打电话到公司的时候，公司员工能立即看到那个顾客的在线电话记录，同时

图 1A—1   图 1A—2

具有丰富的知识同顾客交谈，提供适合那个顾客个人条件的投资和服务。施瓦布公司也邀请顾客开设账号，设置金融调查，寻找贸易机会，以及在其网站上追踪市场动向。浏览施瓦布公司网址(www.schwab.com)，看看施瓦布的提供物和在线的展示能力。这个网站是怎样确保施瓦布公司以顾客为中心？为什么雇员快速地浏览当前顾客记录在经纪业务中尤其重要？为了保证顾客满意，施瓦布公司的其他部门必须合理地配合做哪些工作，以确保营销工作的一体化？

新千年营销

电子商务日渐流行，原因在于它的便利性、经济性、可选择性、个性化和信息化。然而，确切地计算出如何接触到正确的控制顾客的方法对营销人员而言，甚至可能是最大的挑战。卡夫（Kraft）、凯洛格（Kellogg）和其他公司正在学着使用目标化的旗帜广告（banner advertising）来接触对它们的产品最可能有兴趣的顾客细分群体。这些公司通过大量在皮波特(Peapod)（一家因特网基础的食品杂货店购物服务公司）上设置旗帜广告提高了在线营业额。没有选定目标的广告旗帜，相对而言较为廉价，因为它们只能获得较少的顾客应答。根据如上的提示，访问它的网站（www.peapod.com），输入你的邮政编码。接着，在购物示范中展示的那一个产品和相应的服务操作上签字。在这个网站上做的广告中，何种类型的产品能从中受益？这些营销人员为了确定在这个网站上做目标旗帜广告的价值，他们想从该公司得到何种类型的信息？凯洛格在皮波特上如何运用旗帜广告来支持新的谷物产品？它又是如何支持一种传统谷物产品的营销？

【注释】

[1] Sam Hill and Glenn Rifkin, *Radical Marketing* (New York: HarperBusiness, 1999).

[2] Jay Conrad Levinson and Seth Grodin, *The Guerrilla Marketing Handbook* (Boston: Houghton Mifflin, 1994).

[3] See Philip Kotler, "Dream Vacations: The Booming Market for Designed Experiences," *The Futurist*, October 1984, pp. 7 ~ 13; and B. Joseph Pine II and James Gilmore, "Welcome to the Experience Economy," *Harvard Business Review*, pp. 97 ~ 105. July-August 1998.

[4] See Irving J. Rein, Philip Kotler, and Martin Stoller, *High Visibility* (Chicago: NTC Publishers, 1998).

[5] See Philip Kotler, Irving J. Rein, and Donald Haider, *Marketing Places: Attracting Investment, Industry, and Tourism to Cities, States, and Nations* (New York: Free Press, 1993).

[6] See Carl Shapiro and Hal R. Varian, "Versioning: The Smart Way to Sell Information," *Harvard Business Review*, November-December 1998, pp. 106 ~ 114.

[7] Peter Drucker, *Management: Tasks, Responsibilities, Practices* (New York: Harper & Row, 1973), pp. 64 ~ 65.

[8] *Dictionary of Marketing Terms*, 2d ed., ed. Peter D. Bennett (Chicago: American Marketing Association, 1995).

[9] See Jeffrey Rayport and John Sviokla, "Managing in the Marketspace," *Harvard Business Review*, November-December 1994, pp. 141 ~ 150. Also see their "Exploring the Virtual Value Chain," *Harvard Business Review*, November-December 1995, pp. 75 ~ 85.

[10] From a lecture by Mohan Sawhney, faculty member at Kellogg Graduate School of Management, Northwestern University, June 4, 1998.

[11] See Regis McKenna, *Relationship Marketing* (Reading, MA: Addison-Wesley, 1991); Martin Christopher, Adrian Payne, and David Ballantyne, *Relationship Marketing: Bringing Quality, Customer Service, and Marketing Together* (Oxford, UK: But-terworth-Heinemann, 1991); and Jagdish N. Sheth and Atul Parvatiyar, eds., "Relationship Marketing: Theory, Methods, and Applications," *1994 Research COnference Proceedings*, Center for Relationship Marketing, Roberto C. Goizueta Business School, Emory University, Atlanta, GA.

[12] See James C. Anderson, Hakan Hakansson, and Jan Johanson, "Dyadic Business Relationships Within a Business Network Context," *Journal of Marketing*, October 15, 1994, pp. 1 ~ 15.

[13] See Neil H. Borden, "The COncept of the Marketing Mix," *Journal of Advertising Research*, 4 (June): 2-7. For another framework, see George S. Day, "The Capabilitiesof Market-Driven Organizations," *Journal of marketing*, 58, no. 4 (October 1994): 37 ~ 52.

[14] E. Jerome McCarthy, *Basic Marketing: A Managerial Approach*, 12th ed. (Homewood, IL: Irwin, 1996). Two alternative classifications are worth noting. Frey proposed that all marketing decision variables could be categorized into two factors: the offering (Product, packaging, brand, price, and service) and methods and tools (distribution channels, personal selling, advertising, sales promotion, and publicity). See Albert W. Frey, *Advertising*, 3d ed. (New York: Ronald Press, 1961), p. 30. Lazer and Kelly proposed a three-factor classification: goods and service mix, and communications mix. See William Lazer and Eugene J. Kelly, *Managerial Marketing: Perspectives and Viewpoints*, rev. ed. (Homewood, IL: Irwin, 1962), p. 413.

[15] Robert Lauterborn, "New Marketing Litany: 4P's Passe; C-Words Take Over, " *Advertising Age*, October 1, 1990, p. 26. Also see Frederick E. Webster Jr., "Defining the New Marketing Concept, " *Marketing Management* 3, no. 1 (1994): 8 ~ 16. See also Ajay Menon and Anil Menon, "Enviropreneurial Marketing Strategy: The Emergence of Corporate Environmentalism as Marketing Strategy, " *Journal of Marketing* 61, no. 1 (January 1997): 51 ~ 67.

[16] Kathleen Dechant and Barbara Altman, "Environmental Leadership: From Compliance to Competitive Ad *vantage, "* *Academy of Management Executive* 8, no. 3 (1994): 7 ~ 19. Also see Gregory R. Elliott, "The Marketing Concept—Necessary, but sufficient?: An Environmental View, " *European Journal of Marketing* 24, no. 8 (1990): 20 ~ 30.

[17] Paul C. Judge, "Are Tech Buyers DIfferent?" *Business Week*, January 26, 1998, pp. 64 ~ 65, 68. B. G. Yovovich, "Webbed Feat, " *Marketing News*, January 19, 1998, pp. 1, 18.

[18] See Theodore Levitt's classic article, "Marketing Myopia, " *Harvard Business Review*, July-August 1960, pp. 45 ~ 56.

[19] See Bruce I. Newman, *The Marketing of the President* (Thousand Oaks, CA: Sage Publications, 1993).

[20] See Karl Albrecht and Ron Zemke, *Service America!* (Homewood, IL: Dow Jones-Irwin, 1985), pp. 6 ~ 7.

[21] See John B. McKitterick, "What Is the Marketing Management Concept?" *The Frontiers of Marketing Thought and Action* (Chicago: American Marketing Association, 1957), pp. 71 ~ 82; Fred J. Borch, "THe Marketing Philosophy as a Way of Business Life, " *The marketing COncept: Its Meaning to Management*, Marketing series, no. 99 (New York: american Management Association, 1957), pp. 3 ~ 5; and Robert j. Keith, "The Marketing Revolution, " *Journal of Marketing*, January 1960, pp. 35 ~ 38.

[22] Levitt, "Marketing Myopia, "p. 50.

[23] Gary Hamel and C. K. Prahalad, *Competing for the Future* (Boston: Harvard Business School Press, 1994).

[24] Akio Morita, *Made in Japan* (New York: Dutton, 1986), ch. 1.

[25] See Patricia Sellers, "Getting Customers to love you, " *Fortune*, March 13, 1989, pp. 38 ~ 49.

[26] Suzanne L. Maclachlan, "Son Now Beats Perdue Drumstick" *Christian Science Monitor*, March 9, 1995, p. 9; Sharon Nelton, "Crowing over Leadership Succession, " *Nation's Business*, May 1995, p. 52.

[27] See Bro Uttal, "Selling Is No Longer Mickey Mouse at AT&T, " *Fortune*, July 17, 1978, pp. 98 ~ 104.

[28] See Thomas V. Bonoma and Bruce H. Clark, *Marketing Performance Assessment* (Boston: Harvard Business School Press, 1988).

[29] Richard Barnet, *Global Dreams: Imperial Corporations and the New World Order* (New York: Simon & Schuster, 1994), pp. 170 ~ 171; Michael R. Czinkota, Ilka A. Ronkainen, and John J. Tarrant, *The Global Marketing Imperative* (Chicago: NTC Business Books, 1995), p. 249.

[30] Constance L. Hays, "Getting Serious at Ben & Jerry's, " *New York Times*, May 22, 1998, D, 1: 2.

[31] Ibid.

[32] See Hanish Pringle and Marjorie Thompson, *Brand Soul: How Cause-Related Marketing Builds Brands* (New York: John Wiley & Sons, 1999). Also see Marilyn Collins, "Global Corporate Philanthropy — Marketing Beyond the Call of Duty?" *European Journal of Marketing* 27, no. 2 (1993): 46 ~ 58.

第2章

建立顾客满意、价值和关系

科特勒论营销：

除了满足顾客以外，你还必须取悦他们。

本章将阐述下列一些问题：

- 顾客价值和满意是什么？如何引导公司组织生产和传送顾客价值和满意？
- 如何创造高绩效的业务？
- 公司如何吸引和留住顾客？
- 公司如何改进顾客盈利率？
- 公司如何实践全面质量营销？

今天的公司面临着最为激烈的竞争。我们在第1章中指出，如果公司能从产品观念和推销观念转向市场营销观念，那么，它们就能有效地对付竞争。在本章中，我们将较为详细地解释公司如何赢得顾客和如何战胜竞争者。答案就是要在满足顾客需要、使顾客满意方面做好工作。只有以顾客为中心的公司才能获得成功，这需要它们向目标顾客提供优质的价值。这些公司需要建设顾客队伍，并非仅仅是改进产品。它们不仅应在产品工程（product engineering）方面驾轻就熟，而且要在市场工程（market engineering）方面也很内行。

太多的公司认为，吸引顾客是营销或销售部门的工作。如果营销或销售部门抓不住顾客，只能说明公司的销售人员不称职。但事实是，在公司吸引和留住顾客的工作中，营销仅仅是其中一个部门。即使是世界上最优秀的营销部门，也无法销售劣质产品或没人需要的产品。只有当公司所有的部门和职工相互合作、共同设计和执行一个有竞争力的顾客价值让渡系统（customer value-delivery system）时，营销部门才能有效地开展工作。

以麦当劳为例，每天有109个国家的3 800万人访问它的23 500家餐馆。人们不会仅仅因为喜欢汉堡包就涌向麦当劳快餐店。其他一些餐馆制作的汉堡包味道更好。人们是冲着某个系统而来，并不仅仅是汉堡包。这个有效运转的系统向全世界传送一个高标准，即麦当劳公司所谓的QSCV——质量（quality），服务（service），清洁（cleanliness）和价值（value）。麦当劳公司的有效就在于它和它的供应商、特许经营店业主、员工以及其他有关人员共同向顾客提供了他们所期望的高价值。[1]

在本章中，我们将描述和解释以顾客为中心的公司的经营理念和它们的价值营销。[2]

定义顾客价值和满意

早在 35 年前，彼得·德鲁克就观察到，公司的首要任务就是"创造顾客"。然而，今天的顾客面对如此众多的产品和品牌、价格和供应商，他们将如何进行选择呢？

我们相信，顾客能够判断哪些供应品将提供最高价值。在一定的搜寻成本和有限的知识、灵活性和收入等因素的限定下，顾客是价值最大化的追求者。他们形成一种价值期望，并根据它行动。他们会了解供应品是否符合他们的期望价值，这将影响他们的满意和再购买的可能性。

顾客价值

我们的前提是，顾客将从那些他们认为能提供最高顾客让渡价值的公司购买商品(见图 2—1)。

顾客让渡价值(customer delivered value)是指总顾客价值与总顾客成本之差。总顾客价值(total customer value)就是顾客从某一特定产品或服务中获得的一系列利益；而总顾客成本(total customer cost)是在评估、获得和使用该产品或服务时而引起的顾客预计费用。

我们可以用一个例子来解释。假定一家大型建筑公司作为买主要购买一台推土机。它将向卡特彼勒公司或小松公司(Komatsu)购买。相互竞争的销售人员十分谨慎地向这位买主介绍他们的产品。现在，这位买主已了解了一些具体的推土机的用途：这台推土机是用于住宅建筑工地施工的。它希望这台推土机能提供一定程度的可靠性、耐用性、良好的性能和再出售价值。它比较了解两种推土机，并根据可靠性、耐用性、性能和再出售价值作出判断：卡特彼勒公司具有较高的产品价值。它也发觉了这两种推土机服务上的差异性，如送货、培训、保养等。结论是卡

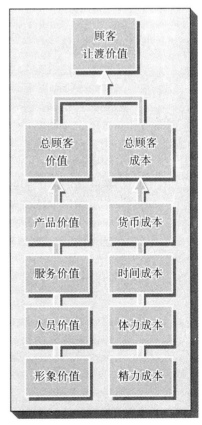

图 2—1　顾客让渡价值的决定因素

特彼勒公司提供的服务也比较好。它还发现卡特彼勒公司职员知识丰富，并且有责任心。最后，它给卡特彼勒公司的形象也打了高分。它把这四种价值——产品(product)，服务(service)，人员(personnel)和形象(image)——加在一起，并认为卡特彼勒公司所提供的总顾客价值较高。

那么，它会买卡特彼勒公司的推土机吗？不一定。它还要对与卡特彼勒公司和与小松公司交易所产生的总顾客成本进行比较。总顾客成本不是仅指货币成本，正如亚当·斯密(Adam Smith)在两个世纪前观察到的："任何东西的真实价格就是获得它的辛劳和麻烦。"除了货币成本（monetary cost）以外，总顾客成本还包括买者的时间成本(time cost)、体力成本(energy cost)和精力成本(psychic cost)。买者将这些费用与货币成本加在一起，就构成了总顾客成本。这位顾客经过计算后考虑，相对于卡特彼勒公司的总顾客价值，其总顾客成本是否太高。如果太高，这位顾客可能购买小松公司的推土机。这位顾客将购买能提供最高让渡价值的产品。

现在，让我们运用买方决策理论来帮助卡特彼勒公司成功地向这位顾客推销它的推土机。卡特彼勒公司可以从三个方面改进它的供应物。第一，卡特彼勒公司可以通过改进产品、服务、人员和/或形象来提高总顾客价值；第二，卡特彼勒公司可以通过减少顾客的时间、体力和精力费用来降低顾客的非货币成本；第三，卡特彼勒公司可以向这位顾客减让货币价格。

假设卡特彼勒公司对顾客认定的价值进行了分析，发现顾客认为卡特彼勒公司的产品价值是 2 万美元。再进一步假设卡特彼勒公司生产推土机的成本是 1.4 万美元。这就意味着卡特彼勒公司的产品含有 6 000 美元(20 000 – 14 000)的附加值。

卡特彼勒公司必须在 1.4 万美元和 2 万美元之间定一个价。如果它定在 1.4 万美元以下，它就要亏本；如果价格定在 2 万美元以上，就会超过顾客期望的总价值。卡特彼勒公司所定的价格将决定总附加值中有多少将让渡给顾客，有多少将流入卡特彼勒公司。例如，如果卡特彼勒公司定价为 1.9 万美元，那么它就让渡了 1 000 美元的附加值给顾客，而自己则保留了 5 000 美元作为利润。卡特彼勒公司的定价越低，让渡价值就越高，那么，对顾客购买卡特彼勒产品的刺激也就越大。

如果卡特彼勒公司对这次交易志在必得，那么，它的让渡价值就必须高于小松公司的让渡价值。让渡价值可以用绝对数表示，也可以用相对数表示。如果总顾客价值是 2 万美元，总顾客成本是 1.6 万美元，那么，让渡价值就是 4 000 美元(用绝对数表示)，或者是 1.25(用相对数表示)。当用相对数来比较产品时，它们通常被称为价值—价格比(value-price ratios)。[3]

一些营销人员可能会提出，这种顾客选择供应商的理论似乎太理性化。他们会举出一些例子，说明顾客并没有选择那些提供最高让渡价值的产品。假设那位采购员还是决定购买小松公司的推土机。那么，如何解释这种行为呢？这里有三种可能的解释：

1. 这位采购员可能接到命令，要购买最低价格的推土机。采购员明确地被限制根据让渡价值作出购买决策。卡特彼勒公司的销售人员的任务就是要使这位采购员的经理相信，根据价格购买将危及客户的长远利益。

2. 在公司意识到小松公司推土机的使用费用比卡特彼勒公司推土机

的使用费用昂贵之前，这位采购员已经退休了。这位采购员追求在短期内受到好评，个人的利益增加了，公司利益则被丢在一边。销售人员的任务就是要让购买公司产品的其他成员相信，卡特彼勒公司的产品将产生更大的让渡价值。

3. 这位采购员与小松公司的销售人员有着长期的友谊。卡特彼勒公司的销售人员应向这位采购员表明，小松公司的推土机会引发推土机操作人员的抱怨，特别是当这些操作人员发现燃料费很高以及推土机经常要修理时。

这个例子表明：采购员的行动受到不同因素的影响。甚至，有时采购员会将个人利益置于公司利益之上。然而，我们感到让渡价值最大化是一个有用的分析构架，它适用于许多场合，可使我们了解许多事情。其意义包括：第一，这位销售人员必须结合考虑每一个竞争者产品的因素，估计出总的顾客价值和总的顾客成本，以了解他或她的产品应有的定位；第二，处于让渡价值劣势的销售人员有两个可供选择的途径。这位销售人员可以尽力增加总的顾客成本。前者要求加强或增加供应物的产品、服务人员和形象利益。后者要求减少购买者的成本。销售人员可以降低价格、简化订购和送货程序，或者提供担保以减少顾客的风险。

顾客满意

购买者在购买后是否满意取决于与这位购买者的期望值相关联的供应物的功效。一般来说：

满意（satisfaction）是指一个人通过对一种产品的可感知的效果（或结果）与他或她的期望值相比较后，所形成的愉悦或失望的感觉状态。

这个定义清楚地表明，满意水平是可感知效果（perceived performance）和期望值（expectations）之间的差异函数。如果效果低于期望，顾客就会不满意；如果可感知效果与期望相匹配，顾客就会满意；如果感知效果超过期望，顾客就会高度满意或欣喜。

许多公司不断追求高度满意，因为那些一般满意的顾客一旦发现有更好的产品，依然会很容易地更换供应商。那些十分满意的顾客一般不打算更换供应商。高度满意和愉快创造了一种对品牌情绪上的共鸣，而不仅仅是一种理性偏好，正是这种共鸣创造了顾客的高度忠实。施乐公司的高层领导相信，高度满意或欣喜的顾客价值是满意顾客价值的 10 倍。一个高度满意的顾客比一个满意的顾客留在施乐公司的时间更长和购买其产品更多。

然而，顾客如何形成他们的期望呢？期望基于顾客过去的购买经验及朋友和伙伴的种种言论，销售者将期望值提得太高，顾客很可能会失望。例如，假日旅馆（Holiday Inn）数年前曾推出一项"顾客不必感到惊奇"活动。但旅馆客人依然遇到了一系列问题，以致假日旅馆不得不撤销了这次活动；而另一方面，如果公司将期望值定得太低，就无法吸引足够的购买者（尽管那些购买的人可能会比较满意）。

在今天大多数成功的公司中，有一些是将期望和可感知的效果相对应的。这些公司执意追求全面顾客满意（total customer satisfaction）。例如，施乐公司的"全面满意"包括保证在顾客购买的 3 年内，如有任何不满意，公司将为其更换相同或类似产品，一切费用由公司承担。西那公司(Cigna)的广告宣称："在你满意之前，我们将永远不会达到 100% 的满意"。本田公司（Honda）的广告则称："我们的顾客之所以这样满意的理由之一是我们不满意"。日产公司(Nissan) 邀请无限(Infiniti)品牌的潜在购买者作为客人驾驶汽车（不是"试车"），因为在日本语中，顾客意味着"贵宾"。

我们观察一个高度满意的顾客会做什么：

土星（Saturn） 在 20 世纪 80 年代后期，土星（通用汽车公司的一个新汽车部门）用新方法彻底改变了买卖双方的关系：它们采用不变的价格（而非传统的讨价还价），30 天的不满意退款，销售人员拿工资而非佣金（不再采用传统的硬性推销）。一旦销售实现后，销售人员惊奇地发现，汽车的新主人都微笑着打来感谢电话。公司在田纳西的总部庆祝 5 周年纪念时，全美各地共来了 4 万名土星车的用户。土星的总裁在庆祝会上说："土星车已远远超过了汽车本身……那是一种创意，是一种新的办事方法，我们与我们的顾客在共同工作。"

决定顾客忠诚与否的往往是一些日常小事，论坛咨询公司（Forum）说，日常的小事的积累会导致顾客忠诚，所以，公司需要创造"品牌顾客感受"。下面是加拿大太平洋旅馆（一家占 27% 资产的连锁公司）的例子。

加拿大太平洋旅馆（Canadian Pacific Hotels） 加拿大太平洋旅馆已经打算把其品牌放在与它的顾客关系的所有方面上。首先，公司把个体的商务旅行者作为目标。加拿大太平洋旅馆为这些顾客提供了契约："加入我们频繁顾客的俱乐部，并且告诉我们，你想要什么"，即使是你想要一个抗过敏的枕头、你想要多伦多环球邮政送货上门或在迷你吧内喝山顶露珠。和顾客保持契约不是件简单的任务。类似提供免费的本地电话或礼物商店的折旧券这种小小的改进，在技术方面都要求新的投资。然而，全部细节最后叠加起来会让事情改变。在 1997 年，加拿大太平洋旅馆在加拿大太平洋商务旅行市场份额超过了 15% ，尽管整个市场仅仅增加了 3% 。加拿大太平洋旅馆俱乐部 1/4 的成员是不会频繁光顾其他旅馆的。[4]

产生高的顾客忠诚的关键是传递高的顾客价值。米歇尔·兰宁（Michael Lanning）在他的《传递利益价值》(Delivering Profitable Value)中说，公司必须开发一种具有竞争力的卓越价值计划(value proposition)和卓越价值让渡制度（value-delivery system）。[5]一家公司的价值计划比它定位在单一的属性重要得多；它是一种关于结果经验(resulting experience)的顾客对于供应物和他们与供应商的关系的陈述。品牌必须代表一种有关顾客期望的总结果经验的承诺。承诺是否被遵守依赖有关公司管理其价值让渡制度的能力。价值传递制度包括顾客在获取提供物途中的全部的交流和渠道经验。

一个类似的主题由西蒙·诺克斯（Simon Knox）和斯坦·麦克林(Stan Maklan)在他们的《价值竞争》(Competing on Value)一书中得到强化。[6]许多公司创造了价值差距（value gap），它调整品牌价值（brand value）与消费者价值（customer value）的差额。品牌营销人员努力把自己与其他品牌区别开来，如通过某种口号（"洗得更白"）或者独特的推销主张（"火星帮助你一天的工作、休息和娱乐"），或者讨论具有增加服务的提供物（"我们的旅馆将在您的要求下提供计算机"）。但是，他们在传递顾客价值方面很少成功，主要因为他们的营销人员集中于品牌发展。而顾客是否在实际上收到许诺的价值主要依赖于营销人员影响各种各样核心流程的能力。诺克斯和麦克林希望公司的营销人员在影响公司的核心流程方面花费同设计品牌利益同样多的时间。

除了追踪顾客的期望价值和满意外，公司需要在这些地区监视它们的竞争者的绩效。例如，公司会发现它的顾客中有 80% 说他们感到满意。然后，首席执行官发现其主要的竞争者达到了 90% 的顾客满意指数。当他听说这一竞争者想达到 95% 的满意指数时，他将更加沮丧。

表 2—1 描述了公司如何探索顾客满意的四种方法。

表 2—1	顾客满意追踪调查和衡量的方法
投诉和建议制度	一个以顾客为中心的组织应为其顾客投诉和提建议提供方便。许多饭店和旅馆都备有不同的表格，请客人诉说他们的喜忧。有些顾客导向的公司，如宝洁公司、通用电器公司、惠而浦公司(Whirlpool)等，都开设了 800 免费电话热线。这些公司还增加了网站和电子信箱，以方便双向沟通。这些信息流为公司带来了大量好的创意，使它们能更快地采取行动，解决问题
顾客满意调查	一些研究表明，顾客每四次购买中会有一次不满意，而只有不足 5% 的不满意的顾客会抱怨。大多数顾客会少买或转向其他供应商。所以，公司不能以抱怨水平来衡量顾客满意度。敏感的公司通过定期调查，直接测定顾客满意状况。它们在现有的顾客中随机抽取样本，向其发送问卷或打电话咨询，以了解顾客对公司业绩各方面的印象。它们还可向买主征求其对竞争者业绩的看法 在收集有关顾客满意的信息时，询问一些其他问题以了解顾客再购买的意图，将是十分有利的。一般而言，顾客越是满意，再购买的可能性就越高。衡量顾客是否愿意向其他人推荐本公司及其产品也是很有用的。好的口碑意味着公司创造了高的顾客满意
佯装购物者	公司可以雇一些人，装扮成潜在顾客，报告潜在购买者在购买公司及其竞争者产品的过程中发现的优缺点。这些佯装购物者甚至可以故意提出一些问题，以测试公司的销售人员能否适当处理。例如，一个佯装购物者可以对餐馆的食品表示不满意，以试验餐馆如何处理这些抱怨。公司不仅应该雇用佯装购物者，经理们还应经常走出他们的办公室，进入他们不熟悉的公司以及竞争者的实际销售环境，以亲身体验作为"顾客"所受到的待遇。经理们也可以采用另一种方法来做这件事，他们可以打电话到自己的公司，提出各种不同的问题和抱怨，看公司的员工如何处理这样的电话
分析流失的顾客	对于那些已停止购买或转向另一个供应商的顾客，公司应该与他们接触一下以了解发生这种情况的原因。当 IBM 公司流失一个顾客时，公司会尽一切努力去了解它在什么地方做错了。公司不仅要和那些流失的顾客谈话，而且还必须控制顾客流失率，如果流失率不断增加，无疑表明该公司在使其顾客满意方面不尽如人意

对于那些以顾客为导向的公司来说，顾客满意既是目标，也是营销工具。顾客满意率高的公司确信它们的目标市场是知道这一点的。本田雅阁车已经连续几年从 J. D. 鲍尔斯(Powers)那里获得顾客满意名列第一的殊荣了，这一事实的宣传有助于公司销售更多的雅阁车。戴尔计算机公司在个人电脑业的快速增长，部分原因就是公司做到了使其第一流的顾客满意并对此加以宣传。关于戴尔计算机公司如何接近顾客的更多的资料参见"营销视野——顾客使产品成形：戴尔计算机公司根据顾客的点击制造产品"。

营销视野

顾客使产品成形：戴尔计算机公司根据顾客的点击制造产品

"为顾客着想"是在得克萨斯朗德罗克的戴尔计算机公司 3 栋大厦之一的戴尔 3 号大厅的巨大的招牌。这一提示物看上去几乎是多余的，但从 1983 年迈克尔·戴尔(Michael Dell)在简陋的宿舍里开始创业时，它就成了戴尔计算机公司的标志，以促使计算机中间商调解公司和顾客之间的关系。戴尔创立了一种激进的不同于以往的商业模式：把计算机直接卖给顾客，并为他们提供直接的技术性的支持。"我们有庞大而清晰的商业模式"，年仅 33 岁的公司的创立者迈克尔·戴尔说。"在什么样的价值计划、公司提供什么和为什么它对于顾客来说是伟大的方面，没有任何疑惑，那是非常简单的事情。但是，它有惊人的力量和吸引力。"它也为公司赢得了惊人的利润。1998 年，戴尔的收入是 123 亿美元，公司以每年 52% 的速度增长。它最近超过了 IBM，成为美国第二大商业计算机卖主，并正在迅速侵入康柏（Compaq）的领地。

因为直接面对顾客的商业模式增加了公司获取特定回应的能力，所以戴尔公司与竞争者不同。因为其计算机是先有订单再生产，所以它能削减存货，并且保持较低的成本，戴尔公司能把它的产品的价格降低到比它的竞争者能够制定的最低价还低 10% ～ 15% 的水平。现在，当顾客需要元件时，只要数分钟，戴尔公司就能把元件送到。在它的得克萨斯奥斯汀工厂，一台戴尔的个人计算机，装入软件，获得测试，8 个小时后包装完毕。然而，速度仅仅是戴尔模式的一部分，服务是另一部分。公司创造了一种基于"戴尔视野"的服务能力，该视野阐述了一位顾客"必须有一种质量经验，并且必须获得满足，而不仅仅是满意"。

实际上，通过成功的商业模式的转变，公司发现顾客服务的重要性。1993 年，公司开始努力向零售商销售，因为其他的竞争者都在这样做。但由于全球的沃尔玛商店不能提供各种类型的顾客服务，所以顾客感到不满。戴尔最终放弃了零售渠道。最重要的是，迈克尔·戴尔认为"除了制造计算机以外，我们还有许多必须去做的事情"。戴尔认为他的公司有两种顾客：企业和个人消费者。消费者的购买因素是价格，与此相反，企业购买者需要一种慎重发展的关系。像大多数成功的公司一样，戴尔把大多数资源放在与其最有利可图的顾客建立关系上。

公司顾客占了戴尔公司业务的 90%，并且，公司用最高层的销售团队管理其企业客户。现在，戴尔也安装定制的软件，并追踪企业客户的存货。它的努力已经从竞争者那里抢来了许多大型的公司客户，包括 1992 年偶然从戴尔购买计算机的厄恩斯特－杨公司（Ernst & Young）。现在，该客务公司从康柏公司购买服务器，从 IBM 公司购买多媒体便携式计算机，而其他几乎所有的桌面机器和常用的便携式计算机都从戴尔公司购买。

戴尔用于顾客关系的最为创新的工具是因特网。作为最早通过在线销售获利的公司之一，现在戴尔把在线业务作为其企业成长的一部分。因特网已经迅速地成为公司直接面向顾客的商业模式。通过主页，在戴尔网站的定制化的顾客网页的使用，戴尔正在倡导一种24小时的订货处理系统。类似壳牌石油公司或波音公司（Boeing）这样的大客户，每星期购买1 000台计算机，它们点击戴尔的网站，查看各种有关它们需要和偏好的产品信息。这种网站能使全球任何公司的子公司快速连接，而且，这也是它的优点，雇员们不仅仅向代理商购买，也能使用公司主页，依据自动化政策购买计算机。"它是最终的网络"，迈克尔·戴尔说，"而且，这也是一种使我们和顾客相互联系的最有效的方式"。

戴尔主页：通过这些定制化的顾客网页，戴尔已经使因特网成为其直接与顾客沟通的商业模式的延伸。

资料来源：Based on Michele Marchetti"Dell Computer," *Sales & Marketing Management*, October 1997, pp. 50～53; Evan Ramstad"Dell Fights PC Wars by Emphasizing Customer Service—Focus Wins Big Clients and Gives IBM and Compaq a Run for Their Money," *Wall Street Journal*, August 15, 1997, p. B4; Robert D. Hof, "The Click here Economy," Business Week, June 22, 1998, pp. 122～128; Saroja Girishankar, "Dell's Site Has Business in Crosshairs," Internetweek, April 13, 1998, p. 1; "The InternetWeek Interview—Michael Dell, Chairman and CEO, Dell Computer," Internetweek, April 13, 1998, p. 8.

尽管以顾客为中心的公司寻求创造顾客满意，但却未必追求顾客满意的最大化。如果公司一味通过降低价格或增加服务来提高顾客的满意，那么，这可能会降低利润。公司一味通过其他途径来增加利润（如改善其制造能力或增加研究开发投入等）。公司还有许多利益关系方，包括诸如雇员、经销商、供应商和股东等。公司增加了在提高顾客满意方面的开支，就是转移了部分原来用于提高其他"合伙人"满意率的资金。最后，公司必须遵循这样一种理念，在总资源一定的限度内，公司必须在保证其他利益关系方至少能接受的满意水平下，尽力达到高水平的顾客满意。

在顾客评价公司绩效的某个方面(如送货是否满意时)，公司应认识到，不同顾客在定义所谓满意的送货时有不同的标准：它可能意味着较早地送到，准时送到，或者订货全部运到，等等。所以，如果公司必须具体说明各个方面，顾客就要回答一大堆问题。公司还必须清楚，两个顾客在宣称"非常满意"时，可能是出于不同的原因。一个顾客可能在大多数场合都很容易满足，而另一个顾客可能只是偶然感到满意。

公司还应注意，经理和销售人员可以操纵顾客满意率的高低。他们可以在调查前对顾客特别好，他们也可将不愉快的顾客排除在调查之外。还有一点要注意的是，如果顾客知道公司将尽全力取悦顾客时，他们可能会尽量表示不满（甚至可能是在满意的时候），以获得更多的折让。

某些公司有驾御达到它们的顾客价值和满意目标的所有能力。我们称这些公司是高绩效业务的企业。

高绩效业务的性质

阿瑟·D·利特尔（Arthur D. Little）提出了一个高绩效业务（high-performance business）特征的模型。在图2—2中列出了他提出的获得成功关键的四个因素：利益关系方、过程、资源和组织。[7]

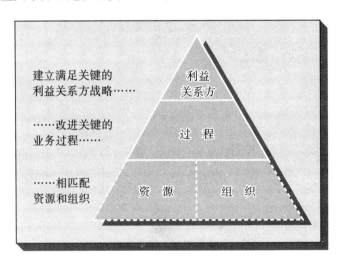

图2—2　高绩效业务

利益关系方

作为高绩效业务道路上的第一步，一个业务必须确定利益关系方和他们的需要。从传统上说，大多数企业首先考虑股东的利益。然而，今天的公司也逐渐认识到还有其他利益关系方——顾客、员工、供应商、分销商；否则的话，股东足够的利润是不能保证的。

一个业务的目标应是为不同的利益关系方集团提供最低的满意水平（门

槛）。公司让不同的利益关系方得到高于最底线的满意。例如，公司的目标是让顾客高兴，给雇员以好的表现机会，给供应商以临界点水平的满意。在建立这些关系中，公司必须注意避免使利益关系方之间感到不公平。[8]

这里有一个涉及利益关系方集团的动态关系的表述。聪明的公司为雇员创造一个高水平的满意环境，使它们的员工不断努力。其结果是公司生产出高水平的产品和服务并创造了高水平的顾客满意。这些满意的顾客导致回头业务以及由此得到的业务成长和利润，这又进一步导致了股东的满意并追加投资。这个循环又导致更多的利润和业务成长。

过程

一个公司只有通过管理和连接工作过程（work process）才能完成其所要求的满意目标。公司的工作在传统上是由各部门执行的，但各部门在执行时会发生某些问题。各部门独立操作，尽其所能完成它们自己的目标，而不是公司的目标。在部门与部门之间很少有理想的合作。工作慢吞吞，计划在各部门传递时经常走样。

高绩效公司正把它们的注意力集中在管理核心业务过程的需要上，如新产品开发、销售形成和其他任务等。它们为每个过程采用逆工程（reengineering）流程和建立跨职能小组。[9]例如，施乐公司的顾客运作小组把销售、运输、安装、服务和账单处理连接起来，使这些工作在部门之间平稳流动。获得成功的公司必定有杰出的通过跨职能小组管理核心业务的能力。麦肯锡公司的研究报告说：

> 高绩效的公司与相对较少成功的公司作比较时，特别强调建立一套技能。当较少成功的公司为自己的职能优势而自豪时，高绩效公司赞美跨职能的技巧。高绩效者说："我们已经得到了世界上最好的项目经理。"低绩效者说："我们已经得到了网络设计员。"[10]

AT&T、宝丽来（Polaroid）和摩托罗拉（Motorola）等公司重组它们的员工成立跨职能小组。现在，跨职能小组在非营利组织和政府组织中也很普及。

圣迭戈动物园（San Diego Zoo）　圣迭戈动物园的任务是改简单动物展览为教育保护区，它的组织形式改变了。这个面貌一新的动物园成为展示关于气候与生物学关系的场所，表现来自世界各地的植物与动物在同一环境中的生存情况。由于这个动物园各种情况交织在一起，因此需要工作人员协同管理和工作。园艺师、地勤人员和动物饲养专家已不再被传统的职能界限所隔开。[11]

资源

为了运行过程，公司需要诸如人力、材料、机器、信息和能源等资源（resources）。这些资源可以自己拥有，也可以租赁或出借。传统上，公司寻找属于自己的资源并把它们中的大部分控制在企业内部，但现在观点改变了。公司发现自己能控制的资源不如资源在外部运作时顺手。今天，许多公司在外部

51

能获得更高质量或更低成本的情况下，使其非核心资源从外部组织处获取。外部资源往往包括清晰的服务、法律保护和自动快捷的管理。最近，柯达公司把数据处理部门的管理工作交给了 IBM 公司。下面是另一个成功利用外部资源的例子。

托伯斯坦(Topsy Tail)　某些企业惊人的业务成功来自于熟练的外包加工。托米玛·埃德马克(Tomima Edmark)发明了一种用塑料制作的整发器，她为它取名为托伯斯坦。埃德马克只雇用了 2 名员工，就使 1993 年的销售额达到 8 000 万美元，但好的编外雇员超过 50 人。埃德马克和她的 2 个员工建立了由 20 个合作企业组成的网络，他们处理从生产制作到向零售商收账的全部业务。埃德马克对她的外部资源遵循的原则是：保持对新产品的开发权并控制着营销战略，这构成了她的公司的中心内容和核心能力。[12]

这里的关键是公司掌握和培养企业必需业务的核心资源的能力。例如耐克公司，它自己并不生产鞋子，因为在亚洲对制鞋业务有很强的竞争力，但耐克公司培育了它在鞋的设计和销售上的优势业务，这两项构成了它的核心能力。3M 公司与众不同的核心能力表现在衬底、涂层和黏合上，把这些组合起来就能创造出一批成功的业务。我们说核心能力（core competence）应具有三个特征：(1)它是一种具有竞争优势的资源；(2)它在应用上有潜在的宽度；(3)竞争者要模仿难度很大。[13]

竞争优势也提高了公司所具有的差别化能力（distinctive capabilities）。核心竞争倾向于特殊技术的领域和产品专利，而能力倾向于在广阔的业务流程中表现优秀。例如，沃尔玛公司在产品补充方面，基于几种核心竞争力，包括信息系统设计和后勤具有一种差别化的能力。乔治·戴（George Day）教授认为市场驱动型组织在三个方面有优秀的差别化能力，即市场感觉（market sensing）、顾客联系（customer linking）和渠道组合（channel bonding）。[14]

组织和组织文化

一个公司的组织（organization）由它的结构、政策和公司文化诸方面组成，然而，这一切常常可能在迅速变化的业务环境中机能失调。一个公司改变结构和政策是困难的，而公司文化的改变更难，但文化改变常常是成功地执行新战略的关键。

公司文化（corporate culture）实际上是什么？这个词语令许多企业家大伤脑筋，有些人把它定义为"体现一个组织的经验、历史、信仰和标准"。是的，当你走进一家公司，首先吸引你的是公司文化——人们的衣着、与人谈话的方式方法、公司对顾客的欢迎方式。

有时，公司的文化有组织地发展着，首席执行官的个性和习惯被直接传送给公司雇员。以计算机巨人微软公司为例，微软作为一个成功的企业并未自命不凡。即便当它的销售额达到 140 亿美元时，公司也没有失去由其缔造者比尔·盖茨（Bill Gates）保持的艰苦奋斗的文化。实际上，大多数人觉得微软公司极端的竞争性文化是其成功的关键，并且也是计算机行业里的经常批评其支配地位的关键。[15]

微软公司（Microsoft）　不要让松散的高低不平的校园建筑物、奢侈的草坪、荫蔽的小灌木丛和不经意但合身的衣服号码欺骗你。如同微软公司雇员提到他们自己时那样，微软公司是反映盖茨个人风格的充满监狱式竞争的驱动器。一个由盖茨自己设计的招聘职位说明上写着"微软人是部分的脑力劳动，部分自由驱动的个性和在技术上100%的热情"。来自硅谷的竞争者把他们关于其表面上像奴隶般地为公司献身称为"微小的玫瑰花"。像十几岁就建立公司的盖茨那样，微软是年轻的；公司中几乎1/3的人不超过29岁，公司员工的平均年龄为34岁。他们随意的便装也源于盖茨，在编写了一整夜的程序后，盖茨常常睡在车库的地板上，而且第二天早晨起床后穿着皱巴巴的衣服开始工作。尽管这些穿着T恤衫的雇员中的很多人能赚很多钱，并且，他们的竞争热情的部分原因是为了支撑一只股票的价格，并使交易倍数超过35，达到标准普尔股票价格指数的2倍。公司内部员工自有的股份占公司总股份的38%，并且，微软是一个比地球上任何其他公司拥有更多百万富翁职员的企业。

在创业者的公司成长中需要创造一个更严谨的组织构架时，将会发生什么？在带有相当猛烈冲击性的文化进入合资企业或合并的时候，又会发生什么？德国的戴姆勒（Daimler）与克莱斯勒（Chrysler）汽车公司在1998年的合并，就是一个例子。为了熬过自身濒临破产的窘境，克莱斯勒公司在底特律成为最敏捷和最贫穷的竞争者。相反，戴姆勒具有官僚主义且有点沉重的文化。它们组合成一个管理层，但是，如果历史具有任何指导意义的话，文化的猛烈冲突将是对戴姆勒 – 克莱斯勒最大的挑战。在1992年的一项调查报告中，库珀 – 莱布兰德（Coopers & Lybrand）对100个具有失败或者有麻烦的并购公司作了研究，被询问的行政执行官中有855位认为并购公司在管理风格和实践上的差异是失败的主要原因。沃德波费克特公司（WordPerfect）和诺威尔公司（Novell）的合并也是一个典型案例。[16]

诺威尔和沃德波费克特（Novell and WordPerfect）　当诺威尔公司在1994年收购了沃德波费克特公司的时候，沃德波费克特拥有一半以上的字处理软件市场，而诺威尔公司在软件产品方面甚至可以和微软公司展开激烈的竞争。关于交易的一切看上去都完美无缺，可是，两家公司在诸如用户服务等方面采取了正好相反的观点。在并购前，沃德波费克特因为其显著的顾客帮助线而闻名，所以，沃德波费克特的客户对诺威尔公司较少的服务极其不满。两家公司在如何作出决定以及谁将参与过程意见不统一。即使较低层次的沃德波费克特的雇员都习惯于公平的人身自由，而且，在以前，他们也包含在制定决策的过程里。但是，诺威尔公司的人们习惯于官僚主义的阶层和一种程式化的制定决策的过程。当争论在诺威尔公司和沃德波费克特公司的管理人员之间爆发时，合并公司的焦点转为内部冲突，而等在门外吃公司午餐的是微软公司。诺威尔公司和沃德波费克特公司的结合以一个有趣的方式收尾，沃德波费克特脱离了诺威尔，转而被与其有更相似文化的加拿大的科利尔（Corel）软件公司收购，沃德波费克特一年内重新获得了它在字处理软件中的领导地位。

科林斯（Collins）和波拉斯（Porras）研究长期维持高绩效的公司达 6 年之久，他们著有《从建立到持久》（Built to Last）一书，他们对这个问题另有论述。[17]这些斯坦福的研究者在 18 个行业中确定出两种公司，一种公司被称为"有远见的公司"，另一种则是"有比较优势的公司"。有远见的公司往往是行业的领袖，并且被广泛地赞赏，它们有雄心勃勃的目标，与员工有良好的沟通，在赚钱之外还有一个高的目标，它们与其他公司相比有广泛的优势。这种有远见的公司包括通用电气公司、惠普公司和波音公司，而有比较优势的公司有西屋电气公司（Westinghouse）、得州仪器公司和麦道公司（McDonnell Douglas）。

在对 18 个市场领袖公司的共性作了研究后，这两位研究者的结论是它们有三个共同特征。首先，这些有眼光的公司始终如一地发展一个核心理念，即绝不动摇。例如，IBM 公司的原则是：尊重个人、顾客满意和永不止步地改进质量。[18]强生公司（Johnson & Johnson）的原则是：对顾客负责，对员工负责，对社会负责，对股东负责。其次，这些有眼光的公司用启发式的术语表达它们的意图。施乐公司想改善"办公室的效率"，而孟山都公司（Monsanto）想要"帮助消除全世界的饥饿"。根据科林斯和波拉斯所说，公司的目标不应该沉迷于特定的商业目的或战略，也不应该仅仅是公司产品线的描述。参见"营销备忘——为什么你存在，你代表什么？"

第三，有远见的公司拓宽了它们将来的视野，并且表现为如何实现它。现在，IBM 公司正在确立其作为"网络中心"的领导地位，并且，它不仅仅是作为主要的计算机制造商那样的具有领导地位的公司而运作。

成功的公司可能需要采用一种如何精巧地制作它们的战略的新观点。传统的观点是由公司资深的管理者制定战略，并传达下来。加里·哈米尔（Gary Hamel）提出了相反的观点，即在战略中，想像观点应存在于公司内的许多地方。[19]资深的管理者应该倾向于在战略制定的过程中被三种代表群体识别和鼓励创新的想法。这三种代表群体包括：年轻的有发展前景的雇员；从遥远的公司总部调职的雇员；对行业来说新的雇员。每个群体都能够向公司的正统观念挑战，以及刺激产生新的想法。

在对将来不同的看法中，必须慎重地区分和选择战略。荷兰皇家公司/壳牌集团（Royal Dutch/Shell Group）已成为事态分析（scenario analysis）的先驱。事态分析是对一家公司可能的发展的合理描述，是由市场拉动力量及包括不同的不确定因素等在内的假设组成。管理者需要运用问题来思考每一个事态："如果它发生，我们将做什么？"他们需要用事态作出预计，并且当时间过去后观察路标，以确定或不确定那个事态的演变。[20]

为什么你存在和你代表什么?

为了识别组织的核心目标,试做这个练习:

以描述性的陈述开始"我们制造某产品"或"我们传递某服务"。然后问:"为什么那是重要的?"问五遍。问五遍为什么后,你将发现你识别出了组织的根本价值。例如,"我们生产砂砾和沥青产品"能转化成"我们通过改善人造物质的结构质量,让人们生活得更好"。

识别下面组织的核心价值:

1. 推出能持久坚持的忠诚以确定什么样的价值是真正的核心价值。

2. 你陈述它五六遍,再重复。机会是令你迷惑的操作流程、商业战略和文化标准(全部放开予以改变)的核心价值,(这不会改变)。

3. 在你已经掌握了一份核心价值的基本清单后,向每个人问这个问题:"如果情况变化,而我们由于拥有的这一核心价值处于不利境地,我们还将保持它吗?"

4. 如果你不能肯定地回答上述问题,那么,这种价值不是核心价值,应该被放弃。毕竟,如果市场变化了,公司不应该改变价值去满足市场;相反,它们应当改变市场。

资料来源:Adapted from James C. Collins and Jerry 1. Porras, "Building Your Company's Vision," *Harrard Business Review*, September-October 1996, p. 65.

高绩效的公司建立了让渡顾客价值和满意的方案。让我们看一看它们是怎样做的。

让渡顾客价值和满意

在顾客价值和满意的重要性已确定的前提下,用什么来产生价值和转让价值呢? 为了回答这个问题,我们需要讨论价值链和价值让渡系统等概念。

价值链

迈克尔·波特(Michael Porter)提出价值链(value chain)这个概念,并把它作为公司的一种工具,用以识别创造更多的顾客价值的各种途径(见图2—3)。[21]每个公司集合了设计、生产、销售、送货和支持其产品等采取的一系列活动。价值链将在某一特定行业中创造价值和将产生成本的诸活动分解为在战略上相互关联的九项活动。这九项价值创造活动又分为五项基础活动和四项支持性活动。

基础活动是指以企业购进原材料(进入后勤),进行加工生产成最终产品(生产操作),将其运出企业(运出后勤),上市销售(营销与销售)到售后服

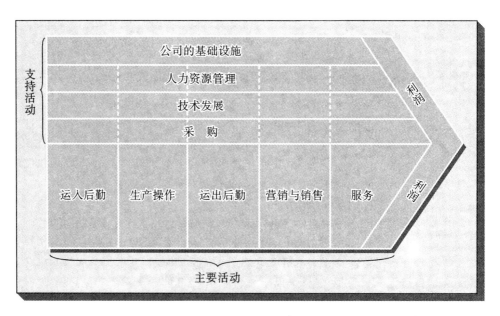

图 2—3　一般的价值链

务（服务）依次进行的活动。支持性活动始终贯穿在这些主要活动中。采购是指对各项基础活动所需要的各种投入物的采购，而其中只有一小部分是由采购部门办理的。每项基础活动都需要技术开发，而其中只有一小部分是由研究开发部门进行的。所有的部门都需要人力资源管理。公司的基础设施涉及由全部基础活动和支持性活动产生的一般性管理、计划、财务、会计、法律和政府有关事务所需要的开支。

公司的任务是检查每项价值创造活动的成本和经营情况，并寻求改进措施。公司应对其竞争者的成本和经营绩效作出估计，并以此作为公司的定点超越（benchmarks）基础。只有当公司在某些活动上做得比它的竞争者好时，它才能获得竞争优势。

公司的成功不仅取决于每个部门做得如何，还取决于不同部门之间如何协调。通常，公司各部门强调部门利益最大化，而不是公司和顾客的利益最大化。一个信贷部可能会用很长的时间去检查潜在顾客的信用状况，这样可以避免出现坏账；然而同时，顾客就要等待，推销员就会受挫。一个运输部门选择火车运送货物，以节约部门开支，然而，顾客又要等待。各个部门都高筑壁垒，致使优质顾客服务的提供被延误了。

解决问题的途径是加强对核心业务过程（core business processes）的平滑管理，其中大部分涉及跨职能部门的投入和合作。[22]核心的业务程序包括：

● 新产品的实现过程。在快速、高质和按预算开发新产品中涉及的所有活动，包括识别、研究、发展和成功地推出新产品。

● 存货管理过程。在原材料、中间产品的存货管理中所涉及的所有活动，从而能在避免因库存过多而增加成本的同时保证足够的供货。

● 顾客探测和维系。所有的活动应包含发现和留住顾客，并使他们的业务有所发展。

● 订单—付款过程。从接受订单、按时送货到收取货款这一过程中所涉及的全部活动。

● 顾客服务全过程。在为顾客提供各种便利的过程中所涉及的所有活动，包括帮助顾客在公司里较快找到要去的部门，获得快速而满意的服务、答案和解决问题的办法。

强大的公司就是那些管理这些核心过程中具有较高能力的公司。例如，沃尔玛公司的最大优势之一就是它在安排商品从供应商那里送往各家商店方面所拥有的高效率。当沃尔玛商店在销售其商品时，销售信息流不仅流向沃尔玛总部，而且还流向供应商，这些供应商几乎在它们的商品刚从沃尔玛的货架上被取走，就把补充商品运到沃尔玛商店了。[23]

价值让渡网络

为了成功，公司还需要超越其自身的价值链，进入其供应商和最终顾客的价值链中寻求竞争优势。今天，越来越多的公司和特定的供应商及分销商合伙，以创造优秀的价值让渡网络（value-delivery network）或称供应链（supply chain）。[24]

贝利控制公司（Bailey Controls） 贝利控制公司的总部在俄亥俄州，它每年为大型工厂生产控制系统达 3 亿美元。它把某些供应商看成是自己企业的一个组成部门。该公司最近把 2 家供应商直接导入它的存货管理系统。每个星期，贝利公司通过电信网络给以加拿大蒙特利尔为基地的电子未来公司预测在之后 6 个月材料的需要量，以便为未来电子公司增加存货。当存货低于警戒水平时，贝利公司的员工通过激光扫描仪通知未来电子公司，使该公司立即发货。对供应商来说，这样做虽然增加了存货成本，但大批量的订单能抵消额外的费用。这是一个双赢的合伙战略。

贝兹实验室（Betz Laboratories） 位于宾州的贝兹实验室生产销售进行水处理的化学制品，这种化学制品能使工厂水管的水除去污渍且不腐蚀设备。贝兹向它的大顾客既提供产品又提供技术。贝兹公司的人员与它的客户公司的工程师、管理人员组成高水平的小组，对客户工厂的水质仔细考察，他们研究以下的问题：水质对设备是安全的吗？它符合环保标准吗？这种水处理方法是否浪费最小和成本最合理？在不到一年的时间里，贝兹公司的小组帮助联合信号公司（Allied Signal）的工厂降低了 250 万美元的潜在年度成本。

著名的牛仔服装制造商李维·斯特劳斯公司（Levi Strauss）与其供应商和分销商的合作是价值让渡网络的另一个典范（见图 2—4）。李维公司最大的零售商是西尔斯公司（Sears）。每天晚上，李维公司都可以通过电子信息交换系统了解通过西尔斯公司以及其他商店所出售的牛仔服的尺码和式样。然后，李维公司通过电子信息系统向它的布料供应商——米利肯公司订购第二天要的货。而米利肯公司则向杜邦公司纤维供应商订购纤维。通过这种方式，供应链上的成员利用最近的销售信息来生产要出售的产品，而不是根据可能与当前需求有较大差异的预计数来生产。这就是所谓的快速反应系统（quick response system）。商品是需求拉动的，而不是供应推动的。李维公司与其他牛仔服装制造商（如蓝哥公司）取决于李维公司营销网（marketing network）的团队质量和蓝哥公司营销网之间的竞争。公司之间不再竞争，是营销网在竞争。

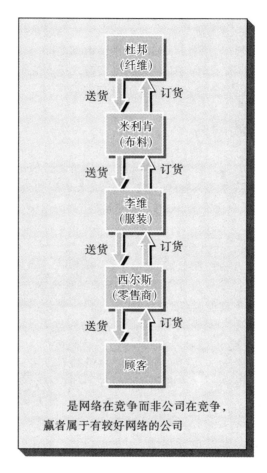

图 2—4　李维·斯特劳斯公司的价值让渡系统

吸引与维系顾客

在公司关系网中另一个重要因素是它的供应链。许多公司开始加强与它们最终顾客的联系和提高顾客忠诚度。过去，许多公司都认为顾客是不成问题的。它们的顾客或者没有很多可供选择的供应商，或者其他供应商在产品质量上和服务上马马虎虎，或者就是市场迅速扩张，以致公司不必去担心它的顾客是否满意。很明显，现在情况已经改变了。

现在的顾客是很难被取悦的。他们更加聪明、具有更多的价格意识、更多的需求、较少的宽容心，而且有更多竞争者在提供类似的产品。根据杰弗里·齐托玛（Jeffrey Gitomer）的观点，挑战不会产生顾客满意；许多竞争者都能做到这一点。公司的挑战是培养忠诚的顾客。[25]

吸引顾客

公司为了增加利润和销售额，必须花费大量的时间和资源搜寻新的顾客。顾客探测（customer acquisition）要求公司在领先产生（lead generation）、领先资格（lead qualification）和客户转换（account conversion）中有实质性的技能。为了处于领先地位，公司开始在能接触到新的尝试者的媒体做广告，寄送直接信函，给可能的新的尝试者打电话，让销售人员参与可能发现机会的贸易展示，等等。所有这些活动都产生了一份假设顾客（suspects）清单。接下来的工作是预测顾客是否能真正成为潜在顾客，而且还要访问他们，检查他们的财务状况，等等。潜在顾客可能分为热情、温和和冷淡的几种等。销售人员首先联系热切的潜在顾客，并进行说服，这其中包括制作幻灯片、回答提问和协商最终的合同条款。

计算流失顾客的成本

光有吸引新顾客的技能是不够的；公司必须留住他们。太多的公司像搅乳器一样伤害了老顾客，也就是说，它们只能靠失去它们的老顾客来获取新顾客。这就如同给渗漏的壶经常加水一样。今天的公司必须更多地关注它们的顾客背叛率（customer defection rate）（失去顾客的比率）。例如，蜂窝电话的经营者每年为失去的 25% 的顾客而需支付 20 亿美元～40 亿美元的成本。为关注其顾客的流失率，应采取的措施如下。

首先，公司必须确定和衡量它的顾客维系率。一本杂志应有续订率；一所大学应有一年级升二年级的比率，或者毕业率。

其次，公司必须区分导致顾客流失的不同原因，并找出那些可以改进的地方。参见"营销备忘——在顾客流失时提几个问题"。论坛公司分析了 14 个大公司顾客流失的原因，除了顾客离开了该地区或者改行外，其他因素有：15%的转换是他们发现了更好的产品；70% 是因为供应商的问题或没有吸引力。有些是公司无能为力的。例如，顾客离开了该地区，或者改行了。但是，有许多地方是公司可以有所作为的，如顾客流失是因为服务差、产品次、价格太高等。公司应备有一个流失率分布图，以显示因各种原因离开本公司的顾客的比例。[26]

营销备忘

在顾客流失时提几个问题

为了创造有效的顾客维系率，营销经理需要确定顾客流失的几种形式。这个分析起始于内部记录，如销售日记、定价报告和客户调查结果。第二步是调查这些流失顾客的外部原因，如定点赶超研究和行业协会的统计资料。下面是需要提出的关键问题：

- 今年顾客流失的变动率是多少？
- 各办公室、地区、销售代表或分销商处的顾客维系率变化如何？
- 顾客维系率与价格变化之间的关系？
- 顾客流失的原因和他们去向何方？
- 你的行业维系率标准是多少？
- 在同行中哪一家公司维系顾客时间最长？

资料来源：Reprinted from William A. Sherelen, "When Customers Leave," *Small Business Reports*, November 1994, p. 45.

第三，公司应该估算一下当它失去这些不该失去的顾客时所导致的利润损失。如果是一个顾客的话，损失的利润就相当于这个顾客的寿命价值（lifetime value），也就是说，相当于这位顾客在正常年限内持续购买使公司产生的利润。对于一群流失的顾客，一家大运输公司是这样来估算其利润损失的：

- 该公司有 64 000 个客户。
- 今年，由于服务质量，该公司丧失了 5% 的客户，也就是 3 200(0.05 × 64 000) 个客户。
- 平均每流失一个客户，营业收入就损失 40 000 美元。所以公司一共损失 128 000 000 美元营业收入（3 200 × 40 000）。
- 该公司的盈利率为 10%。这一年损失了 12 800 000(0.1 × 128 000 000) 美元利润。随着时间的推移，该公司的损失将更大。

第四，公司需要计算降低流失率所需的费用。只要这些费用低于所损失的利润，公司就应该花这笔钱。

第五，没有什么比聆听顾客的声音更重要的了。一些公司已经倡导让高级管理人员持久地从第一线听取顾客反馈的运行机制。MBNA（信用卡巨人）要求所有的管理人员都去聆听顾客服务区域的电话交流或顾客返回的信息。迪尔公司（Deere）生产约翰·迪尔拖拉机，并拥有一份良好的顾客忠诚度的记录（在一些产品区域，每年几乎都有 98% 的维系率），公司让退休的雇员去拜访离开的顾客和忠诚的顾客。[27]

维系顾客的需要

遗憾的是，大多数的营销理论和实践往往集中在如何吸引新的顾客，而不是维系现有顾客方面，强调创造交易而不是关系。讨论的焦点往往集中在售前活动，而不是售后活动上。

然而，某些公司已经在非常积极地维护顾客忠诚和关系了。[28]

凌志公司（Lexus）　从一开始，凌志公司就选择了那些承担高水平的顾客服务和顾客满意责任的经销商。它也让经销商们确切地知道，如果它们提高了顾客的保留率，对它们而言的价值是多少。公司作了一个模型，通过模型能计算出每个经销商通过顾客较高水平的重复购买和服务忠诚赚到多少的利润。一位凌志汽车的主管说："我们公司的目标就是超越顾客满意，我们的目标是使顾客愉悦。"

　　维系顾客的关键是顾客满意（customer satisfaction）。一个高度满意的顾客会：

- 忠诚于公司更久。
- 购买更多的公司新产品和提高购买产品的等级。
- 为公司和它的产品说好话。
- 忽视竞争品牌和广告并对价格不敏感。
- 向公司提出产品或服务建议。
- 由于交易惯例化而比用于新顾客的服务成本低。

　　因此，一个公司精明之举是经常测试顾客的满意程度。公司可以通过电话向最近的买主询问他们的满意度是多少。测试要求分为：高度满意；一般满意；无意见；有些不满意；极不满意。公司可能流失 80% 极不满意的顾客，40% 有些不满意的顾客，20% 无意见的顾客和 10% 一般满意的顾客。但是，公司只会流失 1% ～ 2% 高度满意的顾客。所以，应努力超越顾客期望，而非仅仅满足顾客。

　　某些公司认为它们可以通过在每个阶段记录和打印顾客投诉的数字来衡量顾客满意度。然而，95% 的不满意顾客不会投诉，他们仅仅是停止购买。[29] 最好的方法是公司要方便顾客投诉。因此，公司可以安排建议表格、免费电话和电子信箱地址。3M 公司希望顾客用电话来提出建议、要求和投诉。3M 公司声称它的产品改进建议有超过 2/3 的是来自顾客的意见。

　　光听是不够的，公司必须对投诉作出迅速和具体的反应。

　　　54% ～ 70% 的投诉顾客，如果投诉得到解决，他们还会再次同该组织做生意；如果顾客感到投诉得到很快解决，数字会上升到惊人的95%。顾客的投诉得到妥善解决后，他们就会把处理的情况告诉他们遇到的每个人。[30]

　　因为一个忠诚的顾客可使公司增加收益，所以，公司应认识到忽视顾客不满或同顾客争吵，会产生失去顾客的风险。IBM 公司要求每一个销售人员对失去的每个顾客，撰写一份详细的报告和采取一切办法来使顾客恢复满意。赢得一个失去的顾客是一项重要的营销活动，它的成本通常比吸引第一次购买的新顾客要低。

　　L. L. 比恩公司（Bean）是一个一贯注重使顾客满意的公司，它专门从事供应低档生活的服装与设备目录邮售。比恩公司仔细地把它的外部与内部营销计划结合起来。它向顾客提供如下服务[31]：

> **百分之百的保证**
>
> 　　我们保证所有的产品在各方面让您百分之百地满意。向我们购买的任何东西如果证实不好，随时可以退回。只要愿意，我们可以替换或退款，或将退款计入您的信用卡。我们不希望您从 L. L. 比恩公司购买的任何东西是不完全满意的。

　　为激励公司员工很好地为顾客服务，在公司办公室贴着醒目的标语[32]：

> **什么是顾客?**
>
> 　　顾客是本公司最重要的人，不论是亲临或邮购。
>
> 　　不是顾客依靠我们，而是我们依靠顾客。
>
> 　　顾客不是我们工作的障碍，他们是我们工作的目标。我们不是通过为他们服务而给他们恩惠，而是顾客因给了我们为其服务的机会而给了我们恩惠。
>
> 　　顾客不是我们要争辩和斗智的人。从未有人会取得同顾客争辩的胜利。
>
> 　　顾客是把他们的欲望带给我们的人。我们的工作是为其服务，使他们和我们都得益。

　　今天，越来越多的公司正日益认识到顾客满意和维系现有顾客的重要性。下面是维系顾客的一组有趣的数字[33]：

　　● 获取一个新顾客的成本是保留一个老顾客成本的 5 倍。转换一个从当前供应商处的满意顾客需要大量的努力。

　　● 公司平均每年流失 10% 的老顾客。

　　● 一个公司如果将其顾客流失率降低 5% ，其利润就能增加 25% ～ 85% 。

　　● 顾客利润率主要来自于老顾客的寿命期限。

　　下面我们用一个例子来说明维系顾客的必要性。假设一家公司研究了获得新顾客的成本：

平均每次销售访问的费用（包括工资、佣金、津贴和其他开支）300 美元
使一个潜在顾客转变为现实顾客平均所需的访问次数　　　　　　×4
吸引一个新顾客的费用　　　　　　　　　　　　　　　　1 200 美元

这个数字是低估的，因为我们没有把广告、促销等发生费用计算在内，而这只是使预期顾客变为现有顾客的一小部分费用。

　　现在，假设公司平均的顾客寿命价值估计如下：

顾客年销售收入　　　5 000 美元
平均忠诚年限　　　　　×2
公司毛利　　　　　　　×0.1
顾客寿命价值　　　1 000 美元

显然，该公司吸引一个新顾客的费用高于保留顾客的价值，除非该公司少

访问几次客户便能签约，每次访问少花些钱，或者增加新顾客每年的销售，更长时间地保留顾客，或者出售高毛利的产品，否则公司就会破产。

有两种途径可以达到保留顾客这一目的。其一是设置高的转换壁垒。当顾客改变供应商将涉及较高的资金成本、寻找成本或老主顾折扣的丧失等待时，顾客可能就不太愿意更换供应商。另一种更好的维系顾客方法就是提供高的顾客满意。这样，如果竞争者只是简单地采用低价或一些拉客的小花招，便很难争取到顾客。培养顾客忠诚度的任务被称为关系营销(relationship marketing)。关系营销包括公司了解和更好地为其有价值的每个顾客服务的全部活动。

关系营销：关键

为了理解顾客关系营销，我们首先要了解在吸引和保持顾客活动中的各个过程。图 2—5 展示了顾客发展的主要步骤。首先是猜想顾客，猜想可能会购买产品和服务的人。公司要把他们确定为预期顾客(对公司的产品有强烈的潜在兴趣和有能力购买的人)是困难的。不合格预期顾客 (disqualified prospects) 遭到公司的拒绝，因为他们没有信用或对公司没有利润。公司希望把合格预期顾客(qualified prospects)转变成首次购买顾客(first-time customer)，然后，把满意的首次购买者转变为重复购买顾客(repeat customer)。但这两者可能同样也向竞争者购买。因此，公司要把重复购买顾客再转化为客户(clients)——在相关的产品类目中只购买本公司的产品者。下一步的挑战是把客户转化为成员，即公司开始为这些参与的顾客提供整套利益的成员计划方案。然后，把成员转化为拥护者(advocates)，拥护者称赞公司的产品并鼓励其他人也购买它。公司的最后一个挑战是把拥护者转化为合伙人(partners)，合伙人与公司共同开展工作。

有些顾客不可避免地会停止购买。原因可能是破产、搬家、不满意等等。公司的任务是通过赢回顾客战略 (customer win-back strategies) 说服不满意的顾客再次回来。一般来说，由于公司已了解了前期顾客的情况和历史，说服过去的顾客重新购买比寻找一个新的顾客更容易。

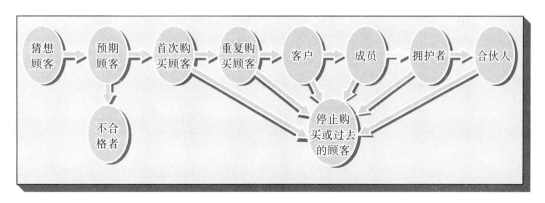

图 2—5　顾客发展过程

资料来源：See Jill Griffin, *Customer Loyalty: How to Earn It, How to Keep It* (New York: Lexington Books, 1995), p. 36. Also see Murray Raphel and Neil Raphel, *Up the Loyalty Ladder: Turning Sometime Customers into Full-Time Advocates of your Business* (New York: HarperBusiness, 1995).

发展忠诚的顾客越多，公司的收入越多。然而，另一方面，公司对忠诚顾客的支出也越多。发展忠诚顾客的获利率也往往高于公司的其他业务活动。一个公司应该在顾客关系活动中投入多少呢？怎样使成本不超过收益？我们需要区分在顾客关系建设中的五种不同水平。

1. 基本型营销。推销员只是简单地出售产品。

2. 反应型营销。推销员出售产品，并鼓励顾客，如有什么问题、建议或不满意就打电话给公司。

3. 可靠型营销。推销员在售后不久就打电话给顾客，以了解产品是与顾客所期望的相吻合。推销员还从顾客那里征集各种有关改进产品的建议及任何不足之处。这些信息有助于企业不断改进产品。

4. 主动型营销。公司推销员经常与顾客用电话联系，讨论有关改进产品用途或开发新产品的各种建议。卡夫公司在美国的销售代表常常限制公司的客户在超市设计促销的努力，而现在他们更主动地开展活动，提供研究资料以帮助其改善商店的利润。

5. 合伙型营销。公司与顾客一起以找到影响顾客的花钱方式或者帮助顾客更好地行动的途径。通用电气公司要求公司的工程师常驻在伯罗克埃公司（Praxair）以帮助它们的生产。

如果大多数公司的市场有许多顾客，而且如果它们的单位利润比较低，那么，大多数公司都将实践基本型营销。亨氏公司（Heinz）并不打算打电话给每个购买番茄酱的顾客，以示感谢。亨氏公司最多对顾客提出的问题作出解答。而在另一方面，在那些顾客很少、边际利润较高的市场，大多数销售人员都转向合伙营销。例如，波音公司在飞机设计方面与美国航空公司密切合作，以保证波音公司的飞机全面满足美国航空公司的要求。在这两种情况之间，则适用其他几个层次的关系营销(见图2—6)。

	高利润	中利润	低利润
顾客/分销商很多	可靠型	反应型	最基本的或反应型
顾客/分销商数量一般	主动型	可靠型	反应型
顾客/分销商较少	合伙型	主动型	可靠型

图2—6 不同层次的关系营销

在今天，最好的关系营销发展是通过技术驾御的。通用电气公司的塑料部如果在数据库软件方面没能做到领先，它就不能把其最新信息有效地传递给顾客选择。前面讨论的戴尔公司，如果没有在网络技术方面领先，它就不能为其全球的公司顾客定制计算机。公司利用电子信件、网站、呼叫中心、数据库和数据库软件来促进公司和顾客之间的持续联系。下面是一个公司的网站在关系营销中如何带来好运的例子。

印度河国际公司(Indus International)　　印度河国际公司是以旧金山为基地的企业资产管理软件的开发商，它推出了细心网站（CareNet），该网站通过简化顾客的联系而提高顾客维系率。网站允许客户快速频繁地接近更新的产品信息，向销售代表提出问题，找出特定问题的解决方法。另外，鼓励顾客在网站上反馈信息和提出解决产品问题的方法。关于上述这些特点，迄今为止，所有印度河国际公司的客户对此都印象深刻。在细心网站推出的第一个月，它获得了30个用户，并且，这个数字在10个月后急速上升到600个。[34]

　　电话是一个长期发展顾客关系的媒介，对电话的整体发展需要运用网站技术，并且，你必须具有强大的吸引顾客和留住顾客的方法。参见"新千年营销——从电话到电话网站：新的呼叫中心如何保持顾客"。

新千年营销

从电话到电话网站：新的呼叫中心如何保持顾客

　　雪茄烟爱好者凯拉·皮顿（Cara Biden）无论在什么时候打电话给名牌（Famous）香烟商店寻求高级而令人垂涎的短尾传奇雪茄时，得到的回答总是它们已经脱销了。然而，这并没有阻止皮顿作为该店的一个忠诚顾客，她积极地打电话来。

　　皮顿每次致电给名牌香烟商店，一个称为ACD(自动呼叫分销商)的系统就会立即将她转接给相应的联系人的应答电话和线路上。在打电话的时候，很多人不喜欢听到自动应答，所以，由于名牌香烟商店能非常快速地把皮顿的电话转接给顾客服务人员而让她印象深刻，她也喜欢和知识渊博的服务人员就寻找雪茄的选择权闲聊。服务人员不仅了解她的雪茄，而且因为在服务人员的计算机屏幕上，皮顿的销售历史资料和以前的突然跳出的疑问都会一一出现，所以，服务人员对皮顿也是非常了解的。

　　像名牌香烟商店那样的公司认识到自动电话中心可作为它获得大多数顾客交流作用以外的有实力的技术工具。它不仅仅是一个电话数据库，它的呼叫中心也是一种高技术的电话营销运作，它能使公司选中大多数最有利可图的顾客，增加重复性的顾客购买，防止顾客流失，吸引竞争者的顾客，等等。实际上，呼叫中心这一术语可能是命名不当的。呼叫中心"真正更像联系中心"，一个信息技术和调查公司集团的副总裁卡特·罗奇(Carter Lusher)指出："经电话、传真、网站、电子邮件，甚至交互式视频器，呼叫中心在快速连接公司的顾客。"

　　无论呼叫中心是对内的（接受电话）或对外的（电话营销中心），最终的结果是让顾客与公司之间——无论他们选择何种形式的交流都能保持始终如一且亲密的互动。实际上，最新的技术让顾客在计算机上登陆客户服务代理人同样能登陆的万维网站。他们可以通过一个独立的电话线或一个因特网接点在一起讨论，对产品进行比较，或者讨论产品怎样工作。路由器（Logistix）技术公司的首席信息官萨帕利特·马内切达（Supreet Manachada）在加利福尼亚的佛里蒙特说："我们像疯了一样成长，并且，因为顾客通过这些技术来到我们这里，所以它也是可确定的。"该公司测试来自方位通信公司（Aspect Telecom）的网站代理人软件，该软件能同步显示网站屏幕，可以让代理人和顾客在谈话的时候同时观看，甚至在单词或图片上画圆圈。这看起来不像一笔大业务，但是，如果代理人在屏幕上看图表的时候，能解释类似路由器的复杂技术装置，它会对顾客有帮助。另外，路由器技术公司很关注把电话中心转化为顾客交流观点的中心的技术能力。

在麻省剑桥的福莱斯特（Forrester）研究公司已经复制了网站—电话中心，称为"电话网站"。福莱斯特公司的分析师戴维·柯帕斯汀（David Cooperstein）说："最后的游戏将是让顾客选择他们想如何与你联络，以及弄清如何选择最终的会面，这样，如果顾客打电话来，代理人就能知道他刚刚发送的电子邮件。"虽然，电话网站应用的飞速发展最有可能让那些销售复杂的、高科技产品（如路由器）的公司，获取利润。可是，像凯拉·皮顿那样的人可能将继续在电话中询问雪茄烟或其他的低技术产品。

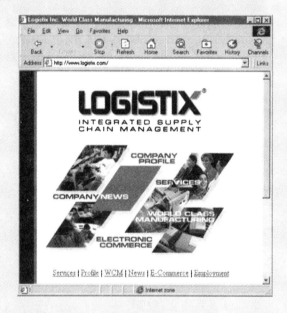

路由器公司主页：路由器公司销售复杂的高技术产品，为了使购买和解决问题快速、直接和容易，它让顾客和销售代表直接交流。

资料来源：Based on Alessandra Bianchi, "Lines of Fire," *Inc. Tech*, 1998, pp. 36 ～ 48; Matt Hamblen, "Call Centers and Web Sites Cozy Up," *Computerworld*, March 2, 1998, p. 1; and John F. Yarbrough, "Dialing for Dollars," *Sales & Marketing Management*, January 1997, pp. 60 ～ 67.

当一家公司打算获得比较高的顾客利益和满意感时，能采用一些什么样的营销工具呢？贝利（Berry）和帕勒苏拉门（Parasuraman）提出了三种区别顾客价值的方法[35]：增加财务利益，增加社交利益和增加结构性联系利益。

增加财务利益

公司可用两种方法来增加财务利益；频繁营销计划和俱乐部营销计划。频繁营销计划（frequency marketing programs，FMPs）就是向经常购买和／或大量购买的顾客提供奖励。频繁营销计划体现出一个事实，20% 的公司顾客占据了 80% 的公司业务。

美国航空公司是首批实行频繁营销计划的公司之一，在 20 世纪 80 年代初期，它决定对它的顾客提供免费里程信用服务。接着，旅馆也采用了这种计划，马里奥特推出了荣誉贵宾计划。常住顾客在积累了一定的分数后，就可以享用上等客房或免费房。很快，汽车租赁公司也推出了频繁营销计划。信用卡公司开始根据信用卡的使用水平推出积分制。西尔斯公司为它的"发现者卡"持卡人在购买某些商品时提供折扣。今天，大多数的连锁超市提供"价格俱乐部卡"，向它们的成员顾客在某些项目上提供折扣。

一般来说，第一家推出频繁营销计划的公司通常获利最多，尤其是当其竞争者反应较为迟钝时。在竞争者作出反应后，频繁营销计划就变为所有实施此类规模的公司的一个财务负担。

许多公司为了与顾客保持更紧密的联系而建立了俱乐部成员计划(club membership programs)。俱乐部成员可以因其购买而自动成为该公司的会员，如飞机乘客或食客俱乐部，也可以通过购买一定数量的商品，或者付一定的会费成为会员。

虽然开放式的俱乐部在建立数据库或者从竞争者那里迅速争抢顾客是有好处的，但限制式的会员资格俱乐部在长期的忠诚度方面更强有力。费用和会员资格条件阻止了那些对公司产品只是暂时关心的人的加入。限制式顾客俱乐部吸引并保留了那些对最大的一部分生意负责任的顾客。一些非常成功的俱乐部有：

宜家(IKEA)　宜家家族（瑞典的家具公司形成的俱乐部）在9个国家有自己的成员，而且仅在德国就有超过 200 000 名以上的成员。俱乐部成员可享受公司提供的包括家具运输、保险和为成员之间交换各自的假日房间或公寓在内的服务。一个住在落基山脉的俱乐部成员，当他在斯堪的纳维亚的海边度假时，他也可以让某个瑞典的家庭使用他的山顶小屋。[36]

电话比萨（Telepizza）**S. A.**　在西班牙的电话比萨 S. A. 公司通过对孩子们应用营销技巧，能使跨国的必胜客在西班牙成为一个神奇的俱乐部。由此，电话比萨夸口说自己是西班牙拥有最多成员的俱乐部，有 300 万个孩子们参与。神奇的俱乐部为孩子们提供小额奖赏，在每一道食品中，常常有简单而神奇的花样。现在，电话比萨在西班牙几乎有 500 家餐馆，在那里，其市场占有率为 65%，仅比必胜客低 20%。[37]

斯沃琪（Swatch）　斯沃琪手表迷每人每年平均购买 9 个该公司的不同手表，所以，瑞士的钟表制造商斯沃琪用其俱乐部来迎合收藏家的需要。俱乐部成员能独占性购买，诸如"花园草坪"表（一个带有清晰的天体草坪品牌的手表）。俱乐部成员也可收到时事通讯和《世界杂志》（一本来自全球不同角落的刊载斯沃琪新闻的杂志）。斯沃琪公司把俱乐部成员中热心口碑传播看成是对它业务直线上升的表扬。"我们俱乐部的成员像流动的广告"，斯沃琪俱乐部的经理特利奇·奥卡林（Trish O'Callaghan）说。"他们热爱我们的产品。他们是斯沃琪公司的大使。"

大众公司（Volkswagon）　大众公司在美国已经开始了它的俱乐

部新篇章。在向大众俱乐部提交 25 美元的费用后，俱乐部的成员将收到俱乐部的杂志——《大众世界》、一件 T 恤衫、交通地图册和印花簿、电话卡以及旅行和休闲中的折扣方案。另外，会员能获得当地经销商的部分折扣和服务，并且，作为一种特定的时尚，会员能申请一张在前面有大众俱乐部标志的威士（Visa）信用卡。[38]

哈雷 – 戴维森（Harley-Davisin） 世界上著名的摩托车公司哈雷 – 戴维森主办了哈雷所有者团体（HOG），目前已有 360 000 名成员。第一次购买哈雷 – 戴维森摩托车的顾客可以免费获得一年期会员资格。哈雷所有者团体提供的好处包括一本杂志、一本旅游手册、紧急修理服务、特别设计的保险项目、价格优惠的旅馆以及一种飞行和骑车项目，从而使其成员能在度假期间租用哈雷公司的摩托车。

增加社交利益

这里，公司的员工通过了解顾客各种个人的需求和爱好，将公司的服务个别化、私人化，从而增加顾客的社交利益。表 2—2 对顾客态度的社会敏感方法与不敏感方法作了对比分析。从本质上说，明智的公司把它们的顾客变成了客户。唐纳利（Donnelly）、贝利和汤普森描述了两者的差别：

> 对于某个机构来说，顾客可以说是没有名字的；而客户则不能没有名字。顾客是作为某个群体的一部分获得服务的；而客户则是以个人为基础的。顾客可以是公司的任何人为其服务；而客户则是指定由专人服务的。[39]

表 2—2 　　　　　　　　　　　**影响买卖双方关系的社会行动**

良好	不佳
主动打电话	仅限于回电
作出介绍	作出辩解
坦陈直言	敷衍几句
使用电话	使用信函
力求理解	等待误会澄清
提出服务建议	等待服务请求
使用"我们"等解决问题的词汇	使用"我们负有"等法律词汇
发现问题	只是被动地对问题作出反应
使用行话或短语	装腔作势
不回避个人问题	回避个人问题
讨论"我们共同的未来"	只谈过去的好时光
常规反应	救急和紧急反应
承担责任	回避责难
规划未来	重复过去

资料来源：Theodore Levitt, *The Marketing Imagination* (New York: Free Press, 1983), p. 119. Reprinted by permission of the *Harvard Business Review*. An exhibit from Theodore Levitt, "After the Sale Is Over," *Harvard Business Review* (September – October 1983, p. 119). Copyright © 1983 by the President and Fellows of Harvard College.

一些公司采取步骤，把它们的顾客集中在一起让他们互相满足和享受乐趣。类似哈雷－戴维森、波西（Porsche）、土星和苹果计算机公司，据说它们在从事建造品牌社区（brand communities）方面达成了共识。

增加结构性联系利益

公司可以向顾客提供某种特定设备或计算机联网，以帮助顾客管理他们的订单、工资、存货等。例如，著名的药品批发商麦肯森公司（McKesson）就是一个很好的例子。该公司在电子数据交换方面投资了几百万美元，以帮助那些小药店管理其存货、订单处理和货架空间。另一个例子是米利肯公司向它的忠诚顾客提供运用软件程序、营销调研、销售培训、推销培训和推销指导等。

顾客盈利率：最终测试

本质上说，营销就是一门吸引和留住有利可图的顾客的艺术。根据美国运通公司（American Express）的詹姆斯·V·帕特（James V. Putten）的观点，最好的顾客与其他顾客的剩余支出相比，在零售业是 16∶1，在餐饮业为 13∶1，在航空业为 12∶1，在汽车旅馆业为 5∶1。[40]卡尔·休厄尔（Carl Sewell），世界上最好的汽车经销商，估算出一个标准的汽车购买者其在汽车购买与服务方面的潜在寿命价值超过 30 万美元。[41]

然而，每个公司都会在某些顾客身上损失金钱。著名的 80/20 规则认为：在顶部的 20% 的顾客创造了公司 80% 的利润。谢登（Sherden）把它修改为 80/20/30，其含义是在顶部的 20% 的顾客创造了公司 80% 的利润，然而，其中的一半给在底部的 30% 的没有盈利的顾客丧失掉了。[42]这就是说，一个公司应该"剔除"其最差顾客以增加利润收入。然而，这里有其他两个互为替代的方案：提高价格和为低利润顾客降低成本。

我们进一步分析，为公司带来最大利润的并不是公司最大的顾客。公司最大的顾客常常要求相当多的服务和很大的价格折扣，从而减少了公司的获利水平。购买量小的顾客付全价，而且要求得到的服务也最少，然而，与小客户的交易降低了它的利润。中等的顾客受到良好的服务，支付的价格接近全价，在很多场合，它们带来的利润最大。这可以用来解释为什么那些历来仅以大客户为目标顾客的大公司最近纷纷看好中等的客户市场。例如，许多大的航空公司发现，它们不能忽视小的和中等的国际运输商。它们计划为小客户设立速递箱网络，对放入速递箱网络的信件和包裹给予优惠。联合包裹运送服务公司（UPS）甚至为在海外开学术会议的专家设立快递服务以争取小顾客。[43]

一家公司不应该追求满足所有的顾客。例如，如果庭院旅馆（Courtyard）（这是马里奥特连锁公司中一家较低级别的汽车旅馆）住店旅客要求享用马里奥特旅馆水准的服务，庭院旅馆应该说"不"。因为如果答应旅客的要求，只会混淆马里奥特和庭院两家旅馆的市场定位。兰宁和菲利普斯对此有很恰当的阐述：

　　一些组织力图去做顾客所提出的任何事和每一件事。然而，在顾客经常提出许多好建议的同时，他们也会提出许多无法操作或无利可图的行动建议。盲目地采纳这些建议会严重背离市场核心——确定一个选择的原因，即应为哪些顾客服务，以及向他们提供哪些好处和以什么价格（哪些是应该拒绝的）。[44]

什么样的顾客才是有利可图的呢？我们将一个有利益的顾客定义如下：

> 一个有利益的顾客（profitable customer）就是指能不断产生收入流的个人、家庭或公司，其收入应超过企业吸引、销售和服务该顾客所花费的可接受范围内的成本。

必须注意的是，这里强调的是长期的收入和成本，而不是某一笔交易所产生的利润。这里有一个关于顾客寿命价值的例子。

泰科·贝尔公司（Taco Bell）　当泰科·贝尔公司每减少一美元的收入时，它就会把它归咎于顾客的减少。泰科·贝尔的主要负责人评估出每个重复购买的顾客价值为 11 000 美元。为了对顾客寿命价值共担责任，泰科·贝尔公司的经理帮助员工们认识维系顾客满意而创造价值的重要性。[45]

汤姆·彼得斯（Tom Peters）　汤姆·彼得斯是一位著名作家，出版了《卓越管理》等书。他经营的一家企业每个月花在联邦快递服务上的开支是 1 500 美元。他预计这项业务以一年 12 个月计算要维持 10 年。所以，他预计在联邦快递服务上将花费 18 万美元。如果联邦快递的毛利率为 10%，那么，他的终身业务将为联邦快递公司贡献 8 000 美元的利润。然而，如果他从联邦快递公司投递员那里得到的服务很糟糕，或者联邦快递的其他竞争者能提供更好的服务，那么，这笔未来的利润就将成为泡影。

虽然许多公司在测量顾客满意度，但大多数公司并不能测出个别顾客的盈利率。银行声称，这很难做到。因为一个顾客交易成功之后可能利用不同的银行服务，这些交易要跨越几个不同的部门。一些将顾客交易成功地归并一起的银行，都对其无利可图的顾客在其顾客中所占比重之高感到十分吃惊。一些银行报告表明银行的零售客户服务中有 45% 以上是亏损的。因此，毫不奇怪，银行许多不收费的项目现在都在收费。

图 2—7 显示了一种有用的盈利分析方法。[46]顾客按列排列，产品按行排列。每个方格就代表向该顾客出售某产品所获的利润。我们看到，顾客 1（C_1）在购买 3 个盈利产品（P_1、P_2 和 P_4）时，产生了较高的利润。顾客 2（C_2）则是混合型的，他买了一个盈利产品和一个无利润产品。顾客 3（C_3）代表一个亏损顾客，因为他买了一个盈利产品和 2 个无利润产品。对此，公司可为顾客 2 和顾客 3 做些什么呢？它有两种选择：（1）它可以提高无利润产品的价格，或者取消这些产品。（2）它也可以尽力向这些能产生未来利润的顾客推销盈利产品。如果这些无利可图的顾客转向其他供应商，这可能是好事情。有人甚至提出，鼓励无利可图的顾客转向竞争企业对公司是有利的。

最后，公司价值创造能力越高，内部运作的效率越大，它的竞争优势也越大，公司的盈利也越大。公司不但要有创造高的绝对价值的能力，也要有相对

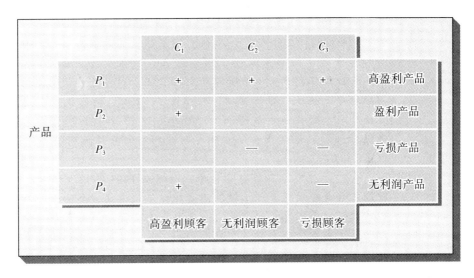

	C_1	C_2	C_3	
P_1	+	+	+	高盈利产品
P_2	+			盈利产品
P_3		—	—	亏损产品
P_4	+		—	无利润产品
	高盈利顾客	无利润顾客	亏损顾客	

产品

图 2—7　顾客/产品盈利率分析

于竞争者在足够低的成本上的价值优势。竞争优势（competitive advantage）是指一个公司在一个或几个方面的成绩是竞争者无论在现在或将来都无法比拟的优势。理想的话，竞争优势是一种顾客优势（customer advantage）。如果顾客并没有感觉到竞争优势，那么公司也就没有顾客优势。公司应力争建立持久和有意义的顾客优势。用它们来成功地带动高的顾客价值与满意，这将导致高的重复购买并使公司获得高的利润率。

实施全面质量营销

大的有价值的顾客期望卖主有高标准的产品和服务。今天的经理将改进产品和服务质量视为头等大事。大多数顾客已不再接受或容忍质量平平的产品。如果公司要想在这场竞赛中站住脚，并且要赚钱，除了接受全面质量管理外，别无选择。

全面质量管理（total quality management，TQM）是一个组织对所有生产过程、产品和服务进行一种广泛有组织的管理，以便不断地改进质量工作。

按通用电气公司董事长小约翰·F·韦尔奇（John F. Welch Jr.）的说法："质量是我们维护顾客忠诚最好的保证，是我们对付外国竞争者最有力的武器，是我们保持增长和盈利的惟一途径"。[47]

只有生产好的商品才能在世界市场上取得优势，这促使许多国家或国家集团设立质量奖，以鼓励那些代表最高质量实践的公司。

● 日本。1951 年，日本设立第一个国家质量奖——戴明奖[W·爱德华·戴明（Edwards Deming）是在第二次世界大战后的日本讲授质量的重要性和改进方法的美国统计学家]。戴明的工作为日本企业开展全面质量管理打下了基础。

● 美国。20世纪80年代中期，美国设立了以已故商务部长命名的麦尔肯·鲍特里奇（Malcolm Baldrige）国家质量奖。该奖由七个衡量标准组成，每个标准含若干奖励分数：以顾客为中心和满意（得分最多），质量和营运结果，管理过程质量，人力资源开发与管理，战略质量计划，信息和分析，高层经理领导。施乐、摩托罗拉、联邦快递、IBM、得州仪器、通用汽车的凯迪拉克分公司、利兹－卡尔顿旅馆（Ritz-Carlton）和其他一些公司荣获了此项奖。最近的一个质量奖授予了在明尼阿波利斯的营销调研公司——顾客研究公司（Custom Research）。

● 欧洲。为了参与质量竞争，欧洲在1993年设立了欧洲质量奖。该奖由欧洲基金会为质量管理和欧洲质量组织专门设立，类似于鲍特里奇奖，奖励在以下各领域取得高分的公司：领导层、人员管理、政策与战略、资源、生产过程、员工满意、顾客满意、社会影响、业务结果。欧洲质量奖的发展后来与另一个国际质量标准密切相关，这就是ISO9000（一整套对质量进行文件管理的方法并被普遍接受）。ISO9000提供了一套框架，以体现在世界范围内顾客质量导向的态度、员工训练、记录保存、确定不足之处等问题。获得ISO证书需要由国际标准化组织认可的质量评估师每半年一次的认证。[48]

在产品服务质量、顾客满意和公司盈利之间有一种密切的联系。较高的质量导致顾客较大的满意，同时也支撑了较高的价格和较低的成本。所以，质量改进方案（quality improvement programs，QIP）通常会增加盈利。著名的市场份额对利润的影响研究（PIMS）显示了产品质量和公司盈利之间的高相关度关系。[49]

然而，什么是质量？不同的专家对质量有许多不同的定义，诸如适合使用、符合要求、不必改动的，等等。[50]我们将使用由美国质量学会所下的定义，它已在世界范围内被采用[51]：

质量(quality)是一个产品或服务的特色和品质的总和，这些品质特色将影响产品去满足各种明显的或隐含的需要的能力。

显然，这是一个顾客导向的质量定义。顾客有一系列的需要、要求和期望，我们可以这么说，当所售的产品和服务符合或超越顾客的期望时，销售人员就提供了质量。一个能在大多数场合满足大多数顾客需求的公司就是质量公司（quality company）。

区分适应质量和性能质量（或等级）是很重要的。一辆梅塞德斯车所提供的性能质量(performance quality)比现代车高，如它行驶平稳、快速、经久耐用，等等。然而,如果梅塞德斯车和现代车分别满足了它们各自的目标市场的期望，那么，我们可以说这两种车提供了相同的适用质量(conformance quality)。

全面质量管理是创造价值和顾客满意的关键。全面质量管理是每个人的工作。丹尼尔·贝克汉姆(Daniel Beckham)对此有很好的表述：

那些不懂得质量改进、制造和经营语言的营销者将像马车鞭子一样被人弃之路边。功能营销的年代过去了。我们不能再将自己看成是市场研究者、广告者、直接营销者、战略者（我们必须把自己视为顾客的满足者），整个过程都要以顾客为中心。[52]

营销经理在一个以质量为中心的公司有两项责任。第一，营销经理必须参与制定旨在帮助公司通过全面质量管理并获胜的战略和政策；第二，他们必须在生产质量之外传递营销质量，每项营销活动（如营销研究，销售人员的培训，广告，顾客服务，等等），都必须高标准地执行。

营销人员必须在帮助其公司向目标顾客定义和提供高质量的商品与服务时发挥一些重要作用。第一，营销者在正确识别顾客的需要和要求时承担着重要责任；第二，营销者必须确保顾客的要求正确地传达给产品设计者；第三，营销者必须确保顾客的订货正确而及时地得到满足；第四，营销者必须检查顾客在有关如何使用产品方面是否得到了适当的指导、培训和技术性帮助；第五，营销者在售后还必须与顾客保持接触，以确保他们的满足能持续下去；第六，营销者应该收集顾客有关改进产品服务方面的意见，并将其反馈到公司的各有关部门。当营销者做了上述一切后，他们就是对全面质量管理和顾客满意做出了自己的贡献。

全面质量管理还意味着营销人员不仅要花精力和时间改善外部营销（external marketing），还要改善内部营销（internal marketing）。当产品不尽如人意时，营销者必须像顾客那样表示不满意。营销必须成为顾客的看门人或保护人，必须始终坚持这样的准则："最好地为顾客解决问题"。

小结

1. 顾客是价值最大化者。他们塑造出一个价值的期望值并实践它。购买者将从能提供给他们认知的最高顾客让渡价值的公司购买产品，顾客让渡价值是总顾客价值与总顾客成本之差。这意味着销售者必须在总顾客价值和总顾客成本之间估算并考虑它们与竞争者的差别，以明确自己的提供物如何上市销售。如果销售者在让渡价值上没有优势，他们就应该在努力增加总顾客价值的同时，减少总顾客成本。前者要求强化或扩大其提供的产品、服务、人员和形象利益；后者要求减少成本。销售人员可以降低价格，简化订购和送货程序，或者提供担保以减少顾客风险。

2. 购买者满意是产品认知绩效与购买者经验的函数。一个高度的满意会导致高度的顾客忠诚。许多公司今天的目标是 TCS——全面顾客满意。对以顾客为中心的公司来说，顾客满意既是目标又是一个营销工具。

3. 强有力的公司应在核心业务过程管理中开发优秀的技术能力，它们是：新产品实现过程，存货管理过程，顾客探测和维系，订单—付款过程和顾客服务过程。有效管理这些核心过程需要创建一个营销网络。在这个网络中，公司紧密地与所有在生产和分销链中的人合伙，包括从提供原料的供应商到零售分销商。公司之间不再竞争——营销网络在竞争。

4. 丧失有盈利能力的顾客会极大地影响利润。有人估算吸引一个顾客的成本是维持一个满意的现有顾客成本的 5 倍。因此，营销的一个主要工作是维系顾客。维系顾客的关键是关系营销。为了使顾客满意，营销者应该在产品上增加财务或社会利益，创建在他们自己和顾客之间的结构性的关系纽带。

5. 质量是一个产品或服务的特色和品质的总和，这些品质特色将影响产品满足各种明显的或隐含的需要的能力。今天的公司，如果想保持偿付能力和盈利的话，别无选择，只有执行全面质量管理计划。全面质量管理是价值创造和顾客满意的关键。

6. 营销经理在以质量为中心的公司有两个责任。第一，他们必须参与制定旨在帮助公司通过全面质量管理并获胜的战略和政策；第二，他们必须在生产质量之外传递营销质量。每项营销活动如营销调研、销售人员的培训、广告、顾客服务等等，都必须执行高标准。

应用

本章观念

1. 蔡特哈姆尔、帕勒苏拉门和贝利公司确定了高质量服务的五个特点。它们是：（1）可靠性。准确可靠地提供已许诺服务的能力。（2）自信。雇员谦恭有礼并有学识，具有表达信任和信心的能力。（3）有形资产。实际设施和设备及工作人员的职业外表。（4）感情投入。给予顾客关心及个人注意的程度。（5）呼应。乐意帮助顾客并提供迅速果断的服务。描述施乐公司是如何向它的顾客体现这些特点的。在体现其中某些特点时，该公司是否比其他公司做得好？

2. 汉普顿酒店（Hampton Inns）的董事会小组委员会提出了一项大胆的计划，即酒店保证将使顾客"完全满意"，否则顾客将不承担住宿费用。无须经理同意，雇员将被准许履行这一承诺。然而，尽管这一提议将显示酒店对其服务质量有很大的信心，并使汉普顿酒店处于竞争的有利地位，但大多数酒店经理还是反对这一计划。为什么他们不想保证使顾客满意？顾客对这一保证的可能反应是什么？应采用什么控制措施来减少顾客对这一保证的滥用？

营销与广告

1. 像很多的汽车制造商一样，丰田公司强调它出色的产品质量和高水平的顾客满意。但是，确切的质量是什么以及丰田公司如何能证明它提供了较高的质量呢？图2A—1中的丰田广告显示了一种方法。广告在质量方面强调了什么要素，并且，这种要素怎样满足顾客的需求？广告是否集中于绩效或一致性质量上？它与顾客的联系是什么？它符合丰田公司的营销战略吗？

2. 道路快速公司（Roadway Express）想成为一个汽车运输公司，专为那些选择利用外部资源来完成其运输业务的公司提供运输服务，如图2A—2中的广告所示。道路快速公司的核心竞争力是什么？为什么广告中的道路快速公司的客户宁愿让道路快速公司来完成其运输业务，而不愿自己去做？广告中道路快速公司强调它具有什么能力？

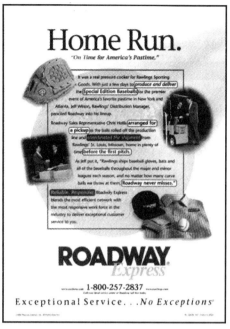

图 2A—1   图 2A—2

聚焦技术

公司如何利用其网站来建立成本有效的顾客关系？富士胶卷公司为消费者和商业顾客提供了一个广阔的因特网展示版。一般来说,消费品的边际利润太小了,不允许进行除基本营销活动之外的昂贵的延伸活动。然而,柯达胶卷公司(富士公司的竞争对手)却邀请消费者成为其网站的成员。这些成员们通过电子邮件获取有关柯达公司的信息,并且能够把它们自己的照片放到电子贺卡中去。访问柯达公司的网站(www.kodak.com)和富士公司的网站(www.fujifilm.com),看它们是如何同消费者建立关系的。从柯达公司的会员制方法中,富士公司能够得到什么启示？富士公司如何利用其网站定期和消费者保持联系的?

新千年营销

路由器公司正在测试来自方位通信（Aspect Telecommunications）公司生产的网络代理软件,该软件能使公司的雇员在和顾客进行电话交谈的同时看到相同的 Web 窗口,而且,双方 Web 窗口的变化是同步的。网络代理软件是方位通信公司生产的为电话网服务的产品之一。访问一下该公司的网站(www.aspect.com),找出该公司完整的呼叫中心方案。试着在网上演示一下所介绍的产品中的一种,或者阅读有关网络代理软件的详细信息。方位通信公司的这种产品是如何给公司带来价值的？该产品为那些通过方位通信公司的呼叫中心与路由器公司联系的商业顾客带来了什么价值？路由器公司如何利用该产品与它的商业顾客建立关系？你认为在新千年开始后,路由器在与它的商业顾客们建立关系时会遇到什么障碍？公司应该如何作出反应?

【注释】

[1]　"Mac Attacks,"*USA Today;* March 23, 1998, p. B1.

[2]　See, for example,"Value Marketing: Quality, Service, and Fair Pricing Are the Keys to Selling in the '90s,"*Business Week*, November 11, 1991, pp. 132 ~ 141.

[3]　See Irwin P. Levin and Richard D. Johnson,"Estimating Price-Quality Tradeoffs Using Comparative Judgments,"*Journal of Consumer Research*, june 11, 1984, pp. 593 ~ 600.

[4]　Thomas A. Stewart,"A Satisfied Customer Isn't Enough,"*Forture*, July 21, 1997, pp. 112 ~ 113.

[5]　Michael J. Lanning, *Delivering Profitable Value* (Oxford, UK: Capstone, 1998).

[6]　Simon Knox and Stan Maklan, *Competing on Value: Bridging the Gap Between Brand and Customer Value* (London, UK: Financial Times, 1998) See also Richard A. Spreng, Scott B. Mackenzie, and Richard W. Olshawskiy,"A Reexamination of the Determinants of Consumer Satisfaction,"*Journal of Marketing* no. 3 (July 1996): 15 ~ 32.

[7]　See Tamara J. Erickson and C. Everett Shorey,"Business Strategy: New Thinking for the '90s,"*Prism*, Fourth Quarter 1992, pp. 19 ~ 35.

[8]　See Robert S. Kaplan and David P. Norton, *The Balanced Scorecard: Translating Strategy Into Action* (Boston: Harvard Business School Press, 1996), as a tool for monitoring stakeholder satisfaction.

[9]　See Jon R. Katzenbach and Douglas K. Smith, *The Wisdom of Teams: Creating the High-Performance Organization* (Boston: Harvard Business School Press, 1993), and Michael Hammer and James Champy, *Reengineering the Corporation* (New York: HarperBusiness, 1993).

[10]　T. Michael Nevens, Gregory L. Summe, andBro Uttal,"Commercializing Technology: What the Best Companies Do"*Harvard Business Review*, May – June 1990, p. 162.

[11]　David Glines,"Do You Work in a Zoo?"*Executive Excellence*, 11, no. 10 (October 1994): 12 ~ 13.

[12]　Echo Montgomery Garrett,"Outsourcing to the Max,"*Small Business Reports*, August 1994, pp. 9 ~ 14. The case for more outsourcing is ably spelled out in James Brian Quinn, *Intelligent Enterprise* (New York: Free Press, 1992).

[13]　C. K. Prahalad and Gary Hamel,"The Core Competence of the Corporation,"*Harvard Business Review*, May – June 1990, pp. 79 ~ 91.

[14]　George S. Day,"The Capabilities of Market-Driven Organizations,"*Journal of Marketing*, October 1994, p. 38.

[15]　"Business: Microsoft's Contradiction,"*The Economist*, January 31, 1998, pp. 65 ~ 67; Andrew J. Glass,"Microsoft Pushes Forward, Playing to Win the Market,"*Atlanta Constitution*, June 24, 1998, p. D12.

[16]　Daniel Howe,"Note to DaimlerChrysler: It's Not a Small World after All,"*Detroit News*, May 19, 1998, p. B4; Bill Vlasic,"The First Global Car Colossus,"*business Week*, May 18, 1998, pp. 40 ~ 43; Pamela Harper,"Business 'Cultues' at War,"*Electronic News*, August 3, 1998, pp. 50, 55.

[17]　james C. Collins and Jerry I. Porras, *Built to Last: Successful Habits of Visionary Companies* (New York: HarperBusiness, 1994).

[18]　F. G. Rodgers and Robert L. Shook, *The IBM Way: Insights into the World's Most Suc-

cessful Marketing Organization (New York: Harper & Row, 1986).

[19] Gary Hamel, "Strategy as Revolution," *Harvard Business Review*, July – August 1996, pp. 69 ~ 82.

[20] See Paul J. H. Shoemaker, "Scenario Plannning: A Tool for Strategic Thinking," *Sloan management Review*, Winter 1995, pp. 25 ~ 40.

[21] Michael E. Porter, *Competitive Advantage: Creating and Sustaining Superior Performance* (New York: Free Press, 1985).

[22] hammer and Champy, *Reengineering the Corporation.*

[23] See George Stalk, "Competing on Capability: The New Rules of COrporate Strategy," *Harvard Business Review*, March – April 1992, pp. 57 ~ 69; and Benson P. Shapiro, V. Kasturi Rangan, and John J. Sviokla, "Staple Yourself to an Order," *Harvard Business Review*, July – August 1992, pp. 113 ~ 122.

[24] Myron Magnet, "The New Golden Rule of Business," *Fortune*, November 28, 1994, pp. 60 ~ 64.

[25] See Jeffrey Gitomer, *Customer Satisfaction Is Worthless: Customer Loyalty Is Priceless: How to Make Customers Love You, Keep Them Coming Back and Tell Everyone They Know* (Austin, TX: Bard Press, 1998).

[26] See Frederick F. Reichheld, "Learning from Customer Defections," *Harvard Business Review*, March – April 1996, pp. 56 ~ 69.

[27] Ibid.

[28] Ibid.

[29] See *Technical Assistance Research Programs (TARP)*, U. S. Office of Consumer Affairs Study on Complaint Handling in America, 1986.

[30] Karl albrecht and Ron Zemke, *Service America!* (Homewood IL: Dow Jones-Irwin, 1985), pp. 6 ~ 7.

[31] Courtesy L. L. Bean, Freeport, Maine.

[32] Ibid.

[33] See Frederick F. Reichheld, *The Loyalty Effect* (Boston: Harvard Business School Press, 1996).

[34] Geoffrey Brewer, "The Customer Stops Here," *Sales & Marketing management*, March 1998, pp. 31 ~ 36.

[35] Leonard L. Berry and A. Parasuraman, *Marketing Services: Competing Through Quality* (New York: Free Press, 1991), pp. 136 ~ 142. See also Richard Cross and Janet Smith, *Customer Bonding: Pathways to Lasting Customer Loyalty* (Lincolnwood, IL: NTC Business Books, 1995).

[36] Stephan A. Butscher, "Welcome to the Club: Building Customer Loyalty," *Marketing News*, September 9, 1996, p. 9.

[37] Constance L. Hays, "What Companies Need to Know Is in the Pizza Dough," *New York Times*, July 26, 1998, p. 3.

[38] Ian P. Murphy, "Customers Can Join theClub—but at a Price," *Marketing News*, April 28, 1997, p. 8.

[39] James H. Donnelly Jr., Leonard L. Berry, and Thomas W. Thompson, *Marketing Financial Services—A Strategic Vision* (Homewood, IL: Dow Jones-Irwin, 1985), p. 113.

[40] Quoted in Don Peppers and Martha Rogers, *The One to One Future: Building Relationships One Customer at a Time* (New York: Currency DOubleday Doubleday, 1993), p. 108.

[41] Carl Sewell and Paul Brown, *Customers for Life* (New York: Pocket Books, 1990), p. 162.

[42] William A. Sherden, *Market Ownership: The Art & Science of Becoming #1* (New York: Amacom, 1994), p. 77.

[43] Robert J. Bowman, "Good Things, Smaller Packages," *World Trade* 6, no. 9 (October 1993): 106 ~ 110.

[44] Michael J. Lanning and Lynn W. Phillips, "Strategy Shifts Up a Gear," *Marketing*, October 1991, p. 9.

[45] Lynn O'Rourke Hayes, "Quality Is Worth 11 000 in the Bank," *Restaurant Hospitality*, March 1993, p. 68.

[46] See Thomas M. Petro, "Profitability: The Fifth 'P' of Marketing," *Bank Marketing*, September 1990, pp. 48 ~ 52; and Petro, "Who Are Your Best Customers?" *Bank marketing*, October 1990, pp. 48 ~ 52.

[47] "Quality: The U. S. Drives to Catch Up," *Business Week*, November 1982, pp. 66 ~ 80, here p. 68. For a more recent assessment of progress, see "Quality Programs Show Shoddy Results," *Wall Street Journal*, May 14, 1992, p. B1. See also Roland R. Rust, Anthony J. Zahorik, and Timothy L. Keiningham, "Return on Quality (ROQ): Making Service Quality Financially Accountable," *Journal of Marketing* 59, no. 2 (April 1995): 58 ~ 70.

[48] See "Quality in Europe," *Work Study*, January – February 1993, p. 30; Ronald Henkoff, "The Hot New Seal of Quality," *Fortune*, June 28, 1993, pp. 116 ~ 120; Amy Zukerman, "One Size Doesn't Fit All," *Industry Week*, January 9, 1995, pp. 37 ~ 40; and "The Sleeper Issue of the '90s," *Industry Week*, August 15, 1994, pp. 99 ~ 100, 108.

[49] Robert D. Buzzell and Bradley T. Gale, *The PIMS Principles: Linking Strategy to Performance* (New York: Free Press, 1987), ch. 6. PIMS stands for *P*rofit *I*mpact of *M*arket *S*trategy.

[50] See "The Gurus of Quality: American Companies Are Heading the Quality Gospel Preached by Deming, Juran, Crosby, and Taguchi," *Traffic Management*, July 1990, pp. 35 ~ 39.

[51] See Cyndee Miller, "U. S. Firms Lag in Meeting Global Quality Standards," *Marketing News*, February 15, 1993.

[52] J. Daniel Beckham, "Expect the Unexpected in Health Care marketing Future," *The Academy Bulletin*, July 1992, p. 3.

3

赢得市场：市场导向的战略计划

科特勒论营销：

　　战略的正确性比它是否能立即盈利更重要。

 本章将阐述下列一些问题：

● 在公司和部门层面如何开展战略计划工作？

● 在业务单位层面如何开展计划工作？

● 在营销过程中有哪些主要步骤？

● 在产品层面如何开展计划工作

● 一个营销计划应包含哪些内容？

　　在第 1 章和第 2 章，我们提出了一个问题：公司怎样在全球市场中竞争？我们回答了这个问题的一部分内容，即公司应致力于创造和留住满意的顾客。现在，我们再回答这个问题的第二部分：成功的公司和高绩效的业务应该知道怎样适应不断变化的市场环境并能作出反应。它们熟悉市场导向的战略计划艺术。

　　市场导向的战略计划（market-oriented strategic planning）是在组织目标、技能、资源和它的各种变化市场机会之间建立与保持一种可行的适应性管理过程。战略计划的目标就是塑造和不断调整公司业务与产品，以期望获得目标利润和发展。

　　战略计划和它相关的概念及方法直到 20 世纪 70 年代才出现，这是连续的冲击波对美国产业打击的结果——能源危机；两位数的通货膨胀；经济停滞不前；日本竞争者的胜利；关键行业解除政策管制后的不稳定性。美国公司在计划生产、销售和利润中沿用简单的成长方案是行不通了。今天，战略计划的主要目标是帮助一个公司选择和组织它的业务，使公司健康发展，即使是在它的特定领域或产品线上发生了不可预见的事件。

　　战略计划要求在三个关键领域开展活动：第一个是把公司业务的管理作为一项投资组合来管理。每项业务都有不同的利润潜力。第二个关键领域是要精确地测定每项业务战略的市场增长率和公司的定位及适合性。第三个关键领域是战略（strategy）。公司对每项业务必须制定一个博弈计划，以实现它的长期目标。每个公司都必须根据自己在行业中的地位以及它的目标、机会、技能和资源确定一个最有意义的战略。

营销计划在公司的战略计划过程中起了关键的作用。正如通用电气公司的战略计划经理所说：

> 营销经理在战略计划过程中至关重要。他在确定企业使命中负有领导的责任：分析环境、竞争和企业形势；制定目标、方向和策略；拟订产品、市场分销渠道和质量计划，从而执行企业战略。他还要进一步参与战略计划密切的方案制定与计划实施活动。[1]

要理解营销管理，我们必须认识战略计划。要理解战略计划，我们必须认识许多大公司的四个组织层次：公司层、部门层、业务层和产品层。公司总部负责设计公司战略计划（corporate strategic plan），以指导整个企业进入；总部决策给每个业务部门提供多少资源，以及开发和放弃哪些业务。每个部门也必须制定一个部门计划（division plan），以便把公司所给予的资金分配给其部门下属的业务单位。业务单位也必须制定一个业务单位战略计划（business unit strategic plan），把该业务单位经营得在将来有利可图。最后，在每个业务单位里的各个产品层次（产品线、品牌）也要制定一个营销计划（marketing plan），以求达到某个特定产品市场的预定目标。

营销计划制定分两个层次。战略营销计划（strategic marketing plan）在分析当前市场情景和机会的基础上，描绘范围较广的市场营销目标和战略。战术营销计划（tactical marketing plan）则描绘一个特定时期的营销战术，包括广告、商品、定价、渠道、服务。

营销计划是指导和协调营销努力的中心工具。在当今组织中，营销计划并非由营销部门独立完成。相反，今天的计划是集体制定的，它需要每个重要部门参与和会签。这些计划分别在组织的各个相应的层次内实施。其结果被控制，并采取必要的修正措施。整个计划、执行和控制过程见图3—1。

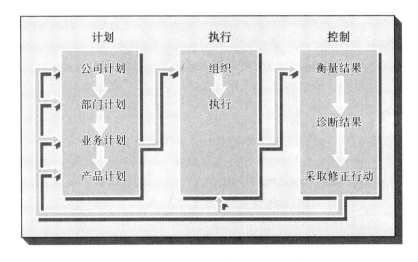

图3—1　战略计划、执行和控制过程

公司和部门的战略计划

公司总部通过确定使命、政策、战略和目标，为它的各个部门和业务单位制定它们的计划建立了框架。有的公司赋予其下属业务单位很大的自主权，由它们自行决定自己的销售额、利润和战略；另一些公司为其业务单位制定目标，但要求它们制定实现这些目标的战略；还有一些公司为每个业务单位制定目标，并且这些目标里包含了很具体的战略。[2]

所有公司最高管理层必须着手以下四项计划活动：

● 确定公司使命。
● 建立战略业务单位。
● 为每个战略业务单位安排资源。
● 计划新业务，放弃老业务。

定义公司使命

一个组织的存在是为了做某些事，如制造汽车、贷款、提供住宿，等等。它的特定使命或目的在开始时通常比较明确。随着时间的流逝，对于新的变化市场条件，它已失去了相关意义；或者，当公司在它的投资组合中增加了新产品和新市场时，它的使命就会变得模糊起来。

当管理层意识到组织正在迷失方向时，就必须更新它的目标。彼得·德鲁克认为，此时正是提出根本性问题的时候。[3]我们的企业是干什么的？顾客是谁？我们对顾客的价值是什么？我们的业务将是什么？我们的业务应该是什么？这些听上去很简单的问题，正是公司必须时时作出答复的最大难题。成功的公司经常向自己提出这类问题，并慎重及全面地作出解答。

许多组织制定使命说明书是为了让它们的经理、员工和（在许多场合下的）顾客共同负有使命感。一份有效的使命说明书将向公司的每个成员明确地阐明有关目标、方向和机会。使命说明书引导着广大而又分散的职工各自但却是一致地朝着同一个组织目标而进行工作。当公司使命成为一个"几乎不可能的梦想"，并被这一前景所引导时，则可达到最高境界，它能使公司为此奋斗10 年或 20 年。索尼公司的前董事长盛田昭夫要求每个员工研究"个人可移动的声音"，结果他的公司发明了随身听和 CD 随身听。弗雷德·史密斯提出，无论在美国的哪一个地方，邮件的到达时间不能迟于第二天早上的 10 点半，结果他创建了联邦快递公司。

下面是两份好的使命说明书的例子。

鲁伯梅特商业产品公司（Rubbermaid Commercial Products Inc.）
公司的目标是在公司所服务的每一个市场中成为全球范围内所占市场份额最多的公司。我们将通过向我们的分销商和最终顾客提供不断

创新、高质量、成本有效并且保护环境的产品来赢得这个领导位置。我们将通过我们的"对顾客满意永远不变的承诺",向传奇的顾客提供服务从而增加我们产品的价值。[4]

摩托罗拉公司(Motorola)　摩托罗拉公司的目标是为社会的需要提供好的服务,公司以公平合理的价格为顾客提供优质产品和服务。为了企业的整体发展,公司必须做到这一点并获得适当的利润;公司也为其员工和股东提供机会以达到他们各人合理的目标。

好的使命说明书有三个明显特点。第一,它们集中在有限的目标上。请看这份说明书:"我们要生产质量最高的产品,并以最低的可能价格建立最广泛的分销网和提供服务。"这听上去不错,但却不能提供明确的指导。第二,使命说明书强调公司想要遵守的主要政策和价值观。政策(policies)规定了公司如何处理与它的股东、雇员、顾客、供应商、分销商和其他重要集团的关系。政策将个人自主的范围加以限制,以便员工能对主要的目标行动一致。第三,它们应明确一个公司要参与的主要竞争范围(competitive scopes)。

● 行业范围　指公司将要从事的行业范围。有的公司只参与一种行业的经营;有些只限于经营一些相关行业的产品;有些只限于工业品、消费品或服务;还有一些公司无所不经营。例如,杜邦公司钟情经营工业市场;而陶氏公司愿兼顾经营工业品与消费品市场;3M公司只要能赚钱,几乎所有的行业都愿进入。

● 产品与应用范围　指公司愿参加的产品与应用领域。例如,圣祖德医疗公司(St. Jude)的目标是"为全世界心血管病人的治疗提供高质量的产品"。

● 能力范围　指能被公司掌握和支配的技术与其他核心能力的领域。例如,日本电气公司(NEC)在计算机、通信和集成元件方面建立了核心能力,它就能供应便携式电脑、电视接收器、手提电话等产品。

● 市场细分范围　指公司想要服务的市场或顾客类型。有些公司只为上流社会市场服务。例如,保时捷公司(Porsche)只生产高级轿车、太阳镜和其他辅助设备。嘉宝公司(Gerber)长期以来只为婴儿市场服务。

● 垂直范围　指公司自己生产其所需要产品的供应程度。其极端是公司自给自足生产许多自己需要的供应品,如福特汽车公司有自己的橡胶园、玻璃制品厂和钢铁制造厂。另一个极端是公司很少或根本没有垂直结合,如"空壳公司"或"纯营销公司",这类公司只有一个人守着一部电话机、传真机、计算机和一张写字台,并与各种服务联系,包括设计、制造、营销和实体分销。[5]

● 地理范围　指企业希望开拓的区域、国家或国家集团范围。一个极端是公司只在一个特定城市或一个州经营。另一个极端是像联合利华或卡特彼勒那样的跨国公司,它们几乎在全世界所有的国家都有经营业务。

公司使命不需要因经济形势的变化每隔几年就加以修改。然而,如果使命对公司失去可靠性或不再成为公司的最适宜路线时,公司必须重新确定其使命。[6]柯达公司从一个胶片公司重新定义为影像公司,以便能增加数字影像产品。IBM公司从硬件和软件制造商改为"网络建设者"。莎莉公司重新定义它是外部制造和从事品牌建设的营销者。参见"营销视野——莎莉公司：从制造商到敏锐的营销家"。

营销视野

莎莉公司：从制造商到敏锐的营销家

　　哈尼斯（Hanes）内衣、考奇（Coach）皮包、鲍尔·帕克（Ball Park）热狗和温特·波拉（Woder Bra）有什么共同之处？它们都是由莎莉公司生产和销售的，该公司中的许多人都是与冰凉的奶酪蛋糕打交道。在公司 197 亿美元的年收入中，莎莉公司品牌产品仅占了 25%，与同类型公司的品牌产品相比，公司以花费最少的时间、金钱和精力，赚了很多钱。然而，1997 年 9 月 29 日，设立在芝加哥的莎莉公司宣布其在战略和主营业务上实行转移，这一举动很出人意料，以至于使整个商业界为之震惊。它让别的公司来进行产品的生产制造，而把公司的重点放在树立莎莉品牌和为它的其他品牌的产品进行营销上。让别的公司来进行产品的生产制造将使莎莉公司品牌降低其成本结构，以使其产品在价格上更具有竞争力，并且能有更多的资金来进行营销活动。

　　莎莉公司的战略转变是一件很有远见的事情。许多公司都在日益地将其重点放在最具有竞争力的活动上，而把那些艰苦的吸引力较小的生产制造活动让给海外的成本较低的制造商们去做。"像过去一样再走供产销一体化的路子，这种经营思想已经过时了。"约翰·布莱恩（John Bryan）在他作为第 23 任莎莉公司的首席执行官时这样说。公司甚至为其新战略创造了一个新名词：非纵向经营（de-verticalize）。对莎莉公司的举动最感到震惊的是那些高度实行纵向经营的家用纺织业的人，在该行业中，莎莉公司利用黑尼斯品牌和它的其他品牌赚取了其总收入的 1/3。家用纺织业被几个大的公司所垄断着，它们是生产制造活动的行家，效率很高，而且是高度自动化的。然而，按照莎莉公司的说法，它们在美国正逐渐被淘汰。

　　莎莉公司的大部分品牌不是以其样式和花架子著称的。它所涉足的大部分是成熟行业，基本上是不令人兴奋的行业。另外，公司计划实施一项政策，通过让别的公司来进行生产制造活动而自己进行营销活动，在 3 年的时间内树立起自己的核心品牌并赚取430 亿美元。莎莉公司品牌上的广告费已上升至 2 200 万美元，公司将把品牌从冷冻食品向超市中的肉类产品和烘烤类的产品方面转移。同时公司把目标放在某些类型的消费者身上。与过去相比这类消费者现在不再有那么多时间来做饭了，或者他们不和家人在一起吃饭。公司的新产品包括不需解冻的更小的奶酪蛋糕。但至少莎莉公司在消费者心目中有很高的声誉。公司的新战略是否能使其实际经营情况与其所享有的声誉相符合，还有待日后的观察。

　　资料来源：Based on "Sara Lee to Build Brand through Outsouring, Marketing," *Discount Store News*, October 20, 1997, p. A4; David Leonhardt, "Sara Lee: Playing with the Recipe," *Business Week*, April 27, 1998, p. 114; Rance Crain, "Sara Lee Users Smart Alternative to Selling Some Valuable Brands," *Advertising Age*, September 22, 1997, p. 25; Warren Shoulbery, "Que Sara," *Home Textiles Today*, Sepeember 29, 1997, p. 70.

建立战略业务单位

　　大多数公司都经营几项业务。但这些业务经常被确定在某项产品内：它们自称"汽车行业"或"滑动计算尺业务"等。然而，莱维特提出了下述观点，即企业的市场定义比企业的产品定义更为重要。[7]一个业务必须被看成是一个顾客满足过程，而不是一个产品生产过程。产品是短暂的，而基本需要和顾客群则是永恒的。马车公司在汽车问世后不久就被淘汰了。但是同样一个公司，如果它明确规定公司的任务是提供交通工具，它就会从马车生产转为汽车生产。莱维特主张公司在确定其业务范围时应该从产品导向转向市场导向。表3—1列举了几家公司在确定它们的业务时如何从产品导向转为市场导向。

表3—1 产品导向和市场导向不同的业务定义比较

公司	产品导向定义	市场导向定义
密苏里－太平洋铁路公司	我们经营铁路	我们是人与货物的运送者
施乐公司	我们生产复印设备	我们帮助改进办公效率
标准石油公司	我们出售汽油	我们提供能源
哥伦比亚电影公司	我们制作电影	我们提供娱乐
不列颠百科全书	我们出售百科全书	我们从事信息生产和传播事业
开利公司	我们生产空调和暖炉	我们为家庭提供舒适的温度

业务范围可以从三个方面加以确定：顾客群（customer groups），顾客需要（customer needs）和技术（technology）。[8]例如，一个小公司专为电视演播室设计白炽照明系统。它的顾客群就是电视演播室；顾客需要就是照明；技术就是白炽照明。公司也可以扩大它的业务范围。例如，它可以决定为其他顾客群生产照明灯，如家庭、工厂和办公室；或者，它可以提供电视演播室所需要的其他服务，如暖气、通风或空调等；或者，它可以为电视演播室设计其他照明技术，如荧光照明或紫外线照明。

大公司一般管理着相当多的不同的业务范围，它的每项业务都要有自己的战略。通用电气公司把它所经营的范围划分为49种，并称为战略业务单位（strategic business units，SBUs）。一个战略业务单位应有三个特征：

1. 它是一项独立业务或相关业务的集合体，但在计划工作上能与公司其他业务分开而单独作业。

2. 它有自己的竞争者。

3. 它有一位经理，负责战略计划、利润业绩，并且他控制了影响利润的大多数因素。

为每个战略业务单位安排资源

确定公司战略业务单位的目的，就是要使这些单位具有独立的开发战略和安排适当的资金。高层管理者可能只有笼统的概念，觉得这个战略业务单位是"昨天的财源"，而那个战略业务单位是"明天的饭碗"。这种凭印象办事的方法必须抛弃，而代之以根据利润潜力进行业务分类分析。两种最著名的投资业务组合评估模型是波士顿咨询公司模型和通用电气公司模型。[9]

波士顿咨询公司模型

波士顿咨询公司（Boston Consulting Group，BCG）是一家领先的管理咨询公司，它首创和推广了成长—份额矩阵法（growth-share matrix）（见图 3—2）。图中的 8 个圆圈代表某个假设公司的 8 项业务、它们的目前规模和市场位置。每个业务的金额与圆圈大小成比例，所以最大的业务是 5 和 6。每项业务的位置表明它的市场成长率和相对的市场份额。

具体地说，纵坐标上的市场成长率（market growth rate）代表这项业务所在市场的年销售增长率。图中，数字从 0 到 20%，当然还可列入较大的幅度。大于 10% 的增长率被认为是高的。横坐标上的相对市场份额（relative market share）表示该战略业务单位的市场份额与该市场最大竞争者的市场份额之比。0.1 的相对市场份额表示该公司战略业务单位的销售额仅占市场领导者销售额的 10%；而 10 就表示该公司的战略业务单位是该市场的领导者，并且是占市场第二位的公司销售量的 10 倍。相对市场份额以 1.0 为分界线分为高份额和低份额。相对市场份额是用对数尺度绘于图上，所以，同等距离表示相同的比率增加。

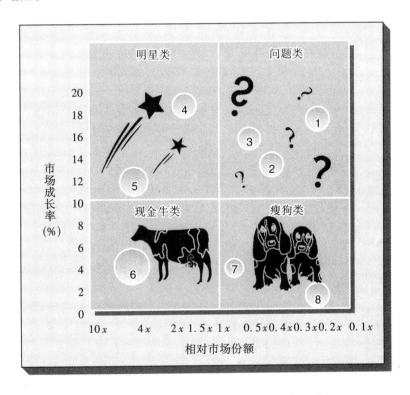

图 3—2   波士顿咨询公司市场成长—份额矩阵

资料来源：Reprinted from *Long Range Planning*, February 1977, p. 12, copyright ⓒ 1977 with kind permission from Elsevier Science Ltd. The Boule vard. Langford Lane, Kidlington OX5 1GB, UK.

成长—份额矩阵分成四格，每格代表一类业务：

1. 问题类（question marks）。问题类是市场成长率高而相对市场份额低的公司业务。大多数业务都从问题类开始，公司力图进入一个高速成长的市场，其中已有一个市场领导者。问题类业务要求投入大量现金，因为公司必须添置厂房、设备和人员，以跟上迅速成长的市场需要，此外，它还要赶超领导者。问题类业务必须小心确定，因为公司必须认真考虑是否要对它进行大量投资或者及时摆脱出来。如图3—2所示，公司经营三项问题类业务，这似乎太多了些。把资金集中投入一两个这样的业务，似乎对公司更好一些。

2. 明星类（stars）。一个公司如果在问题类业务上经营成功，就变成了明星。明星是高速成长市场中的领导者。但这并不等于说，明星类能给公司带来大量现金。公司必须投入大量的金钱来维持市场成长率和击退竞争者的各种进攻。明星类业务常常是现金消耗者而非现金生产者。在图3—2中，公司有两个明星类业务。一个公司如果没有明星类业务，便值得关心了。

3. 现金牛类（cash cow）。当市场的年成长率下降到10%以下，而如果它继续保持较大的市场份额，前面的明星类业务就成了现金牛类业务。这类业务之所以称其为现金牛是因为它为公司带来了大量的现金收入。由于市场成长率低，公司不必大量投资，同时，也因为该业务是市场领导者，它还享有规模经济和较高利润率优势。公司用它的现金牛业务收入来支付账款和支持明星类、问题类和瘦狗类业务，这些业务常常是现金饥渴者。可是，在图3—2中该公司只有一种现金牛类业务，故其地位是很脆弱的。这一现金牛业务可能会突然失去其相对市场份额，公司必须把大量的货币投入现金牛业务中以维持其市场领导地位。如果公司把全部现金都用来支持其他业务，强壮的现金牛业务有可能变成衰弱的瘦狗类业务。

4. 瘦狗类（dogs）。瘦狗类业务是指市场成长率低缓、市场份额低的公司业务。一般来说，它们的利润很低，但损失也不会很大。在图3—2中，公司有两个瘦狗类业务，这就显得太多了些。公司必须考虑这些瘦狗类业务的存在是否有足够理由（如市场成长率会回升，或者有新机会成为市场领导者），或者是出自某种情感上的缘故。

把业务在一个成长—份额矩阵图上定位后，公司可确定它的业务组合是否健康。一个失衡的业务组合就是有太多的瘦狗类或问题类业务或太少的明星类和现金牛类业务。

公司下一步的工作是为每个战略业务单位确定目标、战略，并作出预算计划。公司可以采取四个不同的战略：

1. 发展（build）。目的是扩大战略业务单位的市场份额，甚至不惜放弃近期收入来达到这一目标。"发展"目标特别适用于问题类业务，如果它们要成为明星类业务，其市场份额必须有较大的增长。

2. 维持（hold）。目的是保持战略业务单位的市场份额。这一目标适用于强大的现金牛类业务，如果它们要继续产生大量的现金流量的话。

3. 收获（harvest）。目的在于增加战略业务单位短期现金收入，而不考虑长期影响。收获活动包括决定在计划中不断减少成本，并最终放弃该业务。公司对现金的计划是"收获"和"对该业务撇脂"。收获活动常常包括取消研究与开发费用；不更换到期的设备；也不更换销售人员；减少广告费用；等等。其愿望是成本的减少快于销售额的下降，从而使公司的现金流量成为正的增加。成本的减少必须非常小心地进行并使人察觉不到，以便对公司的员工、顾客和分销商不造成明显的伤害。这一战略适用于处境不佳的现金牛类业务，这种业务前景黯淡而又需要从业务本身获得大量现金收入。收获也适用于问题类和瘦狗类业务。公司执行收获策略，在对各种利益关系方的信息共享上存在着社会与道德问题。

4. 放弃(divest)。目的在于出售或清算业务，以便把资源转移到更有利的领域。它适用于瘦狗类和问题类业务。这类业务常常拖公司盈利的后腿。

公司必须仔细地决策对弱的业务究竟采用哪一种战略，即收获还是放弃。如果它后来采用放弃战略而出售的话，该业务的出售价格可能会下降。与此相反，如果较早放弃的话，只要该业务有好的份额且相对于其他公司更有价值，它就能产生一个较好的出售价格。

随着时间的推移，战略业务单位在成长—份额矩阵中的位置也会发生变化。成功的战略业务单位有一个生命周期。它们从问题类开始，转向明星类，然后成为现金牛类，最终成为瘦狗类，从而走向其生命周期的终点。因此，公司不能仅仅注意其业务在成长—份额矩阵图上现有的位置(犹如一张快照)，还要注意它变化着的位置(犹如一场电影)。每个业务都应该回顾它去年、前年以至更往前处在哪里，还要展望明年、后年甚至更远的年份大概将处在哪里。如果某项业务的预期轨迹不太令人满意，公司就应该要求业务经理提出新战略和可能产生的结果。这样，成长—份额矩阵就成为公司总部战略计划者的计划构架。他们使用它来评估每项业务，安排公司最合理的目标。

公司可能犯的最大错误就是要求所有的战略业务单位都要达到同样的增长率或投资报酬率。战略业务单位的分析重点是每项业务有不同的潜量与它自己目标的要求。另外的错误包括：给现金牛业务的留存资金太少，在此情况下，这些业务的发展就会减弱；或留给它们的留存资金太多，使公司无法向新的成长业务投入足够的资金。给瘦狗类业务投入大量资金，希望扭转局面，但每次都失败了。保留太多的问题类业务并逐项投资；问题类业务要么得到足够的支持以获得细分优势，要么干脆放弃。

通用电气公司模型

设置一个战略业务单位不仅仅取决于它在成长—份额矩阵图上的位置。如果加上其他因素，成长—份额矩阵就可被看做通用电气公司首创的多因素业务经营组合矩阵的一个特例。多因素业务经营组合矩阵模型见图 3—3(a)，图上标出了某假设公司的 7 项业务。这里，圆圈的大小表示市场规模而非公司业务的大小。圆圈的阴影部分代表公司业务的绝对市场份额。这样，公司的离合器业务所在的市场为中等规模，其市场份额为 30%。

每项业务的评定，主要根据两个变量，即市场吸引力(market attractiveness)和业务优势(business strength)，如图 3—3(b)所示。这两个变量对评定一项业务具有极大的营销意义。公司如果进入富有吸引力的市场，并拥有在这些市场中获胜所需的各种业务优势，它就可能成功。如若缺少其中一个条件，就很难得到显著的效果。一个实力雄厚的公司不可能在一个夕阳市场中大展宏图；同样，一个孱弱的公司也不可能在一个朝阳市场中大有作为。

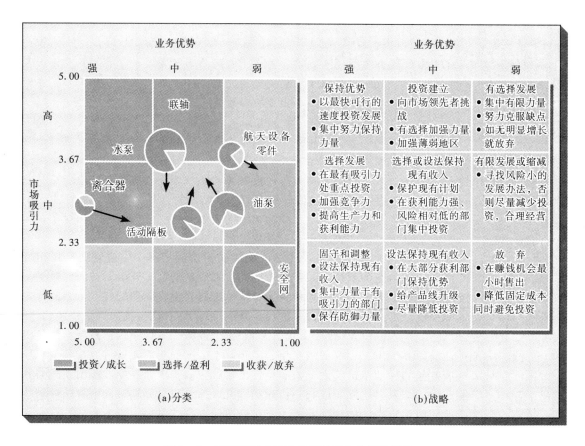

图 3—3　市场吸引力和业务优势组合分类及战略

为了衡量这两个变量，战略计划者必须识别构成每个变量的各种因素，寻找测量方法，并把这些因素合并成一个指数。表 3—2 中列举了构成两个变量的要素组，并在图 3—3 中形成对水泵的两维坐标(每个企业都必须决定自己的要素条目)。可见，市场吸引力因市场规模、年市场成长率、历史盈利率等不同而异，业务优势则随公司的市场份额、份额增长、产品质量等而变化。注意这两个波士顿咨询公司因素(市场增长率和市场份额)皆被纳入通用电气公司模型的两个主要变量之中，通用电气公司模型与波士顿咨询公司模型相比，战略计划者在评估一项现实的或潜在的业务时能够考虑得更加全面。

公司根据表 3—2 的数据，怎样在图 3—3(a)中画圈呢？企业管理层从1(毫无吸引力)到 5(最有吸引力)来逐项评估这些因素，以反映这项业务在某一因素方面所处的位置。例如，这项业务在总的市场规模中定值为 4.00，这表明它的市场规模相当大(5.00 表示很大)。显然，其中有许多因素要求从营销人员处获得资料和评价。总之，权数和定值相乘，得到的是每个要素的值，再把各要素的值相加，就是一个变量的值。本例所举的水泵业务，其市场吸引力为 3.70，业务优势为 3.40，都没有达到最高分 5.00。分析者在图 3—3(a)

的多因素业务经营组合矩阵上用点表示该项业务，然后，以点为圆心作圆，圆的大小要和市场规模成一定比例，图中显示公司的市场份额约为 14% 。显然，这项水泵业务在该矩阵中处于有相当吸引力的区域。

表 3—2 　　　　　　　　　　　通用电气公司多因素业务经营组合模型：
水泵市场的市场吸引力和竞争能力的基本要素

		权数	评分(1～5)	值
	总体市场大小	0.20	4	0.80
	年市场成长率	0.20	5	1.00
	历史毛利率	0.15	4	0.60
	竞争密集程度	0.15	2	0.30
市场吸引力	技术要求	0.15	4	0.60
	通货膨胀	0.05	3	0.15
	能源要求	0.05	2	0.10
	环境影响	0.05	3	0.15
	社会/政治/法律	必须是可接受的		
		1.00		3.70
		权数	评分(1～5)	值
	市场份额	0.10	4	0.40
	份额成长	0.15	2	0.30
	产品质量	0.10	4	0.40
	品牌知名度	0.10	5	0.50
	分销网	0.05	4	0.20
业务优势	促销效率	0.05	3	0.15
	生产能力	0.05	3	0.15
	生产效率	0.05	2	0.10
	单位成本	0.15	3	0.45
	物资供应	0.05	5	0.25
	开发研究绩效	0.10	3	0.30
	管理人员	0.05	4	0.20
		1.00		3.40

资料来源：Adapted from La Rue T. Hosmer, *Strategic Management* （Upper Saddle River, NJ: Prentice Hall, 1982, p. 310.

实际上，通用电气公司矩阵分为 9 个格子，这些格子分列 3 个区，如图3—3(b)所示。图中，左上角的 3 个格子表示最强的战略业务单位，公司应该采取投资或成长战略。在左下角到右上角的对角线上的 3 个格表示战略业务单位的总吸引力处于中等状态；该公司应该采取选择和盈利战略。右下角的 3 个格子表示战略业务单位的吸引力很低：公司应该采取收获或放弃战略。例如，安全阀业务就是一个在规模较大、但吸引力不大的市场中占有极小份额的战略业务单位。同时，在这项业务中公司也无多大的优势：它就是适用收获或放弃战略的候选业务。[10]

企业管理层还应根据现行的战略预测每个战略业务单位在今后三五年的预期位置。这包括分析每个产品所处的产品生命周期，以及预期的竞争者战略、新技术、经济事件，等等。这种预测的结果由图3—3（a）中矢量的长度与方向所指出。例如，水泵业务预计其市场吸引力将缓慢下降，离合器业务在公司业务能力的地位将急剧下降。

公司的目标不一定是为每个战略业务单位增加销售额。它们也许是用较少的营销费用维持现有的需求水平，或者从这项业务中提走现金，并听任需求下降。所以，营销企业管理层的任务是把需求保持在由公司总部的战略计划所决定的一个适当的水平上。营销有助于估量每个战略业务单位的潜在销售额和利润，但是，一旦确定了战略业务单位的目标和预算，营销任务就应该高效率和高效益地贯彻执行该计划。

投资组合模式评论

除了波士顿模型和通用电气公司模型以外，已经开发与使用的其他投资组合模型中，值得一提的有阿瑟·D·利特尔模型和壳牌(Shell)的定向政策模型。[11]使用投资组合模型的益处很多。这些模型帮助经理用更长远和战略的眼光思考问题，更透彻地理解他们业务中的经济理论，改进计划质量，使业务与公司经理之间更好地沟通，更精确地确认信息误差和重大问题，撤销较弱的业务，强化在更有前途业务上的投资。

另一方面，使用投资组合模型必须谨慎。它们会使公司过分强调市场份额的增长而从事成长快的业务，从而忽视管理好当前的业务。它的结果易受定值与权数的影响，并能被用于在矩阵中达到理想的位置。另外，由于平均化的计算，使在同一格内定值与权数完全不同的两项或更多的业务被同时取消。由于定值的折衷性，在矩阵中间的许多业务将会被取消，并且，它使得人们难以了解正确的战略是什么。最后，这些模型无法顾及两项或更多的业务之间的平衡，也就是说一次只能为一个业务作决策，从而增加了风险。但不管怎样，投资组合模型还改进了经理的分析和战略能力，使他们不是仅仅凭主观印象而是在作出更好的决策。[12]

计划新业务工作，放弃老业务

将公司现有各业务单位所制定的业务经营组合计划汇总，便是该公司的总销售额和总利润。预期的销售额和利润经常低于公司管理层希望达到的水平。如果在未来所希望的销售水平和预计销售水平之间有缺口，公司管理层必须制定一个获得新增业务的计划。

图3—4举例说明了穆西凯尔公司(Musicale)(名字为虚构的)——一家生产磁带的大制造商的战略计划缺口。最下面的一条曲线表示公司以现有经营业务状况为出发点,预期在今后5年中所达到的销售水平。最上面的一条曲线是公司希望在今后5年中所达到的水平。很明显,公司希望能以快于目前业务所允许的速度成长。如何才能填补战略计划这个缺口呢?

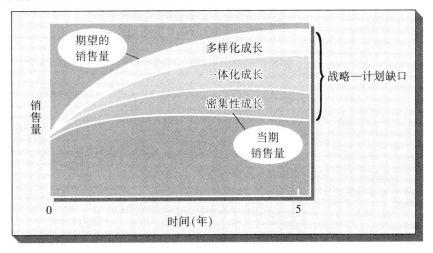

图3—4　战略计划缺口

公司可以通过三个途径填补这一缺口。第一,在公司现有的业务领域里寻找未来发展机会(密集型成长机会, intensive growth opportunities);第二,建立或收购与目前公司业务有关的业务(一体化成长机会, integrative growth opportunities);第三,增加与公司目前业务无关的富有吸引力的业务(多样化成长机会, diversification growth opportunities)。

密集型成长

公司管理层先要审视一下是否存在改进其现有业务成效的各种机会。安索夫(Ansoff)曾经提出了一种探测新的密集型成长机会的有用构架,即产品—市场扩展方格(product/market expansion grid)(见图3—5)。[13]首先,公司应该考虑,在现有市场上现有产品是否还能得到更多的市场份额(市场渗透战略, market-penetration strategy);其次,它应该考虑是否能为其现有产品开发一些新市场(市场开发战略, market development strategy);第三,它应考虑是否能为其现有市场发展若干有潜在利益的新产品(产品开发战略, product development);最后,它还能考虑为新市场开发新产品的种种机会(多样化战略, diversification strategy)。穆西凯尔公司为了增加销售额,它将怎样应用这三种主要的密集型成长战略呢?

在现有市场上增加现有产品的市场份额有三种主要的方法。穆西凯尔公司可以尽力鼓励现有顾客多买,在一定时间内使用更多的磁带。如果大多数顾客都是偶然购买磁带的,可向他们显示多买磁带用来录制音乐或听写的好处,那么,上述做法尤为奏效;或者,穆西凯尔公司可以尽力将竞争者的顾客吸引到自己的产品上来。如果穆西凯尔公司注意到竞争者的产品或营销方案的一些弱

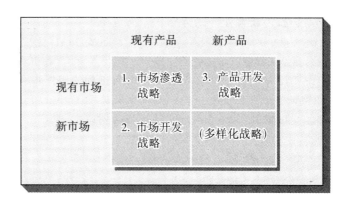

图 3—5   三种密集型成长战略：安索夫的产品—市场扩展方格图

资料来源：Adapted from Igor Ansoff, "Strategies for Diversification," *Harvard Business Review*, September-October 1957, p. 114.

点，而它有能力利用这些弱点开展攻势，这样做效果最佳。最后，穆西凯尔公司可以尽力说服那些目前不用磁带的人使用磁带。如果有许多人至今还没有录音机，这一方法就更为有效。

管理层怎样寻找一些新市场，即用企业现有产品就能满足其需要的新市场呢？首先，在当地寻找潜在顾客，这些顾客目前尚未购买产品，但是他们对磁带的兴趣有可能被激发。所以，如果公司以前一直是向消费者市场出售磁带的，现在它可以考虑进入办公室市场和工厂市场。其次，公司可以考虑利用当地的新渠道把商品分销给其他用户。如果公司一直是通过立体声设备商店分销的，现在就可以增加一些大众商品分销渠道。第三，公司可以考虑在当地或国外增加新销售点。如果穆西凯尔公司以前只在美国东部销售，现在它就可以考虑在美国西部各州或欧洲开辟一些市场。

管理层应该考虑开发新产品的可能性。它可以发展盒式录音带的一些新特色，如延长录音带的录放时间，或者在播放结束时会鸣叫。它可以发展其他质量水平的录音带，如为高层次音乐听众使用的高质量录音带和为大众市场使用的质量一般的录音带。或者，它可以研究开发 CD 和数字式自动带子。

通过检查这三种密集型成长战略，管理层希望能从中找到促进销售增长的途径。然而，这还不够，管理层还应该研究一体化成长的可能性。

一体化成长

要增加某项业务的销售和利润，常常可以通过后向一体化、前向一体化或者本行业水平一体化。穆西凯尔公司可以考虑收买一个或几个供应商（如塑料生产商）以增加盈利或加强控制（后向一体化，backward integration）。或者，穆西凯尔公司可以考虑收买若干批发商或零售商，特别是当他们利润很高时（前向一体化，forward integration）。最后，假如政府不禁止的话，穆西凯尔公司可以考虑收购一个或几个竞争者（水平一体化，horizontal integration）。这些新来源可能还不足以达到所希望的销售水平。在这样的情况下，公司必须考虑多样化。

多样化成长

当在目前业务范围以外的领域发现了好机会，就可以采用多样化成长战略。好机会是指该业务有很大的吸引力，并且公司也具备成功的组合业务力量。多样化成长有三种可能。公司可以开发与本企业现有产品线的技术和/或营销有协同关系的新产品，以便这些产品可能吸引一群新顾客(同心多样化战略，concentric diversification strategy)。穆西凯尔公司可以在掌握如何制作磁带，充分了解它将进入一个新市场和面临一个跟以前不同的顾客阶层的基础上，从事一种计算机磁带的制作业务。其次，公司可以研究某种能满足现有顾客需要的新产品，尽管这种新产品与公司的现有产品在技术上关系不大(水平多样化战略，horizontal diversification strategy)。穆西凯尔公司可以生产一种文件盘磁带，尽管这种文件盘的制作过程与原先的完全不同。最后，公司可以开发某种与公司现有技术、产品或市场毫无关联的新业务(跨行业多样化战略，conglomerate diversification strategy)。穆西凯尔公司可以考虑开辟新的业务领域，如制造应用软件或个人组织器。

放弃过时的业务

公司不仅需要开发新业务，而且也应仔细地削减、收获和放弃衰弱的过时业务，以释放需要的资源和减少成本。衰弱的业务需要较多的管理注意力。经理应该把目光集中在公司的成长机会上，而不应该把精力和资源浪费在挽救大量流失的业务上。

业务战略计划

业务单位战略计划过程由八个步骤组成(见图3—6)。现在我们讨论这些步骤。

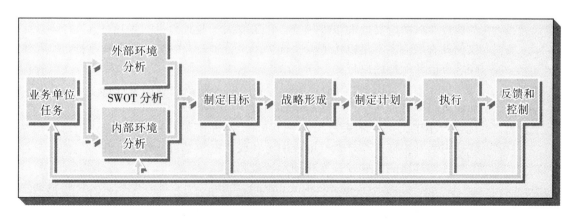

图3—6　业务战略计划过程

93

业务任务

每个业务单位都要确定一个在公司总任务下的自己特定的任务书。因此，电视设备照明公司定义了它的业务可能是"公司的目标定位在大的电视演播室，公司将选择代表最先进的灯光技术和对灯光的安排使用户基本可信赖"。注意，它的任务并非是争夺小的电视演播室，并非是开展最低价竞争，并且，它对非灯光设备生产计划也不感兴趣。

SWOT 分析

对公司的优势（strengths）、劣势（weaknesses）、机会（opportunities）和问题（threats）的全面评估称为 SWOT 分析。

外部环境分析（机会与威胁分析）

一般而言，业务单位应监测那些影响其业务的主要宏观环境因素（macroenvironment forces）（人文统计—经济的、技术的、政治—法律的、社会—文化的环境因素）。它还必须监测重要的微观环境参与者（microenvironment actors）（顾客、竞争者、分销渠道、供应商），因为他们会影响公司在这些市场上的盈利能力。业务单位要建立营销情报系统（marketing intelligence system），以研究这些因素的重大发展趋势和规律。然后，对这些趋势或发展规律，销售人员应辨明其明显的或隐蔽的机会与威胁。

环境扫描的一个主要目标就是要辨别新机会。我们对营销机会下的定义如下：

营销机会（marketing opportunity）是一个公司通过满足购买者需要并能够盈利的某一领域。

这些机会可以按其吸引力（attractiveness）和成功概率（success probability）来加以分类。公司在每一个特定机会中的成功概率不仅取决于它的业务实力是否与该行业成功所需要的条件相符合，还取决于业务力量是否超过其竞争对手。仅仅具有能力还不足以构成竞争优势。最善于经营的公司将是那些能创造最大顾客价值并能持之以恒的公司。

机会矩阵见图 3—7(a)，电视设备照明公司所面临的最佳机会是左上角的那些机会，管理层应该准备若干计划以捕捉一个或几个机会(1)；右下角(4)的机会太小了，可以不去考虑。右上角(2)和左下角(3)的机会应该密切加以注意，因为其中任何一个机会的吸引力和成功概率都可能发生变化。

外部环境的某些发展变化预示着威胁。

环境威胁（environment threat）是指一种不利的发展趋势所形成的挑战，如果缺乏采取果断的营销行动，这种不利趋势将会侵蚀公司的销售或利润。

有关环境威胁可按威胁的严重性和发生的概率分类。图 3—7(b)中指出了威胁矩阵和表示电视照明设备公司所面临的若干威胁分布情况。左上角的威胁是关键性的,因为它们会严重地危害公司利益,并且出现的可能性也最大。公司需要为每一个这样的威胁准备一个应变计划,这些计划将预先阐明在威胁出现之前,或者当威胁出现时,公司将进行哪些改变。右下角的威胁比较微弱,可以不加理会,右上角和左下角的威胁不需要应变计划,但是需要密切加以注视,因为它们有可能发展成严重威胁。

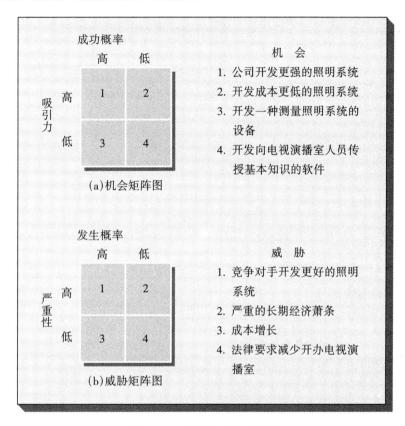

图3—7　机会和威胁矩阵图

当管理层将某项业务面临的主要威胁汇集起来,就能描绘出这项业务的全部吸引力。这样,可能有四种结果:

● 理想的业务是机会多、很少有严重威胁的业务。
● 风险的业务是机会与威胁都多的业务。
● 成熟的业务是机会与威胁都少的业务。
● 麻烦的业务是机会少、威胁多的业务。

内部环境分析(优势／劣势分析)

识别环境中有吸引力的机会是一回事,拥有在机会中成功所必需的竞争能力是另一回事。每个企业都要定期检查自己的优势与劣势,这可通过"营销备忘——公司绩效的优势／劣势分析检查表"方式进行。管理层或企业外的咨询机构都可利用这一格式检查企业的营销、财务和组织能力。每一要素都要按照特强、稍强、中等、稍弱或特弱划分等级。

公司绩效的优势／劣势分析检查表

	绩效					重要性		
	特强	稍强	中等	稍弱	特弱	高	中	低
营销能力								
1. 公司信誉	___	___	___	___	___	___	___	___
2. 市场份额	___	___	___	___	___	___	___	___
3. 顾客满意	___	___	___	___	___	___	___	___
4. 顾客维系	___	___	___	___	___	___	___	___
5. 产品质量	___	___	___	___	___	___	___	___
6. 服务质量	___	___	___	___	___	___	___	___
7. 定价效果	___	___	___	___	___	___	___	___
8. 分销效果	___	___	___	___	___	___	___	___
9. 促销效果	___	___	___	___	___	___	___	___
10. 销售人员效果	___	___	___	___	___	___	___	___
11. 创新效果	___	___	___	___	___	___	___	___
12. 地理覆盖区域	___	___	___	___	___	___	___	___
资金能力								
13. 资金成本或利用率	___	___	___	___	___	___	___	___
14. 现金流量	___	___	___	___	___	___	___	___
15. 资金稳定	___	___	___	___	___	___	___	___
制造能力								
16. 设备	___	___	___	___	___	___	___	___
17. 规模经济	___	___	___	___	___	___	___	___
18. 生产能力	___	___	___	___	___	___	___	___
19. 甘愿奉献的劳动力	___	___	___	___	___	___	___	___
20. 按时交货的能力	___	___	___	___	___	___	___	___
21. 技术和制造工艺	___	___	___	___	___	___	___	___
组织能力								
22. 有远见和有能力的领导	___	___	___	___	___	___	___	___
23. 具有奉献精神的员工	___	___	___	___	___	___	___	___
24. 创业导向	___	___	___	___	___	___	___	___
25. 弹性或适应能力	___	___	___	___	___	___	___	___

很清楚，公司不应去纠正它的所有劣势，也不必对其优势全部加以利用。主要的问题是公司应研究它究竟是应只局限在已拥有优势的机会中，还是去获取和发展某些优势，以找到更好的机会。例如，得州仪器公司的经理有两种意见：一种认为公司应坚守工业电子产品(公司有明显优势)，而另一种认为公司应继续引进消费电子产品(在这方面公司缺少营销优势)。

有时，企业发展慢并非因为其各部门缺乏优势，而是因为它们不能很好地协调配合。例如，有一家大电子公司，工程师们轻视销售人员，视其为"不懂技术的工程师"；而销售人员则瞧不起服务部门的人员，视其为"不会做生意的推销员"。因此，评估内部各部门的工作关系，即内部审计工作是非常重要的。

霍尼韦尔(Honeywell)　霍尼韦尔公司每年要求它的各部门分析自己的优势和劣势，以及与本部门相关联的其他部门的优缺点。每个部门都是其他部门的"供应者"和"顾客"。例如，该公司的工程师总是低估了新产品的开发成本和完成时间，这样，他们的"内部顾客"(制造部门、财会和销售部门)就会受到侵害。一旦各个部门的缺点暴露以后，公司就可以开展工作纠正错误。

波士顿咨询公司的负责人乔治·斯托克(George Stalk)提出，能获胜的公司是取得公司内部优势的企业，而不仅仅是只抓住公司核心能力的企业。[14]每个公司必须管好某些基本程序，如新产品开发、原材料采购、对订单的销售引导、对客户订单的现金实现、解决顾客问题的时间，等等。每一程序都创造价值和需要内部部门协同工作。虽然每一部门都可以拥有一个核心能力，但如何管理这些程序中的优势能力开发仍是一个挑战。斯托克把它称为能力基础竞争(capabilities-based competition)。

目标制定

公司在完成了 SWOT 分析后，就可以为该计划在一段时间内制定特定的目标。这在企业的战略计划过程中被称为目标制定。经理们使用目标这个词来描述经量化和定时的特定方向。目标可以衡量并转化为具体的计划管理、执行和控制。

很少有企业仅追求一个目标。大多数业务单位都是几个目标的组合，包括：利润率、销售增长额、市场份额提高、风险的分散、创新和声誉，等等。业务单位确立这些目标，然后进行目标管理（manages by objectives，MBO）。为了使目标管理正常进行，业务单位的各种目标必须满足四个条件：

● 目标必须按轻重缓急有层次地安排。例如，一个业务单位的关键目标是在这一阶段提高投资报酬率。这衍生出提高利润水平和／或减少投资额。提高利润又包括增加收入和／或减少费用。增加收入又可转化为提高市场份额和／或价格。通过这种方法，该业务就能从抽象的目标变为企业部门和个人能够执行的特定的目标。

● 在可能的条件下，目标应该用数量表示。例如，"增加投资报酬率"这个目标，就不如"提高投资报酬率到15%"这样的目标明确，甚至可以更明确表述为"截至第二年年底增加投资报酬率到15%"。

● 一个公司建立的目标水平应该现实。这一水平必须在分析机会和优势的基础上形成，而不是主观愿望的产物。

● 公司各项目标之间应该协调一致。销售最大化和利润最大化要同时达到是不可能的。

另外，一些需要认真权衡的关系有：短期利润与长期成长，现有市场渗透与新市场开发；利润目标与非利润目标；高增长与低风险。对各组目标的不同选择将会导致不同的营销战略。

战略制定

目标说明企业欲向何处发展；战略则说明如何达到目标。每个企业必须制定达到目标的恰当战略，包括技术战略（technology strategy）和资源战略（sourcing strategy）。对于可以提出的许多种战略，迈克尔·波特将其归纳为三种类型：全面成本领先、差别化或集中化。[15]

● 全面成本领先。公司致力于达到生产成本和销售成本最低化，这样，它就能以低于竞争对手的价格获得较大的市场份额。奉行这一战略的公司必须善于工程管理、采购、制造和实体分配，但不要求掌握太多的营销技术。得州仪器公司便是这一战略的主要实践者。这种战略的问题是其他公司通常会表现出更低的成本，它伤害了公司在将来采用低成本的战略。

● 差别化。奉行此战略的企业通过对整个市场的评估找出某些重要的顾客利益区域。集中力量在这些区域完善经营。它可以努力在服务、质量、款式和技术等方面成为领导者，但它难以在上述各方面全面领先。企业应培育发展那些在某些效益范围内会产生差别经营利益的优势。这样，追求质量优势的企业必须制造或购买最好的配件，精心安装，仔细检查和有效传播它的质量。例如，英特尔公司把自己看做是技术领袖，它用惊人的速度开发新的微处理器。

● 集中化。公司将其力量集中在为几个细分市场服务上。公司从了解这些细分市场的需要入手，在选中的细分市场上，运用成本领先或产品差别化。气垫鞋就是以集中于非常小的市场——杰出运动员市场而闻名。

根据波特的看法，那些采用指向相同市场或细分小市场相同战略的企业组成了一个战略群体（strategic group）。施行此战略最佳的公司便能获得最大的利润。这样，在采取降低成本这一战略的那些公司里，成本最低的公司干得最出色。波特认为，一个没有明确战略的公司(走中间道路的公司)干得最糟。例如，国际收割机公司(International Harvester)陷入了困境，就是因为这家公司在各行业中都没有特色，既不是成本最低，认知价值最高，也不是在某一细分市场提供最好的服务。走中间道路者试图在所有的战略方面都做好。然而，由于各个战略范围要求运用不同的方法，而且往往不是前后一贯的方法来组织一个公司，所以，这些走中间道路的公司最终什么事也做不好。

在最近的一篇题为《战略是什么》的文章中，波特分析了经营有效性（operational effectiveness）和战略的区别。[16]许多公司认为如果它们从事和其竞争对手相似的业务，但却比其竞争对手做得更好，它们就可以获得竞争上的优势，并且使这种优势持续很长时间。但是今天，竞争对手们通过利用定点超越和其他手段可以快速地模拟有效经营公司的经营方法，从而削弱了经营有效性所带来的好处。与之相对照，波特认为，战略是"创造出一个独一无二的且有价值的定位，其中包含一系列不同的行动"。具有战略优势的公司"采取与其竞争对手不同的或相似的行动但却以不同的方式去做"。他认为这些公司（如宜家公司和美国西南航空公司）有着与众不同的战略，其中包括许多不同的但是连贯的且彼此协同的活动，从整体上说，竞争对手们很难模仿这些活动。

战略联盟

许多公司还发现，最有效的战略可能要求它们寻找战略同盟者。即使是巨型公司，如 AT&T、IBM、飞利浦、西门子公司，如果不在国内或国际形成举足轻重的多国公司战略联盟（strategic alliances），就不能取得领导地位。例如，星际联盟公司（Star Alliance）联合了罗夫桑萨公司（Lunfthansa）、联合航空公司、加拿大航空公司、斯堪的纳维亚航空公司、泰国航空公司、维珍航空公司、新西兰航空公司和澳大利亚航空公司，建立了全球性的大型合作关系，这使得旅行者们在约 700 个地方的旅行活动有着几乎天衣无缝的联系。

新技术要求规定全球性的标准和实现全球范围内的联盟。例如，世界上最大的两家或者可能是三家信用卡发行公司将会忘记它们之间的竞争，联合力量为所谓的智能卡规定了一个全球性的标准。美国运通公司和威士国际公司以及两家拥有智能卡技术的公司——比利时的巴斯加斯（Banskys）SA 和澳大利亚的 ERG 公司，合资创建了一家名为国际质子世界公司（Proton World International）。国际质子世界公司的合伙人称他们甚至欢迎万事达公司（MasterCard）以及其他有兴趣的公司加入到该企业中去，共同设计出电子商务所需的基础设施。国际质子世界公司的成立"部分地代表了人们思想的趋势，他们意识到建立全球性的联盟是必经之路"。莫德克斯（Mondex）（另一个拥有智能卡技术的公司）处理公司事务的主要负责人格里·霍普金森（Gerry Hopkinson）如是说。[17]

为了在其他国家开展业务，可以要求公司授权许可生产，与当地企业组成合资企业，购买当地原材料以满足"国内容量"的要求。其结果是许多公司在迅速地建立战略网络。谁的全球网络建立得好，谁就能取得胜利。更详细的资料参见"新千年营销——兴旺的战略联盟"。

新千年营销

兴旺的战略联盟

在这个新的全球环境中，越来越多的产品和选择使竞争越来越激烈，建立联盟不只是某个计划中的一个选择方式，而是公司必须采取的一种战略。正如联合包裹运送服务公司（UPS）的首席执行官吉姆·凯利（Jim Kelly）所说的那样："过去的那句谚语'如果你不能打败他们，那么就加入到他们当中去’正在被另一句谚语‘加入到他们当中去，你才能不被打败’所代替。”UPS 公司有许多全球性的合作伙伴。事实上，现在，软件业、生物技术业和通信业中的高新技术企业通常是在成立时就是一个全球性的公司。HDM 是一家利用计算机设计图纸的公司，在成立后的短短两年时间，它就在日本设立了一家合资企业，在加拿大和俄罗斯有好几家合作伙伴。"事实上，我们所做的每一件事情都是和合伙关系有关的。"蛋白质聚合物技术有限公司(Protein Polymer Technologies, Inc.)的总裁汤姆·帕梅特(Tom Parmeter)如是说，该公司是圣迭戈的一家生物材料制造商。对于该公司来说，建立联盟是至关重要的，因为它不能依靠自己的力量建立起市场。

战略联盟正在各行各业中兴起，并且为各种不同的目标服务。按照博兹－艾伦－哈米顿公司(Booz, Allen&Hamilton)的研究，在欧洲、亚洲和拉丁美洲建立伙伴关系的美国公司的数量正以每年 25% 的速度增加。为什么战略联盟会在各行各业中兴旺呢？下面是几个公司加入联盟的战略原因：

● 填补现有市场和技术基础的缺陷。
● 把过剩的生产能力转化成利润。
● 降低进入新市场的风险及成本。
● 加快产品进入市场的进程。
● 产生规模经济。
● 克服法律及商业战争。
● 延伸现有业务的范围。
● 降低取消现有业务时的撤离成本。

尽管对于联合有很多合理的原因，但联盟最终失败的百分比却同样高得惊人。麦肯锡公司的一项研究指出，49 家联盟企业中大概有 1/3 的联盟最后以失败告终，原因是它们没有达到合作伙伴的期望。但这种痛苦的教训教会了企业该如何精心策划一个成功的联盟。这可能有以下三个关键之处：

1. 战略上的适应。在实际考虑联盟以前，企业需要评定自己的核心能力。然后需要寻找一个能对它的业务战线有补充的合作伙伴，包括地理位置上的或是能力方面的好处。有关战略适应的一个很好的例子是 AT&T 公司和苏维特(Sovintel)(俄罗斯的一家电话公司)的联盟。这两家公司联合它们的力量为两个不同国家之间的数字化声音、数据和可视通信提供高速的一线通(ISDN)服务。通过双方的联合，这两家通信公司能为更多的企业顾客提供一种新的服务，而这在联盟以前是任何一家公司都不可能单独办到的。

2. 对于企业长久发展的关注。合作伙伴与其为了节省一些钱而进行联盟，不如多关注一下在未来几年中可能取得的收获。科宁(Corning)是一家年产值达 50 亿美元的玻璃和陶瓷生产商，它以其伙伴式的作业而著称，甚至它把自己定义为"组织网络"。这个网络包括德国电子业巨人西门子(Siemens)、韩国巨人三星(Samsung)和墨西哥最大的陶瓷生产商维特罗(Vitro)。

3. 弹性能力。联盟只有具有弹性才能得以持续。弹性合作关系的一个例子是默克(Merck)与瑞典 AB 阿斯特拉(Astra)的联盟。默克起初只是对合作伙伴的新药拥有简单的美国权利。但之后，默克组建了一家掌握合伙企业一年5亿美元业务的新的公司，并卖给阿斯特拉一半的资产权益。

资料来源：Julie Cohen Mason, "Strategic Alliances: Partnering for Success," *Management Review*, May 1993, pp. 10～15; Stratford Sherman, "Are Strategic Alliances Working?" *Fortune*, September 21, 1992, pp. 77～78; Edwin Whenmouth, "Rivals Become Partners: Japan Seeks Links with U. S. and European Firms," *Industry Week*, February 1, 1993, pp. 11～12, 14; John Naisbitt, *The Global Pardox* (New York: William Morrow, 1994)), pp. 18～21; Rosabeth Moss Kantner, "The Power of Partnering," *Sales & Marketing Management*, June 1997, pp. 26～28; Jim Kelly, "All Together, Now," *Chief Executive*, November 1997, pp. 60～63; Roberta Maynard, "Striking the Right Match," *Nation's Business*, May 1996, p. 18.

许多战略联盟采用营销联盟（marketing alliances）。它们有四种形式[18]：

1. 产品或服务联盟。其形式为一个公司允许另一个公司生产其产品或两个公司共同营销它们的补充产品，也可以由两个公司合作设计、制造和营销一个新产品。例如，苹果公司与数字Vax共同设计、制造和销售新产品。斯普林特(Sprint)最近与美国无线电公司、索尼公司推出一种远程的索尼随身听和美国无线电公司的彩色电视机，并可用斯普林特的电话服务进行遥控。H&R税务咨询公司与海厄特法律服务公司(两家服务企业)已结成营销联盟。

2. 促销联盟。一个公司同意为另一公司的产品或服务促销。例如，麦当劳与迪斯尼一起向购买汉堡的人促销穆拉（Mulan）人物像。同样，一家银行同意当地的艺术馆在它们的大厅展览名画。

3. 后勤联盟。一家公司为另一家公司的产品提供后勤供应服务。例如，埃伯特制药公司（Abbott）为3M公司储放和运送它的医药产品到美国的各个医院。

4. 价格合作。几家公司加入特定的价格合作。最常见的是，旅馆连锁店和租车公司共同推出价格折扣。

公司需要在寻找合伙人时发挥更多的创造性，以加强它们的优势和弥补劣势。联盟只要管理得法，就能使公司在降低成本的基础上获得更大的销售额。为使它们的战略联盟保持蓬勃生机，公司已经开始组建组织机构来支持该战略，并且开始意识到建立和管理合作关系的能力是它们自己核心技能的体现。例如，迪斯尼公司和惠普公司的行政主管人员是相互兼任的。莲花公司（Lotus）和施乐公司的早期联盟主要是业务发展部门之间的联盟，现在它们已经在多个方面建立了联盟团体。小型公司可以指定一个核心组织(即使这个组织是非正式的)来负责处理它们之间的合作关系，对它们之间的合作关系进行管理和监控。[19]

计划形成

业务单位一旦形成了主要战略思想，它就必须制定执行这些战略的支持计划。因此，如果企业决策取得技术优势，就必须通过相应的计划来支持其研究与开发部门，以收集可能影响本企业的有关的最新技术的信息；开发先进的尖端产品；训练销售人员，使他们了解技术；制定广告计划，宣传本企业的领先技术地位等。

在计划的形成阶段，营销人员必须估算计划成本。可以考虑下列问题：贸易展示会值得一办吗？销售竞赛的自身成本是多少？对新招的销售人员其最低费用是多少？对每项营销活动测算它的实际成本，以判断实际成本与产生的效果是否相匹配。[20]

执行

即使一个公司制定了一个明确的战略并有一个缜密的支撑计划，还是不够。公司在执行时可能失败。战略并不等于一切。根据世界最佳的咨询公司麦肯锡咨询公司的观点，战略仅仅是最佳管理公司所具备的七个要素之一。[21]麦肯锡公司的7-S构架见图3—8。图中，前面三个要素（战略、结构和系统）被认为是成功的"硬件"，后面四个要素（作风、人员、技能和共同的价值观）是"软件"。

第一个"软件"要素就是作风（style），意指该公司人员应该具有共同的行为和思想风格。例如，麦当劳公司的每位职工对顾客都露出同样亲切的笑容，IBM公司的许多职员在举止和服饰方面都显得是有专门的职业修养的。第二个是技能（skills），意指雇员应该具备和掌握为实施公司战略所需要的技能。第三个是人员（staffing），意指公司应该雇用能干的人员，并为每个人安排适当的工作，以充分发挥他们的才能。第四个是共同价值观（shared values），意指企业雇员拥有共同的指导性价值和使命。当公司拥有这四个"软件"要素时，它将在战略执行过程中获得更多的成功。[22]

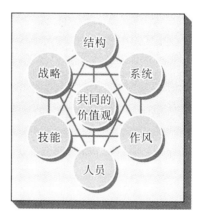

图3—8　麦肯锡公司的7-S构架

资料来源：Mckinsey 7-S Framework from In Search of Excellence: Lessons from America's Best Run Companies, by Thomas J. Peters and Robert H. Waterman, Jr. Copyright ⓒ 1982 by Thomas J. Peters and Robert H. Waterman, Jr. Reprinted by permission of Harper Coll ins publishers, Inc.

反馈和控制

在贯彻公司的战略中，需要追踪结果和监测内外环境中的新变化。有些环境相当稳定，年复一年变化不大；有些环境基本按照预计的方式缓慢发展；另外一些环境则发生迅速的、重大的和无法预料的变化。公司需要做一件事：那就是作好环境变化的准备。当环境变化时，公司将回顾和修订它的执行、计划、战略，甚至目标。不妨研讨一下计算机巨人电子数据系统公司（EDS）所发生的事情。

EDS、计算机科学公司和安达信咨询公司（EDS, Computer Sciences Corporation and Andersen Consulting）　许多年来，EDS 的基本业务——计算机外部资源管理，每年增长 25%，但在 1993 年却下降至 7%。该公司的主要工作是为客户如大陆航空公司和通用汽车公司等进行数据处理管理。如今，技术的发展从主机操作转向新的平台，包括个人电脑的网络运行。因此，市场已很少需要 EDS 的核心优势：有大量的软件工程师和技术员编写程序和操作运行大型数据库中心系统。现在的顾客需要的计算机服务内容是咨询管理，以帮助对关键业务进行逆工程处理。计算机科学公司和安达信咨询公司在这一领域已建立了自己的业务工作，而 EDS 面临着严峻的转折才能适应环境的变化。为了防止市场份额的减少，EDS 开始削减原有业务的成本，加强客房服务工作，聘用更多的逆工程咨询专家，与通信伙伴公司建立联盟关系。[23]

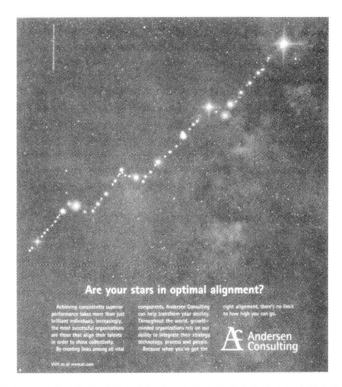

上述广告说明，安达信咨询公司的广告说明它在迅速地使它的战略适应当前的环境变化。

公司针对环境的适应战略能避免公司受侵害，这是因为市场环境的变化总是快于 7-S 构架的变化。因此，公司成为一种高效率的机器，但它却在丧失一种高效益。正如彼得·德鲁克在很久以前所指出的那样："做恰当的事(效益)比恰当地做事(效率)更为重要"。

一个组织一旦由于不能对重大的环境变化作出反应，它就可能失去它的位置。这件事同样发生在从未被打败过的摩托罗拉公司身上，该公司没有对新出现的数字化技术作出反应而是继续生产模拟电话。再考虑一下莲花发展公司发生了什么事情。该公司生产的莲花 1－2－3 软件曾经是世界上处于领导地位的软件程序，但是，现在它在台式计算机软件生产中所占的市场份额已经跌得相当低了，以至于分析家们甚至都不想花力气来研究它。

莲花公司(Lotus)　只要安装了莲花公司的 1－2－3 软件，IBM公司的 PC 机的销售额就会不断增长，该软件把会计空白表格程序和另一个程序结合起来，能够将几列数据转化为表格和图形。但是，莲花公司最终未能赶上 PC 机改进的步伐。该公司为苹果机所开发的莲花 1－2－3 软件的另一版本在推向市场时已经落伍了，结果让微软公司的电子表格软件（excel）抢占了市场。当微软的视窗（Microsoft Windows）推向市场时，该公司又迟了一步，结果公司不得不放弃了它自己生产的 PC 机，而把它让给了微软的电子表格软件；而当市场需要大量的计算机应用程序时，它又一次落在后面。最后，IBM 公司于 1995 年收购了该公司。由于微软公司能够将应用程序和操作系统联系起来，因此与莲花公司相比，它仍然具有不可战胜的优势。现在，莲花公司并不幻想重新夺回它过去曾拥有的辉煌，它和微软公司密切合作，以确保其新产品——Smart Suit 程序软件能够充分吸收 Windows95、Windows98 和 WindowsNT 的长处。[24]

作为组织，尤其是庞大的组织都是惯性很大的，它们装配成为有效的机器，除非将一切改动，否则只改变其中一部分是很困难的。但组织可通过领导而变革，它可以在危机来临之前，当然也可以在危机中变革。组织生存的关键在于能随环境的变化而变化和采用适当的新目标及行为。高绩效的组织一直不断地监视环境和努力，通过灵活的战略计划工作，以使能与发展中的环境保持一致。

营销过程

公司、部门与业务单位三者的计划在营销过程中应体现一体化。为了了解营销过程，我们必须首先了解一个公司是怎样界定它的业务范围的。

任何企业的任务都是向市场提供可盈利的价值，至少有两种价值让渡过程（value-delivery process）的观点。[25]传统的观点是公司先生产产品，然后销售，如图3—9(a)所示。例如，托马斯·爱迪生（Thomas Edison）发明了唱机，然后雇用人去销售它。按照这种观点，营销发生于价值让渡过程中的后半段。该传统观点的假设基础是公司知道生产什么和市场将会购买足够的数量，并为公司提供利润。

这种传统观点在短缺经济时代为企业提供了最好的成功机会。在短缺经济时代，消费者不重视质量、性能或式样，但这种业务过程在更具竞争的经济社会中行不通，因为人们面临大量的选择机会并有较强的鉴别力。"大众化市场"被分割为许多微观市场，每一个人都有自己的需要、偏好和购买标准。因此，精明的竞争者必须设计为正确界定的目标市场所需要的供应品。

价值让渡过程

业务过程的新观点者认为，营销开始于业务计划过程之前。与制造和销售观点不同，该业务过程由价值创造和随后的传递组成，如图3—9（b）所示。这个过程包括三个阶段。

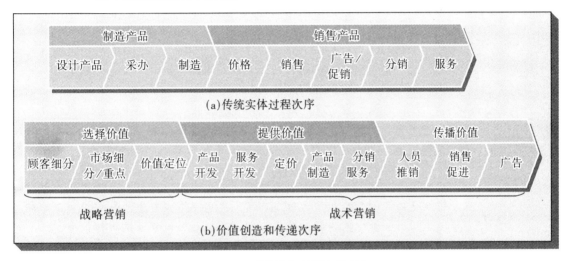

图3—9 价值让渡过程的两种观点

资料来源：Michael J. Lanning and Edward G. Michaels, "A Business is a Value Delivery System", McKinsey staff paper no. 41, June 1988.

第一阶段是选择价值。在任何产品产生以前，必须先做营销"作业"。营销工作过程是细分市场，选择适当的市场目标，开发提供物的价值定位。其公式是细分(segmentation)，目标(targeting)，定位(positioning)——STP，它是战略营销的精粹。

一旦业务单位选择好了将提供给目标市场的价值，它即准备提供价值工作。有形产品和服务必须是具体明确的，目标价格必须建立，产品必须制造和分销给市场。在第二阶段，开发特定产品的性能、价格和分销，这也是战术营销(tactical marketing)的内容。

第三个阶段的任务是传播价值。战术营销在延伸：组织销售力量、促销、广告和其他推广工作，以使该供应品为市场所知。如图3—9(b)所示，营销过程始于产品以前，继续于产品开发之中，在产品销售之后还应延续。日本人进一步发展了这种观点：

● 零顾客反馈时间。顾客在购买以后的意见连续不断地反馈，以了解产品和营销工作是否要改进。

● 零产品改进时间。公司应该评估所有的顾客改进意见和雇员的意见，尽快地采纳最有价值和可行的改进建议。

● 零采购时间。公司应该通过与供应商的准点生产安排计划，及时收到所要求的部件和供应品。通过降低库存成本来降低公司成本。

● 零准备生产时间。公司应该一接到订单就能生产制造，没有高的产品准备或成本时间。

● 零缺陷。产品是高质量和没有缺陷的。

计划过程中的程序

为了履行职责，营销经理(无论是公司、部门、业务或产品层次)应通过所谓的营销程序来完成自己的工作。在这些层次中，产品经理将为每个产品、产品线和品牌编制营销计划。

营销程序(marketing process)包括分析营销机会，研究与选择目标市场，设计营销战略，计划营销方案以及组织、执行和控制营销努力。

我们结合下述例子来说明这些步骤：

泽斯有限公司(Zeus Inc.)(名字虚构)在多个行业中经营，包括化学制品、照相机和胶卷。公司组织了战略业务单位。公司管理层正在考虑它的阿特拉斯（Atles）照相机分公司的任务。目前，阿特拉斯生产35毫米的照相机。这种标准的照相机在市场上是密集式的竞争。在市场成长—份额矩阵图上，这项业务正在成为软弱的现金牛类。泽斯公司管理层要求阿特拉斯分公司的营销小组为这条产品线提出一个强有力的计划。营销管理层必须提出一个令人信服的营销计划，并交给公司管理层审核批准，然后对计划加以实施和控制。

我们先介绍对一个组织所有层次都适用的营销计划工作。在本章的最后，我们还将研讨对于某一特定产品线，如何制定一个特殊的营销计划。

分析市场机会

阿特拉斯面临的第一个任务就是根据它在市场上的经验和核心能力，确定它的长期机会。当然，阿特拉斯可以为胶卷式照相机开发更好的功能，它也可以考虑设计数字式照相机或录像式照相机；或者，阿特拉斯可以利用它的核心能力在光学上设计一条双筒和远程产品线。

为了评价它的各种机会，阿特拉斯需要管理一个可靠的营销调研和信息系统(第4章)。营销调研是现代营销不可缺少的工具，它估计购买者的各种需要和购买行为，估计市场规模。营销人员通过研究第二手资料获得情报，组织小组座谈会，进行电话、邮寄或人员调查。通过分析收集的资料，阿特拉斯将得到每个市场机会的规模的清晰的图像。

阿特拉斯研究关于市场营销环境的重要信息(第5章)。阿特拉斯的微观环境（microenvironment）包括所有影响公司生产和销售照相机的角色：供应商、营销中间商、顾客、竞争者。阿特拉斯的宏观环境（macroenvironment）包括影响公司销售与利润的人文、经济、物质、技术、政治—法律和社会—文化力量。收集环境信息的重要性还在于能衡量出市场潜量和预测未来需求。

阿特拉斯需要了解消费者市场(第6章)，它需要知道：有多少家庭计划购买？谁在购买和为什么购买？顾客注意何种产品特色和能接受何种价格？他们希望在何处购买？他们对不同品牌的印象如何？阿特拉斯也向企业市场(business market)出售照相机，包括大公司、专业商行、零售商、政府代理机构(第7章)。购买代理商或采购委员会制定采购决策。阿特拉斯需要全面了解组织购买者的购买方式。它需要训练有素和能介绍产品优点的销售队伍。阿特拉斯还必须密切注意识别和监视竞争者(第8章)，预见其对手的可能行动和了解怎样迅速地作出决定性的反应。阿特拉斯可能想采取某些惊人之举，在这种情况下，它需要预计其对手的反应。

一旦阿特拉斯分析了它的营销机会，它就可以准备选择目标市场。现代营销实践要求把市场划分成主要的细分市场并对这些市场分别进行评价，然后，选择和瞄准若干公司能为其作最好服务的目标市场(第9章)。

开发营销战略

假定阿特拉斯确定的目标是消费者市场，它需要制定目标市场的差异化和定位(positioning)战略(第10章)。阿特拉斯是应该成为一个"凯迪拉克"式的名牌，提供高价优质照相机和第一流服务，大做广告，还是提供低价的照相机，以对价格敏感的消费者为目标呢？或者是开发中等质量、中等价位的照相机？一旦阿特拉斯在产品定位上作出了决策，它就必须开始新产品开发、测试和推入市场的工作(第11章)。新产品在开发过程的每一个阶段运用不同的决策工具和控制手段。

当产品推出后，新产品开发战略必须调整为产品生命周期不同阶段的战略：导入、成长、成熟和衰退期(第10章)。进而，战略的选择取决于公司在市场上的地位：市场领导者、挑战者、追随者或补缺者(第8章)。最后，战略还必须考虑全球营销机会和挑战(第12章)。

计划营销方案

营销战略必须转化为营销方案。营销经理必须在营销费用、营销组合和营销资源分配上作出基本的决策。首先，阿特拉斯必须决定，要达到其营销目标所需要的营销支出水平。公司习惯于按销售额的传统比率作出营销预算。一个公司如果期望获得较高的市场份额，它的营销预算比率可能要比通常的比率高一些。其次，公司还必须对营销组合中的各种工具进行预算分配，如产品、价格、地点和促销。[26]

最后，营销人员必须决定如何将营销费用分配给不同的产品、渠道、促销媒体和销售领域。支持阿特拉斯两三条照相机生产线的预算分别将占用多少美元？直接销售与间接销售分别占用多少？直接邮寄广告和贸易杂志广告分别占用多少？东部海岸市场和西部市场分别占用多少？营销经理应用销售响应功能(sales-response function)来测算，它反应了销售额将如何受到每项可用资金数额的影响。

营销组合中最基本的工具是产品(product)。产品是公司提供给市场的有形物体，它包括产品质量、设计、性能、品牌和包装(第13章)。作为产品供应的一部分，阿特拉斯还提供各种服务，如租赁、送货、修理和培训(第14章)。在全球竞争的市场上，这类服务要有竞争优势。

营销组合的另一个重要工具是价格（price）(第 15 章)。阿特拉斯必须制定批发价、零售价、折扣、津贴和信用条件。 它的价格应该同供应物的认知价值相称，否则买者就会转向购买竞争者的产品。

地点（place）包括了公司为使目标顾客能接近和得到其产品而进行的各种活动(第 16 章和第 17 章)。阿特拉斯必须识别，吸收和联系各种中间商和营销服务设施，以便更有效地将产品和服务提供给目标市场。它必须了解各种类型的零售商、批发商和从事实体分配的公司以及它们是如何进行决策的。

促销（promotion）包括公司将其产品告知目标顾客并说服其购买而进行的各种活动(第 18 章至第 21 章)。阿特拉斯必须雇用、培训和激励销售人员。它还需制定传播与促销计划，包括广告、销售促进、公共关系、直接营销和在线营销。

管理营销努力

营销过程的最后一个环节是组织营销资源及执行和控制营销计划。公司必须设计一个能够实施营销计划的营销组织(第 22 章)。在小公司里，一个人可能要兼管所有营销任务。在一些大公司(如阿特拉斯)会设置几个营销专业人员：销售人员、销售经理、营销调研人员、广告人员、产品和品牌经理、细分市场经理和顾客服务人员。

营销组织通常由一位营销副总经理负责，他肩负三项任务：第一，协调全体营销人员的工作；第二，配合兼有其他职能的副总经理的工作；第三，对其所属人员的选择、培训、指导、激励和评价。

因为在实施营销计划的过程中可能会出现许多意外和受挫的情况，公司需要有一套反馈和控制程序。营销控制有三种不同的类型：

1. 年度计划控制是为了保证公司在年度计划中所制定的销售、盈利和其他目标的实现。第一，管理层必须明确地阐明年度计划中每月、 每季的目标；第二，管理层必须掌握衡量计划执行情况的手段；第三，管理层必须确定执行过程中出现严重缺口的原因；第四，管理层必须确定最佳修正行动，以填补目标和执行之间的缺口。

2. 盈利能力控制是对产品、顾客群、贸易渠道和订货量大小的实际盈利率进行测量。这不是一项简单的任务。一个公司的会计制度通常并不是被设计为用来报告各种不同的营销行动获利水平的工具。营销效率研究也就是如何提高各种营销活动的有效性。

3. 战略控制是评估公司的营销战略是否适合于市场条件。由于营销环境在迅速变化，每个公司都需要营销审计（marketing audit）这个控制工具定期对营销效益进行评价。

图 3—10 概要说明了营销过程和影响公司营销战略制定的种种因素。

产品计划：营销计划的性质和内容

对每一个产品层次(产品线、品牌)必须制定一个营销计划（marketing

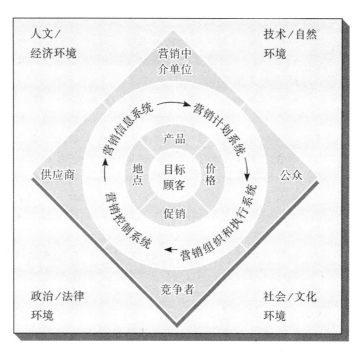

图 3—10　影响公司营销战略的种种因素

plan），以实现它的目标。营销计划是营销过程中最重要的产出之一。然而，营销计划是怎样编制的呢？应怎样对它加以控制？营销计划包括的内容见表3—3。

表 3—3　　　　　　　　　　　　　　一个营销计划的内容

1. 执行概要和目录表	提供所建议计划的简略概要
2. 当前营销状况	提供与市场、产品、竞争、分配和宏观环境有关的背景数据
3. 机会和问题分析	概述主要的机会和威胁、优势和劣势，以及在计划中必须处理的产品所面临的问题
4. 目标	确定计划中想要达到的关于销售量、市场份额和利润等领域的目标
5. 营销战略	描述为实现计划目标而采用的主要营销方法
6. 行动方案	回答应该做什么？由谁来做？什么时候做？它需要多少成本？
7. 预计的损益表	概述计划所预期的财务收益情况
8. 控制	说明将如何监控计划

营销计划的内容

● 执行概要和目录表。营销计划文件的开头部分应该有一个关于本计划的主要目标和建议事项的简短摘要。执行概要使较高层次的管理层能迅速地抓住计划的要点。在执行概要之后便是内容的目录表。

● 当前营销状况。第二部分提出关于市场、产品、竞争、分销和宏观环境的背景数据。这些资料来自于产品经理手中的产品事实报告。

● 机会和问题分析。在总结当前营销形势以后，产品经理需要辨认对这种产品线所面临的主要的机会／威胁、优势／劣势和问题。

● 目标。一旦产品经理分析了他的问题后，他必须对计划的财务目标和营销目标作出决策。

● 营销战略。产品经理现在概述要达到目标而应采用的营销战略，或称"博弈计划"。在制定战略的过程中，产品经理应该与采购和制造部门的人员商量，从而弄清楚他们买到足够材料和生产足够数量产品的能力，以满足计划中的销售量水平目标；产品经理还应该和销售经理磋商，以获取销售人员的支持；产品经理也应和财务主管商量，以弄清可得到的足够的广告与促销资金。

● 行动方案。营销计划必须具体描述为了达到业务目标而将要采取的总营销方案。对每个营销战略必须详细回答下列问题：将做什么？什么时候做？谁来做？成本为多少？

● 预计的损益表。在行动计划中，产品经理应该集中说明支持该方案的预算。在收入的一方，它指出预估的销售数量和平均实现价格。在开支的一方，它表明生产成本、实体分销成本和营销费用，以及再细分下去的细节项目。收入和开支之差就是预计利润。当预算一旦批准之后，它就是制定计划和对材料采购、生产调度、人力补充、营销活动安排的基础。

● 控制。营销计划的最后一部分概述控制，用以监督计划的过程。通常，目标和预算按月或季来制定。上一级的管理层每期都要审查这些结果。有些控制部分包括着权变计划（contingency plan）。权变计划概述管理层在遇到特殊的不利情况时应该采取的步骤，如遇到价格战或罢工。

索尼克台式音响：一个实例

简·梅洛迪（Jane Melody）是索尼克公司台式立体声音响系统的产品经理。这个系统内有一个 AM-FM 的调谐器／扩音器、CD 光盘、磁带录音机和分体喇叭。索尼克公司提供多种不同的样式，销售价在 150 美元～400 美元之间。索尼克公司的主要目标是在台式立体声系统市场增加它的市场份额和盈利率。作为产品经理，简·梅洛迪负责制定一个改进业绩的营销计划。

2000 年，索尼克营销计划打算在公司销售额和利润上比上一年大有增加。利润目标为 180 万美元。总销售额目标为 1 800 万美元，比上一年增加 9%。这个增长数经过改进定价、广告和分销努力，看来可以达到。营销预算要求的费用为 229 万美元，比上一年提高了 14%。

市场状况

表 3—4 列出了目标市场的数据。市场的规模和成长(以实物单位或金额体现)，以过去几年的总销售量以及在市场和地区细分市场的销售量来表示。数据还能体现出顾客需求、认知和购买行为趋势。

台式立体声市场估算为大约 4 亿美元的销售额或占全国立体声市场的 20%。估算销售额在以后几年内是稳定的。其主要的购买对象具有中等收入，年龄在 20 岁～40 岁之间，他们既想收听效果好的音乐，但又不准备购买昂贵的组合音响装置。他们想要购买由他们能够信任的厂商所生产的一个成套音响系统。他们希望音响的质量既好，又适宜于在私人房间或起居室内作为主要的装饰品。

表3—4列出了每一个主要产品过去几年的销售额、价格、贡献毛利和净利润。

表 3—4 　　　　　　　　　　**产品的历史数据**

变量	栏目	1996 年	1997 年	1998 年	1999 年
1. 行业销量(单位计数)		2 000 000	2 100 000	2 205 000	2 200 000
2. 公司市场份额		0.03	0.03	0.04	0.03
3. 每单位平均价格(美元)		200	220	240	250
4. 每单位变动成本(美元)		120	125	140	150
5. 每单位贡献毛利(美元)	(3－4)	80	95	100	100
6. 单位销售量(单位计数)	(1×2)	60 000	63 000	88 200	66 000
7. 销售收入(美元)	(3×6)	12 000 000	13 860 000	21 168 000	16 500 000
8. 总贡献毛利(美元)	(5×6)	4 800 000	5 985 000	8 820 000	6 600 000
9. 管理费(美元)		2 000 000	2 000 000	3 500 000	3 500 000
10. 贡献毛利净额(美元)	(8－9)	2 800 000	3 985 000	5 320 000	3 100 000
11. 广告和促销(美元)		800 000	1 000 000	1 000 000	900 000
12. 销售人员和分销费用(美元)		700 000	1 000 000	1 100 000	1 000 000
13. 市场调研(美元)		100 000	120 000	150 000	100 000
14. 营业净利润(美元)	(10－11－12)	1 200 000	1 865 000	3 070 000	1 100 000

表3—4中第1行显示了在1999年以前，行业总销售单位数量每年递增5%，在1999年需求略有下降。第2行表明索尼克公司的市场份额徘徊在3%左右，仅在1998年达到4%。第3行显示索尼克立体声系统的平均价格每年上升10%，但1999年的上升率为4%。第4行显示了关于材料、劳动力、能源的变动成本每年在上升。第5行显示单位贡献毛利[价格(第3行)和单位变动成本(第4行)之差]最初几年上升，在最后1年稳定在100美元上。第6行和第7行显示销售数量和金额。第8行显示总的贡献毛利，它逐年上升，但在最后1年下降。第9行显示1996年和1997年的管理费稳定不变；在1998年和1999年，由于制造能力的大扩展，使管理费上升到一个较高水平。第10行显示贡献毛利净额，即贡献毛利减去管理费的差。第11、12、13行显示在广告促销、销售人员和分销、市场调研上的营销费用。第14行显示扣除营销费用后的营业净利润。表中显示了在1999年前利润逐年增加，但1999年的利润下降为1998年的1/3。很明显，索尼克公司的产品经理需要制定一个在2000年能使公司再度恢复健康成长的战略，使该产品线在销售额和利润上有所增长。

竞争状况

这里对主要的竞争者进行辨认，并逐项描述他们的规模、目标、市场份额、产品质量、营销战略和任何其他特征，从而恰如其分地了解他们的意图和行为。

索尼克公司在台式立体声系统市场上的主要竞争者有爱华（Aiwa）、松下（Panasonic）、索尼和飞利浦。每个竞争者都有一套特定的战略，并在市场上具有适当的地位。例如，爱华提供包括全部各种价格的四种样式，它主要在百货商店和折扣商店里销售，其广告开支非常高。它力图通过产品扩散和价格折扣以统治整个市场(对其他每位竞争者作出类似的描述)。

分销状况

这部分列出在各个分销渠道上的销售数量资料和重要程度。台式立体声装置的分销渠道有：电器商店、收音机和电视机商店、家具商店、百货商店、音乐商店、折扣商店、专业音响商店和邮寄订购。索尼克公司的装置37%的销售通过电器商店、23%通过收音机和电视机商店、10%通过家具商店、3%通过百货商店、其余部分通过其他渠道出售。索尼克公司在所有的渠道上都有支配权，但不幸的是，它的重要性正在下降，它在诸如折扣商店那样快速成长的渠道上是一个软弱的竞争者。索尼克公司与其他竞争者一样，为它的经销商提供30%的毛利。

宏观环境状况

这部分描述宏观环境的主要趋势（如人文的、经济的、技术的、政治—法律的、社会—文化的），它们都对这条产品线的前途有着某种联系。

美国大约有70%的家庭拥有立体声音响设备。消费者花费更多的时间观看电视和录像，而非听音乐。他们花费更多的可自由支配收入在购买计算机、健身器材和旅游上，只留下少量的金钱购买音响。公司的前景是家庭影院和在每个房间里装上喇叭。当市场接近饱和状况时，公司的努力方向必须是说服消费者转而使用较高级的立体声设备。

机会／威胁分析

这里，经理应辨认企业所面临的主要机会和威胁。索尼克公司产品线面临的主要机会有：

● 消费者对更为紧凑组合的立体声系统表示了日益增长的兴趣。
● 如果公司能提供额外的广告支持，两家主要的全国百货连锁商店将愿意经销索尼克公司的产品。
● 如果公司能对高额销售量提供特殊折扣，一家主要的大众连锁商店将愿意经销索尼克公司的产品。

索尼克公司产品线面临的主要威胁有：

● 在大众化销售和折扣商店里挑选台式立体声系统的消费者日益增加，而在那里索尼克公司却表现软弱。
● 某些竞争者已引进更小的能使声音更优美的喇叭，并且，消费者更偏好这些小喇叭。
● 联邦政府可能会通过一个更严格的产品安全法，这会使公司的某些产品有必要重新设计。

优势／劣势分析

产品经理还应该辨认公司的优势和劣势。索尼克公司的主要优势有：

● 索尼克的名字具有优良的品牌知名度并给人以高质量的形象。
● 推销索尼克公司产品的经销商在销售方面有丰富的知识并受过良好的训练。
● 索尼克公司有优秀的销售服务网络，而且消费者都知道，他们可即时得到修理服务。

索尼克公司产品线的主要劣势有：

● 索尼克公司产品的音质并不比竞争产品好。
● 索尼克公司对广告和促销的预算只占销售收入的 5%，而某些主要的竞争者在这方面的预算却是这个水平的 2 倍。
● 索尼克公司产品线的定位不如松下公司（"低价"）和索尼公司（"创新"）明确。索尼克公司需要一个独特的销售建议。目前的广告活动并没有显著的创造性或兴奋感。
● 索尼克的品牌价格高于其他品牌，但在质量上没有提供真正可认知的差别。应该重新评价它的定价战略。

问题分析

在营销计划的第一部分，产品经理应用上述优势和劣势分析，以确定在计划中必须注意的主要问题。索尼克公司必须考虑的基本问题有：

● 索尼克公司还应该留在立体声设备的市场吗？它能够进行有效的竞争吗？或者它是否应该对这条产品线采取放弃战略？
● 如果索尼克公司采用留下来的战略，那么，它是否应该继续执行它现行的产品、分销渠道、价格和促销政策？
● 索尼克公司是否应该转而进入高成长渠道（如折扣商店）？如果它这样做，它能够保留传统渠道上的那些忠诚追随者吗？
● 为了和竞争者所花的经费抗衡，索尼克公司应该增加其广告和促销费用吗？
● 索尼克公司是否应该在产品研究和开发上投资以发展先进的特性、音响和式样？

财务目标

索尼克公司的管理层要求为每一个业务单位带来好的财务业绩。产品经理建立了如下的财务目标：

● 在下一个 5 年内获得 15% 的税后年投资报酬率。

- 在 2000 年净利润达到 180 万美元。
- 在 2000 年现金流量达到 200 万美元。

营销目标

财务目标必须转化为营销目标。例如，如果公司想赚到 180 万美元的利润，并且它的目标利润率是销售额的 10%，那么，它在销售收入上的目标必须是 1 800 万美元。如果公司产品的平均单价是 260 美元，那么，它必须销售出 69 230 单位的产品。如果它对整个行业的销售预计是达到 230 万单位，那么，它就占有 3% 的市场份额。为了保持这个市场份额，公司必须有一定的目标，如消费者对品牌的认知度、分销范围，等等。因此，营销目标可以是：

- 在 2000 年获得总销售收入 1 800 万美元，比上一年提高 9%。因此，销售量为 69 230 单位，占预期市场份额的 3%。
- 经过计划后，索尼克品牌的消费者认知度从 15% 上升到了 30%。
- 扩大 10% 的分销网点数目。
- 打算实现 260 美元的平均价格。

营销战略

以下是索尼克公司的博弈计划：

- 目标市场。高层次的家庭，着重女性购买者。
- 定位。有最好音响和最大可靠性的台式立体声系统。
- 产品线。增添一个低价式样和两个高价式样。
- 价格。价格略高于竞争品牌。
- 分销网点。重点在无线电和电视机商店和电器商店；努力加强向潜在折扣商店的渗透。
- 销售队伍。扩大 10% 和导入全国记账管理系统。
- 服务。可广泛得到和迅速服务。
- 广告。开展一个新广告活动，直接指向支撑着定位战略的目标市场；在广告中注重高价高质；增加 20% 的广告预算。
- 促销。增加 15% 的促销预算，以发展售点陈列和在更大的程度上参与经销商的商品展销。
- 研究和开发。增加 25% 的费用，以发展索尼克产品线上更好的式样。
- 市场调研。增加 10% 的费用，以改进对消费者选择过程的了解和掌握竞争对手的动向。

行动方案

这里阐述索尼克公司执行营销战略的方案：

2 月：索尼克公司在报上做广告说，本月购买索尼克立体声音响系统的顾客将免费获赠巴伯拉（Barbra）的 CD 光盘。消费者促销主任安·莫里斯将安排这项活动，计划成本为 5 000 美元。

4 月：索尼克公司参加在芝加哥的消费者电子贸易展览会。由经销商促销主任罗伯特·琼斯筹备，预计成本为 14 000 美元。

8 月：发动销售竞争活动。给在推销索尼克公司的产品有最高增加率的 3 位经销商以去夏威夷度假的奖励。玛丽·泰勒负责这项活动，计划成本为 13 000 美元。

9 月：在报纸广告宣布，在 9 月的第 2 个星期参加索尼克公司展示会的消费者将有机会参加抽奖，幸运者将获得免费的索尼克音响。安·莫里斯负责这项活动，计划成本为 6 000 美元。

21 世纪的营销计划

业务计划已日益注重顾客和竞争者导向，并且，它比过去更容易被人理解和更为现实。计划有更多的职能部门参与，且基本上是集体完成的。营销主管逐渐认识到他们首先应该是专业经理人员，其次才是专长人员。计划已成为一个连续的过程，以便对迅速变化的市场条件作出反应。趋势是我们在本书讨论的观点在营销界已被广泛接受！

同时，在不同的公司里，营销计划执行与控制各不相同。该计划叫法不一，有的称"业务计划"，有的称"营销计划"，也有的称"执行计划"。大多数营销计划期为一年。计划书从 5 页到 50 页不等。有些公司对它们的计划很认真，也有些公司将其视为对行动的初步指南。当向营销主管问及当前营销计划的不足之处时，大多数人认为其缺陷是与现实有差距、缺少竞争分析和太重视短期行为。

小结

1. 市场导向的战略计划是在组织目标、技能、资源及其各种变化的市场机会之间建立与保持一种可行的适应性管理过程。战略计划的目标就是塑造和不断调整公司业务与产品，以期望获得目标利润和发展。战略计划有四个层次：公司层；部门层；业务层和产品层。

2. 公司总部应对建立战略计划过程工作负责。公司战略是建立一种框架，根据这个框架，各部门与业务单位编制战略计划。一个公司战略需要四项活动：确定公司使命；建立战略业务单位；为每个战略业务单位在市场吸引力和业务优势上安排资源；计划新业务和放弃老业务。

3. 每个独立的业务战略计划包括下列活动：确定业务任务；分析业务单位的外部机会与威胁；分析业务单位内部的优势与劣势；制定目标；形成战略；制定支持性计划；执行计划；并收集反馈信息和进行执行控制。

4. 营销计划工作过程分四步进行：分析营销机会；设计营销战略；计划营销方案；组织、执行和控制营销努力。

5. 每个业务单位中的产品层次都必须编制营销计划以实现它的目标。营销计划是营销过程中最重要的产出之一,营销计划的内容包括:执行概要和目录表;当前营销状况;产品所面临的机会与问题分析;计划中的财务与营销目标;为实现计划目标所要求的营销战略;为实现计划目标的行动方案的描述;预计的损益表;用于监督计划过程的控制方法。

应用

本章观念

1. 以下公司在市场上获得了什么竞争优势?每家公司的营销战略是如何向市场显露其竞争优势的?(1)沃尔玛公司;(2)斯纳普工具(Snap-on Tools);(3)J. P. 摩根投资银行(Morgan Investment Bankers);(4)花旗银行(Citicorp);(5)柯达公司。

2. 作为一名管理咨询公司的成员,你已被一家生产办公设备的生产商聘用。该公司的产品种类包含了五个战略业务单位(见表3A—1)。用波士顿咨询公司的战略业务单位投资分析(见图3—2)确定每个战略的相对市场份额,并分析这家公司是否运行正常。叙述波士顿市场成长—份额矩阵的本质,并为高层管理者今后的战略提出建议。

表 3A—1

战略业务单位	销售额 (百万美元)	竞争者 数目	3个最大公司的销售额 (百万美元)	市场成长率 (%)
A	0.5	8	0.7, 0.7, 0.5	15
B	1.6	22	1.6, 1.6, 1.0	18
C	1.8	14	1.8, 1.2, 1.0	7
D	3.2	5	3.2, 0.8, 0.7	4
E	0.5	10	2.5, 1.8, 1.7	4

3. "金宝汤料公司(Campbell)每年在食品店售出总值为12亿美元的浓缩汤料,它已拥有超过80%的市场份额,事实上已不再需要增加市场份额了。该公司需要的是使大众对汤料产生更多的热情和食欲。"请说明金宝汤料公司将怎样推行密集型成长战略?该公司该如何实现它的目标?

营销与广告

1. 图3A—1中,凯利服务公司(Kelly Services)的广告列示了该公司的7个主要的战略业务单位,公司的临时服务事业部是该公司战略业务单位中历史最悠久的部门。具体来说,公司有750 000个员工做临时性工作,他们为超过

200 000 个客户(大部分是企业顾客)提供服务。新的战略业务单位是属于同心多样化、水平多样化还是跨行业多样化经营？公司的临时服务部如何定义它的任务？在美国的临时服务市场中，战略业务单位可能会遇到什么机会和威胁？

2. 联合包裹运送服务公司（UPS）每天要向 200 多个国家的顾客投递包裹和邮件，正如图 3A—2 中的广告中所揭示的那样。总体来说，公司在全球范围内每年 30 亿件包裹的投递量可以带来超过 220 亿美元的年收入额。UPS 公司所采取的是成本导向战略、差别化战略，还是业务集中战略？系统化对于 UPS 公司战略的成功实施有什么重要作用？

图 3A—1   图 3A—2

聚焦技术

营销人员可以利用地域信息系统（geographic information systems，GIS）来帮助他们分析地区经营行为，并制定相应的计划。地域信息系统是一个计算机化的系统，它以地图的形式提供有关某一地区的数据。这个系统使营销人员能够选择并分析各种类型的数据，然后在屏幕上看到分析结果。例如，一个局部范围内的汽油营销者在分析了地图上标明的有关某一地区的人口、经济情况和汽车拥有量的数据后，可能会决定把他营销所涉及的地域范围扩展到蒙大拿，而且在地图上还会显示他所选中地区的主要公路和街道方面的信息。

如果你想看一下地域信息是如何运作的，你可以访问蒙大拿州图书馆自然资源信息系统网站（www. nris. mt. gov/gis/mtmaps. html），并进入蒙大拿州地图交互部分。在那里，你可以看到该州的地图，上面显示了有关人口密度、土地使用情况、立法区域划分以及其他的数据。如果你是一个农用设备营销者，正在决定是否要将营销活动的范围拓展到蒙大拿，那么，你想从地域信息系统中获取什么样的信息？为什么你想获取这些信息？

新千年营销

美国 AT&T 公司已经和通信行业中的许多大公司建立了联盟。访问 AT&T 公司的网站（www. att. com），并查找有关其与英国电话公司（BT）和其他公司建立国际性战略联盟的信息。然后，利用你最喜欢的搜索引擎查找有关英国电话公司和美国 AT&T 公司的其他战略伙伴公司的最新消息。在解释各公司为什么结成联盟的八个具有战略性意义的原因中，哪个原因可以用来解释 AT&T 公司的结盟行为？AT&T 公司和英国电话公司的结盟是如何实现战略上的相互协调的？英国电话公司为什么同意和 AT&T 公司结盟？你是否希望在新千年开始的头几年里 AT&T 公司和英国电话公司的结盟有所变化？为什么？应该如何改变？

你是营销者：索尼克公司的营销计划

每一个营销计划都必须包含公司的任务和目标，在所计划的时期内，它们指导着特定的战略和程序的实施，该营销计划还必须反映公司在什么领域内具有竞争实力。

你在索尼克公司是简·梅洛迪的助手，你的职责是负责设计使命、审查公司的目标并为公司在什么领域具有竞争实力这一问题提供建议。营销活动的目标已经确定了，如本章所示。利用你学过的营销知识、利用有关索尼克公司的数据和图书馆，或者是因特网上的信息资源，回答以下几个问题：

● 索尼克公司的使命应该是什么？

● 在行业前景明确的前提下，前面所建议的营销目标是否合理？访问联合国人口调查局的网站（www. census. gov/epcd/www/sic. html），在标准行业分类系统编码 SIC3651 或北美标准行业分类系统编码 NAICS（与 SIC3651 的编码是相同的）下，查找行业统计资料。另外，查找一下该行业的销售额变动趋势。

● 索尼克公司应该确立哪些非财务方面的目标？这些目标如何帮助索尼克公司完成其任务？

● 你如何确定索尼克公司具有的较强竞争优势的领域？

在回答完这些问题后，把公司使命和所有的目标写进一个书面的营销计划中，或者，把它们输入到营销计划程序软件中的使命和目标部分中。同时，把信息输入到营销计划执行概要的竞争部分中。

【注释】

［1］ Steve Harrell, in a speech at the plenary session of the American Marketing Association's Educators' Meeting, Chicago, August 5, 1980.

［2］ See "The New Breed of Strategic Planning," *Business Week*, September 7, 1984, pp. 62 ～ 68,

[3] See Peter Drucker, *Management: Tasks, Responsibilities and Practices*(New York: Harper & Row, 1973)), ch. 7.

[4] Rubbermaid Annual Report, 1997.

[5] See "The Hollow Corporation," *Business Week*, March 3, 1986, pp. 57 ~ 59. Also see William H. Davidow and Michael S. Malone, *The Virtual Corporation* (New York: HarperBusiness, 1992).

[6] For more discussion, see Laura Nash, "Mission Statements—Mirrors and Windows," *Harvard Business Review*, March-April 1988, pp. 155 ~ 156.

[7] Theodore Levitt, "Marketing Myopia," *Harvard Business Review*, July-August 19600, pp. 45 ~ 56.

[8] Derek Abell, *Defining the Business: The Starting Point of Strategic Planning* (Upper Saddle River, NJ: Prentice Hall, 1980), ch. 3.

[9] See Roger A. Kerin, Vijay Mahajan, and P. Rajan Varadarajan, *Contemporary Perspectives on Strategic Planning* (Boston: Allyn & Bacon, 1990).

[10] A hard decision must be made between harvesting and divesting a business. Harvesting a business will strip it of its longrun value, in which case it will be difficult to find a buyer. Divesting, on the other hand, is facilitated by maintaining a business in a fit condition in order to attract a buyer.

[11] See Peter Patel and Michael Younger, "A Frame of Reference for Strategy Development," *Long Range Planning*, April 1978, pp. 6 ~ 12; and S. J. Q. Robinson et al., "The Directional Policy Martix—Tool for strategic Planning," *Long Range Planning*, June 1978, pp. 8 ~ 15.

[12] For a contrary view, however, see J. Scott Armstrong and Roderick J. Brodie, "Effects of Portfolio Planning Methods on Decision Making: Experimental Results," *Intenational Journal of Research in Marketing* (1994), pp. 73 ~ 84.

[13] The same matrix can be expanded into nine cells by adding modified products and modified markets. See S. J. Johnson and Conrad Jones, "How to Organize for New Products," *Harvard Business Review*, May-June 1957, pp. 49 ~ 62.

[14] George Stalk, Philip Evans, and Lawrence E. Shulman, "Competing Capabilities: The New Rules of Corporate Strategy," *Harvard Business Review*, March-April 1992, pp. 57 ~ 69.

[15] See Michael E. Porter, *Competitive Strategy: Techniques for Analyzing Industries and Competitors* (New York: Free Press, 1980), ch. 2.

[16] Michael E. Porter, "What Is Strategy?" *Harvard Business Review*, November-December 1996, pp. 61 ~ 78.

[17] Martin du Bois and Douglas Lavin, "American Express, Visa Form SmartCard Unit," *Wall Street Journal*, July 30, 1998, p. B6.

[18] For readings on strategic alliances, see Peter Lorange and Johan Roos, *Strategic Alliances: Formation, Implementation and Evolution* (Cambridge, MA: Blackwell, 1992; and Jordan D. Lewis, *Partnerships for Profit: Structuring and Managing Strategic Alliances* (New York: Free Press, 1990).

[19] Roberta Maynard, "Striking the Right Match," *Nation's Business*, May 1996, p. 18.

[20] See Robin Cooper and Robert S. Kaplan, "Profit Priorities from Activity-Based Cost-

ing, " *Harvard Business Review,* May-June 1991, pp. 130 ~ 135.

[21] See Thomas J. Peters and Robert H. Waterman, Jt., *In Search of Excellence: Lessons from America's Best-Run Companies* (New York: Harper & Row, 1982), pp. 9 ~ 12. The same framework is used in Richard Tanner Pascale and Anthony G. Athos, *The Art of Japanese Management: Applications for American Executives* (New York: Simon & Schuster, 1981).

[22] See Terrence E. Deal and Allan A. Kennedy, *Corporate Cultures: The Rites and Rituals of Corporate Life* (Reading, MA: Addison-Wesley, 1982); "Corporate Culture, " *Business Week,* October 27, 198, pp. 148 ~ 1600; Stanley M. Davis, *Managing Corporate Culture* (Cambridge, MA: Ballinger, 1984)); and John P. Kotter and James L. Heskett, *Corporate Cullture and Performance* (New York: Free Press, 1992).

[23] Wendy Zellner, "Can EDS Shed Its Skin?" *Business Week,* November 15, 1993, pp. 56 ~ 57.

[24] Lawrence M. Fisher, "With a New Smart Suite, Lotus Chases Its Rivals' Success, " *New York Times,* June 15, 1998, p. 6.

[25] Michael J. Lanning and Edward G. Michaels, "A Business Is a Value Delivery System, " Mckinsey Staff Paper, no. 41, June 1988 (McKinsey & Co., Inc.).

[26] E. Jerome McCarthy, *Basic Marketing: A Managerial Approach,* 12th ed. (Homewood, IL: Irwin, 1996).

第II篇

分析营销机会

第 4 章　收集信息和测量市场
　　　　　需求

第 5 章　扫描营销环境

第 6 章　分析消费者市场和购
　　　　　买行为

第 7 章　分析企业市场与企业
　　　　　购买行为

第 8 章　参与竞争

第 9 章　辨认市场细分和选择
　　　　　目标市场

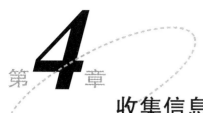

收集信息和测量市场需求

科特勒论营销：

　　营销胜利的基础越来越取决于信息，而非销售力量。

本章将阐述下列一些问题：

● 营销信息系统由哪些内容构成？

● 良好的营销调研活动包括什么内容？

● 营销决策支持系统是怎样帮助营销经理作决策的？

● 怎样使需求衡量和预测更精确？

　　市场营销环境在加速变化。在这些变化中，对营销信息的实时需要比过去任何时候都更为重要：

　　　　从地方营销发展到全国营销和国际营销。当公司扩大它们地理上的市场覆盖面时，经理们就需要掌握比从前更多更及时的市场信息。

　　　　从满足购买者的需要发展到满足他们的欲望。由于购买者的收入增加，他们在选购商品时会变得更加挑剔。卖主们发现在预料购买者对产品不同特点、式样和其他属性的反应方面更难了，因此，他们转向开展营销调研。

　　　　从价格竞争发展到非价格竞争。当卖主们加强对品牌、产品差异化、广告和促销等竞争工具的应用时，他们为了有效地应用这些营销工具就需要信息。

　　幸运的是，这些急剧增加的信息需要已依靠信息供应方面令人印象深刻的新技术而得到解决：电子计算机、微缩胶片、闭路电视、复印机、传真机、收音机、录像机、影碟机驱动器、因特网。[1]有些公司已建立了先进的营销信息系统，向公司管理层提供最新的关于买方的需求信息。例如，可口可乐公司发现人们在每杯可乐中放 3.2 块冰块，每年看到 69 个该公司的商业广告，喜欢售点饮料机中饮料的温度是 35 ℃。我们中间的 100 万人在早餐中喝可乐。金伯利－克拉克公司（Kimberly-Clark）计算出每人每年平均挖自己的鼻孔 256次。 在霍文(Hoover)吸尘器上挂了计时器和其他仪器后，发现在家庭中每星期平均使用 35 分钟，每年吸出 8 磅垃圾和使用 6 个袋装这些垃圾。[2]营销者还必须视野广阔地了解在其他国家的常见商品的消费量。例如，以人均为基础，在西欧国家，瑞士巧克力消费最多，希腊人吃奶酪最多，爱尔兰人喝茶最多，而奥地利人抽烟最多。[3]

然而，许多工商企业的信息处理还不够精细。许多公司还没有营销调研部门。还有许多公司只有小的营销调研部，其工作只限于例行的预测、销售分析和非经常的调查。另外，许多经理对可利用的信息感到不满意。他们抱怨他们不了解重要的信息在哪里；他们不能利用的信息太多而真正有用的信息太少；重要的信息来得太迟；很难估计他们收到的信息的准确性。今天是以信息为基础的社会，掌握有价值的信息能使一个公司超越它的竞争者。该公司就能更好地选择它的目标市场，开发更好的提供物和更好地履行营销计划。

现代营销信息系统的构成

每一个公司必须为它的营销经理组织信息流。许多公司在研究它们的经理所需要的信息和设计营销信息系统，以满足对信息的需要。

营销信息系统（marketing information system，MIS）由人、设备和程序组成，它为营销决策者收集、挑选、分析、评估和分配需要的、及时的和准确的信息。

营销经理为了履行他们的分析、计划、执行和控制的责任，需要开发营销环境的信息。营销信息系统的作用是评估经理的信息需要，收集所需要的信息，为营销经理实时分配信息。所需信息的收集通过公司内部报告、营销情报收集、营销调研和营销决策支持分析四个方面的工作进行。

内部报告系统

营销经理依靠内部报告系统提供订单、销售额、价格、存货水平、应收账款、应付账款等信息。通过分析这些信息，他们能够发现重要的机会和问题。

订单—收款循环

内部报告系统的核心是订单—收款循环(order-to-payment cycle)。销售代表、经销商和顾客将订单送交公司。销售部门准备数份发票副本，分送各有关部门。存货不足的项目留待以后交付；需装运的则附上运单和账单，同时还要复印多份分送各有关部门。

今天的公司总是希望迅速和正确地执行这些步骤。顾客偏爱那些能及时交货的公司。顾客和销售代表用传真与电子邮件送出他们的订单。计算机化的仓库迅速履行这些订单。开单部门应尽快地开出发票。为了使订单—收款循环更快、更准确和更有效，现在，越来越多的公司采用电子数据处理（electronic data interchange，EDI）和内部网（internets）。零售业巨人沃尔玛用计算机处理库存水平，通过计算机向货主发出自动更新订单，以便把商品运进商店。[4]

销售信息系统

营销经理需要他们当前销售的最新报告。由于使用笔记本电脑，销售代表现在能立即得到关于潜在和现有顾客的资料，用计算机能迅速反馈和作出销售报告。一个介绍销售自动生成软件包的广告自夸说："你在圣路易斯的销售人员能够知道位于芝加哥的顾客服务部与其在亚特兰大顾客的谈话内容。"

销售力量自动化（SFA）电脑软件已经使用了多年。它的早期版本主要帮助经理追踪销售与营销的结果或为数据记录内容润色。最新的版本增加了不少的内容，包括通过内部的"推动"或网络技术，所以，它们给出了潜在顾客的更多的信息并保存了详细的记录。下面的三家公司采用计算机技术设计了快速和全面的销售报告系统。

阿斯加·蒂默兰克公司（Ascom Timeplex，Inc.） 在访问客户前，这家通信设备公司的销售代表使用笔记本电脑接通公司的全球数据网络。他们可以收到最新的价目表、设备工程和结构资料、前期订单的执行情况，以及来自各地公司的电子信件。当订单签约后，笔记本电脑记录各份订单，纠错两次，然后作为电子邮件发送至在新泽西州伍德克利夫湖畔的总部。[5]

联盟健康护理公司（Alliance Health Care） 该公司以前叫巴克斯特（Baxter），它用计算机向医院采购部门供货，各医院可通过计算机直接从该公司的销售部订货。订单的及时到达使该公司减少了存货、改进了顾客服务和从供应商那里以优惠的条件大量进货。该公司比竞争者获得更多的优势，从而使其市场份额大大增加。

蒙哥马利担保公司（Montgomery Security） 1996年，在旧金山组建了蒙哥马利担保公司。为了保持在金融方面的竞争力，这家全国银行分行必须寻找一种方法，为它的400种金融业务、研究和销售或贸易员工服务，从而使他们分享公司可以公开的信息。然而，蒙哥马利的各个部门为它们的记录存有种种不同的数据形式；有些甚至保留在笔记本上。公司用一家名为西贝尔系统公司（Siebel Systems）的销售业务软件解决了这个问题。它提高了蒙哥马利这个不可忽略的巨人公司的工作效率。在它的普通型数据库上，每个人可分享信息，同时又保持了机密信息的安全性。[6]

公司的营销信息系统应该体现出一种交叉性，即在管理者认为他们需要的信息、管理者实际上所需要的信息和经济上可以获得的信息之间交叉。一个内部营销信息系统委员会（internal MIS committee）交叉访问各个营销经理以发现他们的信息需要。某些有用的问题如下：

1. 哪些类型的决定是你经常作出的？
2. 作出这些决定时，你需要哪些类型的信息？

3. 哪些类型的信息是你可以经常得到的?

4. 哪些类型的专门研究是你定期所要求的?

5. 哪些类型的信息是你现在想得到而未得到的?

6. 哪些信息是你想要在每天、每周、每月、每年得到的?

7. 哪些杂志和贸易报道是你希望能定期阅读的?

8. 哪些特定的问题是你希望经常了解的?

9. 哪些类型的数据分析方案是你希望得到的?

10. 对目前的营销信息系统,你认为可以实行的四种最有用的改进方法是什么?

营销情报系统

内部报告系统为管理人员提供结果数据(results data),而营销情报系统则为管理人员提供发生的数据(happening data)。

营销情报系统(marketing intelligence system)是使公司经理获得日常的关于营销环境发展的恰当信息的一整套程序和来源。

营销经理通过阅读书籍、报刊和同业公会的出版物或与顾客、供应商、分销商或其他公司经理交谈收集情报。公司可以采取几个步骤改进其营销情报的质量和数量。

首先,它们训练和鼓励销售人员去发现和报告最新的情况。销售代表是公司的"眼睛和耳朵"。他们在收集信息方面处于一个有利的位置,通过他们收集信息的方法是其他方法不能取代的。但他们因为非常忙而常常不能把重要的信息及时转告。所以,公司必须向销售人员"推销"一个观念,即作为情报来源,销售人员是最重要的人。销售人员也应该知道各种信息应送给什么负责人。例如,Prentice Hall 公司到学院向教师推销教科书的销售代表,就是该公司重要的信息来源。他们让编辑了解了许多事情,如书中应包括什么内容、谁在做能引起轰动的研究和谁想订购尖端学科的书。

其次,公司鼓励分销商、零售商和其他中间商把重要的情报报告公司。考虑下面的例子[7]:

派克·汉尼芬公司(Parker Hannifin) 这是一家流体动力产品的主要生产商,它曾安排每位分销商递交一份包括他们产品在内的销售总发货单给派克公司营销调研部。派克公司分析这些单据以了解最终用户的特点,并与分销商共享它的发现。

许多公司安排专业人员收集营销情报。零售商可以派出"佯装购买者"在自己的商店评估员工对待顾客的态度。达拉斯城当局最近雇用费德贝克·普拉斯公司(Feedback Plus)(一家专业购买代理商)观察停车场的工作人员对市民停车的态度。尼门·马科斯公司(Neiman Marcus)雇用同一家代理商调查在美国的 26 家商店。该公司的副总裁说:"这些商店坚持一流的服务,但没有与一流的销售相匹配。"在经过佯装购买者调查后，商店告诉销售人员应怎样"推销"，并向他们提供佯装者的报告复印件。这类报告常用的问题是：营业员过多长时间才接待你？假如他想让你买东西，他是怎样说服你的？营业员是否有足够的关于商店产品的知识？[8]

第三，公司还应该购买竞争者的产品以了解竞争者；参加公开的商场和贸易展销会；阅读竞争者的出版刊物和出席股东会议；和竞争对手的前雇员、目前雇员、经销商、分销商、供应商、运输代理商交谈；收集竞争者的广告；阅读《华尔街日报》、《纽约时报》和商业工会的报道等。

第四，公司可以建立一个顾客咨询小组（customer advisory panel），由顾客代表、公司的最大客户或公司最重要的外部发言人或技术要求复杂的顾客组成。例如，日立数据系统公司（Hitachi Data Systems）每9个月与20位顾客咨询小组成员举行3天的会议。他们共同讨论服务问题、新技术和顾客对战略的要求。讨论的气氛是自由的，双方都收益不少：公司获得有价值的顾客需要的信息；顾客感到，由于公司倾听了他们的意见，公司离他们更近了。[9]

第五，公司向外界的情报供应商 [如 A. C. 尼尔森公司和信息资源 (Information Resources) 公司] 购买信息（见表4—1）。这些调研公司收集事例与消费者数据比公司各自收集信息的成本要小得多。

第六，一些公司已建立了营销信息中心（marketing information center），以收集和传送营销情报。职能人员扫描因特网和重要的出版物，摘录有关新闻，并制成新闻简报送给营销经理参阅。信息中心建立了一个有关信息的档案并协助经理们评估新的信息。

表 4—1　　　　　　　　　　　　**第二手资料的来源**

1. 内部来源
　　内部来源包括公司的损益表、资产负债表、销售数字、销售访问报告、发票、存货报告和调查前的准备报告
2. 政府出版物
　　●《美国统计摘要》
　　●《县和城市资料记载》
　　●《美国工业前景》
　　●《营销信息指南》
　　● 其他政府出版物包括：《制造业年度调查》；《商业统计》；《制造业普查》；《人口普查》；《零售贸易》、《批发贸易》和《有选择的服务行业普查》；《运输业普查》；《联邦储备公报》；《劳工月报》；《现代商业概览》和《重要统计报告》
3. 期刊和书籍
　　●《商业期刊索引》
　　●《标准普尔行业调查》
　　●《穆迪(Moody)手册》
　　●《协会百科全书》
　　● 营销杂志，包括《市场营销杂志》、《营销调研杂志》和《消费者研究杂志》

● 有用的贸易杂志，包括《广告时代》、《连锁商店时代》、《进步的杂货商》、《销售和营销管理》、《商店》

● 有用的一般商业杂志，包括《商业周刊》、《幸福》、《福布斯》和《哈佛商业评论》

4. 商业资料

● 尼尔森公司：提供产品和品牌销售在零售网点流通中的数据(零售指数服务)，超市扫描资料(扫描追踪)、电视收视数据(媒体调研服务)、杂志销量数据(新数据服务公司)，等等

● 美国市场研究公司：提供家庭每周购买消费品的数据(全国消费者固定样本调查)，家庭食品消费的数据(全国菜谱普查)

● 信息资源公司：提供超市扫描资料(资料扫描)和超市促销活动的效果资料(促销扫描)

● 销售地区市场营销／波卡公司：提供关于在选定的市场区域内食品店仓库提货的报告(SAMI 报告)和超市扫描数据 (Samscam)

● 西蒙斯(Simmons)市场调研公司：提供包括电视市场、运动用品、专卖药品等的按性别、收入、年龄和品牌偏好选择市场及用以达到这些市场的媒体等标准划分的人口统计资料年度报告

● 其他向订购者出售数据资料的商业调研公司，其中有发行份数审计机构、审计和调查、邓白氏调查公司、全国家庭意见调查、标准率和数据服务、斯塔奇公司(Starch)等

营销调研系统

营销经理们还需要经常对特定的问题和机会委托进行正式的调研。他们可能需要作一个市场调查，一个产品偏好试验，一个地区的销售预测或一个广告效果研究。

营销调研（marketing research）是系统地设计、收集、分析和提出数据资料以及提出跟公司所面临的特定的营销状况有关的调查研究结果。

营销资源的供应者

一个公司能用多种方式获得营销调研资料。大多数大公司都有自己的营销调研部门。[10]

宝洁公司(Procter & Gamble) 宝洁公司安排营销调研人员到每一个产品部门，从事对现行品牌的调研。它有两个独立的公司内部调研小组，一个负责整个公司的广告调研，另一个负责市场测试。每组成员包括营销调研经理、其他专家（调查设计者、统计学家、行为科

学家）和负责执行与管理访问工作的内部现场代表。宝洁公司每年的电话与上门访问超过 100 万次，访问的内容涉及到大约 1 000 个调研项目。

惠普公司(Hewlett-Packard)　在惠普总部设立的市场研究与信息中心(MRIC)处理营销信息，它分享全世界的惠普信息资源。该中心分为三个组：市场信息中心提供行业、市场和竞争者背景资料，它应用报业辛迪加和其他信息服务；决策支持小组提供研究结论服务；地区卫星的建立，使全世界各地的惠普分部得到有创见的服务。[11]

小公司可以雇用营销调研公司的服务，或者，它们可在有限的资金下开展创造性的工作，例如：

● 邀请学生或教授设计和执行营销调研项目。在波士顿大学的一个工商管理硕士班为美国运通公司设计了一个如何吸引年轻的专业人士的项目，他们为公司设计了极为成功的广告活动。其成本是 1.5 万美元。

● 利用因特网。公司可以检查竞争者网上信息、注意其聊天屋和访问其发布的资料，用非常低的费用收集信息。

● 考察竞争对手。许多小公司经常访问竞争者，在亚特兰大拥有两家餐馆的汤姆·科希尔（Tom Coohill），给他的经理晚餐津贴，要求他们外出吃饭并带回创意。亚特兰大的珠宝商小弗兰克·梅尔（Frank maier Jr.）经常访问城外的竞争者，分析聚光照射和模仿，戏剧性地改变他的灯光陈列格调。[12]

公司通常分给营销调研的预算约占公司销售额的1% ～ 2% 不等。这些经费的大部分用于购买外界营销调研公司的服务。营销调研公司可以分为三种类型：

● 综合性服务研究公司。这种公司定期收集有关消费者和贸易方面的信息，开展收费出售信息的业务。例如，尼尔森媒体研究公司，销售地区市场营销／波卡公司。

● 接受顾客委托的营销调研公司。这种公司接受委托，进行特定的项目调研。它们参与设计调查研究和报告结论。

● 特定专业营销调研公司。这种公司为其他的营销公司或企业公司的营销调研部门提供特定的专业服务。现场调查服务公司是一个最好的例子，它专门为其他公司进行实地访问的服务工作。

营销调研的程序

有效的营销调研包括五个步骤(见图 4—1)。我们将举例说明这些步骤。

美国航空公司注意探索为航空旅行者需要的服务新方法。一位经理提出在高空为乘客提供电话通信的想法。其他的经理们认为这是激动人心的。并同意应对此作进一步的研究。于是，提出这一建议的营销经理自愿为此作初步调查。他同一个大电信公司接触。以研究波音 747 飞机从东海岸到西海岸的飞行途中，电话服务在技术上是否可行。据电信公司讲，这种系统每航次成本大约是 1 000 美元。因此，如果每次电话收费 25 美元，则在每航次中至少有 40 人通话才能保本。于是这位经理与本公司的营销调研经理联系，请他研究旅客对这种新服务将作出何种反应。

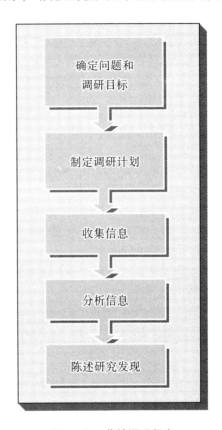

确定问题和
调研目标

制定调研计划

收集信息

分析信息

陈述研究发现

图 4—1　营销调研程序

步骤 1　确定问题和调研目标

管理层必须妥善把舵，对问题的定义既不要太宽，也不要太窄。如果营销经理对营销调研人员说："去探求凡是你能够发现的空中旅客所需要的一切"。结果，这位经理将得到许多不需要的信息。同样，如果营销经理说："探求是否有足够的乘客在从东海岸到西海岸乘坐波音 747 飞机飞行中，愿意付 25 美元的电话费，从而使美国航空公司能够保本提供这种服务。"这样提出问题就太狭窄了。营销调研人员对此可以这样回答："美国航空公司为什么一定要在这项服务中定价 25 美元呢？这项服务会使我们得到的新乘客多到即使电话使用不多，美国航空公司也能从增加的飞机票中赚钱。"

美国航空公司的经理们对这个问题作了研究，于是产生了另一个问题。如果这项新服务成功了，那么，其他航空公司模仿的速度有多快？航空公司营销竞争的历史上充满了新服务被竞争者迅速模仿的例子，为此，没有一家航空公司会持久地保持其有利的竞争位置。因此，确定首次推出的价值和它将维持多久领先的地位是很重要的。

营销经理和营销调研人员同意对该问题作如下的确认："在飞行中提供电话服务会因日益增加的偏好给美国航空公司创造利润，这项费用与公司可能作出的其他投资相比是合算的吗？"然后，他们同意研究下列的特定目标：

1. 航空公司的乘客在航行期间通电话的主要原因是什么？
2. 哪些类型的乘客最喜欢在航行中打电话？
3. 有多少乘客可能会打电话？各种层次的价格对他们有何影响？
4. 这一新服务会使美国航空公司增加多少乘客？
5. 这一服务对美国航空公司的形象将会产生多少有长期意义的影响？
6. 电话服务与其他因素诸如航班计划、食物和行李处理等相比，其重要性将怎样？

并不是所有的调研计划都要对它的目标作这样具体的规定。调研有一些是探测性（exploratory）调研，即收集初步的数据，借以启示该问题的真正性质，并可能提出若干假设或新的构思。有一些是描述性（descriptive）调研，即作定量描述。例如，有多少人愿意花25美元在飞机上打一次电话？还有一些是因果性（causal）调研，即测试因果关系。例如，如果电话安置在坐位旁而无需走到过道里打电话，旅客会不会多打电话？

步骤 2　制定调研计划

营销调研的第二阶段是要制定一个收集所需信息的最有效的计划。营销经理在批准计划以前需要估计该调研计划的成本。假定该公司预计不作任何调研而在飞机上提供电话服务，并获得长期利润5万美元，而营销经理认为调研会帮助公司改进促销计划而可获长期利润9万美元。在这种情况下，在市场调研上所花的费用最高为4万美元。如果调研费用超过4万美元，它就是不值得的。[13]在设计一个调研计划时，要求作出决定的有：资料来源，调研方法，调研工具，抽样计划，接触方法。

资料来源　调研计划要求既收集第二手资料，又收集第一手资料。第二手资料(second data)就是在某处已经存在并且是为某种目的而收集起来的信息，而第一手资料（primary data）是为当前的某种特定目的而收集的原始资料。

研究人员通常从收集第二手资料开始他们的调查工作，并据以判断他们的问题是否已部分或全部地解决，以免再去收集昂贵的第一手资料(表4—1列出了在美国各种各样的可以获得第二手资料的来源)。[14]第二手资料为调研提供了一个起点和具有成本较低及得之迅速的优点。

因特网，特别是万维网（World Wide Wed），现在正在成为最大的信息宝库。只需很短的时间，网站将会成为销售和营销专业了解竞争信息或进行人文、行业或顾客研究的关键工具。参见"营销备忘——在线数据的第二手资源"，这些资料在市场调研中是免费的或至少是收费极低的。

营销备忘

在线数据的第二手资源

大量的在线政府和商务信息资源确实深受大家的欢迎。以下是一些网站的例子，当你进行在线市场调查时，它们会对你有所帮助，这其中，很多信息提供是免费的或相当便宜。注意，由于网站更新速度很快，以下网址有可能已经改变。

协会

- 美国市场营销协会（www. ama. org／hmpage. htm）
- 美国社会执行协会（www. asaenet. org）
- 商贸网：因特网商贸工业协会（www. commerce. net）
- 盖尔百科全书协会（www. gale. com）

商务信息

- 商务指南：选择性地链接到网上的各主要商务网站（www. abcompass. com）
- 商务调研者知音：提供链接到商务指南网站、媒体网站、市场相关资源网站以及更多的其他网站（www. brint. com）
- 花山个人网：提供新闻和金融服务（www. bloomberg. com）
- C网：网站内容涵盖高新技术、计算机以及因特网行业（www. cnet. com）
- 公司链接网：该网站内容涵盖基础目录数据、新闻发布、股票价格以及 45 000 家美国公司的辅助数据，也可以预订更多的其他信息（www. companylink. com）
- EDGAR：提供上市公司的财经信息（www. sec. gov／edgarhp. htm）
- 胡佛：提供公司信息指南（www. hoovers. com）
- 全国贸易数据银行：可以免费阅读超过 18 000 份的市场调查报告，这些报告分析了几十个行业和几百种产品的发展趋势及其相互间的竞争情况（www. stat-usa. gov）
- 公共注册公司年度报告服务网：可以通过公司名字或者公司所属行业检索到 3 200 家上市公司，并且可以通过电子邮件索取它们的年度报告（www. prars. com／index. html）
- 引用网：提供了大范围的商业在线资料、公司商品目录以及股票查询服务（www. quote. com）

政府信息

- 普查局（www. census. gov）
- 联邦机构：100 多个联邦政府公共代理机构资料（www. fedworld. gov）
- 托马斯：对联邦政府部门进行索引的网站（www. thomas. loc. gov）
- 贸易／出口／商务：Stat-美国（www. stat-usa. gov）
- 美国商务顾问（www. business. gov）

因特网信息

- CIA 世界事实记录（World Factbook）：一个涉及全球 264 个国家的综合性数据统计和人文统计指南（www. odic. gov／cia／publications）
- 电子大使馆（www. embassy. org）
- 因特网贸易（I-Trade）：为想发展全球生意的公司提供免费咨询

（www. i-trade. com）

● 联合国（www. un. org）

资料来源：Based on information from Robert I. Berkman, *Find It Fast: How to Uncover Expert Information on Any Subject in Print or Online* (New York: Harper-Collins, 1997); Christine Galea, "Surf City: The Best Places for Business on the Web," *Sales & Marketing Management,* January 1997, pp. 69 ~ 73; David Curle, "Out-of-the-Way Sources of Market Research on the Web," *Online,* January – February 1998, pp. 63 ~ 68. See also Jan Davis Tudor, "Brewing Up: A Web Approach to Industry Research," *Online,* July – August 1996, p. 12.

当研究人员所需要的资料不存在或现有资料可能过时、不正确、不完全或不可靠时，调研人员就必须收集第一手资料。大多数营销调研计划中都包含一些收集第一手资料的内容。常规的做法是先对一些人作个别或小组访问，以获得人们的初步想法，然后，根据这一调查结果，制定一个正式的调查方法，调整它并把它应用于实地调查。

收集的实地调查数据经整理和使用适当的话，它能成为后继营销活动的主要支柱。如记录俱乐部、信用卡公司和商品目录店等直销公司，长期以来都明智地开展了强大的数据库营销。

顾客或预期顾客数据库（customer or prospect database）是一个有组织地全面收集关于个人顾客、潜在用户或有可能购买者的资料，他们是当前的有通路和有行动可能性营销对象，如领先的一代人、领先的有条件购买者，以便开展产品销售和服务，或者维持顾客关系。

某些日益普及的技术是数据库，但它们并非没有风险。参见"新千年营销——公司转向数据库：仔细呵护"。

调研方法　收集第一手资料的方法大致有五种：观察法、焦点小组访谈法、调查法、行为数据法和实验法。

● **观察法**（observational research）　收集最新数据资料的一种方法是观察有关的对象和事物。例如，美国航空公司的研究人员可以待在飞机场、航空办事处和旅行社内，听取旅客谈论不同航空公司和代理机构如何处理飞行安排的方法。研究人员也可以乘坐美国航空公司或其竞争者的飞机，观察航班服务质量和听取乘客反映。这些观察都可能产生关于旅行者如何选择航空公司的一些有用设想。

● **焦点（小组）访谈法**（focus-group research）　焦点小组访谈是有选择地邀请6人～10人，用上几个小时，由一个有经验的访问人组织，讨论某一产品、服务、组织或营销实体。访问人必须客观地了解讨论的主题和行业情况，并具有小组能动性和消费者行为的知识；否则，讨论会的结果将会误入歧途。在一般情况下，为了吸引参加者，需要付给其一些报酬。这种访问的特点是在愉快的环境下进行，可以备有茶点。

在美国航空公司一例中，小组访问人在开始时可以先提出一个范围宽广的问题，如"当你乘坐飞机时有何感觉？"然后把问题转向人们对不同航空公司、不同服务的态度，最后提出空中电话服务的问题。访问人要鼓励参加者进行自由和轻松的讨论，以期小组的群体激励能带来深刻的感知和思考。同时，访问人要把讨论引入"深度"，因而这种方法被称为焦点小组访谈。各种意见通过记录本或磁带记录下来，然后进行研究，以了解消费者的态度和行为。

焦点小组访谈是设计大规模调查前的一个有用步骤。消费品采用这种小组访谈法已有多年，而且已有越来越多的报纸、律师事务所、医院和公用事业组织发现这种调研的价值。然而，不管它多么有效，调研人员必须避免从深度小组成员的感知得出对整个市场的普遍性结论，因为这个样本的规模太小并且抽样是非随机的。[15]

焦点小组访谈会

新千年营销

公司转向数据库：仔细呵护

许多公司开始使用系列地从一个称作数据库的大型数据组中寻找所需资料的方法。银行和信用卡公司、电信公司、目录营销公司，以及其他需储存顾客大量信息数据的公司，存储的数据不仅包括顾客的地址，还包括他们的事务以及年龄、家庭人数、收入以及其他信息。通过仔细地研究这些信息，公司能在如下方面受益：

● 了解哪些顾客已能够承受产品升级后的价格。
● 了解哪些顾客可能会购买公司的其他产品。
● 了解哪些顾客能够成为某些公司产品的预期主顾。
● 了解哪些顾客能够成为更长期的顾客并产生价值，从而给他们以关注及优惠。

● 了解哪些顾客打算退出并采取一定的措施阻止退出发生。

一些市场研究者相信一个专用的数据库能够为公司带来极大的竞争优势，这也就不奇怪了。位于菲尼克斯一个秘密地方的保密人员能够关注美国运通公司的 5 000 亿个字节的数据信息，这些数据关系着该公司的 3 500 万张绿卡、金卡及白金卡的使用。美国运通公司根据每月数以百万计的客户账单来定出目标供应品。

下面是一些利用数据库进行营销的实例：

● MCI 通信公司（一家长途电信公司）打算利用其 1 兆字节数的用户电话数据，从而制定出针对不同顾客的电话打折计划。①
● 马里奥特国际假日旅馆打算减少它的邮件数量，而通过它的数据系统向顾客展示更容易得到满意的度假方法，从而提高了对公司的回馈率。
● 泰斯科（Tesco）（一家英国超市连锁店）能够针对不同的顾客群发布不同的消息，如有酒或乳酪打折的消息，它会分别通知酒类或乳酪类产品的购买者。
● 兰德·爱德（Lands End）能够说出它的 200 万顾客中哪个会接受特殊型号的服装，从而确定库存量。

这些利益的获得并不需要太多的成本，它无须收集原始数据，也不包括数据的维护和开发。但一旦运转起来，它就能产生远超过其成本的价值，DWI 在 1996 年发表的一项研究报告表明，对一项数据库投资并运营 3 年后，平均年回报率超过 400%。但该数据库应保持良好状态，以便从中发掘到有效的关系。不过，毫无错误也是不可能的。英国哥伦比亚电信公司打算邀请 100 名最佳顾客参加温哥华灰熊篮球赛，并且要求这些顾客应该是 900 号码的使用者。在打印邀请者信件时，营销人员发现这些用户包括了许多同性恋者。他们马上为邀请客人条件制定了新的标准。

① JoHn Verity, "A Trillion-Byte Weapon," *Business Week*, July 31, 1995, pp. 80 ～ 81.

资料来源：Peter R. Peacock, "Data Mining in Marketing: Part 1," *Marketing management*, Winter 1998, pp. 9 ～ 18, and "Data Mining in Marketing: Part 2," *Marketing management*, Spring 1998, pp. 15 ～ 25; Ginger Conlon, "What the ! @ # * ?!! Is a Data Warehouse?" *Sales & Marketing Management*, April 1997, pp. 41 ～ 48; Skip Press, "Fool's Gold? As Companies Rush to Mine Data, They May Dig Up Real Gems—or False Trends," *Sales & Marketing Management*, April 1997, pp. 58, 60, 62.

随着万维网的发展，许多公司现在在网上召开焦点小组访谈会[16]：

贾尼西·杰斯顿 WP 演播室（Janice Gjersten of WPStudio）是一家网上娱乐公司，它发现通过上网召开焦点小组访谈会的回答会比真实的面对面的回答要诚实得多。贾尼西从一个拥有 1 万人的数据库中精选网上对话，这个焦点小组访谈会的人聚集在一个聊天室中，贾尼西可以利用其办公室的电脑进行浏览。贾尼西可以随时打断主持人，同时不会被察觉。尽管网上的小组访谈会缺乏声音及形体语言。贾尼西仍然认为他将再也不会进行传统的调查，网上调查不仅在于回应更加真实，而且网上调查的费用是传统调查小组座谈会的 1/3，并且在原来需要 4 周完成的工作，现在可在 1 天内完成。

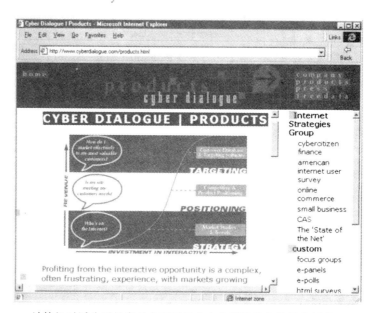

计算机对话公司的产品主页展示它在在线服务上的几个创意。

● **调查法**(survey research)　调查法最适宜于描述性研究。一些公司采取调查法以了解人们的认识、信任、偏好、满意，等等，并衡量其在人口中的数量比例。例如，美国航空公司的调研人员可能需要调查有多少人知道公司，有多少人乘坐过公司的飞机，有多少人偏爱公司和喜欢用飞机上的电话，等等。

● **行为数据**(behavioral date)　通过商店的扫描数据、分类购买记录和顾客数据库来记录顾客的购买行为。通过分析这些数据可以了解许多情况。顾客的实际购买所反映的喜好常会比顾客反映给营销调研人员的话语更能反映真实情况。人们经常会说出那些常见的品牌，而实际购买时，常会是另外的一些品牌。例如，调查百货商店的数据表明，高收入的人们并不像他们所说的那样购买较贵的品牌，而许多低收入的人们也会购买一些较昂贵的品牌。美国航空公司通过对其售出机票记录的分析，可以很清楚地从中找到一些其乘客的有用信息。

● **实验法**(experimental research)　实验法是最科学的调研方法。实验法的目的是通过排除观察结果中的带有矛盾性的解释来捕捉因果关系。如果实验的设计和执行剔除了对结果的不同假设，调研和营销经理就能相信所得出的结论。实验法要求选择相匹配的目标小组，并分别给予不同的处理，控制外来的变量和核查所观察到的差异是否具有统计上的意义。在把外部因素剔除或控制的情况下，观察结果可与实验方案中的变量有相关性。

美国航空公司从纽约到洛杉矶正常航班上的电话服务可以作为一个例子。在首次航行中，航空公司宣布每次通话服务的收费是25美元。在第二天的同一航次上，它又宣布每次通话收费为15美元。假设每次航班上的载客人数相同，并且在一个星期内天天如此，那么，在通话次数上的任何重要变化都可能与收费价格有关。实验设计也可以通过下列方法进一步改善：试用其他价格，使用同一价格于多次航行中和把其他航运路线也包括在试验中。

调研工具　营销调研人员在收集第一手资料时，可以选择两种主要的工具：调查表和仪器。

调查表（questionnaires）是迄今用于收集第一手资料的最普遍的工具。一般说来，一份调查表是由向被调查者提问并请他或她回答的一组问题所组成。调查表是非常灵活的。它有许多提问的方法。调查表需要认真仔细地设计、测试和调整，然后才可大规模使用。

在设计调查表时，专业营销调研人员必须精心地挑选要问的问题、问题的形式、问题的用词和问题的次序。问题的形式也会对回答者造成影响。营销调研人员把问题区分为封闭式和开放式两种。封闭式问题（closed-end questions）包括所有可能的回答，被调查人从中选择一个答案。开放式问题（open-end questions）允许被调查人用自己的话来回答问题。封闭式问题规定了回答方式，使阐释和制表变得比较容易，因为被调查人的回答不受限制，所以开放式问题常常能揭露出更多的信息。开放式问题在探测研究阶段特别有用，这个阶段调查人期望的是洞察人们内心怎样想的，而不是去衡量以某种方式在想的有多少人。表4—2 提供了这两种问题的表达形式。

表4—2　　　　　　　　　　　　　　问题的类型

封闭式问题		
名称	说明	例子
单项选择	一个问题提出两个答案供选择	"在这次旅行中，您打算使用美国航空公司的电话服务吗？"　是＿＿＿＿　否＿＿＿＿
多项选择	一个问题提出三个或更多的答案供选择	"在本次飞行中，您和谁一起旅行？" 没有＿＿＿＿　　只有孩子＿＿＿＿ 配偶＿＿＿＿　　同事/朋友/亲属＿＿＿＿ 配偶和孩子＿＿＿＿　旅行团＿＿＿＿
利克特量表	被调查人可以在同意和不同意的量度之间选择	"小的航空公司一般比大公司服务得好。" 坚决不同意　　　不同意 1＿＿＿＿　　　　2＿＿＿＿ 不同意也不反对　很同意 3＿＿＿＿　　　　4＿＿＿＿ 坚决同意 5＿＿＿＿
语意差别	在两个意义相反的词之间列上一些标度，由被调查人选择代表他或她意愿方向和程度的某一点	大＿＿＿＿＿＿＿＿＿小 有经验＿＿＿＿＿＿＿无经验 现代化＿＿＿＿＿＿＿老式
重要性量表	对某些属性从"根本不重要"到"极重要"进行重要性分等	航空食品服务对我是： 极重要　很重要　比较重要　很不重要　根本不重要 1＿＿　2＿＿＿　3＿＿＿　4＿＿＿　5＿＿＿

排序量表	对某些属性从"质劣"到"极好"进行分等	美国航空公司的食品服务是: 极好　很好　好　尚可　质劣 1＿＿＿ 2＿＿＿ 3＿＿＿ 4＿＿＿ 5＿＿＿
购买意图量表	测量购买人意图的量表	如果长途飞行时提供电话服务,我将: 肯定会用 可能会用 不知道 可能不用 肯定不用 1＿＿＿ 2＿＿＿ 3＿＿＿ 4＿＿＿ 5＿＿＿

开放式问题		
名称	**说明**	**例子**
自由格式	一个被调查者可以用几乎不受任何限制的方法回答问题	"你对美国航空公司有什么意见?"
词汇联想法	列出一些词汇,每次一个,由被调查者提出他头脑中涌现的每一个词	"当你听到下列文字时,你脑海中涌现的一个词是什么?" 航空公司＿＿＿＿＿＿＿＿＿＿＿＿＿＿＿＿ 美国＿＿＿＿＿＿＿＿＿＿＿＿＿＿＿＿＿＿ 旅行＿＿＿＿＿＿＿＿＿＿＿＿＿＿＿＿＿＿
语句完成法	提出一些不完整的语句,每次一个,由被调查者完成该语句	当我选择一个航空公司时,在我的决定中最重要的考虑是:
故事完成法	提出一个未完成的故事,由被调查人来完成它	"我在几天前乘坐了美国航空公司的飞机。我注意到该飞机的内外都展现了明亮的颜色,这使我产生了下列联想和感慨。"现在该完成这一故事了
图画完成法	提出一幅有两个人的图画,一个人正在发表意见,要求被调查人也发表意见,并写入图中的空框中	 请在空框内填上回答的话
主题联想测试	给出一幅图画,要求被调查者构想出一个图中正在发生或可能发生的故事	

最后,问题的用词设计和次序安排应十分审慎。研究人员应该使用简单、直接、无偏见的词汇。所提的问题应对被调查人预试,然后再广泛应用。引导性的问题应该是能使人引起兴趣的问题。回答困难的或涉及私人的问题应放在调查访问的最后,以避免被调查人处于守势的地位。所提出的问题应该合乎逻辑次序。

仪器（mechanical instruments）在营销调研中使用得较少。电流计可用于测量一个对象在看到一个特定广告或图像后所表现出的兴趣或感情的强度。速示器也是一种能从少于百分之一秒到几秒的闪现中将一个广告展露在一个对象面前的设备。在每次展露后，由被调查者说明他或她所回忆起来的每件事。眼相机是用于研究被调查人眼睛活动情况的，它观察他们的眼光最先落在什么点上，在每一指定的项目中逗留多长时间等等。收视器是一种安装在接受调查的家庭电视机上的电子设备，它是用于记录电视机收看时间和频道的。[17]

抽样计划 营销调研者在决定了调研方法与工具后，必须设计一个抽样计划，这要求作出三个决定：

1. 抽样单位。向什么人调查？营销调研人员必须在抽样对象中确定目标调查者。例如，在美国航空公司的调查中，抽样单位应该是从事商业的旅客，还是享受旅游乐趣的旅客，还是两者兼有？应该是访问21岁以下的旅行者呢，还是应该对丈夫和妻子都访问？一旦抽样单位被确定以后，就应设计样本的框架，以保证在抽样单位中的每一个对象都有均等的机会。

2. 样本大小。向多少人进行调查？大样本比小样本更能产生可靠的结果。然而，没有必要把全体目标或大部分目标作为样本，以取得可靠的结果。如果采取了可信的抽样程序的话，对一个总体只要抽出少于1%的样本，就常常能提供良好的可靠性。

3. 抽样程序。怎样选择被调查者的问题？为了获得一个有代表性的样本，应该采用概率抽样的方法。概率抽样可以计算出抽样误差的置信限度。例如，在抽样调查后可计算出这样一个结论："在美国西南部的航空旅行者，每年有95%的可能旅行5次～7次"。关于概率抽样的三种类型的描述可见表4—3。当概率抽样的成本太高或时间太多时，营销调研人员可采用非概率抽样。表4—3描述了非概率抽样的三种类型。有些营销调研者认为：虽然非概率抽样的抽样误差无法度量，但在许多场合这种方法仍是非常有用的。

表4—3 概率和非概率抽样的类型

1. 概率抽样	
简单随机抽样	总体中的每一个成员都有一个被了解和被选中的均等机会
分层随机抽样	把总体分解为各个互斥的组别（如年龄组），然后对每个组进行简单随机抽样
分群（分地区）抽样	把总体分解为互斥的组别（如分块），然后由调研人员对各个组进行抽样和面访
2. 非概率抽样	
任意抽样	调研人员选择人口中最容易接触的成员以获得信息
判断抽样	调研人员应用自己的判断来选择人口中能提供准确信息的理想成员
配额抽样	调研人员在几个类型中，对每一个类型按照所规定的人数去寻找和访问调查对象

接触方式 一旦抽样计划被确定以后，营销调研者必须决定采用何种接触被调查对象的方法：邮寄调查表、电话访问、人员面谈或在线访问。

邮寄调查表（mail questionnaire）是在被访问者不愿面谈或其反应可能受访问者偏见的影响或曲解的情况下所能采用的一种最好方法。另一方面，邮寄调查表提问的语句要简洁明了，不幸的是，邮寄调查表的回收率一般较低或较迟。电话访问（telephone interviewing）是迅速收集信息的最好方法，这种访问还能够在被调查人不明确问题时予以澄清。但电话访问有两个主要缺点：一是只有电话拥有者才能被访问到；二是访问的时间必须短促和不能过多地涉及个人问题。因为安装了应答机和人们变得越来越对电话访问起疑心，电话访问越来越困难。

人员面谈访问（personal interviewing）是最通用的方法。访问人能够提出较多的问题和可用个人观察来补充访问的不足。面谈访问是最昂贵的方法，并且它需要比其他三种方法有较多的管理计划和监督。它还易受到访问人的偏见或曲解的影响。面谈访问有两种形式。安排访问（arranged interviews）的调查对象是随机挑选的，这种方法因为花费了被访问者的一些时间，而应该给予其一些报酬或奖金，以补偿对受访者的打扰。拦截访问（intercept interviews）是在商店大堂或商业街上拦截人们要求交谈，拦截访问有非随机抽样的缺点，并且交谈的时间很短。

现在，在线访问（on-line interviewing）越来越普遍。公司可以把调查问题放到自己的网页上，同时给回答问题者一定奖励；或者把问题放在人们常去浏览的网页上，实行有奖回答；或者公司可以进入一个目标聊天室，在这里寻找愿意接受调查的顾客。但是，在收集在线所得数据时，我们必须认识到这些数据有一定的局限性。这些数据不能完全代表目标消费者的观点，因为目标消费者中有些人根本不能上网，或者有些人根本不愿意回答问题，这些都会导致结论有失偏颇。当然，假如我们对在线收集到的数据使用科学的处理方法，那么，这些信息对于调查还是有帮助的。

许多公司利用自动电话调查来收集营销调研信息。克利夫兰的都市健康系统（MetroHealth Systems）对病人满意度的信件调查中常会有 50% 的丢失率。后来，公司与堪萨斯州的大地花园（Overland Park）共同开发了斯普林特健康保健系统进行电话访问，在先期项目中，每位离开医院的病人都会拿到一张记录一个免费电话号码的电话卡。当他们接通这个号码时，一个事先录制好的语言提示会向他们问几个关于医院情况的问题，结果表明，有更多的病人完成了调查。[18]

如何向这些响应自动调查的顾客给予奖励呢？一个通用的办法就是提供已付款的电话卡。一项调查储存在交互式电话系统中，通过它不仅指导调查，而且会根据顾客的反映储存分类结果，然后，公司可以向选定的市场细分目标发放电话卡。当这些用户使用它们的免费电话卡时，一个语言提示会询问他们是否愿意通过一个小的调查来获得额外的免费时间延长。美国广播公司、可口可乐公司和阿莫科公司（Amoco）都曾经利用这种预付费的电话卡进行顾客调研。[19]

步骤 3　收集信息

营销调研的数据收集阶段是一个花费最昂贵也是最容易出错的阶段。在进行调查时会发生四个主要的问题：有些被调查者恰好不在家，所以必须再度访问；有人会拒绝合作；还有些人可能会作出有偏见或不诚实的回答；最后，有些访问人也偶尔会带有偏见或不诚实。

然而，在现代电信和电子技术的影响下，数据收集方法正在迅速变化。有些公司现在正在使用中心终端网络，在一个集中的地点进行它们的访问工作。专职的电话访问员坐在一个单独的椅子上，随机地拨动电话号码。当电话接通后，访问员就向被访问者提出一组通过显示屏幕阅读的问题。访问员使用数据输入终端，把被访问者的回答正确地键入计算机。这个过程省略了编号工作，减少了错误，节省了时间，并且能计算出全部要求的统计数字。有些调研公司在购物中心建立了交互式终端。愿意被采访的人坐在一个终端旁，阅读显示屏幕上的问题，并键入他们的回答。大多数的被访问者喜欢这种"机器人"方式的访问方法。[20]

一些先进的技术近来已使营销人员测试广告与促销对销售的影响成为可能。信息资源公司组织了一场配合光学扫描器和电子收银机的超级市场典型样本调查。店员把顾客购买的货物放到能阅读每个包装上的通用代码和能记下品牌、规格及价格的光束下，机器扫描结账。同时，调研公司也组织了这些商场固定合作的典型顾客调查，这些顾客同意用一种特殊顾客热线识别卡来购买商品，该卡片上不仅有顾客的姓名、银行账号，也有家庭特点、生活方式、收入等等的个人资料。这些顾客也同意在自己的电视机内安装一个黑盒子，以记录收看的内容、时间和收看对象。所有顾客典型调查对象均通过有线电视网进行，信息资源公司控制播放给这些顾客的广告资料。调查公司就能捕捉由广告引起的更多购买和广告引起的何种消费者购买的资料。[21]

步骤 4　分析信息

营销调研过程中的下一个步骤是从数据中提炼出恰当的调查结果。研究人员把数据制成表格，并制定一维和二维的频率分布。对主要变量要计算其平均数和衡量离中趋势。在营销分析系统中，研究人员应努力采用一些先进的统计技术和决策模型，以期能找到更多的调查结果。在本章的后面我们将介绍这些技术和模型。

步骤 5　陈述研究发现

营销调研的最后一步是陈述调研人员对相关问题的研究发现。调研人员不应该造成使管理层埋头于大量的数字和复杂的统计技术中去的局面，否则会丧失他们存在的必要性。调研人员应该提出与管理层进行主要营销决策有关的一些主要调查结果。

假设案例中的美国航空公司得到的主要调查结果如下：

1. 使用飞机上电话服务的主要原因是：有紧急情况，紧迫的商业交易，飞行时间上的混乱，等等。用电话来消磨时间的现象是不大会发生的。绝大多数的电话是商人所打的，并且他们要报销单。

2. 每 200 人中，大约有 20 位乘客愿花费 25 美元作一次通话；而约 40 人希望每次通话费为 15 美元。因此，每次收 15 美元（$40 \times 15 = 600$）比收 25 美元（$20 \times 25 = 500$）有更多的收入。然而，这些收入都大大低于飞行通话的保本点成本 1 000 美元。

3. 推行飞行中的电话服务使美航每次航班能增加两个额外的乘客，从这两人身上能收到 400 美元的纯收入，然而，这也不足以帮助抵付保本点成本。

4. 提供飞行服务增强了美航作为创新和进步的航空公司的公众印象。

当然，这些调查结果可能会受到各种误差的影响，管理层要对这个问题作进一步的研究。参见表 4—4 和"营销视野——营销调研者向传统的营销智慧挑战"。然而，由于飞行中的电话服务的成本将大于长期收入，美国航空公司在目前也就没有实施此项服务的必要。

表 4—4   良好营销调研的七个特征

1. 科学方法	有效的营销调研使用科学方法的原则有：仔细观察，假设，预测和试验
2. 调研的创造性	营销调研最好能发展出创新方法，以解决某个问题。一家服装公司挑选出几个男孩，给他们每人一架摄像机，请他们用它记录下他们的生活。然后借用这些题材，在餐馆和其他场合采用焦点小组访谈讨论青少年经常的态度
3. 采用多种方法	好的营销调研人员避免过分依赖一种方法。他们还认识到需要两三种收集方法来确认调查结果
4. 模型和数据的互赖性	好的营销调研人员懂得从问题的模式中导出事实的意义。这些模式对要收集的信息类型起指导作用
5. 信息的价值和成本	好的营销调研人员应该关心衡量信息的价值与成本之比。研究成本容易计算，而价值却很难预料。价值由研究结果的可靠性和准确性以及管理层对调研结果的接受和行动的程度而定
6. 有益的怀疑论	好的营销调研者对经理轻率作出的市场运作方式表示出有益的怀疑。他们对"营销神话"的问题很警觉
7. 道德营销	好的营销调研能给公司和消费者带来好处。然而，对营销调研的滥用不仅有害而会激怒消费者。许多消费者认为，营销调研已侵犯了他们的隐私权或错误地诱引他们购买某些东西，对调研行业的不满已成为一个主要问题

营销视野

营销调研者向传统的营销智慧挑战

凯文·克兰西(Kevin Clancy)和罗伯特·舒尔曼(Robert Shulman)批评美国有太多的公司把营销计划建立在"营销神话"上。韦氏(Webster)大词典对"神话"的定义是"一种毫无批判的没有根据的信念，特别是那些迷信的人"。作者指出了导致营销经理走向错误之路的营销神话如下：

1. 最好的品牌客户是该品种的大购买者。虽然大多数公司追求大用户，但大用户不是最好的目标市场。当公司的竞争者给予大用户优惠的条件时，他们往往会倒向这些特定的竞争者。虽然公司现在拥有他们，一旦竞争者提供更优惠的条件，公司明天就会失去他们。

2. 新产品越吸引人，就越能成功。这种思想使公司丢掉了更多的客户并使盈利率下降。

3. 广告的有效性在于其记忆的程度和说服力。实际上，测试结果表明，能回忆得起和有说服力的并非是最有效的广告，特别是在用户判别其广告是否对他有用和他是否喜欢时更是如此。

4. 公司的明智之举是把调研预算的钱用在焦点小组访谈和质量调研上。焦点小组访谈和质量调研是有用的，但公司的调研费用应花费在定量研究和调查上。

对此，也有些营销者持不同意见，他们认为这些所谓的"神话"也有积极意义。不管怎样，这两位作者促使营销工作人员重新考虑他们的某些基本假设。

资料来源: Kevin J. Clancy and Robert S. Shulman, *The Marketing Revolution: A Radical Manifesto for Dominating the Marketplace* (New York: HarperBusiness, 1991).

克服对营销调研使用的阻碍

尽管营销调研的技术在迅速发展，然而，还有很多公司未能充分或正确地使用它，其原因如下：

● 对营销调研的狭隘观念。许多经理人员把营销调研仅仅看成是一项调查事实的业务。把营销调研人员的职责看成是设计一张调查表、选定一组样本、进行面谈访问和报告调查结果，而往往对调查的问题却没有作出仔细的界定，或营销调研人员没有向管理层提出可供选择的决策建议。因此，有些调查结果就没有起到作用。这就加深了使管理层认为营销调研用处是有限的观念。

● 营销调研人员的素质能力不平衡。有些经理人员把营销调研工作看成是跟抄抄写写的工作相差不大，并据此给予报酬。因此，他们就雇用能力较差的营销调研人员，这些人员由于缺少训练和缺乏创造力，因而在工作上很难取得出色的成果。但管理层对营销调研的期望又过高，这种令人失望的结果增加了管理层对他们的偏见。管理层继续向营销人员支付低工资，这一基本问题就一直持续下去。

● 调查结果到手太迟和偶尔出错。经理需要及时的统计和调查结论，然而，好的营销调研需要时间和金钱。经理们由于收集成本高和太费时，而把营销调研的价值看低了。他们还应用一个著名的调研导致失败的故事，如可口可乐公司导入新可乐的例子。

● 个人作风与行为的差异。产品线经理和营销调研人员之间风格上的差异，常常使他们之间的关系产生问题。产品线经理需要的是具体、简明和确定的报告，而营销调研者的报告可能是抽象、复杂和不确定的。然而，在更富进取性的公司里，营销调研活动在增加，包括产品经理成为调研人员和他们在营销战略中的影响越来越大。

营销决策支持系统

越来越多的组织为了帮助它们的营销经理作好决策，设立了营销决策支持系统，李特尔的定义如下：

> 营销决策支持系统(marketing decision support system，MDSS)是一个组织，它通过软件与硬件支持，协调数据收集、系统、工具和技术，解释企业内部和外部环境的有关信息，并把它转化为营销活动的基础。[22]

表 4—5 描述了构成营销决策支持系统的主要统计工具、模型和最佳程序。李利（Lilien）和兰杰斯沃米（Rangaswamy）最近出版了《营销工程：计算机辅助营销分析和计划》一书，书中提供了一个广泛应用的模型软件工具包。[23]

表 4—5   **在营销决策支持系统应用的计量工具**

统计工具	
1. 多元回归	统计技术是设计一个"最适宜"的估计公式，以显示一组自变量变化时，其对应的因变量的变化情况。例如，一个公司估计其单位销售量在公司广告费用、销售人员规模和价格变化时的变化情况[①]
2. 判别分析	一种将目标或人分成两个或两个以上类别的统计技术。例如，一家大零售连锁商店区别其成功或不成功商店店址的变量因素[①]
3. 因子分析	因子分析是企图用以发现在一组较多数量的彼此相关的变量中可以构成并说明其相互关系的少数基本因子的一种统计方法。例如，广播电视网用它将一组大电视节目缩至一组小的节目类型中去[②]
4. 集群分析	把要区分的目标纳入特定的多维数据中，排除组与组之间的同质性的一种统计技术。例如，营销调研者欲对各种特点的城市分成四个类似的组
5. 联合分析	这种统计技术为被访问者分解不同的提供物进行偏好排列，以确定每种特征的个人推测功能和各个特征之间的重要关系。例如，航空公司对旅客服务不同的组合加以分析以确定其总体功能
6. 多维排列	多样化的技术，把有代表性的目标作为一点，对其特征用多维空间描述，其点与点之间的距离用不对称的方法衡量。例如，一个制造商欲了解其品牌和竞争品牌的定位关系
模型	
1. 马尔可夫过程模型	这种模型显示了从当前状态向新状态移动的概率。例如，一家品牌包装商品制造商确定从一个时期到另一时期，品牌转换者和品牌坚持者对其品牌的比例，如果该概率稳定，该品牌的基本品牌占有率就出来了

2. 排队模型	该模型显示任何系统中,预期的等待时间和排队长度,得出到达和服务时间以及服务渠道的数目。例如,一家超市在指定的服务渠道和服务速度下,用该模型预计在一天的各段时间其排队的长度
3. 新产品预先测试模型	该模型包括了在消费者偏好基础上的用户知晓、试用和重购之间的功能关系,并对营销供应物和促销活动进行预测。比较有名的这类模型有:ASSESSOR、COMP、DEMON、NEWS 和 SPRINTER ③
4. 销售反应模型	这组模型用于在一个或多个营销变量之间,如销售人员模型、广告开支、促销费用等,估计其功能关系和得出需求水平
优化程序	
1. 微分计算	这种技术通过应用严格定义的公式求出最大值或最小值
2. 数据规划	这种技术会帮助找到在一组约束条件下,某些变量所代表的目标函数的最佳化
3. 统计决策理论	这种技术测定一个活动能产生的最高期望值
4. 博弈理论	这种技术测定一项行动在面临一个或数个竞争者或自然现象的不确定变量时,最大损失的最小化
5. 启发式探索法	这种方法使用一套经验法则以缩短所要求的时间或工作,以便在复杂的系统中找出合理的好的解决办法

① S. Sands, "Store Site Selection by Discriminant Analysis," *Journal of the Market Research Society*, 1981, pp. 40 ~ 51.

② V. Rao, "Taxonomy of Television Programs Based on Viewing Behavior," *Journal of Marketing Research*, August 1975, pp. 355 ~ 358.

③ See Kevin J. Clancy, Robert Shulman, and Marianne Wolf, *Simulated Test Marketing* (New York: Lexington Books, 1994).

《营销新闻》在 1998 年 4 月 13 日列出了 100 多种当前应用的营销和销售软件程序,这些软件为设计营销调研方案、细分市场、制定价格和广告预算、分析媒体、计划推销队伍活动等,提供了支持和帮助。下面是几个营销经理使用的决策模型:

BRANDAID 模型 一种着重消费包装品的弹性营销组合模型。其组成因素是制造商、竞争者、零售商、消费者和一般环境。此模型包括广告、定价和竞争子模型。该模型用创造性的标准把判断、历史分析、追踪、实地测试和适应性控制结合起来。[24]

CALLPLAN 模型 该模型帮助销售人员决定在一定时间内访问预期客户和现有客户的访问次数。该模型计算了旅行时间和推销时间。该模型在美国联合航空公司,通过实验小组试验,在一个控制小组的控制下,其销售提高了8%。[25]

DETAILER 模型 用于帮助销售人员走访客户和每次访问准备推销的代

表性产品，这种模型大多为药厂的新药推销员访问医生而设计，每次访问不超过三个产品。在两次应用中，该模型产生了较大的盈利效果。[26]

GEOLINE 模型　该模型用于设计推销和服务地区，它满足三个原则：推销地区与工作负担相等；每一推销地区包括周边邻近地点；该地区是完整的。据报道已被数次成功应用。[27]

MEDIAC 模型　该模型帮助广告客户计划一年内如何购买媒体。媒体企划模型包括市场细分轮廓、销售潜量估计、递减的边际效应、遗忘率、时机问题以及竞争者媒体计划。[28]

有些新的模型现在声称，它们能模仿专业营销者在常规下的决策。下面是专家系统模型：

PROMOTER 模型　该模型估计最低基础销售与促销的关系（无促销活动的销售额）和测量随着促销活动的增加而递增的销售额。[29]

ADCAD 模型　该模型建议广告的类型（幽默、生活片段等等），以应用于不同的产品、目标市场和竞争环境中的营销目标和特征。[30]

COVERSTORY 模型　检查大量的行业销售数据，并用英语打印出报告的最精彩部分。[31]

毫不奇怪，21世纪将会推出更多的软件程序和决策模型。

预测概述和需求衡量

一个公司开展营销调研的主要原因之一是为了确定它的市场机会。一旦调研工作结束以后，公司在选择它的目标市场以前，必须仔细地评价每一个机会。因此，公司特别需要衡量与预测每个机会潜在的规模、成长和利润。销售预测在财务上被用来筹集投资和经营上所需的现金；被制造部门用以估算能力和产出水平；被采购部门用以获得正确数量的供应物；被人事部门用以确定所需员工的数量。营销部门对制定这些估计负有责任。如果它们的预测远离指标，公司要么会承受过剩的库存，要么由于存货短缺而使公司丧失赚钱的机会。

销售预测的基础是需求预测。经理们需要仔细地确定市场需求实际上所包含的内容。

衡量市场需求

一个公司能够实行90种不同类型的需要估算（见图4—2）。需求衡量可以按六个不同的产品层次，五个不同的空间层次和三个不同的时间层次进行。

需求衡量的每种类型都为一个特定的目的服务。一个公司可作出一个特定产品品目的短期预测，以便订购原材料、计划生产工作和安排短期融资。公司也可以为它的主要产品线作出一个区域需求的预测，以便决定是否在该区域进行分销。

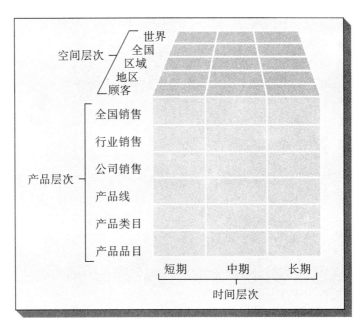

图 4—2　要求衡量的 90 种类型(6 × 5 × 3)

衡量哪一个市场?

营销人员经常谈论潜在市场、有效市场、服务市场和渗透市场。为了弄清这些术语,让我们先从市场的概念开始:

　　一个市场(market)就是某一产品的实际和潜在购买者的全体人员。

市场的规模是随着一个特定市场供应品的购买者人数而定的。潜在市场(potential market)就是指那些表明对某个市场上出售的商品有某种程度兴趣的顾客群体。

仅有顾客的兴趣还不足以确定一个市场。潜在顾客必须有足够的收入买得起这个产品,并且他们对这个产品的获得有一定的通路。如果一个产品无法分销到某个地区,该地区的潜在顾客就不能得到这个产品。有效市场(available market)是由一群对某一产品有兴趣、有收入和通路的潜在市场顾客所组成。

对于同样出售的商品,公司或政府可以限制将其销售给某些顾客。例如,政府可能禁止向 21 岁以下的青少年销售摩托车。这样,21 岁以上的成年人就组成了合格有效市场(qualified available market)——成为对在某个市场上出售的商品有兴趣、有收入和可取得该商品的合格的顾客群体。

公司一旦确定了有效市场后,它可选择追求整个有效市场或者集中全力于某些细分市场。目标市场(target market)[又称服务市场 (served market)]是公司决定要在合格有效市场上追求的那部分人。例如,公司可能决定将其市场营销和分销努力集中到南方。结果,南方就成为其服务市场。

公司及其竞争者总会在目标市场上售出一定数量的产品。渗透市场(penetrated market) 就是指那些正在购买这种公司产品的顾客群体。

对一个市场的这些定义是营销计划工作的有用工具。如果一个组织对它目前的销售情况不满意，它可以考虑采取一些措施。它可以争取从它的服务市场中吸引更大比例的人员；它可以降低潜在顾客的合格标准；它可以向其他的有效市场拓展；它也可以降低价格以扩大有效市场的规模；最后，它还可以用大量广告使不感兴趣的消费者或并非是目标市场的消费者变为感兴趣者，从而扩大潜在市场。

某些零售商用新的广告活动成功地重新定位他们的市场。考虑目标商店的例子。

目标商店（Target） 面临着一些顶级零售商如沃尔玛、凯马特（K-mart）的激烈竞争，目标商店决定吸引更多的顾客，使他们少去百货商店购物。这家位于中西部的折扣零售商常会不定期地在一些出版物上刊登广告：《纽约时报》的星期日刊、《洛杉矶时报》及《旧金山晨报》。一则广告的画面是一名妇女带着吸尘器穿过夜空，画面的右下角简单地列出了"时装和家庭用具"以及目标商店的标志。与百货商店的广告相比，这些高质量的广告帮助目标商店赢得了"高层次"的大型零售商的称号。在目标商店，那些通常都在百货商店里购物的人们不会因为衣服和家庭用具都贴有目标商店的标签，而产生像贫民在低价格下购物一样的感觉。[32]

需求衡量的有关词汇

需求衡量中的主要概念是市场需求和公司需求。在每一概念之间，我们再细分为需求函数、销售预测和潜量。

市场需求

我们认为在评估营销机会中第一步是估计总的市场需求。

市场需求（market potential）是一个产品在一定的地理区域和一定的时期内，在一定的营销环境和一定的营销方案下，由特定的顾客群体愿意购买的总数量构成。

市场需求不是一个固定的数字，而是一个在一组条件下的函数。因此，它也被称为市场需求函数（market demand function）。市场总需求与环境条件的相互关系见图4—3(a)。横轴表示在一个规定的期间内行业营销费用可能表现为不同水平。纵轴表示由此而导致的需求水平。曲线描绘出市场需求的估计水平与行业营销费用变化水平的联系。一些基本销售量[称为市场最低量（market minimum），图中用 Q_1 表示]在没有任何需求促进费用时也会发生。高水平的行业营销费用会产生先是报酬率递增随后是报酬率递减的高水平的需求。当营销费用超过一定的水平后，就不能再进一步促进需求，因此，可对市场需求假设一个上限，并称为市场潜量（market potential）（图中用 Q_2 表示）。

市场最低量和市场潜量之间的差距，表示了全部的营销需求敏感性（marketing sensitivity of demand）。我们可以设想两个极端典型的市场——可扩展市场和不可扩展市场。诸如啤酒市场之类的可扩展市场，在其总的规模上颇受行业营销费用水平的影响。在图4—3(a)中，Q_1 和 Q_2 之间的距离相对大一些；诸如歌剧市场之类的不可扩展市场，受营销费用水平的影响就不大，在 Q_1 和 Q_2 之间的距离相对小一些。企业组织如果在不可扩展的市场上销售，可以认为市场的规模（对一种产品的基本需求水平）是固定的，因此，应集中它的营销努力去获取一个期望的市场份额（对一种产品的选择需求水平）。

需要强调的是，市场需求函数无法看出时间对市场需求的影响。更确切地说，曲线只显示了在现阶段可选择的当期市场需求预测和可选择的可能的当期行业营销努力水平的关系。

市场预测

在许多可能有的行业营销努力水平中，实际上只有一个水平会发生。与预期的努力相对应的市场需求为市场预测（market forecast）。

市场潜量

市场预测指出的是预期的市场需求，而不是最大的市场需求。就后者而言，我们可以想象要达到该需求水平，必须经过非常"大"的行业营销努力才能达到，并且以后再进一步增加营销努力，其刺激需求的效果微乎其微。

市场潜量就是在一个既定的市场环境下，当行业营销努力达到无穷大时，市场需求所趋向的极限。

"在一个既定的市场环境下"在市场潜量的概念中是十分重要的。请注意衰退期的汽车市场潜量与繁荣期的汽车市场潜量的对照。繁荣期的市场潜量较高。市场潜量对于环境的依赖在图4—3(b)中加以说明。因此，分析者必须区分市场需求函数的定位和沿着这条曲线的移动情况之间的差异。销售人员对于市场需求函数的定位无能为力；它由营销环境所决定。然而，在公司决定花费多少营销费用的过程中将影响它们在需求函数上的定位。

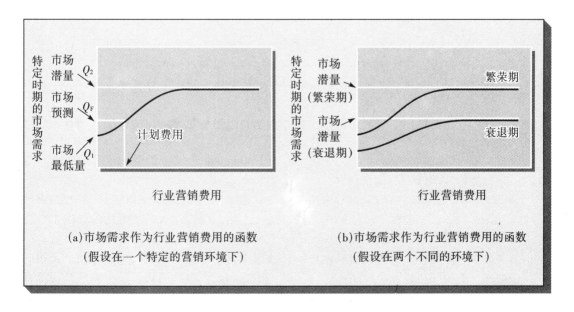

(a)市场需求作为行业营销费用的函数
(假设在一个特定的营销环境下)

(b)市场需求作为行业营销费用的函数
(假设在两个不同的环境下)

图4—3　市场需求函数

公司需求

我们现在准备对公司需求下定义。

> 公司需求(company demand)是公司在营销努力基础上估计的市场需求份额。

公司的市场需求份额取决于该公司的产品、服务、价格、传播等等与竞争者的关系。如果其他因素相同,则公司的市场份额取决于它的市场费用在规模与效益上与竞争者的关系。营销模型建立者必须开发和衡量销售反应函数(sales-response functions),以研究公司的销售受它的营销费用水平、营销组合和营销效益影响的程度。[33]

公司销售预测

当营销者估算出公司需求后,下一个任务是选择营销努力的水平。被选出的营销努力水平将产生一个特定的销售水平。

> 公司销售预测(company sales forecast)是公司以其选定的营销计划的假设的营销环境为基础所预期的公司销售水平。

公司销售预测的图解式的描述,可采用与图4—3中市场预测同样的方法:纵轴用公司销售额代替,横轴用公司营销努力代替。公司预测和公司营销计划的次序关系,经常被人混淆。我们常听到一种说法:公司应该在销售预测的基础上制定它的营销计划。这种先有预测再有计划的次序,只有在"预测"是指对全国经济活动的估计或当公司的需求无法扩展时才能成立。然而,当市场需求可以扩展或预测是指公司的销售估计时,这种次序便颠倒了。公司销售预测不能作为决定营销努力的数量和组成的基础;恰恰相反,它应作为一个假设的营销计划的结果。

在公司预测中,经常有人提及两个概念。

> 销售定额(sales quota)是针对某一产品线、公司事业部或销售代表而设定的销售目标。它是一个明确和激励销售努力的基本管理工具。

管理层建立销售定额的基础是公司的预测和激励员工成就的心理因素。一般来说,销售定额比预期的销售额略高,以利于销售努力的扩展。

> 销售预算(sales budget)是对预期销售量的一种保守估计,它主要为当前的采购、生产和现金流量决策服务。

销售预算要考虑销售预测和需求。以避免过度的风险。销售预算一般略低于公司预测。

公司销售潜量

公司销售潜量(company sales potential)是当公司相对于竞争者的营销努力增大时公司需求所能达到的极限。当然,公司需求的极限是市场潜量。当公司取得100%的市场,即该公司已成为市场的独占者时,公司销售潜量和市场潜量相等。在绝大多数情况下,公司销售潜量低于市场潜量,即使是公司的营销费用超过竞争对手相当多的时候也是如此,其原因是每一个竞争公司都有一个由忠诚的购买者所组成的核心队伍,这些人对其他公司吸引他们努力很少有反应。

估算当前需求

现在来考察估计当前市场需求的实际方法。营销主管需要估计的有总市场潜量、地区市场潜量、实际销售额和市场份额。

总市场潜量

总市场潜量(total market potential)是在一定的时期内,在一定的行业营销努力水平和一定的环境条件下,一个行业全部公司所能获得的最大销量。一个常用的估计方法是:估计潜在的购买者数量乘上一个购买者的平均购买数量,再乘上每一平均单位的价格。

例如,如果每年有 1 亿人买书,平均每人每年买 3 本,平均每本的价格为 10 美元,那么,图书的总市场潜量是 30 亿美元(= 100 000 000 × 3 × 10)。在方程式中最难估计的成分是特定产品或市场的购买者人数。我们可以从美国的总人口着手,如为 2.61 亿人,这称为总体群。下一步是排除显然不会购买这种产品的人数。假设文盲、12 岁以下的儿童和视力差的人不买书,并假定他们占人口的 20%,那么,只有 80% 的人(2.09 亿人)属于预计总数(suspect pool)。我们可作进一步的调查,发现低收入和低教育水平的人不读书,他们占可能的顾客群的 30% 以上。不算他们,我们得到一个中心顾客群,约 1.463 亿购书者。我们可把这个数字作为潜在购买者人数,以计算总市场潜量。

这种方法的变形是连比法(chain-ratio method)。它由一个基本数乘上几个修正率组成。假设有一个啤酒厂对估计一种新营养啤酒的市场潜量有兴趣。它的估计可以从下面的计算中获得。[34]

$$对新淡啤酒的需求 = 人口 \times 每人可支配的个人收入 \times 可支配收入用于食品的平均百分比$$

$$\times 食品支出用于饮料的平均百分比 \times 饮料支出用于含酒精饮料的平均百分比$$

$$\times 含酒精饮料支出中用于啤酒的平均百分比 \times 啤酒饮料支出中用于淡啤酒的预计百分比$$

地区市场潜量

公司面临的问题是选择最佳的区域并在这些区域最适当地分配它的营销预算。因此,公司需要估计各个不同城市、州和国家的市场潜量。有两种主要的方法可以采用:一种是主要由为企业服务的厂商所采用的市场组合法,另一种是主要由为消费者服务的厂商所采用的多因素指数法。

市场组合法 市场组合法(market-buildup method)要求辨别在每一市场上的所有潜在购买者,并且对他们潜在的购买量进行估计。如果公司有一张全部潜在购买者的清单和他们将购买什么的可靠估计,则可直接应用该法。可惜这些条件往往并不容易获得。

请注意,有一家机床公司,它想估计在波士顿地区木料车床的地区市场潜量。第一步是辨认波士顿地区木料车床的全部潜在购买者。这个市场主要由制造业组成，特别是需将其所经营的木料刨平或钻孔的制造厂商。公司应该编制一张波士顿地区的所有制造企业的地址录。然后，它可以以各行业中每 1 000 名员工或每 100 万美元销售额所需车床比率为基础，估计各行业可能购买的车床数字。

估计地区市场潜量的一个有效的方法是利用标准行业分类体系，这个分类体系是美国国情普查局制定的。标准行业分类体系把全部的制造业分为 20 个主要行业大类，每一大类有一个两位数代码。例如，25 代表家具和室内固定装置，35 代表除电器以外的机器。每一个主要行业大类再分为大约 150 个标以三位代码的行业组(251 代表家用家具；252 代表办公家具)。每个行业再细分为大约 450 种标以四位代码的产品种类(2521 代表木制办公家具；2522 代表金属办公家具)。对于每一个四位数的标准行业分类代码，《制造业普查》提供以地区、员工人数、年销售额和净资本额划分的企业数目。最近，标准行业分类体系已转化为新的北美行业分类系统，它是由美国、加拿大和墨西哥三国经过对比统计资料后制定的，它包括了 350 个新的行业，用 20 个新行业代替 SIC 体系的经济上广泛的 10 个行业，以反映已变化的经济状况。行业编码用六位数，代替了以前的四位数，它的最后两位取决于国家的变化情况。在新的国情普查资料中，1999 年上半年将用新的体系公布信息。[35]

车床制造商使用标准行业分类体系，首先必须确定表示产品的四位数代码，而这些代码代表了可能需要车床的制造厂商的产品。例如，属于标准行业分类体系的 2511(木制家用家具)、2522(木制办公用家具)等等的制造厂商将会使用车床。为了得到按标准行业分类体系分类的、可能使用车床的行业的全部四位数代码的全貌，公司可以使用三种方法。它可以确定过去顾客的标准行业分类体系代码；它可以查阅标准行业分类体系的手册并核查可能对车床有兴趣的所有四位代码行业；它可以广泛地向各公司寄出调查表，以询问它们对木料车床的兴趣。

公司的下一步任务就是确定一个适当的基础，以估计每个行业将会使用车床的数目。假设客户行业的销售额是最适当的估计基础。例如，在标准行业分类体系 2511 中，每 100 万美元的销售额可能需要 10 万台车床。一旦公司估计出车床拥有率对客户行业的销售额的比率，它就能计算出市场潜量。

表 4—6 显示了一个假设的波士顿地区关于两项标准行业分类体系代码对车床市场潜量的计算。在 2511 类(木制家用家具)中，有 6 个年销售额为 100 万美元的企业和 2 个年销售额为 500 万美元的企业。在这个标准行业分类体系代码中，估计每 100 万美元的顾客销售额要卖 10 台车床。由于年销售额为 100 万美元的有 6 家，总计达 600 万美元，所以具有 60 台车床的潜量(6 × 10)。表中另一些数字的计算与此相似。把两个代码的车床估计数相加，就得到了波士顿地区有 200 台车床的市场潜量。

公司可以用同样的方法，估计国内其他地区的市场潜量。假设全部市场的潜量是 2 000 台车床，那么，波士顿的市场占总市场潜量的 10%。这就说明公司可以把营销费用的 10% 用于波士顿市场。事实上，车床制造商对各个市场还需考虑其他信息，如市场饱和度、竞争者的数目、市场成长率和现有设备的平均寿命。

表 4—6　　　　　　　　　利用标准行业分类体系代码的市场组合法
　　　　　　　　　　　　　　（假想的车床制造厂——波士顿地区）

标准行业分类代码	(a) 年销售额（百万美元）	(b) 厂家数	(c) 每 100 万美元的顾客销售额可能需要车床台数	市场潜量 (a×b×c)
2511	1	6	10	60
	5	2	10	100
2521	1	3	5	15
	5	1	5	25
		30		200

如果公司决定在波士顿销售车床，它就必须了解怎样辨别最有希望的公司。过去，销售代表们挨家挨户地访问各公司，这种方法称为飞鸟觅食法（bird-dogging）或追烟法（smokestacking）。然而，这种"冷访问"在今天成本太高了。公司应该取得一份波士顿的公司名单，对它们进行资格审查，然后直接邮寄或电话访问以得到最有希望的主顾。车床制造商可以采用邓白氏市场鉴别法（Dun's Market Identifiers），此法对美国和加拿大的 930 万个企业列出了 27 个关键事项。

多因素指数法　与企业销售者一样，消费品公司也必须估计地区市场潜量。因为它们的顾客是如此之多，以致开列名单是不可能的。最常用的估算方法是简单指数法。例如，一家药品制造商可以假设药品的市场潜量直接与人口有关。如果弗吉尼亚州的人口占美国人口的 2.28%，则该公司就可以假设弗吉尼亚州的市场占美国药品销售市场的 2.28%。

然而，一个单一因素是很难成为销售机会的完全指标的。一个地区药品销售数量还受到个人收入所得和每万人中医生数的影响。因此，需要发展一个多因素指数法（multiple-factor index），而且应对每个因素赋予一个特定的权数。

权数要加到每一个变量之上。例如，假设弗吉尼亚州的个人可支配收入占整个美国的 2.00%，零售销售额占 1.96%，人口占 20.28%，则弗吉尼亚州的购买力指数为：

$$0.5 \times 2.00 + 0.3 \times 1.96 + 0.2 \times 2.28 = 2.04$$

这就是说，美国药品销售的 2.04% 可期望在弗吉尼亚州发生。

购买力指数所使用的权数带有某些片面性。如果更适用一些，则还需要指定一些其他权数。再说，制造商还应该为一些额外因素而调整市场潜量，如竞争者在该市场上的存在、地方促销成本、季节因素和地方市场特性。

许多公司要计算一些附加的地区指数，以指导营销资源的分配。假设公司正在对表 4—7 中列出的 6 个城市进行评估。前两栏分别表示这 6 个城市所占美国品牌销售的百分比和品种销售的百分比。第 3 栏表示品牌发展指数（BDI），即品牌销售对品种销售的比率。例如，西雅图的品牌销售比品种销售发展得更快，其品牌发展指数为 114。另一方面，波特兰的品牌发展指数是 65，也就是发展得不快。一般来说，品牌发展指数越低，市场机会越高，因为那里有品牌发展的空间。也有营销者持相反的意见，营销资金应投入到品牌最强的市场，在那里更容易扩大品牌的市场份额。[36]

在公司对各个城市的预算分配确定以后，它就能把每个城市的分配预算再细分至普查区域或邮政代码中心。普查区域是大约如同街道那样的小地区，而邮政代码中心(由美国邮政总局设计)是较大的区，常有一个小城镇的规模。关于人口数目、中等家庭的收入和其他特点的信息对各种类型的单位都是有用的。营销工作者发现这些数据对于在城市内确定高潜量零售区域或者为了开展直接邮寄活动而购买邮寄名单方面，特别有用。

表4—7 品牌发展指数的计算

地区	(a) 占美国品牌销售的百分比	(b) 占美国品种总销售的百分比	品牌发展指数
			$(a) \div (b) \times 100$
西雅图	3.09	2.71	114
波特兰	6.74	10.41	65
波士顿	3.49	3.85	91
托莱多	0.97	0.81	120
芝加哥	1.13	0.81	140
巴尔的摩	3.12	3.00	104

行业销售额和市场份额

除了估计总的潜量外，公司还需要知道发生在市场上的实际行业销售额。也就是说，它还必须辨认它的竞争对手和估计竞争者的销售额。

行业贸易协会虽然对各公司的销售量并不一一列出，但它经常收集和公布总的行业销售额。每个公司都可以利用这个渠道估算自己在本行业中的绩效。假如一个公司在一年中增加了5%的销售额，而行业的销售额的年增长率为10%，那么，这个公司实际上正在丧失行业中相应的地位。

对销售额估计的另一种方法是向审计总销售量和品牌销售量的营销调研公司购买报告。例如，尼尔森媒体公司审计超级市场和滞销品商店的各种产品品种的零售额，并向对之感兴趣的公司出售这类资料，利用这个方法，一个公司可以得到总产品品种的销售额和品牌销售额，同时，它还能把自身的绩效同总行业和/或任何一个特定的竞争者进行比较，以考察公司在市场份额上的得失。

一般说来，企业用品的营销人员估算行业销售额和市场份额要比消费品营销人员困难得多。这是因为前者没有尼尔森公司之类的组织可以依靠；同时，分销商不会提供有关他们所销售的竞争者产品的销售额情况。因此，企业用品营销人员对本公司的市场份额情况往往不很了解。

估算未来需求

我们现在准备探讨估算未来需求的方法。能够容易预测的产品和劳务是极少的。这种容易预测的条件通常在于一个产品的绝对水平或趋势是完全稳定的，并且竞争关系不存在(公用事业)或竞争关系稳定不变(纯粹的独占)。在大多数市场上，总需求和公司需求并不稳定，于是，可靠的预测成了公司成功的关键。预测失误可以导致存货过多、牺牲性的减价或由于缺货而丧失销售机会。需求越不稳定，预测的准确性就越是关键，因此，预测过程就越加复杂。

公司通常采用三个阶段的程序进行销售额预测。它们首先进行宏观经济预测，然后进行行业预测，最后进行公司销售预测。预测要求对通货膨胀、失业、利率、消费者开支和储蓄、企业宏观经济投资、政府支出、净输出以及与本公司有关的其他重要因素和事件进行分析。其结果产生一个全国总产出的预测，应用这种预测数据及结合其他环境指标，便可预测行业销售额。然后，公司把假设在行业销售中能达到的一定数量的份额作为它的销售预测的基础。

公司在实际上怎样进行宏观预测？许多公司可以向下列企业购买预测材料：

● 营销调研公司。它通过会见顾客、分销者及其他有见识的人士预测未来。

● 专业预测公司。它对特定条件下的环境作长期预测，诸如人口、自然资源和技术。它们中最著名的公司有数据资源公司、沃顿经济计量公司和蔡斯经济计量公司。

● 未来学研究公司。它产生推测性的预测方案，最著名的有赫德森(Hudson)研究所、财富集团和财富研究所。

所有的预测都建立在三个信息基础之上：人们说什么，人们做什么或人们已做了什么。第一个基础（人们说什么）包括对购买者或接近购买者的人诸如推销员、外部专家等的意见调查。它有三种方法：购买意图调查法、销售人员意见综合法和专家意见法。另一种方法是在人们做什么的基础上建立预测，即把产品投入市场试销以确定购买者反映。最后一个基础（人们已做了什么）包括分析过去购买行为的记录或采用时间序列分析或统计需求分析。

购买者意图调查法

预测是在一组规定的条件下预料购买者可能买什么的艺术。这种方法建议对购买者应该买什么进行调查。如果购买者有清晰的意图，愿付诸实施，并能告诉访问者，则这种调查就显得特别有价值。

在主要消费耐用品范畴内（如家电），一些调研组织对消费者购买意图进行定期调查。这些组织提问的方法如表4—8所示。

表4—8　　　　　　　　　　　　　对消费者购买意图调查的例子

你准备在 6 个月内买一辆汽车吗？					
0	0.2	0.4	0.6	0.8	1.00
不可能	有些可能	可能	很可能	非常可能	肯定

这就是所谓的购买概率量表(purchase probability scale)。此外，各种调查还包括询问消费者目前和未来的个人财务状况以及经济前景。各种信息的要点

都综合在消费者感情测量(密歇根大学的调查研究中心)或消费者信任测量(辛德林格公司)中。消费耐用品生产商了解这些指标,希望预料消费者购买意图的主要转移方向,从而使它们能相应地调整其生产和营销计划。

某些衡量购买概率的调查在新产品上市之前就能得到反馈。

　　阿科波尔(AcaPoll)　位于辛辛那提的阿科波尔是美国最大的新产品调查公司之一。1997年,它从25 000件产品中选择了400件最富有创新性的产品,在全国100家商店里进行测试。顾客会见到一张图片以及简短的描述,然后会被问到如下的问题:(1)你是否会购买这种产品?(2)你是否认为它是全新的和与众不同的?那些同时被认为独特和会购买的产品会获得"纯金奖"。那些仅被认为是独特而顾客不会购买的产品被称为是"蠢金奖"。阿科波尔1997年纯金奖产品中包括"女用脱毛剂"(它可以轻松地脱去女士腿上的毛)、本叔叔的钙加饭和肖德·威波斯(Shout Wipes)去污抹布;蠢金奖产品包括加咖啡因的果味OJ(一种加咖啡因的橙汁)、罗米戴特(Lumident)咀嚼牙刷(一种可以像口香糖一样咀嚼的牙刷)、基背(Back to Basics)(一种"微发酵"的啤酒洗发水,它使你的头发带酒香味)。[37]

　　在公司购买领域内,各类机构在进行关于工厂、设备和材料的购买者意图调查。这些机构中比较著名的是麦格劳-希尔(McGraw-Hill)研究所和意见研究公司(Opinion Research Corporation)。它们大部分的估计和实际结果相比,误差一般在10%以内,购买者意图调查对于工业产品、耐用消费品、要求有先行计划的产品采购和新产品的需求估计都有使用价值。购买者意图调查的价值将随着购买者人数不多、有效地接触购买者的成本不高、购买者有明确的意图、购买者遵从他们的最初意图且愿意透露他们的意图而提高。

销售人员意见综合法

　　当公司不能访问购买者时,则可要求它的销售代表进行估计。每个销售代表估计每位现行的和潜在的顾客会买多少公司生产的每一种产品。

　　很少有公司在利用它们的销售人员的估计时不作某些调整。销售代表是有偏见的观察者。他们可能是天生的悲观主义者或乐观主义者;他们也可能由于最近的销售受挫或成功,从一个极端走向另一个极端。此外,他们经常不了解较大的经济发展和影响他们地区未来销售的公司营销计划;他们可能瞒报需求,以达到使公司制定低定额的目的;他们也可能没有时间去作出审慎的估计或可能认为这不值得考虑。

　　为了促进销售人员作出较好的估计,公司可向他们提供一些帮助或鼓励。例如,销售代表可能收到一个他过去为公司所作的预测与实际销售对照的记录,以及还有一份公司在商业前景上的设想,有关竞争者的行为以及营销计划。

　　吸引销售人员参加预测可获得许多好处。销售代表在发展趋势上可能比其他任何一个人更具敏锐性。通过参与预测过程,销售代表可以对他们的销售定额充满信心,从而激励他们达到目标。[38]而且,一个"基层群众"的预测过程还可产生按产品、地区、顾客和销售代表细分的销售估计。

专家意见法

公司也可以借助专家来获得预测。专家包括经销商、分销商、供应商、营销顾问和贸易协会。例如，汽车公司向它们的经销商定期调查以获得短期需求的预测。然而，经销商的估计和销售人员的估计一样有着相同的优点和不足。许多公司从一些著名的经济预测公司购买经济和行业预测。这些预测专家处在较有利的位置，由于它们有更多的数据和更好的预测技术，因此，他们的预测优于公司的预测。

公司可以不定期地召集专家，组成一个专门小组和做一个特定的预测。请专家们交换观点并作出一个小组的估计(小组讨论法)；或者可以要求专家们分别提出自己的估计，然后由一位分析家把这些估计汇总成一个估计(个人估计汇总法)；或者由专家们提出各人的估计和设想，由公司审查、修改，从而更深化原估计[(德尔菲法（Delphi methed)]。[39]

过去销售额分析

销售预测可以以过去的销售情况为基础。时间序列分析（time-series analysis）把过去的销售数据分解成四种成分（趋势、循环、季节和偶发事件），然后，把这些成分再组合以产生销售预测。指数平滑法（exponential smoothing）是对下一期的销售预测，综合过去销售和最近销售的平均值，越到后面的权数越重。统计需求分析法（statistical demand analysis）揭示影响销售水平的重要因素(如收入、营销支出、价格)和研究它们相互影响的方法。最后，经济分析法（econometric analysis）是建立一组描述一个系统和过程的公式，从而进行参数统计。

市场测试法

在购买者不准备仔细地作购买计划，或购买者在实现他们购买意图时表现得非常无规则，或专家们并非是可靠的猜测者的情况下，一个直接的市场测试是必要的。直接的市场测试特别适用于对新产品的销售预测或为产品建立新的分销渠道或地区的情况(我们将在第11章详细讨论市场测试的方法)。

小结

1. 有三种发展使营销信息比过去任何时候更显得重要：全球营销的兴起，在购买者欲望上的新焦点，非价格竞争的趋势。

2. 为了履行分析、计划、执行和控制的责任，营销经理需要一个营销信息系统(MIS)。该系统的作用是评估经理们的信息需要，开发这一需要的信息和及时的分配信息。

3. 营销信息系统有四个内容：(1)内部报告系统是一个订单—收款循环和销售报告系统；(2)营销情报系统使公司经理获得日常的关于营销环境发展的

恰当信息的一整套程序和来源；（3）营销调研系统是系统地设计、收集、分析和提出数据资料以及在特定营销状况下的调查研究结果；（4）计算机化的营销决策支持系统帮助经理解释相关的信息，并把它们转化为营销活动的基础。

4. 公司可以由自己来做营销调研，也可以聘用其他公司为它们做调研。好的营销调研有如下特征：方法科学；具有创造性；采用多种调研方法；模型与数据的相互依赖性；成本—收益分析；有益的怀疑论和道德导向。

5. 营销调研的程序包括：确定问题和研究目标；制定调研计划；收集信息；分析信息和向管理层提交结论。在调研工作中，公司必须决定它是自己收集资料还是使用现存资料。公司必须决定使用哪一种调研方法（观察法、焦点小组访谈法、调查法、实验法）和哪一种调研工具（调查表或仪器设备）。另外，公司还必须决定抽样计划和接触方式。

6. 一个公司开展营销调研的主要原因之一是为了发现市场机会。一旦调研工作结束以后，公司必须仔细地评估它的机会并决定进入哪一个市场。一旦进入市场，公司就必须进行销售预测，而销售预测的基础是需求预测。

7. 这里有两种需求：市场需求和公司需求。为了估算当前需求，公司首先要确定总市场潜量、地区市场潜量、行业销售和市场份额。为了估算未来需求，公司可以采用购买者意图调查，征求销售队伍的意见，收集专家意见，或进行市场测试。数学模型、先进的统计技术和计算机数据收集是所有需求和销售预测所不可缺少的工具。

应用

本章观念

1. 以下每个问题都出现在一张调查表上。答卷人填完了这张表并将它反馈回调查公司。改变每个问题的所用词或形式，使答卷人更有可能提供调研公司所需的信息。

(1)你最喜欢哪个品牌？

(2)能告诉我，你有几个孩子，是男孩还是女孩，他们有多大了？

(3)关于你去的教堂所进行的慈善募捐，你有什么意见？

(4)你迟到的频率如何？

(5)汽车制造商是否在控制汽车尾气排放方面有了令人满意的进步？

2. 李维·斯特劳斯公司营销小组确定购买李维牛仔裤的男子可被分为五类。

(1)实用主义顾客：工作和娱乐时都穿着牛仔裤，是李维品牌的忠实追随者。

(2)跟着潮流走的顾客：高度崇尚时尚。

(3)买便宜货者：在百货商店和折扣商店里根据价格买东西。

(4)随大流的守旧者：超过 45 岁，由妻子陪伴在百货商店里购物。

(5)传统的独立自主者：有主见的购买者，单独在专卖店购物，要买"适合"他的衣服(买衣服的目的)。

营销小组的任务是制定开发"传统的独立自主者"细分市场的计划。该新产品是否应该以李维命名？这一产品能否通过李维的现有销售渠道成功销售？该公司应进行哪种正规市场调查以便对是否和怎样瞄准这一市场细分区作出决策？

3. 帮助公司调查以下问题，并提出建设性方法：

(1)酿酒公司需估计一个有禁酒法律的小镇的酒消耗量。

(2)杂志分销商想知道有多少人在医生办公室阅读专业杂志。

(3)男子生发剂制造商想知道至少四种能找到并访问使用其产品的男子的方法。

4. 一家玩具制造商正进行下一年的销售预测。公司预测者已估计了表4A—1中6个不同环境/战略组合的销售。他认为有商业不景气的可能性的概率为0.2，及正常时期的可能性的概率为0.8。他还认为公司的高、中、低市场预算的可能性分别为0.3，0.5和0.2。他将如何获得最终的销售预测？他可作哪些设想？

表 4A—1 销售预测

	高销售预算	一般销售预算	低销售预算
不景气	15	12	10
正常	20	16	14

营销与广告

1. 马里奥特公司的年收入已经超过了120亿美元。公司的主要业务是把握不同旅游者的需要并提供满意的服务。图4A—1中，马里奥特的广告是针对那些具有健康意识的商人旅游者。马里奥特公司应用什么样的内部数据信息来发掘商机呢？或者，如何发现某项服务设施如健康俱乐部或游泳池存在的问题呢？营销情报系统又将如何有助于增加马里奥特与别的同样针对商人旅游市场的竞争者的竞争呢？如果由你来设计马里奥特营销情报系统，你认为在这个系统中应包括哪些内容？为什么？

2. 拜尔公司（Bayer）的阿司匹林(见图4A—2)正处在与泰诺、阿德维尔（Advil）等许多止痛药的激烈竞争中。在下一年度的营销计划中，公司希望能够估计出未来的产品需求。进行一项购买者意愿的调查是否合适？你建议使用过去的销售分析还是直接进行市场测试？如果有一家竞争公司(该公司拥有较高的企业形象并正在开展几百万美元的宣传活动)推出一种新的止痛药，它会对拜尔公司在新产品预测方面产生什么样的影响？

聚焦技术

1994 年以来的每年间，佐治亚技术学院（Georgia Institute of Technology）曾对万维网的使用者进行了两项调查，以调查哪些人在使用这个网络，其中应

图 4A—1   图 4A—2

用的技术有哪些，使用者会遇到哪些问题，有多少人和公司依赖这项网上服务，它们如何使用网上金融服务。要想得到更多的信息，点击佐治亚学院的调查网址（www. cc. gatech. edu／gvu／user-surveys／）。浏览最新调查结果，当使用这些调查结果时，公司应注意哪些限制？这项调查代表哪类样本，为什么营销人员会关注这些内容？别的公司如联合航空公司应该如何应用这些调查结果以便利用网络售出更多的机票？

新千年营销

宝德信（Prudential）是一家利用数据库开展目标营销的许多公司之一。通过数据库，公司节约了费用，提高了反馈率，并向更狭窄的目标顾客邮寄特定保险单。访问这家公司的网址（www. prudential. com）。选择某件产品或服务，如人寿保险，找到两种应用数据库可以有效地扩大人寿保险市场的方法。利用数据库潜在的问题或危险是什么？这家公司的数据库还可以有哪些其他营销应用？

你是营销者：索尼克公司的营销计划

营销信息系统、营销情报系统、营销调研系统可以收集和分析营销计划中各个部分的数据信息，这些系统可以帮助营销人员测试市场的变化和发展趋势、竞争、产品使用情况、分销渠道及其他。并且，它们还能发掘出一些重要的机会及必须注意的危险等。

作为索尼克公司简·梅洛迪的助理人员，利用表 3—3 回答下列问题，这些问题是关于如何使用营销信息系统支持索尼克公司营销计划的开发与执行的。

● 哪些部分你需要第二手资料数据，或第一手资料数据，或两者都需要？为什么你会需要这些资料？

● 在什么地方你可以找到合适的资料？寻找到两个非因特网资源及两个因特网资源，简述你打算在每个资源中获得什么资料，以及你打算如何应用这些数据。

● 索尼克公司将需要用什么样的调查法、焦点小组访谈、观察法、行为数据分析或实验法来支持公司的营销战略，包括产品管理、定价、分销和营销传播，以及其他的索尼克公司能够通过营销调研解决的问题。

根据你导师的指导，将使用的营销数据及调研的信息，写入营销计划的适当部分中去，或者输入到营销计划软件的相应部分中。

【注释】

[1] See James C. Anderson and James A. Narus, *Business Market Management: Understanding, Creating and Delivering Value* (Upper Saddle River, NJ: Prentice Hall, 1998), Chap. 2.

[2] John Koten, "You Aren't Paranoid if You Feel Someone Eyes You COnstantly," *Wall Street Journal*, March 29, 1985, pp. 1, 22; "Offbeat Marketing," *Sales & Marketing Management*, January 1990, p. 35; and Erik Larson, "Attention Shoppers: Don't Look Now but You Are Being Tailed," *Smithsonian Magazine*, January 1993, pp. 70 ~ 79.

[3] From *Consumer Europe 1993*, a publication of Euromonitor, pnc. London: Tel = 4471 251 8021; U. S. offices: (312) 541-8024.

[4] Donna DeEulio, "Should Catalogers Travel the EDI Highway?" *Catalog Age* 11, no. 2 (February 1994): 99.

[5] John W. Verity, "Taking a Laptop on a Call," *Business Week*, October 25, 1993, pp. 124 ~ 125.

[6] Stannie Holt, "Sales-Force Automation Ramps Up," *InfoWorld*, March 23, 1998, pp. 29, 38.

[7] James A. Narus and James C. Anderson, "Turn Your Industrial Distributors into Partners," *Harvard Business Review*, March – April 1986, pp. 66 ~ 71.

[8] Kevin Helliker, "Smile: That Cranky Shopper May Be a Store Spy," *Wall Street journal*, November 30, 1994, pp. B1, B6.

[9] Don Peppers, "How You Can Help Them," *Fast Company*, October – November 1997, pp. 128 ~ 136.

[10] See *1994 Survey of Market Research*, eds. Thomas Kinnear and Ann Root (Chicago: Americasn Marketing Association, 1994).

[11] See William R. BonDurant, "Research: The 'HP Way,'" *Marketing Research*, June 1992, pp. 28 ~ 33.

[12] Kevin J. Clancy and Robert S. Shulman, *Marketing Myths That Are Killing Business*, (New York: McGraw-Hill, 1994), p. 58; Phaedra Hise, "Comprehensive CompuServe," *Inc.*, June 1994, p. 109; "Business Bulletin: Studying the Competition," *Wall Street Journal, p. A1. 5.

[13] For a discussion of the decision-theory approach to the value of research, see Donald R. Lehmann, Sunil Gupta, and Joel Steckel, *Market Research* (Reading, MA: Addison-Wesley, 1997)

[14] For an excellent annotated reference to major secondary sources of business and marketing data, see Gilbert A. Churchill Jr., *Marketing Research: Methodological Foundations,* 6th ed. (Fort Worth, TX: Dryden, 1995).

[15] Thomas L. Greenbaum, *The Handbook for focus Group Research* (New York: Lexington Books, 1993).

[16] Sarah Schafer, "Communications: Getting a Line on Customers, " *Inc. Tech* (1996), p. 102; see also Alexia Parks, "On-Line Focus Groups Reshape Market Research Industry, " *Marketing News,* May 12, 1997, p. 28.

[17] Roger D. Blackwell, James S. Hensel, Michael B. Phillips, and Brian Sternthal, *Laboratory Equipment for Marketing Research* (Doubuque, IA: Kendall / Hunt, 1970); and Wally Wood, "The Race to Replace Memory, " *Marketing and Media Decisions,* July 1986, pp. 166 ～ 167. See also Gerald Zaltman, "Rethinking Market Research: Putting People Back In, " Journal of Marketing Research 34, no. 4 (November 1997): 424 ～ 437.

[18] Chris Serb, "If You Liked the Food, Press 1, " *Hospitals and Health Networks,* April 5, 1997, p. 99.

[19] G. K. Sharman, "Sessions Challenge Status Quo, " *Marketing News,* November 10, 1997, p. 18; "Prepaid Phone Cards Are Revolutionizing Market Research Techniques, " *Direct Marketing,* March 1998, p. 12.

[20] Selwyn Feinstein, "Computers Replacing Interviewers for Personnel and Marketing Tasks, " *Wall Street Journal,* October 9, 1986, p. 35.

[21] For further reading, see Joanne Lipman, "Single-Source Ad Research Heralds Detailed Look at Household Habits, " *Wall Street Journal,* February 16, 1988, p. 39; Joe Schwartz, "Back to the Source, " *American Demographics,* January 1989, pp. 22 ～ 26; and Magid H. Abraham and Leonard M. Lodish, "Getting the Most Out of Advertising and Promotions, " *Harvard Business Review,* May – June 1990, pp. 50 ～ 60.

[22] John D. C. Little, "Decision Support Systems for Marketing Managers, " *Journal of Marketing,* Summer 1979, p. 11.

[23] Gary L. Lilien and Arvind Rangaswamy, *Marketing Engineering: Computer-Assistted Marketing Analysis and Planning* (Reading, MA: Addison Wesley, 1998).

[24] John D. C. Little, "BRANDAID: A Marketing Mix Model, Part I: Structure; Part II: Implement6ation, " *Operations Research* 23 (1975): 628 ～ 673.

[25] Leonard M. Lodish, "CALLPLAN: An Interactive Salesman's Call Planning System, " *Management Science,* December 1971, pp. 25 ～ 40.

[26] David B. Montgomery, Alvin J. Silk, and C. E. Zaragoza, "A Multiple-Product Sales-Force Allocation Model, " *Management Science,* Decwember 1971, pp. 3 ～ 24.

[27] S. W. Hess and S. A. Samuels, "Experiences with a Sales Districting Model: Criteria and Implementation, " *Management Science,* December 1971, pp. 41 ～ 54.

[28] John D. C. Little and Leonard M. Lodish, "A Media Planning Calculus, " *Operations Research,* January – February 1969, pp. 11 ～ 35.

[29] Magid M. Abraham and Leonard M. Lodish, "PROMOTER: An Automated Promotion Evaluation System, " *Marketing Science,* Spring 1987, pp. 101 ～ 123.

[30] Raymond R. Burke, Arvind Rangaswamy, Jerry Wind, and Jehoshua Eliashberg, "A Knowledge-Based System for Advertising Design, "*Marketing Science* 9, no. 3 (1990): 212 ~ 229.

[31] John D. C. Little, "Cover Story: An Expert System to Find the News in Scanner Data," Sloan School, MIT Working Paper, 1988.

[32] Robert Berner, "Image Ads Catch the Imagination of Dayton Hudson's Target Unit, "*Wall Street Journal*, October 3, 1997, p. B5.

[33] For further discussion, see Gary L. Lilien, Philip Kotler, and K. Sridhar Moorthy, *Marketing Models* (Upper Saddle River, NJ: Prentice Hall, 1992).

[34] See Russell L. Ackoff, *A Concept of Corporate Planning* (New York: Wiley-Interscience, 1970), pp. 36 ~ 37.

[35] For more information on NAICS, check the U.S. Bureau of the Census Web site, www. census. gov / epcd / www / naics. html.

[36] For suggested strategies related to the market area's *BDI* standing, see Don E. Schultz, Dennis Martin, and William P. Brown, *Strategic Advertising Campaigns* (Chicago: Crain Books, 1984), p. 338.

[37] Jeff Harrington, "Juiced-Up Orange Juice? Yuck, Buyers Say: Today AcuPOLL releases 10 Best and Six Worst New Products of '97, "*Detroit News*, December 7, 1997, p. D3.

[38] See Jacob Gonik, "Tie Salesmen's Bonuses to Their Forecasts, "*Harvard Business Review*, May – June 1978, pp. 116 ~ 123.

[39] See Norman Dalkey and Olaf Helmer, "An Experimental Application of the Delphi Method to the use of Experts, "*Management Science*, April 1963, pp. 458 ~ 467. Also see Roger J. Best, "An Experiment in Delphi Estimation in Marketing Decision Making, "*Journal of Marketing Research*, November 1974, pp. 447 ~ 452.

扫描营销环境

科特勒论营销：

今天，你必须比处在同一水平者跑得更快。

本章将阐述下列一些问题：

● 在追踪和确定宏观环境的机会中，可采用的关键方法是什么？

● 对于人文、经济、自然、技术、政治和文化力量等，有哪些关键发展值得重视？

　　成功的公司对它们的业务采用从外向内的观念。它们认识到，营销环境在一直不断地创造新机会和涌现威胁。这些公司认为，持续地监视和适应环境对它们的命运至关重要。一个持续不断创新它的品牌以适应变化的营销环境的例子是马特尔公司和它的芭比娃娃。[1]

　　马特尔（Mattel）　马特尔的天才在于能够一直保持它的芭比娃娃紧随时尚并且成为一种潮流。从1959年芭比娃娃出现以来，她就一直在满足所有女孩子都幻想的一种基本需要——扮演大人的角色。不过芭比的形象也在随着小女孩的梦想而改变。她们的梦想从"空中小姐"、"时装模特"、"护士"到"宇航员"、"摇滚歌手"、"总统候选人"。马特尔每年都会生产新的芭比娃娃以保持她的最佳形象：成就、魅力、浪漫、冒险、教育。芭比的形象同样也反映了美国的不同人口组成。马特尔从1968年起就介绍非裔美国芭比娃娃（公民权力运动的时候），并且公司同样介绍了西班牙及亚洲芭比娃娃。近年来，马特尔生产了水晶芭比娃娃（一种豪华型芭比）、波多黎各芭比（"芭比世界"的组合体）、大芭比（紧跟时装迷）、飞行时代芭比（一个飞行员），以及特罗和贝奇(Troll and Baywatch)芭比（儿童流行和电视剧商品）。行业分析估计每分钟可以售出2个芭比娃娃。每个美国女孩平均拥有8个不同版本的芭比娃娃。从1993年起，漂亮的塑料芭比娃娃的年销售额超过了10亿美元。

　　然而，许多公司并没有把环境变化作为机会。它们忽略或拒绝重要的变化，直至认识到已为时太晚。它们的战略、结构、体制和组织文化发展缓慢、陈旧且内外失调。许多巨人公司，如通用汽车公司、IBM 公司和西尔斯百货公司，由于长期忽视宏观环境的变化而遭受挫折。

对公司营销人员来说，其主要责任就是辨认有历史意义的市场变化。他们应该比公司的其他人员更善于追踪趋势和寻找机会。虽然组织中的每一位经理都需要观察外部环境，但营销人员有两种优势：他们有得心应手的工具（营销情报和营销调研）为他们收集营销环境的信息；他们还能花费更多的时间研究顾客和监视竞争对手。

在本章和之后的 4 章中，我们将讨论公司的外部环境（external environment）——对企业有影响的宏观环境力量，以及消费者市场、企业市场和它的竞争者。

分析宏观环境的需要和趋势

成功的公司能认识环境中尚未被满足的需要和趋势并能作出反应以盈利。公司只要能生产治疗癌症的药物、治疗精神病的化学药品、美味可口又不发胖的营养食品、实用的电动汽车和普通人能负担的住房或将海水淡化就能获益。

某些企业家个人和公司为未满足的需要创造了新的解决方法。地中海俱乐部满足了独身人享受异国情调的旅游假日；随身听和 CD 随身听使走路的人也能独自欣赏音乐；鹦鹉螺瘦身中心使人们的身材变得苗条；联邦快递公司创造了满足第二天邮件送达的需要。

通过确定趋势也能发现许多机会。

趋势（trend）是具有某些势头和持久性的事件的方向或演进。

当前主要趋势之一是妇女就业日益增加，这个趋势意味着需要增加对幼儿的日托业务、微波炉食品、职业女装产品线和其他业务机会。

辛普兰克斯知识公司（Simplex Knowledge） 越来越多的工作场所和托儿所都安装了诸如"我看见你"的监视设备，这些设备是由在纽约的辛普兰克斯知识公司生产的。这些系统不是用来监视托儿所里的工作，而是为了让家长能随时随地看到他们的孩子。托儿所里的工作人员用照相机给孩子们拍照片，然后把照片传到因特网上的一个安全的网站。父母虽然希望和孩子多待一段时间，但是由于他们工作繁忙，常不能实现。现在，他们就可以通过这套设备时时看到他们的孩子了，他们也可以放心了。[2]

萨默塞特广场购物街（Shops at Somerset Square） 虽然现在购物街的数量在不断减少，但是，一种为职业妇女服务的小型露天购物街正在兴起。康涅狄格州格拉斯顿伯里的萨默塞特广场就是这样一个露天的购物中心。它的特色是顾客可以订购专门商店的零售商品、可以进行电话购物。顾客事先打电话到店里去，讲清楚所需商品及其颜色和尺寸，接着店员就会为她准备好她所需的商品。很多店为了方便职业妇女在上班前和下班后购物，还非正式地延长了工作时间。[3]

我们需要区分出时尚、趋势和大趋势。时尚（fad）是"不可预测的、短暂的和没有社会、经济及政治意义的"。[4]公司可以抓住诸如滚石、芭比娃娃等时尚而盈利，但这里更多的是运气和恰到好处的时机而不是其他原因。

趋势比时尚有较多的预测性和连续性。趋势反映了未来的朦胧形状。根据未来学家费思·波普康（Faith Popcorn）的观点，趋势具有长期性，趋势在几个市场领域和消费者活动中可观察到，并与同时发生或出现的某些其他重要指标相一致[5]参见"营销视野——费思·波普康提出的经济的 16 个趋势"。

营销视野

费思·波普康提出的经济的 16 个趋势

著名的趋势观察家费思·波普康经营着一个称作头脑储备的营销咨询公司，监视文化发展的趋势。她为美国电话电报公司、百答公司、霍夫曼－罗氏公司、日产公司、罗伯梅特公司和其他许多公司提供咨询。波普康和她的助手提出了美国经济的 16 个主要趋势。在生活中你是否注意到了这些趋势？

1. 寻找支撑。把古代的实践作为现代生活的定位或支撑的趋势，这个趋势解释了芳香治疗、冥想、瑜伽以及东部民族文化的扩散流行现象。

2. 保持活力。渴望能过更有趣的生活。素食主义、低科技药品、深思以及其他的健康产品，就是这个趋势的一部分。营销人员可以顺应这种潮流在健康产品及服务中投资。

3. 超越金钱。渴望过一种简单的、不太刺激的生活，如一个经理突然离开了原有的高声誉的职业，远离大城市的喧闹，而搬到佛蒙特州过一种在床上吃早饭的生活，这种趋势以怀旧和转向小城镇为标志。

4. 参与小团体。面对嘈杂的世界，人们加入或从属于某个群体的需求在增加。营销人员正在推出相应的产品、服务及计划来使顾客感觉是某个团体的一部分，如哈雷－戴维森的"哈雷所有者集团"（Harley-Davidson's Harley Owners Group，HOG）。

5. 茧式生活。茧式生活是指一种将自己包裹起来，以躲避外部世界风雨的侵袭。人们正在将他们的家变成一个安乐窝：他们重新装饰他们的房间，整天坐在家里看电视和租借电影片，按商品目录订购商品，用他们的录音电话滤除外部世界的信息。社会茧式生活者是形容几个朋友经常在一起交谈，类似"沙龙"形式的一种小群体。四处周游的茧式生活者也是一种，这些人就在自己的汽车里面吃买来的饭，在汽车里打电话。

6. 追逐年轻化。年轻化是指这样一种趋势，即行为和感觉较之实际年轻。他们花在年轻化服装、染发和面部整容手术等方面的开支日益增加。他们正在进行一些更具娱乐性的活动，如购买成人玩具，参加成人野营，报名参加冒险性度假。

7. 自我中心。他们希望通过自己的拥有物和经验，表现自我。自我中心主义者为营销者提供了一种通过提供定制商品、服务和经验以获得成功的竞争机会。

8. 奇幻探险。奇幻探险满足了人们对于逃避日常生活琐事的感情上的需要。人们通过参加各种度假活动，品尝外来食品。对营销者来讲，这是一个创造新的幻想产品和服务的机会。这个趋势必然会助长在 21 世纪第一个 10 年内的虚拟真实的活动。

9. 女性化思维。认识到男性和女性行为和思考的不同，如男人来自火星，女人来自金星，这类书籍就是女性思维的一种表现。因为女性间的关系具有强大的推动力，如土星汽车公司与它的客户保持有良好的关系，而其中主要是女人。

10. 观念改变。"太大的就是差的"。这种思想使营销人员作出相应的反应，利用不同的方法使思维、行动和外观看起来趋于小型化，如米勒公司的板路啤酒，就是一种符合当代潮流的低发酵饮料。

11. 男性变化。男性传统观念在改变，男性不再是强健、有力的化身。这个趋势可以在广告中见到：抚育孩子的父亲及关心家庭的丈夫。

12. 99种生活方式。通过同时做几件事缓解时间压力。人们开始采用"多种工作同时进行的方式"，如上因特网的同时，用便捷电话进行交谈。营销人员可以利用99种生活方式的趋势，创立组合营销公司——同时开展多种服务。

13. 追求快乐。对自律的反叛及对快乐的追求，随着90年代早期的健康观念，现在的人们消耗更多的瘦肉、脂肪及食糖，而放弃了健康食品的替代品。

14. S. O. S.（拯救我们的社会）。越来越多的人要求承担更多的社会责任，包括教育、道德和环境。营销者对此最好的反应是努力呼吁他们自己的公司实施更重视社会责任的营销。

15. 小小的放纵。嗜好小小的放纵以获得偶尔的激情生活。一个消费者可能一周都按卫生健康标准饮食，然后稍稍放纵一下，吃一次哈根达斯冰激凌。或者，可能为午餐携带一个食品包，而在早餐时购买一个奢侈的星巴克糕饼。

16. 警觉的消费者。警觉的消费者是指那些不愿再忍受劣质产品和不合格服务的消费者。他们要求公司更有意识和责任感。所以，他们积极活动，抵制劣质产品，写投诉信和购买"绿色产品"。

哈雷－戴维森的主页展现了哈雷拥有者部分的家庭生活。

资料来源: This summary is drawn from various pages of Faith Popcorn's *The Popcorn Report* (New York: HarperBusiness, 1992) and Faith Popcorn and Lys Marigold, *Clicking* (New York: HarperCollins, 1996).

另一位未来学家约翰·奈斯比特（John Naisbitt）喜欢谈论大趋势（megatrends），它是"社会、经济、政治和技术的大变化，它的形成是慢的，但一旦形成，将影响7年～10年，甚至更长。"[6]奈斯比特和他的助手们运用内容分析法，即通过计算主要报纸上出现过的各条确切消息的数目，找出了大趋势。奈斯比特所确定的10大趋势是：

1. 繁荣的全球经济。
2. 艺术复兴。
3. 自由市场社会主义的出现。
4. 全球化生活方式和文化的民族主义。
5. 福利国家的私有化。
6. 太平洋地区的崛起。
7. 妇女领导权的衰落。
8. 生物时代。
9. 新太平盛世宗教的复活。
10. 个人主义的胜利。

这些趋势与大趋势值得营销者密切关注。只有与强大的趋势相吻合而不是反其道而行之，新产品或营销计划才能获得更大的成功。然而，察觉一个新的市场机会并不保证它会成功，即使它在技术上是可行的。例如，今天某些公司已创造了可携带的"电子图书"，只要插入磁盘便可阅读各种不同的书籍。但是，在计算机屏幕阅读和对这感兴趣或愿意支付该价格的读者数量不多。这就是为什么要进行营销调研以确定假设机会的利润潜力的原因。

主要宏观环境因素的辨认和反应

公司与它们的供应商、营销中介机构、顾客、竞争者和公众都在一个更大的宏观环境力量与趋势中运作，这个环境创造机会，也带来威胁，这些力量是"不可控制的"，但公司必须监视这个环境和对此作出反应。在经济舞台上，公司与消费者正在受到全球力量的影响。包括：

● 国际运输、通信和金融交易实质性地迅速发展，导致了世界贸易和投资的迅速增长，特别是在北美、西欧和远东这三个地区的贸易。
● 亚洲国家经济力量在世界市场的崛起。
● 贸易集团的兴起，如欧洲联盟和北美自由贸易协定。
● 某些国家面临严重的债务问题，同时国际金融体制也日趋脆弱。
● 越来越多地使用易货贸易和对销贸易，以支持国际贸易。
● 前社会主义国家的市场经济化和国有企业"私有化"的活动。
● 全球生活方式迅速传播。
● 大量新市场的对外开放，如中国、印度、东欧、阿拉伯和拉丁美洲国家。
● 公司多国化趋势超越了地区和国家的特点并成为跨国公司。
● 不同国家的大型跨国公司形成了更大的战略联盟。如MCT公司与英国电信公司，得州仪器公司与日立公司。

- 在某些国家和地区，道德与宗教冲突在增加。
- 在汽车、食品、服装、电子等行业全球品牌的发展。

高露洁公司（Colgate-Palmolive） 当高露洁公司推出全效（Total）品牌，即抗细菌医用牙膏时，它在菲律宾、澳大利亚、哥伦比亚、希腊、葡萄牙和英国6个国家进行市场测试。负责这个全球推广的小组名副其实像一个联合国的公司，开展经营、后勤和营销战略活动。它们的努力非常成功：高露洁全效在全世界销售了1.5亿美元并遍及75个国家，并在全世界使用统一的包装、定位和广告。[7]

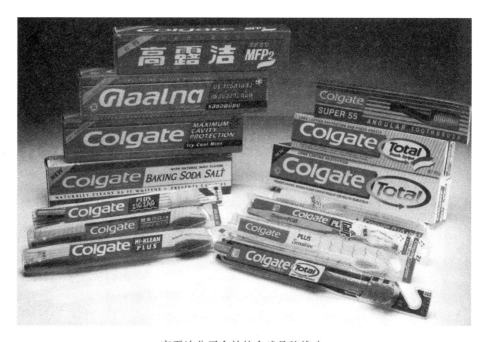

高露洁公司全效的全球品牌战略。

高露洁公司在全球的成功得益于它强调高露洁是牙齿护理产品。它的产品和包装设计除语言不同外，其他完全一样。

随着全球面貌的迅速变化，公司必须监视六种主要的力量：人文、经济、自然环境、技术、政治—法律、社会—文化力量。虽然这些力量有一定的独立性，但营销者必须注意它们之间的相互作用，因为它们是新机会与威胁的舞台。例如，人口爆炸式的增长（人文统计）导致了资源匮乏和污染（自然环境），它使消费者要求法律保护（政治—法律）。政府的限制刺激了新技术和产品（技术），如果人们承担得起（经济力量），它又会改变人们的观念和行为（社会—文化力量）。

人文环境

公司要注意的第一个因素是人口，因为市场是由人组成的。营销人员感兴趣的是在不同城市、地区和国家的人口规模和增长率、年龄分布和种族组合、教育水平、家庭类型、地区特征和运动。

世界人口增长

世界人口正呈现出爆炸性的增长。1991 年世界人口为 54 亿,并以每年增长 1.7% 的速度在增加。按照这一增长速度,到 2000 年,世界人口达 62 亿。[8]

人口爆炸是世界极为关注的一个问题,其原因有两个:一是因为地球上的资源(燃料、食品、矿产等)有限,可能不足以养活这么多人口。1972 年出版的《增长的极限》一书里列举了发人深省的事实,证明人口无节制的增长及消费的增加,必将导致食品供应的短缺,主要矿产的耗竭、人口过度拥挤、污染和生活质量的全面恶化。[9]对于人口问题,最强烈的建议之一就是对计划生育开展世界范围的社会营销活动。[10]

其二是因为人口增长最快的地方恰恰正是在那些最缺乏能力养活过多人口的国家和地区。目前,不发达国家和地区的人口已占世界人口总数的 76%,并以每年 2% 的比率递增,而世界较为发达国家和地区的人口仅以每年 0.6% 的比率递增。在发展中国家,死亡率由于现代医学的进步而下降,但出生率却一直相当稳定。要这些国家为儿童提供食物、衣服和教育并提高全国人民的生活水平,显然存在着很多问题。

世界人口的增长速度,对商业有很大的关系。人口增长意味着人类需求的增长。如果人们有足够的购买力,人口增长就意味着市场的扩大。另一方面,倘若人口的增长对粮食供应和各种资源的供应形成过大的压力,生产成本就会剧增而利润下降。然而,公司仔细地分析它们的市场也能找到大的机会。例如,为了防止人口增长过快,中国政府通过法律限制一个家庭只能生一个孩子。玩具营销者却注意到:中国的孩子从来也没有像现在这样被宠爱并弄得全家一片忙乱。中国的孩子成了"小皇帝",他们从糖果到电脑应有尽有。6 个大人——父母、祖父母、外公外婆,加上叔叔婶婶围着一个小孩团团转,这种趋势使得日本班德尔公司(Bandai)、丹麦莱哥集团和马特尔等公司进入了中国市场。[11]

人口年龄结构

自然人口的变化反应在他们的年龄结构上。极端之一是墨西哥,其有非常年轻化的人口和高增长率;另一个极端是日本,日本是世界上人口年龄最大的国家之一。在墨西哥最重要的产品是牛奶、尿布、学校用品和玩具,而在日本消费更多的是成年人产品。

人口可以细分成六个年龄组:学龄前,学龄儿童,少年(10 岁～19 岁),青年人(25 岁～40 岁),中年人(40 岁～65 岁),老年人(65 岁及以上)。对营销者来说,最大的人口年龄组构成了营销环境。在美国的"婴儿潮"(baby boomers),即 1946—1964 年出生的 7 800 万人口是市场上购买力最强的人群。婴儿潮意指他们年轻,而非年龄。对他们的广告处理是怀旧,最近重新设计的大众公司甲壳虫·(Beetle)或梅塞德斯－奔驰的广告特征是贾尼斯·乔普林(Janis Joplin)的摇滚音乐。有 4 500 万人、出生在 1965—1976 年的 X 代(Generation X)(或称朦胧代、20 岁群体和婴儿爆炸代)。他们看穿了市场上广泛促销的硬性兜售。广告主要引诱这个市场年龄大的人，而对他们来说，似乎无动于衷[12]：

米勒酿酒公司（Miller Brewing Company）　替代强壮的男性、短装的漂亮小姐、美丽的山间景色和突出啤酒形象的旧的啤酒广告，米勒公司的新的啤酒广告面向 21 岁～27 岁的年轻人，其广告宣传语为："是体现自己内部理想的时刻了"他们是充满激情的热狗的热爱者。[13]

迪森牛仔（Diesel Jeans）　迪森牛仔裤广告掀起了怪异服饰的新潮流，它是对主流文化的挑战。被称为"活着的原因"的广告使用了许多与我们的道德规范相背离的形象，如一位侍者将一位烤过的姑娘送到一头坐在餐桌旁的猪的面前。[14]

最后，美国婴儿潮和 X 代逐渐将他们的位置让给了新生代——后婴儿潮，即生于 1977—1994 年间的一代。这一代人有 7 200 万，同婴儿潮一代人的数量几乎相当。他们最突出的特点是对计算机及网络技术的熟练运用。因此，道格拉斯·塔普斯科特（Douglas Tapscott）将他们命名为网络一代(Net-Gens)。"对他们来说，数字技术决不比录像机或烤箱的技术更难"。参见"营销备忘——了解网络一代"。[15]

然而，营销人员是否应为每一代开发不同的广告呢？J·沃克·史密斯(Walker Smith)是《摇动时代：不同年代人群的雅克鲁维齐报告》的作者之一。他说：营销人员在每次创意时都应该注意对某一代人非常有效的广告是否会失去另一代人中的顾客。"我认为思路应该是具有较大的包容性，同时又为不同的人群进行适合他们的独特的设计。汤米·海弗格(Tommy Hilfiger)为青少年设计的服装上有大型的商标标志；而为婴儿潮设计的服饰只在口袋上有小型的马球标志，这就是一个品牌具有较大的包容性而不是排他性的策略。"[16]

营销备忘

了解网络一代

网络一代影响了成年人的购买情况。共同利益技术联合会（The Alliance for Converging Technologies）估计美国的少年及青年每年会花费 1 300 亿美元，并且还会影响他们的父母花费 5 000 亿美元。应该如何对这个群体进行营销？《不断增加的数字化：网络一代的成长》的作者道格拉斯·塔普斯科特忠告营销人员应该时刻谨记以下 5 条：

1. 选择权是一项他们深信的价值观。

2. 根据顾客的需要定制个性化服务。这些小孩在游戏中建立自己的游戏等级，自己建立自己的网页，希望得到自己喜欢的事物。

3. 让他们自己改变主意。他们生活的世界是他们通过敲击鼠标来改正自己的错误的，他们相信改变自己的主意不应该有任何的痛苦。

4. 在他们购买前请让他们试用。他们是使用者及实干家，他们拒绝专家的选择，而更喜欢自己作出决定。

5. 永远不要忘记他们会选择功能而非形式。"与上一代亲身体验了技术革新的婴儿潮不同，"塔普斯科特说："网络一代对任何新的技术见怪不怪。他们在计算机下成长起来，把计算机看做普通的家庭用品，这就使得他们关心技术可以做什么而不是关心技术本身。"

资料来源：Excerpted from Lisa Krakowka, "In the net," *American Demographics*, August 1998, p. 56.

民族市场

国家因种族不同而异。日本是一个极端，那里几乎每个人都是日本人；而美国是另一个极端，它拥有所有国家的民族。美国基本上可称为"大熔炉"社会，少数民族保持着各自的差异性、以邻为友和自己的文化。美国的人口（1997 年为 2.67 亿）中，73% 是白人，13% 是黑人。拉丁美洲人为 10% 且增长很快，其中墨西哥人最多（5.4%），依次为波多黎各人（1.1%）和古巴人（0.4%）。亚洲人为 3.4%，中国人最多，依次是菲律宾人、日本人、印度尼西亚人、韩国人。在美国的拉丁美洲裔和亚洲裔消费者，尽管有一些分散在其他地方，但主要集中在偏远西部和南部各州。之外，在美国生活的大约 2 500 万人（约 9%）是非美国人出身。

各个人口群体都有自己特殊的需求和购买习惯。有几家食品、服装和家具公司，已经专门为某一个人口群体或几个人口群体生产和推销产品。[17]例如，西尔斯公司已经意识到各种少数民族不同的偏好。

西尔斯公司（Sears） 西尔斯商店中至少 20% 的商品是拉丁货，它设计成西班牙式商店以实现它的西尔斯西班牙式营销方案。在南加州、得州、佛罗里达和纽约的超过 130 家商店赢得了这个标志。西尔斯的发言人说："我们努力使商店的销售人员讲两种语言，用两种标志并支持社会活动。"为拉丁人选择商品主要体现在颜色和尺码上。"我们发现，在西班牙裔社区的人们趋向于比大众化商店规模小的店，他们对特定场合下穿的衣服有极大的兴趣，且偏爱鲜艳的颜色。在商品线上，与主流市场差别不大。"

多目标营销：西尔斯的广告指向西班牙裔社区。

然而，营销人员必须谨慎，不要笼统区别各种少数民族。各个种族的消费者的背景可能与欧洲美籍人不同。格雷格·马克彼得（Greg Macabenta）是少数民族广告代理公司在菲律宾的专家，他说："这里的市场不像一个亚洲的市场"。他强调指出，有五种主要的亚裔美国人群，他们具有各自的市场特点，他们说不同的语言、吃不同的食物、信仰也不同，他们有着非常明显的国家文化特征。[18]

教育组

任何一个社会都可分为五个教育组：文盲，高中学历以下，高中毕业，大学和专家程度。在日本，99% 的人识字；而在美国，10% ~ 15% 的人是功能性文盲。但另一方面，美国有全世界最高的学历，大学生占 36% 左右。在美国教育人群的增加，使得对高质量的书籍、杂志和旅行的需求增加。

家庭类型

"传统家庭"被认为由丈夫、妻子和孩子(有时包括祖父母)组成。然而，在今天的美国，有些家庭是由"离婚"或"非传统"家庭组成，包括：独身生活，带有一个异性或同性的成年人生活在一起，单亲家庭，无小孩夫妇，空巢。更多的人是离婚或独身、不再选择结婚，或结婚较晚，或结婚但对小孩不感兴趣，各个家庭群体都有自己的需求和购买习惯。例如，SSWD（独身、分居、丧偶、离婚者）群体需要较小的公寓，便宜和小型的器具、家具和设备，小包装食品。营销者应当考虑非传统家庭的特殊需要，因为非传统家庭住户数的增长速度远远快于传统家庭住户数的增长速度。

同性恋市场是一个获利颇丰的市场，1997 年西蒙斯市场研究报告分析了美国同性恋报纸导读中所列的 12 年来出版物的读者后发现，与普通的美国市民相比，这些人中从事专业工作的人数是普通市民的 11.7 倍，拥有度假别墅的人数是普通市民的 2 倍，拥有笔记本电脑的人数是普通市民拥有量的 8 倍，拥有私人股份的人数是普通市民拥有量的 2 倍。[19]保险公司和金融服务公司也逐步认识到了同性恋市场的需要和潜力，同时也开始逐渐关注非传统家庭的市场。

美国运通财物咨询公司（American Express Financial Advisors, Inc.） 位于明尼阿波利斯城的美国运通财务咨询公司，开始发布为同性恋者理财的广告，这些广告刊登在两种很畅销的全国性同性恋刊物上：《外出》和《倡导者》。该公司分管市场的董事说："我们面向同性恋读者刊登及宣传他们的事务，让他们指导我们了解他们的特殊需要。通常，同性恋家庭非常关注社会保障、财产计划等，因为同性恋的婚姻通常得不到法律的认同。"[20]

约翰·汉考克互助人寿保险公司（John Hancock Mutual Life Insurance Company） 约翰·汉考克互助人寿保险公司曾经在有线电视网播放两则广告来关注单亲家庭以及职业女性的市场，这家公司现在开始关注那些处在特殊情况下的女性的特殊经济需要，公司的广告宣传语为："保险以备万一，投资以求机会"。[21]

人口的地理迁移

现在是人口大量迁移的年代。由于社会主义东欧的解体，民族主义东山再起并成为独立自主的国家。某些少数民族被这些新国家宣布为不受欢迎的，许多群体被迁移到安全地区。由于外国人进入其他国家寻求政治避难，某些当地群体开始抗议。在美国，有很多人反对从墨西哥、加勒比地区和某些亚洲国家移民至美国。但越来越多的移民表现出色。有远见的公司逐渐开始从不断增加的移民人群中得到更大的市场，并且它们开始专门对移民中的新一代展开营销。

1－800－777－俱乐部公司(1-800-777-CLUB，Inc.) 当马蒂·施(Marty Shih)和海伦·施(Helen Shih)兄妹在 20 世纪 70 年代刚刚从中国台湾移民到美国时，他们以在街头卖花为生，现在，他们拥有了有 800 名员工的电话营销公司——1－800－777－俱乐部公司。这家公司位于加利福尼亚的埃蒙德。这个数字代表着每天有 1 200 个电话，亚洲的移民用 6 种语言打到这里来寻求帮助。这 6 种语言包括：日语、韩语、普通话、广东话、菲律宾语和英语。内容从如何与移民局官员打交道到找人帮助解释电费单。施家兄弟利用这些电话建立相应的数据库，如姓名、电话号码及人文信息。这些数据库可以用在其他目的性较高的电话营销系统中。该公司服务最大的特点是那些营销人员能够让远离家乡的人们用他们的母语进行交谈。最近有一位越南移民，激动地拿起电话只是为使人听他讲越南语。去年，公司的电话营销为包括斯普林特(Sprint)和敦豪快递公司在内的公司售出了 1.46 亿美元的商品及服务。公司的数据库包括了 150 万个人名，30 万个企业，这个数据在亚裔美国家庭中应该是一个很高的比例。[22]

人口迁移同样包括人们从农村搬往城市，然后又迁向郊区。美国人口现在经历着另一种搬迁，在人文学中称为"城市化回流"。在 19 世纪，乡村地区中有大量的人口流向城市，而现在又在吸引许多的城市居民回迁，1990—1995 年间，随着人们从城市搬回小城镇，农村人口增长了 3.1%。[23]

超越金钱（Cashing Out） 万达·厄本思卡（Wanda Urbanska）及她的丈夫弗兰克·利弗林（Frank Levering）从洛杉矶中心搬到了北卡罗来纳州的芒特艾里（人口 7 200 人），开始了一种简单的生活。厄本思卡原来是《洛杉矶先驱报》的记者，利弗林原先是一位电影剧作家，繁忙的工作使他们没有时间享受他们所创造的物质财富，当利弗林的父亲得了心脏病以后，这对夫妻就打点行装回到了芒特艾里，帮助照看果园。他们一边经营果园一边作为自由作家完成了两本关于追求幸福生活的书——《简单的生活》和《搬往小镇》。[24]

围绕这种乡村生活可能存在的商机是迎合不断增长的建立小办公室—家庭办公室(small office-home office，SOHO)的需要。例如，准备装配（RTA）家具公司可能会在这些人中找到顾客，通信公司可以帮助他们建立与大公司之间的通信联系。

各地的人们有各自不同的商品与服务偏好。例如，由于人们向阳光地带迁移，对御寒服装及家用暖气设备的需求将会下降，而对空调设备的需求却会上升。昂贵的裘皮服装、香水、皮包和艺术品，绝大部分都在纽约、芝加哥、旧金山这些最大的城市里销售；歌剧、芭蕾舞和其他文化项目，也是在这些大城市里最受重视。另一方面，在郊区，生活比较随便，有较多的户外活动，与邻居间的往来多，收入高，子女比较年轻。郊区居民需要购买客货两用汽车、家庭自备修理车间的工具设备、花园摆设品、割草工具、园林工具及材料、野餐器具等等。各地区的生活习惯也不同。例如，西雅图人均购买牙刷的比例高于美国其他城市；盐湖城吃棒糖的人最多；来自新奥尔良的人们消费更多的番茄酱；迈阿密的人喝更多的李子汁。

大众市场向微观市场转变

所有这些变化所产生的影响，使市场从一个大众市场转变为更加分散的具有年龄、性别、地理、生活方式、民族背景、教育等差别特征的微观市场。每一个群体都有他们自己强烈的爱好和消费者特点，只有通过越来越具有差别性的媒介，才能与他们互相沟通。企业正在放弃那种虚构的"消费需求无区别的"消费者作为目标的"霰弹枪"的方法，而越来越多地根据各个微观市场的需求去设计产品和制定营销计划。

这些人文统计上的变化趋势就短期和中期而言是极为稳定的。企业不应该为人文统计上的变化而感到震惊。胜家公司本应该知道，近几年家庭小型化及妇女就业增多会对缝纫机行业产生消极的影响，但是，它的反应却十分迟钝。因此，企业需要认清这些人文变化的主要趋势并弄清这些变化趋势对它们的影响，以及它们应采取什么行动。

许多营销人员都把家庭办公室市场看做是一个利润颇丰的市场，有将近4 000万的美国人借助各种电子设备（数字电话、传真机和小型机）在家里工作。金果复印中心就是一家迎合这种微型市场的公司。

金果复印中心（Kinko's Copy Centers）　20世纪70年代初建立时，金果复印中心是一家面向校园的复印公司。它现在发展成良好装备的为家庭办公室服务的公司。公司开始营业时只有复印机，现在，遍布美国及世界许多国家的902家金果分店以拥有传真机、快速彩色打印机、配有大多是通用软件的计算机和快速网络服务为特色。人们可以在金果的分店完成所有的办公室业务：复印、接发传真、使用各种计算机软件、上网、订购文具及其他打印耗材，甚至开电话会议。随着越来越多的人们加入到家庭办公的行列，这家每小时要价为12美元的公司有望通过延长人们在店内的时间来增加收入。除了增加现代化设备外，金果还在讨论在店旁开设咖啡店，贴在金果门上的标记总结了这个盈利达10亿美元的新行业的经营方式："你的办公室分支机构／24小时开放"。[25]

经济环境

市场不仅需要人口，而且需要购买力。实际经济购买力取决于现行收入、价格、储蓄、负债及信贷。营销者必须密切注意表现在收入与变化中的消费者支出模式的主要趋势。

收入分配

各个国家在收入水平和分配上有很大的差异。一个主要的决定性因素是这些国家的产业结构。四种产业结构的描述如下：

1. 自给型经济。在自给型经济里，人口的绝大多数都从事简单农业生产，产品的大部分都被生产者自己消费掉了，多余的产品用于简单的物物交换，换取所需的产品与服务。这种经济形式给市场提供的机会不多。

2. 原料出口型经济。这一类经济往往存在于某种或某几种自然资源十分丰富，而其他资源却十分贫乏的地区。它们的大部分收入都来自这些资源性产品的出口。例如，扎伊尔(铜)，沙特阿拉伯(石油)。这些国家是采掘设备、工具和各种消耗品、原料加工设备及汽车的大好市场。西方消费品和奢侈品在这里也有一定的市场，不过，这得看那里的外国居民和当地统治者及富豪人数的多少。

3. 工业化进程中的经济。处在工业化进程中的经济，制造业的产值已占国民生产总值的 10% ～ 20%。如印度、埃及和菲律宾。随着制造业的发展，这些国家对纺织原料、钢铁和重型机器进口的依赖更大，对纺织品、纸制品和汽车进口的依赖减少。工业化也产生了一个新的富有阶级、一个人数不多但仍在扩大的中产阶级，这两个阶级都对某些新产品有需求。

4. 工业化经济。工业化经济是制成品和投资资金的主要输出者。工业化经济相互间进行制成品的贸易，而且还向其他类型的经济出口产品，以换取原材料和半成品。这些工业化国家拥有各种大量的生产活动，有规模可观的中产阶级，使这些国家成为各种产品丰富的市场。

一个国家收入的分配除了与其产业结构有关，还受该国政治制度的影响。国际营销人员把各国的收入分配分为五种类型：(1)家庭收入极低；(2)多数家庭低收入；(3)家庭收入极低与家庭收入极高同时存在；(4)低、中、高收入同时存在；(5)大多数家庭属于中等收入。假如像兰博基尼（Lamborghinis）这种每辆价值 15 万美元的汽车要寻找市场，那么在第(1)种和第(2)种收入分配类型的国家里，市场是极小的。兰博基尼汽车的最大出口市场是葡萄牙[属第(3)种收入分配类型]，虽然葡萄牙是西欧最穷的国家，但那里却有足够富裕的家庭买得起这种汽车。

自 1980 年以来，美国人口最富有的人群中的 50% 感觉到他们的收入增加了 21%，而收入最低层的 60% 人口的收入却停滞不前甚至有所下降。根据调查统计局的统计数据表明，20 世纪 90 年代美国的收入两极化水平比第二次世界大战以来的任何时期都要强烈，这将导致出现两极化的美国市场，有足够的富裕人口购买昂贵的产品，而一般工薪阶层只能小心翼翼地花钱，前往折扣店购买，并且选择较为便宜的品牌，那些提供中档商品的老式零售商最容易受到冲击，而能够根据这种趋势及时调整其商品定位在两个极端的公司盈利颇丰。[26]

加普（The Gap）　在加普的巴拿马商店，牛仔裤售价58美元；而在它的老海军商店，牛仔裤的售价为22美元。这两个商店的生意都非常兴旺。

加普在线主页：根据美国人口中特定收入的人的需要和兴趣定制衣服。

沃尔特·迪斯尼公司（Walt Disney Company）　沃尔特·迪斯尼公司拥有 A. A. 马林(Milne)的威尼－波奇（Winnie-the Pooh）及它的朋友的销售权，它正在为两种新的波奇进行营销。其形象在中国非常好，银制餐具，昂贵的儿童文具，在高档专卖店及大百货公司出售。卡通形象的波奇穿着红色的 T 恤傻傻的微笑，带着塑料钥匙链，塑料小床及动画片，小波奇可以在沃尔玛商场及一些折扣店买到。

美国篮球协会（The National Basketball Association）　美国篮球协会对纽约麦迪逊广场比赛前排坐位的票价规定为 1 000 美元一张。然而，由于担心有些家庭无法承担 200 美元一张的平均票价而失去球迷，NBA 的营销人员设计了一些低价票区及一些娱乐性节目，如巡回篮球展览。

储蓄、债务、信贷的适用性

　　消费者的支出还受消费者储蓄、债务和信贷适用性的影响。例如，日本收入的 13.1% 用于储蓄，而美国的消费者储蓄率为 4.7% 。其结果是日本的银行比美国的银行有更多的钱和更低的利息贷款给日本企业，这使日本公司拥有较便宜的资本以加快发展。美国的消费者有很高的债务—收入比率，这进一步减缓了房屋或大额票据的支出。信贷在美国非常适于低收入购买者，但利息相当高。营销者必须非常注意收入、生活费、利息、储蓄和借款形式的任何变化，因为这对生产收入与价格高敏感产品的企业特别具有重大影响。

自然环境

自然环境的恶化是全球所面临的一个主要问题。在许多世界性城市，空气与水的污染已经达到了危险程度。人们也广泛关心化学产品导致地球臭氧层形成空洞的"绿屋效应"。在西欧，"绿色"组织在报刊上宣传减少工业污染。在美国，几位思想先驱，撰写了关于生态恶化的报告，而监护团体，诸如西拉(Sierra)俱乐部、地球之友等，不仅关注这些事情，而且还将其转化为政治与社会的活动。

新的法律已沉重打击了某些行业。钢铁厂和公用事业不得不花费几十亿美元投资于控制污染设备和采用价值较高的燃料；汽车制造厂不得不在汽车上采用昂贵的控制尾气装置；制皂业不得不去研制低磷洗涤剂。

市场营销者应该明白，威胁与机会是同物质环境的四个趋势连在一起的：原料短缺，能源成本的增加，污染的增加和政府作用的变化。

原料短缺

地球上的资源由无限资源、可再生的有限资源和不可再生的有限资源组成。尽管有些团体看到了无限资源(如空气)长远的危机，但眼前还不会有问题，一些环境保护团体曾酝酿提出一项禁止使用自动喷雾罐里的某些加压剂的建议，因为这些加压剂会破坏大气的臭氧层。而在世界的某些地方水资源的短缺和污染已经成为主要问题。

可再生的有限资源(如森林、食物)需精打细算地充分利用。林业企业在采伐木材之后，必须再在林带植树，以保护土壤并保证以后有足够的木材供应，以满足未来的需要。食物的供应是个大问题，因为可耕地面积相对有限，而城市地区的扩大却又在不断地蚕食农田，粮食供应仍旧是一个主要的问题。

不可再生的有限资源(如石油、煤炭、白金、锡、银)问题看来十分严重。使用稀有矿藏为原料的企业，即使原料供应有来源，也会面临成本大幅度上升的问题。它们可能发现很难把成本的增加部分转移到消费者头上去。从事研究与开发及勘探的企业，在开发有价值的原料新来源和新材料方面，有着巨大的机会。

能源成本的增加

石油这一不可再生的有限资源，已经构成未来经济增长所遇到的最严重的问题。油价在 1970 年时每桶为 2.23 美元，1982 年每桶高达 34 美元，这激起了对替代能源发疯似的研究。煤又重新被普遍使用，企业还在探求太阳能、原子能、风能及其他形式能源的实用性手段。仅仅太阳能领域，已有成百上千的企业、机构推出了第一代产品以用于家庭取暖和其他用途。还有一些企业，正在研究有实用价值的电动汽车，倘若能成功，研制者将可能得到数十亿美元的市场奖赏。

对能源替代资源的开发和更有效地使用能源导致了原油价格的下降。低价对石油勘探不利，却明显地使用油企业和消费者的收入提高了；同时，寻找能源替代资源的工作还在继续。

污染程度的增加

有些工业生产活动将不可避免地破坏自然环境的质量。如化学废物及核废料的处理、海水里水银的含量、土壤和食物里 DDT 及其他化学污染物的含量、乱扔瓶子、塑料及其他包装废物对环境的影响。

一个研究报告显示，美国有 42% 的企业为"绿色产品"付出了高的价格。这也为那些警觉的企业创造了市场机会。比如，给污染控制技术及产品(如清洗器、回流装置等)创造了一个极大的市场，促使企业探索其他不破坏环境的方法去制造和包装产品。明智的公司不是弄脏自己的脚，而是开展环境友好运动，以表示它们对世界环境未来的关注。3M 公司开展防止污染计划，结果同时减少了污染和成本；陶氏公司在艾伯塔建立的一个新乙烯厂，减少了 40% 的能源和 97% 的污水；美国电话电报公司使用一个特殊的软件色来挑选最少的有害原材料，切断有害的废物，减少对能源的使用和改进在产品操作中的循环；麦当劳和伯克王公司限制使用塑料盒和纸巾，改用再生纸做包装。[27]

对衣服干洗溶剂毒性的关注，为新的绿色清洁剂创造了机会，但公司仍面临着激烈的竞争。参见"新千年营销——一种新型环保型清洁剂"。

新千年营销

一种新型环保型清洁剂

如果你需要有一套干净体面的衣服来参加在迈阿密召开的销售会议，而你的航班是在会议召开前 24 小时出发，你是否打算利用街角的"干洗店"，容忍它们使用对环境有危害的甚至是致癌的化学物质？或者，你打算穿过小镇到"湿洗店"，它们将使用不会对环境造成危害的方法（并使衣服闻起来没有有害物的味道）？如果你是一个普通的消费者，你会选择方便的方法解决问题，而不考虑健康或环境吗？

大多数干洗店采用的某种溶剂是被环境保护协会列为可能致癌的物质之一(不久有望会有更多的关于这种物质的危害性的文章出现)。如果有某种产品能够让人们的衣服光彩照人，人们就会对环境的变化漠不关心。1996 年，对匹兹堡市郊区 30 家干洗店进行了调查，唐·库瓦克(Dan Kovacks)向消费者提出了这样的疑问：如果他们知道干洗店对健康不利，他们会怎么做？大多数的人们回答说会降低干洗的频率而不是考虑选择别的清洁方法。

然后，一种新型的对环境不造成影响的干洗剂开始出现，因为他们相信如果有对环境不造成危害的干洗剂，顾客就不会选择有毒的产品，已经有 6 000 家干洗店选择了这种替代产品。使用这种无味的新型产品的人们有 95% 的承认，这种从石油中提炼出来的产品可以清洗掉许多以前认为是无法清理掉的污迹。只有小部分的店是以肥皂水为基础的"湿洗店"。所有这些使用替代品的清洗店(自然清洗店，Ew-Mat 或绿色清洗店等)，其价格与那些使用有毒溶剂的干洗店不相上下。自然清洗店开在丹佛市的两家传统干洗店之间，在开业仅 6 个月后这家店就破产了，它的老板克里斯·康福特（Chris Comfort）正打算在博尔德开第二家店。

干洗业实在是一个非常小的行业，绿色清洁剂潮流有可能会在大型的国际化公司中找到机会。埃克森公司生产的一种新型的从石油中提取的清洁剂 DF 2000，已经在欧洲得到了广泛的运用。休斯（Hughes）环境系统公司(瑞森公司（Roytheon）的一个分公司)和在加利福尼亚的全球技术公司，推销一种用液态二氧化碳清洗衣服的新方法。宝洁公司介绍一种新型的家用替代品，可以让人们在家里进行干洗，然而，为避免与这类快速增长的新型产品列入同一类，宝洁公司在广告中强调了它的方便，而不是它的绿色环保的优势。

资料来源：Jacquelyn Ottman, "Innovative Marketers Give new Products the Green Light," *Marketing news,* March 30, 1998, p. 10; Shelly Reese, "Dressed to Kill," *American Demographics,* may 1998, pp. 22～25; Stacy Kravetz, "Dry Cleaners' New Wrinkle: Going Green," *Wall Street Journal,* June 3, 1998, p. B1.

在环境保护中政府作用的变化

各国政府对促进环境清洁的关注与反应是不同的。一方面，德国政府致力于提高环境的质量，其一部分原因是来自强大的绿色运动的压力，另一部分原因是原民主德国环境污染损害的教训。另一方面，许多贫穷国家对污染无动于衷，其原因是资金缺乏或没有政治动力。对富国来讲，帮助穷国控制污染是有好处的，但富国今天同样缺少资金。一个主要的希望是全世界的公司接受更多的社会责任并制造一些价格便宜的能控制和减少污染的设备。

技术环境

改变人类命运最戏剧化的因素之一是技术。技术创造了许多奇迹，如青霉素、心脏手术、避孕药品；技术也造出了恐怖的魔鬼，如氢弹、神经性毒气、冲锋枪；技术还造出了诸如汽车和电子游戏机等福祸兼备的东西。

每一种新技术都是一种"创造性破坏"因素。晶体管危害了真空管行业，复印机伤害了复写纸行业，汽车使铁路的经营日趋清淡，电视拉走了电影的观众。如果传统行业不采用新技术，而是压制它、轻视它，那些传统行业的生意必定衰落下去。

经济的增长率受到了有多少新技术被发明的影响。遗憾的是，技术发明并不总是很均匀地出现——铁路行业曾吸引了大量的投资，随后却出现了投资不足，直至汽车行业问世；收音机也曾吸引过大量的投资，可是在电视机问世之前，无线电行业也出现过投资不足的现象。在这两项重大发明之间的这段时间里，经济可能出现停滞。

与此同时，许多小革新却在填补技术缺口：冷冻干燥的咖啡、洗发护发香波、防汗除臭剂，等等。小发明风险小，但关键的争论是目前的研究太多地投入在产品的小改进上而不是大的突破上。

每种技术都会产生长期的重大影响，而且都超出了人们原先的估计。例如，避孕药使家庭规模变小，更多的妇女婚后就业，可任意支配的收入增加——结果就能够花更多的钱去度假、购买耐用消费品及用于购买贵重用品。

营销人员应该看到技术的下述趋势：技术变革步伐加快；无限的革新机会；变化着的研究与开发预算；增长着的技术革新规定。

技术变革步伐加快

在今天供应的普通产品中，有许多是 40 年前闻所未闻的。约翰·F·肯尼迪（John F. Kennedy）没有看见过个人电脑、数字手表、录像机和传真机。新构思与成功应用之间的时间差正在迅速缩短；技术引入期至生产高峰之间的时间差正在大大缩短。今天的科学家是古往今来所有科学家的 90%，技术是依赖技术本身得以发展的。

先进的个人电脑和传真机的出现造就了电信传播（telecommute）——人们可以坐在家里工作，而不必每次单程花费半个小时或者更多的时间往返于上下班的路上。这将会减少汽车的污染，使家庭作为一个工作单位而更紧密地聚合在一起，并带来更多以家庭为中心的娱乐与活动。而且，它还会对购买行为和营销绩效产生巨大的影响。

无限的革新机会

科学家们现在正从事范围惊人的新技术的研究，这些新技术将会给我们的产品及生产过程带来革命化的影响。正在进行的最为令人兴奋的研究领域是微生物技术、固态电子学、机器人和材料科学。[28]科学家们现在正在加紧研究艾滋病治疗、安定药、止痛药、绝对安全的避孕技术及不会使人发胖的美味营养食品。他们正在设计能救火、深水探测和家庭护理的机器人。此外，科学家们还正在考虑一些尚带幻想性的产品，如小型飞行汽车、立体电视、太空居住。这些挑战不仅仅涉及技术问题，而且还关系到商业问题——即要研究出人们买得起的产品。

公司已经采用了虚拟现实的技术，它使用户通过声音、视觉和接触，进入三维的计算机操作环境。如今，虚拟现实已应用于汽车设计、厨房布置、室外房屋设计和其他潜在的供应品上，以收集消费者的反应。

虚拟真实技术通过使用者的视觉、听觉和触觉让使用者进入到计算机模拟的世界。目前，很多虚拟真实应用软件都需要一只电话听筒和一些手控输入设备。（左图）计算机星公司（CyberSim）的虚拟真实应用软件给打算购买房子的顾客提供了模拟未来家庭的技术，购房者可以在模拟房子里随处走动，仿佛那所房子是真的，虽然房子还没建成。（右图）另一种虚拟真实应用软件给打算买车的顾客提供了模拟在城市里驾驶他所中意的小汽车的技术。

变化着的研究与开发预算

美国每年在研究与开发方面的投入(740 亿美元)都领先于其他国家，但 60% 的费用打上了失败的记号。因此，需要把更多的经费用于研究材料科学、生物技术和微机械学中。与此同时，日本的研究与开发费用增加得很快，并用相当大的部分探索物理、生物和计算机科学的问题。[29]

美国在研究与开发费用上的日益增长本身是研究与开发发展的一部分，一个被日益关注的问题是美国是否要在基础科学上保持领先地位。许多公司都热衷于产品的小改进而不是冒风险去搞重大的革新。甚至像杜邦、贝尔实验室和辉瑞(Pfizer)那样从事基础研究的公司，也都十分小心谨慎。许多企业只满足于花钱模仿竞争对手的产品，只在特性和式样上作一些改进。企业所进行的研究，多数是防御性的而不是进攻性的。更多的迹象表明，许多重要的突破是许多公司联合研究的结果，而非单一公司闭门造车的结果。

增长着的技术革新规定

随着产品变得越来越复杂，公众需要在产品使用中保证他们的安全。因而，政府机构便扩大了对可能不安全的产品进行调查并禁止生产和使用的权力。在美国，联邦食品与药物管理局已经颁布一些关于新药试验的详细规定。食品、汽车、服装、电器用品和建筑等行业，也增加了关于安全和健康的规定。营销者在提议、开发和推出新产品时，必须知道这些规定。

政治—法律环境

市场营销决策在很大程度上受政治和法律环境变化的影响。政治与法律环境是由法律、政府机构影响和制约各种组织及个人的压力集团构成的。有时，这些法律可为企业创造新的机会。例如，强制性的回收利用再循环法律给再循环行业回收材料生产新产品带来了巨大的机遇。

     威猛（Wellman）　1993 年，威猛向外界公布了它的新产品 PCR 纤维，PCR 纤维是由可循环利用的汽水瓶制作的，并且在第一年其销售额就达到了 80 万英镑。如今，威猛的年销售额达到了 1 500 万英镑，并与国内的诸如米利肯、莫尔登工厂（Malden Mills）以及戴伯斯巴公司（Dybersburg）有良好的合作关系。在 1998 年的冬季户外零售商展销会上，威猛公司推出了它的新产品 EcoSpun 方形纤维，该产品具有防潮性，它是公司为脱离当时传统纤维设计原理和为展销会特别设计的。

对商业进行管理的立法

对商业立法有三个主要目的：保护公司不受不公平的竞争；保护消费者利益不受不正当商业行为的损害；保护社会利益不受失去约束的商业行业的损害。对商业立法的一个主要目的就是向企业收取因其产品或其生产过程所发生的社会成本。

这些年来，立法对商业的影响一直在不断增加。欧盟为 15 个欧盟成员国建立了新的法律框架，包括竞争行为、产品标准、产品责任、社会交易等。前苏联和东欧国家也在加快立法，以推动和规范开放的市场经济。美国有许多法律涉及竞争、产品安全和责任、公平交易与信用实施、包装和标签，等等。[30] 有些国家的消费者法规比美国的更为严厉。挪威禁止某些促销形式(如交易印花、竞赛、赠奖)，认为这是不适当或"不公平"的推销产品的手段；泰国要求食品加工商销售国产品牌，以在市场上降低品牌的价格并让低收入的消费者能在货架上发现经济实惠的品牌；在印度，食品公司在推出和市场上已有产品相似的品牌时需要专门审批，如另一种可乐饮料或大米品牌。

商业立法所提出的一个中心议题是：遵守这些法规所付出的代价是否超过实施这些法规所带来的效益?执法人并非在任何时候运用法律都是公正的；他们常常显得过分热心和缺乏企业及其营销活动如何运行和工作的实际知识。尽管每一个新法律可能在立法上是有道理的，但从其总体效益来说，却可能挫伤主动性和积极性，使经济增长减慢。

营销人员应该熟谙关于保护竞争、消费者和社会方面的主要法律知识。公司通常可设立一套法律审查程序，并颁布伦理道德标准，用以指导营销经理的决策。随着越来越多的公司进入电子空间，营销人员应该更加注重其职业道德。尽管美国在线取得了巨大的成功，成为全美最流行的网络服务公司，但它同样每年会由于营销方面的不道德手段而损失上百万美元。

美国在线公司（America Online, Inc.）　1998年，美国在线公司同意支付赔偿金260万美元和改进部分经营方法，以解决由44名国家辩护律师所提出的公司欺骗网民的案件。在这个案件中，美国在线没有向消费者解释清楚"50个小时的免费上网"这件事，并称这50个小时只在一个月内有效，一个月后，消费者上网必须交纳上网费用，而消费者不这么认为。这也是美国在线公司在两年内第三次被推上法庭的被告席。1997年初的被起诉，是由于公司的数据网络堵塞(网络堵塞的原因是由于网络费的降低导致用户数量超过公司设备容纳的范围)；1996年底的被起诉，是由于公司提高用户的网络费引起的。这三起事件不仅花费了美国在线3 400万美元，而且给公司带来了一系列的负面社会影响，这就要求美国在线继续努力以正视这一现实。[31]

特定利益集团的成长

在过去的30年里，特定利益集团的数目和力量都有增加。政策行动委员会(Political-action Committees, PACs)游说政府官员，并对企业经理施加压力，要他们更加注意消费者的权利、妇女的权利、老年人的权利和少数民族的权利，等等。许多公司都已建立了公众事务部，研究与处理与这些集团有关的事务。消费者主义运动（consumerist movement）是一股影响企业的巨大力量(消费者主义是人民和政府的一种有组织的活动，其目的是增加买方的权利和力量)。消费者主义倡议和获得的权利有：贷款利息的真实成本、竞争品牌中每一产品单位的实际价格(单位价格)、一个产品的基本成分、食品的营养质量、产品新鲜程度和产品的真实效用。为了响应消费者主义运动，有些公司建立了消费者保护部门以帮助制定公司政策和响应消费者主义运动。惠而浦公司就是其中之一，它设了一个免费电话，供对惠而浦的产品不满的人反映情况之用，它还扩大了产品的保证范围，并用基础英语重写这些产品保证。

很清楚，新法律的问世、更严格的执法和各种压力集团数目的增加共同对营销人员增添了更多的限制。营销人员不得不协同公司法律顾问和公共关系部门一起清理他们的计划。例如，保险公司直接地或间接地影响着烟雾检测器的设计；科研团体由于谴责喷雾剂的使用而影响着喷雾产品的设计。从本质上分析，许多私人营销交易活动已纳入了公众领域范畴。

社会—文化环境

人们赖以成长和生活的社会形成了人们的基本信仰、价值观念和生活准则。人们几乎是不自觉地接受了规定着他们相互之间、与其他人、与自然及与宇宙关系的世界观。

● 人们和他们自身的关系。人们在相对强调自我满足，各持不尽相同的态度。在20世纪60年代和70年代，"寻找乐趣"的人追求快乐、变化和逃避现实。其他人则追求自我实现。人们使用产品和享受服务，被当作自我表现的手段。他们购买梦想中的汽车，度过梦想中的假期，他们花费较多的时间进行户外健身活动(慢跑、打网球)、进行反省、制作艺术品和手工艺品。然而，今天的人们与此相反，他们采用较保守的行为和抱负。他们认识到现在是艰苦的时期，长期雇用在减少，真实的收入在增加。在支出时他们更谨慎，在购买中他们更重视价值导向。

● 人们与其他人的关系。一些观察家发现社会正在出现由"自我社会"向"集体社会"转化的逆向运动的趋势。人们关注无家可归、犯罪、受骗者和其他社会问题。他们向往生活在一个更高雅的社会中；同时，人们追求"自我利益"和避免外来人。这就预示，以社会为基础而能增强人们相互直接沟通的产品与服务(如保健俱乐部、度假和游戏等)将有光明的前途。这也揭示了那些"社会替代品"及能使孤单人觉得他自己并不孤独的商品(如电视、家用电子游戏机和因特网上的聊天室)的市场将会不断地扩大。

● 人们与组织的关系。人们对公司、政府机构、工会、大学以及其他各种组织的态度各不相同。大多数人都愿意与各种组织打交道，尽管有些人对某些组织的态度非常不满。然而，人们对组织的忠诚程度却在下降，人们对这些组织给予的支持在减少。今天的大多数人并非把工作看成是满足的来源，而仅把它看成是享受业余活动的赚钱工具而已。

这种趋势对营销而言有许多含义。公司需要寻找新的途径去赢得消费者和员工的信任。它们需要保证它们会被人们认为是良好的法人公民和保证所传递的信息真实可靠。有更多的企业正在注重社会审计和公众关系以便在公众中树立正面的形象。

● 人们与社会的关系。人们对他们所处社会的态度各不相同。有人保卫它(保守者)，有人驱动它(创造者)，有人接受它(接受者)，有人想要改变它(改革者)，有人深入地寻找某些东西(追求者)，有人想要离开它(逃避者)。[32]通常，人们的消费方式将受到他们社会态度的影响。创造者是有成就的人，他的吃穿和生活良好，而改革者的生活简朴得多，他们驾驶小型汽车、穿简单的衣服，等等。逃避者和追求者是电影、音乐、冲浪和野营的主要市场。

● 人们与自然的关系。人们对物质世界的态度也各不相同。有些人认为他们受到了自然的约束，另一些人则与自然的步伐很合拍，还有一些人却想驾御自然。人们对自然关系的长期趋势是，人们通过技术的发展和随之而产生的认为自然是慷慨的信念，正在越来越好地驾御自然。然而，直至最近，人们才醒悟过来，才发现自然是脆弱的，其供给能力也是有限的。人们认识到人类的各种活动会糟蹋并破坏自然。

人们对自然的热爱，使人们更多地去野营、步行、划船和垂钓。企业也就因之可以供应步行鞋、帐篷以及其他能满足他们对自然热爱所需要的工具；旅行社就能组织更多的野外旅游；食品生产厂发现了"自然"产品，如不经再加工的谷物、天然奶油和健康食品等的市场正在扩大。例如，诸如食品市场和新鲜领域公司的天然食品谷物在 1997 年销售额达 11 亿美元。

● 人与宇宙的关系。人们对宇宙起源的看法及人类在宇宙中所处地位的看法各不相同。尽管美国人的宗教信仰和习俗随着时间的流逝日渐淡薄，但大多数美国人仍是有神论者。除了某些人们重新引入有组织的宗教活动如福音派新教会的活动之外，做礼拜的人不断减少。虽然宗教的吸引力尚未消失，不过越来越多的人已经转向东方教派和神秘教派。

由于人们的宗教倾向在减少，他们转而追求在现实生活中自我实现和即时满足。同时，在各种宗教在世界范围内兴起时，每一种趋向似乎都产生反抗力。下面是营销者感兴趣的一些其他文化特点：核心文化价值观念具有高度的持续性；亚文化的存在；次文化价值观念随时间推移而发生变化。

核心文化价值观念具有高度的持续性

某一社会里的人所持有的核心信仰与价值观念常常是很持久的。大多数美国人都要工作、要结婚、乐于帮助慈善事业、为人诚实，这些核心信仰与价值观是子女从父母那里继承来的，并由社会的各种主要组织(如学校、教堂、工作单位和政府)予以进一步加强。

人们的次信仰（second beliefs）与价值观，是比较容易变化的。婚姻制度是一种核心信仰，但认为人们可以早婚却是一种次信仰。宣传计划生育的人主张人们晚婚，要比主张根本不结婚更能为人们所接受，更能收到好的效果。营销人员有较多的机会去改变人们的次价值观，但很少有机会和可能去改变人们的核心价值观。例如，非营利组织中的母亲反对酒后开车(MADD)并非是对抗美国文化中自由饮酒的风俗，而是推销一种观念，即劝说司机如果饮酒太多就不要去开车。这个组织还在游说要提高法定饮酒人的年龄。

亚文化的存在

每一个社会都包含亚文化（subculture），它由有着共同的价值观念体系所产生的共同生活经验或生活环境的人类群体所构成。追星族、黑人穆斯林、放荡安琪儿，都代表各个不同的亚文化，他们有共同的信仰、爱好和行为。根据各亚文化团体所表现出来的不同需求和不同消费行为，营销人员可以选定这些亚文化作为他们的目标市场。

营销者有时会从亚文化目标群体中取得意外的收获。例如，营销者常常喜欢以青少年为目标，因为他们代表了社会上的时尚、音乐、娱乐、创意和态度上的趋势。营销者还知道，只要他们能吸引青少年，这些人在今后很多年都会成为他们的顾客。富利多乐公司(Frito-Lay)15% 的销售额来自青少年，其小吃店在日益增加。它的一位营销主任说："我们认为其原因是我们把顾客带进了青少年时代。"[33]

次文化价值观念随时间推移而发生变化

尽管核心价值观念相当持久，但是，文化的摇摆也确实会发生。60 年代出现的嬉皮士颓废派、披头士乐队、"猫王"埃尔维斯·普雷斯利和其他一些文化现象，都曾对青年人的发型、服饰、性观念及生活目标，产生过重大的影响。今天的年轻人则受新的英雄人物和时尚的影响，如珀尔·詹姆的埃迪·维德、迈克尔·乔丹和其他杰出人物。

营销人员在预测文化未来变化以确定营销新机会或新困难方面，有着强烈的兴趣。有一些企业就是提供这方面社会—文化特征的预测。其中，扬克洛维奇监察公司（Yankelovich Monitor）每年与 2 500 人进行对话、交谈，并对 35 种社会倾向（如"反庞大"、"神秘主义"、"为今天而活"、"远离财产"及"感官享受"等社会倾向）进行跟踪，而且还列出持这些态度的人所占的百分比及反潮流的人所占的百分比。例如，这些年来，注重身体健康和福利的人在逐步增加，特别是 30 岁以下的青年人、年轻妇女、偏重生活高标准的人和住在西部的人尤其如此。食品、运动器具等行业的营销者将会以适当的产品和沟通手段去迎合这种趋势的需求。这种趋势甚至发生在快餐业，在那里，公司的竞争就是看哪一家能供应最健康的新产品。泰科·贝尔是迎合新的关心健康的消费者的先驱。1995 年，它推出了低脂肪的"边境光"菜单。在华盛顿的消费者利益组织——公众利益科学中心（Center for Science in the Public Interest）称赞这种新菜单"已超越了营销技巧本身"。[34]

小结

1. 成功的公司认识到在营销环境中存在着永无止境的机会和威胁。在宏观环境中辨认有历史意义的变化是公司营销者的主要职责。与公司的其他部门相比，营销经理要更善于追踪趋势和寻找机会。

2. 许多机会来自对趋势（具有某些势头和持久性的事件的方向或演进）和大趋势（社会、经济、政治和技术的大变化，其形成是缓慢的，而一旦形成就具有长期的影响）的确认。

3. 为了应付迅速变化的全球形势，营销者必须监视六个主要的环境力量：人文、经济、自然、技术、政治—法律、社会—文化。

4. 在人文环境中，营销者必须认识到世界性的人口增长，变化着的年龄组合、民族特性和教育水平，非传统家庭的发展，大量的人口迁移，微观营销的发展与大众化营销衰退。

5. 在经济领域，营销者把目光集中于收入分流和储蓄的水平、债务和信贷的应用。

6. 在自然环境领域，营销者需要了解原材料短缺、日益增加的能源成本和污染程度、政府对环境保护态度的变化。

7. 在技术领域，他们应该考虑技术变化的步伐、创新的机会、变化着的研究与开发预算，以及由技术变化而带来的不断增加的政府规定。

8. 在政治—法律环境领域，营销者必须遵守法律对业务活动的规定和各种特定利益集团和平共处。

9. 在社会—文化领域，营销者必须了解人们对待自己、他人、组织、社会、自然和宇宙的观点。企业必须制造符合社会核心和次价值的产品，增加在社会上对不同亚文化产品的需要。

应用

本章观念

1. 人文环境的变化之一是老年人比例的增长。这些老年人成为许多特定商品的市场。论述这一人口趋势如何影响产品特定和／或以下产品或部门的分销安排：

(1) 米纽特－梅特橙汁；

(2) 邮购业务；

(3) 社会安全署。

2. 你是美能达(Minolta)的一名产品经理。你的老板刚收到《波普康报告》的副本(参见本章"营销视野——费思·波普康提出的经济的 16 个趋势")，虽然她是工程师出身，但她对产品特征的美感享受总是很有兴趣。这个报告引起了她对这一现象的好奇。准备一份报告，总结"波普康 16 大趋势"对美能达产品(照相机)的潜在影响。特别是每个趋势将如何影响产品发展、特点和营销？

3. 百威(Budweiser)、卡尔文·克莱因(Calvin Klein)、麦当劳、可口可乐和雪佛莱(Chevrolet)已成为美国文化标志的品牌典范。列举以下国家一些具有文化标志性的品牌和产品：(1)日本；(2)德国；(3)俄罗斯；(4)法国；(5)意大利；(6)爱尔兰；(7)哥伦比亚；(8)墨西哥；(9)英国；(10)瑞士；(11)中东国家；(12)澳大利亚。

营销与广告

1. 图 5A—1 的广告，选自斯德哥尔摩的爱立信公司（Ericsson）。它利用一个婴儿的照片来捕捉作出购买决定或影响电子通信设备及技术的商人的注意力。这个广告迎合了约翰·奈斯比特所说的什么趋势？解释你的答案，这条广告暗示了爱立信对技术环境作出了什么样的反应？

2. 大多数广告都利用产品图片进行促销，但是，埃纳齐泽(Energizer)的广告(见图 5A—2)没有依照这种模式，这个广告面向哪部分细分群体？你是如何判断出这点的？这个广告反映了什么态度？其他的人们会对这则广告作出什么反映？如果由你作出决定，你会选择哪种杂志刊登这则广告？解释你的选择。

图 5A—1

图 5A—2

聚焦技术

不断加快的技术变化步伐带来了新的需要和生活方式，从而创造了许多营销机会。考虑日益增加的通信趋势——代替以往到办公室上班，在家上班的人们在不断增加。每年都有许多的雇员和企业家选择在家工作，这样增加了对个人电脑、打印机、传真机、电话服务、网络服务，以及其他相关的商品及服务的需求。

家用办公用品及通信服务销售的增加并不是技术创新带来的惟一变化。随着越来越多的人们在家工作，他们的生活方式也随之发生了变化，从而带来了相应的商机与挑战。例如，人们不必天天驱车去上班，购买新汽车的概率就会下降，汽油的消耗也会因此下降。另外，在家庭食品及休闲服饰上的需求会相应增加。这种趋势带来的商机包括了更多的电信业务，辨认两个以上的由电信产生的营销机会和威胁。但电信并非列在这种变化的中心，因此，这类公司该如何定位及对不断增加的市场进行营销？

新千年营销

在新千年的开始，人们对环境的关注带来了营销的新方向。考虑一下干洗业的变化趋势。美国有数千家绿色清洁公司敞开大门欢迎人们的光顾。诸如宝洁及埃克森这样的制造公司也打出了绿色产品的品牌。

这种趋势带来了什么营销机会？你可以从非营利性的邻居技术网站（www.cnt.org）上获取一些信息。是什么通过生态的改进促进了经济及社区的发展？在"支柱性制造业"下找到"湿洗"部分，继续找到清洁液及设备，找出两种与绿色清洁剂相关的新产品开发机会。如果顾客的主要考虑因素是方便，你是否应该通过强调环境保护来对新产品进行促销？利用产品对环境的影响作出的新产品营销战略将会如何提高产品的竞争能力？对于传统的干洗剂的影响又如何呢？

你是营销者：索尼克公司的营销计划

每个公司都应该通过对大环境的了解把握发展的关键机会和规避风险，这项环境扫描将揭示影响消费者的需要、竞争及公司市场的发展趋势和变化。

简·梅洛迪要求你分析索尼克公司的外部环境，找出影响个人音响市场的变化标志。分析索尼克公司现在的环境，利用图书馆和网上资源找出关于索尼克公司大环境的如下问题的答案：

● 哪些人文环境会影响索尼克公司的目标市场，顾客年龄段是否为20岁～40岁？例如，链接到美国人口统计数据的网址（www.census.gov），点击"A～Z"，然后点击"年龄"，了解美国全国的年龄段分布情况。

● 哪些技术革新潜在地影响了产品开发和顾客对现有产品的接受程度。浏览《UHF 杂志》的网址（www.uhfmag.com），了解立体声技术（如 DVD 技术）的新发展，寻找技术创新趋势的工业来源。

● 经济趋势将会怎样影响产品线的发展？浏览美国商务部的 Stat-USA 网址（www.stat-usa.gov/），点击在"国家状况"标题下的经济总指数中的关键部分。

● 哪些政策和法律执行会影响索尼克公司及其竞争者？研究汤姆斯网址（thomas.loc.gov）中与进出口相关的联邦法律，利用关键字搜索如"进口＋立体声"及"出口＋立体声"和各种搜索引擎，寻找影响竞争者进出口行为的新法律。

在完成环境扫描后，分析这些结果对索尼克公司营销的市场效果及影响。根据你的导师的指导，总结你的发现，写入营销计划中，或者，输入营销计划软件的相应部分中。

【注释】

[1] Gene Del Vecchio, "Keeping It Timeless, Trendy," *Advertising Age*, March 23, 1998, p. 24.

[2] Sue Shellenbarger, "'Child-Care Cams': Are They Good News for Working Parents?" *Wall Street Journal*, August 19, 1998, p. B1.

[3] Kelly Shermach, "Niche Malls: Innovation for an Industry in Decline," *Marketing News*, February 26, 1996, p. 1.

[4] Gerald Celente, *Tracking* (New York: Warner Books, 1991).

[5] See Faith Popcorn, *The Popcorn Report* (New York: HarperBusiness, 1992).

[6] John Naisbitt and Patricia Aburdene, *Megatrends 2000* (New York: Avon Books, 1990).

[7] Pam Weisz, "Border Crossings: Brands Unify Image to Counter Cult of Culture," *Brandweek*, Ocunter 31, 1994, pp. 24 ~ 28.

[8] Much of the statistical data in this chapter is drawn from the *World Almanac and Book of Facts*, 1997 and the *Statistical Abstract of the United States*, 1997 (Washington, D: U. S. Bureau of the Census, 1998).

[9] Donella H. Meadows, Dennis L. Meadows, Jorgen Randers, and William W. Behrens III, *The Limits to Growth* (New York: New American Library, 1972), p. 41.

[10] Philip Kotler and Eduardo Roberto, *Social Marketing: Strategies for Changing Public Attitudes* (New York: Free Press, 1989).

[11] Sally D. Goll, "Marketing: China's (Only) Children Get the Royal Treatment," *Wall Street Journal*, February 8, 1995, p. B1.

[12] Bill Stoneman, "Beyond Rocking the Ages: An Interview with J. Walker Smith," *American Demographics*, May 1998, pp. 45 ~ 49; Margot Hornblower, "Great X," *Time*, June 9, 1997, pp. 58 ~ 59; Bruce Horowitz, "Gen X in a Class by Itself," *USA Today*, September 23, 1996, p. B1.

[13] Steve Johnson, "Beer Ads for a New Generation of Guzzlers," *Chicago Tribune*, June 5, 1998, p. 1.

[14] Jaine Lopiano-Misdom and Joanne de Luca, "Street Scene," *Across the Board*, March 1998, p. 14.

[15] David Leonhardt, "Hey Kids, Buy This," *Business Week*, June 30, 1997, pp. 62 ~ 67; Lisa Krakowka, "In the net," *american Demographics*, August 1998, p. 56.

[16] J. Walker Smith and Ann Clurman, *Rocking the Ages: The yankelovich Report on Generational Marketing* (New York: HarperBusiness, 1998).

[17] for descriptions on the buying habits and marketing approaches to African Americans and Latinos, see Chester A. Swenson, *Selling to a Segmented Market: The Lifestyle Approach* (Lincolnwood, IL: NTC Business Books, 1992).

[18] Jacquelyn Lynn, "Tapping the Riches of Bilingual Markets," *Management Review*, March 1995, pp. 56 ~ 61.

[19] Laura Koss-Feder, "Out and About," *Marketing News*, May 25, 1998, pp. 1, 20.

[20] Ibid.

[21] Dana Canedy, "As the Purchasing Power of Women Rises, Marketers Start to Pay More Attention to Them," *New York Times*, July 2, 1998, p. 6.

[22] Michael Barrier, "The Language of Success," *Nation's Business*, August 1997, pp. 56 ~ 57.

[23] Brad Edmondson, "A New Era for Rural Americans," *American Demographics*, September 1997, pp. 30 ~ 31. See also Kenneth M. Johnson and Calvin L. Beale, "The Rural Rebound," *The Wilson Quarterly*, Spring 1998, pp. 16 ~ 27.

[24] Robert Kelly, "'It Felt Like Home': More Are Making Move to Small Towns," *St. Louis Post-Dispatch*, April 27, 1997, p. D6.

[25] Lauri J. Flynn, "Not Just a Copy Shop Any Longer, Kinko's Pushes Its Computer Services," *New York Times*, July 6, 1998, p. D1.

[26] David Leonhardt, "Two-Tier Marketing," *Business Week*, March 17, 1997, pp. 82 ~ 90.

[27] Francoise L. Simon, "Marketing Green Products in the Triad," *The Columbia Journal of World Business*, Fall and Winter 1992, pp. 268 ~ 285; and Jacquelyn a. Ottman, *Green Marketing: Responding to Environmental Consumer Demands* (Lincolnwood, IL: NTC Business Books, 1993).

[28] See "White House to Name 22 Technologies It Says Are Crucial to Prosperity, Security," *Wall Street Journal*, April 26, 1991, p. 2.

[29] See "R&D Scoreboard: On a Clear Day You Can See Progress," *Business Week*, June 29, 1992, pp. 104 ~ 125.

[30] See Dorothy Cohen, *Legal Issues on Marketing Decision making* (Cincinnati: South-Western, 1995).

[31] Rajiv Chandrasekaran, "AOL Settles Marketing Complaints," *Washington Post*, May 29, 1998, P. F1.

[32] Arnold Mitchell of the Stanford Research Institute, private publication.

[33] Laura Zinn, "Teens: here Comes the Biggest Wave Yet," *Business Week*, April 11, 1994, pp. 76 ~ 86.

[34] Glenn Collins, "From Taco Bell, a Healthier Option," *New York Times*, February 9, 1995, p. D4.

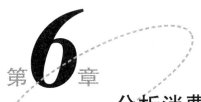

第6章

分析消费者市场和购买行为

科特勒论营销：

最重要的事情是预测顾客的行踪，并且能走在他们前面。

本章将阐述下列一些问题：
- 购买者的特征(文化、社会、个人和心理)是怎样影响购买行为的？
- 购买者是怎样作出购买决策的？

营销的目标是使目标顾客的需要和欲望得到满足和满意。所谓消费者行为(consumer behavior) 研究是指研究个人、集团和组织究竟怎样选择、购买、使用和处置商品、服务、创意或经验，以满足他们的需要和愿望。然而，"认识顾客"绝不是一件轻而易举的事情。顾客往往言行不一致。他们不会暴露他们的内心世界。他们对环境的反应在最后一刻会发生变化。诸如以色列小公司天空有限公司和巨人惠而浦公司，都从了解它们顾客如何和为什么购买而从中获利。

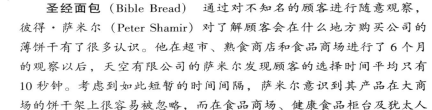

圣经面包 （Bible Bread） 通过对不知名的顾客进行随意观察，彼得·萨米尔 （Peter Shamir） 对了解顾客会在什么地方购买公司的薄饼干有了很多认识。他在超市、熟食商店和食品商场进行了 6 个月的观察以后，天空有限公司的萨米尔发现顾客的选择时间平均只有 10 秒钟。考虑到如此短暂的时间间隔，萨米尔意识到其产品在大商场的饼干架上很容易被忽略，而在食品商场、健康食品柜台及犹太人商店这些选择较少的地方比较容易被发现。现在，这家以色列公司的产品已推销到了 30 多个国家的食品和专卖商店。[1]

惠而浦公司(Whirlpool Corporation) 在日用器具行业，顾客的品牌忠诚经过了几十年的培养并且经上一代传给下一代。为了巩固已有的市场份额，开发顾客未曾想到的需要，器具用品大王惠而浦公司甚至开始雇用人类学家。人类学家进入人们的家庭，观察人们如何使用家庭用具，并且与所有家庭成员进行交谈。惠而浦公司发现，在工作繁忙的家庭，并不是只有主妇在清洗衣物。了解到这些后，工程师开始在洗衣机及烘干机上设计彩色的控制按钮以方便儿童及男人进行操作。[2]

　　不了解你所面对的顾客的购买动机、需要和偏好会造成巨大的损失。考虑柯达公司推出其新型照相机 Advanta 的后果——付出了巨大的代价。柯达公司曾骄傲地宣传这种高科技产品，但是，它不了解这个市场的主宰者是人过中年的婴儿潮一代人。人到中年，新技术一般不再有魅力，他们的消费已远离了购买的复杂性。

　　对消费者的研究可以为开发新产品、特色产品、价格、渠道、信息和其他营销组合因素提供线索。本章探索消费者的购买动因，在下一章将研究企业采购的动因。

消费者购买行为模式

　　认识购买者行为，首先要从认识刺激反应模式开始（见图 6—1）。营销和环境的刺激进入了购买者的意识。购买者的个性和决策过程导致了一定的购买决定。营销者的任务是要了解在外部刺激和购买决策之间购买者的意识发生了什么变化。

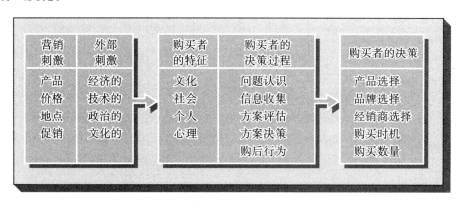

图 6—1　购买行为模式

影响消费者购买行为的主要因素

　　消费者购买行为受到文化、社会、个人和心理因素的影响。其中，文化因素的影响最广泛和最深远。

文化因素

　　文化、亚文化和社会阶层对购买行为起到了重要作用。

文化

文化是人类欲望和行为最基本的决定因素。在社会中成长的儿童通过其家庭和其他主要机构的社会化过程学到了基本的一套价值、认知、偏好的行为的整体观念。在美国长大的儿童就有如下的价值观：成就与功名、活跃、效率与实践、上进心、物质享受、自我、自由、形式美、博爱主义和富有朝气。[3]

亚文化

每一种文化都包含着能为其成员提供更为具体的认同感和社会化的较小的亚文化群体。亚文化群体包括民族群体、宗教群体、种族团体和地理区域。许多亚文化构成了重要的细分市场，营销者经常根据他们的需要设计产品和定制营销方案，参见"营销视野——向拉丁美洲人、非裔美国人及老年人进行营销"。

营销视野

向拉丁美洲人、非裔美国人及老年人进行营销

当亚文化群体不断成长，影响越来越大时，许多公司开始制定相应的营销计划为这些人提供服务。下面是三个在美国重要的亚文化群体。

拉丁美洲人

到 2050 年拉丁美洲人预计可以占到美国人口的 1/4，拉丁美洲人（有时称为西班牙裔美国人）是增长最快的群体，有望很快成为这个国家的主要民族。拉丁美洲人的年平均购买力为 3 480 亿美元，购买产品从汽车到计算机。拉丁美洲人购物市场排在前 5 位的是：洛杉矶、纽约城、迈阿密、芝加哥及旧金山。

要了解拉丁美洲人对营销人员来说是相当困难的事情，因为这实在不是一个统一的市场。起码有 20 多个国家的人口可以划归拉丁美洲人，包括古巴、墨西哥、波多黎各、多米尼加，及其他分布在中美洲及南美洲的国家。

这个群体在文化、体质、民族背景及价值取向上都有很大的不同，但他们也有许多共同点：注重家族观念、希望受人尊重、产品忠诚、对产品质量非常关注。当然，最重要的共同点在于他们有共同的语言。营销者往往面向拉丁美洲人的促销及广告采用西班牙语会预示着高额的回报率。位于拉丁美洲人口最多的 10 个城市之一的达拉斯市的卡尼沃（Carnival）餐馆在雇用了双语服务员以及标志、广告、促销用品都用西班牙语表达后，顾客的满意度明显提高。卡尼沃还运行西班牙语的"信息服务"以及"顾客满意度"的促销服务。拉丁美洲人对于用他们本国的语言进行的促销具有较高的接受率。同样，他们用西班牙语收发电子邮件的数量可以占到讲英语的人们收发电子邮件数量的1/10。

另一个了解拉丁美洲市场的方法是了解他们适应新的习俗文化的程度。尽管他们的购买行为与大多数顾客没有太大分别，但这些移民的生活方式却保留着与他们民族的生活方式的一致性。在迈阿密较完善的古巴裔美国社区，只有 37% 的人认同新的习俗；而芝加哥有 76% 的人被部分或高度同化。

新泽西州是生产针对拉丁美洲裔美国人使用的产品最多的地方，开在这里的 Secaucus Goya 食品餐厅专门生产拉丁风味的食品，如仙人掌切片及一种油煎的绿色植物。Goya 的销售额从 1990 年的 3 亿美元增加到了 5 亿美元。

非裔美国人

3 400 万非裔美国人的购买力在经济繁荣的 20 世纪 90 年代得到了急剧的增长，这些人在 1998 年的购买力超过了 5 000 亿美元。他们把钱花在了哪些方面呢？黑人家庭花费在男孩衣物、运动鞋、医疗服务及汽车租赁上的钱要比白人家庭多。他们很关注产品质量及产品的可选择性，并且趋向于在附近购物。

许多公司通过定位在为非裔人口服务而获得了成功。豪马克（Hallmark）信用卡公司定位的黑人品牌 Afrocentric，1987 年只销售了 16 种，而现在该公司提供 800 种信用卡。还有一些公司利用同样的市场品牌设立专门的产品生产线。莎莉公司停止生产专为黑人妇女服务的颜色—自己—自然（Color-Me-Natural）厨房产品线。现在，它生产的夏特斯和夏尔风格在黑人妇女中非常流行。该品牌已经成为公司重点关注的亚品牌之一。

不幸的是，许多营销人员认为，定位为非裔美国人的公司只是关注那些黑人明星和偶像，如迈克尔·乔丹、谢克齐尔·奥尼尔，以及女演员如哈利·贝里（Halle Berry）。黑人媒体和营销专家忠告营销人员：应该密切地与黑人创立的媒体及黑人社团合作，并雇用更多的黑人雇员，纽约互助保险公司（MONY）意识到黑人更愿意与自己民族的人商谈及关注保险问题。它在销售定位中增加了黑人销售人员和建立与黑人社团组织的关系，与这些团体一起倡议和举办保险人会议。

在信息时代，营销人员更应该关注非裔美国人虚拟社团。以人均上网数计算，黑人花费在网络服务上的钱是白人的 2 倍，这些非裔美国人正逐渐关注今日黑人世界（www.tbwt.com）、今日美国黑人网站，这些网站代表了一种别处所没有的内容和有线电视无法反应的黑人文化，尽管有很多"黑人"网址，如 Urban Sports Network，NetNoir，Afronet 和 Cafe Los Negroes，访问人数也很多，但多数营销人员还是没有对它们加以认真注意。

NetNoir 黑人网站面向那些关心和对特殊民族文化有兴趣的人们。

50 岁以上人的市场

　　成年人市场的多样性和他们的富有，应该让那些想在新千年有所收获的营销人员得到足够的重视。成熟消费者指那些年过 50 岁的人们，如今这个人群已有 7 500 万人口，到 25 年后会增加到 1.15 亿。每隔 7 秒就会有一个婴儿潮时代出生的人进入 50 岁，当你读完这篇文章后，这个群体的人数还会增加更多。50 岁的人口群体代表了 16 000 亿美元的购买力，并且这个数值有望在近几年内增加 29%。

　　那些以年轻人为重要对象的营销人员通常会忽视老年人市场，并且他们还有一些错误的观念必须放弃。在他们的观念中，爷爷奶奶们仍以固定收入为生。当时那些老年人，尤其是在人口激增期出生的老年人，是根据生活风格而不是年龄作出购买决定的。并且他们拥有一种积极的生活方式，如果说那些老年人都认为他们比实际年龄年轻 10 岁的话，那么这个年龄层可以从人口激增期多扩张出 20 年，成功的营销人员会将这个自我认知的年龄和实际年龄之间的差距考虑进来。在辉瑞公司的广告中，老年人在其医疗照顾下，充分享受生活。在某个广告中，一位老年妇女正在周游世界；而在另一则广告中，曾经是游泳冠军的老运动员宣称他又可以参与竞技了。在耐克公司的商业广告中，一位老年人站在体重秤上骄傲地宣称：“虽然我已不年轻，但是我非常强壮”。

　　然而，尽管他们声称他们很年轻，但老年人的灵敏度和灵巧性确实在下降，营销人员应该在产品的包装上把这些因素考虑进来。老年人对包装容易不满，如认为宠物物品的包装太小、药品的说明内容太简略、谷物食品说明封在包装内，或包装不容易被打开、包装物收缩后较难剥离等。

资料来源：(Latinos) Leon E. Wynter, "Business & Race: Hispanic Buying Habits Become More Diverse," *Wall Street Journal*, January 8, 1997, p. B1; Lisa A. Yorgey, "Hispanic Americans," *Target marketing*, February 1998, p. 67; Carole Radice, "Hispanic Consumers: Understanding a Changing Market," *Progressive Grocer*, February 1997, pp. 109～114. See also Brad Edmondson, "Hispanic Americans in 1001," *American Demographics*, January 1997, pp. 16～17, and "Targeting the Hispanic Market," *Advertising Age*, special section, March 31, 1997, pp. A1～A12. (African-Americans) Valerie Lynn Gray, "Going After Our Dollars," *Black Enterprise*, July 1997, pp. 68～78; David Kiley, "Black Surfing," *Brandweek*, November 17, 1997, p. 36; "L'eggs Joins New Approach in Marketing to African-American Women," *Supermarket Business*, June 1998, p. 81; Beth Belton, "Black Buying Power Soaring," *USA Today*, July 30, 1998, p. 1B; Dana Canedy, "The Courtship of Black Consumers," *New York Times*, August 11, 1998, p. D1. (50-Plus) Rick Adler, "Stereotypes Won't Work with Seniors Anymore," *Advertising Age*, November 11, 1996, p. 32; Richard Lee, "THe Youth Bias in Advertising," *American Demographics*, January 1997, pp. 47～50; Cheryl Russell, "The Ungraying of America," *American Demographics*, July 1997, pp. 12～15; Sharon Fairley, George P. Moschis, Herbert M. Myers, and Arnold Thiesfeldt, "Senior Smarts: The Experts Sound Off," *Brandweek*, August 4, 1997, pp. 24～25; Candace Corlett, "Senior Theses," *Brandweek*, August 4, 1997, pp. 22～23.

社会阶层

　　事实上，一切人类社会都存在着社会层次。它有时以社会等级形式出现，不同层次的人都在社会上担当一定的角色，而且，改变他们的层次等级资格较困难。更为常见的是以社会阶层的形式出现。

　　社会阶层（social classes）是在一个社会中具有相对的同质性和持久性的群体，它们是按等级排列的。每一阶层成员具有类似的价值观、兴趣爱好和行为方式。

社会阶层不仅受收入的影响，而且受其他因素的影响，如职业、教育和居住地。社会阶层的不同表现在衣着、说话方式、娱乐爱好和其他许多特征上。社会学家总结了七种社会阶层的特征(见表6—1)。

表6—1   美国主要社会阶层的特征

1. 上上层 （不到1%）	上上层是继承有大量遗产、出身显赫的达官贵人。他们捐巨款给慈善事业，举行初次参加社交活动的舞会，拥有一处以上的住宅，送孩子就读最好的学校。这些人是珠宝、古玩、住宅和度假用品的主要市场。他们的采购和穿着常较保守，不喜欢炫耀自己。这一阶层的人，当其消费决策向下扩散时，往往作为其他阶层的参考群体，并作为其他阶层人模仿的榜样
2. 次上层 （2%左右）	次上层由于在职业和业务方面能力非凡而拥有高薪和大量财产，他们常来自中产阶级，对社会活动和公共事业颇为积极，喜欢为自己的孩子采购一些与其地位相称的产品，诸如昂贵的住宅、学校、游艇、游泳池和汽车等。他们中有些是暴发户，他们摆阔挥霍浪费的消费形式是为了给低于他们这个阶层的人留下印象，这一阶层的人的志向在于被接纳入上上层
3. 中上层 （占12%）	这一阶层既无高贵的家庭出身，又无多少财产，他们关心的是"职业前途"，他们已获得了像自由职业者、独立的企业家以及公司经理等职位。他们相信教育，希望其子女成为专业工作者或是管理技术方面的人才，以免落入比自己低的阶层。这个阶层的人善于构思，有高度的公德心。他们注重住宅，是衣服、家具和家用器具的最适宜的市场
4. 中间层 （32%）	中间层是中等收入的白领和蓝领工人，他们居住在"城市中较好一侧"，并且力图"干一些与身份相符的事"。他们通常购买时尚的产品。他们中25%的人拥有进口汽车，其中大部分人看重时尚。中间层认为有必要为他们的子女在"值得的见识"方面花较多的钱，他们要求子女接受大学教育
5. 劳动阶层 （38%）	劳动阶层包括中等收入的蓝领工人和那些过着劳动阶层生活方式的人而不论他们的收入多高、学校背景及职业怎样。劳动阶层主要依靠亲朋好友在经济上和道义上的援助，依靠他们介绍就业机会，购物听从他们的忠告，困难时期依靠他们的帮助。度假对于劳动阶层的人来说，指的是"待在城里"，"外出"指的是到湖边去或去车程不到两小时的地方。劳动阶层仍然保持着明显的性别分工和陈旧习惯
6. 次下层 （9%）	次下层在工作，虽然他们的生活水平刚好在贫困线之上，他们干着那些无技能的劳动，工资低得可怜。次下层往往缺少教育，从而落到贫困线上
7. 下下层 （7%）	下下层与财富不沾边，一看就知道贫穷不堪，常常失业，他们对寻找工作不感兴趣，长期依靠公众或慈善机构救济

资料来源：Richard P. Coleman, "The Continuing Significance of Social Class to Marketing," *Journal of COnsumer Researc*, December 1983, pp. 265 ～ 280; and Richard P. Coleman and Lee P. Rainwater, *Social Standing in America: New Dimension of Class* (New York: Basic Books, 1978).

社会阶层有几个特点。第一，同一社会阶层内的人，其行为要比来自两个不同社会阶层的人的行为更加相似；第二，人们以自己所处的社会阶层来判断各自在社会中占有的高低地位；第三，某人所处的社会阶层并非由一个变量决定，而是受到职业、所得、财富、教育和价值观等多种变量的制约；第四，个人能够在一生中改变自己所处的阶层，既可以向高阶层迈进，也可以跌至低阶层。然而，这种变化的变动程度因某一社会的层次森严程度的不同而不同。

在诸如服装、家具、娱乐活动和汽车等领域，各社会阶层显示出不同的产品偏好和品牌偏好。一些营销人员把其注意力仅集中于某一阶层，导致上曼哈顿区的四季饭店只接待高阶层消费者，而下曼哈顿区的乔斯饭店的对象则是低阶层消费者。对新闻媒介的选择方面，各阶层也截然不同。高阶层消费者与低阶层消费者相比，更偏爱报刊杂志。即使在同一种媒介内，每一阶层的偏好也各异，高阶层消费者喜欢各种时尚活动和戏剧，而低阶层消费者则乐于收听家庭系列广播剧和玩猜谜游戏等。除此之外，各阶层使用的语言也有差别，广告商们为迎合各阶层消费者不同偏好的目标要求，而不得不在商业性电视广告节目中制作和撰写适合于各阶层不同需要的文稿和对话。

社会因素

消费者的购买行为同样也受到一系列社会因素的影响，如消费者相关群体、家庭和社会角色地位。

相关群体

一个人的相关群体(reference groups)是指那些直接(面对面)或间接影响人的看法和行为的群体。凡对一个人有着直接影响的群体称为成员群体(membership groups)。

某些成员群体是主要群体，如家庭、朋友、邻居与同事，在他们之间频繁接触能相互影响，人们还属于次要群体，如宗教、职业和贸易协会，这些群体一般更正式和相互影响较少。

人们至少在三方面受他们所在的群体的重大影响，群体使一个人受到新的行为和生活方式的影响。相关群体还影响个人的态度和自我概念，因为人们通常希望能迎合群体。此外，相关群体还产生某种趋于一致的压力，它会影响个人的实际产品选择和品牌选择。

人们还受到他们并不是成员的一些群体的影响，凡是一个人希望去从属的群体，被称为崇拜性群体(aspirational groups)；另一种群体叫隔离群体(dissociative groups)，它是一种其价值观和行为被一个人所拒绝接受的群体。

营销人员总是试图识别他们的目标顾客的相关群体。然而，群体影响的水平在各产品和品牌中并非都是相同的。就汽车和彩电而言，相关群体对产品和品牌的选择都影响很大。相关群体对家具和衣服、啤酒和香烟这样一些产品的选择也有很大影响。

对受到相关群体影响大的产品和品牌制造商来说，必须想法去接触和影响有关相关群体中的意见领导者。意见领导者(opinion leader)是对一个特定的产品或产品种类非正式地进行传播、提供意见或信息的人，如认为某种品牌是最好的或指出对一个特定产品可以如何使用等。[4]意见领导者分散于社会各阶层，某人在某一产品方面可以是意见领导者，但在其他产品方面也许只是意见的追随者。营销人员力图通过认识并掌握与意见带头人有关的一些人文和心理特征确定他们收看的新闻媒体，并直接向意见带头人传递信息。在美国青少年音乐、语言和流行中的热点趋势首先在城市展开，然后迅速向郊区更多的青年人蔓延。为多变和追求时尚的青年人设计服饰的服装公司要重点关注城市中意见带头人服饰的款式及其行为。

李维·斯特劳斯公司（Levi Strauss & Company）　李维·斯特劳斯公司曾向青少年以及那些注重设计者品牌的年轻人推出一些非常"酷"的品牌。为了销售它的带有银带标志的衣服，公司的广告代理商 TBWA 奇特/戴（Chiat/Day），派出雇员去熟悉那些可以构成城市景观的人们，包括俱乐部成员、设计师、摄影人员及迪斯科职业技师。广告代理商持续地跟踪记录这些人的习惯，将他们根据音乐喜好分成不同的种类，包括重复节奏的音乐，如电子音乐、希比音乐、说唱音乐和改进的灵魂音乐，它的广告运用希比和说唱音乐文化陈述"这是班吉（Bangin）的儿子"来表示它的"酷"。青年人穿着银色的服装——宽松的裤子、希比马甲、小帽子——并且戴着饰品，如鼻环、遥控器和粗大的金饰。[5]

家庭

　　家庭是在社会上最重要的消费者购买组织，因此对它要作广泛的研究。[6]购买者家庭成员对购买者行为影响很大，在购买者生活中可区分为两种家庭类型。婚前家庭包括一个人的双亲，每个人都从其父母那里得到有关宗教、政治、经济、个人抱负、自我价值和爱情等方面的指导。[7]即使购买者与他的双亲之间的相互影响已经不太大了，但双亲对购买者无意识的购买行为的影响仍然是重要的。在许多父母和子女共同生活在一起的国家里，父母的影响力非常大。对日常购买行为有更直接影响的是有子女的家庭，即夫妻加上其子女。

　　营销人员对夫妻和子女在各种商品和服务采购中所起的不同作用和相互之间的影响有兴趣。它们的作用对不同国家或社会阶层是各不相同的。例如，越南裔美国人常常坚持传统形式，即大量的购买由男人决定。同样，对朝鲜裔美国人的广告常常以 30 岁～40 岁的男人为主，但对女人专用品（如珠宝）的广告除外。[8]

　　在美国，夫妻在产品购买行为和购买决策中的作用因产品种类的不同而各异。一般来说，妻子主要购买家庭的生活用品，特别是像食物、日用杂货和服装等，而贵重商品和劳务的购买，更多是由夫妻双方共同作出决策。营销人员需要确定夫妻双方中哪一方在某一具体产品的采购过程中更具影响力，这常常取决于谁更有权力或经验。

　　妇女在家庭中的地位越来越高——购买力就是很明显的例子。商业大师汤姆·彼得斯（Tom Peters）认为，妇女是营销市场的首要对象，他说：

　　　　市场调研非常清楚：妇女自己作出购买决定或者在购买决定中起主要的影响作用，如对于家庭用品、医疗保健、汽车、休假等，以及在巨大的自助（do-it-yourself，DIY）行业中成为主要部分。一位女性 DIY 成员对我说，在她的男性同事的娱乐项目中，60% 的参加者是妇女……妇女是真正的消费群体。现在，美国有近 800 万妇女参加工作，而在 1970 年参加工作的妇女只有 40 万人，在《老福布斯》500 家企业的 1 850 万雇员中有 40% 是妇女，22% 的在职妇女的收入花费在她们的业余爱好中，在 50 万美元的净收入创造者中有半数是妇女。[9]

随着妇女工作地位的巨大提高，特别是在那些新型行业中，传统家庭的购买模式也在逐步地改变着。随着社会价值的转移，家庭分工如"由妇女购买所有的家庭用品"的观念已逐渐减弱。最近的一项调查表明，尽管传统的购买模式依旧存在，但喂养孩子的夫妇更愿意一起去购买在传统观念中应该由夫妻一方购买的用品。[10]因此，如果方便用品的营销人员认为他们的主要对象是妇女，那么他们一定会犯错误；同样，那些原来主要面对男性顾客的营销人员也应该开始考虑女性购买者。

在汽车行业中这一点已经很明显。

凯迪拉克（Cadillac）　女性现在占有这种豪华汽车市场购买量的 34%，汽车制造商已开始关注这一点。凯迪拉克的男性汽车设计师们在工作时手指上戴有纸夹以体验女性操作者在使用操作按钮、转换杆及其他细微部分时的感觉。设计师还在车内安装了有空调的储物盒以保存口红、胶片等物品，在车盖下，还明确地标出了黄色的汽油流动方向。[11]

在购买形式中另一个变化是孩子与青少年日益增加的影响。[12]现在的孩子们不仅在看和听，而且在积极参与。资料显示，在 4 岁～12 岁的孩子身上花费了大约 244 亿美元，是花在半成品食品上的 3 倍。引诱孩子们超过他们能力花钱的公司是泰公司（Ty, Inc.）导入的比尼贝贝（Beanie Babies）。比尼贝贝大约卖 6 美元，相当于孩子们一星期的零用钱。年龄在 2 岁～14 岁的儿童对其父母购买时的非直接影响在 1997 年达到了 3 000 亿美元。非直接影响指父母知道这个品牌、产品及他们的孩子的喜好，而不需他们孩子的暗示和要求。直接影响是指孩子们暗示或直接要求，如"我想去麦当劳"。直接影响的销售额 1997 年达到 1 880 亿美元。非传统型营销人员现在总结出最快的到达父母们的钱包的办法就是通过他们的孩子。

通用汽车（General Motors）　1997 年发行的《儿童运动指南》是一份针对 8 岁～14 岁儿童的杂志，在内封面用两页刊登了 Chevy Venture 小型轿车，这是通用汽车公司首次关注被称为"坐在后坐的消费者"。Venture 的品牌经理利用邮件及有迪斯尼公司 Hercules 形象的录像带展示这种小型轿车。近来，儿童在购车决定中起了关键作用。[13]

虽然通用汽车公司通过邮件来宣传它的小型轿车，但是，公司现在更愿意通过因特网向儿童展示它的产品——并通过他们了解营销信息。这种方法将顾客及他们的父母都包括在他们的范围内。1996 年有 400 万 17 岁以下的儿童上网，并且这个数字还在飞速增长。营销人员与这些儿童一起在网上跳跃，他们经常通过给儿童提供免费的网上时间来换取他们的私人信息（收集的信息没有经过父母的同意）。这种办法产生了一些问题，并且，这些广告与游戏及娱乐没有明显的区别。直接营销协会为此对因特网针对儿童的营销活动作出了明确的规定。这些规定的大纲见"营销备忘——每个营销人员都应该了解针对儿童营销的因特网道德"。一家进行网上营销并且受到儿童广泛欢迎的网址是迪斯尼在线。

迪斯尼在线(Disney Online)   迪斯尼认为它是教授父母及儿童获得网络优势及其认识弊端的最好的公司，并且，确实有理由这样认为。迪斯尼在其主页上明确地标出了其因特网政策，并且在它的其他网址的主页上，如迪斯尼 Daily Blast 上列出了详细的上网方法。迪斯尼在线服务还包括：当儿童向网上发布其个人信息时，会通过电子邮件提醒其父母，询问这则信息是否会引起争议，是否投了票，是否注册了某个网站。尽管许多网址及广告商都使用"小甜饼"(Cookies)，以便上网者经常浏览其他网站，迪斯尼没有使用这种方法作为促销和营销目的，并且它不会将其信息与别人分享。[14]

营销备忘

每个营销人员都应该了解针对儿童营销的因特网道德

直接营销协会建议因特网针对儿童的营销应遵守如下的道德规范：

1. 促进建立网上保密声明。

2. 提供自由进出的选择键，便于使用者决定以后是否接收收集信息的电子邮件。

3. 运用选择技术如网上过滤程序——如冲浪监视（SurfWateh）。

4. 在决定是否从网上收集与儿童有关的信息时，要考虑营销对象的年龄、知识层次、技术熟练程度和成熟度。

5. 在收集儿童的私人信息如姓名、地址及其他类似信息时，要关注其父母对这些信息的意见，并且支持其父母对这些信息的限制。

6. 限制利用儿童网发布的对促销、销售或派送商品或服务等营销调研或其他营销活动中收集的信息。

7. 当为营销目的收集信息时应声明。采用严格的保密措施以确保非授权人员无法进入、更改以及传播孩子网上收集的信息。

资料来源：Adapted from Rob Yoegel, "Reaching Youth on the Web," *Target Marketing*, November 1997, pp. 38～41.

角色与地位

一个人在一生中会参加许多群体，如家庭、俱乐部以及各类组织。然而，每个人在各群体中的位置可用角色和地位来确定。角色(role)是一个人所期望做的活动内容。每一角色都伴随着一种地位(status)。最高法院法官这个角色要比销售经理角色地位高；同样，销售经理角色的地位比一般职员地位高。人们在购买商品时往往结合自己在社会中所处的地位和角色来考虑。例如，公司总经理们会坐梅塞德斯轿车，穿昂贵而考究的定制西服，喝苏格兰骑士王酒。

营销人员已经意识到了产品和品牌成为地位标志的潜力。

个人因素

购买者决策也受其个人特征的影响，特别是受其年龄所处的生命周期阶段、职业、经济环境、生活方式、个性以及自我概念的影响。

年龄和生命周期阶段

人们在一生中购买的商品和服务是不断变化的，幼年时吃婴儿食品，发育和成熟时期吃各类食物，晚年吃特殊食品。同样，人们对衣服、家具和娱乐的喜好也同年龄有关。

消费还根据家庭生命周期阶段（family life cycle）来安排。表6—2列示了家庭生命周期的九个阶段。根据各阶段的财务收支情况，处在每一阶段上的家庭都有自己最感兴趣的产品。营销人员经常把其目标市场瞄准于生命周期中某一阶段上的顾客作为他们的目标市场。但是，另外有些居住在一起的人并非以家庭为基础。[15]营销者也应该把目标对准单身居住者、同性恋居住者和非家庭同居者的身上。

表6—2	家庭生命周期和购买行为
1. 单身阶段:年轻、不住在家里	几乎没有经济负担,新观念的带头人,娱乐导向购买一般厨房用品、家具、汽车、模型游戏设备及度假
2. 新婚阶段:年轻、无子女	经济比下一阶段要好,购买力最强,耐用品购买力高。购买汽车、冰箱、电炉、家用家具、耐用家具及度假
3. 满巢阶段一:最年幼的子女不到6岁	家庭用品采购的高峰期,流动资产少,不满现有经济状态。储蓄部分钱,喜欢新产品,如广告宣传的产品。购买洗衣机、烘干机、电视机、婴儿食品、胸部按摩器和咳嗽药、维生素、玩具娃娃、手推车、雪橇和冰鞋
4. 满巢阶段二:最年幼的子女为6岁或6岁以上	经济状况较好,有的人的妻子有工作,对广告不敏感,购买大包装商品,配套购买。购买各色食品清洁用品、自行车、音乐课本、钢琴
5. 满巢阶段三:年长的夫妇和未独立的孩子	经济状况仍然较好,一些子女有工作,对广告不感兴趣,耐用品购买力强。购买新颖别致的家具、汽车、旅游用品、非必需品、船、牙齿保健服务、杂志
6. 空巢阶段一：年长的夫妇,无子女同住,有工作	大量拥有自己的住宅,经济富裕,有储蓄,对旅游、娱乐、自我教育尤感兴趣,愿意施舍和捐献,对新产品无兴趣。购买度假用品、奢侈品、家用装修用品
7. 空巢阶段二：年老的夫妇,无子女同住,已退休者	收入锐减,赋闲在家。购买有助于健康、睡眠和消化的医用护理保健产品

8. 鳏寡阶段：尚在工作	收入仍较可观,但也许会出售房子
9. 鳏寡阶段：退休	需要与其他退休群体相仿的医疗用品,收入锐减,特别需要得到关注、情感和安全保障

资料来源: William D. Wells and George Gubar, "Life-Cycle Concepts in Marketing Research," *Journal of Marketing Research*, November 1966, p. 362. Also see Patrick E. Murphy and William A. Staples, "A Modernized Family Life Cycle," *Journal of Consumer Research*, June 1979, pp. 12 ~ 22; and Frederick w. Derrick and Alane E. Linfield, "The Family Life Cycle: An Alternative Approach," *Journal of Consumer Research*, September 1980, pp. 214 ~ 217.

近年来，一些研究认为，人类存在心理生命周期阶段（psychological life cycle stages）。成年人在一生中会经历数次"过渡时期"和"转化阶段"。营销人员应该注意与成年人一生各个时期有关的消费兴趣，如离婚、丧偶和再婚后的变化情况。

职业和经济环境

一个人的职业也影响其消费模式。蓝领工人会买工作服、工作鞋、午餐盒和玩保龄球游戏。公司的总裁则会买贵重的西装，空中旅行，做乡村俱乐部的会员，拥有大游艇等。营销人员试图识别那些对其产品和劳务比一般人有更多需求兴趣的一些职业群体。公司甚至要以专门为某一特定的职业群体定制它所需要的产品。因而，一些电脑软件公司可能专门为品牌经理、工程师、律师、医师设计不同的计算机软件。

经济环境也会严重影响产品的选择，包括可花费的收入(收入水平、稳定性和花费的时间)；储蓄和资产(包括流动资产比例)；债务；借款能力以及对花费与储蓄的态度等。对营销某些收入敏感型产品的人员来说，应该不断注意每个人的收入、储蓄和利率的发展趋势。如果经济指标显示经济衰退时，营销人员就可以采取步骤对产品重新设计、重新定位和重新定价，以便继续吸引目标顾客。

生活方式

来自相同的亚文化群、社会阶层，甚至来自相同职业的人们，也可能具有不同的生活方式。

--个人的生活方式（lifestyle）是一个人在世界上所表现的有关其的活动、兴趣和看法的生活模式。人的生活方式描绘出同他或她的环境有相互影响的"完整的人"。

营销人员要研究他们的产品和品牌与具有不同生活方式的各群体之间的相互关系。例如，电脑制造商或许会发现许多的目标购买者具有成就型导向。对这类顾客，营销人员应该为他们提供获得成功生活方式导向更为鲜明的品牌。

心理图案学(psychographics)是对消费者衡量和分类的科学方法。在心理图案学上非常普及的分类方法有 VALS 2 框架。斯坦福国际研究所(SRI International)的价值观念和生活方式结构（value and lifestyles, VALS）作为惟一的在商业上应用的心理图案学细分得到了广泛的认可。VALS 2 系统更新了资料，以便更好地服务于它的业务世界。VALS 2用心理图案学将美国成年人的态度划分为8个群体。这个细分系统以5个人文统计问题和42个态度问题的回答为基础，所有这些问题在网站都可查到。[16]

VALS 2的提问用同意与不同意来回答。例如，"我喜欢我的生活每周都一样"，"我常常渴望刺激"和"我宁愿自己动手制作而不愿购买某件东西"。

拥有较多资源的四个群体的主要趋势是：

● 现实者。他们是成功的、复杂的、积极的、"能挣会花"的。对于较高档的、补缺导向的产品，他们的购买常常反映出他们的文化素养。

● 满足者。他们是成熟的、满意的、舒适的、深思熟虑的。他们偏好耐用、功能性和有价值的产品。

● 成就者。他们是成功的、职业与工作导向的。他们偏好已确定的、有声望的产品，以表示出他们的成功和高贵。

● 经验者。他们是年轻，有生气、冲动的和有反叛意识的。他们在衣着、快餐食品、音乐、电影和录像上的消费占了他们收入的很大一块。

拥有较少资源的四个群体的主要趋势是：

● 有信仰者。他们是保守的、习俗的和传统的。他们偏好熟悉的产品和已知的品牌。

● 斗争者。他们是不确定的、不安全的、寻求一致的和受资源限制的。他们偏好有式样的产品，模仿有高物质财富的购买。

● 生产者。他们是实践的、自我满足的、传统的、家庭导向的。他们只偏好实用或功能性产品，购买的产品有工具、有效用的汽车、捕鱼设备。

● 艰苦者。他们是年老的、退休的、消极的、关心的、受资源限制的。他们是小心谨慎的购买者，并忠实于自己喜爱的品牌。

如果你想要寻找VALS 2类型和一般意义上的VALS细分，可登陆SRI的网站（www.future.sri.com）。你在完成VALS 2和其他生活方式的问题后，即可得到答案。

虽然心理图案学对许多营销者来说是可行和有价值的，但它在信息经济活动中可能价值不大。社会科学家认识到，用于探测消费者行为的老工具，在分析因特网或在线服务和购买技术产品中并不一定奏效。参见"新千年营销——你是一位网虫还是技术人员？新的调研关注技术型顾客关注的对象"。

生活方式细分市场并非是不可捉摸的。例如，麦卡恩-埃里克森（McCann-Erickson）曾这样评论英国人的生活方式：艺术界先锋（喜欢变化），宗教化（传统的，非常英国化），变色龙（随大流）和梦游者（满足于未发挥的潜能）。1992年，广告代理商达西（D'Arcy）、马休斯（Masius）、本顿-鲍尔斯（Benton & Bowles）出版了《俄罗斯消费者：新视野与营销方法》一书，它揭示了五种俄罗斯消费者："商人"、"哥萨克"、"学生"、"企业经理"和"俄罗斯灵魂"。例如，哥萨克的特点是有抱负、独立的和追求地位；而俄罗斯灵魂是消极的、害怕选择和充满希望的。哥萨克会驾驶宝马车，抽登喜路香烟，喝人头马威士忌；而俄罗斯灵魂则驾驶拉达车，抽万宝路烟和喝斯米诺夫伏特加。[17]

新千年营销

你是一位网虫还是技术人员？新的调研关注技术型顾客关注的对象

传统市场调查也许会告诉你谁正在买家用电脑。它也许会告诉你他或她选择了怎样一种生活方式。然而，它不会告诉你在家中谁用电脑以及为什么用；它不会告诉你妻子正在用电脑进行远程教学班，儿子正在用电脑从各种网站下载电脑游戏，女儿正用电脑挂在网上加入众多聊天群体的行列，或者，丈夫是一个十足的技术恐惧者，也会偶尔在深夜里上网获取一些股票报价。一个寄说明网站最新小发明的促销单给作丈夫的人的营销者肯定达不到这个目的。

技术产品的营销人员可以利用几种新的营销调研工具了解这类顾客的购买信息及使用者的情况。这些新型工具寻求以技术人员为主的消费者市场情况。两种最突出的工具是：弗瑞斯特研究公司（Forrester）推出的"技术图解"（Technographics）——主要了解顾客投资技术的动机、目的和能力等（见图6—2），另一家是SRI咨询公司推出的i-VALS——主要面向网络顾客对网上服务的态度、喜好及网上的行为等。弗瑞斯特研究公司是通过雇用NPD（一家调研公司），在调查了131 000位顾客后开发出来的。技术图解系统将顾客分成了9大类，这9大类具体分类方法见图6—2。

	较富裕	不太富裕	
	职业	**家庭**	**休闲**
乐观	**快速前进者** 这部分顾客是最大的消费者，并且他们是最早采用新技术的人群，包括家庭的、办公的及个人的	**新时代培育者** 这部分顾客也是最大的消费者，但只关注那些家庭所需的技术，如家用个人电脑	**喜欢搜寻者** 他们喜欢网上娱乐世界，并且愿意为最新的技术花费
	技术奋斗者 使用手机及寻呼机信息，主要为满足初步的职业需要	**数字期望者** 对计算机充满兴趣的人，家庭开支较少，但是对新技术依旧充满兴趣，是1 000美元以下的计算机的最佳目标顾客	**小发明者** 他们也喜欢网上娱乐，但是花费不多
悲观	**摇摆者** 老年顾客（特别是经理们）在工作中不需要计算机，他们把这些工作留给年轻的助手们	**保守者** 愿意运用新技术，但是适应非常慢，不容易改变，对已有设施的追加投资较多	**喜欢媒体者** 寻求娱乐，但是应用网络不多，更喜欢电视或其他老式媒体
	旁观市民（对技术没有兴趣）		

图6—2　如何对技术顾客分类

资料来源：Paul C. Judge, "Are Tech Buyers Different," *Business Week, January 26, 1998, p.65; Data Forrester Research Inc.*

SRI 咨询公司还根据网络的使用情况将顾客分成 10 个部分。下面是其中的一部分：

● 大师指那些技术高超的人，他们能熟练地运用网络，他们所需的是最高的技术服务。

● 新生代指那些刚刚开始运用网络，只熟悉网络特定的一小部分的人，他们运用网络是因为工作或学习的需要。

● 社会名流指密切关注社会新闻，并且积极参与网上讨论的人。这个群体是 iVALS 中最年轻的部分，大部分人不足 30 岁。

技术图解及 iVALS 都强调了社会的多重性，但是，着重强调的是知识而不是收入。例如，经常运用计算机的人们应该是电子银行的最佳促销对象，他们可以方便地进行付款、账户间的转账、核对收支等工作。但是，对于非计算机用户，他们依旧使用手签支票、运用老式方法付款、排长队等在银行柜台外等候取款。然而，新型调研方式揭开了"了解"和"深入掌握"的人群之间的部分。例如，三角洲航空公司（Delta Airliness）希望利用技术图解分析因特网票务的目标顾客。建立了相应的营销组了解"赶时间的人"和"有利益的培养对象"，以及放弃那些不可能的人群。三角洲航空公司的营销经理葆拉·莱（Paula Lai）说："传统的营销方法能给出大致的分布图像，但是，如果它不能告诉你哪些人会在网上购物，那么这种方式又有什么用呢？"

资料来源：Based on Andy Hines, "Do You Know Your Technology Type?" *The Futurist*, September – October 1997, pp. 10 ~ 11; Rebecca Piirto heath, "The Frontiers of Psychographics," *American Demographics*, July 1996, pp. 38 ~ 43. Information on iVALS segments from www. future. sri. com (August 1998). Paul C. Judge, "Are Tech Buyers Different?" *Business Week*, January 26, 1998, pp. 64 ~ 65, 68.

个性和自我概念

每个人都有影响他的购买行为的独特个性。

个性（personality）是指一个人所特有的心理特征，它导致一个人对他或她所处的环境相对一致和持续不断的反应。

一个人的个性通常可用自信、控制欲、自主、顺从、交际、保守和适应等性格特征来加以描绘。[18]假如个性可以分类，那么它能成为分析消费者购买行为的一个因变量，某些个性类型同产品或品牌选择之间关系密切。例如，某家经营电脑的公司也许会发现，许多有可能成为其顾客的人都具有如下个性特征，即他们的自信心、控制欲和自主意识都极强。这就要求运用针对那些购买或拥有电脑的顾客的某些特征所设计出来的广告手段。

与个性有关的是一个人的自我概念（self-concept）（或称自我形象）。营销者努力开发品牌形象与目标市场的自我形象相一致。一个人的实际自我概念（actual self-concept）（即她如何看待自己）与她的理想自我概念（ideal self-concept）（即她希望如何看待自己）和她的他人自我概念（others-self-concept）（即她认为别人是如何看她的）是截然不同的。以上哪一种自我是通过购买所要满足的？回答这个问题是困难的，自我概念理论在预测消费者对品牌形象的反应方面，其成效还处于只有一个混合记录的阶段。[19]

心理因素

一个人的购买选择也受四种主要心理因素的影响，即动机、认知、学习以及信念和态度。

动机

在任何时期，每个人总有许多需要。有些需要是由生理状况（biogenic）而引起的，如饥饿，口渴，不安等。另外一些需要是心理性的（psychogenic），是由心理状况紧张而引起的，如认识，尊重和归属。其中大部分需要在一定时间内不会发展到激发人采取行动的程度。只有当需要升华到足够的强度水平时，这种需要才会变为动机。动机（motive）也是一种需要，它能够产生足够的压力去驱使人行动。

心理学家已经提出了人类动机理论，最流行的有三种，即由西格蒙德·弗洛伊德（Sigmund Freud）、亚伯拉罕·马斯洛（Abraham Maslow）和弗雷德里克·赫茨伯格（Frederick Herzberg）分别提出的。这三种动机理论对消费者分析和营销战略各有不同的含义。

弗洛伊德的动机理论　西格蒙德·弗洛伊德假定，形成人们行为的真正心理因素大多是无意识的。因此，根据弗洛伊德理论，一个人不可能真正懂得其受激励的主要动因。这种称为阶梯（laddering）的技术能被用来追踪一个人的动机从已陈述的话到另一端的思想。然后，营销者再决策开发何种程度的信息和诉求。[20]

当一个人面对具体的品牌时，他或她不仅会对产品所显示的能力作出反应，而且还会对其他一些暗示作出反应。产品的形状、大小、重量、材料、颜色和品牌名等都可以引发一定的联想或情感。

动机研究者汇集了与几十位消费者"深入面谈"的内容资料，以便揭示产品对这些消费者所引发的更深一层的动机。他们运用各种"投影技术"来摆脱个人的自我警戒，该技术包括文字联想法、句子完成法、图像解释法和角色扮演法。这些动机研究者已对消费者在购买行为中的想法产生了某些兴趣，偶尔也产生了异乎寻常的假设：消费者不喜欢干梅，因为它外表皱纹多使人想起老年；男子把抽雪茄烟看成是成年人吮指的替代；妇女喜欢食用植物油，而不喜欢食用动物性脂肪，因为后者会引起一种残杀动物的犯罪感。

许多参与实践活动的动机研究者认为，每一个产品都能唤起消费者一个独特的动机因素。例如，威士忌酒能够促使某些人寻求在社会上的放松感、地位或快乐。因此，毫不奇怪，不同的威士忌品牌已具体体现出这三种诉求中的一种。简·卡列波特（Jan Callebaut）称这种方法为"动机定位"。[21]

马斯洛的动机理论　亚伯拉罕·马斯洛试图说明在某一特定阶段人们为何受到各种具体需要的驱使。[22]为什么一个人要花费大量时间和精力用于个人安全和追求别人的尊重呢？马斯洛认为，人类的需要可按层次排列，先满足最迫切的需要，然后，再满足其他需要（见图6—3）。这些需要按其重要程度排列，分别为生理需要、安全需要、社会需要、尊重需要和自我实现需要。一个人总是首先满足最重要的需要，但当他满足了最重要的需要之后，这个需要就不再是一种激励因素，而转向满足下一个重要的需要。例如，一名饥饿者(第一需要)绝不会对艺术界的新鲜事情感兴趣（第五需要），也不会注意别人对他的看法或是否尊重他（第三、四需要），他甚至对自己周围的空气纯净与否也无所谓（第二需要）。然而，他拥有足够的食品和水时，下一个重要需要就随之产生。

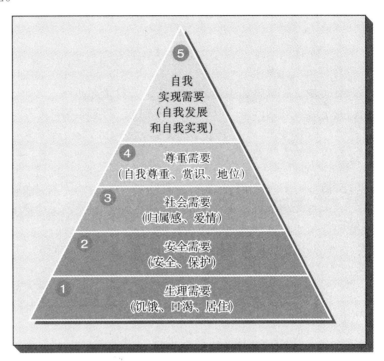

图6—3　马斯洛的需求层次论

马斯洛理论可以帮助营销人员了解各种产品如何才能适应潜在消费者的计划、目标与生活。

赫茨伯格的动机理论　弗雷德里克·赫茨伯格提出了动机双因素理论(two-factor theory)，这个理论区别了两种不同因素，即不满意(引起不满意的因素)和满意(引起满意的因素)。[23]仅避免不满意因素是不够的，还必须刺激引起购买的满意因素。假如一台电脑不附有保单，也许就是一个不满意因素。然而，即使有了产品保单，也还不能断定它就是购买产品的满意因素或激励因素。因为保单并非是对电脑真正满意的本质因素。它必须在使用上保证满意。

赫茨伯格动机理论有两层含义。首先是销售商应该尽最大努力防止影响购买者的各种不满意因素，如不符合要求的使用训练手册和不好的产品维修服务政策。尽管这些事情对产品的出售不起促进作用，但会起影响出售的作用。其次是指在市场上，生产商要仔细识别消费者购买产品的各种主要满意因素和激励因素，并提供这些因素。然而，这些因素会随着顾客购买的品牌不同而发生很大的差异。

认知

一个被激励的人随时准备行动。然而，他或她如何行动则受其对情况的认知程度的影响。

认知（perception）是个人选择、组织并解释信息投入，以便创造一个有意义的个人世界图像的过程。[24]

认知不但取决于物质的特征，而且还依赖于刺激物同周围环境的关系以及个人所处的状况。

这里的关键词是个人（individual）的感觉。一个人可能认为一位说话很快的推销员行为过分或欠诚恳，而另一位购买者却可能认为该推销员很聪明，对自己购买颇有帮助。为何人们对同样情况会产生不同的认知呢？人们会对同一刺激物产生不同的认知是因为人们经历了三种认知过程，那就是：选择性注意、选择性扭曲和选择性保留过程。

选择性注意（selective attentive）　人们在日常生活中面对众多刺激物。仅以商业性广告刺激物为例，平均每人每天要接触到 1 500 个以上的广告。一个人不可能对所有刺激物都加以注意，其中多半被筛选掉，而真正的挑战在于说明人们会注意哪些刺激物，下面是一些调研结果：

● 人们会更多地注意那些与当前需要有关的刺激物。他或她有一种购买电脑的动机，会注意所有有关电脑的广告；他或她可能不会注意有关立体声设备的广告。

● 人们会更多地注意他们期待的刺激物。他或她多半会注意电脑商店内的便携电脑，而不会注意那些陈列于店内的收音机，因为他或她对店内有无收音机不感兴趣。

● 人们会更多地注意跟刺激物的正常大小相比有较大差别的刺激物。他或她会更多地注意减价 100 美元的电脑的广告，而不大注意只减价 5 美元的其他计算机的广告。

选择性扭曲（selective distortion）　即使是消费者注意的刺激物，也并不一定会与原创者预期的方式相吻合。选择性扭曲就是人们将信息加以扭曲，使之合乎自己意思的倾向。因此，对于选择性的扭曲，营销人员无能为力。

选择性保留（selective retention）　人们会忘记他们所有知道的许多信息，但他们倾向于保留那些能够支持其态度和信念的信息。由于存在选择性保留，所以，我们很可能记住一个产品的优点，而忘记了竞争对手同类产品的优点。选择性保留解释了为什么营销人员在传递信息给目标市场的过程中需要选用大量戏剧性手段和重复手段。

学习

人们要行动就得学习。

学习（learning）是指由于经验而引起的个人行为的改变。

人类行为大都来源于学习。学习论者认为，一个人的学习是通过驱动力、刺激物、诱因、反应和强化而形成的。

驱动力（drive）是指促成行动的一种强烈的内在刺激。所谓诱因（cues）是指那些决定一个人何时、何地以及如何作出反应的次要刺激物。

假如你买了一台 IBM 电脑。如果你的经验证实是值得的，那么，你对电

209

脑的反应也随之加强。而后，你也许又想买一台打印机，由于你认为 IBM 公司既然能生产最好的电脑，就进而推断它也能生产最好的打印机。换言之，你把对电脑的反应扩散（generalize）到类似刺激物上。扩散的相反倾向是辨别（discrimination）。辨别意味着一个人已经学会了在一系列同类刺激物中认识其中的差异，并能据此调整自己的反应。

对营销人员来说，关于学习的理论的实际价值在于，他们可以通过把学习与强烈驱动力联系起来，运用刺激性暗示和提供积极强化等手段来建立对产品的需求。一家新公司能够采用跟竞争对手相同的驱动力并提供相似的诱因形式而进入市场是因为购买者大都容易把他对原先的品牌忠诚转向与之相类似的品牌（扩散），而不是转向与之相异的品牌。公司也可以设计一套具有不同驱动力的品牌，并提供强烈的暗示性诱导来促使购买者转向它的品牌（辨别）。

信念和态度

通过实践和学习，人们形成了自己的信念和态度，信念和态度反过来又影响人们的购买行为。

信念（belief）是指一个人对某些事物所持有的描绘性思想。

信念也许基于其知识、看法和信仰。它们可能带有或不带有某种感情因素。诚然，制造商非常关注人们在头脑中对其产品和服务所持有的信念，这些信念树立起了产品和品牌的形象。人们根据自己的信念作出行动，如果一些信念是错误的，并阻碍了购买行为，制造商就要发动一场促销活动去纠正这些错误信念。[25]

对全球营销者来说，特别重要的是他们面临的事实是购买者有一个明显的信念是关于品牌或产品的原产地国家。几份对原产地国家研究的报告发现了如下的现象：

● 对原产地国家的印象因产品而异，消费者注重汽车的原产地，但对润滑油却无所谓。

● 一定的国家具有一定的代表性商品，如日本的汽车和消费电子产品；美国的高技术发明、软饮料、玩具、香烟和牛仔裤；法国的酒、香水和奢侈品。

● 对原产地的认知有时会扩展到其他产品，可能包括该国家的全部产品。一项最新的研究表明，在香港的中国消费者认为美国产品是有声望的；日本产品是创新的；而中国内地的产品是便宜的。[26]

● 对一个国家越偏爱，就越应突出这一国家生产的标志，并促销它的品牌。

● 对"原产地国家"的态度随着时间的推移而转变。人们注意到日本产品的质量在第二次世界大战前后有了极大的改进。

当一个公司的产品有竞争性的价格但由于原产地而被消费者拒绝时，它可以选择以下几种方法。首先，公司可以与有美誉的外国公司合作生产。例如，韩国把制作精良的夹克衫的最后一道工序放在意大利完成。其次，是使本地的行业获得世界一流质量的美誉，如比利时巧克力、波兰火腿、哥伦比亚咖啡。南非的葡萄酒业正在尝试这样做。

南非的葡萄酒(South African Wineries)　南非的葡萄酒开始进入欧洲的超市时，由于人们认为南非的葡萄园与澳大利亚和智利的葡萄园相比较为落后而没有取得成功。并且，它们还让人们联想到南非农场主粗暴对待劳工以及销售中的背后交易。在纳尔逊的克利克和费尔维尤的农场主们现在已经改善了工人的生活状况并且分给他们一定的股份。"酒类是一种讲究产地的产品，如果南非不能发展，酒类就不可能取得成功。"这个行业的权威之一，KWV 农场合作社的首席执行官，80 岁的威廉·巴纳德（Willem Barnard）如是说。[27]

最后，公司可以聘请名流认同该产品。耐克公司在欧洲的成功在于它利用了篮球明星迈克尔·乔丹开展促销活动。[28]

与信念一样重要的另一个概念是态度。

态度(attitude)是指一个人对某些事物或观念长期持有的好与坏的认识上的评价、情感上的感受和行动倾向。[29]

人们几乎对所有事物都持有态度。如宗教、政治、衣着、音乐、食物等等。态度导致人们对某一事物产生好感或恶感，亲近或疏远的心情。态度能使人们对相似的事物产生相当一致的行为。人们没有必要对每一事物都以新的方式作出解释和反应。态度可以节省精力和脑力，正因为如此，态度是难以变更的。一个人的态度呈现为稳定一致的模式，要改变一种态度就需要在其他态度方面作重大调整。

所以，企业最好使其产品与既有态度相一致，而不要去试图改变人们的态度。当然，如果改变一种态度所耗的昂贵费用能得到补偿时则另当别论。下面是两个食品组织使用广告活动改变了消费者态度而获得成功的例子。

加州葡萄干（California Raisins）　加州葡萄干的种植者发现他们已大量积压了葡萄干，他们面临的主要阻碍是消费者对这种干皱零食的态度。通过市场调研发现，消费者认识到葡萄干是有营养的，但它的形象"令人生厌"。加州葡萄干顾问理事会设计了葡萄干跳舞的广告，葡萄干从这一边跳到那一边，它唤起人们情感上的诉求，该州剩余的葡萄干就这样卖完了。[30]

美国液体奶类制造者教育程序(National Fluid Milk Processor Education Program)　到 1994 年已经是奶类消耗量下降的第 25 个年头了，人们通常认为奶制品是无益健康的、过时的、孩子用的，只能用作小甜饼和蛋糕的配料。从 1994 年 10 月份开始，美国液体奶类制造者教育计划开始推出一项 5 500 万美元的广告促销运动，它们推出的印刷品上是一个胡子的大聚会，这项运动的标题为"哪个是你的胡子"。这项运动并非像预计的那么好，但是，也取得了一定的成功。奶类运动使得奶类的消耗量不再下降，并且增加了 1%。到 1998年，这项运动依旧在进行，投资也增加到了 1.1 亿美元。开始的目标顾客是 20 多岁的年轻妇女，现在已经转向其他的消费者群体，并且得到了青少年消费者的青睐。青少年们收集广告上的明星们，如音乐明星汉森(Hanson)和利恩·里姆斯（Leann Rimes），超级名模泰尔·班克斯（Tyra Banks），体育明星史蒂夫·杨（Steve Young）以及丹尼斯·罗德曼（Dennis Rodman）。随着这些广告的成功，奶类制造商们建立了专门的网站（www.whymilk.com），并限制只有那些发誓说一天要饮三大杯的人才能进入。[31]

你想买牛奶吗？一个全国液体牛奶生产商使用的带牛奶胡子的各种名人的广告牌。

购买决策过程

营销人员除了了解对购买者产生的各种影响因素之外，他们还应了解消费者怎样实际地作出购买决策，识别购买决策的类型以及购买过程中的步骤。

购买的角色

就许多产品而言，识别购买者是相当容易的。在美国，剃须刀一般是男子选择的，紧身内裤是女子选择的。然而，营销者仍旧需要仔细地确定目标决策者，因为购买角色是可以改变的。英国化工公司 ICI 惊奇地发现，在房间涂料品牌选择者中妇女占了 60%；ICI 因此决定把广告的对象改为女性。

我们可以在一个购买决策中区分出五个角色：

- 发起者。发起者是指首先提出或有意购买某一产品或服务的人。
- 影响者。影响者是指其看法或建议对最终决策具有一定影响的人。
- 决策者。决策者是指在是否买、为何买、如何买、在哪里买等方面作出完全的或部分的最后决定的人。
- 购买者。购买者指实际采购人。
- 使用者。使用者指实际消费或使用产品或服务的人。

购买的行为

消费者购买决策随其购买决策类型的不同而变化。在购买牙膏、网球拍、电脑和新汽车之间，存在着很大的不同。较为复杂的和花钱多的决策往往凝结着购买者的反复权衡，而且还包含许多购买决策的参与者。阿萨尔（Assael）根据购买者在购买过程中参与者的介入程度和品牌间的差异程度，区分了消费者购买行为的四种类型（见表6—3）。[32]

表6—3 购买行为的四种类型

	高度介入	低度介入
品牌间差异很大	复杂的购买行为	寻找多样化的购买行为
品牌间差异很小	减少失调的购买行为	习惯性的购买行为

资料来源: Modified from henry Assael, *Consumer Behavior and Marketing Action* (Boston: Kent Publishing Co., 1987), p. 87. Copyright © 1987 by Wadsworth, Inc. Printed by permission of Kent Publishing Co., a division of Wadsworth, Inc.

复杂的购买行为

复杂的购买行为包括三个步骤。首先，购买者产生对商品的信念；其次，他或她对这个商品形成态度；第三，他或她作出慎重的购买选择。当消费者专心仔细地购买，并注意现有各品牌间的重要差别时，他们也就完成了复杂的购买行为。消费者一般对花钱多的商品、偶尔购买的商品、风险大的商品以及引人注目的商品等的购买都非常专心仔细。一般说来，消费者对商品的类型了解较少，需要大量学习。例如，有些购买电脑的人甚至对自己要买商品是什么属性都全然不知。除非购买者进行研究，否则他对许多商品的特性一窍不通。

高度介入产品的营销人员必须懂得对高度介入的消费者收集信息并评估其行为。有必要发展一些营销战略，以便协助购买者学习有关产品类别属性、它们之间的重要关系以及它的品牌在比较重要的属性方面的名望。此外，营销人员还有必要区别其品牌的特征，利用一些主要的印刷媒体和内容叙述较长的广告文稿来描述产品的优点；同时，谋求商店销售人员和购买者的熟人的支持，以影响购买者最后的品牌选择。

减少失调的购买行为

有时，消费者对于各种品牌看起来没有什么差别的产品购买也持慎重态度。高度介入的购买行为是又一次基于这样的事实，即花钱很多的产品，偶尔购买的产品和风险产品。在上例中，购买者会到处选购商品，以了解可以买到的产品，而且会相当快地购买，购买者也许会对一个合适的价格或购买方便作出主要反应。以买地毯为例，它是一项高度介入决策，因为地毯既是花钱多的产品，又是一种需要加以识别的产品。然而，购买者往往会把在一定价格幅度内的大多数地毯看成是同样的。

产品购买后，消费者有时会产生一种购后不协调的感觉，因为他注意到了地毯上的一些使他感到烦恼的缺点，或是听了有关其他地毯的一些优点。于是，他开始学习更多东西，试图证明自己的决策是正确的，以减少购后的不协调感。在这个例子里，消费者通过自己的行为状态取得某些新的信念，最终对自己的选择作出有利的评价。在这种情况下，营销沟通的主要作用在于增强信念，以帮助购买者对他或她选择的品牌有一种满意的感觉。

习惯性的购买行为

许多产品的购买是在消费者低度介入、品牌间无多大差别的情况下完成的。购买食盐就是个好的例证。消费者对这类产品几乎不存在介入情况。他们去商店购买某一品牌的食盐，如果他们长期保持购买同一个品牌的食盐，那只是出于习惯，而非出于对品牌的忠诚。事情很清楚，消费者对大多数价格低廉、经常购买的产品的介入程度很低。

在低度介入的产品中，消费者的购买行为并没有经过正常的信念、态度、行为顺序等一系列过程，他们并没有对品牌信息进行广泛研究，也没有对品牌特点进行评价，对决定购买什么品牌也不重视；相反，他们只是在看电视或阅读印刷品广告时被动地接受信息。广告的重复，会产生品牌熟悉，而不是品牌信念。消费者不会真正形成对某一品牌的态度，他之所以选择这一品牌，仅仅因为它是熟悉的。产品购买之后，由于消费者对这类产品无所谓，也就不会对它进行购后评价。因此，一个购买过程就是通过被动的学习而形成的品牌信念，随后产生购买行为，对购买行为有可能作出评价，或不作评价。

营销这些产品的人员发现，运用价格和销售促进作为产品试销的刺激是有效的。电视广告比印刷品广告更为有效，因为电视是一种低度介入的宣传媒介，它适合于被动的学习。[33]

营销人员也可以通过四种技术使低度介入产品转变为较高度介入产品。首先，可以通过将该产品跟与之有关的问题相联系来完成，就像佳洁士牙膏跟保持人们牙齿健康联系在一起那样；其次，产品也可同某些涉及个人的具体情况相联系，如清晨消费者正在寻找什么东西来消除睡意的时候，用广告宣传咖啡品牌；第三，营销人员可以通过广告活动来吸引顾客，因为这一活动可以触发与一个人的价值观念和自我防御有关的强烈的感情；第四，在一般产品上增加一种重要特色，例如，在某种简单、可口的饮料中增加维生素。这些战略至多能把消费者从低介入提高到一种适度的介入水平，而无法将他们推入复杂的购买行为的行列。

寻找多样化的购买行为

　　某些购买情况是以消费者低度介入但品牌差异很大为特征的。在这种情况下，消费者被看成是会经常改变品牌选择的。以在购买小甜饼中遇到的情况为例。消费者会有某些信念，不先作充分评价。但在下一次购买时，消费者也许想尝新，或想体验一下品味而转向买另外一种品牌。品牌的选择变化常起因于产品的多品种，而不是起因于对产品不满意。

　　市场领导者对这类产品类目和次要品牌所采取的营销战略是不同的。他们会试图通过摆满商品货架，避免脱销以及经常做提醒广告来鼓励习惯性的购买行为。另一方面，一些挑战企业会采用压低价格，提供各种优惠、赠券、免费样品以及以宣传试用新产品为特色的广告活动来刺激顾客进行产品品种选择。

购买决策过程中的各个阶段

　　明智的公司会对涉及其产品类目的购买决策过程加以研究，它们要求消费者回答如下问题：他们何时开始熟悉本公司的产品类目？他们对品牌的信念是什么？他们对产品的爱好程度如何？如何作出品牌选择以及购买后他们如何评价满意程度？

　　营销人员怎样识别任何特定产品购买过程中的典型阶段呢？他们可以对自己可能出现的行为进行反省，尽管这种方法用途有限(反省法)；同样，他们也可以同一小部分新近的买者面谈，请他们回想一下引起购买行为的经过(回顾法)；他们也可以找一些正欲购买产品的消费者，请他们思考一下自己将怎样经历购买过程(展望法)；营销人员还可以请一些消费者描述一下人们购买产品的理想方式(指示法)。从各种方法中都可获得在购买过程的各个阶段所发生的综合性消费者行为的报告。

　　图6—4显示了购买者过程的"阶段模式"。消费者会经历问题认识、信息收集、对可供选择方案的评价、购买决策和购后行为五个阶段。很清楚，购买过程早在实际购买发生之前就开始了，并且购买之后很久还会有持续影响。[34]

　　图6—4的模式说明了消费者在购买物品的过程中经历的五个阶段，我们发现，事实并非如此，因为消费者可能会越过或颠倒其中某些阶段。一位购买固定品牌牙膏的妇女会越过信息收集和方案评估阶段，直接从对牙膏的需要进入购买决策。然而，我们仍将运用图6—4的模式，因为这一模式阐述了一位消费者面对一项高度介入的新采购时所发生的全部思考过程。[35]

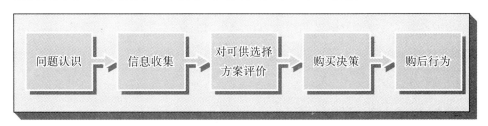

图6—4　购买过程的五个阶段

问题认识

购买过程从购买者对某一问题的认识开始。内在的和外部的刺激因素都可能引起需求。前一个例子说明了人的正常需要之一(如饥饿、干渴、性欲)上升到某一界限,就成为一种驱动力;在后一个例子中,需求也可由一种外来的刺激所引起。某人路过面包烘房,一见新鲜烘制的面包便激起了食欲;她羡慕一位邻居的新车;或是看见一幅去夏威夷度假的电视广告。

营销人员需要去识别引起消费者某种需要的环境。通过从一些消费者那里收集的信息,营销人员就能识别一些会对产品产生兴趣的常见的刺激因素。这样,营销人员就可以拟定引起消费者兴趣的各种营销战略了。

信息收集

一位被唤起需求的消费者可能会去寻求更多的信息。我们可以把这些收集区分为两种状态:适度的收集状态,我们称之为加强注意。在这种状态下,一个人对一个产品的信息变得更加关心。

下一步,这个人可能会进入积极收集信息状态。在这种状态下,她会寻找阅读材料,与朋友电话联系和进行其他收集活动来收集产品信息。

营销人员最感兴趣的是消费者需要的各种主要信息来源,以及每种信息对今后的购买决策的相对影响。消费者信息来源可分为四种:

- 个人来源。家庭、朋友、邻居、熟人。
- 商业来源。广告、推销员、经销商、包装、展览。
- 公共来源。大众传播媒体、消费者评审组织。
- 经验来源。处理、检查和使用产品。

以上这些信息来源的相对影响随着产品的类别和购买者特征而变化。一般说来,就某一产品而言,消费者最多的信息来源是商业来源,也就是营销人员所控制的来源。另一方面,最有效的信息展现来自个人来源。每一信息来源对于购买决策的影响会起到某些不同的作用。商业信息一般起到通知的作用,个人信息来源起着对作出购买决定是否合理或评价的作用。例如,内科医生通常从商业方面获知上市的新药,但究竟购买与否,则须借助于其他医生对该信息的评价。

通过收集信息,消费者熟悉了市场上的一些竞争品牌和特征。图 6—5 最左边的方框表示消费者可能得到的全部品牌,而消费者只能熟悉全部品牌中的一部分(知晓品牌组)。在这组品牌中,只有某些品牌能适应琳达最初的购买标准(考虑品牌组)。当消费者收集了这类品牌的大量信息之后,只有少数品牌被作为重点选择(选择品牌组)。消费者根据自己经历的决策评价过程,从选择组中作出最后决策。[36]

图 6—5 表明,公司必须有战略地使它的品牌进入潜在顾客的知晓组、考虑组和选择组。公司应该深入研究有哪些其他的品牌留在消费者的选择组中,

以便制定具有竞争吸引力的计划。另外，就消费者的信息来源而言，营销人员应该对此加以识别，并评价它作为信息来源的各自重要性；同时，还应该询问消费者最初听到有关品牌信息时有什么感觉，以后又得到了什么信息，以及各种不同信息来源的相关重要性等。这些答案将会帮助公司为目标市场准备有效的传播计划。

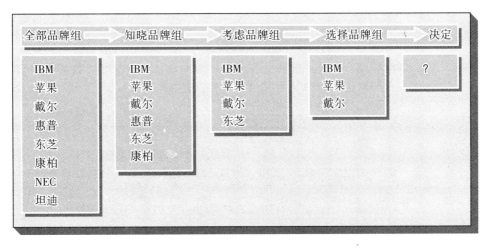

图6—5　消费者决策过程中所涉及的相继考虑的品牌组

对可供选择的方案评价

消费者怎样在选择品牌组内众多可供选择的品牌中加以选择？至今还没有一种能为所有消费者或只是一位消费者在各种购买情况下可使用的简明单一的信息评价程序。有几种决策评价过程。消费者评价过程最流行的模式是认识导向，即营销人员认为消费者对产品的判断大都是建立在自觉的和理性的基础之上的。

一些基本概念有助于我们了解消费者的评价过程。我们看到顾客在努力地满足某些需要。顾客从产品答案中寻找某些利益。顾客把每个产品看成是各种不同的具有其寻找的利益和满足其需要的一组属性。消费者感兴趣的属性分类如下：

- 照相机。照片清晰度，摄影速度，相机大小，价格。
- 旅馆。位置，清洁度，气氛，费用。
- 漱口剂。颜色，效力，杀菌能力，价格，味道。
- 轮胎。安全，耐磨寿命，驾驶性能，价格。

消费者将根据其关联或特征来区别这些产品的属性。他们会密切注意与其需要有关的产品的属性，产品市场常常可根据各个不同消费群所感兴趣的属性来加以细分。

凡是靠各自属性建树声誉的每一个品牌，消费者对此大概会发展为一组品牌信念。消费者对某一品牌所具有的一组信念称为品牌形象，消费者由于个人

217

经验和选择性注意、选择性扭曲以及选择性保留的影响，其品牌信念有可能与产品的真实属性并不一致。

消费者经过某些评价程序，对各个可供选择的品牌会有一种态度(判断、偏好)。[37]假设琳达·布朗将其选择组仅局限于四种电脑(A，B，C，D)，再假定她主要对四种性能有兴趣，即储存性能，图像显示能力，大小与重量和价格。表6—4 显示了她根据这四种性能对每一品牌如何进行打分的情况，琳达对品牌A打分如下：在 10 点的标尺上，储存性能为 10，图像显示能力为 8，大小与重量为 6，价格为 4(略贵)。同样，她也根据这些性能对其他三种品牌电脑进行打分。显然，如果某一品牌的电脑在一切性能方面都优于其他品牌，我们就能预测琳达会买这台电脑。然而，她的品牌选择组是由具有不同属性要求的品牌组成的。如果琳达首要的是储存性能，她就会买 A 品牌电脑；如果她想要最好的图像显示性能，她就会买 B 品牌电脑，等等。

表6—4　　　　　　　　　一位消费者对电脑的品牌信念评分[①]

电脑	属性			
	储存能力	图像显示能力	大小与重量	价格
A	10	8	6	4
B	8	9	8	3
C	6	8	10	5
D	4	3	7	8

① 对每一性能的评分从 0 到 10，10 分表示属性的最高水平。假定消费者一般都希望在每一属性上都得到高分。然而，对价格却以相反的方法加以表示，10 分表示最低价格，因为每个消费者总喜欢低价，而不喜欢高价。

大多数购买者会考虑几个属性，但对这些属性却作出重要性不同的权数。如果我们知道琳达分配给 4 种属性的重要性权数，我们就可以更为可靠地预测她的选择。假定琳达对电脑储存能力确定的重要性是 40%，图像显示能力是 30%，大小与重量是 20%，价格是 10%。为了找到琳达对每一种电脑所理解的价值，她的权数乘以她对每台电脑的信念，由此得出以下认识值：

电脑 $A = 0.4 \times 10 + 0.3 \times 8 + 0.2 \times 6 + 0.1 \times 4 = 8.0$

电脑 $B = 0.4 \times 8 + 0.3 \times 9 + 0.2 \times 8 + 0.1 \times 3 = 7.8$

电脑 $C = 0.4 \times 6 + 0.3 \times 8 + 0.2 \times 10 + 0.1 \times 5 = 7.3$

电脑 $D = 0.4 \times 4 + 0.3 \times 3 + 0.2 \times 7 + 0.1 \times 8 = 4.7$

经过权数分析，认识价值最高者为 8.0，我们可以推测琳达将喜欢 A 品牌电脑。[38]

假如大多数电脑购买者说：他们是通过使用上述期望值过程而形成对产品的偏好的，那么，电脑生产厂商在了解了这一点之后，就可以做许多工作来影响购买者的决策。例如，电脑品牌 C 的营销人员为使人们对其品牌产生更大兴趣，可应用下列战略刺激对品牌 C 感兴趣的顾客：

● 重新设计电脑。这个技术称为实际再定位。
● 改变品牌的信念。改变对品牌信念，称为心理再定位。

● 改变竞争对手品牌的信念。对此我们称为竞争性反定位，它常常通过连续的比较性广告加以表达。

● 改变重要性权数。营销人员试图说服购买者把他们所重视的属性更多地放在本品牌所具有的杰出属性上。

● 唤起对被忽视属性的注意。营销人员可以设法使购买者重视被忽视的属性。

● 改变购买者的理想品牌。营销人员可以试图说服购买者改变其对一种或多种属性上的理想标准。[39]

购买决策

在评价阶段，消费者会在选择组的各种品牌之间形成一种偏好。消费者也可能形成某种购买意图而偏向购买他们喜爱的品牌。然而，在购买意图与购买决策之间，有两种因素会相互作用(见图6—6)。[40]

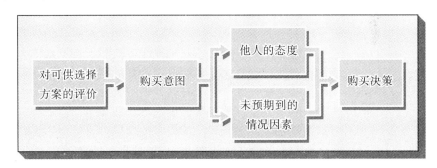

图6—6　对可供选择方案的评价和购买决策之间的步骤

第一个因素是其他人的态度。其他人的态度会影响一个人所喜爱的选择，其程度取决于两件事：(1)其他人对购买者所喜好的品牌持否定态度的强烈程度；(2)购买者对遵从旁人的愿望的动机。[41]旁人的否定态度越强烈，他与购买者的关系越密切，购买者就越是会修改他或她的购买意图。从相反面来说，购买者对品牌的偏好也因其喜欢的人而增加。当与购买者关系密切的人持不同的观点而购买者又想让他们皆大欢喜时，他人的影响就变得非常复杂了。

第二个因素是未预期情况因素的影响。某些突发事情可能会改变购买意图。杰克·汉密尔顿可能失业，这时，其他一些购买对他来说也许更为迫切。或者，一位商店营业员也许劝告他停止购买某产品。甚至，购买意图都不能作为购买行为的可靠预测因素。

消费者修正、推迟或者回避作出某一购买决定是受到可认知风险(perceived risk)的重大影响。[42]许多购买都包含一定的风险负担。消费者无法确定购买结果，这便产生了担心。可察觉风险的大小随着冒这一风险所支付的货币数量、不确定属性的比例以及消费者的自信程度而变化。消费者为避免风险而采取了某些常用的办法，如回避作出购买决定、从朋友处收集信息、喜欢全国性品牌和有保证的产品。营销人员必须了解引起消费者有风险感觉的这些因素，为他们提供信息及帮助以减少那些可察觉的风险。

决定实施某项购买意图的消费者作出五种购买子决策：品牌决策(品牌

A）、卖主决策（经销商 2）、数量决策（一台电脑）、时间决策（周末）、支付方式决策（信用卡）。当然，相比之下，对日用品的购买较少涉及这些因素。而且也不作慎重选择。例如，在购买食糖时，一位消费者几乎不考虑谁是出售方或使用什么支付方式。

购后行为

消费者在购买产品之后会体验某种程度的满意感和不满意感。在产品被购买以后，营销者的工作并没有结束，而是进入了购后时期。营销者必须监视购后满意、购后行为、购后产品的使用和处理。

购后满意

决定购买者是否对一项采购感到十分满意、稍稍满意或不满意的因素是什么呢？购买者的满意感是其产品期望和该产品可见绩效之间的函数。[43]如果产品符合期望，顾客就会满意；如果超过期望，顾客就会非常满意；如果不符合期望，顾客就会不满意。这些感觉在顾客是否再次购买产品时产生不同的效果，并且他们会把对该产品的好感或恶感的态度告诉其他人。

消费者根据自己从卖主、朋友以及其他信息来源所获得消息来形成他们的期望。如果卖主夸大其产品的好处，消费者就将感受到不能证实的期望，这种不能证实的期望会导致消费者的满意感。期望与绩效之间的差距越大，消费者的不满意感也就越大。此时，消费者的反应方式就会产生作用。当产品不完善时，有些消费者就会扩大这种差距，他们就对该产品表示极大的不满，而另外一些消费者则会缩小这种差距，对该产品表示较少的不满。[44]

为了使顾客满意，卖主应使其产品真正体现产品绩效的要求，以便使购买者得到满意感。有些卖主甚至可能打折扣地报道绩效水平，结果使消费者对其产品有了高于期望的满意感。

购后行为

消费者对产品的满意或不满意感会影响以后的购买行为。如果他们对产品满意的话，则在下一次购买中，他们将极可能继续购买该产品。例如，对汽车品牌选择的资料显示了最后一次购买该品牌感到高度满意的顾客，在重购时仍会倾向于买该品牌。例如，75% 丰田汽车的购买者感到高度满意，则有 75%的人倾向于重购丰田；35% 雪佛莱车购买者高度满意，便有 35% 雪佛莱的重购率。具有满意感的消费者向其他人说该产品的好话，正如营销人员所说的那样："满意的顾客就是我们的广告"。[45]

有不满意感的消费者的反应则截然不同。他们可以通过放弃或退货来减少不和谐，也可以通过寻求会确定产品的高价值的信息。他们可以采取公开行动包括向公司提出抱怨，到律师那里去或向能够帮助购买者得到满足的其他群体申诉，或干脆停止购买该产品（退场权）或告诫亲友不要购买（发言权）。[46]在所有这些场合中，卖主都会因为满足消费者的工作没有做好而有所失。[47]

营销人员应采取步骤尽可能减少买者购后不满意的程度。对购买者来说，通信设备购后较少有退货和撤销订单的现象。[48]电脑公司可以发信给电脑的新持有者，祝贺他选到了一台上乘的电脑；他们也可在广告上列出感到满意的品牌持有者；公司还可以为改进产品而向顾客征求意见，并列出消费者可选择的维修服务点。他们还可以写一些能减少不和谐感的产品使用小册子，把载有描述新型电脑如何使用的文章的杂志送给电脑持有者。此外，还可以为顾客提意见和减少他们的不满情绪提供良好的交流渠道。

购后使用和处置

营销者还应监视购买者是怎样使用和处置该产品的(见图6—7)。如果消费者将产品搁置一边几乎不用，那它就是一种不会令人满意的产品，消费者对产品的口头传播也就不会强烈。如果他们将该产品出售或交换，那么就会阻碍公司新产品的销售。如果消费者发现了一种产品的新用途，营销者就应该用广告来宣传这种用途。

雅芳（Avon）　许多年来，雅芳公司的顾客遍布全球，它的肤舒软沐浴油和保湿液是可以驱虫的。有些消费者用这种有香气的油沐浴，但另一些人则将其放在他们的后背包里驱蚊，或放在沙滩房屋的木板上并把瓶盖打开。现在，经过环境保护机构的批准，雅芳推出了有三重功能的肤舒软保湿防晒产品，以及驱虫、防水和保湿的SPF 15。[49]

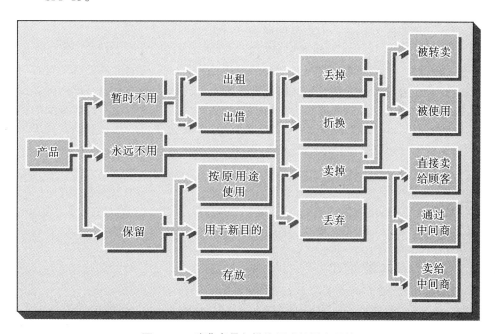

图6—7　消费者是怎样使用或处置产品的

如果消费者要丢掉产品，营销人员应了解他们是怎样丢弃它的，特别是会造成环境污染的产品(如饮料容器和一次性尿布)。由于对再利用公共意识的认识增强、出于经济上考虑和考虑到消费者抱怨把好看的瓶子丢掉太可惜，法国香水制造商罗加斯(Rochas)正在设想引进一条香水重灌生产线。

小结

1. 在制定营销计划以前，营销者需要研究消费者市场和消费者行为。在分析消费者市场时，公司需要研究：谁构成了该市场(购买者)；该市场购买什么(购买对象)；该市场为何购买(购买目的)；谁参与购买(购买组织)；该市场怎样购买(购买行为)；该市场何时购买(购买时间)和该市场何地购买(购买地点)。

2. 购买者行为受到四种主要因素的影响：文化因素(文化、亚文化和社会阶层)，社会因素(相关群体、家庭、角色和地位)；个人因素(年龄、生命周期阶段、职业、经济环境、生活方式、个性和自我观念)；心理因素(动机、认知、学习、信念和态度)。所有这些因素都为如何更有效地赢得顾客和为顾客服务提供了线索。

3. 为了了解消费者在实际上是怎样作出决策的，营销人员必须识别谁作出购买决定及作出购买决定的因素；人们可以是购买行为的发起者、影响者、决策者、购买者和使用者，对各种不同的人要开展各种不同的有目标的营销活动。营销人员还必须检查购买者的介入程度和对品牌有效性的数目，以确定消费者属于哪一种购买类型，即复杂购买行为、减少失调购买行为、习惯性购买行为和寻求多样品种的购买行为。

4. 典型的购买过程由下述步骤组成：问题认识，信息收集，可供选择方案评价，购买决策和购后行为等。营销人员的工作就是要了解消费者在每一阶段的行为和对购买的影响。影响购买决策的还有：其他人的态度、未预期情况因素，认知的风险，以及消费者购后的满意程度和公司方面的售后行为等，满意的顾客会继续购买；不满意的顾客会停止购买并到朋友处讲坏话。所以，公司必须在购买过程的全部方面都能保证顾客满意。

应用

本章观念

1. 用本章图6—1中购买者行为模式的适当组成来解释以下消费者行为：

(1) 由鸟的干唾液制成的燕窝汤在美国一般不被看做是美味，而由花蜜制成的蜂蜜很受美国人推崇；

(2) 某些消费者在各种商店里购物，另一些则只在熟悉的商店购物；

(3) 某些消费者在仔细逛了一圈之后才购物，而另一些则看中了就买；

(4) 两个不同民族的人看同一广告，一个人关注并接受了这一广告，而另一个人根本意识不到它的存在。

2. 以下每个组织的营销经理如何根据马斯洛的需求层次论制定营销战略？

（1）美国癌症协会；

（2）露华浓化妆品；

（3）宾州移民人寿保险公司；

（4）女童子军；

（5）卡尔文·克莱因牛仔裤。

3．下列哪个产品最易受消费者购后纠纷的影响，为什么？对这些产品，零售商如何减少购后纠纷？

（1）美洲豹汽车；

（2）汰渍清洁剂；

（3）索尼 CD 机；

（4）大不列颠百科全书；

（5）舒菲香波。

4．选择一个消费者经常购买的常用商品品牌，如莫顿牌（Morton）盐，亨特牌(Hunt)番茄酱。设想你的公司是它们的竞争对手，为了说服顾客改用你们的品牌，你将采取哪些行动？你的对手为了劝说顾客不更换品牌，该采取哪些对抗措施？

营销与广告

商业旅行者通常需要在整个过程中保持良好的衣着，谢拉顿（Sheraton）四星级酒店的广告（见图 6A—1）中反映了在购买过程中有哪些个人和社会因素？对商业旅客的决策条件中，这则广告的作用是什么？这则广告关注的是购买过程中的哪个阶段？为什么？

图 6A—1

聚焦技术

小甜饼（Cookies）(储存在用户个人电脑中的一些字节很小的快速上网的链接标志)引进了很多争议。网上营销公司很喜欢这些小甜饼，因为通过它们可以知道消费者的购买行为，了解他们访问哪些网站以及其他的个人信息。通过利用这些小甜饼，现代光碟和亚马逊在线这两个不断发展的网上营销公司可以建立个人网页来了解消费者的喜欢和购买模式。

许多公司都将它们的网络规则列在后面，这样，消费者可以了解到这些小甜饼是如何收集和使用这些信息的，但是，依旧有人担心这些小甜饼会允许营销公司接触用户的私人信息。运行网景（Netscape）和微软的网络浏览器的用户可以锁住这些小甜饼，但是在默认配置中是允许这些小甜饼运行的。因此，消费者有可能甚至不知道有这样的程序存在他们的计算机中，如果你浏览亚马逊在线网址，你会如何看待这一政策？你认为这一政策会如何影响顾客的态度和他们的行为？

新千年营销

心理图案学的研究正在数字化。在新千年后，营销者可以使用诸如 SRI 咨询公司的 iVALS 和 Forrester 研究公司的技术图解法，以技术类型为基础细分消费者群体。例如，iVALS 把消费者划分为 10 类：奇才，先锋，上游人士，社会名流，工作者，冲浪者，随大流者，好交际者，探索者和侨民。

若要分析 iVALS 的运作方法，访问 SRI 咨询公司的网站，研究它的最新调查内容，它包括了对新媒体的问题组（http://future.sri.com/vals/surveynew.html），也可以 iVALS 类型组为例（http://future.sri.com/vals/ivals.segs.html）。为什么营销者要应用这些心理细分类型组？应用 iVALS 细分方法对哪些营销者(或产品)特别有利，为什么？

你是营销者：索尼克公司的营销计划

在制定营销计划前，每位营销人员都应该研究顾客的市场及他们的行为模式。这会让营销人员了解是哪部分顾客组成了产品市场，他们为什么购买产品，他们购买了什么产品？是什么人购买？如何购买？什么时间购买？

如果由你负责索尼克台式音响的市场调研分析。再回顾一下公司现在的情况，然后，回答如下的关于市场及购买者行为模式的问题：

● 哪种文化、社会、个人爱好和心理因素最能影响台式音响的购买者？哪种调研工具最大程度地帮助你了解顾客的态度和购买行为的影响因素？
● 索尼克营销计划应关注哪个特殊因素？
● 哪些购买者以及购买行为与台式音响产品相关？
● 索尼克营销计划应该根据顾客购买过程采用哪些相应的营销行动？

在分析市场及顾客购买行为后，考虑索尼克营销计划包含哪些营销含义。在你的导师的指导下，把它们写入营销计划的适当部分中去，或输入营销计划软件的营销情况、SWOT/问题分析、目标市场/定位等相应部分中。

【注释】

[1] Joshua Macht, "The New Market Research," *Inc.*, July 1998, pp. 87～94.

[2] Tobi Elkin, "Product Pampering," *Brandwee*, June 16, 1997, pp. 38～40.

[3] See Leon G. Schiffman and Leslie Lazar kanuk, *Consumer Behavior*, 6th ed. (Upper Saddle River, NJ: Prentice Hall, 1997).

[4] Ibid.

[5] Courteny Kane, "Advertising: TBWA/Chiat Day Brins 'Street Culture' to a Campaign for Levi Strauss Silver Tab Clothing," *New York Times*, August 14, 1998, p. D8.

[6] See Rosann L. Spiro, "Persuasion in Family Decision Making," *Journal of Consumer Research*, March 1983, pp. 393～402; Lawrence H. Wortzel, "Marital Roles and Typologies as Predictors of Purchase Decision making for Everyday Household Products: Suggestions for Research," in *Advances in Consumer Research*, Vol. 7, ed. Jerry C. Olson (Chicago: American Marketing Association, 1989), pp. 212～215; David J. Burns, "Husband – Wife Innovative Consumer Decision Making: Exploring the Effect of Family Power," *Psychology & Marketing*, May – June 1992, pp. 175～189; Robert Boutilier, "Pulling the Family's Strings," *American Demographics*, August 1993, pp. 44～48. For cross-cultural comparisons of husband – wife buying roles, see John B. Ford, Michael S. LaTour, and Tony L. Henthorne, "Perception of Marital Roles in Purchase-Decision Processes: A Cross-Cultural Study," *Journal of the Academy of Marketing Science*, Spring 1995, pp. 120～131.

[7] George Moschis, "The Role of Family Communication in Consumer Socialization of Children and Adolescents," *Journal of Consumer Research*, March 1985, pp. 898～913.

[8] John Steere, "How Asian-Americans Make Purchase Decisions," *Marketing News*, March 13, 1995, p. 9.

[9] Tom Peters, "Opportunity Knocks," *Forbes*, June 2, 1997, p. 132.

[10] Marilyn Lavin, "Husband-Dominant, Wife-Dominant, Joint: A Shopping Typology for Baby Boom Couples?" *Journal of Consumer Marketing* 10, no. 3 (1993): 33～42.

[11] Alan alder, "Purchasing Power: Women's Buying Muscle Shops Up in Car Design, Marketing," *Chicago Tribune*, September 29, 1996, p. 21A.

[12] James U. McNeal, "Tapping the Three Kids' Markets," *american Demographics*, April 1998, pp. 37～41.

[13] David Leonhardt, "Hey Kid, Buy This," *Business Week*, June 30, 1997, pp. 62～67.

[14] Rob Yoegel, "Reaching Youth on the Web," *Target Marketing*, November 1997, pp. 38～41.

[15] See Lawrence Lepisto, "A Life Span Perspective of Consumer Behavior," in *Advances in Consumer Research* Vol. 12, ed. Elizabeth Hirshman and Morris Holbrook (Provo, UT: Association for Consumer Research, 1985), p. 47. Also see Gail Sheehy, *New Passages: Mapping Your Life Across Time* (New York: Random House, 1995).

[16] Arnold Mitchell, *The Nine American Lifestyles* (New York: Warner Books), pp. viii～x,

25 ~ 31; Personal communication from the VALS™ Program, Business Intelligence Center, SRI Consulting, menlo Park, CA, February 1, 1996. See also Wagner A. Kamakura and Michel Wedel, "Lifestyle Segmentation with Tailored Interviewing," *Journal of Marketing Research* 32, no. 3 (August 1995): 308 ~ 317.

[17] Stuart Elliott, "Sampling Tastes of a Changing Russia," *New York Times*, April 1, 1992, p. D1, D19.

[18] See Harold H. Kassarjian and Mary Jane Sheffet, "Personality and Consumer Behavior: An Update," in *Perspectives in Consumer Behavior*, ed. Harold H. Kassarjian and Thomas S. Robertson (Glenview, IL: Scott, Foresman, 1981), pp. 160 ~ 180.

[19] See M. Joseph Sirgy, "Self-Concept in Consumer Behavior: A Critical Review," *Journal of Consumer Research*, December 1982, pp. 287 ~ 300.

[20] See Thomas J. Reynolds and Jonathan Gutman, "Laddering Theory, Method, analysis, and Interpretation," *Journal of Advertising Research*, February – March 1988, pp. 11 ~ 34.

[21] See Jan Callebaut et al., *The Naked Consumer: The Secret of Motivational Research in Global Marketing* (Antwerp, Belgium: Censydiam Institute, 1994).

[22] Abraham Maslow, *Motivation and Personality* (New York: Harper & Row, 1954), pp. 80 ~ 106.

[23] See Frederick Herzberg, *Work and the Nature of Masn* (Cleveland: William Collins, 1996); and Henk Thierry and Agnes M. Koopman-Iwerna, "Motivation and Satisfaction," in *Handbook of Work and Organizational Psychology*, ed. P. J. Drenth (New York: John Wiley, 1984), pp. 141 ~ 142.

[24] Bernard Berelson and Gary A. Steiner, *Human Behavior: An Inventory of Scientific Findings* (New York: Harcourt Brace Jovanovich, 1964), p. 88.

[25] See Alice M. Tybout, Bobby J. Calder, and Brian Sternthal, "Using Information Processing Theory to Design Marketing Strategies," *Journal of Marketing Research*, February 1981, pp. 73 ~ 79.

[26] Wai-Sum Siu and Carmen Hau-Ming Chan, "Country-of-Origin Effects on Product Evaluation: The Case of CHinese Consumers in Hong Kong," *Journal of International Marketing and Marketing Research*, October 1997, pp. 115 ~ 122.

[27] "International: Old Wine in New Bottles," *The Economist*, February 21, 1998, p. 45.

[28] Johnny K. Johansson, "Determinants and Effects of the use of 'Made In' Labels," *International Marketing Review* (UK) 6, iss. 1 (1989): 47 ~ 58; Warren J. Bilkey and Erik Nes, "Country-of-Origin Effects on Product Evaluations," *Journal of International Business, Studies*, Spring – Summer 1982, pp. 89 ~ 99; and P. J. Cattin et al., "A Cross-Cultural Study of 'Made-In' Concepts," *Journal of International Business Studies*, Winter 1982, pp. 131 ~ 141.

[29] See David Krech, Richard S. Crutchfield, and Egerton L. Ballachey, *Individual in Society* (New York: McGraw-Hill, 1962), ch. 2.

[30] Cathy Curtis, "Grocery Marketing—Growers See Ads as Precious Commodity," *Advertising Age*, October 12, 1987, pp. S20 ~ S22; Diane Schneidman, "Perception-Altering Ads for Geneirc Foods Are Spread on the Grapevine," *Marketing News*, June 5, 1987, pp. 15, 19.

[31] Jill Venter, "Milk Mustache Campaign Is a Hit with Teens," *St. Louis Post-Dispatch*, April 1, 1998, p. E1; Dave Fusaro, "The Milk Mustache," *Dairy Foods*, april 1997, p. 75; Judann

Pollack, "Milk: Kurt Graetzer, "*Advertising Age*, June 30, 1997, p. S1.

[32] See Henry Assael, *Consumer Behavior and Marketing Action* (Boston: Kent, 1987), ch. 4.

[33] Herbert E. Krugman, "The Impact of Television Advertising: Learning without Involvement, "*Public Opinion Quarterly*, Fall 1965, pp. 349 ~ 356.

[34] Marketing scholars have developed several models of the consumer buying process. See John A. Howard and Jagdish N. Sheth, *The Theory of Buyer Behavior* (New York: Wiley, 1969); and James F. Engel, Roger D. Blackwell, and Paul W. Miniard, *Consumer Behavior*, 8th ed. (Fort Worth, TX: Dryden, 1994).

[35] See William P. Putsis Jr. and Narasimhan Srinivasan, "Buying or Just Browsing? The Duration of Purchase Deliberation, "*Journal of Marketing Research*, August 1994, pp. 393 ~ 402.

[36] See Chem L. Narayana and Rom J. Markin, "Consumer Behavior and Product Performance: An Alternative COnceptualization, " *Journal of Marketing*, October 1975, pp. 1 ~ 6. See also Wayne S. DeSarbo and Kamel Jedidi, "The Spatial Representation of Heterogeneous Consideration Sets, "*Marketing Science* 14, no. 3, pt. 2 (1995): 326 ~ 342; and Lee G. Cooper and Akihiro Inoue, "Building Market Structures from Consumer Preferences, " *Journal of Marketing Research* 33, no. 3 (August 1996): 293 ~ 306.

[37] See Paul E. Green and Yoram Wind, *Multiattribute Decisions in Marketing: A Measurement approach* (Hinsdale, IL: Dryden, 1973), ch. 2; Leigh McAlister, "Choosing Multiple Items from a Product Class, "*Journal of Consumer Research*, December 1979, pp. 213 ~ 224.

[38] This expectancy-value model was developed by Martin Fishbein, "Attitudes and Prediction of Behavior, "in *Reading in Attitude Theory and Measurement*, ed. Martin Fishbein (New York: John Wiley, 1967), pp. 477 ~ 492. For a critical review, see Paul W. Miniard and Joel B. Cohen, "An Examination of the Fishbein-Ajzen Behavioral-Intentions Model's Concepts and Measures, "*Journal of Experimental Social Psychology*, May 1981, pp. 309 ~ 339.

Other models of consumer evaluation include the *ideal-brand model*, which assumes that a consumer compares actual brands to her ideal brand and chooses the brand that comes closest to her ideal brand; the *conjunctive model*, which assumes that a consumer sets minimum acceptable levels on all the attributes and considers only the brands that meet all the minimum requirements; and the *disjunctive model*, which assumes that a consumer sets minimum acceptable levels on only a few attributes and eliminates those brands falling short. For a discussion of these and other models, see Green and Wind, *Multiattribute Decisions in Marketing*.

[39] See harper W. Boyd Jr., Michael L. Ray, and Edward C. strong, "An Attitudinal Framework for Advertising strategy, "*Journal of marketing*, April 1972, pp. 27 ~ 33.

[40] See Jagdish N. Sheth, "An Investigation of Relationships among Evaluative Beliefs, Affect, Behavioral Intention, and Bhavior, "in *Consumer Behavior: Theory and Application*, eds. John U. Farley, John A. Howard, and L. Winston Ring (Boston: Allyn & Bacon, 1974), pp. 89 ~ 114.

[41] See Fishbein, "Attitudes and Prediction of Behavior. "

[42] See Raymond A. Bauer, "Consumer Behavior as Risk Taking, " in *Risk Taking and Information Handling in Consumer Behavior*, ed. Donald F. Cox (Boston: Division of Research, Harvard Business School, 1967); and James W. Taylor, "The Role of Risk in Consumer Behavior, " *Journal of Marketing*, April 1974, pp. 54 ~ 60.

[43] See Priscilla A. La Barbera and David Mazursky, "A Longitudinal Assessment of Consumer Satisfaction/Dissatisfaction: The Dynamic Aspect of the Cognitive Process," *Journal of Marketing Research*, November 1983, pp. 393 ~ 404.

[44] See Ralph L. Day, "Modeling Choices among Alternative Responses to Dissatisfaction,"in *Advances in Consumer Research* Vol. 11 (1984): 496 ~ 499. Also see Philip Kotler and Murali K. Mantrala, "Flawed Products: Consumer Responses and Marketer Strategies," *Journal of Consumer Marketing*, Summer 1985, pp. 27 ~ 36.

[45] See Barry L. Bayus, "Word of Mouth: The Indirect Effects of Marketing Efforts,"*Journal of Advertising Research*, June – July 1985, pp. 31 ~ 39.

[46] See albert O. Hirschman, *Exit, Voice, and Loyalty* (Cambridge, MA: Harvard University Press, 1970).

[47] See Mary C. Gilly and Richard W. Hansen, "Consumer Complaint Handling as a Strategic Marketing Tool,"*Journal of Consumer Marketing*, Fall 1985, pp. 5 ~ 16.

[48] See James H. Donnelly Jr. and John M. Ivancevich, "Post-Purchase Reinforcement and Back-Out Behavior,"*Journal of Marketing Research*, August 1970, pp. 399 ~ 400.

[49] Pam Weisz, "Avon's Skin-So-Soft Bugs Out,"*Brandweek*, June 6, 1994, p. 4.

分析企业市场与企业购买行为

科特勒论营销:

营销思想要求公司从追求每笔业务的利润最大化走向每个利益关系方的共同利益最大化。

本章将阐述下列一些问题:

- 什么是企业市场,它与消费者市场有什么区别?
- 组织购买者面临的是什么购买形势?
- 谁参与企业购买过程?
- 在组织采购中的主要影响是什么?
- 企业购买者是如何作出他们的采购决策的?
- 机构和政府市场与企业市场的相似点在哪里?

参与业务活动的组织不仅出售产品,同时,它们还买进大量的原材料、制造部件、工厂与设备、供应品和企业服务。仅美国就有超过 1 300 万个组织在购买。销售者必须了解组织购买者的需要、资源、政策和购买过程。

组织购买是什么

韦伯斯特(Webster)和温德(Wind)将组织购买定义为:

组织购买(organization buying)是各种正规组织为了确定购买产品和劳务的需要,在可供选择的品牌与供应者之间进行识别、评价和挑选的决策过程。[1]

尽管绝无两家企业的购买行为是相同的,销售者总希望发现组织机构的购买行为存在的一致性,以便改善其营销战略目标的工作。

企业市场与消费者市场的对比

企业市场(business marketing)是由一切购买物品和服务并将它们用于生产

其他商品或服务以供销售、出租或供应给他人的组织所组成。组成企业市场的主要行业有：农业、林业和渔业；矿业；制造业；运输业；通信业；公用事业；银行、金融和保险业；分销业以及服务业。

与向消费者出售相比，在向企业购买者出售的过程中要涉及更多的项目和金钱。为生产并出售一双皮鞋，兽皮经销商必须把兽皮销售给制革商，制革商将它制成皮革之后售给皮鞋制造商，皮鞋制造商制成皮鞋之后卖给批发商，批发商再将皮鞋转售给零售商，零售商最后将皮鞋卖给消费者。在这一连串的生产和销售过程中，每一环节的参与者还必须购买许多其他产品和劳务。

企业市场与消费者市场相比，具有一些鲜明的特征。

购买者比较少　一般来说，企业营销人员面对的顾客比消费品营销人员面对的顾客要少得多。在企业市场中，固特异轮胎公司的命运关键取决于来自三家美国汽车制造商巨人中的任何一家的订单。

购买量较大　许多企业市场的特点是高的购买比例。如飞机引擎和防御武器，极少数大购买者购买了其中的绝大部分。

供需双方关系密切　由于购买人数较少，大买主对供应商来说更具重要性和更有力，供应商经常被要求提供各个企业顾客需要的定制产品。有时，购买者要求出售方改变它们的操作方法和程序。近年来，顾客与供应商之间的关系正在从明显对立走向合作与伙伴关系。

莫特曼公司及斯蒂沃特技术公司（Motoman Inc. and Stillwater Technologies）　莫特曼公司是工业自动化控制系统。斯蒂沃特技术公司是一家制造控制工具和机器的公司，它是莫特曼公司的关键供应商。莫特曼公司和斯蒂沃特技术公司紧密合作，它们不仅使用同一幢楼的办公和生产设备，而且，它们共用相同的电话和计算机系统，同一个休息空间、会议室及员工餐厅。莫特曼公司的主席及首席执行官菲利普·V·莫里生（Philip V. Morrison）说，它们就像"一家没有合同的合资企业"。缩短了交货距离并不是这种不寻常的联合的惟一好处。关键是两个公司的雇员已经非常了解，工作中密切配合，从而提高产品质量及降低成本。并且，这种密切的配合增加了新的机会。两家公司曾经同时为本田汽车公司服务，是本田建议它们联合开发系统项目，而这种联合起来的力量要远超过它们单个力量的简单相加。[2]

购买者在地理区域上集中　美国有半数以上的企业购买者云集于如下七个州：纽约、加利福尼亚、宾夕法尼亚、伊利诺伊、俄亥俄、新泽西和密歇根。生产者的这种地理区域集中有助于降低产品的销售成本。同时，企业营销者还应该注意到有些产业在进行地理位置转移。

衍生需求　对企业用品的需求最终来源于对消费品的需求。所以采购兽皮，是因为消费者要购买皮鞋、手提包以及其他皮革制品，如果对这些消费品需求疲软的话，那么，对所有用以生产这些消费品的企业产品的需求也将下降。因此，企业营销者必须密切监视最终消费者的购买类型和影响他们的各种环境因素。例如，《购买》杂志的一篇报告中指出：在底特律的三大汽车公司带动了一个满足钢带产品的高潮。这个需求的大部分来自于消费者持续喜爱小型汽车和其他轻型卡车，从而导致消费的钢材远远超过了对汽车的需求。

需求缺乏弹性　许多企业用品和劳务的总需求缺乏弹性，如皮鞋制造商在皮革价格下降时，不会打算采购大量皮革；同样，当皮革价格上升时，它们也不会因此而大量减少对皮革的采购，除非它们发现了某些满意的皮革替代品。需求在短期内特别无弹性，因为厂商不能对其生产方式作许多变动。对占项目总成本比例很小的企业用品来说，其需求也是无弹性的。

需求波动大　人们对企业用品和服务的需求要比对消费品及服务的需求更为多变。消费品需求增加一定百分比，往往能够引起生产追加产出所必需的工厂和设备的需求上升更大百分比。经济学家把这种现象称为加速原理（acceleration effect）。有时候。消费品需求仅上升 10%，却能在下一阶段引起企业用品需求上升 200% 之多；而当消费品需求下降 10%，可能会在企业需求上造成雪崩。

专业性采购　企业的采购是由受过专门训练的采购代理商来执行的，他们必须遵守组织的采购指示，如对报价、计划和采购合同的要求，这在一般的消费者购买中是找不到的。

专业采购者将其一生的工作时间都花在学习如何更好地采购方面。其中，许多人是全国采购代理人协会的成员，这个协会力求改善专业采购人员的效益和地位。这意味着企业营销者必须提供本企业产品和竞争者产品的大量技术数据，并对这些数据掌握得非常好。现在，企业市场把它们的产品、价格和其他信息放在因特网上。采购代理人和经纪人比过去能更容易地获得这些信息。

思科系统公司（Cisco Systems，Inc.）　从 1996 年中期开始，思科系统公司的产品有 57% 通过网站售出，包括路由器、计时器以及其他齿轮产品。公司 1999 年的目标是 80% 的产品由网站售出。当思科首次将路由器、计时器产品在网上展示时，顾客很快就发现了这种能直观看到价格和产品款式的方式的优势。他们只要打开一个称为结构代理（configuration agent）的程序，它就会指引你浏览组成路由器的成打的产品主要构件。如果选择了错误的线路系统，程序就会显示出错信息，并引导人们进行正确的选择。一旦选定了最终的产品，它的价格就会自动显示出来。路由器是思科的一个主要产品，过去从签署合同到项目完成需要 60 天。现在制作周期缩短到了 35 天～40 天，它的部分原因就是网上订货的高效率。[3]

加利福尼亚的蓝影公司（Blue Shield of California）　加利福尼亚的蓝影公司正在引导保健行业的新潮流，公司正在建立网上的个人及家庭销售系统，销售健康保险。蓝影公司很快就会拥有 20 000 个经纪人负责个人和家庭网上销售系统。经纪人可以在网上输入顾客的申请表，而批准和接受顾客的申请只需要 4 分钟。蓝影公司希望成为第一家建立这样的系统的公司，从而培养经纪人的品牌忠告。[4]

影响购买的人多　通常，企业购买中影响决策的人比消费者购买中影响决策的人多得多。采购委员会都由技术专家组成，在购买主要商品时经常还有高层经理参加。因此，企业营销人员不得不雇用一些受过良好训练的销售代表，

并经常用这支销售队伍来与训练有素的采购人员打交道。尽管广告、销售促进和宣传资料在企业促销组合中起着举足轻重的作用，但是，人员推销仍然不失为一种主要的推销工具。例如，费尔普斯·道奇（Phelps Dodge）（金属供应商）最近推出一种"客户管理方法"，尝试与影响客户购买决策的关键人员接触。[5]卡特勒－哈默公司应用销售队伍的例子如下。

　　　　　卡特勒－哈默公司（Cutler-Hammer）　位于匹兹堡市的卡特勒－哈默公司，生产电路断路器、发动机点火装置及其他的电子设备。它为诸如福特汽车公司这样的重工业制造厂提供产品。为了适应产品的日趋复杂和产量的剧增，卡特勒－哈默公司开发了一个Pods程序，它使销售人员关注特定的地理区域、行业及市场集中度。每个销售人员专门掌握一项产品或服务的知识。现在，销售人员已经可以平衡组内的每位合作者掌握的知识共同应对日趋复杂的购买队伍，而不是独立地工作。[6]

　　多次的销售访问　由于越来越多的人加入到销售过程中，因此，需要更多的销售访问来赢取商业订单，有时销售周期可以达到几年。麦克劳－希尔进行的一项调查表明，工业销售平均需要4次～4.5次访问。在大项目中的主要设备销售中，通常需要更多的上门访问来建立一个项目，销售周期(从报价到产品的发送)通常以年为单位来计。[7]

　　企业营销人员同样需要记住，妇女和少数民族现在在决策时起着重要的作用。波顿（Penton）出版公司进行的一项调研表明，现在，在经理、工程师、采购部人员中有43%的妇女和少数民族，而在1987年这个数字只有35%。[8]

　　直接采购　企业购买者常直接从生产厂商那里购买产品，而非经过中间商环节，尤其是那些技术复杂和资金密集的项目更是如此（如计算机平台或飞机）。

　　互相购买　企业购买者经常选择那些也从它们那儿购物的供应商。以某纸张制造商为例，该制造商从一家化工公司采购生产所需的化工用品，而这家化工公司也打算购买该纸张制造商生产的大量纸张。

　　租赁　许多企业购买者日益转向设备租赁，以取代直接购买。这种做法常用于计算机、制鞋机械、包装设备、重型建筑设备、运货车、机械工具和公司用的汽车等。承租人能得到一系列好处。例如，获得较多的可用资本，得到卖主最新的产品和上乘服务以及一些税收利益。出租人则最终将得到较多的净收入，并有机会将产品出售给那些无力支付全部货款的顾客。

购买类型

　　企业购买者在进行一项采购时面临一整套决策。这些决策的数量取决于购买情况的类型。罗宾逊(Robinson)等人将购买情况分为三类：直接再采购、修正再采购和新任务采购。[9]

　　● **直接再采购**(straight rebuy)。直接再采购描述了采购部门根据惯例再订购产品(如办公用品、大宗化工品)。购买者按照"供应者名单"选择供应商。名单内的供应商将尽力保持产品质量和服务质量,它们经常提议采用自动化再订购系统,以便采购代理商减少再订购的时间。名单外的供应商会试图提供新产品或开展某种满意的服务,以便使采购者考虑从它们那里购买产品。名单外的供应商会首先设法以少量订单涉足入门,然后再逐步扩大其"采购份额"。

● 修正再采购(modified rebuy)。修正再采购是指购买者希望修改产品规格、价格、其他条件或者供应商的情况。修正再采购通常扩大了决策参与者的人数。对"名单"外的供应商则把修正再采购看成是一次提供较好条件的机会,以得到一些新业务。

● 新任务(new task)采购。当一名采购者首次购买某一产品或劳务时,他便面临着新任务(如建办公用房和新式安全系统),成本或风险越大,决策参与人数就越多,因此,决策的时间就越长。[10]

新任务购买过程经过几个阶段:知晓、兴趣、评价、试用和采用。[11]在每一阶段,信息传播的有效性是各不相同的。就最初的知晓阶段而言,大众媒体最为重要;而在兴趣阶段,销售人员的影响甚大;在评价阶段,技术来源最为重要。

在直接再采购方面,企业购买者所作的决策数目最少,而在新任务情况下,他们所作的决策数目最多。在新任务情况下,购买者必须决定产品规格、价格限度、交货条件与时间、服务条件、支付条件、订购数量、可接受的供应商以及可供选择的供应商。不同的决策参与者会影响每一项决策,并将改变进行决策的顺序。新任务情况是营销人员的最佳机会与挑战。他们设法尽可能多地接触主要的采购影响者,并向他们提供有用的信息和协助。由于新任务中涉及到复杂的推销问题,因而许多公司采用一种特殊的推销队伍。人们称其为访问使团推销队伍(missionary sales force),它由最好的推销人员组成。

系统购买和销售

许多购买者总是喜欢有一种能通过一次性采购而整体解决其问题的方法,称为系统购买(systems buying)。系统购买最初用于政府购买重要武器和通信系统方面。政府不是购买各种部件,并将它们汇总起来,而是征求主要承包商报价,这些承包商将承包全部采购或者系统购买。获胜的主要承包商将负责招标和组装零部件。这样,该承包商也就提供了一种"交钥匙解决法",所以这样说,是因为购买者只须转动一下钥匙就能使工作运转。

销售商越来越认识到,购买者喜欢以这种方法采购产品,并且已经接受了系统销售(systems selling)的方法,把它作为一种营销工具。系统销售有不同的形式。供应商销售一组连锁产品,例如,许多汽车零部件供应商现在出售整个系统,如座椅系统、刹车系统或车门系统。系统销售的另一种形式就是系统承包(systems contracting),即由一个单独的供应商给采购者提供其维护、修理、操作所需的全部物料。这样,从采购方来说,由于存货的任务转嫁给销售方,就可以降低成本,同时由于减少了挑选供应商的时间也可以降低费用支出,并由于有合同条款的规定而使价格得到保障;从卖方来说,由于有固定的需求和减少了单证工作，从而也使经营成本降低。

系统销售是一种用以在对大型工程投标时赢得和保住客户的工业营销战略的关键措施。如水坝、钢铁厂、水利系统、卫生系统、油气管道、公共设备，甚至新城镇的建设。例如，工程设计公司必须在价格、质量、信誉和其他各方面进行竞争以期中标。

日本与印度尼西亚　印度尼西亚政府准备在雅加达附近招标建一个水泥厂。一家美国公司上交一份建议书，其中包括选择厂址、设计工厂、招聘建筑工程队、调集材料和设备，最后交给印尼政府一个建好的工厂。另一家日本公司，在拟订建议书时，除包括以上各条款之外，另外还雇用和培训工人，并通过其贸易公司替该厂把水泥向国外出口，用该厂生产的水泥修建一些通往雅加达的公路，在雅加达建一些办公大楼。尽管日本的建议书耗资较多，但该建议的吸引力更大因而中了标。显然，日本公司并不是仅仅从建一个水泥厂来看问题(狭义的系统销售观点)，而是把建厂与将给国家带来经济利益联系在一起。它们并不把自己仅仅当作一个工程建筑公司，而是当作一个经济发展机构。它们从最宽的角度来看待顾客的要求，这才是真正的系统销售。

企业购买过程的参与者

谁在从事为企业市场所需要的价值达数千亿美元的商品和服务的采购呢？在直接重购时，采购代理人起的作用较大，而在新任务采购时，则其他组织人员所起的作用较大。在作产品选择决策时，通常是工程技术人员影响最大，而采购代理人却控制着选择供应商的决策权。[12]

采购中心

韦伯斯特和温德称采购组织的决策单位为采购中心(buying center)，并将其定义为：

> 所有参与购买决策过程的个人和集体，他们具有某种共同目标并一起承担由决策所引发的各种风险。[13]

采购中心包括组织中的全体成员，他们在购买决策过程中分别承担七种角色。[14]

● 发起者。指提出和要求购买的人。他们可能是组织内的使用人或其他人。

● 使用者。指组织中将使用产品或服务的成员。在许多场合中，使用者首先提出购买建议，并协助确定产品规格。

● 影响者。指影响购买决策的人，他们常协助确定产品规格，并提供方案评价的情报信息，作为影响者，技术人员尤为重要。

● 决定者。指一些有权决定产品要求和/或供应商的人。

● 批准者。指有权批准决定者或购买者所提方案行动的人。

● 购买者。指正式有权选择供应商并安排购买条件的人，购买者可以帮助制定产品规格，但其主要任务是选择卖主和交易谈判。在较复杂的购买过程中，购买者中或许也包括高层管理人员一起参加交易谈判。

● 控制者。他们是有权阻止销售人员或信息与采购中心成员接触的人。例如，采购代理人、接待员和电话接线员可阻止推销员与用户或决策者接触。

在采购中心中，平均卷入购买决策的人数从 3 个人(购买日常使用的服务和品目)到 5 个人(购买高计划产品，如结构性工作机器)。企业趋向于以小组为基础的采购；彭顿的另一个调查报告发现，在《财富》杂志排名前 1 000 位的公司中，87% 的采购主管预计：到 2000 年，将由来自不同部门和担任不同职能的人组成的小组制定购买决策。[15]

为了不使努力白费，企业营销人员必须判断：谁是主要决策的参与者？对哪些决策他们具有影响力?其影响决策的程度如何?每一决策者使用的评价标准是什么?考虑下面的例子：一家公司向医院出售一种一次性外科手术用的非织物工作服，该公司试图找出该医院参与这一购买决策的人员。结果发现，这一决策者是采购部的副主任、手术室管理人员以及一些外科医生，每一参与者在决策中作用各异。采购部副主任分析了医院应该购买一次性工作服还是多次用工作服，如果调查结果倾向于一次性工作服，那么手术室管理人员会对各种竞争产品和价格进行比较，从中作出选择。管理人员会对工作服的透气性、防腐性、款式以及成本综合加以衡量。一般来说，他会购买某种既能体现最低成本又能满足各职能要求的产品品牌。最后，外科医生通过对一具体品牌满意与否加以表态，从反面来影响该项购买决策。

当某一采购中心包含许多参与者时，销售人员就没有时间和条件同其中每个人接触，一些较小的公司将注意力集中于接触关键性的购买影响力量。一些较大的公司则采取多层次深度推销，以便尽可能多接触决策参与者。这些公司的推销人员是同有经常反复销售的主要客户"生活"在一起的。公司还必须更多地依靠它们的传播方案，从而对隐藏在后面的人产生购买影响和维持当前的顾客购买。[16]

企业营销人员应当定期回顾他们对各个不同决策参与者的影响及其作用的假设。例如，多年来，柯达公司推销 X 光片给医院，其战略是通过实验室技术人员来进行推销。公司并没有注意到这些购买决策已渐渐由专业管理人员所替代。当销售量出现下降时，柯达公司才仓促地改变了其营销战略。

主要影响

企业采购人员在作出购买决策时受到许多因素的影响。在供应商的供应物十分相同的情况下，企业采购者的理性选择几乎就没有基础，因为他们能同任何供应商一起来满足本组织的各项目标，采购者就可以按个人因素行事。另一方面，当竞争性产品差异很大时，企业采购者对其选择就会负有更多的责任，并会更重视经济因素。

对企业采购者的影响有四个主要因素：环境、组织、人际和个人（见图7—1）。[17]

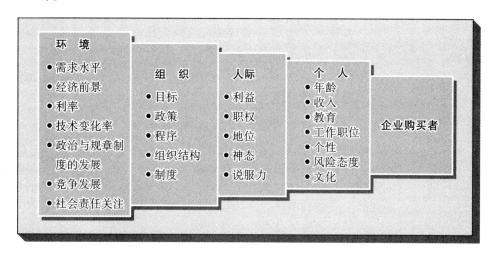

图7—1　影响行业采购行为的主要因素

环境因素

企业购买者密切关注当前经济环境或预期经济环境因素。例如，生产水平、投资、消费者开支和利率。在经济衰退时期，企业购买者就会减少对厂房或设备的投资，并设法减少存货。企业营销人员在这种环境下刺激总需求是无能为力的。他们只能在增加或维持其需求份额上作艰苦的努力。

那些害怕主要原材料短缺的公司愿意购买和储存较多的库存。他们会与供应商签订长期供货合同，以保证其原材料能有稳定的供应。杜邦、福特、克莱斯勒以及其他一些大公司把供应计划（supply planning）工作视为其采购主管人员的主要职责。

企业采购者也监视技术因素、政治—法律因素以及经济环境中竞争发展因素的影响。例如，关注环境事业如何改变企业购买者的行为。新闻界偏好用再生纸或通过环境测试的墨水，并向有这些产品的供应商进货。一个经理解释道："我们推动有技术专长的供应商注重并加强社会意识。"

组织因素

每一采购组织都有其具体的目标、政策、程序、组织结构及系统。企业营销人员必须尽量了解这些问题。企业营销人员应当意识到采购领域中下列有关组织问题的倾向。

采购部门升格　就管理层次而言，采购部门往往地位低下，尽管其管理费用经常高于公司成本的一半以上。一个典型公司占其销售额60%的成本是用在采购商品和服务上。因此，最近的竞争压力使许多公司提升了它们的采购部门，并把采购部门的管理机构上升为副总裁级别。如今的采购部人员大多数都是工商管理硕士（MBA）毕业，他们渴望着能够成为首席执行官——就像克莱斯勒公司的前任采购及供应部的执行副主席托马斯·斯得凯普（Thomas

Stallkamp）那样，他节约了自动生产过程中的成本，并且使其更加流程化。基于他的努力工作，斯得凯普已经升任为公司总裁。[18]这种新型的、更富有战略的采购部门导向改造了旧式的强调用最低成本完成公司任务的"采购部"，即转变为寻求较少但更好的最佳价值的供应商。有些多国公司把采购部门提升为"战略材料部"，使它们有责任在全世界寻找战略伙伴。卡特彼勒公司已将一些职能部门，如采购、存货控制、生产计划、运输部门合并为一个部门。

交叉职能角色　在最近一期《采购》杂志的调查中，大多数采购专业人员都说他们的工作中说教式的推销较少，而更加富有战略性、技术性、团队精神以及比以前任何时候都更加富有责任。"采购工作比以前具有更多的交叉职能"。阿纳伦（Anaren）微波公司的采购员戴维·杜普瑞（David Duprey）这样说，阿纳伦微波公司是卫星无线通信及安全电子设施中微波信号处理设备的生产厂。61%被调查的采购人员说采购组现在比5年前更多地参与新产品的设计及开发。并且有半数以上的采购人员参加具有多项职能的工作组，并对供应商更负责。[19]

集中采购　在设有多个事业部的公司，由于各自需要不同，因此，大部分采购是由各独立的事业部自己分别完成的。但是，最近以来，一些公司已设法重新将采购部门集中起来，主管部门通过一些事业部将材料采购集中起来，考虑进行集中采购。这一措施对公司采购影响很大，个别事业部如能得到较好的条件，就可以自行向其他供货来源采购，但是，总的说来，集中采购为公司节约了大量开支，对企业营销人员来说，这一发展意味着它们必须同人数较少，但素质较高的采购者打交道，销售商可能会用全国性大户销售队伍来代替按照独立厂址销售的区域性销售队伍来与采购人员进行交易，全国性大户推销是一种挑战，它要求有较先进的销售队伍和营销计划工作。

小票项目权力下放　许多公司在集中它们采购过程的同时，对某些采购权力下放，授权员工采购不重要的项目，如复制钥匙、购买咖啡加工器或圣诞树等。这些改革是从信用卡组织发给公司的采购信用卡开始的。公司把这些卡分给前台服务员、职工和秘书；这些卡对金额和使用地点有限制。例如，工厂的工人可以用这些卡在指定的当地五金商店购物。松下半导体公司（National Semiconductor）的采购主管注意到，这种卡使每张订货单从30美元减少至几美分并且减少了购买者和供应商花在文件处理上的时间，使采购部门能集中精力建立与公司的合伙人关系。[20]

因特网上采购　进入新千年后，企业对企业的在网上的购买每年将超过1 340亿美元。供应商在迅速认识因特网购买的意义，采购模式的变革将很快到来。参见"新千年营销——企业对企业的计算机网上买卖"。

新千年营销

企业对企业的计算机网上买卖

　　我们关注亚马逊、虚拟葡萄园、现代光碟和其他消费品在线购物渠道，但很容易忽略电子商务中一个很重要的趋势：企业与企业之间计算机交易的巨大增长。据福来斯特调研公司说，实际上，在1998年因特网上的企业与企业之间的商务交易已占计算机交易额的78%。它们在公司成员间建立了局域网以便相互交流；建立了外部网连接常规供应商和分配商的通信和数据，再加上公司在因特网上放置了它们的网页。

所以，大部分应用外部网技术企业采购的商品称为 MRO 物资——维护、修理及操作。举个例子说，在旧金山人们可在因特网上购买包括从小鸡到避孕套的任何东西。松下半导体公司每月提出的 3 500 个需求中几乎所有都是原料采购，包括从在纺织厂腐烂的无用黄麻硬块到上好的软件。与购买飞机零件、计算机系统及钢管的金额相比，用在购买 MRO 产品的金额就显得逊色得多。然而，MRO 产品却构成了 80% 的商业交易，而且处理订单的实施价格也是很高的，也就意味着我们要大力促进网上的流线化作业。通用电气公司这个全世界最大的贸易商之一，计划到 2000 年不仅要在网上采购所有普通操作用品，而且要在网上采购所有工业用品。由于通用电气公司信息服务部（GEIS）向其他公司开放它们的采购点，使公司成功地创建了一个大型的电器交换场所。当然，成千上万的公司通过通用电气公司开办的展览会，交易数亿美元的工业产品。

企业对企业的交易的正面与反面影响虽然现在并不明显，但在线的企业购买前途是不可抗拒的潮流：

● 购买者和供应者双方分摊交易成本。网络带动的采购过程省略了传统申请及预订过程的书面程序。松下半导体公司从处理每个书面申请所需的 75 美元～ 250 美元费用削减到每个电器订单只需 3 美元。

● 缩短了从订单到派送之间的时间。节约时间对于公司及海外供应商来说是特别重要的。Adaptec 公司是计算机内存的首要供应商，它使用了一个外部网将中国台湾所有的芯片供应商连接在一个虚拟的公司里。现在，公司的消息可以瞬息间从其总部流到其亚洲的伙伴商处。公司已将芯片从预订到派送之间的时间从 16 周缩短到 55 天——16 周的时间足可以让那些公司生产自己的芯片了。

● 统一的购买系统。通用电气公司大规模地转向在线采购的一个重要动机是为了消除冗余。"我们可以举出太多的采购体系，"通用电器公司的负责人兰迪·罗（Randy Rowe）说，"我们正努力使各部门在局域网上进行交易，同时，将金融数据流向总控制平台。"

● 减少了数千万职员和订货操作员。当然，所有这些节约和有效的举措都需要付出代价。松下半导体公司在采用网上采购的同时精简了其一半的采购员。另一方面，对于专业采购者来说，上网就意味着减少了辛苦乏味的奔波及书面工作，从而能花更多的时间用于进行盘存及与供应商进行有创意的工作。

● 建立了合伙人和买者之间更为密切的关系。罗勃特·蒙达维公司（Robert Mondavi）将展示其葡萄园的卫星视图挂在其外部网上，这样，独立的种植者可以指出葡萄园潜在的问题从而提高公司要采购的葡萄的质量。

● 破坏了供应者和购买者之间的忠诚。然而，当网络使供应者与消费者之间共享商务数据及统一产品设计成为可能的同时，网络也破坏了消费者和供应者之间几十年的关系。很多公司开始用网络寻找更好的供应商。日本航空公司已经用因特网预订如塑料杯等机上使用物资。其将图纸与说明挂在它的网站上，使它能与访问其网站的任何一家公司洽谈，这取代了常规的日本供应商。

● 缩短了大型和小型供应商之间的距离。通过用因特网技术在公司之间建立可靠、固定的信息联系，外部网帮助公司与小型供应商进行交易。目前，大多数大型生产商采用电子数据交换（EDI）来订购商品，这是因为电子数据交换提供了一个安全的途径进行译码和交换标准化的商务形式。然而，电子数据交换是一个昂贵的私有制体系。在E-DI网中增加一个单一的贸易伙伴需要 50 000 美元，而一个公司加入通用电气贸易交易网只需 1 000 美元。将企业与企业之间的贸易转至网上，同时缩短了当地和外国供应商之间的距离，因为在没有另加交易费用的情况下，采购者可以从全球各供应商那儿得到物资。

● 增加了潜在的安全危机。80% 以上的公司都声称安全问题是扩大消费者和合伙人之间电子联系的首要障碍。虽然电子信箱和本地银行的安全已有基本的计算机加密来维护，但是，贸易所需要实施的机密作用的安全环境依然不存在。然而，现在有个好消息，很多公司正投入数百万美元的研究经费开发高优先级的安全体系。许多公司正在创建自己的防护计划，以防止电脑黑客的侵入。例如，思科系统公司就详细说明了各种路由器、防火墙及安全程序，从而对与合伙人的外部网接口进行防护。该公司还有更进一步的措施，即派它们自己的安全工程师去检查合伙人的防卫设施，并义务保护由合伙人的计算机引起的安全缺口。

资料来源: Robert Yoegel, "The Evolution of B-to-B Selling on the 'Net, '"*Target Marketing*, August 1998, p. 34; Andy Reinhardt, "Extranets: Log On, Link Up, Save Big,"*Business Week*, June 22, 1998, p. 134; "To Byte the Hand that Feeds," *The Economist*, June 17, 1998, pp. 61 ～ 62; John Evan Frook, "Buying Behemoth—By Shifting \$5B in Spending To Extranets, GE Could Ignite a Development Frenzy," *Internetweek*, August 17, 1998, p. 1; John Jesitus, "Procuring an Edge," *Industry Week*, June 23, 1997, pp. 56 ～ 62.

长期合同 企业采购者对与供应商的长期合同要求日益强烈。例如，通用汽车公司要求少数供应商离工厂近和生产高质量的产品。另一方面，企业购买者也采用电子订货系统，客户将订单输入电脑直接传送给供应商。许多医院用这种方式订货，许多书店也用这种方法订书。

采购业绩评价和买方专业化的发展 一些公司正在建立激励制度，以奖励那些工作特别出色的采购经理人员，这种方式类似于对那些推销成绩尤为突出的销售人员给予奖金。这些激励制度将会引导采购经理人员为争取最佳交易条件对卖方增加压力。

精益生产 许多制造商如今进入了一个全新的制造过程，即精益生产（lean production）。精益生产使公司生产更多品种的产品，并使成本更低、时间更短、劳动力节省、质量更高。这个新系统包括如下内容：准点（just-in-time，JIT）；严格的质量控制；频繁和准时的交货；供应商靠近重要的客户；电脑订货系统；向供应商提供稳定的生产计划；单一供货来源和与供应商的前期合作。

精益生产和准点存货系统的出现戏剧性地影响了公司的采购。准点是指一种生产方法，它要求在生产过程中的每一阶段能准时收到所需的全部原材料和零部件。准点的目标是质量 100% 合格和零库存。它意味着原材料送达用户工厂的时刻与该用户需要这种原材料的时刻正好衔接。某些公司还推出准点Ⅱ，进一步强调采购过程的精简化。参见"营销视野——准点Ⅱ(JITⅡ)：顾客—供应商合作关系的第二阶段"。

准点Ⅱ（JITⅡ）：顾客—供应商合作关系的第二阶段

马萨诸塞州弗雷明汉市布石公司（Bose）已经由于它设计的小型立体声系统的流水生产线赢得了无数的奖励。同时，公司也由于开发一种称为准点Ⅱ的采购和材料供应发展计划而受到了普遍的尊敬。

1987年，公司的采购及后勤董事兰斯·狄克逊（Lance Dixon）提出了一个惊人的想法。为什么不能改变布石公司的销售人员、购买者、计划者等与供应商之间的关系呢？为了找寻答案，兰斯·狄克逊开发了准点Ⅱ程序——一种精简准点存货系统的方法，而不是按照准点简单缩小存货的方法。准点Ⅱ关注于减少与供应商之间的长期运转的成本及时间。

准点Ⅱ的基本概念是供应商在负担自己的费用的基础上，代替一位或几位在顾客现场工作的雇员。这种"深入现场"的工作取代了顾客公司的采购员及材料计划者及供应商的代表，将三种关系合为一种。狄克逊这样解释这种计划：再不需要将信息从材料计划者转达给采购人员，然后再由采购人员转达给销售人员，销售人员其后将它原封不动转达给其他的公司。三个或更多的转折现在完全由一个人承担，并且减少了中间的差错。

这种方法不仅节约了时间，而且这些深入厂家的工作人员会带来另外的好处。例如，布石公司发现这些工作人员在立体声设备方面是专家。同时，布石公司的雇员也从这些专业的建议中改进了产品的设计和工艺。在发现了准点Ⅱ的益处以后，许多公司为其进一步发展做出了贡献。现在，许多公司在使用准点Ⅱ，如IBM、JLG工业公司、英特尔新墨西哥厂、S·C·约翰逊·韦克斯公司以及摩托罗拉汽车电子公司。

为了生产的顺利进行，顾客需要选择恰当的供应商。JLG工业公司合作主任约翰·斯图尔特（John Stewart），建议公司应该向那些将成为公司驻厂工作人员提问恰当的问题以确定他们是否有解决问题的能力，如JLG提出的问题是他们应该如何陈述材料短缺情况，以及应该如何为其新产品寻找更好的使用范围。作为这个准点Ⅱ车轮的最好要素的润滑剂是"信任"。G&F工艺公司的物资经理、布石公司首位驻厂供应商克赖斯特·莱波特（Christ Labonte）说："那是一种新型的、毫无传统观念的建立在信任基础上的协议。一旦人们在这种合作中找到了乐趣，他们就会努力克服许多原来没法克服的困难，并且找到这种成为金牛产品的原因。"

资料来源：Robert Hiebeler, Thomas B. Kelly, and Charles Ketteman, *Best Practices; Building Your Business with Customer-Focused Solutions* (New York: Arthur Andersen/Simon & Schuster, 1998), p. 94～96; "Professional Profile: Intel," *Purchasing*, February 13, 1997, p. 33; Lance Dixon, "JLG Industries Offers JIT II advice," *Purchasing*, January 15, 1998, p. 39.

人际因素

采购中心通常包括一些不同利益、职权、地位、神态和有说服力的参与者。尽管企业营销人员发现的一切有关个性和人际因素的信息可能有用，但是，他或她仍然很难知道采购过程中会发生何种群体的动力。

个人因素

购买决策过程中的每个参与者都有个人动机、直觉与偏好，这些因素受决策参与者的年龄、收入、教育、专业文凭、个性以及对风险意识和文化的影响，采购人员明确表现出其不同的购买类型。有些是"简练"型购买者，有些是"外向"型购买者，有些是"追求完美"型购买者，有些是"事必躬亲"型购买者。也有一些年纪轻、受过良好教育的采购人员是"计算机迷"，他们在选择供应商之前都经过周密的竞争性方案分析。其他一些采购人员则都是些来自于"旧学校"的"硬汉"，他们善于同一个又一个的供应商进行谈判。

文化因素

一个国家与另一个国家的购买因素差别很大。在外国做业务要求营销人员了解当地的社会和业务文化标准。下面是一些社会与业务的礼节规则，而这些是经理们在国外做生意时必须了解的。[21]

法国：如果你不会说法语，则要表示由于知识匮乏而道歉。法国人对他们的语言相当自豪，并认为每个人都应该会说。

德国：德国人重视头衔。介绍时使用全称和准确的头衔，虽然可能很长。还有，德国人见面和会谈结束时都要握双手表示问候和告别。

日本：大多数日本商人在他们到达会议室以前，都知道会议讨论的主题、每个人对这次会议的责任以及这次会议将会如何影响他们的生意。会谈的目的是为了达成共识，因此，提供一份详细的会议议程非常必要，以便讨论顺利进行。但外国人不应该去试着依赖这些订立的日程。

韩国：尽管美国人一直与韩国人做生意，美国人还是必须注意在历史上韩国与日本的关系，日本曾经将朝鲜半岛作为它的殖民地。韩国人不愿意让外国人认为他们的文化与日本的相同。但是，韩国人确实相当佩服日本商人的精明，并且与日本人一样，他们依旧遵守着尊重权威以及集体利益高于个人利益的信条。

拉丁美洲：尽管拉丁美洲国家在他们的商业礼仪上存在许多不同，但是，它们也有相同的地方。在拉丁美洲，第一次的正式见面需要通过某位与顾客关系较好的第三者做介绍，所以需要将销售人员或商业代表介绍给关键人士。

采购／获得过程

企业采购人员买东西是为了赚钱或降低经营成本，满足社会或法律义务。一家钢铁公司只要发现能有机会赚大钱，就会增加另一个高炉。为了减少企业成本，它会用计算机控制其会计核算系统；同样，为了符合法律的要求，它会增加控制污染系统。

作为原则，企业购买者在相对低的成本上寻找最高价值的利益包（经济、技术、服务和社会效益）。企业购买者的**采购刺激**（incentive to purchase）随着认知利益对成本的比率增大而增大。营销人员的任务就是给目标顾客提供较高的消费价值。

我们可以区分出公司的三种购买定位，它们分别是购买、采购以及供应管理。[22]**购买**（buying）是指顾客与供货商之间发生的不连续的交易行为，他们之间的关系是不友好的，有时甚至是敌对的。顾客注重短期性和强的战术。如果商品的有效性和质量已经确定，那么顾客会因为从供货商处获得最低的价格而高兴不已。顾客认为"馅饼价值"是固定不变的，他们必须尽量还价以获取馅饼的最大份额。他们使用的有以下两种策略：其一是**标准化采购**（moditization），他们会指出要买的只是商品，关心的只有产品的价格；其二是**多来源采购**（multisourcing），他们会指出出售这种商品的公司很多，让这些公司相互竞争。为了降低风险，购买者会根据过去的经验，相信那些经过证明是可靠的商家。

许多公司都开始转向**采购导向**（procurement orientation），通过这种方式，它们积累起提高产品质量同时降低成本的经验。降低成本并不是压低供应商的材料供应价。采购导向的顾客建立了一套与更多的小型供应商的合作关系，通过更好的管理询价、转换及处理成本来寻求节约。他们在材料供应的早期环节（如库存水平，及时管理甚至是成品的共同设计）就开始密切配合。采购人员在谈判中更关注长期合同供应以保证材料不间断的供应。他们的目标是使顾客和供应商都能从中获利，并分享这种节约所带来的利润。在公司内部，采购人员与制造人员紧密配合共同执行**材料需求计划**（materials requirement planning，MRP），以确保材料按时供应。

供应管理导向（supply management orientation）对采购赋予了更广泛的意义，采购不再是某个单一部门的工作，而是整个价值链中的重要部分。公司关注于如何从原材料开始到用户结束的整个价值链。下面是某个公司如何优化整个价值链的每一个环节的例子。

先锋哈波特公司（Pioneer HiBred） 艾奥瓦州得梅因的先锋哈波特是一家玉米种子及其他农业产品的主要供应商。它的专利产品杂交玉米种子比它的竞争对手的产品的产量要高 10% 以上，并因此拥有较高的售价。但是，先锋哈波特发现种子只占农民的整个价值链中的21%。为了获得价值链上更多的份额，先锋哈波特公司可以从三个方面着手：（1）增强种子的抵抗力，提高售价，因为可以减少农民在农药上的花费；（2）随同种子一起出售肥料和农药，但这需要开发出公司现在没有的能力；（3）可以通过提供附加的服务如信息来获胜。先锋哈波特公司可以给它的销售代表配备笔记本电脑，为农民提供客户化信息和服务。销售代表可以将农民们使用这种杂交种子的价格、种植面积及生产特性记录在案，这些可以有助于农民选择不同的种植方式。作为对先锋哈波特公司在这些方面信息流中投资的回报，先锋哈波特公司在北美玉米市场的份额从 20 世纪 80 年代中期的 35% 上升到现在的 44%。[23]

它的运作方式是**精益计划**（lean enterprise），通过拉动需求而不是通过推动供应来完成。由供应经理决定哪些应该采用内部资源，哪些应该采用外部资源，他们与一小部分供应商保持着极为密切的联系。让他们参与产品设计及成本节约计划。

采购过程阶段

现在，我们讨论常见的采购过程。罗宾逊和他的同事们确定了工业采购过程的八个阶段，并称为购买阶段（buyphases）。[24]表 7—1 列出了这些阶段。这一模式叫做**购买图**（buygrid）结构。我们将对典型的新任务采购情况中所经历的八个阶段作一描述。

表 7—1　　　　　购买图结构：与主要购买情况（购买等级）有关的企业
采购过程中的主要阶段（购买阶段）

		购买形式		
		新任务	修正再采购	直接再采购
采购阶段	1. 问题识别	是	可能	否
	2. 总需要说明	是	可能	否
	3. 产品规格	是	是	是
	4. 寻找供应商	是	可能	否
	5. 征求供应建议书	是	可能	否
	6. 供应商选择	是	可能	否
	7. 常规订购的手续规定	是	可能	否
	8. 绩效评价	是	是	是

资料来源：Adapted from Patrick J. Robinson, Charles w. Faris, and Yoram Wind, *Industrial Buying and Creative Marketing* (Boston: Allyn & Bacon, 1967), p. 14.

问题识别

当公司中有人认识到了某个问题或某种需要可以通过得到某一产品或服务就能解决时，便开始了采购过程。问题识别是由内在和外在的刺激因素所引起，就内在因素而言，下列情况是导致问题识别的最常见事例。

- 公司决定推出一种新产品，因而需要新设备和各种材料。
- 一台机器报废，公司需要新的零部件。
- 采购的一些材料不尽如人意，公司转而寻找另一家供应商。

从外在因素来看，采购人员参观展销会，通过浏览广告或接到某一能提供价廉物美产品的销售代表的电话，便产生了一些新的购买想法。企业营销人员可以通过利用直接发信、电信营销、访问有希望的买主等手段来激发对问题的认识。

总需要说明

一旦认识了某种需要之后，采购者便着手确定所需项目的总特征和需要的数量，就标准项目来说，这不是大问题，而对复杂项目而言，采购者要会同其他部门人员，如工程师、用户等，共同来决定所需项目的总特征，它们可能包括可靠性、耐用性、价格及其他属性。企业营销者可以安排购买方在这个阶段描述他或她的产品要求，从而满足组织的总需要说明。

产品规格

采购组织的下一步是着手制定开发项目的技术规格说明书。一般来说，公司将委派产品价值分析工程组投入这个项目的工作。

产品价值分析（product value analysis，PVA）是一种降低成本的方法，通过价值分析，对各部件仔细加以研究，以便确定能否对它进行重新设计或实行标准化，并运用更便宜的生产方法来生产产品。

产品价值分析小组将对某一产品的高成本部件加以核查——通常，20% 的部件却占 80% 的成本。该组还将找出那些比产品本身寿命还要长的超标准设计的产品部件。该组织确定最佳产品的特征，并有根据地加以说明。文字简洁的说明书将允许采购者对不符合预期标准的货品予以拒绝；同样，供应商也可将价值分析作为一种工具，用来敲开一家客户的门。通过较早地得到和影响购买者的规格，供应商将在购买者选择阶段得到一个好的机会。

寻找供应商

采购者现在将设法辨认其最适宜的供应商。他们可以查找交易指南，进行计算机搜索，打电话让其他公司推荐，观看贸易广告和参加贸易展览会。然而，今天寻找的最好地方就在因特网。对供应商来说，这意味着是一种采购水平线。小供应商与大供应商在网上具有相同的商品目录优势，并且费用很低。

国际互联网解决问题网络公司（Worldwide Internet Solutions Network Inc.） 随着 WIZ 网（www.wiznet.net）被人们广泛认识，这家公司建立起一个"虚拟产品目录库"，其包括的产品来自世界各个国家。1998 年，它的数据中包括 72 000 个生产商、分销商和行业服务公司。产品目录超过了 800 万种。对于那些每天通常会收到足有 1 英尺高的产品邮件的采购经理来说，这种方式无疑是一种节约时间的好方法（同时也节约了成本，因为可以对不同的产品作出比较）。如果想提出这样的问题："在密歇根州是否可以找到生产 3.5 英寸铂金球阀的公司"。在 15 秒内 WIZ 就可以给你提供答案：在密歇根州生产这种阀门的厂家有 6 家。除了可用诸如《托马斯注册》（Thomas Register）或行业网（Industry. net）这些电子黄页外，WIZ 网还给出了这些产品的详细说明，以及厂家的电子邮件地址。你可以通过它直接与销售商联系，甚至招标或发出订单。到目前为止，每周有大约 10 000 种产品的详细说明增加到 WIZ 网中，它的数据库包括来自德国、中国台湾、捷克及世界上其他国家的产品目录。[25]

供应商的主要任务就是把产品列在某个主要的网上目录中，建立强有力的广告及促销体系，以及在市场上建立良好的声誉。购买方通常总是拒绝那些生产能力不足、声誉不好的供应商，而对合格的供应商，可能会有客户代表来考察。他们将检验供应商的生产设施，会见他们的员工。在对每个公司进行评估后，购买者将归纳出合格供应商的短名单。

征求供应建议书

购买者会邀请合格的供应商提交供应建议书。对复杂或花费大的项目，购买者会要求每一潜在供应商提供详细的书面建议。购买者在淘汰了一些供应商以后，就请余下的供应商提出正式说明。

因此，企业营销人员必须精于调查研究、书写和提出建议，他们的建议必须是营销文件，而非只是技术文件。其口头陈述时，应能取信于人。他们应该强调他们公司的能力和资源处于强有力的地位，以便在竞争中脱颖而出。

参考金宝汤料公司和施乐公司如何建立起合格供应商队伍的例子。

金宝汤料公司（Campbell Soup Company） 金宝汤料公司合格的供应商方案要求有该愿望的供应商通过三个阶段：合格供应商、被批准的供应商和选择供应商。为了争取合格，供应商必须证明其技术能力、财务健全、成本效率、高的质量标准和创造力。假如供应商满足了这些关键因素，它就可以申请参加金宝汤料供应商研讨会，接待执行队伍的访问，同意作某些改进和承担许诺等。一旦被批准，供应商还要努力成为选择供应商，也就是需证明它的高质量产品的一致性、持续不断的质量改进和准点交货的能力。

施乐公司（Xerox） 施乐公司的供应商必须要通过 ISO9000 质量标准认证（见第 2 章）。为了获得施乐公司的最高授权——施乐供应商证书，供应商首先要通过施乐制造供应商调查。这个调查要求供应商颁布一个质量保证手册，内容包括不断改进原则和对有效改进系统的论证。当供应商被审查合格后，它必须参加施乐公司连续供应商执行过程，在这时，两家公司一起工作以创立对质量、成本、交货时间和过程能力的标准。最后一步是供应商必须进行严格的质量培训，并通过美国马尔科姆·鲍德里奇（Malcolm Baldrige）国家质量奖相同的标准。毫不奇怪，全世界只有 176 家供应商达到了施乐公司供应商证书的 95% 的要求。[26]

供应商选择

在供应商选择以前，采购中心将向有意愿的供应商规定某些属性并指出它们之间的重要性。采购中心会针对这些属性对供应商加以评分，找出最具吸引力的供应商。采购中心经常采用一种供应商评估模型（见表 7—2）。

表 7—2 分析供应商的例子

属性		评分标准			
	权数	差(1)	一般(2)	好(3)	优秀(4)
价格	0.3				×
供应商需求	0.2			×	
产品可靠性	0.3				×
服务可靠性	0.1		×		
供应商灵活性	0.1			×	
总分：$0.3 \times 4 + 0.2 \times 3 + 0.3 \times 4 + 0.1 \times 2 + 0.1 \times 3 = 3.5$					

在实践中，企业购买者使用种种方法评估供应商的价值。企业营销者必须做更多的工作来了解企业购买者是怎样认识他们的价值的。三位研究者的一份报告列举了企业购买者评估顾客价值的八种主要方法。公司往往趋向采用简单的方法，虽然更复杂的方法会对评估顾客价值产生更精确的描述。参见"营销备忘——评估顾客价值的方法"。

营销备忘

评估顾客价值的方法

1. 内部工程学估计。企业的工程师们通过实验室的试验来估计产品的性能。如果这种性能比与之最接近的竞争者的性能好 1.5 倍，企业就认为该产品的性能还能够再改善 1.5 倍。缺点是往往忽视了实际上在不同应用中产品将会有不同的经济价值。

2. 使用价值领域的评估。调查顾客的费用因素，这种费用因素与新产品的使用相联系而不是与已有产品的使用相联系。顾客对这些费用因素指定了货币价值。例如，卡特彼勒推土机的定价方法要参照它的竞争者产品的价格。卡特彼勒推土机很少有熄火的时候，并且能较快修复和有更大的再销售价值，它的任务是估计每一项组成部件对购买者有多大的价值。

3. 小组讨论对价值的评估。在小组讨论会上，询问顾客，潜在市场的新产品应有多少价值。

4. 直接调查询问。在市场出售物的一次或多次变化上，要求顾客说出它们的直接货币价值。

5. 联合分析。要求顾客对各种市场出售物或创意的性能进行排队分析。统计学的分析常常是估计各种出售物的每一种属性的内在价值。

6. 定点赶超。顾客将会看到一个公司"定点赶超"的产品，然后是一项新产品。他们会被问及他们对这项新产品出售会付出多少钱。他们还会受到这样的询问：如果取消定点赶超产品的某些特性，他们最低会付出多少钱。

7. 复合途径。顾客还将受到要求把货币价值加到指定特性的三个互换产品中的每一个中去。对其他特性重复这个过程，然后对它们进行汇总。

8. 重要性排队。要求顾客对不同特性的重要性进行排队，同时，要求他们对与这些特性有关联的供应商进行排队。然后，企业再估计每个竞争者提供的对比价值。

资料来源: James C. Anderson, Dipak C. Jain, and Pradeep K. Chintagunta, "A Customer Value Assessment in Business Markets: A State-of-Pratice Study" *Journal of Business-to-Business Marketing* 1, no. (1993): 3 ～ 29.

各个不同属性的相对重要性随购买情况类型的差异而有所不同。[27]对常规订购产品而言，交货的可靠性、价格及供应商信誉最为重要。对程序问题产品（procedural-problem products）（如复印机）来说，最重要的三项属性是技术服务、供应商灵活性以及产品的可靠性。对政策问题产品（political-problem products）（如选择计算机系统）来说，这类产品在组织内会引起相当的争议，它的最重要属性是价格、供应商信誉、产品可靠性、服务可靠性和供应商灵活性。

为了获得较好的价格和交易条件，采购中心在作出最终选择之前会设法同优先考虑的供应商进行谈判。虽然各公司趋向战略采购、合伙，以及采用交叉职能采购，购买者在与供应商讨价还价中花费了大量的时间。《采购》杂志1998年调查中指出，92%的被调查者说谈判价格是他们最重要的责任。许多被调查者说价格是他们选择供应商的关键因素。[28]营销人员可以从几个方面抵制对方压价。如果该产品的价格较高，营销人员也可以说明使用这种产品的"生命周期成本"要比竞争对手产品的生命周期成本低。他们还可以暗示购买者现在所获得的服务价值，特别是这些服务优于竞争者所提供的服务时。下面是供应商通过提供价值增加服务来获取优势的例子。

惠普公司（Hewlett-Packard）　惠普公司的销售部开发了一种称为"可信咨询者"的观念，销售人员认为如果惠普公司想要获得市场份额，就必须超越现有的销售系统，以建议者的身份推销自己。他们认为应该努力工作去解决那些顾客提出的不常见问题。自从建立了这种观念后，惠普公司发现，有的公司希望能够找一个合作者，而有的公司希望能找到一种能够完成这种工作的产品。虽然惠普销售激光打印机的基础是提供优秀的操作性能，但是，它必须假定自己是一个网络计算机系统的咨询顾问。这样就需要制造更多复杂的产品。尽管在培养令人信任的咨询者的过程中给公司带来的影响没有什么精确的度量标准来衡量，然而，惠普公司认为它的销售额的增长有60%归功于这种新的销售观念。公司增加了它的咨询业务，并且与其他的系统设备和软件公司建立了一系列的合作关系。[29]

甚至服务公司通过提供额外的人员接触也可增加价值。

先进旅游管理公司（Advanced Travel Management）　额外的服务及专人负责，让先进旅游管理公司这家联合旅行代理公司赢得了许多身份高贵、需求量较大的客户，包括 NatWest 市场和 DDB 尼汉姆国际公司——它们在1997年的总机票需求额达到1亿美元。先进旅游管理公司鼓励它的代理人确认旅游预订的旅店、收集天气预报资料、预测航班取消情况，以及询问旅游者是否需要指路服务，并通过地图软件及互联网提供指路服务。先进旅游管理公司印发城市旅游指南，标明当地的酒店、体育馆、医院，甚至牙医诊所的位置。如果由先进旅游管理公司订的宾馆忘记唤醒顾客，而顾客又因此而抱怨的话，公司就会采取补救行动。合伙人迈克尔·沙尔（Michael Share）和弗兰克·科根（Frank Kogen）会给宾馆及顾客公司的旅游人员打电话，看有没有什么能让顾客高兴的办法，有时，它们还会给顾客献花。不需在组织销售及营销上花费很大，这家小型的新旅行社就从行业的领导者(如美国运通旅游服务公司)那里争取了顾客。[30]

也可采用其他抵制价格压力的方法。

林肯电子公司（Lincoln Electric） 林肯电子公司为其经销商建立了一项"成本降低保证制度"，在这一制度下（不管任何时候），只要有用户要求林肯公司的电子设备与竞争者产品的价格相比，要求降低价格时，该公司及其经销商就要保证在下一年里，一定让用户工厂的成本降低，并要赶上或超过该公司产品的价格与竞争者产品价格的价差。在调查用户的生产之后，该公司的销售代表和经销商共同分析并协助它们尽可能地降低成本。如果到年底独立核算没有达到预期成本降低的程度，林肯公司和它的经销商就要弥补其差额。该公司补70%，剩下的由经销商负担。[31]

作为买方选择过程的一部分工作，采购中心还必须决定使用多少供应商。过去，许多公司偏好一家大供应商，以保证足够的供应品和获得价格让步。这些公司为合同更新每年谈判一次，并且在每年给各个供应商调换一定数量的业务。公司一般把每年的大多数订单安排给第一供应商，其余给第二供应商。第一供应商要努力保护其第一的位置，而第二供应商想努力扩大供应份额。其他的供应商也会提供特别优惠的价格并试图挤进门来。

然而，公司在逐渐减少其供应商的数量。例如福特、摩托罗拉、联合信号把供应商的数量减少到20%～80%不等。这些公司进而要求被选中的公司负责建立更大的元件系统。要求它们提供连续的质量保证和绩效改进，并同时将供应价格降到一定的比例。这些公司在产品开发的提高价值上已与供应商紧密地结合在一起了。现在甚至有趋于单一供应商供货的趋势。

《诺克斯维尔新闻—保卫》和《纽约时报》（Knoxville News-Sentinel and the New York Daily News） 《诺克斯维尔新闻—保卫》与《纽约时报》依赖同一家公司提供它们所需的所有新闻纸张，而其他的公司一般会选择几家供应商供应它们以吨作计量单位的纸张。单一货源供应商较容易控制纸张的库存量，并且只需检查一家的供应情况。只用一家供应商不仅能保持产品的统一性而且印刷厂可以采用同一种方法，而不需要根据纸张的特性随时调整印刷。[32]

与单一货源相比，利用多家供应商的公司可防止因工人的罢工妨碍正常的秩序。采用多家供应商的另一个原因是单一货源使人们会满足于这种关系，安于现状而不利于发展。并且因此而削弱了竞争。有些明智的营销人员采取了一种解决这个问题的方法。

GC 电子公司 伊利诺伊州罗克福德的 GC 电子公司，有一种"单一供应商，最低价，保证程序"，它通过选择单一供应商，以减少交易中间商数量及降低采购成本。然而，如果在计划执行中，渠道商发现在其他地方更能得利时，GC 对肯再回来的渠道商提供 6% 的折扣。[33]

常规订购的手续规定

在供应商选好以后，购买方开始讨论最后的订单，内容包括产品技术说明书、需要量、预期交货时间、退货政策、担保单等。就保养、维修和经营项目而言，采购人员越来越多地转向长期有效的采购合同，而非采用定期购买订单，为每次存货签订所需要的购货新订单费用是昂贵的，没有一个采购员乐意签订较少的采购订单，因为这就意味着要持有更多的存货。一个长期有效合同建立了一种长期的关系，在这种关系下，供应商答应在一特定的时间之内根据需要按照协议的价格条件继续再供应产品给买方。由于存货由卖方保存着，因此，称作无存货采购计划（stockless purchase plans）。当需要存货时，采购者的计算机就会自动地传一份订单给销售商。

长期有效合同计划导致更多地向一个来源采购，并从该来源购买更多的项目。这就使得供应商和采购者的联系十分紧密，外边的供应商欲涉足其间就十分困难，除非采购者对原供应商的价格、质量或服务不满意。

绩效评价

在完成了上述工作以后，采购者就对各具体供应商的绩效进行评价。可以使用三种方法。购买者可以接触最终用户并询问他们的评估意见；或者购买者用几种标准对供应商加权评估；或者购买者把绩效差的成本加总，以修正包括价格在内的采购成本。这种绩效评价可能会引起采购者继续向该销售商购买产品，也可能引起他们修正或停止向该销售商采购，销售商的工作在于监视该产品的购买者与最终用户是否使用了同一变量。

我们已对新任务购买情况中可能起作用的采购阶段进行了说明，在修正再采购或直接再采购的情况下，其中某些阶段可能被简化浓缩或超越。例如，在直接重购阶段，购买者通常有所喜爱的供应商或一份供应商的名单。因此，在供应商的选择和征寻的每一阶段都会剔除一部分人。

购买流程图 我们刚才描述八个阶段购买模式代表了在企业采购过程中的一些主要步骤。购买流程图（buyflow map）能为营销人员提供很多线索，图7—2表明了在日本购买包装机器的流程图。图中各号码的含义放在图的下面。图中的斜体号码表示事件的流程。在公司购买过程中，超过20个人参与决策，包括生产经理及职员、新产品开发委员会、公司图书馆、营销部和市场发展部。该决策全过程花了121天。

机构与政府市场

我们讨论的注意力往往集中在营利公司的购买行为上。其中大部分方法也适用于机构和政府组织的购买业务。然而，在后者的市场上，我们也要注意它们明显的购买特点。

机构市场（institutional market）由学校、医院、疗养院、监狱和其他机构组成，它们向它们的对象提供商品和服务。许多机构一般是以低预算和要受到一定控制为特征。例如，医院的采购代理必须决定为病人购买的食品的质量标

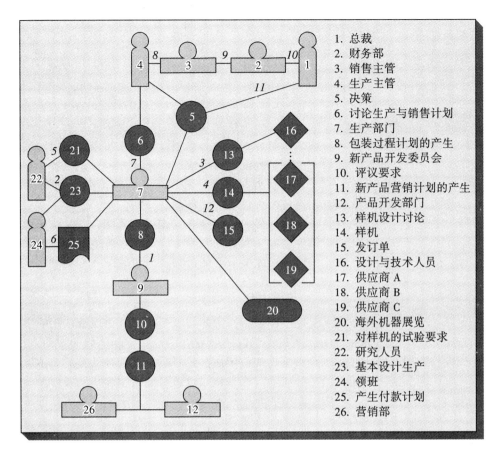

1. 总裁
2. 财务部
3. 销售主管
4. 生产主管
5. 决策
6. 讨论生产与销售计划
7. 生产部门
8. 包装过程计划的产生
9. 新产品开发委员会
10. 评议要求
11. 新产品营销计划的产生
12. 产品开发部门
13. 样机设计讨论
14. 样机
15. 发订单
16. 设计与技术人员
17. 供应商 A
18. 供应商 B
19. 供应商 C
20. 海外机器展览
21. 对样机的试验要求
22. 研究人员
23. 基本设计生产
24. 领班
25. 产生付款计划
26. 营销部

图 7—2　日本的组织购买行为：包装机器购买流程图

准，由于这些食品是医院总体服务的一部分内容，所以说，它的采购目标并非是利润，也不是为了使成本极小化。因为，如果医院以劣质食品提供给病人，那么，病人就会向他人抱怨诉苦，这有损于医院的声誉。医院的采购代理必须找到一些社会公共事业食品的卖主，其产品的质量不仅要满足最低标准，而且价格要低廉。事实上，许多食品供应商建立了独立的业务部，以向机构购买者推销，因为它们各有其特别的购买需要和特点。例如，亨氏公司为满足医院、大学和监狱的不同要求，对食品的生产、包装和定价各不相同。

如果能成为一个供全国学校和医院选择的供应商，那就意味着它将拥有大市场。

忠诚健康护理（Allegiance Healthcare）　忠诚健康护理是一个由母公司巴克斯特健康护理收回全部股份后独立的子公司，现在已经成为美国在医疗、外科和实验室仪器产品方面的最大提供商。这个公司的无存货计划，即有名的"价值链"，已经被阿瑟·安达信商业咨询公司（Arthur Andersen）引证为最好的实践。目前，在美国的超过150家看护医院中，这个计划为医院的全体员工随时随地提供他们所需要的产品。这种一体化的系统满足了每一分钟都与生和死这种情况息息相关的顾客的需求。在旧的体制中，一辆18个轮子的车仅仅在医院的后门每星期或每月供货一次。这不可避免地使最需要的东西紧缺，而医院从来不用的东西却积压了很多。据忠诚健康护理公司估计，价值链系统每年能为顾客平均节约 50 万美元或更多。[34]

在大多数国家，政府组织是商品和劳务的主要购买者。政府采购的一个典型特点是要求供应商投标，并将合同给出价最低的人。在某些情况下，政府单位要及时制定为竞争合同而需要的供应商品质和信誉要求。在另一些情况下，政府通过协议合同采购，这种采购类型主要发生在与复杂项目有关的交易中，经常涉及巨大的研究与开发费用及风险，或发生在缺乏有效竞争的场合。

政府组织喜欢向国内供应商而不是国外供应商采购。在欧洲的多国公司抱怨说，每一个国家都买自己国家的产品，而不管外国公司的供应品是多么优秀。欧盟将逐渐消除这种投标方法。

由于政府支出决策受到公众的关注，政府组织要求供应商准备大量的书面文件。供应商抱怨过量的文字工作、官僚主义、繁多的规章制度、决策拖拉和经常变换采办人员。既然和政府有商业来往会带来烦琐拖拉的公事程序，那么，为什么许多企业都要与美国政府打交道呢？华盛顿特别行政区顾问保罗·E·古尔丁（Paul E. Goulding）回答了这个问题。这位顾问已经帮助客户在政府合同方面取得了超过 300 亿美元的成果。[35]

当我听到那个问题的时候，我讲了一个关于一个商人在迁到一个小镇上后买了一家五金店的故事。这位商人问他的新雇员们，在这个镇上谁是最大的五金顾客，当他得知大顾客跟他的店没有商业来往时非常奇怪。当这位商人问为什么会没有生意，他的雇员告诉他：和大客户做生意很困难，必须填写很多表格。

每一个顾客都可能是一个很好的财源，不要断了这个财源，大顾客常常在满意的前提下重复多次交易。这就是把联邦政府作为客户的典型例子。

美国政府购买货物和服务的价值约为 2 000 亿美元，这就使得山姆大叔成了世界上最大的主顾。这并不仅仅因为美元数值巨大，还因为与其交易的数目众多。根据总资源管理促进数据中心的统计，每年都有超过 2 000 万企业合同在实施。即使大多数项目的购买在 2 500 美元～ 25 000 美元之间，政府依然使得购买值达到 25 000 美元，甚至更多，有时候还一直往上升！伊里杜（Iridium）LLC 财团建立了一个价值 50 亿美元的全球卫星通信系统。美国政府首次登陆，作为一个大客户消费了 1 450 万美元。那就是美国军队支付给它的"入门费"，从而完成了对伊里杜网络的高容量链接。[36]

政府每年购买价值上亿美元的技术，但政府决策的制定者还常常认为技术卖主们没有完成他们的本职工作。一个普遍的错误是假定产品应用对政府官员是显而易见的。另外，卖主们没有把足够的注意力放在成本无误上，而这一点却是政府采购专业人员主要关心的。那些目标要成为政府承包商的企业必须协助政府机构留意产品购买的底线。下面是一个企业如何处理政府购买的例子：

电缆真空管系统公司（Cabletron Systems Inc.） 新罕布什尔州罗切斯特的这家企业向预期客户分发一种免费 CD。这种 CD 运用神奇的手段来询问关于政府机构的网络问题，然后，这种工具推荐独特的电缆真空管产品，并为它所推荐的产品产生一项投资反馈概要和准确的成本报告。[37]

正像企业为政府机构提供关于如何最好地购买以及如何使用它们产品的指南一样，政府要向企业提供描述如何出售给政府的供应厂商具体指导路线。然而，供应商仍然必须掌握这个系统并寻找方法克服烦琐拖拉的公事程序。古尔丁说，这需要投资时间、金钱和资源，犹如进入一个新的海外市场的要求一样，也许它会更加令人感到灰心。

ADI 技术公司（ADI Technology）　美国联邦政府一直是 ADI 技术公司的最重要的顾客，联邦政府的合同占了它每年接近 600 万美元的总收入的 90%，然而，专业服务公司的主管人士常常在工作进入到快要赢得一直渴望得到的政府合同的时候摇头。由于联邦政府日常文书工作的需求，一个综合的投标书一般要 500 页～700 页纸张。该公司总裁估计仅仅准备一个投标方案就需要花费 2 万美元，而且大部分是劳务费。

幸运的是，对所有企业来说，联邦政府已经及时地采取改革措施来简化合同签订过程，并使投标显得更生动有趣。有些改革措施把重点放在购买商品货架产品，而不是按照政府规格制造的产品，卖主的在线通信消除了庞大的日常文书工作，并且从委任的政府机构了解到在投标中失败的卖主的详细情况，使它们在下一次投标中增加获得成功的机会。[38]政府的目标是到 2001 年使所有的买卖都上网。为了实现这一点，政府很有可能会提供网上格式、数字签名和电子采购卡（P-cards）。[39]一些为政府作购买代理的联邦机构发出了网上目录，这些因特网目录允许有资格的军事和市民机构通过网络购买从医学和诊所用品到衣物的任何东西。例如，一般服务行政机关，不仅仅通过它的网址出售储藏的商品，而且，还建立买者与合约提供者之间的直接联系。

由于种种原因，把产品出售给政府的许多公司，并未采用营销导向。政府采购政策强调价格，促使供应商致力于旨在降低它们成本的技术导向。当产品的特点被详细具体地规定后，产品差异也就不是营销因素了。在公开招标的基础上，广告和人员推销对于获得招标不可能具有很大的影响。

然而，有些公司努力寻求与政府做生意的机会，并且已经建立了独立的针对政府的市场部门。盖特威 2000 公司就是一个典型的例子。

盖特威 2000（Gateway 2000）　盖特威 2000 公司把它们特定产品的市场定位在政府部门。其终端 PC 电脑就是一个例子。针对 K—12 教育市场，终端 PC 电脑把一台大屏幕电视机与一台带有无线键盘和远程遥控的 PC 机连在一起。与教育部联系的销售人员在推广产品时强调了其在学习方面的效用，而没有强调其高频特性及其他技术特性。截止到 1996 年底，盖特威公司的年销售收入达到了 1.55 亿美元，估计其中有 41% 的销售收入是来自政府部门的。[40]

盖特威、洛克韦尔（Rockwell）、柯达和固特异等公司估计政府的需要和项目，特别是在特殊产品方面获取竞争情报，更仔细地拟定投标方案和加强通信联系，以显示和提高公司声誉及争取中标。

小结

1. 组织购买是各类正规组织为了确定购买产品和劳务的需要，在可供选择的品牌与供应商之间进行识别、评价和挑选的决策过程。企业市场是由一切购买物品和劳务并将它们用于生产其他商品或服务以供销售、出租或供应给他人的组织所组成。

2. 与消费者市场相比，企业市场一般包容着人数较少和购买量较大的买主，供需双方关系密切，购买者地理位置集中。企业市场的需求来源于消费者市场的需求和业务周期的影响。然而，许多企业商品和劳务的总需求相当缺乏弹性。企业市场的营销者除了要了解专业采购员和他们的影响者的作用外，还要了解直接采购、互购和租赁等形式。

3. 采购中心是购买组织的决策单位。它由发起者、使用者、影响者、决策者、批准者、购买者和控制者组成。为了促成销售，营销者必须了解环境、组织、人际和个人因素。环境因素包括产品的需求水平、经济前景、利率、技术变化率、政治与规章制度的发展、竞争发展和社会责任心。在组织方面，营销者必须了解他们客户的目标、政策、程序、组织结构和制度，以及多部门公司采购部门升格和集中采购，小票项目的权力下放，签订长期合同和日益增加对采购代理商刺激的趋势。在人际关系方面，采购中心包括参与者的不同的利益、职权、地位、神态和说服力。个人购买过程受到年龄、收入、教育、工作职位、个性、对风险的态度和文化的影响。

4. 工业采购过程分为八个阶段，称为购买阶段：(1)问题识别；(2)总需要说明；(3)产品规格；(4)寻找供应商；(5)征求供应建议书；(6)供应商选择；(7)常规订购的手续规定；(8)绩效评价。随着企业购买者变得越来越复杂和先进，企业对企业的营销者必须提高他们的营销能力。

5. 机构市场由学校、医院、疗养院、监狱和其他机构组成，它们必须提供商品和服务给它们管辖范围内的人。机构购买者在现在更关注利润或使成本最小化。政府组织采购在选择其供应商时，要求填写许多表格，倾向于公开招标和购买本国产品。供应商必须准备适应这些特定的需要和手续，以寻找机构和政府市场。

应用

本章观念

1. 一个专业采购代理人的决策过程在遭遇大风险时显得更复杂。在以下购买状况下一名采购代理人会如何表现？对每种情况，采购代理人将如何说服企业有关人员？在哪种情形下，采购代理人下决心所花的时间最长？哪种状况是一个新任务，哪一个是修正再采购，哪一个是直接再采购？

(1)采购员需定制一台生产汽车操纵杆的机器。

(2)采购员从一个固定供应商处购买刹车系统，先前，买方曾向该供应商购买过刹车系统。

(3)采购员向备受赏识和尊敬的供应商购买最新改良的电脑主板。但该供应商不提供这种主板。

2. 在很多方面医药市场都是独特的。医药制造商必须说服第三方(医生)向最终顾客(病人)"出售"他们的产品。换言之，业务间交易的决定人是医生，因此，医药制造商通常把重点直接放在医生这一购买的关键人物上。今天，医药公司直接吸引买方并鼓励他们向医生要求具体药物。用图7—1中的内容来分析影响一家医药公司(如辉瑞)销售效益的四个主要因素(环境、组织、人际和个人)。

3. 倘若你是一个橡胶软管工业销售商的销售工作小组的负责人。下一周你将被安排同通用汽车公司的土星采购部门会面。你已了解到该采购部门成员表现出来的以下买方行为：

丹·比文斯	比尔·史密斯	卡西·琼斯	菲尔·哈泽德
吹毛求疵	有进取精神	支持	热情
挑剔	顽固	尊敬	自负
严肃	威严	可信赖	野心勃勃
守秩序	有能力	亲切	易激动
严厉	果断	可协商	引人注目
百折不挠	实际	柔顺	不受约束

设计一个谈判策略，以对付土星采购部门的每个成员。

营销与广告

1. 牛奶和其他产品的市场营销者可以在许多容器和包装材料中选择。图7A—1所示的美国塑料委员会的广告描绘了最新的进展，使得塑料容器成为了一个较好的选择。商家们应该在哪儿放置这样的广告呢？商家们还能用什么其他方法来使人确信使用塑料制品包装食物和其他产品的市场价值？

2. 图7A—2中，金果复印中心的广告以各种规模的企业为目标。在这个广告中所包含的信息会促进直接再采购、修正再采购和新任务采购吗？购买者、批准者或发起者会对这个广告作出反应吗？这个广告该如何在企业购买过程中与问题的认识和供应商的选择相联系呢？对金果的彩色双面服务，一个企业购买者会产生什么视觉效果？

聚焦技术

技术正在改变政府机关购买货物和服务的方式。例如，科罗拉多的柯林斯

| 图 7A—1 | 图 7A—2 |

堡城市购买各种产品,如计算机和地板材料。现在,采购组织声称这个城市的所有计划的需要和要求都刊登在其网站的特别网页上（www. ci. fortcollins. co. us/CITY_HALL/PURCHASING/bidlist. htm]）。另外一个网页（www. ci. fortcollins. co. us/CITY_HALL/PURCHASING/index. htm）说明了这个城市采购的过程及提供了供应商下载的标准文件。

　　访问这些网页,看一看柯林斯堡对其供应商的要求。这项技术是如何有利于柯林斯堡的? 又是怎样有利于那些提供货物和服务给这个城市的供应商的? 供应商可能想从网页上得知哪些关于这个城市采购过程的信息?

新千年营销

　　"计算机联网购买"比以往许多商家在线查找 MRO（维护、修理、运行）资料提供了更多的方便。企业对企业的电子商务使为 MRO 各项目的采购过程能够流水线化,节约了双方的时间和金钱。

　　通用电气信息服务公司就是这样一个领导者,它帮助商家利用因特网跟另外的商家进行买入及销售活动。访问通用电气 GEIS 网站（www. geis. com/html/emindx. html）上的电子市场网页,在那里你可以看到各种企业对企业买入和卖出的产品。然后点击 TPN 注册买方服务链接,这是一项专为 MRO 项目设计的服务。为什么企业买方想得到用托马斯注册分类系统供应商的信息? 为什么减短循环周期对于 MRO 项目如此重要? 为什么供应商想加入这个服务网络? 对于供应商,你认为有什么潜在的不利之处?

你是营销者：索尼克公司的营销计划

　　像面向消费者的商人一样, 企业对企业的商人需要了解他们的市场及其购买者的行为以建立正确的营销计划。在索尼克公司，你决定为台式立体声系统调查企业市场，这里需要调查那些想为其顾客播放音乐的小餐馆和商店。根据所给的索尼克公司的现状及你关于市场营销的知识回答下列问题：

● 除了餐馆和商店，还有什么商家需要购买台式立体声系统？
● 你怎样找出企业市场(如小餐馆)的总体规模？（检查美国普查网站上由SIC 列举的企业——餐饮业的编号是 5812，例如网站 www.census.gov/epcd/cbp/view/us94.txt，也可以查询政府网站上更多的统计数据及其他材料。
● 索尼克的产品可以满足这些商家怎样的特殊需要？
● 什么类型的采购是索尼克公司将提供给这些商家的？谁将参与并影响这种采购？这对于你的营销战略意味着什么？

仔细考虑你调查的市场所提供的机会、威胁和问题。然后，以营销书面计划的形式总结你的发现及结论，或者输入营销计划软件的营销现状或 SWOT/问题分析和目标市场中。

【注释】

[1] Frederick E. Webster Jr. and Yoram Wind, *Organizational Buying Behavior* (Upper Saddle River, NJ: Prentice Hall, 1972), p. 2.

[2] John H. Sheridan, "An Alliance Built on Trust," *Industry Week*, March 17, 1997, pp. 66 ~ 70.

[3] Shawn Tully, "How Cisco Mastered the Net," *Fortune*, August 17, 1998, pp. 107 ~ 110.

[4] Justin Hibbard, "Online Health Insurance," *Informationweek*, August 10, 1998, p. 26.

[5] Minda Zetlin, "It's All the Same to Me," *Sales & Marketing Management*, February 1994, pp. 71 ~ 75.

[6] Robert Hiebeler, Thomas B. Kelly, and Charles Ketteman, *Best practices: Building your Business with Customer-focused Solutions* (New York: Arthur Andersen/Simon & Schuster, 1998), pp. 122 ~ 124.

[7] Michael Collins, "Breaking into the Big Leagues," *American Demographics*, January 1996, p. 24.

[8] "Women and Minorities Account for a Growing Share of Purchase Decisionmakers," *The American Salesman*, September 1996, p. 8.

[9] Patrick J. Robinson, Charles W. Faris, and yoram Wind, *Industrial Buying and Creative Marketing* (Boston: Allyn & Bacon, 1967).

[10] See Daniel H. McQuiston, "Novelty, Complexity, and Importance as Causal Determinants of Industrial Buyer Behavior," *Journal of Marketing*, April 1989, pp. 66 ~ 79; and Peter Doyle, Arch G. Woodside, and Paul Mitchell, "Organizational Buying in New Task and Rebuy Situations," *Industrial Marketing Management*, February 1979, pp. 7 ~ 11.

[11] Urban B. Ozanne and Gilbert A. Churchill, Jr., "Five Dimensions of the Industrial Adoption Process," *Journal of marketing Research*, August 1971, pp. 322 ~ 328.

[12] See Donald W. Jackson Jr., Janet E. Keith, and Richard K. Burdick, "Purchasing

Agents' Perceptions of Industrial Buying Center Influence: A Situational Approach," *Journal of Marketing*, Fall 1984, pp. 75 ~ 83.

[13] Webster and Wind, *Organizational Buying Behavior*, p. 6.

[14] Ibid., pp. 78 ~ 80.

[15] See "'I Think You Have a Great Product, but it's Not My Decision,'" *American Salesman*, April 1994, pp. 11 ~ 13.

[16] Ibid.

[17] Webster and Wind, *Organizational Buying Behavior*, pp. 33 ~ 37.

[18] Sara Lorge, "Purchasing Power," *Sales & Marketing management*, June 1998, pp. 43 ~ 46.

[19] Tim Minahan, "OEM Buying Survey — Part 2: Buyers Get New Roles but Keep Old Tasks," *Purchasing*, July 16, 1998, pp. 208 ~ 209.

[20] Shawn Tully, "Purchasing's New Muscle," *Fortune*, February 20, 1995; Mark Fitzgerald, "Decentralizing Control of Purchasing," *Editor and Publisher*, June 18, 1994, pp. 8, 10.

[21] (France, Germany, Japan) Teresa C. Morrison, Wayne A. Conaway, and Joseph J. Douress, *Dun & Bradstreet's Guide to Doing Business Around the World* (New York: Prentice Hall, 1997). (Korean) "Tips, Trcks and Pitfalls to Avoid when Doing Business in the Tough but Lucrative Korean Market," *Business America*, June 1997, p. 7. (Latin America) Dana May Casperson, "Minding Your Manners in Latin America," *Sales & Marketing Management*, March 1998, p. 96; Valerie Frazee, "Getting Started in Mexico," *Workforce*, January 1997, pp. 16 ~ 17.

[22] James C. Anderson and James A. Narus, *Business Market Management: Understanding, Creating and Delivering Value* (Upper Saddle River, NJ: Prentice Hall, 1998), p.

[23] See Robert E. Wayland and Paul M. Cole, *Customer Connections: New Strategies for Growth* (Boston: Harvard Business School Press, 1997), pp. 161 ~ 168.

[24] Robinson, Faris, and Wind, *Industrial Buying*.

[25] John H. Sheridan, "Buying Globally Made Easier," *Industry Week*, February 2, 1998, pp. 63 ~ 54.

[26] See "Xerox Multinational Supplier Quality Survey," *Purchasing*, January 12, 1995, p. 112.

[27] See Donald R. Lehmann and John O'Shaughnessy, "Differences in Attribute Importance for Different Industrial Products," *Journal of Marketing*, April 1974, pp. 36 ~ 42.

[28] Minahan, "OEM Buying Survey—Part 2: Buyers Get New Roles but Keep Old Tasks."

[29] Rick Mullin, "Taking Customer Relations to the Next Level," *The Journal of Business Strategy*, January – February 1997, pp. 22 ~ 26.

[30] Chad Kaydo, "Good Service Travels Fast," *Sales & Marketing Management*, may 1998, pp. 22 ~ 24.

[31] See James a. Narus and james C. Anderson, "Turn Your Industrial Distributors into Partners," *Narvard Business Review*, March – April 1986, pp. 66 ~ 71.

[32] Donna Del Moro, "Single-Source Newsprint Supply," *Editor & Publisher*, October 25, 1997, pp. 42 ~ 45.

[33] Kitty Vineyard, "Trends. . . in Single Sourcing," *Electrical Apparatus*, November 1996, p. 12.

[34] Robert Hiebeler, Thomas B. Kelly, and Charles Ketteman, *Best Practices; Building Your Business with Customer-Focused Solutions* (New York: Arthur Andersen/Simon & Schuster, 1998), pp. 124 ~ 126.

[35] Paul E. Goulding, "Q&A: Making Uncle Sam your Customer," *Financial Executive*, May – June 1998, pp. 55 ~ 57.

[36] Quentin Hardy, "Iridium Gets U. S. as First Big Customer of Wireless Communications System," *Wall Street Journal*, January 26, 1998, p. B7.

[37] Julie Bort, "Selling High Technology to Uncle Sam," *Electronic Business*, February 1998, p. 28.

[38] Laura M. Litvan, "Selling to Uncle Sam: New , Easier Rules, " *Nation's Business*, March 1995, pp. 46 ~ 48.

[39] Ellen mkessmer, "Feds Do E-commerce the hard Way, " *Network World*, April 13, 1998, pp. 31 ~ 32.

[40] Bort, "Selling High Technology to Uncle Sam"; Larry Light and Lisa Sanders, "Uncle Sam's PC Shopping Binge, " *Business Week*, October 28, 1996, p. 8.

第 **8** 章

参与竞争

科特勒论营销：

忽略了竞争者的公司往往成为绩效差的公司；效仿竞争者的公司往往是一般的公司；获胜的公司往往在引导着它们的竞争者。

本章将阐述下列一些问题：

● 谁是我们的主要竞争者？

● 怎样确定竞争者的战略、目标、优势与劣势，它们的反应模式是什么？

● 怎样设计竞争情报系统？

● 作为市场领导者、市场挑战者、市场追随者和市场补缺者，应怎样定位？

● 怎样平衡顾客与竞争导向？

前两章分析了消费者和企业市场当前的动态。本章将讨论竞争的作用和公司如何进行竞争定位。

迈克尔·波特识别出有五种力量决定了一个市场或细分市场的长期内在吸引力，这五种力量是：同行业竞争者、潜在的新参加竞争者、替代产品、购买者和供应商(见图 8—1)。企业面临五种威胁：

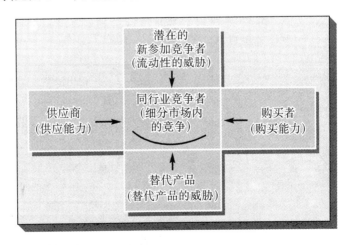

图 8—1　决定细分市场结构吸引力的五种力量

259

1. 细分市场内激烈竞争的威胁。如果某个细分市场已经有了众多的、强大的或者竞争意识强烈的竞争者，那么该细分市场就会失去吸引力。如果该细分市场处于稳定或者衰退，生产能力不断大幅度扩大，固定成本过高，撤出市场的壁垒过高，竞争者投资很大，那么情况就会更糟。这些情况常常会导致价格战、广告争夺战。新产品推出及公司要参与竞争就必须付出高昂的代价。

2. 新竞争者的威胁。某个细分市场的吸引力随其进退难易的程度而有所区别。[1]根据行业利润的观点，最有吸引力的细分市场应该是进入壁垒高、退出壁垒低(见图8—2)。在这样的细分市场里，新的公司很难打入，但经营不善的公司可以安全撤退。如果细分市场进入和因为经营不善的公司难以撤退，必须坚持到底；如果细分市场进入和退出的壁垒都较低，公司便可以进退自如，获得的报酬虽然稳定，但不高；最坏的情况是进入细分市场的壁垒较低，而退出的壁垒却很高。于是，在经济良好时，大家蜂拥而入，但在经济萧条时，却很难退出。其结果是大家的生产能力都过剩，收入都下降。

3. 替代产品的威胁。如果某个细分市场存在着替代产品或者有潜在替代产品，那么该细分市场就失去吸引力。替代产品会限制细分市场内价格和利润的增长。公司应密切注意产品的价格趋向。如果在这些替代产品行业中技术有所发展，或者竞争日趋激烈，这个细分市场的价格和利润就可能会下降。

4. 购买者讨价还价能力加强的威胁。如果某个细分市场中购买者的讨价还价能力很强或正在加强，该细分市场就没有吸引力。购买者便会设法压低价格，对产品质量和服务提出更高的要求，并且使竞争者互相斗争，所有这些都会使销售商的利润受到损失。如果购买者比较集中或者有组织，该产品在购买者的成本中占较大比重，产品无法实行差别化，顾客的转换成本较低，由于购买者的利益较低而对价格敏感，顾客能够向后实行联合，购买者的讨价还价能力就会加强。销售商为了保护自己，可选择议价能力最弱或者转换销售商能力最弱的购买者。较好的防卫方法是提供顾客无法拒绝的优质产品供应市场。

5. 供应商讨价还价能力加强的威胁。如果公司的供应商——原材料和设备供应商、公用事业、银行、公会等，能够提价或者降低产品和服务

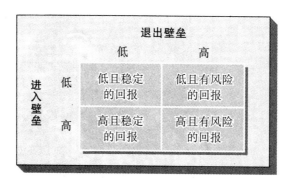

图8—2　壁垒和盈利能力

的质量，或减少供应数量，那么，该公司所在的细分市场就会没有吸引力。如果供应商集中或有组织，或者替代产品少，或者供应的产品是重要的投入要素，或转换成本高，或者供应商可以向前实行联合，那么，供应商的讨价还价能力就会较强。因此，与供应商建立良好关系和开拓多种供应渠道才是防御上策。

今天，竞争不仅普遍存在而且逐年激烈。许多美国、欧洲和日本的公司在低成本国家建立生产线，并把更便宜的商品输入市场。

这些发展趋势可以解释当前为什么有那么多类似"营销战争"、"竞争情报系统"的热门话题。[2]因为市场的竞争是如此激烈，企业仅了解顾客是不够的，企业还必须十分注意它们的竞争对手。成功的公司必须设计和操作一个能连续收集竞争者的情报系统。[3]

识别公司竞争者

一个公司识别竞争者似乎是一项简单的工作。可口可乐公司知道百事可乐公司是其主要的竞争者；索尼公司知道松下公司是它的主要竞争者。[4]然而，公司实际的和潜在的竞争者范围是广泛的。一个公司更可能被新出现的对手或新技术，而非当前的竞争者打败。

在最近的几年里，很多商家因为太关心它们可怕的竞争对手而没有成功地注意到因特网的存在。举个例子，几年前，巴诺公司（Barners & Noble）和博德（Border）图书连锁店相互竞争，看谁能建立最大的图书城，一个图书阅览者能够找到舒服的沙发，一边看书一边喝咖啡的地方。然而，正当这些大书店考虑在它们的咖啡厅里用什么存放书时，杰弗里·贝左斯（Jeffrey Bezos）建立了一个名叫亚马逊在线的网上帝国。贝左斯的富有创新精神的网上书店具有这样的优势，即在不需建立图书库存目录的情况下，向读者提供无限制的图书选择。现在，巴诺公司和博德公司在建立它们的网上书店这一业务上你追我赶。然而，"竞争近视"（人们往往更注意表面的竞争者，而不是潜在的竞争者）已经导致一些公司倒闭了。[5]

大不列颠百科全书公司（Encyclopaedia Britannica）　在 1996 年，有 230 年历史的大不列颠百科全书公司解散了它所有的公司销售人员，因为该公司实现了顾客只需一个月在因特网站上花 5 美元，就可获得价值为 1 250 美元的 32 册系列全书。对计算机精通的孩子可以从网上或光盘上获得他们所需的信息，比如说微软的 Encarta 光盘，以及售价仅为 50 美元的内容包括一本百科全书的光盘。最棒的是该公司有权与微软公司合作给客户提供与 Encarta 相关的内容，而不是绝对禁止。

其他的出版商同样感受到了由于因特网对它们领地的侵蚀的威胁。那些提供招聘服务、房地产服务及在线汽车服务的因特网站严重威胁了传统的报刊业，导致它们在分类招聘、房地产及汽车广告市场上失去了巨大的份额。如果人们可以从网上获得免费的新闻信息，为什么还要买报纸呢？在商人中对于因特网技术的日益应用感到最为害怕的是那些中间人。参见"新千年营销——虽被取代但并未气馁：电子商务正逐渐取代中间人行业"。

我们可以考虑各种层次的竞争（品牌、行业、形式、普遍），或者，可从行业观点和市场观点来辨认公司的竞争者。

行业竞争观念

行业实际上意味着什么呢？

行业（industry）是一组提供一种或一类相互密切替代产品的公司群。

行业分类的依据是：销售商的数量；产品差异化的程度；进入和缺席；流动性和退出障碍；成本结构；纵向一体化的程度；全球化经营的程度。

销售商数量及其差别程度

描述一个行业的出发点就是要确定是否有一个少数或许多销售商以及产品是否同质的或是高度差异的。这些特点引发了四种行业结构类型：

● **完全垄断**（pure monopoly） 一个行业只有一个公司在一国或一个地区提供一定的产品或服务（如地方电力或煤气公司）。由于缺少替代品，一个追求最大利润的大胆者抬高价格，少做或不做广告，并提供最低限度的服务。在没有替代品的情况下，顾主别无选择，只得购买其产品。如果有部分替代品或者出现了紧急竞争危机，完全垄断者会投入更多的服务和技术作为对新的竞争的进入障碍。另一方面，一个守法的垄断者通常根据公众利益把价格降低并提供较多的服务。

● **垄断**（oligopoly） 一个行业的结构（通常）是少数几家大企业生产从高度差别化到标准化的产品。垄断有两种形式：纯粹垄断（pure oligopoly）是由几家生产本质上属于同一种类的商品（如石油、钢铁）的公司所构成的。公司会发觉它只能按现行价格定价，除非它能使其服务与他人有所差别。如果竞争者在其所提供的服务方面不相上下，那么，获得竞争优势的惟一办法只能是降低成本，而降低成本则可能通过高数量生产来实现垄断。差别垄断（differentiated oligopoly）由几家生产部分有差别的产品（如汽车、照相机）的公司组成。在质量、特性、款式或者服务方面可能出现差别。各竞争者可在其中一种主要产品属性上寻求领先地位，吸引顾客偏爱该属性并为该属性索取溢价。

● **垄断竞争**（monopolistic competition） 垄断竞争的行业由许多能从整体或部分区别出它们所提供的产品或服务并使其具有特色的公司（餐厅、美容院）所组成。其中许多竞争者趋向针对某些它们能够更好地满足顾客需要的细分市场并索取溢价。

● **完全竞争**（pure competition） 完全竞争的行业是由许多提供相同产品或服务的公司所构成的（如股票市场、商品市场）。因为没有差别的基础，所以竞争者的价格将是相同的。除非广告能产生心理差别，否则就没有竞争者会做广告（如香烟、啤酒）。在这种情况下，把行业说成是垄断竞争可能更为合适。

行业竞争的结构可以随着时间的变化而变化。

　　掌上领航员（Palm Pilot）　当掌上计算机公司（现在属于 3Com 公司）开发出不带有键盘、仅带有一记录杆的掌上电脑时，该产品在 18 个月中就售出了 100 多万台。从一开始，它就显出了市场垄断性，当时，在市场上基本不存在与它类似的产品。然而，其他公司诸如思科和伊夫莱克斯（Everex）很快也加入到这个市场，由此，该产品的市场变成了多元化的市场。随着更多的竞争者研发出新型的掌上计算机，该行业呈现出了垄断竞争结构体系。然而，当市场需求量降低时，可以预计到有一些参与竞争的公司会退出，到那时该市场又会转变为由几个大型公司控制的垄断市场。

进入、流动、退出障碍

　　各个行业能否容易进入的差别很大。开设一家新餐馆比较容易，但是进入航空行业就很困难。主要的进入障碍（entry barriers）包括：对资本的要求高；规模经济；专利和许可条件；缺少场地、原料或分销商；有信誉要求。即使一家公司进入了一个行业之后，当它要进入行业中某些更具吸引力的细分市场时，可能会面临流动障碍（mobility barriers）。

　　百事可乐公司（PepsiCo）　在 20 世纪 80 年代初期，当百事可乐公司的大玛丝（Grandma's）品牌甜饼从自动售货机市场向超市转移时，这个小品牌并没有能力与甜饼市场的王牌品牌纳比斯科（Nabisco）和基布勒（Keebler）竞争。

　　公司也面临着退出障碍（exit barriers）。[6]退出障碍包括：对顾客、债权人或雇员的法律和道义上的义务；由过分专业化或设备、技术陈旧引起的资产利用价值低；缺少可供选择的机会；高度的纵向一体化；感情障碍。许多公司只要能赚回变动成本和部分或全部固定成本，就会在一个行业里继续经营下去。然而，它们的存在削减了大家的利润。

　　如果某些公司不能退出，可劝说它们缩小规模。公司可减少收缩障碍，以使苦恼的竞争者得到小小的安慰。[7]

成本结构

　　每个行业都有驱动其战略行为的一定的成本组合。例如，轧钢厂需要高的制造和原材料成本，而玩具制造需要分配和营销成本。公司将把最大的注意力放在它们的最大成本上，并从战略上来减少这些成本。因此，拥有最现代化（即最大的成本效益）工厂的钢铁公司比其他钢铁公司有更多的优势。

纵向一体化的程度

　　在某些行业，公司发现后向或前向一体化[**纵向一体化**（vertical integration）]是很有利的。一个好的案例是石油行业。主要的石油生产者进行石油勘探、石油钻井、石油提炼，并把化工生产作为它们经营业务的一部分。纵向一体化常可降低成本并能更好地控制增值流。另外，这些公司还能在它们所经营业务的各个细分市场中控制其价格和成本，在税收最低处获取利润。然而，纵向一体化也有某些缺点，如在价值链的部分环节和缺少灵活性的情况下，它的维持成本是很高的。

全球化经营的程度

一些行业的地方性非常强（如草坪保养），而另一些行业则是全球性的行业（如石油、飞机发动机、照相机）。全球性行业的公司，如果要实现规模经济和采用最先进的技术，就需要开展以全球为基础的竞争。[8]美国的铲车制造业就已丧失了其市场的领导地位。

铲车行业（The Forklift Industry） 五家公司垄断了美国的铲车市场——克拉克设备公司（Clark Equipment）、卡特彼勒公司、阿利斯·查默斯公司（Allis Chalmers）、赫斯特公司（Hyster）和耶尔公司（Yale）。但到了 1992 年，债务很重的克拉克公司准备出售它的资产；卡特彼勒与三菱在合资中成为伙伴。只有赫斯特公司还保持其市场份额。通过加快产品开发、集中生产低成本型号和把生产线移往就业困难的爱尔兰，赫斯特与日产、丰田和小松展开了竞争。赫斯特还起诉日本公司搞倾销并赢了这场官司。

市场竞争观念

除了从行业角度以外，我们也可以把竞争者看做是一些力求满足相同顾客需要或服务于同一顾客群的公司。例如，文字处理软件商通常把其他文字处理软件商看做竞争对手。但从顾客需要的观点看，顾客真正需要的是文字处理的"书写能力"。这种需要可由铅笔、钢笔、计算机等予以满足。总之，市场竞争观念开阔了公司的视野，使其看到还存在着更多的、实际的和潜在的竞争者。

新千年营销

虽被取代但并未气馁：电子商务正逐渐取代中间人行业

目前，旅游代理行业正在受到网络销售的强烈冲击，位于马里兰的比拉/伊姆波兰斯（Belair/Empress）旅行代理公司就是其中之一。其机票代理收入已从其总收入中的 62% 降到 30%。公司必须与网上的大型旅游网站如伊克斯比蒂（Expedia）或旅游城市（Travelocity）进行竞争，这些公司可使消费者在网上订购最低价的机票。1997 年通过网上进行旅行预订的营业额已超过 9 亿美元，尽管这一数字还不到全部旅游市场营业额的 1%，但按照贾比特（Jupiter）通信公司的预言，到 2002 年，全部网上旅游的营业额将达到 113 亿美元。旅行代理商们已开始建立网点来降低成本、扩大市场份额，而航空公司也随之降低了网上机票销售的代理费，进一步削减了代理商的收入。而且，航空公司建立的网点也不再仅仅只卖其本公司的机票，而开始代理其他航空公司的机票。例如，通过联合航空公司的网站，消费者可预订和购买超过 500 家其他航空公司的机票。

网络正逐渐使许多商业行业发生变化，尤其是在小规模的商业行业中。通过网络买者和卖者之间的直接联系更加方便，这使得传统中介行业如旅行代理商、保险中介人、汽车销售商、股票中介人、猎头公司逐渐被取代。甚至出现了一个 17 个字母的专门单词"disintermediation"（中介人的消亡）来描述这一现象。以下列出了几家具有代表性的网上公司，正是因为它们才引发了这一现象。

www.expedia.com　　www.travelocity.com　　www.previewtravel.com

不仅提供购买机票的服务，而且帮助联系饭店、旅馆和当地旅游景观。

www.carpoint.com　　www.autobytel.com　　www.edmunds.com

提供的服务涉及抵押物品进行估价和审核，并联系融资单位。

www.owners.com

由物品卖者输入底价和物品的资料，在支付少量费用的情况下，还可享受额外服务，如展示照片，买者可浏览来自 48 个州超过 1 400 000 件的物品。如果买者和卖者达成协议，则双方应付给佣金。

www.lifequote.com

300 个上网者浏览该网站，询问有关保险问题，其中 17% 的最终成了其顾客。

www.monster.com

提供来自 4 500 多家公司的 50 000 多个职位。

面对来自网站的竞争，传统的中介行业应如何应对呢？这些首先受到冲击的行业采取了持续发展的战略。一方面，一些企业实现了全面网络化，面对航空公司削减机票销售代理费，旅游代理商波罗斯·亚克西马公司(Bruce Yoximer)采取了转向网络的应对政策。针对对手展开的竞争，亚克西马公司在 1995 年建立了网上站点(www.itn.net)。作为首家采取网上订票的旅游公司，公司每天接受的预约 1 000 个，并且以每月 10% 的速率增长。另一些公司则是完全拒绝这种新型网络商业模式，位于底特律区的儿童书店的老板朱特·麦克洛基(Judy Mcloughin)说："我不想买卖那些未经过我手的书"。麦克洛基正努力通过尽力满足客户所需来赢得顾客，而更多的企业则采取了折中政策。比拉/伊姆波兰斯的老板菲尔·达维多夫(Phil Davidoff)为适应市场需求，正计划将其新扩展的旅游商业服务项目建立网站。其他如中介公司查尔斯·施瓦布正通过网络向顾客提供丰富的信息和更多的选择，形成各自个性化的服务。

查尔斯·施瓦布(Charles Schwab)　这家美国国内最大的贴现机构也不得不利用网络来应对来自网络上的大批竞争者的价格竞争。它不仅要应对竞争对手，同时还必须应付其自身由于竞争而引起的资金短缺。然而，与其业务量发生大幅提高相比，这种冒险是值得的。施瓦布并不像其竞争者那样仅是提供网上的交易操作，他还向其顾客提供丰富的财政和公司信息，帮助客户研究和管理其账户，扮演着投资参谋的角色。在其 270 项业务中有些甚至在网上开设了相应的课程。

事实上，人们在购买复杂或昂贵的物品和服务时，像购买汽车、人身保险或进行为期 3 周的度假(包括在加拉帕戈斯岛和火地岛各作停留)，都需要专业人员提供建议。尽管相对传统的中介行业来说网络产生了许多竞争者，但它同时也提供了大量的机会。网络使消费者拥有更多的信息，网络正取代传统的人为中介来帮助消费者走出困惑。

资料来源：Marcia Stepanek，"Rebirth of the Salesman，"*Business Week*，June 22，1998，p. 146；Evan J. Schwartz，"How Middlemen Can Come Out on Top，"*Business Week*，February 9，1998，pp. ENT4 – ENT7；Bernard Warner，"Prepare for Takeoff，"*Brandweek*，January 19，1998，pp. 38 ～ 40；Ira Lewis，Janjaap Semeijn，and Alexander Talalaevsky，"The Impact of Information Technology on Travel Agents，"*Transportation Journal*，Summer 1998，pp. 20 ～ 25；Mary J. Cronin，"The Travel Agents' Dilemma，"*Fortune*，May 11，1998，pp. 163 ～ 164；John Hughes，"Auto Dealers See Future in Internet，"*Marketing News*，March 2，1998，p. 13；Saroja Girishankar，"Virtual Markets Create New Roles for Distributors，"*Internetweek*，April 6，1998，p. S10；Laurie J. Flynn，"Eating Your Young，"*Context*，Summer 1998，pp. 45 ～ 51.

分析竞争者

一个公司一旦确定了它的首要竞争者后，它就必须辨别竞争者的特点，分析它们的战略、目标、优势与劣势，以及反应模式。

战略

一个战略群体(strategic group)就是在一个特定目标市场中推行相同战略的一组企业。[9]一个公司需要辨别与它竞争的那个战略群体。假定一个公司要进入主要家用电器行业，其战略群体是谁？公司制成一张图(见图8—3)并发现根据产品质量和纵向一体化的程度，公司有四个战略群体。战略群体A有一个竞争者梅塔格，战略群体B有三个主要竞争者(通用电气、惠而浦和西尔斯)。战略群体C有四个竞争者，战略群体D有两个竞争者。通过对这些战略群体的辨别可以发现一些重要的情况。首先，各战略群体设置的进入障碍的难度不尽相同；其次，如果公司成功地进入一个组别，该组别的成员就成了它的主要对手。

一个公司必须不断地观测竞争者的战略。富有活力的竞争者将随着时间的推移而修订其战略。例如，当美国的汽车制造商注重质量时，日本的汽车制造商又转移至知觉质量，即汽车及部件更好看和感觉更好。一位福特公司的工程师解释说：

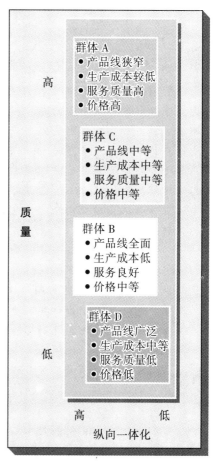

图8—3　主要家用电器行业的战略群体

"它转换信号稳定而不闪动……电动窗户上下有速度……空气调节旋钮手感好。这就是下一次顾客竞争的细微差别。"[10]

目标

一旦公司辨别了主要竞争者及其战略后，我们必须继续追问：每个竞争者在市场上追求什么？每个竞争者的行为动力是什么？我们先提出一个有用的假设，竞争者都将尽量争取最大的利润。然而，在这个问题上，公司对于长期与短期的利润的重视程度也有所不同。美国公司多数按最大限度扩大短期利润的模式来经营，因为其当前经营业绩的好坏是由股东们进行判断的，而股东们可能会失去信心，出售股票并使得公司资本成本增加。日本公司则主要按照最大限度扩大市场份额的模式来经营。由于它们从银行获得资金而付的利率较低，因此，它们也满足于较低的利润收益。另一个假设是每一个竞争者都有其目标组合：目前的获利可能性，市场份额，现金流量，技术领先和服务领先等。了解了竞争者的加权目标组合将帮助公司预测竞争者会作出何种反应。

竞争者的目标是由多种因素确定的，其中包括：规模，历史，目前的经营管理的经济状况。如果竞争者是一个大公司的组成部分，我们便要知道它的经营目的是为了成长，还是为了榨取利润。[11]

最后，一个公司也必须监视它的竞争者的扩展计划。图8—4显示了个人计算机行业的产品—市场竞争形势图。它表示戴尔公司现在在为个人用户销售计算机，但它还计划向商业和工业进军，并且还推销服务。因此，其他的企业有责任对戴尔公司的扩展建立流动障碍。

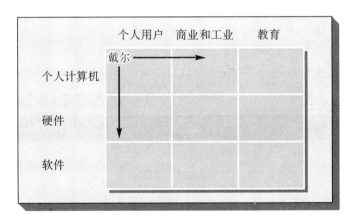

图8—4　一个竞争者的扩展计划

优势与劣势

竞争者能否执行他们的战略和达到其目标取决于每个竞争者的资源和能力。公司需要辨认每个竞争者的优势与劣势。依据阿瑟·D·利特尔咨询公司的观点，一个公司在其目标市场中占据着六种竞争地位中的一种。[12]

● **主宰型**（dominant）。这类公司控制着其他竞争者的行为，有广泛选择战略的余地。

● **强壮型**（strong）。这类公司可以采取不会危及其长期地位的独立行动，而且它的长期地位也不受竞争者行动的影响。

● **优势型**（favorable）。这类公司在特定战略中有较多力量可供利用，并在改善其地位上有较多机会。

● **防守型**（tenable）。这类公司经营情况令人满意，足以继续经营，但它在主宰企业的控制下存在，改善其地位的机会较少。

● **虚弱型**（weak）。这类公司经营情况不能令人满意，但仍有改善的机会，不改变就会被迫退出市场。

● **难以生存型**（nonviable）。这类公司经营情况很差，并且没有改善的机会。

以下这个假设可帮助一家公司对在程序控制市场上向谁挑战作出决策。

一家公司将面对三个已牢固占领市场的竞争者，即艾伦·布拉德利公司（Allen Bradley）、得州仪器公司和古尔德（Gould）公司。该公司所进行的调查研究表明，艾伦·布拉德利公司的技术领先地位在行业中很有威望；得州仪器公司成本较低，并在为争夺市场份额而不顾一切地战斗；而古尔德公司干得也不错，但还不算特别出色。因此，公司得出结论，它的最好的目标是古尔德公司。

表8—1显示了公司要求顾客对其三家竞争对手A，B和C在五个属性上进行排列的结果。竞争者A闻名遐迩，一般认为该公司生产的产品质量极高，并由优秀的推销人员进行销售。然而，竞争者A在供货效率和提供技术服务方面较差；竞争者B总的来说是好的，而且供货效率和销售人员均佳；竞争者C的大多数属性都不好或者一般。这条信息表明，公司在供货效率和技术服务方面可以进攻竞争者A，而在许多方面都可以进攻竞争者C，只有竞争者B的劣势不明显。

表8—1 顾客对竞争对手在关键成功因素上进行排列的结果

	顾客知晓度	产品质量	产品利用率	技术支持	推销人员
竞争者A	E	E	P	P	G
竞争者B	G	G	E	G	E
竞争者C	F	P	G	F	F

说明：表中E为优秀；G为良好；F为中等；P为差。

在一般情况下，每个公司在分析它的竞争者时，必须分析三个变量：

● **市场份额**。竞争者在有关市场上所拥有的销售份额。

● **心理份额**。这是指在回答"举出这个行业中你首先想到的一家公司"这一问题时，提名竞争者的顾客在全部顾客中所占的百分比。

● **情感份额**。这是指在回答"举出你喜欢购买其产品的公司"这一问题时，提名竞争者的顾客在全部顾客中所占的百分比。

一种有趣的关系存在于这三种衡量方法之中。表 8—2 显示了表 8—1 所列三个竞争者的这些数字。竞争者 A 的市场份额最高，但现在却在下降。事实给它作出部分的解释，即它的心理份额和情感份额都在下降。在顾客知晓度和喜爱方面的下滑大概是因为竞争者 A 提供了一种优质的产品，但在供货效率和提供技术服务方面欠佳。另一方面，竞争者 B 在市场份额方面却稳步上升，这主要是由于其实行了提高心理份额和情感份额的战略的缘故。由于竞争者 C 的劣质产品和劣等的市场营销属性，它似乎在市场份额、心理份额和情感份额的低水平上停滞不前。我们概括上述情况可得出以下结论：在心理份额和情感份额方面稳步进取的公司最终将获得市场份额和利润。

表 8—2　　　　　　　　　　市场份额、心理份额和情感份额

	市场份额(%)			心理份额(%)			情感份额(%)		
	1997 年	1998 年	1999 年	1997 年	1998 年	1999 年	1997 年	1998 年	1999 年
竞争者 A	50	47	44	60	58	54	45	42	39
竞争者 B	30	34	37	30	31	35	44	47	53
竞争者 C	20	19	19	10	11	11	11	11	8

为了试图改进它们的市场份额，许多公司针对最成功的竞争者开展定点超越。对于这门技术的好处和带来的优势，我们将在"营销视野——定点超越是怎样改进竞争绩效的"中加以介绍。

在寻找竞争者的劣势时，我们应设法辨认为其业务和市场所作的假想有哪些已经不能成立。有些公司相信，在行业中，它们生产的产品质量最好，但是这一点也不再是真实的了。许多公司成了诸如"顾客偏好样样具备的公司"；"销售人员是惟一重要的营销工具"；"顾客对服务的重视高于价格"等传统格言的受害者。如果我们知道竞争者是按照一个严重错误的设想来经营，我们就可以超过它。

营销视野

定点超越是怎样改进竞争绩效的

定点超越(benchmarking)是一门艺术，它试图了解某些公司怎么样和为什么在执行任务时比其他公司做得更出色。一个普通的公司与世界级的公司相比，在质量、进度和成本绩效上的差距有 10 倍之多。施乐实行定点超越减少了它成为行业领导者的时间，柯达使用定点超越使它的机器更可靠。这种例子不胜枚举。

目标是模仿或改进其他公司的"最好实践"。有些公司在本行业中寻找最佳竞争者。英国电信营销公司的领头羊哈利福克斯·迪来克特(Halifax Direct)与该行业的关键合伙公司共同进行定点超越，它们是阿贝国民公司(Abbey National)，巴克莱科斯(Barclaycalls)和大宇宙商店(Great Universal Stores)。而另一些公司则寻找全世界"最佳实践者"。摩托罗拉的执行官表示："我们比竞争对手跑得越远，我们越高兴。我们寻求成为竞争的优胜者，而不是与竞争者平起平坐。"

施乐公司的定点超越专家罗伯特·C·坎普(Robert C. Camp)飞至缅因州弗里波特，

去参观 L. L. 比恩公司，因为它的仓库工人比施乐公司的仓库工人的整理工作快 3 倍。后来，施乐公司向美国运通公司学习账单处理技术，向卡明斯工程公司（Cummins Engine）学习生产计划技术。虽不是同一行业，但马里奥特旅馆应用定点超越学习医院的重危病人房间管理方法，改进了它的旅客安排过程。

定点超越有七个步骤：(1)确定定点超越项目；(2)确定衡量关键绩效的变量；(3)确定最佳级别的竞争者；(4)衡量最佳级别对手的绩效；(5)衡量公司绩效；(6)规定缩少差距的计划和行动；(7)执行和监测结果。然而，在考虑这七个步骤以外，脑子里要有一个定点超越的框架是很有用的——积极寻找公司以前没有从事过的最佳实践活动。斯特普斯（Staples）办公用品超级市场的首席执行官和主席汤姆·斯通巴克（Tom Stemberg）警告说："你永远不要在向竞争者的学习中满足，因为这会使你退步和妨碍你。"斯通巴克讲了一个关于沃尔玛创始人山姆·沃顿(Sam Walton)的故事："他(沃顿)进入了一家田纳西的商店，该地方是令人厌恶的。空气难闻，像一场灾难。他的感觉是同行在戏弄他，我想山姆会说什么呢？山姆看着商店的后部和雪茄货架说：'你知道这是我今年看到的最好的雪茄。'我们在努力共有一个相同的戒律。"

公司必须准备收集资源和承担调研最好的实践活动伙伴。公司怎样确定"最好实践"的其他公司呢？

第一步是问客户、供应商和分销商，请他们对最好的工作进行排队。另外，接触咨询公司，它们有最好实践公司的档案。安达信咨询公司花了 6 年时间，访问了 3 000 万人，创建了有突破性思维的全球一流公司资料的全球最佳实践数据库。它的某些结论在安达信手册中："最好的实践：为顾客解决核心问题而建立你的业务"。这些资料还可以在它的网站(www. arthurandersen. com/bestpractice)上找到。

为了控制成本，公司的定点超越应集中在关键的任务上，它能较大地影响顾客满意和公司的成本，并且知道的确有更好的绩效存在并被超越。

资料来源: Robert C. Camp, *Benchmarking: The Search for Industry-Best Practices that Lead to Superior Performance* (White Plains, NY: Quality Resources, 1989); Michael J. Spendolini, *The BEnchmarking Book* (New York: Amacom, 1992); Jeremy Main, "How to Steal the Best Ideas Around," *Fortune,* October 19, 1992; A. Steven Walleck et al., "Benchmarking World Class Performance," *Mckinsey Quarterly* no. 1 (1990): 3～24; Otis Port, "Beg, Borrow—and Benchmark," *Business Week,* November 30, 1992, pp. 74～75; and Stanley Brown, "Don't Innovate—Imitate!" *Sales & Marketing Management,* January 1995, pp. 24～25; Tom Stemerg, "Spies Like Us," *Inc.,* August 1998, pp. 45～49. See also www. benchmarking. org/; Michael Hope, "Contrast and Compare," *Marketing,* August 28, 1997, pp. 11～13; Robert Hiebeler, Thomas B. Kelly, and Charles Ketteman, *Best Practices: Building Your Business with Customer-Focused Solutions* (New York: Arthur Andersen/Simon & Schuster, 1998).

反应模式

每个竞争者都有一定的经营理念、某些内在的文化和某些起主导作用的信念。大多数竞争者的反应类型如下：

1. 从容型竞争者。一个竞争者对某一特定竞争者的行动没有迅速反应或反应不强烈。过去有很多案例说明吉利和亨氏公司对竞争者的进攻反应是缓慢的。对竞争者缺少反应的原因是多方面的。它们可能感到其顾客是忠于它们的；它们的业务需要收割榨取；对竞争者主动行动的反应迟钝；它们也可能没有作出反应所需要的资金。公司一定要弄清楚竞争者从容不迫行为的原因。

2. 选择型竞争者。竞争者可能只对某些类型的攻击作出反应。竞争者可能经常对削价作出反应，但它对广告费用的增加可能不作任何反应。壳牌和埃克森公司是选择型竞争者，它们只对削价作出反应，但对促销不作任何反应。了解主要竞争者会在哪方面作出反应，可为公司提供最为可行的攻击类型。

3. 凶狠型竞争者。这类公司对向其所拥有的领域发动的进攻都会作出迅速而强烈的反应。例如，宝洁公司绝不会听任一种新的洗涤液轻易投放市场。因为防卫者如受到攻击将抗争到底，所以，凶狠型竞争者意在向一家公司表明，最好不要发起进攻。攻击羊总比攻击老虎要好一些。利华兄弟公司用 Ultra 洗涤液首次攻击占领先地位的宝洁公司的市场时，就说明了这个道理。Ultra 洗涤液装在较小的瓶中，它之所以受到零售商的欢迎是因为它占据的货架空间较少。但当利华公司在 Wisk 和 Surf 品牌中引进这种洗涤液的装瓶技术时，它却没能占据货架位置。宝洁公司用它的大洗涤液品牌代替了利华公司的产品。

4. 随机型竞争者。一个竞争者并不表露可预知的反应模式。这一类型的竞争者在特定情况下可能会也可能不会作出反击，而且无论根据其经济、历史或其他方面的情况，都无法预见竞争者会作什么。许多小公司都是随机型的竞争者，它们的竞争行踪是捉摸不定的。

有些行业内的竞争者之间关系的特点是相对和平共处，而另一些行业则是无休止的争斗。布鲁斯·亨德森(Bruce Henderson)认为这主要取决于"竞争平衡"。下面是他对竞争关系的一些看法。[13]

1. 如果竞争者的条件几乎相同并以同一种方式谋生，那么，它们之间的平衡就是不稳定的。在竞争能力处于均势的行业中可能存在着无休止的冲突，如钢铁业或新闻界。在这种情况下，如果有一家生产能力过剩的公司降低了价格，这种竞争平衡将会被打破。这解释了为什么在这些行业中经常爆发价格战的原因。

2. 如果只有一个关键性的因素，那么，竞争平衡就是不稳定的。这点说明了在这些行业里，成本差异机会是因规模经济、先进技术或其他一些因素而存在的。在这种行业，任何取得成本突破的公司都可以降低价格，并在损害那些付出很大代价保卫其市场份额的公司的利益的情况下获得市场份额。在这些行业中，由于成本有所突破而往往爆发价格战。

3. 如果多项因素可能成为决定性因素，那么，各个竞争者都能有某些有利条件并对某些顾客的吸引力形成差异。可以形成一个有利条件的多项因素越多，能够共存的竞争者的数量就越多。各个竞争者都有竞争细分市场。这些细分市场是经过对其所能提供的交易要素加以权衡取舍之后加以区分的：在质量、服务、便利条件等方面存在着许多差别机会的行业存在多项因素。如果顾客对这些因素的价值观也有所不同，那么，许多公司便能各得其所，因而得以共存。

4. 竞争性变量起决定作用的数目越少，竞争者的数目就越少。如果只有一个因素起决定作用，那么，有可能共存的竞争者也不过是两三个。

5. 任何两个竞争者之间的市场之比为 2：1 时，这可能是平衡点。对任何一个竞争者来说提高或降低份额都既不实际也无好处。在这个水平上，如果追加促销和分销等成本，那么，相对于获得的份额来说是得不偿失的。

设计竞争情报系统

四个主要步骤

在设计一个竞争情报系统时，往往有四个主要步骤：建立系统，收集资料数据，估计与分析，传播与反应。

建立系统

第一步要求必须明确哪些竞争情报信息最为重要，应识别这方面信息的最佳来源并委派一人管理这个系统及其业务。有些小公司无力建立正规的竞争情报部门。比较行之有效的办法是指派专门主管人负责对特定的竞争者进行监视。因此，曾经为竞争者做过事的经理会密切注意与那个竞争者有关联的所有发展情况，他可能是那位竞争者的内部专家。用这种方法，使需要了解某个特定的竞争者想法的经理通过与相对应的内部专家接触而获得信息。[14]

收集资料

这些资料数据来自实地调研(推销人员、销售渠道、供应商、市场调研公司、同业公会)，从新录用的雇员和竞争者的雇员那里获得信息，从与竞争者做生意的人那里取得信息，从观察竞争者或分析实物证据来获得信息和公开资料。另外，国内外的大量有用的资料存储在光盘和信息网上。

因特网正在为那些善于收集竞争对手情报的人们提供广阔的用武之地。现在，许多公司在它们的网站上发布大量信息，提供详细的内容以吸引顾客、合伙人、供应商或特许经销商。同样，这些信息也可被它们的竞争者通过点击鼠标就能轻易得到。以前无法在印刷时代实现的东西在网络时代变成了现实。因此，你可以轻易了解你的竞争者的新产品及其组织结构的变化，发布在网上的广告使你可以把握竞争对手的扩展方向。下面就是一些常见的例子。

联合信号公司(Allied Signal)　联合信号公司的网站提供公司的年收入目标，并且列出了公司产品的缺陷以及改进计划。

邮件信箱服务公司(Mail Boxes Etc.)　这家连锁服务公司提供关于特许经营方案的详细数据，包括面积要求、雇员数量、经营时间，以及其他对竞争对手来说非常有价值的资料。

除了公司的网站会为对手提供丰富的资料外，人们也可从贸易协会网站上收集珍贵的信息。加里·欧文（Gary Owen）曾是斯通容器公司（Stone Container）包装部的主管，他曾经访问了一个贸易协会网站并因注意到了一个对手发明的防紫外线油漆的生产线而赢得了一项奖励。网址上登出了机器的配置和运转率，斯通公司的工程师利用这些资料来设置他们的产品线。[15]

虽然大多数获得信息的技术是合法的，但也有一些有问题。例如，公司通过广告和与要求应聘的竞争者公司的雇员面谈而获得信息，而事实上应聘岗位是不存在的。虽然公司从空中拍摄竞争者的工厂是不合法的，但常常存档于美国地质调查局或环境保护局的空中照片是可以购得的。某些公司甚至购买竞争者的废料。废料一旦离开了竞争者的楼区，从法律上讲就被认为是被废弃的财产。很清楚，公司应该通过有效的方法来获取必需的关于竞争者的信息，公司没有必要违反法律或道德准则。[16]关于这方面有效技术的介绍参见"营销备忘——用游击式的营销调研智胜竞争者"。

估计与分析

这一步检查资料的有效性与可靠性，给予解释以适于组织所收集的信息。

传播与反应

关键的信息要送到有关决策者手上，并解答经理们有关竞争者问题的询问。借助一个精心设计的系统，公司经理将及时收到有关竞争者电话访问、布告、时事通信或报告等各种形式的信息。经理还可通过与市场情报部门接触，以了解竞争者突然行动的原因，竞争者的劣势和优势，或竞争者对公司的行动可能会产生的反应。

营销备忘

用游击式的营销调研智胜竞争者

行业目录、年报、手册和其他出版物都是获得历史数据的重要途径。然而，如果一个公司希望去和一个刚被推出的新产品竞争，那么，这些获取信息的途径是远远不够的。专家们指出，采用如下八种技能能使一个公司保持竞争优势：

1. 密切注视你所在行业的一些小公司及相关行业。许多真正的革新常来自于规模小且不起眼的公司。有谁能料想到布鲁克林的 Ferolito Vultagio & Sons 公司的亚利桑那冰红茶能成为软饮料和果汁市场的劲敌？

2. 追踪专利权的运用。并不是所有的专利都能导致新产品的出现，但专利文件显示了一个公司的发展方向。专利运用的信息可从各种网络上或光盘数据库中获得。

3. 追寻行业专家的工作变化或其他活动。思考以下问题的答案：竞争对手最近招聘了哪些人？新雇员有何新的论文或在会上有何新的发言？专家对竞争对手有何价值？如果竞争对手得到了这个专家，是否会影响你所在公司的竞争地位？例如，一个纸浆公司新雇用了一个在东欧市场颇具经验的营销总监从而使该公司在那个市场上被看好。

4. 了解新的特许经营协议。这些协议可以提供一些新产品在何时、何地、怎么销售的有用信息。

5. 监视商业合同或商业联盟的缔结。

6. 找出一些有助于竞争对于降低成本的商业活动。如果一家与你竞争的保险公司购买了若干台式或便携式打印机,那么,它将意味着什么?很有可能是该保险公司要求其理赔员在处理每件理赔条件时节省时间和费用。

7. 追踪价格的变化。如果奢侈的物品变得足够便宜以至于大众都能消费时,它们将取代一些价格昂贵的设备,就像手提摄像机在 80 年代后期取代家庭影院摄像机一样。

8. 了解一些能改变商业环境的社会变化、消费者的品位和偏好的变化。消费者是变化不定的。15 年前,他们并不喜欢散步,而现在,他们则喜欢这项活动了。通过对时尚变化的预测,一些制鞋公司将能生产出各种新型的运动鞋。

资料来源: Adapted from Ruth Winett, "Guerrilla Marketing Research Outsmarts the Competition," *Marketing News*, January 2, 1995, p. 33.

选择竞争者以便进攻和回避

在获得良好的竞争情况以后,经理就会很容易地制定其竞争战略。

顾客价值分析

一般来说,经理通过顾客价值分析(customer value analysis)来揭示本公司与各种竞争者相对的优势和劣势。顾客价值分析的主要步骤如下:

1. 识别顾客价值的主要属性。询问顾客本人在选择产品和售货人员时希望得到何种功能和何种经营水平。顾客提出希望得到的特色/利益将会因人而异。

2. 评价不同属性重要性的额定值。询问顾客,由他们对各种不同属性按其重要性的大小进行评定的排列顺序。如果顾客在他们的评价中分歧甚大,就应该把他们分成不同的顾客细分市场。

3. 对公司和竞争者在不同属性上的性能进行分等的重要度评估。这里询问顾客对各竞争者在各个属性方面的性能有何看法。理想的情况是,本公司应该在顾客评价最高的属性方面性能最好,而在顾客评价最差的属性方面性能最低。

4. 与特定的主要竞争对手比较,针对每个属性成分研究某一特定细分市场的顾客如何评价公司的绩效。获得竞争优势的关键是赢得各个细分市场的顾客,并对公司所提供的货物与主要竞争者所提供的货物进行对比。如果公司所提供的货物在所有重要的属性方面都超过了竞争者,公司便可索取较高的价格(以获得更大的利润),也可用相同定价获得较高的市场份额。

5. 监测不断变化中的顾客特性。当技术和特性发生变化以及顾客面对不同的经济形势时,公司必须周期性地对顾客价值和竞争者地位作出重新研究。

竞争者分类

在公司进行它的顾客价值分析以后，它可以在下列分类的竞争者中挑选一个进行集中攻击：强竞争者与弱竞争者、近竞争者与远竞争者、"良性"竞争者与"恶性"竞争者。

强竞争者与弱竞争者　大多数公司喜欢把目标瞄准软弱的竞争者。这样取得市场份额的每个百分点所需的资源和时间较少，但在这个过程中，公司也许在提高能力方面毫无进展。公司还应与强有力的竞争者竞争，因为通过与它们竞争，公司不得不努力赶超目前的工艺水平。再者，即使是强有力的竞争者，公司也应了解它的某些劣势，而公司也可证明自己是一个与其实力相当的对手。

近竞争者与远竞争者　大多数公司会与那些与其极为类似的竞争者竞争。因此，雪佛莱汽车要与福特汽车而不是与美洲豹汽车竞争；同时，公司应避免企图"摧毁"邻近的竞争者。波特(Poter)举了两个毫无成果的"胜利"的例子。

鲍希－隆巴公司(Bausch and Lomb)在20世纪70年代后期，积极与其他软性隐形眼镜生产商对抗并且取得了很大的成功。然而，这导致了一个又一个弱小竞争者将其资产出卖给露华浓、强生和谢林－普洛夫等较大的公司，结果使它面对更大的竞争者。

一个橡胶特种用品生产商把另一橡胶特种用品生产商作为不共戴天的仇敌来攻击并抽走了股份。结果给这家公司造成了很大损失，于是几家大型的轮胎公司的特种用品部门得以乘虚而入并很快打入了特种橡胶制品市场，把市场当成了剩余生产能力产品的倾销地。[17]

"良性"竞争者与"恶性"竞争者　每个行业都包含"良性"竞争者和"恶性"竞争者。[18]一个公司应明智地支持好的竞争者，攻击坏的竞争者。"良性"竞争者有一些特点：它们遵守行业规则；它们对行业的增长潜力所提出的设想切合实际；它们依照与成本的合理关系来定价；它们把自己限制于行业的某一部分或细分市场里；它们推动他人降低成本，提高差异化；它们接受为它们的市场份额和利润所规定的大致界限。另一方面，"恶性"的竞争者则企图花钱购买而不是靠自己的努力去赢得市场份额；它们敢于冒大风险；它们的生产能力过剩但仍继续投资；它们打破了行业的平衡。

IBM公司和克雷公司(IBM and Cray)　IBM公司认为克雷研究公司就是一个"良性"竞争者，因为该公司遵守规则，将其经营范围严格限制在自己的细分市场内，而不去侵犯IBM公司的核心市场。但IBM公司认为富士通公司(Fujitsu)是个"恶性"竞争者，因为该公司对价格实行补贴，不注意实现产品差别化，并试图进入IBM公司的核心市场。

决策竞争战略

我们进一步根据公司在目标市场所处的地位，把它们分为领导者、挑战者、追随者或补缺者。假定一个市场由图 8—5 中所示的公司组成。市场领导者 (market leader)掌握了 40% 的市场。另外 30% 的市场掌握在市场挑战者(market challenger)手中。还有 20% 的市场被市场追随者(market follower)所掌握，市场追随者只图维持它的市场份额，而不希望扰乱市场局面。剩余的 10% 掌握在一些市场补缺者(market nicher)手中，这些公司为大公司不感兴趣的小细分市场服务。

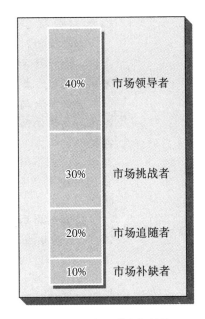

图 8—5　假设的市场结构

市场领导者战略

大多数的行业都有一个被公认的市场领导者公司。这个公司在相关的产品市场中占有最大的市场份额。它通常在价格变化、新产品引进、分销覆盖和促销强度上，对其他公司起着领导作用。这位领导者可能会受到赞赏或尊敬，也可能不会，但其他公司都承认它的统治地位。该领导者是竞争者的一个导向点，某一公司可向它提出挑战、模仿或避免同它竞争。一些著名的市场领导者是：柯达公司(摄影)、微软公司(电脑软件)、施乐公司(复印机)、宝洁公司(消费包装商品)、卡特彼勒公司(挖土设备)、可口可乐公司(软饮料)、麦当劳公司(快餐食品)和吉列公司(剃须刀片)。

除非一个占统治地位的公司享有合法的独占权利，否则它的经营生涯并不轻松。它必须时时保持警惕。一个产品创新公司会向它的实力挑战或者打击它(如诺基亚和爱立信用蜂窝数字电话向摩托罗拉的模拟手机挑战)。市场领导者可能预期前景艰难而花钱保守(第二次世界大战后，蒙哥马利·沃德公司失去了在零售业中的统治地位而被西尔斯公司所取代)。领导者错误地判断了竞争并发现它自己落伍了(如西尔斯低估了凯马特和沃尔玛的强大竞争实力)。作为统治者的公司与劲头十足的竞争对手相比，可能会显得式样较老了[李维转让给更时髦的大品牌，如汤米·希尔菲加(Tommy Hilfiger)、卡尔文·克莱因(Calvin Klein)和加普(Gap)，以及新的品牌，如巴黎蓝(Paris Blues)、马德(Mudd)和 JNCO]。占统治地位的公司的成本可能会过多地上升，从而使利润下降。

处于统治地位的公司想要继续保持第一的优势，就要在三条战线上进行努力。首先，该公司必须找到扩大总需求的方法；其次，该公司必须通过好的防御和进攻行动来保护它的现有市场份额；第三，即使是在市场规模不变的情况下，该公司也可以努力进一步扩大它的市场份额。

扩大总市场

处于统治地位的公司通常在总市场扩大时得益最多。如果美国人拍摄更多的照片，柯达公司一定会受益最多，因为它销售的胶卷占其在美国销售量的

80%。如果柯达公司能够说服更多的美国人买照相机、拍照片，或者说服他们除了在节假日照相，在其他时候也照相，或者每次多照一些相片，柯达公司就能获利。总的说来，一个领导者应该寻找其产品的新用户、新用途和更多的使用。

新用户　每类产品总有其吸引购买者的潜力，购买者或者根本不知道有这类产品，或者因为其价格不合理或缺少某些性能而拒购。一个制造商能在三个群体中寻找新用户：想使用但未使用者(市场渗透战略)、非使用者(新市场战略)、其他地区(地理扩展战略)。

强生公司(Johnson & Johnson)　近年来，强生用它的婴儿洗发露发展新用户阶层获得了巨大的市场成功。当出生率逐渐下降时，该公司对未来的销售成长忧心忡忡。它的营销人员注意到家庭中的其他成员偶然也使用婴儿洗发露洗头。管理层决定向成人开展一个广告活动。在一个短时期内，强生公司的婴儿洗发露成为整个洗发露市场的领先品牌。

新用途　市场可通过发现和推广产品的新用途而扩大。例如，美国人一周平均有三个早晨吃早餐麦片。如果麦片制造厂商能说服人们在一天的其他时间吃麦片，便可获利——也许可在吃零食时间。

更多的情况是顾客发现了新用途并作出了值得称颂的贡献。凡士林最初只不过被作为一种简单机器的润滑油，但若干年后，用户对该产品提出了许多新用途，包括用作皮肤软膏、痤愈剂和发蜡等。小苏打制造厂阿哈默公司(Arm & Hammer)的产品销售在市场上已平稳地度过了 125 年。小苏打有许多用途，但从未对其中的某一种做过广告。后来，公司发现有些消费者把它用作冰箱除臭剂。它便开展了一个大规模的广告和公共宣传活动，集中宣传这种用途，并且取得了成功，使得美国有一半的家庭把装有小苏打的开口的盒子放进了冰箱。几年以后，阿哈默公司又发现消费者用它来消除厨房里的油脂火种，这种用途一经促销，也获得了巨大的成功。

更多的使用　第三个市场扩展战略是说明人们在各个使用场合更多地使用该产品。洗发露制造企业在每一个瓶上印上了指示"泡沫，冲洗，重复"，说服消费者更多地使用洗发露，它使人们认识洗发露洗头的效果，每次洗两遍比一遍更佳！[19]或者，考虑米其林的例子：

法国米其林轮胎公司 [Michelin Tire Company(French)]　米其林公司利用每个机会刺激高使用率是一个创造性的例子。米其林公司希望法国的汽车拥有者每年行驶更多的里程——这样会导致更多的轮胎置换。它构思出一个主意，就是以三星制系统来评价法国境内的旅馆。它们报告说，许多最好的饭店设在法国的南部，这使得许多巴黎人考虑周末驱车到法国南部去度假。米其林公司还出版了一些带有地图和沿线风景的导游书，以进一步推动旅行。

公司采用告诉人们需要更改代替产品的战略，这被称为"有计划的废弃"。它采用这样的思想：产品被用坏或破损后需要进行重购。曾经有人问为什么没有人销售从不会烧坏的灯泡或永不会用尽的电池？现在，制造商更进一步运用这种观念：甚至告诉顾客他们的商品实际用坏或破损的期限。吉列的新的 Mach3 剃须刀系列就是一个很好的例子。

吉列(Gillette)　每个吉列的锋速 3 剃须刀盒都配有一个蓝条，这个蓝条会随着使用次数的增加颜色渐渐变浅。在大约使用 12 次以后，颜色就会完全消失，这告诉用户需要更换刀片了，或者，可以按照吉列给出的那些微妙的措辞进行解释：这是"为了提醒那些在使用吉列锋速 3 刀片的人们"，在刀片真正需要更换的时候及时更换。吉列的执行董事罗伯特·金(Robert King)直率地说："我希望能让人们每 4 天就更换一次刀片。更换的次数越多，我们的销售量就越大。"

保护市场份额

在努力扩大总市场规模的同时，处于统治地位的公司还必须时刻注意保护自己的现行业务不受竞争者的侵犯。市场领导者就好像象群中最大的头象，它经常受到蜜蜂们的骚扰，其中一只最大最脏的蜜蜂紧紧地围绕着它，并不断发出嗡嗡的叫声。可口可乐必须经常提防百事可乐；吉列必须提防比克；赫茨必须提防阿维斯；麦当劳必须提防伯克王；通用汽车必须提防福特；柯达必须提防富士。[20]有时，竞争者是国内的公司；有时，它是外国公司。

柯达与富士(Kodak and Fuji)　早在 100 多年前，伊斯曼·柯达以其容易使用的照相机、高质量胶卷和巨大的利润而闻名。但在过去的 10 年中，柯达的销售平平并且利润下降。柯达遭到更有创造精神的竞争者的攻击，其中许多是日本公司，它们导入和改进了 35 毫米的照相机、摄像机和只用一小时就可完成的快速冲洗胶卷工作室。然而，当富士向柯达的主要产品——彩色胶卷进攻时，柯达认真地应战了。

当富士进入美国胶卷市场时，它以比柯达低 10% 的价格供应高质量的彩色胶卷，同时还打击柯达的高速胶卷市场。富士的销售额每年的增加率为 20%。柯达激烈地反击以保护其在美国的胶卷市场份额。它针对富士的低价，进行一系列的产品改进。柯达广告和促销费用大大超过富士，比例为 20∶1。柯达成功地捍卫了它在美国的地位。在 20 世纪 90 年代早期，柯达在美国的市场份额稳定在极高的 80%。

然而，柯达进一步采取行动：它建立了独立的分公司(柯达日本公司)，其日本职员增加了 3 倍；它买下了日本分销商并组成它自己的日本营销和销售队伍；它投资一个新技术中心和日本的研究设施；最后，柯达大量增加在日本的促销和公共宣传活动。柯达日本公司现在主办各种活动，从日本电视谈话节目到相扑表演，等等。

柯达在直接向日本市场进攻中也获得了好处。首先，日本市场提供了巨大的销售与利润机会，它的胶卷与照相纸市场仅次于美国；其次，今天新照相技术的原产地在日本，日本帮助柯达获得了最新的发展；第三，在日本的独资与合资企业帮助柯达了解了日本的制造工艺，并为它在美国和世界其他市场获得了产品。柯达进攻日本市场收获的一个更重要的好处是：富士必须在日本国内投入巨大的资源以防御柯达的进攻，它在美国向柯达进攻的资源减少了。

市场领导者为保护它的地盘能做些什么呢? 2 000多年以前，孙子告诫其部下说：故善战者，求之于势，不责于人，故能择人而任势。最为建设性的回答是不断创新。领导者不应满足现状，并应成为本行业新产品创意、顾客服务、分销效益和成本降低方面的先驱。它需不断增加其竞争效益和对顾客的价值。领导者可采用"军事上的进攻原则"：指挥员要掌握主动，确定进度和利用敌方的弱点。一个好的防御方法就是发动一场最有效的进攻。

国际游戏技术(International Gaming Technology) 国际游戏技术公司是一家为全世界的赌城生产吃角子机和录像纸牌机的公司，它已经在这个成熟的市场中占有了75%的市场份额，而在这个市场中出现新顾客是非常有限的。对使用它的产品的顾客，这家公司绝不会依靠运气。国际游戏技术公司已经与赌城的老板以及存在竞争的游戏机制造商建立了合作关系，共同开发新的设备以取代现有的机器。国际游戏技术公司在科研上已经花费了巨额的资金，平均每年有3 100万美元的资金投入在新游戏的开发中。附加的服务也是公司的巨大开支。"我们可以提前几个月或几年知道我们的顾客想要什么，"国际游戏技术公司的销售主任罗伯特·雪利(Robert Shay)如是说。这是因为我们让赌城老板参与我们的整个销售过程，从初期的产品研制到最后在赌城中的安装。[21]

作为市场领先的公司，即使它不展开攻势，至少必须对各条战线保持警惕和不放弃任一暴露着的侧翼。它必须使成本下降，价格必须与顾客从品牌上所看到的价值相一致。

强生公司(Johnson & Johnson) 贲门是一个很微小的金属支架，常用于支撑打开的有问题的心脏。在这项突破性的物品被介绍到市场短短37个月后，强生公司在销售方面赢得了10亿美元的销售额，并且在这个利润很高的市场中赢得了超过90%的市场份额。在1997年的秋天，吉德特(Guidant)研制了一种替代产品，并且在45天内获得了70%的市场份额，另外的竞争者也加入进来，在1997年底，强生公司的市场份额已经跌落到8%。什么地方出错了？其中之一是强生公司在贲门上市后就很少再投入时间和资源关注下一代产品的开发，另外一个原因是因为它很少同意价格上的让步或折扣。售价为1.59美元的产品在一定的时期内是一件昂贵的消费，所以，保健供应商施加巨大的压力要求降低成本。当然，在市场上没有可比较的产品时，医生只能接受这个价格。[22]

很清楚，真正解决问题的办法是市场领导者必须认真探查哪些阵地应不惜

任何代价加以防守，哪些阵地可以放弃而不招致风险。[23]防守战略的目标就是要减少受到攻击的可能性，将攻击的目标引到威胁较小的地带，并设法减弱进攻的强度。任何进攻都可能损及利润。市场领导者可以采取图8—6及以下段落描述的六种防御战略。[24]

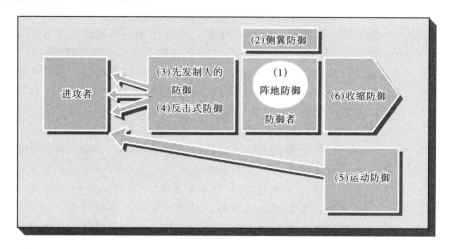

图8—6　防御战略

阵地防御　防御的最基本观念是在企业的四周建造一个牢固的守卫工事。今天的可口可乐生产着全世界将近一半的软饮料，而且它已兼并了水果饮料公司并进入了脱盐设备和塑料制品业以使经营多元化。尽管防御是重要的，但受到攻击的领导者把它的全部资源用于建立保卫现有产品堡垒的做法是愚蠢的。

侧翼防御　市场领导者不仅应该保卫好它的领域，而且它该建立一些侧翼或前沿阵地，以保护一个薄弱的前沿阵地或作为在必要时可能进行反攻的出击基地。这里有一个侧翼防御的例子：

星巴克咖啡公司(Starbucks Coffee Company)　正是星巴克咖啡公司使得美国这个国家的人们贪图咖啡吧的享受，并且花费2美元购买一杯咖啡。但是，它同时也培养了它的竞争者，并且现在它的销售额的增长速度似乎正在渐渐变慢。为了在诸多竞争者前保持领先地位，从唐金·杜纳兹(Dunkin' Donuts)到更小的连锁店，如西雅图的图利(Tully)咖啡吧和在纽约城市里的咖啡车站，星巴克正在使用一系列的防卫方式。其中之一是它正在不断地试着推出新产品，即其他与咖啡无关的产品，如茶和果汁的混合物——Tiazzi。并且，它正在小心翼翼地在超级市场出售豆类产品及进入餐饮行业。它的第一家咖啡馆在1998年的秋天开设，并且另外的3个餐馆在那年年底相继开张。其观念是尝试将星巴克的生意延长到晚上，因为85%的销售是在下午3点以后在公司的零售小卖部完成的。[25]

先发制人的防御　一个比较积极的防御策略，是在竞争对手向公司发动进攻前，先向竞争对手发动进攻。一个公司采用先发制人的防御有多种方法。它可以在市场中开展游击战(在这里打击一个竞争对手，在那里打击另一个竞争对手），使每一个对手惶惶不安；或者，这种进攻式防御可以确定一个大的市场包围范围，例如精工公司(Seiko)所实行的在全世界分销2 300种手表品种的计划；或者，也可以采取得州仪器公司式的连续不断的价格攻击；或者，可以发出市场信号，劝告竞争对手们不要进攻。[26]一个大的药品公司透露消息说，它正在考虑降低其药品的价格，以阻止其竞争者进入该药品的竞争场所。

有些市场领导者享有高的市场资源，有时甚至可以引诱对方进行代价巨大的进攻。

亨氏与亨特(Heinz and Hunt)　亨氏公司听凭亨特公司推行它在番茄酱市场上的大规模的攻击，并不进行很多的反击。亨特公司用两种新口味的番茄酱进攻亨氏公司，其产品的价格比亨氏公司的产品的价格低30%，它向零售商提供高额贸易折扣，它提高广告预算至亨氏的2倍以上。在这场进攻中，亨特公司损失了大量的金钱，但该战略失败了，亨氏公司的品牌继续得到消费者的偏爱。最后，亨特公司放弃了进攻。很清楚，亨氏公司显示了对本公司品牌的最终优势具有充分信心。

反击式防御　大多数市场领导者受到了攻击，它必须向对方作出反击反应。一个领导者不应该在面临竞争对手的削价、促销闪电战、产品改进或销售区被入侵时，保持被动。它的战略选择可以是正面回击进攻者的矛头，或者向进攻者的侧翼包抄，或者开展一个钳形运动。

一个有效的反攻是侵入攻击者的主要地区，逼使其撤回某些部队以保卫自己的领地。西北航空公司最有利可图的航线中的一条是从明尼阿波利斯到亚特兰大的航线。一家小航空公司发动了一次大幅度的机票削价和大量的广告宣传活动，以扩大它在这个市场的份额。西北航空公司通过削减这家小公司的主要航线——明尼阿波利斯至芝加哥的费用予以反击。由于主要的收入来源受到损害，这家小公司只得把其从明尼阿波利斯到亚特兰大的机票价格恢复到正常水平。

另一个反击式防御方法是用经济或政治手段打击进攻者。领导者压倒竞争者的方法是对脆弱的产品实行低价策略，这样做的损失从高毛利的产品收益中补回。或者，领导者预先宣布该产品将升级，以使购买竞争者产品的顾客推迟购买，虽然这个升级还是很遥远的事。或者，领导者可以游说立法者采用政治活动以禁止或削弱竞争。

运动防御　在运动防御中，市场领导者把他的范围扩展到新的领域中去，而这些领域在将来可以成为防守和进攻的中心。扩展到这些新领域的方法是市场拓宽和市场多样化。

市场拓宽(market broadening)要求一个公司将其注意焦点从现行产品转移到主要的基本需要和对该需要相关联的整套技术进行研究开发。例如，"石油公司"被要求改为"能源公司"。这个要求的内容含义是它们的研究应该包括石油、煤、原子能、水力发电和化学工业。

这种市场拓宽战略不应该走得太远，否则它将违反两个基本的军事原则——目标原则(principle of the objective)（"追求一个清楚的经确认的和可得的目标"）和密集原则(principle of mass)（"把你的力量集中在敌人的弱点上"）。然而，合理的市场拓宽是有意义的。

沃尔玛(Wal-Mart)　沃尔玛超级购物中心已经储存了许多商品，所以，这家巨人连锁公司并不担心拓宽到杂货商场业务中去会有什么不良的后果。在 1998 年，沃尔玛仓储商店宣布计划在阿肯色经营三个杂货商店。这家 40 000 平方英尺的名为"邻居市场"的商店平衡了公司的分销和购买能力。沃尔玛希望这个新市场用天天低价打击杂货商店，同时比它的超级购物中心提供更多的方便性。超市行业的执行官被震动了。这使超市行业的巨人如克罗格(Kroger)和安全之路(Safeway)不得不削减成本和增加服务。[27]

市场多样化(market diversification)是进入不相关行业。美国的烟草公司，像雷诺和菲利浦·莫里斯认识到对吸烟的限制在日益增长，它们并不满足地位防御，它们甚至也不满足于寻找香烟的新替代物，而是很快进入了新的行业，如啤酒、甜露酒、软饮料和冷冻食品。

收缩防御　一些大公司有时认识到它已不再能防守所有的领域。它们的力量因分散而太薄弱，而竞争者正在几条战线上一点一点地蚕食它们。于是，最好的行动方针将是有计划收缩(也称为战略撤退)。有计划收缩不是放弃市场，而是放弃较弱的领域同时将力量重新分配到较强的领域。有计划收缩是一个巩固公司在市场上的竞争实力和集中兵力于中枢地位上的行动。亨氏、通用磨坊、戴蒙特、通用电气和佐治亚 – 太平洋等公司，近年来都在大量削减它们的产品线。

扩大市场份额

市场领导者也可以通过进一步增加他们的市场份额而提高其利润率。在许多市场上，份额上的一个百分点就价值几千万美元。咖啡市场份额的一个百分点值 4 800 万美元，而软饮料则为 1.2 亿美元! 毫无疑问，一般的竞争已转变为营销战争。

一项营销战略对利润的影响(profit impact of marketing strategy，PIMS)的研究项目发现，盈利率(用税前投资报酬率来衡量)是随着相关市场份额(relative market share)线性上升的[28][见图 8—7(a)]。[29]根据 PIMS 的报告，市场份额在 10% 以下的企业，其平均投资报酬率在 11% 左右，其市场份额有 10% 的差异，则税前投资报酬率将有 5% 的差异。[30]PIMS 的研究结果已导致许多公司把扩大市场份额作为其行动目标。例如，通用电气公司已决定：它要求在其每一个市场中至少应成为第一位或第二位，否则就退出。通用电气公司放弃了它的计算机业务和空调业务，因为它不能在这些行业中取得领先地位。

有些评论家批评 PIMS 研究论据不够充足，或者指责它荒诞无稽。哈默麦希(Hamermesh)宣称有的企业的市场份额虽然较低，但其利润率高，而这种企业确实多得不胜枚举。[31]乌(Woo)和库珀(Cooper)举出了 40 个市场份额低，而税前报酬率高达 20%，甚至还要高些的企业；这些企业的特点是产品质量相当高，而相对其高质量来说价格中等或偏低，产品经营范围较窄，总成本较低。[32]其中大部分公司都生产工业部件或材料。

对有些行业的研究结果表明，在市场份额和利润率之间存在着一条V形关系曲线。[33]图8—7(b)所示即为农机设备公司的V形曲线。该行业的领导者迪尔公司获得了高额报酬。不过，赫斯顿(Hesston)和斯泰格尔(Steiger)虽然是两家小型专业公司，但却获得了高额报酬。J. I. 凯斯和马西－弗格森(Massey-Ferguson)这两家公司则深陷谷底。国际收割机公司虽然市场份额很高，但是报酬率却较低。由此可见，这类行业有一个或少数的高盈利领导者、几个盈利和目标较为集中的公司、大量的利润实绩较差和中等规模的公司。

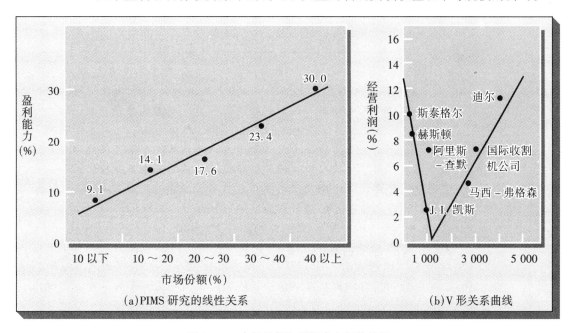

图 8—7　市场份额和利润率之间的关系

图8—7中的两幅图怎样才能一致呢?PIMS研究结果表明：随着企业在其所服务的市场上获得的市场份额超过其竞争者，盈利便会增加。V形曲线不考虑细分市场问题，只重视企业就其规模而言在整个市场上的盈利。因此，梅塞德斯汽车获得了高额利润，因为它在其所服务的豪华汽车市场上是一个份额高的公司，尽管它在整个汽车市场上份额并不高。梅塞德斯汽车之所以在其所服务的市场上获得了较高的份额，是因为它在其他方面处理得当，如产品质量相对较高。

然而，公司切不可认为提高市场份额就会自动增加盈利，盈利主要取决于公司提高市场份额所采取的战略：

麦当劳(McDonald)　自从1987年开始，麦当劳在美国餐馆的份额下滑了几乎2个百分点。这种下滑甚至是在公司增加了50%的餐馆数目的情况下出现的，而这种大步伐的扩张速度远胜过同行的增长率。首先是错误的产品革新导致了麦当劳的销售下滑，顾客没有对快餐中新增的馅饼和汉堡显示出足够的兴趣；其次，公司试图通过拓展它的经营以走出危机。在建造数千个新餐馆以后，麦当劳还是只从它的特许经营店中获取顾客及利润，并不顾及他们的利益。麦当劳和它

的经营者之间的关系开始恶化了。公司现在正在尝试如何巩固它在美国市场的份额。[34]

因为通过购买而获得较高市场份额的成本也许大大超过收入的价值，公司在盲目追求提高市场份额之前，应该考虑以下三个因素：

第一个因素是引起反托拉斯行动的可能性。如果一个占统治地位的公司进一步侵占了更多的市场份额，那么妒忌的竞争者就很可能会大叫大嚷"垄断"。这种风险的上升将会过分削弱追求市场份额获利的吸引力。这就是为什么微软公司引起反垄断诉讼的原因。

微软公司（Microsoft）　1997.年，微软公司的纯利润为 34 亿美元，占 10 家最大的股票上市软件公司总利润的 41%。微软公司的研究不仅包括个人电脑而且深入到智能化玩具、电视机控制开关、网上销售汽车及飞机票等。微软不仅在它的操作系统方面，而且在因特网上成为了一个领导者。公司将它的网络浏览器与视窗软件捆绑出售。这个行动引发了政府对微软的反垄断控诉，从而让众多微软的对手非常高兴。毕竟，网络浏览器的创新者网景已经看到，如果微软将它的浏览器免费送给客户的话对它的市场份额会带来怎样的影响。[35]

第二个因素是经济成本。图 8—8 表明：市场份额如在达到某个水平以后还继续增长，盈利能力可能会开始下降。如图所示，该公司最高市场份额是 50%。如果公司要继续提高市场份额，就可能使盈利受到损失。也就是说，一家具有 60% 市场份额的公司必须认识到，"不合作"客户将使公司产生反感，他们忠实于供货竞争商，有特殊的需要或偏爱与小供货商做生意。法律工作、公关和游说成本与市场份额同步增长。总之，如果在无规模经济或经验、无细分市场的吸引力、客户多渠道购买或撤退壁垒高的情况下，追求更高市场份额得不偿失。市场领导者追求扩大市场规模将优于追求增加市场份额。有些垄断营销者甚至有选择地放弃一些弱的市场份额来获得更大的收益。[36]

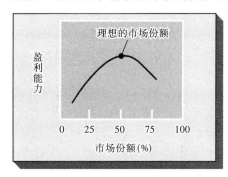

图 8—8　最佳市场份额的概念

第三个因素是公司在争取较高的市场份额时，可能奉行了错误的营销组合战略，从而未能增加它们的利润。某些营销组合变量在建立市场份额上是较有效的，但是运用它们并不一定能导致增加利润。公司用削价和购买来获取更多的市场份额，而非用赢得竞争者市场份额的方法，因此，它们的利润可能更低。

拜兹尔(Buzzell)和威尔塞默(Wiersema)发现，凡是显出在市场份额方面得益的公司均在三个领域内典型地胜过它们的竞争对手，即新产品活动、相对的产品质量和营销费用。[37]特别是份额——得益的公司总是典型地为它们的产品线开发和增添了较多的新产品；与竞争者相比增进了产品质量的公司，可获得比那些质量保持不变或与下降的公司更大的市场份额；营销费用比市场成长率增长得快的公司，可典型地获得市场份额。就工业和消费者市场两者来说，销售队伍费用的增加对市场份额方面的得益将是有效的。广告费用的增加主要会增加消费品公司的市场份额。促销费用的增加对各种公司产生份额得益都有效；比竞争者削价大得多的公司往往会同预计相反，并不能获得明显的市场份额得益。假定有足够多的竞争者实行部分减价，而其他竞争者给购买者提供别的价值，这样，购买者就不会对减价者产生多大的兴趣。

两个案例研究：宝洁公司和卡特彼勒公司

处于顶峰的市场领导者已经学会了扩大总市场、保卫它们的现有领域和有利可图地增加它们市场份额的艺术。有两家公司在这方面取得了成功，这就是宝洁公司和卡特彼勒公司。这两家公司在迎接竞争挑战中表现出了非凡的能力。

宝洁公司

宝洁公司被普遍认为是美国最熟练的消费包装商品的市场营销者。它在市场上参与竞争的 39 个类目中有 19 个领先品牌。它的平均市场占有率接近 25%。它在市场的领先地位依靠下列几个原则：

● 了解顾客。宝洁公司通过连续不断的市场营销研究和收集信息，研究自己的顾客——最终消费者和有关贸易的情况。它在它所有的产品上印上了 800 受话方付费的电话号码。

● 长期展望。宝洁公司对每一个机会都下大功夫进行分析，从而研制出最佳产品，然后经过长期努力，使产品获得成功。例如，该公司的 Pringles 牌油炸土豆片虽然屡遭挫折，但是公司仍苦心经营，使其日益完善。

● 产品创新。宝洁公司是一个积极的产品创新者，它的研究与开发费达 12 亿美元(占销售额的 3.4%)，这在包装消费品公司中是最高的。它拥有 2 500 个实用专利保护 250 种产权技术，它部分的创新工作是开发为消费者提供了新利益的品牌。宝洁公司花了 10 年的时间研究和开发了第一个有效防蛀牙膏(佳洁士)。它最近创新了减肥品，在市场上称为奥林(Olean)，自从它被美国食品与药品管理局批准后，在咸味零食市场上(像富利多乐的 WOW! 减肥品一样)成为 10 年来最成功的新食品。[38]

● 质量战略。宝洁公司设计的产品质量高于一般标准的产品的质量。产品一旦推向市场后，公司就随时准备改进该产品的质量。当公司宣布"新的和改进的"时，就是又进行了一次产品质量的改进。

● 产品线扩展战略。宝洁公司生产的品牌有多种规格和形式。这就给予它的品牌以更多的货架陈列空间，从而防止竞争者认为市场上还有未被满足的需求而挤进来的局面。

● 品牌扩展战略。宝洁公司经常使用它的强有力的品牌名称去推出新产品。例如，象牙牌已从肥皂扩展到液体肥皂和一种清洁剂。在一个强有力的现行品牌名称下推行一种新产品。可以得到较快的承认和较多的信赖度，并减少许多广告开销。

● 多品牌战略。宝洁公司在相同产品类型中推出了几个品牌。例如，它生产 8 个品牌的洗手皂和 6 个品牌的洗发露。每种品牌能满足不同的消费者需要，并能与特定的竞争者的品牌进行竞争。每一个品牌经理为公司的资源进行竞争。最近，宝洁公司开始减少它广泛的产品、规模、风味和品种，导致了成本的下降。[39]

● 大量广告和媒体先锋。宝洁公司是美国最大的消费包装商品的广告主。它每年的广告开销超过 30 亿美元。它借助电视的力量创造强有力的消费者知名度和偏好，宝洁现在还在网上建设它的品牌并成为领导者。1998 年，宝洁主持了行业中的最高级会议，有来自因特网和消费者营销公司的 400 名最高执行官参加。它的目标是：怎样在网上合作，从而最好地销售产品。[40]

● 积极进取的销售队伍。1998 年，宝洁公司的销售队伍被《销售与营销管理》杂志评为 25 个最佳销售队伍之一。宝洁的成功关键是它的销售队伍与零售商的紧密合作，如它与最著名的沃尔玛公司的合作。它有 150 名人员与这个零售巨人一起工作，帮助沃尔玛改进工作，包括它所送到商店的产品和管理过程。

● 有效的销售促进。宝洁公司有一个销售促进部，它为品牌经理提供关于如何进行最有效的促销以达到特定目标的咨询。该部教授在不同情况下提高工作效益的专业知识。同时，宝洁公司希望把销售促进的使用降到最低点，它喜欢用广告来与消费者偏好进行长期的联系，并推行"天天低价"政策。

● 顽强的竞争。宝洁公司在限制入侵者时，常给对方当头棒喝。公司愿意花费巨额资金对抗新的竞争品牌，并阻止它们在市场上立足。

● 制造效率和成本削减。宝洁公司以作为一个大营销公司而闻名；同时，它也与它是一个大制造公司相匹配。宝洁公司花费大量的资金发展和改进生产作业，以便在这个行业中保持最低的成本。最近，公司大量削减它的成本，以便降低某些高品质产品的销售价格。

● 品牌管理系统。宝洁公司是品牌管理系统的首创者。在这一系统中，一个经理负责一个品牌。该系统已被许多竞争者所仿效，但它们常常不如宝洁公司那样成功。在最近的发展中，宝洁公司改变了它的总的管理结构，使每个品牌类目都由一位负有生产数量和利润之责的类目经理负责。这种新结构并非取代品牌管理制度，但它有助于将着眼点集中于关键消费者需要和该类目的竞争需要上。

由上可见，宝洁公司的市场领导地位并非基于做好一件事，而是成功地把成为市场领先的全部因素都融合起来。

卡特彼勒公司

卡特彼勒公司现在控制着建筑设备行业。它生产的起重机、履带式牵引机和载重设备，都漆上人们熟悉的黄色，成为建筑工地上常见的标志，它占有全世界重型建筑设备销售额的 60%。虽然卡特彼勒公司的设备要获取高利润，它也面临着许多强有力的竞争者，包括约翰·迪尔、J. I. 凯斯、小松和日立的挑战，但是，卡特彼勒公司的经营使它保持着领先地位。下面几个原则的统一运用可以解释卡特彼勒公司成功的原因：

● 优异的实绩。卡特彼勒公司生产以可靠性和耐用性闻名的高质量设备。这些是用户考虑购买重型工业设备的关键因素。

● 广泛有效的经销系统。卡特彼勒公司拥有该行业中数量最大的独立的建筑设备经销商。它的 260 个经销商遍布全球并经销着公司产品线的全部设备。公司的经销商能精力集中地销售公司的设备，而无须经营其他公司的产品线。另一方面，竞争公司的经销商常常缺乏全部产品而不得不经销一些补充的、无竞争力的产品品种。卡特彼勒公司能在申请者中挑最好的经销商（一个新的经销商为取得特许经销权要花费 500 万美元的成本），并为他们的训练、服务和激励花费许多资金。

● 具有竞争力的服务。卡特彼勒公司已经建立了一个在本行业中无与伦比的世界范围内的零部件供应和服务系统。公司保护它的业务不仅体现在制造设备工作上，而且体现在它的出售设备的运行中。在世界任何地方，在设备损坏后的 24 小时内，卡特彼勒公司都能送去要更换的零件和提供服务。竞争者如果没有大笔的投资，就难以与卡特彼勒的服务水平相比。任何竞争者如果仿效这种服务水平，只会加强卡特彼勒的优势，而不能得到任何净利益。

● 高效的零件管理。卡特彼勒公司有 30% 的销售量和大于 50% 的利润来自置换零件的销售。公司已建立了一个高效的零件管理系统，以保持在业务终端市场上的高毛利。

● 溢价。卡特彼勒公司能够比竞争者可相比的设备多收取 10% ~ 20% 的溢价，因为其产品有购买者认知的额外价值。

● 全线战略。卡特彼勒公司生产全线的建筑设备，以利于购买者一次性购买所需产品。

● 良好的融资政策。卡特彼勒公司为客户购买其设备安排了优厚的融资条件。当潜在顾客无支付能力时，可以采用对销贸易。

在 20 世纪 80 年代，由于全球建筑设备市场萧条，卡特彼勒公司处境艰难。它面临的竞争异常激烈，包括与日本首屈一指的建筑机械公司——小松制作所进行竞争，该制作所在其内部提出了一个"包围卡特彼勒"的口号。小松在补缺市场上发动进攻，甚至降价 40%。卡特彼勒只得降价以迎接小松的挑战，甚至发动削价战争。这场价格战使竞争者(如国际收割机公司和克拉克设备公司)走向崩溃的边缘。如今，长期和破坏性的价格战走到了尽头，战斗的双方都需要和平共处和增加利润。

市场挑战者战略

在行业中占有第二、第三和以后位次的公司可称为居次者或追随者公司。某些公司在它们自身的权利范围内是相当大的，如高露洁、福特、阿维斯

(Avis)和百事可乐等公司。这些居次者公司可以采用两种姿态中的一种：它们可以攻击市场领导者和其他竞争者，以夺取更多的市场份额(市场挑战者)；或者，它们可以参与竞争但不扰乱市场局面(市场追随者)。

有许多案例显示了市场挑战者已经从市场领先者手中抢夺了地盘或超过了它们。丰田公司比通用汽车公司生产更多的汽车；英国航空公司比以前的市场领导者——泛美航空公司运送了更多的国际旅客。当那些市场领导者用习惯方法经营业务时，挑战者已树立了更大的雄心壮志和使用较少的资源扭转了局面。

多兰(Dolan)发现竞争性抗衡最激烈的行业是那些固定成本高、存货成本高和基本需求呆滞的行业，如钢铁业、汽车业、纸业和化工行业。[41]我们现在将对适用于市场挑战者的竞争性攻击战略进行讨论。

确定战略目标和竞争对手

一个市场挑战者首先必须确定它的战略目标。大多数市场挑战者的战略目标是增加它们的市场份额。这些进攻决策必然涉及向谁进攻。

● 可以攻击市场领导者。这是一个风险高同时又具有潜在高回报的战略。如果市场领导者不是一个真正的领导者，并且也没有为市场服务好，那么攻击它就会产生非常大的意义。米勒公司在啤酒市场发动的战役非常成功，因为它一开始就指向了未被发现的有许多消费者的市场，即有许多消费者需要"较淡的"啤酒。可供选择的另一个战略是在整个细分市场中，在创新上胜过领导者。例如，施乐公司通过开发出一个较好的复印方法(用干印法代替湿印法)，从而从3M公司夺走了复印机市场。后来，佳能公司通过引进台式复印机，又从施乐公司的市场上攫取了大量的份额。

● 可以攻击目前经营该项业务不良和财力拮据且与自己规模相仿的公司。这些被攻击的公司产品过时，价格过高，或在某些方面顾客不满意。

● 可以攻击本地的和地区的小公司。有几个大啤酒公司发展到目前的规模，依靠的是吞并小公司或"吃小鱼"的方法。

如果进攻的公司在追逐市场领导者，它的目标可以是去夺取一定的市场份额。例如，毕克公司对在剃须刀片市场上击败吉列公司不存幻想——它仅仅是寻求有一较大的份额。如果一个进攻的公司在追逐一个小的本地公司，它的目标可能是把这个小公司击垮。

选择一个总体进攻战略

在确定了对手和目标后，应怎样考虑进攻敌人时的主要选择呢？我们可以设想一个占有一定市场领域的对手来作进一步的论述。在图8—9中，我们区分出五种可能的进攻：正面、侧翼、包围、迂回和游击战。

在一个纯粹的正面进攻中，攻击者针对对手的产品、广告、价格等等发起攻击。实力原则(principle of force)是指有较强人力(资源)的一方将会取得交战的胜利。如果遇到防守者由于具有地区优势(如占有一个山头)而有较强的"火力"，这个规则就要修改。军事信条认为一个正面进攻要能占领深沟壁垒或占

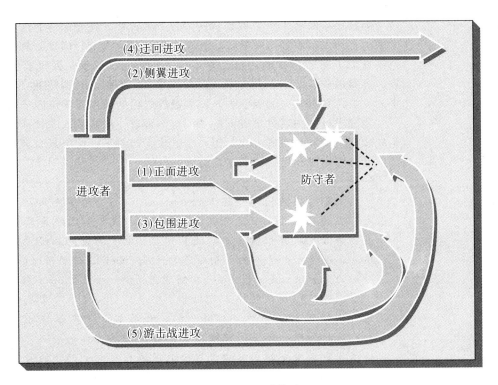

图8—9   进攻战略

有一个"高地",战斗火力的优势至少为3∶1。有一位在巴西处于第二位剃须刀片市场地位的制造商,决心攻击市场领导者吉列公司。人们问该公司的管理是否向消费者提供了一种较好的刀片,其回答是"不";"较低的价格?""不";"较好的包装?""不";"一个较聪明的广告活动?""不";"给经销商更优惠的折让?""不";"那你们期望如何从吉列公司处拿走份额呢?"他们回答说:"我们有绝对的决心"。不用说,这种进攻必然失败。

另一个可供选择的方法是进攻者可以发动一个修改过的正面进攻,最经常的做法就是用减价来同对手竞争。如果市场领导者并没有相应的措施使市场相信它的产品与竞争对手的相当,此种方法便可奏效。海伦·柯蒂斯(Helene Curtis)是某种风险战略的主要实践者,她使市场相信她的品牌[如舒服(Suave)和飞娜丝(Finesse)]在质量上同一些竞争者的价格较高的产品相同,但柯蒂斯的产品比高价品牌提供更多的价值。

一个等待受攻击的敌军部队往往是最强大的。但是,在它的侧翼和后方难免有不安全地带。因此,它的弱点是敌方进攻的当然目标。进攻战的主要原则是"集中优势兵力打击对方的弱点"。进犯者往往装作他将进攻最强的一面以牵制住防守者的兵力,但却在其侧翼或后方发动真正的进攻。

一个侧翼进攻可以沿着两个战略角度(地理的和细分的)来指向一个竞争者,地理上的进攻包括进攻者在对手的一些领域。例如,IBM公司的某些竞争者如霍尼韦尔公司在小城及小镇推销它的业务,而在那里,它不会与IBM公司大量的销售人员打贸易战。另一个侧翼战略是寻找未被市场领导者服务覆盖的市场需要。例如,日本汽车制造商为日益增多的节油汽车服务;米勒酿酒公司引进了淡啤酒。

侧翼战略的另一个名称是辨认细分市场转移，就是该行业尚可发展而引起的缺口，冲入和填补这些缺口，及把它们发展成大细分市场。侧翼包抄在现代营销理念上有着最好的传统，它指出了营销的目的就是发现需要和为它们服务。侧翼进攻在营销上具有十分重大的意义，特别是对那些拥有的资源少于对手的攻击者具有较大的吸引力。侧翼进攻成功的概率高于正面进攻。

包围进攻试图通过多方面的"闪电"进攻，深入敌人的领地。它包括在几条战线上同时发动大的进攻。当一个进攻者与对手相比更具有资源优势，并相信包围将可完成和足够快地击垮对方的抵抗意志时便可采用此方法。

太阳微系统公司(Sun Microsystems Inc.) 为了建立一个对抗无所不在的微软的一个竞争机构，太阳微系统公司已经将其 Java 软件在各种客户服务机构注册。随着顾客——电子消费产品趋于数字化，Java 正在跨入大范围的小型程序的开发。Delphi 自动系统(通用汽车公司的电子供应商)计划为汽车制造商提供一个基于 Java 系统的电子设备，如可以直接转换声音的电子邮件；摩托罗拉公司期望在多种设备上使用 Java 系统，从寻呼机、移动电话到装有 Java 芯片的烤炉；达拉斯半导体公司正在用 Java 编码的芯片作一个环，以提供宾馆房间更加安全的出入口及在公共区域收发电子邮件的安全通道。太阳微系统公司的首席执行官斯科特·G·麦克尼利(Scott G. Mc-Nealy)是这项疯狂注册的主要幕后驱动力。他的目标是：让 Java 成为所有的图像电子设备的台柱。[42]

最间接的进攻战略是迂回。迂回意味着绕过敌方和攻击较容易进入的市场，以扩大自己的资源基础。有三种推行这种战略的方法：多样化地经营无关联产品；用现有产品进入新的地区市场以发展多样化；超越新技术以取代现有产品。可口可乐与百事可乐一直在你争我斗，迂回进攻是它们竞争战区的一部分。下面是百事可乐使用迂回战略对付可口可乐的例子。

可口可乐公司(Coca-Cola Company) 1998 年的夏天，许多人都在想为什么百事可乐公司要向果汁的大生产商特罗比加娜(Tropicana)支付 33 亿美元的巨款。与苏打水不同，果汁是一种受多种市场因素影响的商品，气候不好及收成不好都是影响因素。并且转运这种容易变质的产品也非常不易。然而，作为世界上最大的果汁公司，特罗比加娜将百事作为它的软饮料市场的核心客户——它在与可口可乐公司的战争中有着强有力的新式武器。在 30 亿美元的橙汁市场中，特罗比加娜 42% 的份额被可口可乐公司的米纽特－玛特，而它仅仅占24% 的市场份额。但这次收购使百事公司至少有了一种对付可口可乐公司的方法。[43]

在高技术行业经常使用的技术蛙跃是一个迂回战略。挑战者耐心地研究和开发新一代的技术并发动进攻，这样，就可把战场转移到它的已经占优势的领域中去。任天堂公司在电子游戏机市场的成功进攻和取得市场份额是在它引进了高新技术和重新确定"竞争位置"后。现在，世嘉/吉纳西斯(Sega/Genesis)用更先进的技术，即创造一个虚拟现实的背景技术，来实行这一战略。

游击战包括对对手的不同领域进行小的、断断续续的攻击，其目的是骚扰对方和使其士气低落，并最终占领永久的据点。打游击的进攻者将使用传统和非传统的方法去骚扰对方。在商界这些方法常包括：有选择的减价，密集的促销活动和偶尔采取相应的法律行动。下面是一个非常成功的游击战略的例子。

普林斯顿评论(The Princeton Review) 由斯坦利·H·卡普兰(Stanley H. Kaplan)在1938年创立的卡普兰教育中心成为美国最大的测试预备服务机构。一位名叫约翰·卡兹迈(John Katzman)的年轻的普林斯顿的毕业生成立了竞争公司——普林斯顿评论并大量开展营销游击活动。其中大多数进攻是针对卡普兰公司的形象的。普林斯顿评论的广告说："斯坦利是死气沉沉的"；"不要让你的朋友参加卡普兰"，同时指出普林斯顿评论是更小和更活跃的。卡兹迈在因特网上使用了卡普兰的名字，该公司甚至向管理公司讲师培训标准测试的教育测试服务机构进攻。到20世纪90年代，普林斯顿评论的游击战有了收获，它成为市场领导者（至少在标准管理测试领域）。

游击战常常是由较小的公司向较大的公司发起的。较小的公司发动了一系列短期的促销和价格进攻，这种攻击指向较大的竞争者的市场中随意选定的角落，其目的是逐渐削弱对方的市场力量。军事教义认为，一连串的小攻击常比少数几次主要进攻更能制造冲击，更能瓦解和骚扰敌人。游击战的攻击者将会发现进攻小的、孤立的、防守薄弱的市场比向主要的中心据点市场进攻要有效得多。

虽然大家承认游击战比正面进攻、包围进攻和侧翼进攻花费要少，但推行一连串的游击战役的成本可能是昂贵的。游击战更多的是战争的准备而不是战争本身。最后，如果进攻者希望击败对手，它必须以较强大的进攻为后盾。参见"营销备忘——商战的好处"。

营销备忘

商战的好处

互相仇恨也有好处。向一个有相当实力的竞争者展开进攻的有进取心的公司可得到以下好处。

1. 可视性。坏脾气的竞争者会引起注意。许多媒体会免费地宣传报道他们。

2. 生死存亡的竞争会导致创新。激烈的竞争需要高度关注化解的方法。在轮子下面是睡不着觉的。

3. 连续反馈。缠人的定点超越要求你了解你是否落在后面或走在前面。选择道路要快，成本要低。

4. 市场开发增补品。市场增长的成本和建立一个新行业的成本将被分摊。

5. 品牌增多。当存在其他较差的产品时，差异化会更容易，而且能促销你的产品。

6. 价格保护。除非发生价格大战，一个竞争定价活动能帮助建立行业标准，它保护了你的毛利和支持你的高定价。

7. 进入障碍。当两个竞争者在同业务开展激烈竞争时，潜在的竞争者会推迟进入。

8. 鼓舞士气。竞争使员工多动脑筋，时刻准备战斗，忠于企业和有自豪感。

9. 有趣。你每天在玩妒忌的游戏。你至少没有虚度光阴。

资料来源: Reprinted from Anne Murphy, "Enemies, a Love Story,"Inc., April 1995, p. 78.

选择特定的进攻战略

除了上述五种概括性的进攻战略外，挑战者必须开发更专业化的战略：

● 价格折扣。挑战者用较低的价格销售竞争产品。这是折扣零售店的主要战略，如最畅销商品和办公用品。为了实现价格折扣战略，有三个假设条件必须满足。第一，挑战者必须说服用户，使他们相信它的产品和服务可与领导者的相媲美；第二，购买者必须对价格差异敏感，并且他们对背弃现行供应商感到心安理得；第三，市场领导者必须不顾竞争者的攻击而拒绝降价。

● 廉价品。挑战者用低得多的价格向市场提供一般质量或低质量的产品。例如，小戴比的小吃糕饼比德雷克的质量略低，但售价只有它的一半。但是，以这种战略起家的厂商，可能会受到价格更低的廉价品公司的攻击。

● 声望商品。市场挑战者可以推出较高质量的产品并收取比领导者高的价格。梅塞德斯胜过凯迪拉克便是因为其在美国市场中提供更高质量和更高价格的汽车。

● 产品扩散。挑战者可以靠推出大量的产品品种给购买者以更多的选择，来同领导者竞争。巴斯金－罗宾斯在冰激凌市场获得增长是因为它促销更多的口味(31 种)，这超过了它的更强大的对手。

● 产品创新。挑战者可能推行产品创新的战略来攻击领导者的地位。3M公司通过对产品的改进和更新进入新市场。

● 改进服务。挑战者可以找到一些为顾客提供新的或更好服务的方法。IBM 公司获得成功，是因为它认识到顾客对软件和服务比对硬件更感兴趣。阿维斯(Avis)对赫茨(Hertz)发动了著名的攻击 "我们仅是第二，但能作出更大的努力"，其基础是建立在承诺和提供比赫茨更优美的汽车和更快的服务上的。

● 分销创新。一个挑战者可发现或发展一个新的分销渠道。雅芳成为一个主要的化妆品公司是靠完善其上门推销而不是在传统的商店里与其他化妆品厂商竞争。

● 降低制造成本。挑战者可以靠有效的材料采购、较低的人工成本和更现代化的生产设备，来求得比它的竞争对手较低的制造成本。

● 密集广告促销。有些挑战者靠增加它们的广告和促销费用，向领导者发动进攻。米勒啤酒比百威啤酒花费更多的钱，以夺取美国啤酒市场。然而，巨额的促销开支并非是一个明智有效的战略，除非挑战者的产品或广告信息有着某些能胜过竞争对手的优越之处。

一个挑战者如果只依靠一种战略要素，则它几乎无法成功地改进它的市场份额。它的成功取决于设计出一套能随着时间推移而改进其地位的总体战略。

市场追随者战略

几年前，西奥多·莱维特写了一篇题为《有创新的模仿》的文章。他在这篇文章中提出产品模仿(product imitation)的战略，并且认为这与产品创新(product innovation)的战略一样可以盈利。[44]一个创新者要承担开发新产品、进行分销、向市场提供信息和开发引导市场等巨大的开支，作为对所有这些工作和风险的报酬通常是争得市场领先地位。但是，另一家公司会紧紧跟上，模仿或者改进革新者推出的产品。追随者虽然不会超过领导者，但它获得的利润更高，因为它不承担创新的费用。

大多数公司喜欢追随而不是向市场领导者挑战。"意识平行"形式在资本密集的同质产品行业如钢铁、肥料和化工行业是常见的。产品差异化和形象差异化的机会很低；服务质量经常相仿；价格敏感性很高。价格战随时都可能爆发。这些行业的基调是反对攫取短期市场份额的做法，因为这种战略只会招致报复。大多数的公司决心不相互拉走顾客。它们常常效仿市场领导者，为购买者提供相似的供应品。市场份额显示着一个高度的稳定性。

这不等于说市场追随者是没有战略的。一个市场追随者必须知道如何留住现有的顾客和如何争取有新顾客参加的一个令人满意的市场份额。每一个追随者都要努力给它的目标市场(地点、服务、融资)带来有特色的优势。追随者是挑战者攻击的主要目标，因此，市场追随者必须保持他的低制造成本和高产品质量及服务。当新市场开辟时，他也必须进入。追随者必须确定一条不会引起竞争性报复的成长路线。[45]追随战略可以分为四类：

● 仿制者。仿制者复制领导者的产品和包装，在黑市上销售或卖给名誉不佳的经销商。音乐唱片公司、苹果电脑和劳力士手表被仿造成灾，这在远东特别严重。

● 紧跟者。紧跟者模仿领导者的产品、名字和包装，但稍有区别。例如，雷格波(Rolcorp)控股公司销售与领导者相类似的品牌名称的谷物食品，包装盒也类似。它的甜饼、水果圈和米饼的销售稍低于领导者品牌1美元左右。在电脑业的紧跟者也很多。

● 模仿者。模仿者在某些事情上仿效领导者，但在包装、广告、价格等上又有所不同。领导者并不注意模仿者，而模仿者也不进攻领导者。

● 改变者。改变者接受领先者的产品，并改变或改进它们。改变者可以选择将产品销售给其他不同市场。然后，许多改变者成长为将来的挑战者，日本的许多公司通常改善领导者的产品并在别处发展。

S&S 循环公司(S&S Cycle)　S&S 循环公司是 15 家生产模仿哈雷（Harley-like）摩托车的引擎产品及主要的马达配件的最大的供应商，这些公司的年产量达到几千辆。这些制造者为它们根据不同用户定型设计的产品的售价是 3 万美元。S&S 循环公司通过改进哈雷－戴维森（Harley-Davidson）的手工产品开创了它的品牌。它的顾客通常是被在交易中长时间的等待所挫败了的哈雷的买主。另外的顾客仅仅是想购买 S&S 循环公司完美的引擎产品。S&S 循环公司每年购进一辆新出的哈雷摩托车，而后把它分解并分析是否能进一步提高其质量。[46]

追随者公司能够赢得什么呢?通常，它不会比市场领导者挣得更少。例如，一个研究食品加工公司的报告显示了最大的公司平均的投资报酬率为16%，居第二位的公司为 6%；居第三位的公司为 − 1%；居第四位的公司为− 6%。在这个案例中，只有居于前两位的公司盈利，居第二位的公司的利润也没有什么可吹嘘的。通用电气公司的首席执行官杰克·韦尔奇要求公司的每一单位必须在市场和其他方面是第一位或第二位也就毫不奇怪了。追随战略并非是得到报酬的有效途径。

市场补缺者战略

另一种在大市场的追随方法是成为在一小块市场上的领导者或补缺者。小公司经常避免与大公司竞争,它们的目标是小市场或大公司不感兴趣的市场。

逻辑技术国际公司(Logitech International)　逻辑技术公司生产各种各样的计算机鼠标，在全球成功地销售了 3 亿美元。它每 1.6 秒生产一只鼠标，左手和右手使用的都有。采用电波遥控的无线鼠标，鼠标形状像小孩玩的真实老鼠，三维鼠标使用户感到他在随屏幕目标物移动。生产这种鼠标是如此成功，以至于逻辑技术公司跟在微软公司后面主宰了全世界的市场。[47]

泰克纳医疗产品公司(Tecnol Medical Products)　由于集中经营医院面罩，泰克纳公司面对两个竞争对手：强生和 3M 公司。泰克纳由生产普通的面罩生产线改为生产为护理人员防传染的特种面罩，从而成为赚钱的产品线。现在，原先无人知晓的泰克纳使强生和 3M 感到吃惊，因为它已成为美国医院的头号面罩供应商。[48]

然而，培育一个补缺市场仅仅是这些公司成功的一个方面。例如，泰克纳在市场补缺中最终能成功还应归功于它能谨慎作战(外科用的面罩对强生和 3M只是一个小市场)，在开发和生产室内产品时保持低成本，不断创新，每年的新产品有一打以上，捕获小竞争者以扩展和延伸它的产品提供物。

许多大公司也日益在建立业务单位或公司，以服务于补缺市场。下面是大公司实行补缺战略而获得高额利润的例子。

啤酒业(The Beer Industry)　小的啤酒商[如金字塔啤酒(Pyramid Ale)和皮特的威克特啤酒(Pete's Wicked Ale)]在 20 世纪 90 年代后期的啤酒市场上表现出潜力。这个事实刺激了四家大啤酒商(安休斯·布希，米勒，阿道夫·库尔和施特罗·布鲁沃里)推出它们自己的特制啤酒。例如，安休斯的依尔克山啤，米勒的热狗和冰啤，库尔的乔治·基利安。但因为消费者不想从这些大公司购买特制啤酒，这些公司只好在标贴上避开自己的名字。米勒公司甚至在广告上说它的热狗和冰啤来自于板路啤酒商。消费者知道板路这个名字是 19 世纪米尔沃克啤酒商的产物，它已消失多年了。[49]

伊利诺伊工具厂(Illnois Tools Works)　伊利诺伊工具厂生产几千种产品，如铁钉、螺丝刀、自行车头盔、背包、宠物颈圈、食品包装袋等等。该工厂有 90 个享有高度自主权的部门。当一个部门把一个新产品商业化后，该产品与开发人员就被转到一个新的实体机构中去。

由此可见，一个重要的观念是在整个市场上拥有低份额的公司能通过出色的补缺战略来获取高额利润。克利福德(Clifford)和卡瓦纳(Cavanagh)仔细地考察了 24 家以上的高成功的中型公司并研究其成功的因素。[50]他们发现所有这些公司实际上都在补缺。例如 A. T. 克罗斯公司，它在高价钢笔与铅笔市场上推出著名的金笔以满足想拥有这些笔的人。这些公司还有其他一些导致成功的因素，包括高价值、高溢价、取得较低的制造成本和形成强有力的公司文化和远见。

艾伯特·卡尔佛公司(Alberto Culver Company)　艾伯特·卡尔佛公司是一个利用市场补缺战略提高了其销售额的典型的中等公司的案例。1997 年，它赢得了 2.37 亿美元的市场中 36% 的市场份额，即 8 540 万美元。首席执行官哈佛特·比尼克(Howard Bernick)这样解释艾伯特·卡尔佛公司的经营理念："我们知道我们是谁，并且，也许更重要的是，我们知道我们不是谁。我们知道如果我们试一试与大公司竞争，我们的面子将掉到地板上。"相反，主要以它的艾伯特 VO5 护发产品而闻名的公司，将它的主要营销集中在建立一些小的补缺品牌上。包括非美容类的增加型产品莫利·麦克伯特(Molly McButter)和达什夫人(Mrs. Dash)以及抗静电的静电防护产品(Static Guard)。[51]

在研究了几百个业务单位以后，战略计划研究所(Strategic Planning Institute)发现，小市场的投资报酬率平均为 27%，而大市场只有 11%。[52]为什么补缺能盈利？其主要原因是营销补缺者比其他随便销售该产品的公司更清楚地了解这些顾客的需要。因此，补缺者因为添加了附加值而使其产品超过了实际成本。当大众化营销者取得高销量(high volume)时，补缺者取得了高毛利(high margin)。

市场补缺者有三个任务：创造补缺，扩展补缺和保卫补缺。

耐克公司(Nike)　耐克是一个运动鞋制造商，它一直不断地为各种不同的运动员设计特殊的鞋来创造补缺任务，如登高鞋、跑步鞋、骑车鞋、拉拉队用鞋、气垫鞋等等。当耐克为一种特殊用途创造一个市场后，就为这种补缺的品种拓展设计不同的类型和品牌（如耐克空中飞人乔丹或耐克飞人）。最后，耐克必须确保它的领导者地位不被竞争者侵入。

市场补缺要承担的主要风险是补缺可能会耗竭或遭到攻击。高度专业化的公司可能在有替代应用时没有高价值。考虑明尼拖卡的例子。

明尼拖卡(Minnetonka)　位于明尼苏达州的小公司明尼拖卡开发了一种液体肥皂，它能使沐浴者产生一种美感和舒服感。这种肥皂在某些家庭派上特殊的用途。然而，一些大公司注意到了该补缺市场，它们进入了这个市场并把它从补缺改为超级细分市场。1987年，高露洁收购了明尼拖卡公司。

在补缺中的关键概念是专业化。下面是市场补缺者所担任的特殊角色：

● 最终用户专家。公司专门为某一类型的最终使用顾客服务。例如，价值增加再售商（value-added reseller，VAR）定制特殊的计算机软硬件以满足目标顾客群的需要，并在此过程中获得溢价。[53]

● 纵向专家。公司专业化于某种垂直水平的生产—分配周期。例如，一个铜公司可能集中于生产原铜、铜制零件或铜制成品。

● 顾客规模专家。公司可集中力量，向小型、中型或大型的客户销售。许多补缺者专门为小客户服务，因为它们往往被大公司所忽视。

● 特定顾客专家。公司把销售对象限定在一个或少数几个主要的顾客。许多公司把它们的全部产品出售给一个公司，如西尔斯公司或通用汽车公司。

● 地理区域专家。公司把销售只集中在某个地方、地区或世界的某一区域。

● 产品或产品线专家。公司只生产一种产品线或产品。例如，一个公司专门为显微镜生产镜片。一家零售店只卖领带。

● 产品特色专家。公司专业化于生产某一种产品或产品特色。例如，加利福尼亚州的汽车出租代理商中有一个破损车出租行，它只出租"残破"的汽车。

● 定制专家。公司按照每个客户的订单定制产品。

● 质量—价格专家。公司选择在低档或高档的市场经营。例如，惠普公司在袖珍计算器市场专门生产高质量、高价格的产品。

● 服务专家。公司提供一种或多种其他公司所没有的服务。例如，银行进行电话贷款和亲自把钱递交给顾客。

● 渠道专家。公司只为一种分销渠道服务。例如，一家软饮料公司决定只生产超大容量的软饮料，并只在加油站出售。

由于补缺者往往是弱小者，公司必须连续不断地创造新的补缺市场。公司应该"坚持补缺观念"而不是只补缺一个市场。这就是为什么多种补缺比单一补缺受欢迎的原因。在两个或更多的补缺点上发展实力后，公司就增加了生存机会。

想要进入市场的公司一开始就应瞄准补缺机会而不是整个市场。参见"营销视野——挤入已占领市场的战略"。

营销视野

挤入已占领市场的战略

当公司进入已被占领的市场时，可采取的营销战略是什么呢？比加迪克(Biggadick)考察了40个最近抢夺已被原有公司占据了市场的公司的战略。他发现10个市场进入者采用低价格战略，9个同原有公司的价格一样，21个用高价进入。他还发现其中28个公司声称有较高的质量，5个质量与原有公司相当，7个表示质量较差。绝大多数的进入者提供一条专门的产品线并为一个较狭窄的细分市场服务。有不到20%的进入者设法创建一个新分销渠道。一半以上的进入者提供了较高水平的顾客服务。并且有一半以上的进入者在销售队伍、广告和促销上，比原先占有市场的公司花费较少。因此，进入者营销组合的形式是：(1)较高的价格和较高的质量；(2)较狭窄的产品线；(3)较狭窄的细分市场；(4)类似的分销渠道；(5)高质量的服务；(6)在销售队伍、广告和促销上较低的支出。

卡彭特(Carpenter)和纳克默多(Nakamoto)考察了用新产品进入诸如吉露—O或联邦快递品牌占主导地位市场的战略。在这些品牌中，包括许多市场开拓者，要进攻它们是很困难的，因为其他人对新产品已有判别的标准。因此，一个稍微不同的新品牌可以溢价而不会受到攻击；而相似品牌被看成是毫无特色。他们确定了四种有较好盈利潜力的战略。

1. 差别化。定位于远离占统治地位的品牌，价格相同或高于它，大量广告开支，以建立新品牌和令人可信地取代占统治地位的品牌，如本田摩托车向哈雷－戴维森公司挑战。

2. 挑战者。定位于接近占统治地位的品牌，大量广告开支和价格相同或高于它，作为同类型的标准向其挑战，如百事可乐向可口可乐挑战。

3. 补缺。定位于远离占统治地位的品牌，高价，低广告预算以获取利润，保持补缺，如缅因州的纯天然牙膏汤姆同佳洁士竞争。

4. 溢价。定位于接近占统治地位的品牌，较少广告开支但卖高价以体现其市场地位高，如高登发巧克力和哈根达斯冰激凌向标准品牌挑战。

施纳斯(Schnaars)调查了成功进入市场并最终成为市场领导者的公司的营销战略。他详细分析了30多个案例，这些案例都显示了仿造者如何替代原有的创新者。

产品	创新者	仿造者
文字处理软件	Word Star	WordPerfect
展示版软件	Unicalc	Later Word

信用卡	Diners' Club	威士卡和万事达卡
圆珠笔	Reynolds	派克
CAT 扫描设备	EMI	通用电气公司
计算器	Bowmar	得州仪器公司
食品加工器	Cuisinart	布莱克－德克尔

仿造者通过提供较低售价、有所改进的产品，以巧妙的竞争手段来巧取市场。

资料来源: See Ralph Biggadike, *Entering New Markets: Strategies and Performance* (Cambridge, MA: Marketing Science Institute, 1977), pp. 12 ～ 20; Gregory S. Carpenter and Kent Nakamoto, "Competitive Strategies for Late Entry into a Market with a Dominant Brand," *Management Science*, October 1990, pp. 1268 ～ 1278; Gregory S. Carpenter and Kent Nakamoto, "Competitive Late Mover Strategies," working paper, Northwestern University, 1993; and Steven P. Schnaars, *Managing Imitation Strategies: How later Entrants Seize Markets from Pioneers* (New York: Free Press, 1994).

在顾客导向和竞争者导向中平衡

我们强调了一个公司作为市场领导者、挑战者、追随者和补缺者角色时的竞争定位的重要性。然而，公司不应该把它的时间都放在竞争者身上。我们应该区别两种类型的公司：以竞争者为中心和以顾客为中心。一个以竞争者为中心的公司(competitor-centered company)确定其的行动方向如下：

形势

● 竞争者 W 将全力在迈阿密压垮我们。
● 竞争者 X 正增大其在休斯敦的分销覆盖面并威胁着我们的销量。
● 竞争者 Y 在丹佛市已经削价，结果我们失去了 3% 的市场份额。
● 竞争者 Z 在新奥尔良采用一种新的特别服务项目，结果使我们的销售正在减少。

反应

● 我们将撤出迈阿密市场，因为我们无力打这一场仗。
● 我们将在休斯敦市场增加广告开支。
● 我们将在丹佛市场采取相应措施对付竞争者 Y 的削价。
● 我们将在新奥尔良增加促销预算。

这种计划模式现在看来有其优点和缺点。从积极的方面来看，公司处于反击导向，它训练其市场人员保持警惕，注意自己的弱点和竞争者的劣势；从消极的方面来看，公司表现出过多的反应模式。它不是执行一项始终如一的顾客导向战略，而是根据其竞争者行动来确定自己的行动。结果，它没有按预先确定的方向朝着目标走去。由于很多事情都取决于竞争者所要做的事，所以公司不知道何处才是终点。

以顾客为中心的公司（customer-centered company）在提出它的战略时，会更多地集中在顾客的发展上。它会更多注意以下内容：

形势

● 总市场每年增长 14% 。
● 受质量影响的细分市场每年增长 8% 。
● 容易成交的细分市场的顾客也在快速增长，但这些顾客与任何供应商的维持关系都不长久。
● 越来越多的顾客已经表示对 24 小时的热线电话供货感兴趣，而该行业中无人提供这种业务。

反应

● 我们将在达到和满足高质量细分市场方面集中更多的力量。我们的计划是打算购买更好的元件、改进质量控制系统和把我们广告的主题转向强调质量。
● 我们将避免削价和妥协，因为我们不需要以这种方式购买东西的客户。
● 如果前景良好，我们将安装 24 小时热线电话。

很明显，以顾客为中心的公司能更好地辨别新机会和建立具有长远意义的战略方案。通过观察顾客需要的演变，在资源和目标允许的情况下，它能决定何种顾客群和何种出现的需要才是最重要的服务对象。

实际上，今天的公司既要注意顾客也要注意竞争者。

小结

1. 要准备一个有效的营销战略，公司必须研究它的竞争者以及其实际的和潜在的顾客。公司需要辨认它的竞争者的战略、目标、优势、劣势和反应模式。它们还需要了解怎样设计一个有效的竞争情报系统，哪些竞争者应给予攻击和哪些要避免。

2. 一个公司最接近的竞争者包括那些寻求满足相同的顾客和需要以及制造类似供应品给它们的人。公司还应该注意潜在的竞争者，它们可能提供新的或相同的产品来满足相同的需要。公司应努力通过行业和市场为基础的分析方法来辨认其竞争者。

3. 竞争情报需要连续不断地收集、解释和传送给相关的人。经理在需要竞争信息时，他们应能及时地得到这类关于竞争者的信息并能接触到营销情报部门。有了好的竞争情报，经理们才能更方便地制定他们的战略。

4. 经理需要通过顾客价值分析来揭示本公司相对于竞争者的优势和劣势。这种分析的目的就是测定顾客想要的利益和他们对相互竞争的供应商所提供的货物的相对价值的认知。

5. 市场领导者在相关的产品市场中拥有最大的市场份额。为了保持优势公司的地位，该领导者开始扩大市场总需求，保护现有的市场份额，努力增加其市场份额。

6. 市场挑战者向市场领导者和其他竞争者进攻，以争取更多的市场份额。挑战者可选择五种进攻战略：正面、侧翼、包围、迂回和游击战，以及它们的组合进攻。作为特定的进攻战略，挑战者还可用价格折扣、廉价品、名牌商品、产品扩散、产品或渠道创新、改进服务、降低制造成本或密集广告战略。

7. 市场追随者是居次要地位的公司，它希望维持其市场份额和平稳行驶。市场追随者的角色有：仿造者，紧跟者，模仿者，改变者。

8. 市场补缺者是选择一个没有大公司服务的小细分市场的公司。补缺的关键是专业化。补缺者应选择一个或几个下列专业化的领域：最终使用、垂直层面、顾客规模、特定顾客、地理区域、产品或产品线、产品特色、工作过程、质量—价格水平、服务或渠道。多种补缺一般比单一补缺更有优势。

9. 竞争导向在今天的全球市场上是相当重要的，但是，公司不应该将重点过分集中于竞争者身上。公司应在顾客和竞争者监视中获得一种好的平衡。

应用

本章观念

1. 你是利华兄弟公司洗衣粉产品经营小组的一员。该小组的目标是挑战宝洁公司的洗衣粉并成为市场领导者，但你并不明确怎样行动。论述该市场中以下每个战略的利弊：

(1) 正面进攻；

(2) 侧面进攻；

(3) 包围进攻；

(4) 迂回进攻；

(5) 游击战。

2. 在医学领域有一场新旧技术的竞争的斗争。医院的外科手术中，外科医生会在病人身上切个大口子，但在内窥镜外科中，医生操作手术只需要切开一个小口子并插入一种叫做管针的细长管状仪器。在 20 世纪 80 年代后期，美国外科设备公司(USSC)首先进入该市场。在 90 年代初，强生公司的埃斯科·恩多外科部(Ethicon Endo-Surgery)追随其后进入该市场。表 8A—1 总结了由强生公司组织的关于内窥镜手术和传统顾客价值的调查资料。

假定外科医生对这两种手术的收费相同，哪种手术形式更好——内窥镜还是传统手术？美国外科设备公司处于先入市场的有利地位，强生的埃斯科·恩多外科部怎样从美国外科设备公司处获取竞争优势？

3. 一家名叫办公组合(Office Max)的办公供应品公司的最高管理层在进行内部检查后比较了几个公司的特点。

（1）产品创新；

（2）销售广泛；

（3）低成本和低价格；

（4）产品品种繁多；

（5）强有力的技术服务。

怎样把这些业务上的每一个特点转变为使办公组合公司取得竞争优势的消费者利益？

表 8A—1　　　　　　　　质量概况：内窥镜胆囊手术与传统胆囊手术

| 质量标准 | (1)　　　　绩效　　　(2) | | (3) | (4) | (5) |
	内窥镜法	传统法	比例[①]	相对重要性	重要性比例
在家恢复期	1 星期～2 星期	6 星期～8 星期	3.0	40	120
住院时间	1 天～2 天	3 天～7 天	2.0	30	60
手术时间	0.5 小时～1 小时	1 小时～2 小时	2.0	15	30
并发症率	5%	10%	1.5	10	15
手术后伤疤	0.5 英寸～1 英寸	3 英寸～5 英寸	1.4	05	07
			质量重要性小计：100		
			市场认知质量分：		232
			市场认知质量比例：		2.32

①　此表中的比例不是由栏(1)和栏(2)中显示内容直接计算，而是以 1～10 的表现分为根据，1～10 和显示的表现数据有关。

营销与广告

美国邮政局（U. S. Postal Service）通过直接邮寄宣传资料来向顾客进行宣传。图 8A—1 是一个美国邮政局提供的广告，它提供的一份帮助营销者了解怎样使直接邮寄成为一种宣传媒体的免费资料。这个行业的结构是完全独占、垄断、垄断竞争还是自由竞争？验证你的假设。在这个行业中对于诸如速递邮件公司（Express Mail）和实行第二天交货的公司来说，它的竞争结构是什么？对向企业市场邮寄的美国邮政局，意味着什么？对向企业市场营销的速递邮件公司来说，又意味着什么？

图 8A—1

聚焦技术

李维·斯特劳斯公司正利用大众定制生产技术使消费者服装尺码的特殊化有更大的改进，从而为它的牛仔服实施市场补缺革新计划。这个被称为"李维创新纺织"的计划允许消费者预订符合他们个人特征的牛仔服。李维的销售人员获取人体三维测量数据，顾客可以选择颜色、质地、开衩、绣花类型及裁剪样式。这些资料通过电子交换发送到有这些样式的工厂内，可在两三个星期内用自动化设备生产出使顾客合身的牛仔服。

访问李维公司创新纺织网页（www. levi. com/originalspin），阅读该计划。这个项目是怎样帮助李维公司卓有成效地战胜蓝哥和李（Lee）这两家牛仔服市场中的传统竞争者的？李维公司采用这项补缺计划是瞄准了高利润还是高销售量？

新千年营销

通过因特网进行无中间商交易已改变了很多行业的竞争领域，从有形货物如汽车(以泰尔的汽车为例)到无形服务如保险业[以人寿引导（LifeQuote）为例]。再进一步看看旅游行业内的无中间商交易，考虑一下当地旅行社面临的来自航空网站(如美国航空)及旅游网站(如微软的 Expedia)的竞争。

访问美国航空公司的网站(www. aa. com)，看其所提供的项目。其提供包括特殊航班、飞行时刻表及价格、经常性航班、飞机场入口信息等。然后，再访问一下 Expedia 网站(www. expedia. com)，看一下其提供的项目，包括预订旅游航班、出租车及旅馆房间和关于旅游目的地、地图等的信息。这些网站有什么相同点，又有什么不同点？什么是网站能提供而旅行社没有提供的服务项目，什么是旅行社能提供而网站没有提供的服务项目？在传统的旅行社与在线网站竞争的过程中，这些暗示了什么？

你是营销者：索尼克公司的营销计划

竞争战略在营销计划中起作用有两个前提。首先，在评估目前营销现状后，公司必须检验竞争对手的优势和劣势及竞争对手的反应模式；其次，它们必须用其在营销组合的支持下的竞争情报规划它们的总体竞争战略。

作为简·梅洛迪的助理人员，你应该分析索尼克公司的竞争现状和准备台式立体声音响系统的竞争战略。假设索尼克公司不是市场领导公司，回答以下关于竞争战略的问题(注意这里需要竞争情报)：

- 索尼克公司的整体战略是什么？
- 哪个公司是市场领导者？它的目标、优势和劣势是什么？还需要什么另外的竞争情报？
- 作为一个市场挑战者，什么样的营销战略对于索尼克公司最有效？
- 根据这些竞争战略，你怎样定义索尼克公司的战略目标和进攻策略？

仔细考虑索尼克公司的竞争战略是怎样影响它的营销组合的。然后，在书面营销计划中写入你的发现和结论，或者输入营销计划软件的营销现状和营销战略部分中。

【注释】

[1] Michael E. Porter, *Competitive Strategy* (New York: Free Press, 1980), pp. 22 ～ 23.

[2] See Al Ries and Jack Trout, *Marketing Warfare* (New York: McGraw-Hill, 1986).

[3] See Leonard M. Fuld, *The New Competitor Intelligence: The Complete Resource for Finding, Analyzing, and Using Information About Your Competitors* (New York: John Wiley, 1995); John A. Czepiel, *Competitive Marketing Strategy* (Upper Saddle River, NJ: Prentice Hall, 1992).

[4] See Hans Katayama, "Fated to Feud: Sony versus Matsushita," *Business Tokyo*, November 1991, pp. 28 ～ 32.

[5] Michael Krantz, "Click Till You Drop," *Time*, July 20, 1998, pp. 34 ～ 39; Michael Krauss, "The Web Is Taking Your Customers for Itself," *Marketing News*, June 8, 1998, p. 8.

[6] See Kathryn Rudie Harrigan, "The Effect of Exit Barriers upon Strategic Flexibility," *Strategic Management Journal* 1 (1980): 165 ～ 176.

[7] See Michael E. Porter, *Competitive Advantage* (New York: Free Press, 1985), pp. 225, 485.

[8] Porter, *Competitive Strategy*, ch. 13.

[9] Ibid., ch. 7.

[10] "The Hardest Sell," *Newsweek*, March 30, 1992, p. 41.

[11] William E. Rothschild, *How to Gain (and Maintain) the Competitive Advantage* (New York: McGraw-Hill, 1989), ch. 5.

[12] See Robert V. L. Wright, *A System for Managing Diversity* (Cambridge, MA: Arthur D. Little, December 1974).

[13] The following has been drawn from Bruce Henderson's various writings, including "The Unanswered Questions, The Unsolved Problems" (paper delivered in a speech at Northwestern University in 1986); *Henderson on Corporate Strategy* (New York: Mentor, 1982); and "Understanding the Forces of Strategic and Natural Competition," *Journal of Business Strategy*, Winter 1981, pp. 11 ～ 15.

[14] For more discussion, see Leonard M. Fuld, *Monitoring the Competition* (New York: John Wiley, 1988).

[15] "Spy/Counterspy," Context, Summer 1998, pp. 20 ～ 21.

[16] Steven Flax, "How to Snoop on Your COmpetitors," *Fortune*, May 14, 1984, pp. 29 ～ 33.

[17] Porter, *Competitive Advantage*, pp. 226 ～ 227.

[18] Ibid., ch. 6.

[19] Paul Lukas, "First: Read Column, Rinse, Repeat," *Fortune*, August 3, 1998, p. 50.

[20] See Carla Rapoport, "You Can Make Money in Japan," *Fortune*, February 12, 1990, pp. 85 ～ 92; Keith H. Hammonds, "A Moment Kodak Wants to Capture," *Business Week*, August 27, 1990, pp. 52 ～ 53; Alison Fahey, "Polaroid, Kodak, Fuji Get Clicking," *Advertising Age*, May

20, 1991, p. 18; and Peter Nulty, "The New Look of Photography," *Fortune*, July 1, 1991, pp. 36 ~ 41.

[21] Erika Rasmusson, "The Jackpot," *Sales & Marketing Management*, June 1998, pp. 35 ~ 41.

[22] Ron Winslow, "Missing a Beat: How a Breakthrough Quickly Broke Down for Johnson & Johnson—Its Stent Device Transformed Cardiac Care, Then Left a Big Opening for Rivals—'Getting Kicked in the Shins,'" *Wall Street Journal*, September 18, 1998, p. A1.

[23] The intensified competition that has taken place worldwide in recent years has sparked management interest in models of military warfare; see Sun Tsu, *The Art of War* (London: Oxford University Press, 1963); Miyamoto Mushashi, *A Book of Five Rings* (Woodstock, NY: Overlook Press, 1974); Carl von Clausewitz, *On War* (London: Routledge & Kegan Paul, 1908); and B. H. Liddell-Hart, *Strategy* (New York: Praeger, 1967).

[24] These six defense strategies, as well as the five attack strategies, are taken from Philip Kotler and Ravi Singh, "Marketing Warfare in the 1980s," *Journal of Business Strategy*, Winter 1981, pp. 30 ~ 41. For additional reading, see Gerald A. Michaelson, *Winning the Marketing War: A Field Manual for Business Leaders* (Lanham, MD: Abt Books, 1987); Ries and Trout, *Marketing Warfare*; Jay Conrad Levinson, *Guerrilla Marketing* (Boston, MA: Houghton-Mifflin Co., 1984); and Barrie G. James, *Business Wargames* (Harmondsworth, England: Penguin Books, 1984).

[25] Seanna Broder, "Reheating Starbucks," *Business Week*, September 28, 1998, p. A1.

[26] See Porter, *Competitive Strategy*, ch. 4.

[27] Richard Thomkins, "Wal-Mart Invades Food Chain Turf," *st. Louis Post-Dispatch*, October 7, 1998, p. C1.

[28] *Relative market share* is the business's market share in its served market relative to the combined market share of its three leading competitors, expressed as a percentage. For example, if this business has 30 percent of the market and its three largest competitors have 20 percent, 10 percent, and 10 percent: $30 / (20 + 10 + 10) = 75$ percent relative market share.

[29] Sidney Schoeffler, Robert D. Buzzell, and Donald F. Heany, "Impact of Strategic Planning on Profit Performance," *Harvard Business Review*, March – April 1974, pp. 137 ~ 145; and Robert D. Buzzwell, Bradley T. Gale, and Ralph G. M. Sultan, "Market Share—A Key to Profitability," *Harvard Business Review*, January – February 1975, pp. 97 ~ 106.

[30] See Buzzell et al., "Market Share," pp. 97, 100. The results held up in more recent PIMS studies, where the database now includes 2,600 business units in a wide range of industries. See Robert D. Buzzell and Bradley T. Gale, *The PIMS Principles: Linking Strategy to Performance* (New York: Free Press, 1987).

[31] Richarde G. Hamermesh, M. J. Anderson Jr., and J. E. Harris, "Strategies for Low Market Share Businesses," *Harvard Business Review*, May – June 1978, pp. 95 ~ 102.

[32] Carolyn Y. Woo and Arnold C. Cooper, "The Surprising Case for Low Market Share," *Havrvard Business Review*, November – December 1982, pp. 106 ~ 113; also see their "Market-Share Leadership—Not Always So Good," *Harvard Business Review*, January – February 1984, pp. 2 ~ 4.

[33] This curve assumes that pre-tax return on sales is highly correlated with profitability and that company revenue is a surrogate for market share. Michael Porter, in his *Competitive Strategy*,

p. 43, shows a similar V-shaped curve.

[34] Patricia Sellers, "McDonald's Starts Over," *Fortune*, June 22, 1998, pp. 34 ~ 35; David Leonhardt, "McDonald's Can It Regain Its Golden Touch?" *Business Week*, March 9, 1998, pp. 70 ~ 77.

[35] Steve Hamm, "Microsoft's Future," *Business Week*, January 19, 1998, pp. 58 ~ 68.

[36] Philip Kotler and Paul N. Bloom, "Strategies for High Market-Share Companies," *Harvard Business Review*, November – December 1975, pp. 63 ~ 72. Also see Porter, *Competitive Advantage*, pp. 221 ~ 226.

[37] Robert D. Buzzell and Frederick D. Wiersema, "Successful Share-Building Strategies," *Harvard Business* Review, January – February 1981, pp. 135 ~ 144.

[38] Ronald Henkoff, "P&G: New & Improved," *Fortune*, Octoober 14, 1996, pp. 151 ~ 160.

[39] Zachary Schiller, "Ed Artzt's Elbow Grease Has P&G Shining," *Business Week*, October 10, 1994, pp. 84 ~ 85.

[40] Sarah Lorge, "Top of the Charts: Procter & Gamble," *Sales & Marketing Management*, July 1998, p. 50; Jane Hodges, "P&G Tries to Push Online Advertising," *Fortune*, September 28, 1998, p. 280.

[41] See Robert J. Dolan, "Models of Competition: A Review of Theory and Empirical Evidence," in *Review of Masrketing*, ed. Ben M. Enis and Kenneth J. Roering (Chicago: American Marketing Association, 1981), pp. 224 ~ 234.

[42] Kevin Maney, "Sun Rises on Java's Promise: CEO McNealy Sets Sights on Microsoft," *USAS Today*, July 14, 1997, p. B1; Robert D. Hof, "A Java in Every Pot? Sun Aims to Make It the Language of All Smart Appliances," *Business Week*, July 27, 1998, p. 71.

[43] Holman W. Jenkins Jr., "Business World: On a Happier Note, Orange Juice," *Wall Street Journal*, September 23, 1998, p. A23.

[44] Theodore Levitt, "Innovative Imitation," *Harvard Business Review*, September – October 1966, pp. 63 ff. Also see Steven P. Schnaars, *Managing Imitation Strategies: How Later Entrants Seize Markets from Pioneers* (New York: Free Press, 1994).

[45] Greg Burns, "A Fruit Look by Any Other Name," *Business Week*, June 26, 1995, pp. 72, 76.

[46] Stuart F. Brown, "The Company thatOutHarleys Harley," *Fortune*, September 28, 1998, pp. 56 ~ 57.

[47] allen J. McGrath, "Growth Strategies with a '90s Twist," *Across the Board*, March 1995, pp. 43 ~ 46.

[48] Stephanie Anderson, "Who's Afraid of J&J and 3M?" *Business Week*, December 5, 1994, pp. 66 ~ 68.

[49] Richard A. Melcher, "From the Microbrewers Who Brought You Bud, Coors...," *Business Week*, April 24, 1995, pp. 66 ~ 70.

[50] Donald K. Clifford and Richard E. Cavanaugh, *The Winning Performance: How America's High- and Midsize Growth Companies Succeed* (New York: Bantam Books, 1985).

[51] Jim Kirk, "Company Finds Itself, Finds Success, Alberto-Culver Adopts Strategy of Knowing Its Strengths and Promoting Small Brands, Rather Than Tacking GIants," *Chicago Tribune*,

January 22, 1998, Business Section, p. 1.

[52] Reported in E. R. Linneman and L. J. Stanton, *Making Niche Marketing Work* (New York: McGraw-Hill, 1991).

[53] See Bro Uttal, "Pitching Computers to Small Businesses," *Fortune*, April 1, 1985, pp. 95 ~ 104; also see Stuart Gannes, "The Riches in Market Niches," *Fortune*, April 27, 1987, pp. 227 ~ 230.

第9章

辨认市场细分和选择目标市场

科特勒论营销：

不要去购买市场份额，而应该想办法怎样去赢得它。

本章将阐述下列一些问题：

● 一家公司怎样确认它可以进入的细分市场？

● 一家公司应用什么标准来选定其最有吸引力的目标市场？

一家诸如在电脑或软饮料的大市场上开展业务的公司不可能为这一市场的全体顾客服务。顾客人数太多，而他们的购买要求又各不相同。公司需要辨认它能为之最有效服务的细分市场。在本章，我们将讨论市场细分的层次、市场细分的模式、市场细分的程序、细分消费者市场和企业市场的基础以及有效细分的条件。

许多公司正在从事**目标营销**（target marketing）。在目标营销中，销售者区分主要的细分市场，把一个或几个细分市场作为目标，为每个细分市场定制产品开发和营销方案。他们采用的不是分散营销努力的方式（"散弹枪"式的方式），而是把营销努力集中在具有最大购买兴趣的买主身上（"来福枪"式的方式）。

目标营销需要经过三个主要步骤：

1. 按照购买者所需要的产品或营销组合，将一个市场分为若干不同的购买者群体，并描述他们的轮廓（市场细分）。

2. 选择一个或几个准备进入的细分市场（市场目标化）。

3. 建立与在市场上传播该产品的关键特征与利益（市场定位）。

本章讨论前两个问题。下一章将讨论市场定位问题。

市场细分的层次和模式

我们开始考察市场细分的层次和模式。

市场细分的层次

市场细分是增加公司营销精确性的一种努力。在我们讨论这些细分前，先要谈一下**大众化营销**（mass marketing）。在大众化营销中，卖方忙着为所有的购买者进行大量生产、大量分配和大量促销单一产品。亨利·福特典型地贯彻了这种营销战略，他提供 T 型汽车给所有的用户。顾客可以得到他"除了黑色以外没有其他颜色"的汽车。可口可乐公司开展大众化营销也有好多年，它曾经只卖一种 6.5 盎司的瓶装可乐。

抱有传统大众化营销观念的人认为，它能创造最大的潜在市场，因为它的成本最低，这又转化为较低的售价和较高的毛利。然而，许多批评家指出，市场在日益分裂并形成小群体，这给大众化营销造成很大困难。里吉斯·麦克纳（Regis McKenna）指出：

> [顾客]购买的方式有多种：大商场，专卖店和超市；通过邮购目录方式；家庭网上购买；因特网虚拟商店。越来越多的渠道对他们进行信息轰炸：广播和有线电视，无线电，计算机有线网络、因特网、电话服务，如传真机和电信营销，专业杂志和其他印刷媒体等。[1]

广告载体和分销渠道的多元化使"所有的人都适用一种规格"的营销越来越困难。毫不奇怪，有人声称大众化营销在走向死亡。许多公司正在放弃大众化营销并转为在以下四个层次之一的微观营销。

细分营销

市场细分片（market segment）由在一个市场上有可识别的相同的欲望、购买能力、地理位置、购买态度和购买习惯的大量人群所组成。例如，一家汽车公司辨认出四组大细分片：寻求基本运输的汽车购买者，寻求高性能的汽车购买者，寻求豪华汽车和寻求安全驾驶的汽车购买者。

市场细分片是介于大众化营销与个别营销之间的中间层群体。属于一个细分片的消费者群体是假设他们有相同的需要和欲望，虽然并不存在两个购买者是完全一样的。安德森和纳拉斯极力主张，营销者应提供**灵活的市场供应物**（flexible market offerings）来代替对同一细分片的所有成员提供一种标准产品。[2]灵活的市场供应物由两部分组成：基本解决（naked solution），它为所有细分片成员的价值提供产品和服务内容；选择性（options），它提供某些特殊细分片成员的价值。每一个选择的内容都要增加付费。例如，三角洲航空公司为所有的经济舱乘客提供座椅、食品和饮料。如果乘客还需要烈酒和耳机，就需要增加付费。西蒙斯（Seimens）出售金属包层盒，它的价格包括免费送货和保证，但如果要提供安装、测试和定期检查，就要对这些选择性内容额外付费。

细分营销相对于大众化营销有几个优点。公司能创造出针对目标受众的更适合他们的产品或服务和价格。选择分销渠道和传播渠道更方便。在特定的市场细分片，公司将面临较少的竞争对手。

补缺营销

补缺(niche)是更窄地确定某些群体,一般来说,这是一个小市场并且它的需要没有被服务好。营销者通常确定补缺市场的方法是把细分市场再细分,或确定一组有区别的为特定的利益组合在一起的少数人。例如,老烟鬼的细分市场片包括努力戒烟者和无节制抽烟者。

当细分市场相当大时,通常会吸引许多竞争者;而补缺市场相当小并只吸引一两个竞争者。大竞争者,例如 IBM 公司,它把市场的碎片丢给补缺者:达格卡(Dalgic)称这种局面是"游击队员对抗大猩猩"。[3]有些大竞争者也转向补缺市场,它要求更分散经营并发展它现在的业务方法。例如,强生兄弟公司有 170 个分支机构(业务单位),它们中的大多数是市场补缺者。

补缺的流行——甚至是"微细补缺"——可以从杂志媒体的发展中看出。从新杂志的激增(在 1998 年有 1 000 种不同版本的杂志)针对特定的补缺读者就是一个辅证。杂志根据种族、性别及性取向进行分类:*B1G2*(意为"黑人第一,同性恋者第二")是一种以纽约为主要发行地的黑人同性恋者的杂志。《阿奎》(Aqua)是一份针对跳水和潜水员的双月刊。迈阿密的《金斯》(Quince)是一本专门针对西班牙青少年女子的杂志。随着媒介更加关注精神世界,斯蒂芬·布里尔(Stephen Brill)创刊了一本关于媒介的消费者杂志《满意》(Content)。[4]

补缺营销者高度了解补缺者的需要,以使他们的客户愿付溢价。例如,法拉利使它的汽车获得高价,因为它的忠诚客户认为在提供产品服务会员制上,其他汽车公司无法与它比拟。

一个有吸引力的补缺市场的特征如下:补缺市场顾客有明确的一组需要;他们愿为提供最满意需要的公司付溢价;补缺营销者通过实行专门化后能获得经济利益;补缺市场有足够的规模、利润和成长潜力。

大小公司者都可能实行补缺营销。下面的这些大公司正在开展补缺营销:

拉梅达(Ramada)　拉梅达特许经营公司在进行各种补缺活动;拉梅达有限公司从事经济旅游;拉梅达小旅店是提供全套服务的中等价格的旅馆;拉梅达广场是一种新的高中档的旅馆;拉梅达旅馆提供三星级服务;拉梅达·拉内塞斯旅馆提供四星级服务。

雅诗兰黛(Estee Lauder)　全美国销量最好的四个香水品牌全是雅诗兰黛,最好的十种化妆品中有七个是雅诗兰黛,在十个最畅销的护肤品产品中有八个属于雅诗兰黛公司的。并且,很少有化妆的消费者不认识雅诗兰黛产品,因为公司非常善于针对不同品位的妇女(和男士),营销其各种品牌的产品。雅诗兰黛起初的产品是针对老年人和青少年的产品。随后的倩碧(Clinique)是为那些拥有微型轿车而没有时间化妆的中年的妈妈生产的完美的护肤品。然后是 M.A.C. 产品线,它自称拥有罗波尔(RuPaul),一位六英尺七英寸吸引出众女人的代表模式。对于新一代年轻人来说,他们有阿维达(Aveda),采用自然的原料,公司希望它能够成为 10 亿美元的品牌。也有一些品牌是较为大众化的品牌,如杰·沙沙贝(Jane by Sassaby),青少年可以在沃尔玛及利德自助(Rite Aid)购买到该商品。[5]

进步公司(Progressive) 　进步公司是克利夫兰城的汽车保险商，它的迅速成长得益于市场补缺；公司为有汽车事故记录和喝酒的司机实行"非标准"汽车保险。进步公司收取高额保险费赚了大钱，它在这个领域已有好多年了。

林曼(Linneman)和斯通(Stanton)认为，在补缺市场中将会发现财富，公司都在参与补缺，同时也被别人补缺。[6]布拉特伯格(Blattberg)和戴顿(Deighton)强调指出："许多市场太小以致不能进行盈利的补缺活动。"[7]但因特网销售的低成本使得企业可以获取更高的利润，即使看来分类更细。在万维网上的小生意使得那些服务更细的公司富有起来。15%商业网站仅有不到十个雇员，获得了超过10万美元的报酬，而其中的2%甚至赚得了超过100万美元的盈利。在因特网补缺成功的秘诀：选择一种顾客无须审阅也无须触摸的很难被发现的产品。以下是两家信奉这个信条取得惊人成绩的公司。[8]

奥斯特利森在线(Ostrichesonline.com) 　尽管因特网上的巨人如音乐零售商现代光盘(CDnow)和书商亚马逊在线(Amazon.com)甚至还没有意识到能盈利，而史蒂夫·瓦灵顿(Steve Warrington)出售鸵鸟及其附属制品的收入已经使他获得了六位数的收益，他的网址(www.ostrichesonline.com)刚刚在网上设立时，瓦灵顿一无所有，但到1998年时的销售额已经达到了400万美元。点击网站的访问者可以在网上购买鸵鸟肉、羽饰、皮夹克、录像带、蛋壳，以及用鸵鸟油制造的护肤品。

米斯莫夫斯在线(Mesomorphosis.com) 　在26岁时，米拉德·贝克(Millard Baker)，一位南佛罗里达大学的临床医学的研究生，建立了一家出售增强体质的补充剂及药油的网址(www.mesomorphosis.com)。尽管也有别的网站出售类似的产品，但很少有网站提供介绍文章及成分含量，因此，在米拉德·贝克增加了这些重要元素后，他每月的销售额达到了25 000美元。

在今天的许多市场中，补缺成为一种准则。参见"营销视野——隐蔽的冠军：德国中型公司通过补缺迅速成长起来"。

营销视野

隐蔽的冠军：德国中型公司通过补缺迅速成长起来

德国市场中的30万个中小公司(被称为Mittelstand)，这些中小公司加起来的产值占德国国内生产总值的2/3，吸收了4/5的就业人数。尽管这些公司一般员工不超过500人，在划分得很清楚的全球补缺市场上，很多公司占有超过50%的份额。哈曼(Hermann)把这些补缺企业的领导人称作隐蔽的冠军，并且把他们定义成在世界市场上数一数二的商人，这些企业每年在欧洲的销售收入近10亿美元，并且很少在公众场合活动。下面有一些例子：

● 戴特拉食品(Tetra Food)为带鱼的喂养市场上提供了 80% 的份额。

● 霍拉(Hohner)在口琴市场上占 85% 的份额。

● 贝奇(Becher)为大型号伞的市场提供 50% 的产品。

● 斯旦利(Steiner)在世界陆军战地双筒镜市场上提供 80% 的产品。

这些隐藏在背后的冠军在稳定的市场上较多。一般长期为家族拥有或关系户拥有。它们成功之道如下：

1. 它们对它们的顾客非常热忱，并且提供周到的服务，售后服务完整，且经常做一些派送(而非低价特售)，并且保持与顾客的密切联系。

2. 它们的高级管理人员与重要客户，保持直接的定期的联系。

3. 它们经常革新，目的是让顾客受惠。

隐藏的冠军，除德国外，在其他国家这类公司也很多。它们同样具有产品市场，目标集中，地区差别很大，并且在自己的补缺市场内有很高声誉。

资料来源: Hermann Simon, *Hidden Champions* (Boston: Harvard Business School Press, 1996).

本地化营销

目标营销者采用地区和本地化的营销方法，把营销方案裁剪成符合本地顾客群需要和欲望的计划(贸易地区、邻近区域，甚至个性化商店)。例如，花旗银行要求它的分支机构为各邻近区域提供不同的银行服务组合。卡夫帮助连锁超市选择奶制品组合和货架位置，在低收入、中收入和高收入商店中最佳配置奶制品，并满足各地不同的民族社区要求。

赞同公司本地化营销的观点认为，全国性的广告是一种浪费，因为它不能对本地目标顾客群产生影响。反对本地化营销的人争辩说，由于这减少了规模经济而增加了制造成本和营销成本。市场后勤由于公司忙于满足不同地区和本地营销而变得更为重要。并且，如果各地的产品与信息传播不同，品牌整体形象被削弱了。

个别化营销

市场细分的最后一个层次是："细分到个人"、"定制营销"或"一对一营销"。[9]大众化营销的盛行使一个多世纪来为个人定制服务的工作黯然失色：裁缝为每位女士特制不同的服装；鞋匠为每个人的脚特制不同的鞋，等等。但今天企业对企业的营销是定制化的，制造商为每个大客户定制供应品、送货和开账单。现在的新技术——电脑、数据库、机器人生产、电子信箱、传真机——使公司考虑定制营销成为可能，或把它称为"大众化定制"。[10]**大众化定制**(mass customization)是一种在大量生产准备上的为个人设计和传播的以满足每个顾客要求的能力。

安德森窗门公司(Andersen Windows)　安德森窗门公司主要是给住房制造窗户，销售额达 10 亿美元，它正在转化为大众化定制，另加了一条产品线生产宽大无缝产品后，使业主和合同商选择变得很容易。在六年期间，它们的产量增长了三倍，为了创立订单，或者签订用户定制的订单，安德森窗门公司开发了一种交互式的计算机服务，让零售商和分销商直接与工厂建立产品目录关系。利用这个系统，在它们的 650 个展厅里，销售人员能帮助每位顾客订购各自需要的门窗，检查结构是否牢固，并且设立一个报价表。从展厅那里，安德森根据每张订单，开发了"单件批量"生产工艺，从而减少最终产品的库存(这是公司的一个主要成本项目)。[11]

如果想得到更多在消费品市场及企业市场中，关于大众化定制的材料，以及它的前景的讨论，参见"新千年营销——对每个人的细分：大众化定制时代已经来临"。

新千年营销

对每个人的细分：大众化定制时代已经来临

设想你走进一个房间，一组白光向你投射过来，只用几秒钟，你身体的三围立体曲线就被收集，数字化后存于一张信用卡内，用这张卡你就可以订取专门为你度身定做的服装。当然，这并不是星际飞船上有前卫意识的策略。而是在不久的将来做衣服的方式。大约有 100 多家公司，包括李维(Levi)在内，正合作开发人体扫描技术以期这种大众化定制在普通人的身上也能实现。

在人体扫描及智能卡携带人体数据技术正在加紧研发的同时，许多公司正用现有技术为顾客提供定制化产品。我们知道戴尔为它的顾客定制电脑。但这里仍有许多非技术公司也站在了提供定制化服务的最前沿：

马特尔(Mattel) 自 1998 年开始，女孩子们能在芭比在线(Barbie.com)上设计自己的芭比伙伴。她们能给自己的芭比选择肤色、眼球的颜色、头发的颜色、发型、服装和饰品，以及她们的名字。她们甚至可以详细列出她们芭比娃娃的爱憎。当芭比伙伴邮寄来时，女孩子们可以在它的包装上找到娃娃的名字以及计算机生成的关于娃娃的个性的描述。

定制皮鞋(Custom Foot) 在康涅狄格州西岸的这家公司有五个分店，它们测量女士的脚后得出 13 个尺寸，并用电子邮件方式送到意大利。在那里，顾客的鞋子会根据顾客的尺寸定制，并考虑到顾客的特殊情况如撞伤和肿块等。

李维(Levi) 从 1994 年开始，李维便开始根据女士的身材为她们定做牛仔服，现在这种业务又有了新的发展，称作原装定做。这种服务提供更多的风格选择。同时，它也为男士提供这样的服务。目前，在一个李维牛仔服供应全面的店铺，同一腰围及长度的牛仔裤会有 130 多种款式供选择。如果提供个性化服务，这个数量是 430 种，如果提供的是原装定做，这个数字将猛增至 750 种。

光盘廷维(CDucTive) 在纽约特里布克的光盘廷维可以让顾客在网上制作自己的光盘。如果有人喜欢梦幻爵士，他可以直击这个目录，接着便可以看到 30 个标题，每个可以截取 45 秒，只需敲几下键盘，他便可以订购一张包含了他所选择的所有旋律在内的光盘，价格 21 美元。

阿库明（Acumin）　在因特网上的维生素公司阿库明，将维生素、草药和矿物质，根据顾客的要求混合在一起，将近 95 种成分制成 3 种～5 种个性化药丸。总的承诺简单而富有吸引力：为什么在可以只吃三颗药丸的时候，你要去吃 60 种不同的药丸呢？这三颗药丸就包含了你所选择的 60 种维生素。

　　正如集体化大生产是 20 世纪的组织观念一样，大众化定制生产将成为 21 世纪的生产组织原则。有两种趋向使这一趋势日渐明显。第一，在客户服务中，顾客至上是重点，顾客不仅对产品的质量有所要求，而且还要求产品满足自己个性化的需要。营销专家里吉斯·麦克纳说："在美国，选择机会比品牌更有价值。"然而，如果不是考虑到其他趋势而使为顾客提供多种选择成为明显的不可能，那么，阻止向顾客提供多种选择的一个因素就是它成本太高。但另一个趋势是新兴技术的突起。计算机控制的工厂设备及工业机器人现在已能够快速地重新调整装配线。条形码扫描器也使追踪部件及产品成为可能。数据库也可储存数亿的消费者信息。所有这些，最重要的是因特网将它们连接起来，使公司可以很容易地与其顾客进行联系，获知他们的喜好和他们的反应。《大众消费》的作者约瑟夫·派因（Joseph Pine）说："任何你可以数字化的东西都可以为用户定制。"

　　并不是只有那些销售给消费者的商人在驾御这些趋势，企业对企业的商人也发觉在相同的时间内可以提供给顾客便宜和曾经提供过的标准的零售商制造的商品和服务。特别是小公司，大众化定制营销提供了一个它们与大竞争者竞争的方法。

　　化学基地（ChemStation）　这个位于俄亥俄州戴顿的拥有 2 500 万美元资产的公司，提供给它的顾客从洗车站到美国航空公司不同配方的洗涤液。用于洗汽车的洗涤液未必能把飞机或矿井里的设备洗干净。销售人员拜访顾客，收集关于顾客洗涤需要的信息。所有来自公司化学实验室及中心用户定制化数据基地的信息称为液槽处理系统（TMS）。TMS 直接连接实验室和公司分布于美国的40 多家加工厂，在那些加工厂内，计算机控制的机器正用顾客需要的特殊配方生产。

　　罗斯／富莱克斯（Ross／Flex）　罗斯控制公司是一个位于密歇根州特罗里的专营压力阀门的生产商。在罗斯／富莱克斯的计划下，通过提供用户定制化阀门系统，使其在戴利－科马萨（Danly-Komatsu）拥有 2.5 亿客户。利用计算机辅助设计及计算机辅助控制技术，罗斯可以在两天内将模型运到戴利－科马萨的工程师手中。因为该系统是适合用户的，所以，工程师将它安装在他们压力机上的时间只有原来他们安装及装配标准件时间的一半。

　　无论是面向消费者还是面向企业的营销者，关系营销都是大众化定制项目的一个重要组成成分。它与大规模生产不同，省略了人们相互交流所产生的需要，大众化定制使得企业与顾客的关系比以前更为重要。举例来说，罗斯控制公司限制了其提供用户定制化阀门系统用户的数量，是因为它们认为这么多的第一线合作已经足够。然而，对于化学基地公司，其 95% 的用户都永远不会离开，那是因为他们觉得告诉别的公司他们洗涤的需要是得不偿失的。对于面向消费者的企业，这种关系在销售前就开始了。当李维公司销售开架牛仔服后，其消费者就走出商店，也许就再也不回去了。当李维销售它的预定牛仔服，公司不但获取数字化形式的消费者资料，而且成为消费者的牛仔服顾问。马特尔正在建立一个购买芭比娃娃的小朋友的信息数据库，这样它跟每个小朋友建立一对一的关系，从而决定其将来的销售计划。

资料来源: Erick Schonfeld, "The Customized, Digitized, Have-It-Your-Way Economy," *Fortune*, September 28, 1998, pp. 115 ~ 124; Bruce Fox, "Levi's Personal Pair Prognosis Positive," *Chain Store Age,* March 1996, p. 35; Jim Barlow, "Individualizing Mass Production," *Houston Chronicle*, April 13, 1997, p. E1; Sarah Schafer, "Have It Your Way," *Inc.*, November 18, 1997, pp. 56 ~ 64; Marc Ballon, "Sale of Modern Music Keyed to Customization," *Inc.*, May 1998, pp. 23, 25; Anne Eisenberg, "If the Shoe Fits, Click It," *New York Times*, August 13, 1998, p. 1, Regis McKenna, "Real-Time Marketing," *Harvard Business Review*, July – August 1995, p. 87.

根据马自达公司的主要设计师安罗特·奥斯托（Arnold Ostle）的观点："顾客们希望对他们购买的各自的产品加快速度。"[12]当今的技术为"广播载体转化为交流载体"的营销提供了机会，在这里，顾客可实际参与产品和提供物的设计。

今天的顾客对购买什么和怎样购买希望有更多的主动参与。他们点击因特网；查看信息和评估产品和服务；与供应商、用户和产品批评者交谈；根据自己的主意决定最好的提供物。

营销者将继续影响这一过程，但采用的是新方法。他们需要提供免费电话号码，使顾客能容易地与他们讨论问题，提出建议和抱怨。他们使顾客更多地进入产品开发过程，使新产品成为听取目标顾客群体后由生产者和销售代表合作设计，他们把他们的公司置于因特网的主页上，提供全部的产品、保证等信息。

市场细分的模式

市场细分的方法有很多种。其中之一就是识别偏好细分市场。假设我们向冰淇淋的购买者询问甜份和奶油两个产品属性。由此产生三种不同的偏好模式。

● 同质偏好（homogeneous preferences）。图9—1(a)显示了一个所有消费者有大致相同偏好的市场。这个市场显示出并不存在惯常的细分市场。我们可预言：现存的品牌将会是类同的，并且都处在甜度与奶油两者偏好的中心。

● 扩散偏好（diffused preferences）。在另外一个极端，消费者偏好可能在空间四处散布[图9—1(b)]。这表示消费者对于产品的要求存在差异。先进入市场的品牌可能定位在市场的中心，以迎合最多的购买者。一个位于中心的品牌可使所有消费者总的不满为最小。新进入市场的竞争者，可能把它的品牌设置在原先的品牌附近，从而引发一场争夺市场份额的战斗，或者把它的品牌设置在一个角落里，以赢得那个对位于市场中心品牌不满的消费者群体。如果这个市场上有好几个品牌，则它们很可能定位于整个空间的各处，各显示其实质差异，来迎合消费者偏好的差异。

● 集群偏好（clustered preferences）。市场可能出现有独特偏好的密集群，这些密集群可称为自然的细分市场[图9—1(c)]。第一个进入此市场的公司有三种选择。它可以将产品定位于中心，以迎合所有的群体(无差别营销)。它也可以将产品定位在最大的细分市场内(集中营销)。它可以推出好几种品牌，分别定位于不同的细分市场内(差别营销)。显而易见，如果公司只发展一种品牌，那么竞争者就会进入其他的细分市场，并在那里导入许多品牌。

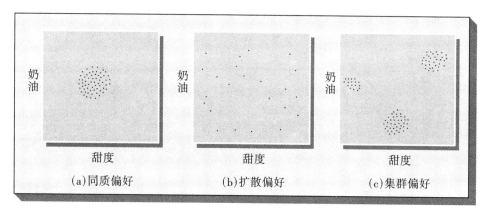

图9—1　基本市场偏好模式

市场细分的程序

辨别市场细分的程序包括三个步骤：调查、分析和描绘。

步骤1　调查阶段

研究人员进行探索性面谈和召开小组座谈，获得消费者的动机、态度和行为的信息。然后，研究人员准备正式的调查表搜集下列资料：属性及其重要性排列；品牌知名度和品牌等级；产品使用方式；对产品类别的态度；被调查对象的人文变量、心理变量和宣传媒体变量。

步骤2　分析阶段

研究人员用因子分析法分析资料，剔除相关性很大的变量，然后用集群分析法划分出一些差别最大的细分市场。

步骤3　描绘阶段

根据消费者不同的态度、行为、人文变量、心理变量和媒体形式划分出每个群体。根据主要的不同特征可给每个细分市场命名。例如，在对游乐市场的一项研究中，安德里逊(Andreasen)和贝克(Belk)划分了六个细分市场：[13]消极的以家庭为生活中心者；积极的体育运动爱好者；固执己见的自我满足者；文化活动者；积极的以家庭为生活中心者；社会活动者。例如，他们发现文化活动者是订购戏剧和交响乐演出门票的最佳目标。

因为细分市场在不断变化，所以，市场划分的程序必须定期反复进行。在一段时间内，个人电脑市场划分为两个产品属性：速度与功率。因此，把个人电脑市场划分为两个宽地带(高端用户和低端用户)，但忽视了有潜力的中间层次。在 20 世纪 90 年代初，个人电脑开始出现"SOHO"市场，即"小办公室和家庭办公室"市场，诸如戴尔和盖特威（Gateway）等邮寄订单公司注意到市场需要一种家庭办公电脑，它的特点是低价格和用户友好。很快地，这种电脑的营销者又发现 SOHO 由更小的细分市场片所组成。戴尔公司的执行经理进一步说："小办公室与家庭办公室的需要区别也很大。"[14]

发现新的市场细分的一种方法是调查消费者挑选品牌时，如何以自己的方式选择现有变量的顺序。这个过程称为**市场划分**（market partitioning）。许多年以前，大多数购买汽车的顾客首先选择制造商，然后再选择其某个事业部的产品（重视品牌层次）。例如有个购买者可能喜欢通用汽车公司的汽车，并特别看中了产品系列中的庞迪亚克牌汽车。现在许多购买者则首先决定买哪个国家制造的汽车（重视国家层次）。购买者可能首先决定要买日本汽车；然后作第二层选择，比如要买丰田车；紧接着第三层选择，如要买丰田公司的卡路达牌汽车。企业必须密切注意消费者选购商品属性的层次中潜在变化和不断根据消费者的优先次序进行调整。

属性的层次还可用来划分顾客细分市场。那些首先选择价格的购买者是重视价格型的；那些首先选择车型的购买者（运动赛车、轿车、旅行汽车）是重视车型的；那些首先选择汽车品牌的购买者是重视品牌型的。我们可更进一步将顾客划分为重视车型／价格型／品牌型，并依此顺序将他们归入一个细分市场；将重视质量／服务／车型的顾客归入别一个细分市场。每个细分市场的人文变量、心理变量和宣传媒体变量均有所不同。[15]

细分消费者和企业市场

细分消费者市场的基础

细分消费者市场常用的变量分为两大部分。有些研究人员根据消费者特征细分市场。为此他们常常使用大量不同的地理、人文和心理特征作为划分市场的根据，然后再看这些顾客群体是否对产品有不同的反应。例如，他们可能会考虑"专业人士"、"蓝领"工作者以及其他阶层人士对美国汽车"安全性"的不同态度。

另一些研究人员则是通过顾客对产品的反应细分市场，例如所追求的利益、使用时机和品牌忠诚程度。一旦细分市场完成后，研究人员就会考察每个细分市场是否有不同的消费者特征。例如，研究人员可能要考察那些在购买汽车时要求"高质"或"低价"的顾客是由不同的地理、人文和心理阶层组成不同所决定的。

我们讨论表 9—1 所列出的主要变量——地理、人文、心理和行为因素。

地理细分

地理细分（geographic segmentation）要求把市场划分为不同的地理区域单位，如国家、州、地区、县、城镇或街道。公司可以决定在一个或一些地理区

表 9—1　　　　　　　　　　　　　消费者市场的主要细分变量

地理因素

地区	太平洋岸，高山区，西北区，西南区，东北区，东南区，南大西洋岸，中大西洋岸，新英格兰
城市或标准都市统计区大小	小于 5 000 [①]; 5 000～19 999; 20 000～49 999; 50 000～99 999; 100 000～249 999; 250 000～499 999; 500 000～999 999; 1 000 000～3 999 999; 4 000 000 或 4 000 000 以上
人口密度	都市，郊区，乡村
气候	北方的，南方的

人文因素

年龄	6 岁以下，6 岁～11 岁，12 岁～19 岁，20 岁～34 岁，35 岁～49 岁，50 岁～64 岁，65 岁以上
家庭规模	1 人～2 人，3 人～4 人，5 人以上
家庭生命周期	青年，单身；青年，已婚，无子女；青年，已婚，最小子女不到 6 岁；青年，已婚，最小子女 6 岁或 6 岁以上；较年长，已婚，与子女同住；较年长，已婚，子女都超过 18 岁；较年长，单身；其他
收入	少于 10 000 美元；10 000 美元～15 000 美元；15 000 美元～20 000 美元；20 000 美元～30 000 美元；30 000 美元～50 000 美元；50 000 美元～100 000 美元；100 000 美元和 100 000 美元以上
职业	专业和技术人员；管理人员，官员和老板；职员，推销员；工匠，领班；操作员；农民；退休人员；学生；家庭主妇；失业
教育	小学或以下；中学肄业；高中毕业；大专肄业；大专毕业
宗教	天主教，基督教，伊斯兰教，印度教，其他
种族	白人，黑人，亚洲人
代沟	婴儿潮，X 代
国籍	北美，南美，英国，法国，德国，意大利，日本
社会阶层	下下，下上，劳动阶层，中中，中上，上下，上上

心理因素

生活方式	俭朴型，追求时尚型，嬉皮型
人性	被动，爱交际，喜命令，野心

行为因素

使用时机	普通时机，特殊时机
追求的利益	质量，服务，经济
使用者状况	从未用过，以前用过，有可能使用，第一次使用，经常使用
使用率	不常用，一般使用，常用
品牌忠诚情况	无，一般，强烈，绝对
准备程度	未知晓，知晓，已知道，有兴趣，想得到，企图购买
对产品的态度	热情，积极，不关心，否定，敌视

域开展业务，或者面向全部地区，但是要注意地区之间的需要和偏好的不同。例如，希尔顿旅馆根据它们所处的地理位置设计个性化的房间。美国东北部的旅馆，更豪华、更高级；而西南部的更乡村化。再如，作为一家在地域市场上很有营销经验的公司，金宝汤料又是怎样经营的呢？从 1994 年始，这家公司就将它的佩斯(Pace)沙司进行地域性销售，对西南的消费者没有必要告知"沙司"的每一种成分，而在东北的用户也被隐瞒了其成分。在北部，包装、与顾客的交流及市场运作要更具有教育意义。越来越多的地域营销意味着按不同的邮政区域进行划分[16]：

布洛克巴斯特娱乐公司(Blockbuster Entertainment)　布洛克巴斯特娱乐公司已经投资建立了一个复杂的数据库，以跟踪它的 8 500 万客户的录像片偏好，并从公司之外购买人文因素资料。然后，它在不同的店铺库存不同的产品。旧金山店有更多反映同性恋关系的碟片，以满足这个城市大量同性恋人口的需求；芝加哥店会有更多的家庭片及戏剧片。布洛克巴斯特娱乐公司甚至能研究出东达拉斯与西达拉斯的需求差别。

人文细分

在**人文细分**(demographic segmentation)中，市场按人文学变量细分，如年龄、性别、家庭人数、家庭生命周期、收入、职业、教育、宗教、种族、代沟、国籍为基础，划分出不同的群体。人文变量是区分消费者群体最常用的基础，其中一个理由是消费者的欲望、偏好和使用率经常与人文变量有密切的联系，另一个理由是人文变量比大部分其他类型的变量更容易衡量。即使目标市场是根据非人文因素(如性格类型)来加以描述的，但是，为了了解目标市场的大小和有效地达到目标市场，还是应该考虑人文因素。

下面，我们将举例说明怎样运用某些人文变量进行市场细分。

年龄和生命周期阶段　消费者的欲望和能力随年龄而变化。奇巴公司(Gerber)认识到这一点并开始在它传统的婴儿食品以外开发新产品线。它的新"格兰杜巴斯"产品线是专为一岁的儿童生产的。由于婴儿出生率的下降，婴儿用奶期的增长和孩子进入固体食物哺育的提前，这些原因促进该公司进入新的细分市场。该公司希望购买奇巴婴儿食品的父母将随着孩子的长大，接受奇巴的格兰杜巴斯产品。[17]世嘉（Sega）作为电脑游戏的巨人，也有一个类似的目标，也就是想保持其主要市场份额中的忠诚顾客。世嘉正将面对成人的一些相关商品投放市场。包括服装及运动设备，全部标有世嘉运动商标。世嘉的主要市场对象是 10 岁～18 岁的年轻人。一个世嘉的特许经营执行官说："他们坐在卧室里，几小时地玩游戏，然后他们到了 18 岁，发现了女孩子……于是，电脑便被搁置起来。"服装及其他产品将把这一品牌引向一个更成熟的人群。市场上还会有世嘉牌的表，也会有世嘉牌的鞋和世嘉运动标志的足球和篮球。[18]

摄影胶片公司现在在胶卷市场上应用年龄和生命周期变量细分市场。由于胶片销售下降，胶卷制造商在艰苦地开发一些有前途的市场：母亲、孩子和老人。

伊斯曼·柯达（Eastman Kodak）　柯达开始面向孩子销售照相机，这种一次性照相机机身配有一个信封，这个信封是用来将胶卷寄回柯达冲洗的。这一举措的目的是让孩子们自立，他们不用恳请他们的妈妈花时间将他们的胶卷送到冲洗行冲洗。这往往是阻碍小孩子拍照的一个因素。妈妈们也不愿意看到孩子们在深夜里狂欢集会的照片。为进一步唤起孩子们的自立意识，柯达发起了一个名为"大拍摄"运动。在人文因素的另一端，柯达培训自己的退休人员，为其他退休人员开摄影工作室。自 1992 年来，柯达的外交计划将退休人员送往肯尼亚，在国家公园、迪斯尼乐园巡回，旅行的组织者或巡回的组织者将给这些柯达的旅行者付薪，这些人员提供日常摄影讲解、示范以及一些教授旅客或乘客摄影知识的活动，他们实际还在继续为柯达公司服务。[19]

然而，年龄和生命周期这两个变量是复杂的。例如，福特汽车公司在开发野马牌汽车的目标市场时，就是利用购买者的年龄来划分的：该车是专为迎合那些希望拥有一辆价格不贵，而外观华丽的汽车的年轻人而设计。可是，福特汽车公司发现，野马牌汽车的买主各种年龄群体的人都有，于是它认识到它的目标市场并非年龄上年轻的人，而是心理上年轻的人。

纽加顿（Neugarten）研究所指出要避免随便地认为同一年龄的需要差别不大的错误：

> 现在已经无法用年龄准确地说明生活中各事件发生的时机，也无法说明一个人的健康、工作状况、家庭状况。因此，也就更不能以此作为说明一个人的兴趣、偏好和需要等情况的依据。对于同龄人，我们可以有多种印象：同是 70 岁的人，有的已送子女读大学了，有的刚为新生婴儿准备儿童室。从而可以排列出初次当父母的年龄从 35 岁到 75 岁。[20]

性别　性别细分一直运用于服装、理发、化妆品和杂志领域。其他领域的市场营销者偶尔也注意到性别细分的机会。香烟市场提供了一个极好的例子。大多数香烟品牌对男女抽烟者来说是一样的。然而，具有女性品牌的香烟，如弗吉尼亚·斯利姆（Virginia Slims）被引进市场，这些品牌具有合适的风味、包装及提示增强妇女形象的宣传广告。

i 乡村在线（iVillage.com）　i 乡村在线是一个专门面对女性的网站，在为大市场服务时从妇女市场中获得利益。i 乡村在线提出一个小小的承诺："为我们其余的人设置的互联网"，最初的对象是家庭妇女，为女性提供帮助使这一网站很快大受欢迎。例如，父母汤料（Parent Soup）专门给那些父母（特别是妈妈）提供建议和技巧。因此，i 乡村在线很快成为女性领导者。它的主页号召浏览者"加入我们中来，做一个潇洒的、富有同情心的真女人"。虽然 i 乡村在线没有获得一分钱利润，但它的广受欢迎赢得了 6 700 万美元的投资资金加盟。[21]

另一个正在开始认识到性别细分潜力的行业是汽车业。过去，汽车主要是为迎合男性设计的，然而，随着拥有自己汽车的妇女人数增多，一些汽车制造厂正在研究市场，设计具有吸引妇女特点的汽车。

收入　收入细分是另一长期习惯做法，它运用于诸如汽车、游船、服装、化妆品、旅游等产品和服务行业。然而，根据收入变量也不一定能测出一件特定产品的最佳买主。蓝领劳动者也能列入最早购买彩色电视机的买主行列；因为对他们来说，购买彩色电视机比上电影院和餐馆更便宜。最经济的汽车并非由真正较穷的人购买，而是由那些在他们自己心目中感到与他们抱负相比是贫困的人所购买。另一方面，中等价格和昂贵的汽车则由各个社会阶层中富裕的人士所购买。

代沟　许多研究者目前转向用代沟来细分市场。这个创意来自于每一代人受到在他们成长中的环境背景的深远影响——当时的音乐、运动、政策和各种事件。某些营销者的目标是婴儿潮（出生于 1946—1964 年），应用适当的传播和标志来吸引这一代人中的乐观主义者。另一些营销者的目标是 X 代（出生于 1964—1984 年），这一代人是在对社会、政策、广告与商品怀疑的环境中成长的。X 代的人在评估产品中思想复杂，许多人对过多欺诈的广告和言过其实的宣传关闭了他们的大门。[22]梅拉德斯（Meredith）和斯库（Schewe）提议将重点放在他们称为军团的代沟细分上。[23]"军团"（cohorts）是指一大群人，他们曾经经历过深深影响他们态度和喜好的重大事件。有的军团经历过大萧条时期，有的军团则经历过世界大战，有的则经历过越南战争，等等。军团中的成员觉得他们互相紧密联系着是因为他们拥有同样的重大经历。营销者经常用他们的肖像及他们卓越经历的图片为军团做宣传。

社会阶层　社会阶层对个人在汽车、服装、家用设备、闲暇活动、阅读习惯、零售等方面的偏爱上有强烈影响。许多公司为特定的社会阶层设计产品和提供服务。

社会阶层的品味随着时间也会变化。例如，20 世纪 80 年代的上层社会是贪婪和铺张的。但 90 年代的他们是有价值观和自我满足的。专家们观察到，现代富裕的人偏向实用功利主义，例如，他们偏好漫游者和福特公司的探险者，而非梅塞德斯汽车。[24]

心理细分

在**心理细分**（psychographic segmentation）中，根据购买者的社会阶层、生活方式或个性特点，将购买者划分成不同的群体。在同一人文群体的人可能表现出差别极大的心理特性。

生活方式　人们在生活方式上的表现要大大超过被介绍的七种社会阶层的影响。事实上，他们消费的商品也反映他们的生活方式。例如：

奥斯莫别车（Oldsmobile）　对上层人士生活方式来说，奥斯莫别车排在高尔夫球的后面。人文学家分析打高尔夫球者平均年龄在 43 岁，年收入 56 000 美元。研究报告揭示，玩高尔夫球的人在买新车的兴趣上要比普通人高 143%。记住这些数据，奥斯莫别车在美国的乡村俱乐部举办用奥斯莫别汽车争夺高尔夫球的比赛，以吸引该车的经销商和潜在购买者。

对于享受生活的细分群体而言，肉类产品似乎不太受欢迎。然而，一个有见地的零售商却发现，将自助肉类产品按不同生活方式的偏好分类排放，能取得很好的销售成绩：

克罗格公司(Kroger Company)　在绝大多数的零售商店，从自助肉制品的冷柜旁走过，你会发现肉类被分类排放，这边是猪肉，那边是羊肉，在更远处放的是鸡肉。一家在田纳西州纳西维的克罗格超市，决定将不同的肉类按不同生活方式的人的消费偏好分类摆放。例如，有一区域标为"速食肉类"，另一区域标为"厨房原肉类"。还有一处，堆满热狗及汉堡类的半成品，标为"孩子们的最爱"。另外一处的标题为"我喜欢烹饪"。这种集中于生活方式而非蛋白质目录分类，克罗格试验商店鼓励购买牛猪肉的常客考虑购买小羊肉和小牛肉，还有，该公司16英尺的服务柜，经常在每周能获得10 000美元的销售额，看来它获得了销售与利润的双丰收。[25]

制造化妆品、酒精饮料以及家具的公司也都在生活方式细分中寻求良机。然而，按生活方式细分并非总是奏效的。例如，雀巢公司向"熬夜的人"推销一种特制的除去咖啡因的咖啡品牌，但是遭到了失败。

个性　营销人员也已经使用个性变量来细分市场。他们给他们的产品赋予品牌个性，以符合相对应的消费者个性。在20世纪50年代后期，福特与雪佛莱汽车是按不同的个性来促销的。福特汽车的购买者被认为是独立的、感情容易冲动的、男子汉气质的、留心改变以及具有自信的人，而雪佛莱汽车的拥有者则为保守的、节俭的、关心声誉的、较少男子气质的以及力求避免极端的人。

价值观念　有些营销者通过核心价值观来细分市场，这个简要系统存在于消费者的心态及行为。核心价值观比行为和心态更为深入，其在相当长一段时间内，在一个基本水平上决定着人们的选择及需求。那些通过价值观细分的商人坚信只有吸引人们的内在本性，才有可能影响人们的外部本性——他们的购买行为。一个市场调研公司的《罗珀(Roper)全球消费者调查报告》已经为全球市场制定出一个价值观细分计划。参见"营销备忘——对全球主要价值观念的调查"。

营销备忘

对全球主要价值观念的调查

在1997年，罗珀对35个国家的1 000个人，在他们家中进行了面对面的访谈。作为调查内容的一部分，他们列出了他们生活中作为指导理念的56个价值准则。在成人中，罗珀发现有六个全球性的价值准则，尽管在这35个国家中受重视的程度不尽相同。有意思的是，全球人们最重视的价值是在物质方面，其次才是精神方面的。

● 进取者。进取者是最大的人群(占12%)。男性稍多于女性，并且他们较之其他人群更重视金钱和事业。在亚洲的发展中国家，有1/3的人是进取者，而在俄罗斯和亚洲的发达国家，这一人数占1/4。

● 传统型人。这种人占成人的22%。传统型人中女性多于男性，她们很重视传统和责任，这种类型的人在亚洲发展中国家、中东及非洲的调查者中较为普遍，在亚洲及西欧发达国家不多见。

● 利他人者。这种人占18%。女性稍多于男性，她们热衷于社会问题及社会福利。她们平均年龄为44岁，是一个年纪偏大的人群，拉美及俄罗斯国家中居多。

● 温情型人。占15%。将家庭和人际关系看得比什么都重要，男性女性都有，在亚洲发展中国家中，这样的人只占7%，而在欧洲及美国，这样的人占1/4。

● 及时行乐者。尽管在亚洲发达国家中这样的人不多，但占全球人口的12%，并不出乎人的意料，她们都是年轻人。男女比例是54∶46。

● 创造型人。这种人只占10%，排在最后。他们最突出的品质是对教育知识和技术极热衷。这种人在拉美和西欧较为多见。与重视温情型的情况一样，这类人的性别比例较为均衡。

罗珀研究显示出不同类型的人热衷于不同的活动，购买不同的物品，偏好不同的媒体。指导一国中哪类人居多可以帮助他们制定营销战略，使广告商的广告更有针对性，从而吸引那些最有可能购买的人群。

资料来源: Adapted from Tom Miller, "Global Segments from 'Strivers' to 'Creatives,'" *Marketing News*, July 20, 1998, p. 11.

行为细分

在**行为细分**(behavioral segmentation)中，根据购买者对一件产品的了解程度、态度、使用情况或反应，将他们划分成不同的群体。许多营销人员坚信，行为变量——时机、利益、使用者地位、使用率、忠诚状况、购买者准备阶段和态度——是对建立细分市场至关重要的出发点。

时机 根据购买者产生需要、购买或使用产品的时机，可将他们区分开来。例如，由于商务、度假或家事等有关时机需要，引起了乘飞机旅行。一家航空公司就可以向人们提供针对某种情况的专门服务。例如，租机航空公司专门为度假的乘客提供服务。

时机细分可以帮助公司开拓产品的使用范围。例如，橘子汁通常是早餐饮用的。橘子汁公司就可以尝试宣传在午餐或晚餐时饮用橘子汁。某些节日(如母亲节和父亲节)，有时可以被利用来增加糖果和鲜花的销售量。柯蒂斯糖果公司利用在万圣节前夕"孩子们挨户要礼物"的习俗来促销糖果。因为这时每家每户都会准备好把糖果分发给来他们家中串门的小客人。

公司也可以关心人生旅途中的特定事件，对这些特定事件提供服务的有婚姻、求职和丧事顾问。

利益 按购买者对产品追求的不同利益，将其归入各群体，这是一种卓有成效的市场细分方式。例如，一个由旅游派生的利益分析发现了三个主要的细分市场片：那些全家去度假的旅游者，那些为冒险或教育目标的旅游者，那些为了"赌博"和"享乐"的旅游者。[26]

一个最为成功的利益细分是哈雷所做的牙膏市场的研究（表9—2）。哈雷的调研揭示四个利益细分市场，即追求经济利益、保护利益、美容化妆利益和气味利益。每个追求利益的群体都有其特定的人文方面的、行为和心理方面的特点。例如，防止龋齿的追求者，都属大家庭，都是大量牙膏的使用者，并且是因循守旧的。在每个细分市场也有一些受偏爱的品牌。一家牙膏公司能够利用这些调查的结果，以集中力量使其现行品牌更好并推出新的品牌。

表9—2　　　　　　　　　　　　　牙膏市场的利益细分

利益细分市场	人文	行为	心理	偏好的品牌
经济(低价)	男	大量使用者	高度自主,着重价值	减价中的品牌
医用(防蛀)	大家庭	大量使用者	忧郁症患者,保守	佳洁士
化妆(洁白牙齿)	青少年,年轻人,成年人	抽烟者	高度爱好交际,积极	麦克莱恩斯,超级布赖特
味觉(气味好)	儿童	留兰香味喜爱者	高度自我介入,享乐主义	高露洁,艾姆

资料来源: Adapted from Russell J. Haley, "Benefit Segmentation: A Decision Oriented Research Tool," *Journal of Marketing*, July 1963, pp. 30 ~ 35.

使用者状况　许多市场都可被细分为某一产品的未使用者、曾经使用者、潜在使用者、首次使用者和经常使用者。血库不能指望有固定的输血者提供鲜血。它们必须补充新成员和说服已经输过血的人，这都需要不同的营销策略。一家公司在市场上的定位还将影响其工作重点。市场份额高的公司重点是吸引潜在用户，而较小的公司则需把市场领袖手中的客户争夺过来。

使用率　市场也可以按产品被使用的程度，被细分成少量使用者、中量使用者和大量使用者群体。大量使用者的人数通常只占总市场人数的一小部分，但是他们在消费中所占的比重却很大。营销者通常偏好吸引对他们产品或服务的大量使用者群体，而不是少量用户。

利珀的比格－泰尔商店(Repp's Big & Tall Stores)　在全国拥有200家分店的利珀的比格－泰尔商店，根据顾客反馈率、平均销售额，把它们的顾客划分为12个群体，其中有些顾客会每年反馈6封~8封邮件，有些是3封~5封，有些仅为1封~3封。利珀努力引导那些低反馈的顾客到他们还不知道的附近的利珀商店购物。不常去利珀店购物的顾客在特定的周末可以享有15%的购物优惠。利珀对顾客进行划分后，有针对性地发邮件，可以获得6%的反馈率，典型的是，没有经过区分的750 000封邮件只能有0.5%的反馈率。[27]

图9—2表示普通消费品使用率的一些资料。以啤酒为例，41%的人喝啤

酒。但大量饮用者消耗了啤酒总量的 87% ，即是少量饮用者消耗量的七倍以上。十分显然，大多数啤酒公司都把目标定在大量啤酒饮用者身上，并使用各种广告号召，如像米勒·立德的广告："尝试得越多，所选择的品种越少"。一种产品的大量使用者时常会有共同的人文和心理方面的特点以及接受某种传播媒体的习惯。以大量啤酒饮用者为例，他们的形象显示了下列特征：与少量啤酒饮用者相比较，他们更多地来自劳动阶级；他们的年龄在 25 岁～50 岁之间；他们每天大量看电视，他们喜欢观赏体育节目。诸如此类的形象，对于营销人员在进行定价、选择广告传播媒体等策略上大有裨益。

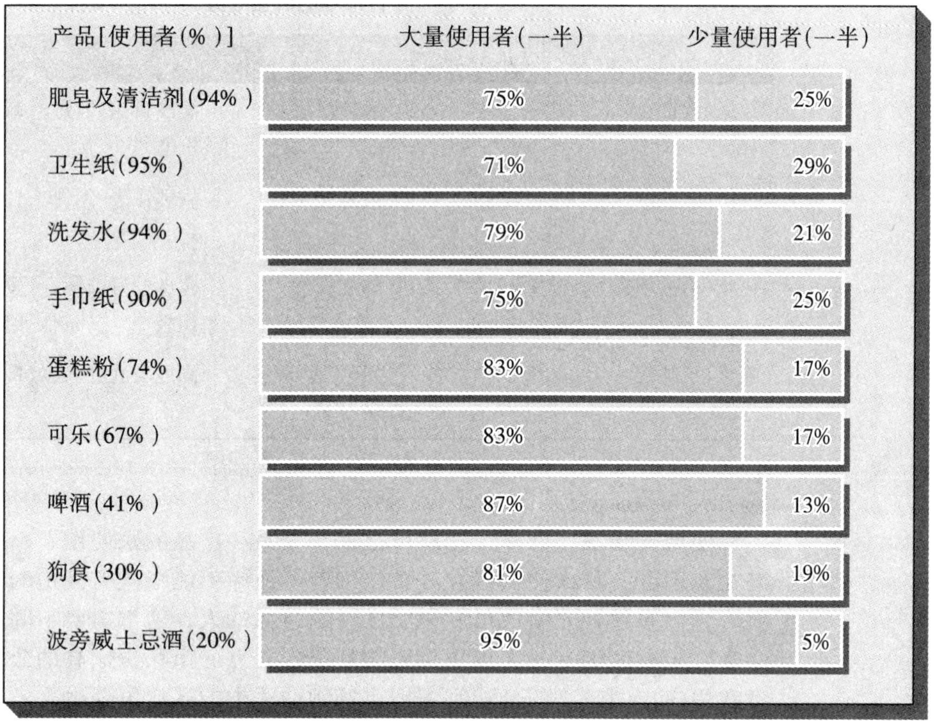

产品[使用者(%)]	大量使用者(一半)	少量使用者(一半)
肥皂及清洁剂(94%)	75%	25%
卫生纸(95%)	71%	29%
洗发水(94%)	79%	21%
手巾纸(90%)	75%	25%
蛋糕粉(74%)	83%	17%
可乐(67%)	83%	17%
啤酒(41%)	87%	13%
狗食(30%)	81%	19%
波旁威士忌酒(20%)	95%	5%

图 9—2　普通消费品的大量使用者和少量使用者

资料来源：See Victor J. Cook and William Mindak, "A Search for Constants: The 'Heavy User' Revisited," *Journal of Consumer Marketing,* Spring 1984, p. 80.

社会营销机构时常面临一个对付大量使用者进退两难的问题。例如，计划生育协会自然会将目标定在有最多小孩的家庭上；但是这些家庭也是控制生育宣传的强烈抵制者。全国安全委员会将目标定在不安全的驾驶员身上，而这些驾驶员却也是对安全驾驶最不合作的人。因此，这些机构必须考虑，是把目标定在少数强烈抵抗的严重冒犯者身上，还是定在多数较少抵抗的轻度冒犯者身上。

忠诚状况　消费者可能忠诚于某些品牌、某些商店或者其他实体。下面根据购买者的忠诚状况将他们分成四组：

● 坚定忠诚者，即始终不渝地购买一种品牌的消费者。
● 中度的忠诚者，即忠于两种或三种品牌的消费者。

● 转移型的忠诚者，即从偏爱一种品牌转换到偏爱另一种品牌的消费者。

● 多变化者，即对任何一种品牌都不忠诚的消费者。[28]

每一个市场由不同数量的四种购买者组成。一个品牌忠诚者的市场是一个对品牌的坚定忠诚者在买主中占很高百分比的市场。例如，牙膏市场和啤酒市场就是具有相当多的品牌忠诚者的市场。在一个品牌忠诚者市场推销商品的公司，要想获得更多的市场份额就很困难，而要进入这样一个市场的公司，也得经历一段艰难时期。

一家公司可以从分析它的品牌忠诚程度中学到很多东西：公司研究自己的坚定忠诚者的特征，以确定其产品的战略。公司通过研究它的中度的忠诚者，可以确认对自己最有竞争性的那些品牌。公司通过考察从自己的品牌转移出去的顾客，就可以了解到自己营销方面的薄弱环节，并且希望能纠正它们。

需要留心的是，品牌忠诚者购买模式的出现也可能反映出习惯、无差别性、低价、高转换成本或对其他品牌的不适用性。因此，公司必须仔细地分析在观察到的购买形式的后面究竟是什么。

购买者准备阶段　人们对于购买一件产品的准备程度各不相同。有些人还不知道该种产品；有些则已知道；有些已被通知；有些已产生兴趣；有些已有购买欲望；还有些则打算购买。这些有关的购买者，使得在设计营销计划时也有极大的差别。

假设有一个卫生机构，希望妇女每年接受帕普检查，以便及早发觉宫颈癌。在开始阶段，大部分妇女还不知道帕普检查时，营销努力应该是拟定一个简单的信息，着重于易被接受的广告宣传。后来，大多数妇女都知道了帕普检查，于是为了使更多的妇女趋向欲求阶段，这时的广告重点就应转为宣传帕普检查的好处和不检查的危险。检查的设备应配置妥当，以应付可能被说服而前来接受免费检查的妇女。

态度　在市场中，可以划分出五种不同态度的群体：热情、肯定、无差别、否定和敌视。在政治竞选运动中，上门拉选票的工作人员根据选民的态度，决定在选民身上花费的时间。他们感谢热情的投票者并提醒他们去投票；他们加强与那些积极倾向他们的人的关系；他们力图赢得无差别投票者的选票；他们不把时间花费在尝试改变否定和敌视态度的选民身上。当态度与人文中的主要因素达到密切相关的程度时，政党就能更有效地确定其候选人。

多种态度的细分（地理结构分析）

营销者现在不再谈论消费者的一般态度，他们甚至把他们的分析只集中于少数几个细分的市场片。而且，他们日益在交叉几种变量以力争确定更小的、更确定的目标群体。因此，一家银行不仅仅确认有钱的退休族，还根据他们的当前收入、财产、储蓄和对风险的态度细分他们。

一个有前途的多种态度细分方法是地理结构分析。它比传统的地理人口细分获得更丰富的对消费者和邻居的描述内容，因为它还体现了社会经济状况和居民的行为生活方式的影响。克拉利德斯公司开发的地理结构分析称为PRIZM（根据邮政区域市场的潜在排列标准），它把500 000以上的美国居民划分为62个明显的生活方式组称为PRIZM群体。[29]这些群体考虑了39个因素和五大类别：(1)教育与富裕；(2)家庭生命周期；(3)城市化；(4)种族与民族；(5)流动性。居民的分类根据邮政编码、邮政编码＋4，或地区和街区。普查者实质性地描述了这些类目，例如，蓝血阶层、赢者圈、城镇退休者、拉美人、短枪与搭车者和乡下人。PRIZM 遵循的格言是"物以类聚，人以群分"。集中于一起的居民有类似的生活方式，开同样的汽车，有同样的工作和读同样的杂志。下面是 PRIZM 细分的三群人。

美国梦者(American Dreams) 这个细分片的代表是新涌现的、上层、少数民族的、大城市的混合群体。他们购买进口车、读《伊尔》杂志、吃米斯列克斯麦片，周末打网球和穿设计讲究的牛仔裤。每户年平均收入 46 000 美元。

农业工人(rural industria) 这群人包括年轻的家庭，在中心区办公和做工。其生活方式是习惯驾驶卡车，读《真实故事》杂志，外出钓鱼，玩热带鱼。每户年平均收入 22 900 美元。

穿羊绒衫和逛乡村俱乐部者(Cashmere and Country Club) 这些成熟的流动工人在郊区过着优越的生活。他们喜欢购买梅塞德斯汽车，读《高尔夫文摘》，吃少盐食品，去欧洲旅行和买高档电视机。每户年平均收入 68 600 美元。

其他的 PRIZM 群体包括婴儿族，它指婴儿潮时期出生的并搬至郊区的人；年轻文人，它主要指 X 一代人；新经济人，它代表嬉皮士一族。[30]

营销者能应用 PRIZM 来回答一些问题：哪些群体(邻近居民或邮政编码区)中能产生最有价值的顾客？我们渗透到这些细分片的深度怎样？哪些市场、偏好点和促销媒介能为我们提供最好的增长机会？直接营销者，如斯比琪尔，使用地理结构信息，定制化地寻找和邮寄它们的目录清单。海伦·冠得斯公司在营销它的舒服洗发露时，使用 PRIZM 来确定居民区，并高度集中在年轻工作女性身上，这些女性对广告信息反映最好并认为舒服洗发露不贵，并能使她们的头发像瀑布一样滑爽。

地理结构作为细分工具的重要性日益被人们认识。它抓住了美国人口日益增长，随着数据库成本的下降，个人电脑在激增，软件使用更容易，数量一体化在增加，因特网的增加，微观细分营销进入了更小的组织。[31]

目标化的多重细分

公司常常开始营销一个目标细分片，然后扩散到其他分片。考虑下面一个小技术公司的经验：

寻呼网络(Paging Network) 寻呼网络公司是一家小的寻呼机系统开发商，它的细分市场片受到诸如西南贝尔公司和太平洋电信公司的子公司的竞争，寻呼网络公司的关键是它与竞争者没有区别，采用同样的技术手段，竞争表现在价格上。该公司采用低 20% 左右的定价。为了扩大竞争优势，该公司采用以下几个步骤：

1. 目标放在它容易进入的俄亥俄州，而该公司的总部在得克萨斯州，最初它采用地理细分。在这两个地区，当地的竞争者容易被寻呼网络公司的低价攻势侵入。

2. 寻呼网络公司的细分战略并非只考虑地理因素。公司分析了寻呼服务的用户概貌。目标集中于销售员、信息员和服务人员。该公司应用生活方式细分其他新增顾客群，如离开孩子呆在家里的父母亲，单独生活但其家庭成员要关心的老年人。

3. 寻找能接触更多受众的大商家，该公司决定通过电子部门分销它的产品，如凯马特、沃尔玛和家用百货公司。它给这些商店非常有吸引力的折扣，以换取寻呼机用户的月服务费。[32]

4. 寻呼网络公司第一个提供了声音寻呼的业务。

很多购物者并不能很清楚地具体划分到哪一类。很多消费者都是混合型购物者。"混合型购物者"被认为是那种会买昂贵的比尔·波拉斯(Bill Blass)品牌服装，然而那店却位于沃尔玛专营内衣裤的场地内。或者说就如"混合型饮食者"先吃健康选择(health choice)冷餐，然后吃本 – 杰里冰激凌甜点。仅仅通过观察一次买卖就来说明一种细分类型是很危险的。细分会忽略消费者的总体外形特征，然而，它却只能通过特定消费者的外形特征分析才能变得清晰明了。

细分企业市场的基础

许多用来细分消费者市场的变量，同样可以用来细分企业市场。企业购买者可以按地理因素、追求的利益和使用率等加以细分，但还需使用另外一些新的变量。博纳玛(Bonoma)和夏波罗(Shapiro)提出了企业市场分类的细分变量，见表9—3。他们还指出人文变量最重要，其次是经营变量等，直至顾客的个性特征。

表 9—3 　　　　　　　　　　　　　企业市场的主要细分变量

人文变量

1. 行业。我们应把重点放在购买这种产品的哪些行业？

2. 公司规模。我们应把重点放在多大规模的公司？

3. 地址。我们应把重点放在哪些地区？

经营变量

4. 技术。我们应把重点放在哪些顾客重视的技术？

5. 使用者或非使用者情况。我们应把重点放在大量、中量、少量使用者身上，还是非使用者身上？

6. 顾客能力。我们应把重点放在需要很多服务的顾客身上，还是只需要很少服务的顾客身上？

采购方法

7. 采购职能组织。我们应把重点放在采购组织高度集中的公司，还是采购组织高度分散的公司？

---

8. 权力结构。我们应把重点放在工程技术人员占主导地位的公司,还是财务人员占主导地位的公司?

9. 现有关系的性质。我们应把重点放在现在与我们有牢固关系的公司, 还是追求最理想的公司?

10. 总采购政策。我们应把重点放在乐于采用租赁、服务合同、系统采购的公司,还是秘密投标等贸易方式的公司?

11. 购买标准。我们应把重点放在追求质量的公司、重视服务的公司,还是注重价格的公司?

情境因素

12. 紧急。我们应把重点放在那些要求迅速和突然交货的公司,还是提供服务的公司?

13. 特别用途。我们是否应把重点放在产品而非用途上?

14. 订货量。我们应把重点放在大宗订货,还是少量订货?

个性特征

15. 购销双方的相似点。我们是否应把重点放在那些其人员与价值观念与本公司相似的公司?

16. 对待风险的态度。我们应重点放在敢于冒风险的顾客,还是避免冒风险的顾客?

17. 忠诚度。我们是否应把重点放在那些对供应商非常忠诚的公司?

资料来源: Adapted from Thomas V. Bonoma and Benson P. Shapiro, *Segmenting the Industrial Market* (Lexington, MA: Lexton Books, 1983).

该表格列出了商务营销者在确定其细分市场和为之服务的客户时必须考虑的问题。例如,一家轮胎公司必须首先确定它为哪个行业服务。它可以为汽车制造商、卡车、农用拖拉机、铲车或航空公司服务。一家公司根据选择的目标行业不同,应进一步细分客户规模。公司应对大客户和小客户单列计划。考虑戴尔是如何组织它的业务的:

戴尔电脑公司(Dell Computer Corporation) 戴尔电脑公司被分为戴尔直属公司和戴尔相关部门。戴尔直属公司的销售分为两部分:销售给个体消费者和销售给小的商家。戴尔相关部门是处理公司大客户的。其下包括三个主要部分:企业部分(《财富》500强公司),大客户(《财富》杂志评为501名～2 000名的跨国公司)和优先客户(拥有200个～2 000个雇员的中型商家)。这是戴尔发展最快的部分,它服务于诸如罗拉波莱特(Rollerblade)和联合出版社等顾客。实际上戴尔优先客户中的大部分被认为是来自很多公司的小生意。

特别地,在企业市场上小生意已经成为一个大市场。[33]根据美国小企业管理机构分析,在美国社会的小企业现在已占有国民生产总值的50%,而且这一部分还在以每年 11% 的速度增长，它比大公司的增长高 3 个百分点。IBM 正是这样一家公司，其正用执著的热情追求那一部分利益。

IBM 公司　这个拥有 780 亿美元的技术公司早已证明联合巨型公司如通用汽车和花旗银行能够获得营销成功。现在，它正在证明它可以跟数千上万个拥有 1 000 或 1 000 以上的雇员的公司灵活交易。另外，致力于扩大向那些小型和中型交易的现场销售人员。公司正将重点放在电话销售和服务上面，这是传统上的根本突破。小生意曾经被 IBM 忽视。现在，在小生意环节中，IBM 瞄准了少数人拥有的公司。小公司的所有者更有可能是女人、黑人、亚洲人、西班牙人、年轻人或者是同性恋者。IBM 甚至雇用一些执行人员专门负责各个环节，而且这些执行者都是国家黑人 MBA 协会或妇女贸易所有者全国基金会成员。[34]

服务业也开始面向小型企业用户。BB&T，北卡罗来纳州兰岭的一家银行，通过上门服务这一方法将自己定位为强大的当地银行，它特别为一些企业家提供服务。现在，它发动了一场对北卡罗来纳州各种商家及其所有者的企业对企业的宣传活动。每个企业家都是 BB&T 的小商业顾客，而且那些广告宣传加强了银行对小生意的承诺。[35]

在一定的目标行业和顾客规模中，公司应细分其购买标准。例如，政府实验室需要低价和服务合同；大学实验室的设备很少需要售后服务；工业实验室的设备需要高度可靠。

一般来说，企业市场可以通过一系列的细分过程来确定细分市场片。考虑一家铝制品公司的例子：

该铝制品公司首先进行了宏观市场细分，宏观市场细分包括三个步骤。公司考察了想要为之服务的最终使用市场：汽车市场、住房市场或饮料容器市场。公司选定住房市场以后，便确定了最有吸引力的产品用途：半成品原料、建筑构件或铝制活动房屋。公司决定选择建筑构件为目标市场，接着再考虑想要为之服务的最佳用户规模，公司选择了大用户。第二阶段由微观市场细分组成，即对建筑构件市场中的大用户进行微观市场细分。公司把大用户归为三类：根据价格而购买的一类，根据服务而购买的一类和根据质量而购买的一类。由于该铝制品公司具有优质服务的形象，所以，它决定选择着重提供服务这一细分市场。

企业购买者可以寻找不同的利益组，在购买决策过程中有三种企业细分市场[36]：

1. 首次潜在购买者（first-time prospects）。这些客户还没购买过。他们想从了解他们行业的销售者处购买，该经销商应该对事情解释得清楚并诚实。

2. 新手（novices）。这些客户已购买过产品。他们希望有容易读的手册、热线交流、高水平的培训和有知识的销售代表与他们谈生意。

3. 复杂购买者（sophisticates）。这些顾客希望能快速提供维修、产品定制化和高技术的支持基础。

这些细分市场都有不同的渠道偏好。首次潜在购买者喜欢与公司的销售员打交道，而不是产品目录或直接邮寄渠道，因为后者提供的信息太少。另一方面，复杂的购买者可能希望通过电子渠道接触更多的出售者。[37]

兰杰尔(Rangan)、莫里亚蒂(Moriarty)和斯沃茨(Swartz)研究了成熟的商品市场，钢带市场，他们发现了四个企业细分市场：

1. 程序购买者(programmed buyers)。这些购买者的观点是产品对其行业无关紧要。他们有规律地采购。他们常常全额付价并只需要低水平的服务。很明确，他们是卖主的高额利润细分片。

2. 关系购买者(relationship buyers)。这些购买者认为产品的重要性是中等的，他们有竞争提供品的知识。他们要少量折扣和中等的服务，并不希望价格远离行业水平。他们是卖主第二位的利润获得群体。

3. 交易购买者(transaction buyers)。这些购买者认为产品对其行业非常重要。他们对价格和服务敏感。他们要求 10% 的折扣和较高水平的服务。他们有竞争品的知识，并准备转向更优惠价格的供应方，甚至牺牲某些服务也在所不惜。

4. 竞价购买者(bargain buyers)。这些购买者认为产品非常重要，并期望取得最低价和最好的服务。他们了解竞争供应方，讨价还价激烈，稍有不满意即换卖主。公司需要这些购买者仅仅是为了提高销售量，虽然获利很少。

由于上述细分片风格各异，这些细分方案将帮助公司在成熟的商品行业中，对价格和服务的增减提供帮助。[38]

有效的细分

并非所有的细分都是有效的。要使市场细分有效，它必须有五个特点：

● 可衡量性。即用来划分细分市场大小和购买力的特性程度，应该是能够加以测定的。某些细分变量很难衡量。

● 足量性。即细分市场的规模大到足够获利的程度。一个细分市场应该是值得为设计一套营销规划方案的尽可能大的同质群体。例如，专为身高不到 4 英尺的人生产汽车，对汽车制造商来说是不合算的。

● 可接近性。即能有效地到达细分市场并为之服务的程度。

● 差别性。细分市场在观念上能被区别，并且对不同的营销组合因素和方案有不同的反应。如果在已婚与未婚的妇女中，对香水销售的反应基本相同，该细分就不应该继续下去。

● 行动可能性。即为吸引和服务细分市场而系统地提出有效计划的可行程度。

市场目标化

一旦公司确定了市场细分机会，它们就必须依次评价各种细分市场和决定为多少个细分市场服务。

评估细分市场

在评估各种不同的细分市场时，公司必须考虑两个因素：细分市场结构的吸引力；公司的目标和资源。首先，公司必须自问这潜在的细分市场是否对公司具有吸引力，例如它的大小、成长性、盈利率、规模经济、低风险等。其次，公司必须考虑对细分市场的投资与公司的目标和资源是否相一致。某些细分市场虽然有较大吸引力，但不符合公司长远目标，因此不得不放弃。或者，如果公司在某个细分市场缺乏一个或更多的提供优势价值的竞争能力时，该细分市场就应放弃。

选择细分市场

公司在对不同细分市场评估后，可考虑五种目标市场模式，如图9—3所示。

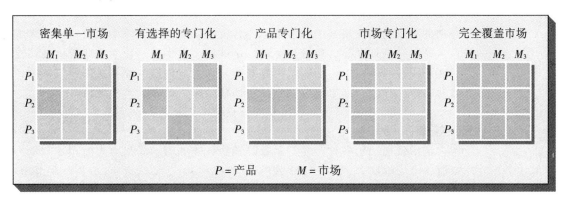

图9—3 目标市场选择的五种模式

资料来源: Adapted from Derek F. Abell, *Defining the Business: The Starting Point of Strategic Planning* (Upper Saddle River, NJ: Prentice Hall, 1980), ch. 8. pp. 192～196.

密集单一市场

公司可以选择一个细分市场。大众汽车公司集中经营小汽车市场和波斯卡(Porsche)专门经营运动车市场。公司通过密集营销，更加了解该细分市场的需要，可在该细分市场建立巩固的市场地位。另外，公司通过生产、销售和促销的专业化分工，也获得了许多经济效益。如果细分市场补缺得当，公司的投资便可获得高报酬。

然而，密集市场营销比一般情况风险更大。个别细分市场可能出现不景气的情况，例如年轻女士突然不再买运动服装，这使鲍比·布鲁克斯（Bobbie Brooks）公司的收入锐减。或者，某个竞争者决定进入同一个细分市场。由于这些原因，许多公司宁愿在若干个细分市场分散营销。

有选择的专门化

采用此法选择若干个细分市场，其中每个细分市场都有吸引力和符合公司要求。它们在各细分市场之间很少有联系，然而，每个细分市场都有可能盈利。这种多细分市场目标优于单细分市场目标，因为这样可以分散公司的风险。

考虑无线电广播既想吸引年轻人，又想吸引老年听众。例如，伊丽斯（Emmis）广播业主拥有纽约的 KISS – FM，它自称是"流畅的蓝色曲调和经典"，用以吸引老年听众；而 WQHT – FM（"热点 97"）演奏城市街头音乐以吸引 25 岁以下的年轻人。[39]

产品专门化

用此法公司集中生产一种产品，公司向各类顾客销售这种产品。例如显微镜生产商向大学实验室、政府实验室和工商企业实验室销售显微镜。公司准备向不同的顾客群体销售不同种类的显微镜，而不去生产实验室可能需要的其他仪器。公司通过这种战略，在某个产品方面树立起很高的声誉。如果产品被一种全新的技术所代替，它就会发生危机。

市场专门化

它是指专门为满足某个顾客群体的各种需要而服务。例如，公司可为大学实验室提供一系列产品，包括显微镜、示波器、本生灯、化学烧瓶等。公司专门为这个顾客群体服务，而获得良好的声誉，并成为这个顾客群体所需各种新产品的销售代理商。如果顾客突然经费预算削减，这就会产生危机。

完全覆盖市场

它是指公司想用各种产品满足各种顾客群体的需求。只有大公司才能采用完全覆盖市场战略，例如，IBM 公司（计算机市场）、通用汽车公司（汽车市场）和可口可乐公司（饮料市场）。大公司可用两种主要的方法，即通过无差别市场营销或差别市场营销，达到覆盖整个市场的目的。

在**无差别营销**（undifferentiated marketing）中，公司可以不考虑细分市场间的区别，仅推出一种产品来追求整个市场，它致力于顾客需求中的相同之处，而非他们的不同之处。为此，它设计一种产品和制定一个营销计划来迎合最大多数的购买者。它凭借广泛的销售渠道和大规模的广告宣传，旨在人们的心目中树立该产品的一个超级印象。无差别营销是"制造业中的标准化生产和大批量生产在营销方面的化身"。[40]狭窄的产品线可以降低生产、存货和运输成本。无差别的广告方案则可缩减广告成本，而不进行细分市场的营销调研和计划工作，又可以降低营销调研和产品管理的成本。可以推测，公司生产低成本的产品售低价，将赢得对价格敏感的那部分细分市场。

在**差别营销**(differentiated marketing)中，公司决定同时经营几个细分市场，并为每个细分市场设计不同的产品。例如，通用汽车公司试图为"财富、目的和个性"各不相同的人生产不同的轿车。另外，IBM公司为计算机市场上的各个细分市场片提供不同的硬件与软件。考虑美国药杂店的例子：

美国药杂店(American Drug) 美国药杂店是美国最大的药杂连锁零售商店之一，它推行差别营销战略。该公司营销小组以一个一个市场为基础，对上百个奥斯科(Osco)和塞风(Sav-on)药杂店评估它们各自的销售形式。在使用了大量的扫描数据并辅以其他工具后，该公司开始优化它的商店产品组合，重新布置店堂。根据人文的要求，每家零售单位在数量与商品品种上各不相同，商品有五金、电器、汽车、餐具、柜台药品、方便品，等等。"我们的商店设在城市，但我们的顾客85%～95%是美国黑人或西班牙裔人。他们的购买偏好和动机与其他城市居民不同……我们的商店将能反映出这种差别。"该连锁商店的销售与营销主任如是说。[41]

差别营销一般要比无差别营销创造更大的销售额。然而，差别营销也会增加经营的成本。下面的一些成本可能会增加：

● 产品修改成本。修改产品以迎合不同的细分市场，通常需要一些研究开发费用、工程费用和特殊工具的费用。

● 生产成本。生产10种各不相同的产品，每种各生产10件，通常要比生产100件相同的产品所花费的成本来得昂贵。每种产品的生产准备时间越长和每种产品的销售量越小，那么生产成本就越昂贵；另一方面，如果每种产品的销售量能足够大，那么每件产品所分摊的准备时间的成本就可变得相当小。

● 管理成本。公司必须针对不同的细分市场发展不同的营销计划。这需要额外的市场调研、预测、销售分析、促销、计划工作和销售渠道的管理。

● 存货成本。多种连续产品的存货管理成本一般要比单一产品的存货成本来得高。

● 促销成本。差别营销涉及试图采用不同的广告宣传，以求占领不同的细分市场。这增加了促销计划成本。

由于差别营销在使销售额增加的同时，也使得成本增加，因此事先不能预见这种战略的盈利率。某些公司发现它们过分地细分了市场。当这种现象一发生，它们可能会转向**反细分化**(countersegmentation)或拓宽顾客基础。例如，强生公司把它的洗发剂目标市场从婴儿扩大到成年人。比彻姆公司(Beecham)则扩大了它的阿奎清新牙膏的使用范围，以此吸引追求清新香气、洁白、追求口腔防护这三种利益的细分市场。

其他因素

在评估和选择细分市场时，必须考虑另外四个因素：目标市场的道德选择，细分相互关系与超级细分，逐个细分市场进入的计划，内部细分合作。

目标市场的道德选择问题

市场目标有时会引起争议。[42]公众关注对容易被侵入群体(如孩子)或有弱点的群众(如城市贫民)的不公平的营销者手段，或促销潜在的有害产品。当这些问题被涉及时，营销者需要负起社会责任。例如，多年来，谷物业对儿童的直接营销努力受到严厉的批评。评论家担心高度精致的广告，在这些广告中，活生生的杰出人物的嘴巴所表现的强烈诉求，击溃了孩子们的防线。孩子们吃了太多的加糖谷物或使身体营养不平衡的早餐。玩具及其他儿童产品的营销者也受到类似的批评。例如，对麦当劳和其他连锁店的批评说，它们对低收入的城市居民推出了高脂肪、高盐的食品，而这些城市居民比郊区居民更可能成为更经常的食客。R. J. 雷诺猛烈推行在城镇非商业区的香烟攻势，目标是城内的低收入黑人。最近，来自 R. J. 雷诺的内部文件和布朗·威利森烟草公司(Brown & Williamson Tobacco Corporation)(营销科尔品牌)的文件，揭露出它们在扩大目标针对 16 岁～25 岁的黑人青年的宣传活动。[43]人们强烈批评 G. 海尔门酿酒公司(G. Heileman Brewing)用有影响的人物宣传它的冷 45(Colt 45)麦酒产品线，一种新的经过高度试验的麦酒(5.9°酒精)。麦酒的主要消费者是黑人，海尔门麦酒广泛地在联邦政府官员、行业领袖、黑人活动家和媒体人士中饮用。[44]

并非所有的针对孩子、少数民族或其他特定细分市场片的企图都受到批评。例如，高露洁公司的儿童高露洁牙膏设计的特点，使孩子们刷牙的时间更长和更经常。金色带子玩具公司开发的黑人玩偶"赫格·本"，带有非洲的民族传统和面向少数民族消费者，获得了广泛的喝彩和高度成功。另一些公司有着少数民族市场独特的需要。黑人控股的阿西剧院(ICE)注意到，虽然黑人喜欢看电影，但中心城市的剧院正在没落死亡。这家连锁影院在芝加哥的南部和其他地区已开了三家剧院，并计划在 1999 年在更中心的城市再开四家。阿西剧院的合伙人和黑人社团经营着这些剧院，它们使用本地的广播，用特定的方式促销它的电影和有特色的食品。[45]因此，在市场目标的选择上，问题不在于向谁推销，而在于怎么样和用什么内容推销。社会责任营销要求市场细分和目标化的服务，不仅要考虑公司的利益，也要考虑整个目标的利益。[46]

细分相互关系与超级细分

公司在若干个要服务的细分市场中进行选择时，应该密切注意在成本、业绩和技术方面的细分相互关系。公司经营其固定成本(它的销售队伍、货架等)可增加产品以吸收和分摊成本的一部分。因此，销售队伍的成本应加入销售产品的成本，户外快餐常常加上碟子的成本。这就需要调查与规模经济同样重要的范围经济。

公司应设法辨别超级细分市场，并在其中营销，而不是在孤立的细分市场中经营。一个**超级细分市场**(super segment)是指一组有相同的开发价值的市场细分片。例如，交响乐队的目标是有广泛文化兴趣的听众，而非参加音乐会的常客。

逐个细分市场进入的计划

即使公司计划要进入某个超级细分市场，明智的做法应该是一次进入一个细分市场，并将全盘计划保密。一定不能让竞争者知道本公司下一步将要进入哪个细分市场，如图9—4所示。A，B，C这三家公司都专门经营运输公司所需要的计算机系统。A公司专营航空公司所需要的计算机系统。B公司专门销售这三家运输公司所需要的大型计算机系统。C公司最近进入这个市场，它专门生产和销售卡车运输公司所需要的中型、微型计算机。

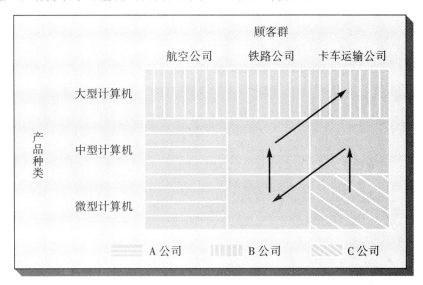

图9—4　逐个细分市场进入的计划

问题是C公司下一步将如何发展？图中的箭头表明C公司的竞争者不知道该公司将要向哪个细分市场发展。C公司将开始向卡车运输公司提供中型计算机。然后，为了分散B公司对卡车运输公司用的大型计算机的注意，再转入营销铁路公司需要的微型计算机。以后，它就向铁路公司提供中型计算机。最后，它就对专向卡车运输公司销售大型计算机的B公司发动全面进攻。由于这一顺序在很大程度上取决于在此过程中其他公司在细分市场内如何行动，因此，C公司计划所采取步骤的顺序是暂时性的。

遗憾的是，许多公司都没有制定把进入细分市场的顺序和时间安排在内的长期发展计划。在这方面，百事可乐公司是个例外。它用全盘计划向可口可乐公司发动进攻。首先，向可口可乐公司的食品杂货市场进攻，接着向可口可乐公司的自动售货机市场进攻，然后，再向可口可乐公司的快餐市场进攻，等等。日本公司也制定发展目标顺序计划。它们先在市场上找到立足点，然后用新产品进入新的细分市场。丰田公司将一种小型汽车(如Tercel和Corolla)推上市场，然后再推出中型汽车(Camry)，最后推出豪华型汽车(凌志)。

公司的拓展计划常常受到了封闭市场的阻挠。因此，拓展者必须设计打破封闭市场的方法。进入一个封闭市场需要采用大营销的方法。

大营销(megamarketing)是进行经济、心理、政治和公共关系技能的战略调整，以获得有关各方的支持配合，从而进入该特定市场上并开展经营活动。

百事可乐公司应用大营销进入了印度市场：

> **百事可乐**（PepsiCo） 在可口可乐公司撤离印度，百事可乐公司开始计划进入这个巨大的市场。百事和印度企业集团合营，以越过印度国内软饮料的反对和反跨国公司立法机构的反对，从而使印度政府很难拒绝批准。百事帮助出口某些农产品，并使其出口额大于进口软饮料浓缩液的成本。百事还答应把其销售力量放在农村地区，以帮助它们的经济发展。百事进一步把食品加工、包装和水渗透处理技术提供给印度。很清楚，百事的战略是把利益互相捆在一起，它使百事可乐公司赢得了印度各利益集团的支持。因此，百事的营销已超越了在市场上有效经营的 4Ps，百事可乐增加了两个 P，即加上政治（politics）和公众意见（public opinion）。

当多国公司进入该市场后，它必须保持最好的行为准则。这个任务要求多国公司考虑周全的好公民定位（civic positioning）。例如，好利获得公司（Olivetti）在进入一个新市场后，为工人建房，慷慨支持当地艺术和慈善事业，雇用和培训勤奋的经理。[47]

内部细分合作

管理细分市场的最好方法是任命细分市场经理，他有足够的权力和对细分业务负责。同时，细分市场经理还要与其他公司的人事进行合作，以提高整个公司的业绩。考虑下面的例子：

> **巴斯特**（Baxter） 巴斯特有数个事业部为医院销售不同的产品与服务。每个部门都独立开具发票。有些医院抱怨，它们每月收到七份不同的巴斯特公司的发票。巴斯特公司的营销人员最后说服事业部把发票寄往总部，由总部每月为一位客户开一份发票。
>
> **大通银行**（Chase） 如同其他银行一样，大通的客户记录存放在不同的各个部门（借款、存款、信用，等等）。因此，对大通的官员来说要得到一个顾客的全貌是很困难的。最后，大通银行的几个部门同意与会计和信息系统专家紧密合作，建立一个统一的客户信息系统。

小结

1. 当公司把目标对准其市场时，它们通常会更有效。目标营销包括三个活动：市场细分、市场目标化和市场定位。

2. 市场的目标化有四个层次：细分、补缺、本地化和个别营销。市场细分是在一个市场上广泛辨别各种群体。补缺是更细化那些被确定的群体。在本地化层次，营销者为贸易区域、邻近地区，甚至个别商店，定制它们的营销活动。最后，在个别营销层次，公司开展个别的和大众化的定制活动。将来会出现更多的自我营销，这是个别营销的一种形式，在这种活动中，个别的消费者对确定购买哪种产品和品牌上显得更为主动。

3. 消费者市场细分有两个基础：消费者特征和消费者反应。对消费者市场细分的主要细分变量有地理细分、人文细分、心理细分和行为细分。这些变量可以单独使用，也可以结合起来应用。企业市场除了应用这些变量以外，还有经营变量、购买方法和环境因素。为了使细分有实用价值，市场细分必须考虑可衡量性、足量性、可接近性、差别性和行动可能性。

4. 一旦公司确定了市场细分机会，它们就必须评价各种细分市场和决定为多少细分市场服务。在评价细分市场时，它必须研究细分市场的吸引力是否与公司的目标和资源相一致。在选择一些市场作为目标后，公司要决定集中力量在单一细分市场、几个细分市场、产品专门化、市场专门化，或完全覆盖市场。如果它决定为整个市场服务，它必须在无差别与差别性营销两者中作出决策。

5. 营销者必须在选择目标市场上考虑社会责任问题。营销者还必须监视细分市场的内部关系，寻找出规模经济和超级细分营销的潜力。营销者应该为各个细分市场制定市场进入计划。最后，市场细分经理应准备一个内部合作方案，以提高公司的整体业绩。

应用

本章观念

1. 雀巢公司正考虑在泰国推销它的咖啡产品。市场调查显示了以下关于泰国社会和文化的信息：居住在泰国交通拥挤的城市的人们正趋向于高度紧张的生活。该国的温度常高于 80°F。有了这些信息，雀巢公司是用传统广告宣传咖啡的味道、芳香和提神醒脑的功效，还是选择其他因素？

2. 用一有效方法细分下列产品的市场：(a)高速激光打印机；(b)彩色胶卷；(c)家用咖啡；(d)汽车轮胎。

3. 对以下每一种产品类别选择一个特定商品。列举：(1)品牌；(2)规模；(3)制造商；(4)产品的市场细分定位战略。对于每一种商品，你认为制造商为什么决定以这一特定市场细分为目标？每个产品的细分战略如何从它的包装或宣传中显现出来？(a)干早餐麦片；(b)手纸；(c)条形肥皂；(d)牙膏；(e)干狗食；(f)磁盘相片复印机。

营销与广告

1. 如图 9A—1 的广告所示，奥林巴斯(Olympus)开发了一种变焦 35 毫米的相机。这家公司的业务是面向大众营销，细分营销，本地市场，补缺营销，或是个别营销？在这个广告中，你认为奥林巴斯是从人文因素、心理因素和行为因素的哪一个来划分市场的？

2. 普拉克(Praxair)为多种工业项目提供少空气污染、精炼的特种油。图9A—2 中的广告曾在一个世界性商业杂志上登载，介绍了普拉克的二氧化碳产品在食品工业中的应用以代替杀虫剂驱除甲虫或其他虫子。你认为普拉克在企业市场上采用了哪些主要的细分变量？在普拉克的企业市场中，哪些个人特性是特别重要的？为什么？

图 9A—1   图 9A—2

聚焦技术

开展打出电话营销(公司代表给客户和预期客户打电话)或者接收电话营销(公司接收客户和预期客户的电话)的公司，可以在它们的电话营销行动中运用克拉里特斯(Claritas)公司的 PRIZM 地理细分技术。打出电话销售者可以使用这种特殊技术中所编的电信(tele)PRIZM，而面对客户和很多可能购买他们的产品和服务的潜在客户，接收电话销售的也可以应用电信 PRIZM 去分析打电话用户的情况，并且看看是否需要对所提供的东西和广告进行一些变化。

想了解电信 PRIZM，点击克拉里特斯的站点（www. claritas. omrnltepriz . htm）。哪种类型的公司才会发现电信 PRIZM 在它们的电话营销中非常有用呢？选择一家公司并说明如何在对来自目前用户的电话应用这项技术。它对于与公司有关的打电话者会有什么利益呢？

新千年营销

在每一次的单独营销中，大众化定制帮助高技术和低技术的公司建立与客户的关系。在新千年中，这一细分层次对于营销者来说会越来越重要。例如，戴尔公司在大众化定制中就是一个领导者。

访问戴尔的主页（www. dell. com）看看它是怎样细分市场的。并且，再访问一个商店信息主页，看看戴尔的大众化定制是如何进行的（www. cormerce . us. dell. com／streirfo／hrwb. htw）。

为什么戴尔如此明显地强调不同的细分群体？为什么它保证有 30 天内退款保证？如果戴尔积极地开展在线交易，为什么还在它的主页上提供免费的电话号码？在进入新千年时，你认为戴尔继续开展个别化营销战略会遇到什么竞争挑战？

你是营销者：索尼克公司的营销计划

在市场细分中，确定一个目标营销战略对于任何好的营销计划是一个十分重要的内容。公司的各种目标是确定和描述各具特色的细分市场、目标细分市场，接着着重标明不同的利益。

作为简·梅洛迪的助理人员，你有责任为索尼克的台式音响进行市场细分、目标营销和定位。回顾一下你以前收集的公司营销状况的数据，你的 SWOT 分析和重要的问题所在，以及市场需要和要求。然后，回答以下关于市场细分、目标营销和定位问题：

● 在细分顾客市场时，索尼克应采用哪些因素？（例如，除了年龄，索尼克想不想集中在一个特殊区域的消费者中？对音乐有特殊态度的消费者？家庭生命周期不同阶段的消费者？）

● 如果索尼克定位于企业顾客，它应用什么细分变量细分企业市场呢？（例如，是否索尼克应根据公司的大小细分企业市场？根据产品的应用？）

● 索尼克怎样去估计每个市场块的吸引程度？索尼克是向一个细分市场进行销售还是向许多细分市场销售？（例如，是否每一个细分市场都能进入？每个细分市场怎样才能符合索尼克的目标和财力？）

● 索尼克台式音响产品与其他竞争产品相比的差别性在哪里？索尼克怎样运用这个特色，发展和传播一个有力的定位战略？（例如，产品是否在工作或可靠性上有竞争优势？哪一点或几点的差别化区别可成为索尼克发展战略的基点？）

接下去，考虑你在这些问题的回答对索尼克营销努力的影响。然后，根据你导师的指导，总结你的发现，写入营销计划中去，或者，输入营销计划软件的目标／市场定位部分中。

【注释】

[1] Regis McKenna, "Real-Time Marketing, "*Harvard Business Review*, July – August 1995, p. 87.

[2] See James C. Anderson and James A. Narus, "Capturing the Value of Supplementary Services, "*Harvard Business Review*, January – February 1995, pp. 75 ～ 83.

[3] See Tevfik Dalgic and Maarten Leeuw, "Niche Marketing Revisited: Concept, Applications, and Some European Cases, "*European Journal of Marketing* 28, no. 4 (1994): 39 ～ 55.

[4] Jeff Gremillion, "Can Smaller Niches Bring Riches?" *Mediaweek*, October 20, 1997,

pp. 50 ~ 51.

[5] Nina Munk, "Why Women Find Lauder Mesmerizing," *Fortune*, May 25, 1998, pp. 97 ~ 106.

[6] Robert E. Linneman and John L. Stanton Jr., *Marking Niche Marketing Work: How to Grow Bigger by Acting Smaller* (New York: McGraw-Hill, 1991).

[7] Robert Blattberg and John Deighton, "Interactive Marketing: Exploiting the Age of Addressibility," *Sloan Management Review* 33, no. 1 (1991): 5 ~ 14.

[8] Paul Davidson, "Entrepreneurs Reap Riches from Net Niches," *USA Today*, April 20, 1998, p. B3.

[9] See Don Peppers and martha Rogers, *The One to One Future: Building Relationships One Customer at a Time* (New York: Currency/Doubleday, 1993).

[10] B. Joseph Pine II, *Mass Customization* (Boston: Harvard Business School Press, 1993); and B. Joseph Pine II, Don Peppers, and Martha Rogers, "Do You Want to Keep Your Customers Forever?" *Harvard Business Review*, March – April 1995, pp. 103 ~ 104.

[11] "Creating Greater Customer Value May Require a Lot of Changes," *Organizational Dynamics*, Summer 1998, p. 26.

[12] Susan Moffat, "Japan's New Personalized Production," *Fortune*, October 22, 1990, pp. 132 ~ 135.

[13] Alan R. Andreasen and Russell W. Belk, "Predictors of Attendance at the Performing Arts," *Journal of Consumer Research*, September 1980, pp. 112 ~ 120.

[14] Catherine Arns, "PC Makers Head for 'SoHo'," *Business Week*, September 28, 1992, pp. 125 ~ 126; Gerry Khermouch, "The Marketers Take Over," *Brandweek*, September 27, 1993, pp. 29 ~ 35.

[15] For a market-structure study of the hierarchy of attributes in the coffee market, see Dipak Jain, Frank M. Bass, and Yu-Min Chen, "Estimation of Latent Class Models with Heterogeneous Choice Probabilities: An Application to Market Structuring," *Journal of Marketing Research*, February 1990, pp. 94 ~ 101.

[16] Kate kane, "It's a Small World," *Working Woman*, October 1997, p. 22.

[17] Leah Rickard, "Gerber Trots Out New Ads Backing Toddler Food Line," *Advertising Age*, April 11, 1994, pp. 1, 48.

[18] "Sega to Target Adults with Brand Extensions," *Marketing Week*, March 12, 1998, p. 9.

[19] Emily Nelson, "Marketing and Media: Kodak Focuses on Putting Kids Behind Instead of Just in Front of a Camera," *Wall Street Journal*, May 6, 1997, p. B8, Emily Neslon, "Want to Improve Your Photos? Experts Say, First Bring Camera," *Wall Street Journal*, October 3, 1996, p. B1.

[20] *American Demographics*, August 1986.

[21] Lisa Napoli, "A Focus on Women at iVillage. com," *New York Times*, August 3, 1998, p. D6.

[22] For more on generations, see Michael R. Solomon, *Consumer Behavior*, 3d ed. (Upper Saddle River, NJ: Prentice Hall, 1996), ch. 14; and Frank Feather, *The Future Consumer* (Toronto: Warwick Publishing Co., 1994), pp. 69 ~ 75.

[23] Geoffrey Meredith and Charles Schewe, "The Power of Cohorts," *American Demographics*, December 1994, pp. 22 ~ 29.

[24] Andrew E. Serwer, "42, 496 Secrets Bared, " *Fortune,* January 24, 1994, pp. 13 ~ 14; Kenneth Labich, "Class in America, " *Fortune,* February 7, 1994, pp. 114 ~ 126.

[25] "Lifestyle Marketing, " *Progressive Grocer,* August 1997, pp. 107 ~ 110.

[26] Junu Bryan Kim, "Taking Comfort in Country: After Decade of '80s Excess, Marketers Tap Easy Lifestyle as part of Ad Messages, " *Advertising Age,* January 11, 1993, pp. S1 ~ S4.

[27] Gremillion, "Can Smaller Niches Bring Riches? "

[28] This classification was adapted from George H. Brown, "Brand Loyalty—Fact or Fiction? " *Advertising Age,* June 1952 – January 1953, a series. See also Peter E. Rossi, R. McCulloch, and G. Allenby, "The Value of Purchase History Data in Target Marketing, " *Marketing Science* 15, no. 4 (1996): 321 ~ 340.

[29] Other leading suppliers of geodemographic data are ClusterPlus (by Donnelly Marketing Information Services) and Acord (C. A. C. I., Inc.).

[30] Christina Del Valle, "They Know Where You Live—and How You Buy, " *Business Week,* February 7, 1994, p. 89.

[31] See Michael J. Weiss, *The Clustering of America* (New York: Harper & Row, 1988).

[32] See Norton Paley, "Cut Out for Success, " *Sales & Marketing Masnagement,* April 1994, pp. 43 ~ 44.

[33] Michele Marchetti, "Dell Computer, " *Sales & Marketing Management,* October 1997, pp. 50 ~ 53.

[34] Geoffrey Brewer, "Lou Gerstner has His Hands Full, " *Sales & Marketing Management,* May 1998, pp. 36 ~ 41.

[35] jennifer porter Gore, "Small Business Is Big at BB&T, " *Bank Marketing,* August 1998, p. 10.

[36] Thomas S. Robertson and howard Barich, "A Successful Approach to Segmenting Industrial Markets, " *Planning Forum,* November – December 1992, pp. 5 ~ 11.

[37] V. Kasturi Rangan, Rowland T. Moriarty, and Gordon S. Swartz, "Segmenting Customers in Mature Industrial Markets, " *Journal of Marketing,* October 1992, pp. 72 ~ 82.

[38] For another interesting approach to segmenting the business market, see John Berrigan and Carl Finkbeiner, *Segmentation Marketing: New Methods for Capturing Business* (New York: HarperBusiness, 1992).

[39] Wendy Brandes, "Advertising: Black-Oriented Radio Tunes into Narrower Segments, " *Wasll Street Journal,* February 13, 1995, p. B5.

[40] Wendell R. Smith, "Product Differentiation and Market Segmentation as Alternative Marketing Strategies, " *Journal of Marketing,* July 1956, p. 4.

[41] Susan Reda, "American Drug Stores Custom-Fits Each Market, " *Stores,* September 1994, pp. 22 ~ 24.

[42] See Bart Macchiette and Roy Abhijit, "Sensitive Groups and Social Issues, " *Journal of Consumer Marketing* 11, no. 4 (1994): 55 ~ 64.

[43] Barry Meier, "Data on Tobacco Show a Strategy Aimed at Blacks, " *New York Times,* February 6, 1998, p. A1; Gregory Freeman, "Ads Aimed at Blacks and Children Should Exact a High Price, " *St. Louis Post-Dispatch,* p. B1.

[44] N. Craig Smith and Elizabeth Cooper-Martin, "Ethics and Target Marketing: The Role of

Product Harm and Consumer Vulnerability, " *Journal of Marketing*, July 1997, pp. 1 ~ 20.

[45] Roger O. Crockett, "They're Lining Up for Flicks in the 'Hood, " *Business Week*, June 8, 1998, pp. 75 ~ 76.

[46] See "Selling Sin to Blacks, " *Fortune*, October 21, 1991, p. 100; Martha T. Moore, "Putting on a Fresh Face, " *USA Today*, January 3, 1992, pp. B1, B2; Dorothy J. Gaiter, "Black-Owned Firms Are Catching an Afrocentric Wave, " *Wall Street Journal*, January 8, 1992, p. B2; and Maria mallory, "Waking Up to a Major Masrket, " *Business Week*, March 23, 1992, pp. 70 ~ 73

[47] See Philip Kotler, "Megamarketing, " *Harvard Business Review*, March – April 1986, pp. 117 ~ 124.

第Ⅲ篇

发展营销战略

第 10 章　在产品生命周期中定
　　　　　位市场供应品
第 11 章　开发新的市场产品
第 12 章　设计全球市场提供物

第10章
在产品生命周期中定位市场供应品

科特勒论营销：

　　不要去考察产品的生命周期，而应该考察市场的生命周期。

本章将阐述下列一些问题：
- 公司可利用的主要差别化属性有哪些？
- 公司怎样在市场上选择和传播一个有效的定位？
- 制定什么战略来适应产品生命周期的各个阶段？
- 在市场演变的各个阶段应用什么营销战略与之适应？

　　公司们为了竞争应不断地对它们的市场供应品进行差别化。它们要为忠诚的用户设想新的服务和保证、特别的奖励、新的舒适感和享受。可一旦它们成功，竞争者就会模仿这些提供物。结果，大多数的竞争优势只能维持一段很短的时间。因此，公司需要不断思考用新的价值增加它产品的特征和利益，以赢得对选择敏感和价格倾斜的消费者的注意和兴趣。

　　在一个产品的生命期间内，公司需要多次修订其营销战略。经济环境的变化，竞争者在不断发动新进攻，而且产品在不断地经历购买者兴趣与要求的新阶段。因此，公司必须制定一系列战略以适应产品生命周期的各个阶段。公司总是希望能延长产品生命期和扩大利润，虽然知道许多产品是不可能永远延续下去的。本章探索在一个产品或提供物的生命周期，公司如何有效地差别化和定位它的供应品，从而取得竞争优势。

怎样差别化

　　索尼是一家不断为它的顾客创造新利益的公司。当索尼开发一种新产品时，往往组织三个小组，把该产品当做竞争者的产品进行分析对比。第一组考虑小的改进，第二组考虑大的改进，第三组考虑彻底放弃这个产品的方案。

　　有一家大化工公司召开了一次头脑风暴法会议，并对它的顾客创造额外价值提出了十几种方法。它们包括通过改进产量、减少浪费,帮助客户减少生产成本;通过托付、准点交货、减少周转时间,帮助客户减少存货;通过简化账单、使用电子数据交换系统,帮助顾客减少管理成本;提高客户和其雇员的安全性;通过调换一定的产品成分、减少公司的供应成本,对客户降价。在差别化上的例子可参见"营销视野——航空公司在定位时发现它们并非经营无差别商品"。

营销视野

航空公司在定位时发现它们并非经营无差别商品

飞机旅行曾被认为是经营无差别商品。1978 年政府撤销管制开始了激烈竞争的时代。同时也开创了"大卫(Davids)"式的新贵的道路,它们通过差别化它们自己,并从"歌利亚(Goliaths——在圣经中被大卫杀死)"式的航空公司挖走客源。以下是取得了特别成功的三家航空公司。

维珍澳大利亚公司(Virgin Atlantic) 成立于 1983 年,这个时髦的、能打破旧习的航空公司被弗雷迪·拉克(Freddy Laker)预言,这是一家另一个大西洋彼岸的新星。是的,在它 15 年的历史中,维珍使整个行业震动了。它不是一个在价格中进行竞争的角色。维珍提供娱乐和舒适。它是首家提供座椅背上看录像,在飞机上修剪指甲,提供信息资料和魔术师的公司——不只是对头等舱的旅客。"我们不想进入运输业。我们仍处在娱乐业中——并且在 25 000 英尺的空中"。理查德·布兰森(Richard Branson)说,他是维珍集团的主席和首席执行官。维珍集团拥有从维珍可乐(Virgin Cola)到维珍大商场(Virgin Megastores)的企业集团。维珍品牌与布兰森的才华、大胆的个性相一致,使这个航空公司与众不同,布兰森的公开形象,如乘热气球周游地球,使航空公司产生名望。维珍在 1998 年的 14 亿美元销售额中赚了 1.29 亿美元。

西南航空公司(Southwest Airlines) 这个总部在达拉斯的航空公司使用低价和无装饰飞机,开创它的市场补缺战略。它成立于 1973 年,当时只有三架波音 737 连接着三个得克萨斯州的城市,现在,西南航空公司已扩大到 51 个美国城市,并以年 38 亿美元的收入引以为豪。它飞行于小机场之间,并避开主要的航空中心,避免和其他航空公司的直接竞争,并且低的价格吸引了通常驱车旅行的人。但西南航空公司明白,它不能只是在价格上与众不同,因为竞争者很容易以更低价进入。西南航空公司用"趣味"航线与别人区别开来:它的首席执行官化装成"猫王"伊尔维斯·普雷斯利问候客人。飞机下降的讲解唱成"在甲板闲庭信步",并且在安全解说还包含"在水上迫降时,请在回岸过程中不停划桨,踢,踢,划桨,踢,踢"等风趣用语。

中西快运航空公司(Midwest Express Airlines) 1984 年合并后,以密尔沃基为基地的这家公司,现在飞在 18 个州和多伦多的 26 个目的地。它的鲜明定位是对所有乘客以一种有竞争性的价格提供高质量的一级服务。所有的座位都是皮革制的,有 21 英寸宽,而竞争者只有 17 英寸~ 18 英寸宽。瓷器、玻璃餐具和亚麻布,每餐都有免费的葡萄酒和香槟酒。这家公司对每位乘客的用餐费用为 10 美元，这是世界平均水平的 2 倍，菜单包括龙虾、鸡肉、香米饭、航空公司签名的巧克力小甜饼、飞机上烤的蜜糖。细致的服务，赢得了"最优航空公司"的美誉。由于它的"空中最好的照顾"，使它连续 21 年盈利。

有必要指出，先进的技术使航空公司通过高科技差别化成为可能，但是，这个高技术中有另一种竞争。例如，日本航空公司提供录像游戏，而新加坡航空公司对手提电脑供电。很快，有些公司将提供赌博游戏。惟一的问题是，无论增加什么，实际上都增加了所有乘客的成本。

资料来源：Chris Woodyard，"Southwest Airlines Makes Flying Fun: The Dallas-Based Carrier's Policy Is to Hire Hams and Let Their Personalities Shine Through，" *USA Today*，September 22，1998. p. E4；Chad Kaydo，"Riding High，" *Sales & Marketing Management*，July 1998，pp. 64 ~ 69；Daniel Pedersen，"Cookies and Champagne，" *Newsweek*，April 27，1998，p. 60；Julia Flynn，"Then Came Branson，" *Business Week*，October 26，1998，pp. 116 ~ 120.

克里格(Crego)和希夫林(Schiffrin)建议，以顾客为中心的组织应研究顾客价值，然后，提供一个超过顾客期望的方案。[1]这个过程包括三个步骤：

1. 确定顾客价值模型。公司第一步要针对目标顾客对价值认识的态度，列出对产品与服务有影响的所有因素。

2. 建立顾客价值等级层次。公司把每个因素分为四组：基本、期望、欲望和出乎预料。不妨来研讨一下在一家好的餐馆所建立的这些因素：

● 基本。食品吃得下去和准时上菜(如果餐馆做不到这一点，顾客就会非常失望)。

● 期望。有好的瓷器和餐具，亚麻台布和餐巾，鲜花，考虑周到的服务，可口的食品(这些因素使人感到可接受，但也不是意外)。

● 欲望。餐馆气氛令人高兴和安静，食品特别可口和吸引人。

● 出乎预料。在几道菜之间加上并不昂贵的免费的甜点心。

3. 对顾客价值进行决策。公司现在要挑选组合那些可见和不可见的项目，体验它，最后设计能战胜竞争者和赢得顾客喜悦和忠诚的方案。

差别化的工具

一家公司必须努力使它的供应品产生差别化。

差别化(differentiation)是指设计一系列有意义的差别，以便使该公司的产品同竞争者产品相区分的行动。

行业不同，差别化的机会也不同。波士顿咨询公司(Boston)根据获得竞争优势的数目与大小，区分出四种行业(图 10—1)。

1. 强度行业(volume industry)。强度行业是指其中的公司仅可获得少数但竞争相当大的优势。例如建筑设备行业，一家公司可努力谋求低成本定位或产品高度差别化定位，并可在其中任何一个定位上获得高额利润。由

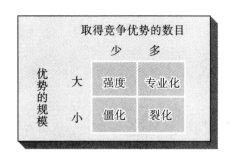

图10—1　波士顿竞争优势矩阵

此可见,利润率与公司规模和市场份额的关系极为密切。

2. 僵化行业(stalemated industry)。僵化行业是指其中的公司所具有的优势少而小。以钢铁行业为例,其产品和生产成本(在一定技术条件下)难以实现差别化。公司可尽量雇用较为优秀的销售人员,或者广为请客送礼,但是这些办法作用都不大。在此情况下,利润率与公司的市场份额无关。

3. 裂化行业(fragmented industry)。裂化行业是指其中的公司面临许多实行产品差别化的机会,但这些机会的意义均不大。例如餐馆可用多种方法实行差别化,但其结果并不能扩大市场份额。利润率与餐馆规模无关。餐馆无论大小,均可盈利或亏损。

4. 专业化行业(specialized industry)。专业化行业是指其中的公司面临许多实行产品差别化的机会,每个机会都会获利颇丰。例如那些为选定的细分市场生产专门机械的公司便是如此。有些小公司也会像大公司一样盈利。

米林顿·李莉(Milind Lele),观察到个别公司在潜在"谋略"上有五个方面的不同:目标市场,产品,销售点(渠道),促销和价格。行业的结构和公司在行业中的定位影响了公司谋略的自主性。对每一可能的谋略,公司需要估计预计的报酬率。这些促进更高报酬的谋略决定了公司的战略水平。处于僵化行业的公司在谋略和战略水平上范围很小,而处于专业化行业的公司,在谋略和战略优势上将有更大的舞台。

下面,我们考察一家公司在它的提供物中的五个方面提供差别化:产品,服务,人员,渠道和形象(表10—1)。

表10—1　　　　　　　　　　　　　　差别化变量

产品	服务	人员	渠道	形象
形式	订货方便	能力、资格	覆盖面	标志
特色	交货	谦恭	专长	媒体
性能	安装	诚实	绩效	气氛
一致性	客户培训	可靠		事件
耐用性	客户咨询	负责		
可靠性	维修	沟通		
可维修性	多种服务			
风格				
设计				

产品差别化

实体产品在它们的差别化上变化多端。在一个端点上，我们发现一些产品很难差别化，如鸡、钢材、阿司匹林。然而，即使在这一端，也有可能出现某种差别化。富兰克·波特(Frank Perdue)声称他饲养的品牌鸡较一般的鸡肉质鲜嫩，因此，他获得了 10% 的溢价。宝洁公司在洗衣粉中推出多个品牌，它的各个品牌都是独立的。在另一端的产品则能高度差别化，如汽车、商业大楼和家具。在这一端，推销员面临大量的设计参数，包括形式、特色、性能、一致性、耐用性、可靠性、可维修性、风格和设计。[2]

形式

许多产品在**形式**(form)上是存在差别化的，包括一种产品的尺寸、形状或实体结构。考虑诸如阿司匹林的许多产品可能的形式。虽然阿司匹林是一种普通的药品，但可以对它的药剂数量、形状、涂层和用药时间等方面实行差别化。

特色

大多数产品都提供各种不同的**特色**(features)，特色就是指产品的基本功能的某些增补。率先推出某些有价值的新特色无疑是一个最有效的竞争手段。

一家企业如何去识别和选择适当的新特色呢?公司应该访问目前的顾客，向他们询问：你觉得这产品怎么样?是否可以增加些什么特点从而使你更满意?每一种特色你愿意付多少钱?其他顾客提到的那些特色你觉得怎么样?

公司的下一个任务便是决定哪些特色值得增加。对每一个潜在的特色，公司应该估算顾客价值和顾客成本。假如一家公司正在考虑三项可能的改进，见表 10—2。"后车窗除霜"这一特色将使公司在厂里每生产一辆汽车要增加 100 美元的成本。而一般的顾客认为这一特色值 200 美元。所以公司每增加 1 美元的成本可以产生 2 美元的顾客满意。请看其他两个特点，显然，"电动驾驶"的每美元公司成本将产生最高的顾客满意。公司还应考虑对每一个特色有多少人需要，推出一种特色需要多长时间，竞争者还会模仿这个特色等。

公司还必须考虑特色组合或包装的条件。例如日本汽车公司，一般制造汽车维持在三个"整齐的水平"。这降低了日本汽车公司制造和投资成本。每个公司必须决策，它究竟是用高成本为特色顾客定制产品，还是使产品更标准化而降低成本。

表 10—2　　　　　　　　　　　计算顾客的有效价值

特色	公司成本	顾客价值	顾客效益
	(1)	(2)	(3) = (2)/(1)
后窗除霜	100 美元	200 美元	2
省油控制	600 美元	600 美元	1
电动驾驶	800 美元	2 400 美元	3

性能质量

　　大多数产品都处于下面四种性能中的一种：低，平均，高和超级。**性能质量**（performance quality）是指产品主要特点在运用中的水平。一个重要的问题是：较高性能的产品是否会产生较高的利润？战略计划研究所研究了高的产品质量的影响，发现在产品质量和投资回报之间存在着很高的正相关性。生产高质量产品的企业所赚取的利润比低质量产品的企业高，前者之所以能赚得多是因为优质产品使其能高价出售；它们还得益于较多的重复购买，消费者的忠诚和顾客的交口称赞；而其成本并不比生产低质量的企业高出太多。

　　性能质量并不意味着企业应该设计质量尽可能高的产品。随着质量的进一步提高，报酬可能会逐步减少，因为愿意购买的人越来越少。有些产品则是好得过头了。制造商必须设计适合市场和匹配竞争者的性能质量水平。

　　公司还必须决定如何随着时间的变化来管理产品质量。这里有三种战略。第一种，制造商不断地改进产品，经常产生最高的收益和市场份额。第二种战略是保持产品质量。许多公司在其产品定型后，质量就保持不变，除非是什么明显的缺陷，或出现了一些机会。第三种战略乃是随着时间的移动，质量不断下降。有些公司通过降低质量去抵补不断上升的成本，还有些公司则故意降低质量，以增加它们目前的利润，尽管这样做往往会损害其长远利益。参见下面施里茨公司的例子：

　　施里茨（Schlitz）　在20世纪70年代，它曾是美国第二大啤酒公司，但后来逐渐没落，究其原因是由于其管理层为提高短期利润和讨好股东，错误地实施了一项财政驱动策略，即减少酿造时间并使用价格便宜的啤酒花。开始时，利润是有所提高，股票也随之上涨。但当消费者开始注意到施里茨的啤酒不再好喝，并且大批的人不再喝这个牌子的啤酒时，该公司的股票也就随之大幅下挫了。

一致性质量

　　购买者希望产品有高度的**一致性质量**（conformance quality），它是指产品的设计和使用与预定标准的吻合程度。例如，波斯944型汽车被设计为在10秒钟内速度至每小时60英里。如果流水线上的每一辆波斯944型汽车都符合这一标准，该汽车就被认为具有高度一致性。但是，一致性差的问题意味着对许多买主来讲，产品的预定性能指标无法实现，这将使顾客感到失望。

耐用性

　　耐用性（durability）是衡量一种产品在自然或在重压条件下的预期的操作寿命。它是某些产品的价值增加属性。购买者一般对耐用性的产品愿意付更高的售价。然而，这个规则受到一定的限制。价格不能太高。进一步说，技术更新较快的产品不在此例。因为在购买这些产品时，买方不会为产品的耐用性付更多的钱。所以在广告中宣传一台个人计算机或一架摄像机如何经久耐用，其意义就十分有限。

可靠性

购买者一般愿为产品的可靠性付出溢价。**可靠性**(reliability)是指在一定时间内产品将保持不坏的可能性。梅达格(Maytag)是一家主要的家用器材公司，有着创造可靠产品的良好声誉。松下公司收购了摩托罗拉的奎萨分部(Quasar)，这个分部是生产电视接收器的。摩托罗拉过去所生产的产品中，每100台有141处缺陷。松下将其减少到每100件有六处缺陷。

可维修性

购买者总是偏好容易修理的产品。**可维修性**(repairability)是指一件产品出了故障或用坏后可以修理的容易程度。一辆由标准化零部件组装起来的汽车容易更换零件，其可维修性也就高。理想的可维修性是指用户可以花少量的甚至不花钱或时间，自己动手修复产品。买主也许只要简单地将坏了的零件取下来，换上新零件就行了。或者退一步，有些产品可能需要进行一次诊断，它可以通过电话通知维修人员修理，或以电话直接告诉用户如何修理。在通用电气公司派出修理员修理家用设备以前，它努力通过电话解决问题。在超过50%的情况下，这项改进使公司和顾客都节省了金钱并增加了对通用电气公司的好印象。同样，许多计算机硬件和软件公司向它们的顾客通过电话或传真，提供免费的技术支持，这在顾客做购买决策时成为重要的考虑因素。考虑思科采取的步骤。

> **思科系统公司**(Cisco Systems Inc.) 思科是因特网器件的主要生产厂家之一，目前其产品的40%通过因特网进行销售。顾客对其设备经常会提出各种问题，为确保电话服务支持体系的运行，思科不得不聘请大批雇员。为解决这一问题，思科公司收集了询问频率高的问题并在网上建立了一个知识库。通过此措施，该公司每个月可减少50 000次电话访问，以一次电话访问200美元计算，一月就可节省1 000万美元。并且，当有新的问题提出时，技术人员会将其问题和解决方法增补到知识库中，这样一来就进一步地降低了未来询问电话的次数。

风格

风格(style)是指产品给予顾客的视觉和感觉效果。购买者通常愿为有吸引力风格的产品多付一些钱。汽车买主出高价购买美洲豹汽车就是因为它那非同一般的外形。美学在下列品牌的建设中起到了关键的作用：阿波苏尔特伏特加，星巴克咖啡，苹果计算机，蒙特巴里克(Montblanc)钢笔，哥迪巴(Godiva)巧克力和哈雷 – 戴维森摩托车。[3]

有太多的产品在生产过程中是乏味的，而非引人注目。风格的优势在于创造了与仿制产品不同的差别。从反面讲，强有力的风格不一定总是意味着高绩效。一辆汽车看起来是激起情感的，但对它的修理确要花费很多的时间。

在差别化的武器中，我们必须包括包装，尤其在食品、化妆品、卫生用品和小型的消费品方面。包装是顾客对产品的第一印象，它能影响顾客"进入"或"退出"。对阿里森娜冰茶来说，包装使它获得了市场。[4]

阿里森娜冰茶(Arizona Iced Tea)　阿里森娜冰茶的营销公司费罗利多、沃特奇父子公司(Ferolito，Vultaggio & Sons)强调并非是直截了当地销售冰茶，而是在销售精心设计的瓶子，从而在市场销售上取得了成功。这种宽嘴长颈的瓶子对于新时期的饮料工业来说是一种创新，顾客买茶常常是因为瓶子。因为人们都想将空瓶子悬挂起来或是做成吊灯或其他居家用品，该公司对瓶子的造型也在进行局部修改。例如，1998年它们有限制地生产了由流行艺术家彼得·麦克斯(Peter Max)设计的四种造型的柠檬茶瓶子。为确保标志不被复制，费罗利多、沃特奇父子公司甚至将印刷标签的印刷筒销毁。

设计：综合性要素

随着竞争的强化，设计将能提供一种最强有力的方法以使公司的产品和服务差别化和定位。[5]哈佛大学的教授罗伯特·海斯(Robert Hayes)对此作了最好的总结："15年前，公司的竞争体现在价格上。今天，它是质量；明天，它将是设计。"在快速前进的市场中，价格和技术是不够的。设计能成为公司竞争的突破口。**设计**(design)是从顾客要求出发，能影响一种产品外观和性能的全部特征的组合。设计特别适用于销售耐用设备、服装、零售服务，甚至包装商品。所有这些我们在产品差别化下讨论的内容都是设计参数。设计者必须确定在特色、性能、一致性、可靠性、可维修性、风格等方面分别投资多少。从公司的角度来看，设计良好的产品应该是容易生产和分销的。按照顾客的观点，设计良好的产品应该是看上去令人愉快的，同时又是容易开启、可安装的、容易使用、可修理和处置的。设计者必须兼顾一切，力求完美。

下面是两家实行形式追随功能格言的公司例子：

苹果计算机(Apple Computer)　谁说计算机必须是米黄色，必须是四四方方的？苹果的最新计算机iMac就不是：它拥有讲究的流线造型的监视器和硬盘驱动器并且合为一体，颜色是透明的。这种机子没有笨重的塔式或桌式硬盘驱动器占据你的办公区域。它也没有软驱，因为苹果公司认为，软驱将被逐渐取消，越来越多的软件将通过光碟或网络进行加载。这种机器是专门用于上网，采用一键访问因特网的方式(iMac中的i就代表此含义)。1998年夏季，iMac机面市仅一个月，销售量就跃居第二位。超过15%的购买者是初次购买PC机，另外12%是由Wintel(即Windows & Intel意指微机的体系结构由视窗操作系统和英特尔的中央处理器组成)使用者转来的。由于并没有专门的马克(Mac)计算机的软件，因此，看来人们受iMac的吸引仅仅是因为其聪明的设计。[6]

百答(Black & Decker)　当你在水槽下检查漏水的龙头时，能不能不握住手电筒？百答公司的蛇型灯就像它的名字一样，它能附在任何一件物品上，让你的手自由。它还能像眼镜蛇一样站起来照明。在市场上，它的平均售价只有 6 美元，而消费者认为付 30 美元买这种灵活的手电筒也值得。它获得了行业杰出设计（创意）金奖。[7]

有些公司拒绝进行风格设计，它们认为设计就是制作一件产品，然后再给它套上一个花哨的套子。或者，它们认为可靠性是产品检验时要注意的事，但不需要设计。或者它们认为设计者都是一些对成本不够关心的人，或者是一些会将设计搞得过于新奇而使市场难以接受的人。

有些国家在设计方面已成为赢家：意大利在服装和家具方面；斯堪的纳维亚在功能、美学和环境方面，德国在尊严方面。吉列公司德国分部的布兰（Braun）把设计提高到高艺术化，并在各种小电器如电动剃须刀、咖啡烧壶、头发吹风器、食品加工器等上获得很大成功。在公司设计部门，工程与制造应处于平等的地位。丹麦的本－奥洛生公司（Bang & Olufsen）在设计其立体声和电视设备上获得了很多美誉。

英国设计创新工作组调查了得到政府资助的 221 个产品、工程、行业和图形设计项目，该报告发现 90% 的项目有盈利，它们的平均投资回收期是从产品推出后的 15 个月。平均每个设计项目花费 10 万美元，销售平均增长41%。

服务差别化

在实体产品差别化有困难时，要取得竞争成功的关键常常有赖于增加价值服务和改进服务的质量。服务差别化主要表现在订货方便、交货、安装、客户培训、客户咨询、维修保养。

订货方便

订货方便（ordering ease）是指如何使顾客能方便地向公司订货。例如，巴克斯特医疗公司向医院提供的订货程序采用计算机终端处理，医院直接向巴克斯特发订单。许多银行现在都供应家用银行软件，以帮助顾客获得信息和使划账更有效。[8]现在的顾客甚至能不去超市就可以订货和收到货物：

皮波特、溪流、网上零售和电子肉食（Peapod, Streamline, Net-Grocer and Cybermeals）　许多以网络为基础的公司现在开始接受网上订单并将食品直接送货上门。皮波特，最大的网上商店，允许顾客从屏幕上的 8 000 种食品中进行选择，并保证在 2 小时内送到。波士顿的溪流甚至不需要顾客在家，因为它们可以将所订物品放在门口专门设置的一个隔间内。网上零售接受 25 美元以上的不易坏的食品订单，并通过联邦快递送达。电子肉食则是通过当地饭店接受订单和送货。这四家网上公司使那些不能或不愿意花费时间去食品店或饭店的人采购更加方便。

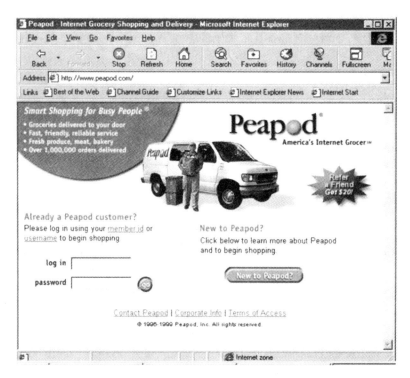

由珍宝超级市场经营的皮波特公司网上主页，它在网上供应各种零售商品。

交货

交货（delivery）是指产品或服务如何送达顾客。它们包括速度、准确性和文明送货。例如，迪拉克斯支票印刷公司在这方面建立了卓越的信誉：该公司在接到订单后第二天即送出它的支票，18 年如一日，没出一次差错。李维·斯特劳斯、贝纳通和利明特公司（Limited）已经接受了以计算机为基础的"快速反应系统"，它将供应商、生产厂家、物流中心和零售渠道的信息连接起来。购买者通常会选择能按时交货具备良好声誉的供应商。大西洋集团家具公司就是利用了这一点，以速度取胜。

大西洋集团家具公司的采购和项目管理（Atlantic Group Furniture Procurement and Project Management）　大西洋集团公司，是位于纽约的一家办公家具经销企业，其所从事的商品经营行业的传统利润正逐渐削减，因而在此行业的一些公司尝试着通过售后服务或增加价值进行竞争。大西洋集团公司则是采用了提供快速交货的方式。通常，经销商与客户从会谈开始到下订单需耗时一个月，而在大西洋公司仅需要一天，实现这一点，是通过使用极其现代化的行业信息体系，与约定的外购合作者、能快速反应的制造厂商和极富决断力的雇员合作完成。所有参与人员都知道只要其能保持这一极高的速度，就能带来相应丰厚的回报。[9]

安装

安装(installation)指的是确保产品在计划地点正常使用而必须做的工作。尤其对于那些重型设备的购买者，都希望厂家提供良好的安装服务。因而，对于那些生产复杂产品的公司来说，这一点在销售环节上尤为重要。安装便捷已成为产品的一个很好卖点，尤其是对于目标市场定位于那些初学者的产品，因为它们对于屏幕上的信息诸如"控制台出错在 23"深恶痛绝。

康柏计算机公司　康柏公司的普兰苏里奥(Presario)产品线是首先将安装作为其产品卖点。它们不是提供满是深奥用语的说明书，而是向用户提供了广告画式的说明，清楚地列出 10 个安装步骤。该公司使用彩色的软线、电缆和输出口以进一步简化安装，并且以令人愉快的视觉和听觉形式帮助新的使用者轻松完成安装和注册。[10]

客户培训

客户培训(customer training)是指对客户单位的雇员进行培训，以便使他们能正确有效地使用供应商的设备。通用电气公司不仅向医院出售昂贵的 X 光设备并负责安装，而且也负责对这些设备的使用者进行培训。麦当劳快餐公司要求其新的特许经营者必须到其在伊利诺伊州奥克波格的汉堡包大学参加为期二周的学习，以便学习如何正确地管理它们的特许店。

客户咨询

客户咨询(customer consulting)是指卖方向买方提供有关资料、信息系统和提出建议等服务。增值咨询服务最佳提供者之一是米利肯公司：

米利肯公司(Milliken & Company)　米利肯公司向工业洗衣房出售车间用抹布，后者将抹布再租给工厂。这些抹布的质地与竞争者的抹布完全一样。但是米利肯公司的抹布价格却高很多，而且占有最大的市场份额。为什么同样的商品它能高价出售呢？答案就在于米利肯公司持续不断地加强对其洗衣店客户的服务，从而使产品的"商品特性淡化"。米利肯公司对其客户的推销员进行培训；向他们提供有关市场前景和促销的材料；提供联机计算机订货和运费优惠系统；替顾客做市场调研；支持车间卫生的改进，以及将自己的推销人员借给客户，参与客户的行动小组。洗衣店十分乐意出高价购买米利肯公司的工厂用抹布，因为上述这些服务可以增加它们的盈利。[11]

在消费者市场，里特援助药店发起了一场成功的消费者调查活动。

里特援助公司(Rite Aid Corporation)　不降低药价，但增加药店的销售和利润。按照这一指令，里特援助公司在 1997 年成立了维他命研究所，实行店内交易沟通计划，让顾客能够在药店窗口得到更舒适的服务。公司的药剂师为一些感兴趣的顾客提供有用的知识来提高他们的判断力。维他命研究所因此获得了巨大的成功，但其观念实际上已经过时了。当许多人依赖于本地的那些比医生更了解药物的副作用和相互作用的药剂师时，公司的这一举动使人想起了"过去的好时光"。这意味着进入了 HMO 和有管理护理的时代了。[12]

维修保养

维修保养(maintenance and repair)是建立服务计划帮助购买公司产品的顾客正常运作。考虑坦德姆计算机公司远程修理的例子：

坦德姆计算机公司(Tandem Computers) 坦德姆应用了并联中央处理器以解决计算机中的停机时间这一个主要问题。为了用户的计算机能保持运转，公司在用户意识到这一服务需要之前更新它们的产品。公司职员能通过远程诊断找出发生故障的部分，并用快件送去适当的部件和指导。然后，他们与顾客通过电话进行维修过程。这一技术不仅消除了顾客因停工所耗的巨大花费，也消除了公司所要耗费的巨大现场服务力量。[13]

多种服务

公司还能找到许多其他方法提供各种服务来增加价值。公司可以提供一个改进的产品担保或维修合同。它们也可以提供一些惠顾奖励：

山谷视野购货中心(Valley View Center Mall) 在达拉斯的山谷视野购货中心的漂亮购物者俱乐部最近开张，顾客只要在计算机交互接触屏上轻击就会得到奖励。要获得俱乐部会员卡只要填写一份问上几个简单的个人情况与心理问题的申请。以后，俱乐部会员每次进入大厅，他在输入身份证号码至接触屏后，可收到当天的零售折扣，每周有随机抽奖和送一本记录事件的年历；另一方面，该购货中心也收到有价值的顾客营销信息。[14]

麦克米伦(MacMillan)和麦克兰特(McGrath)说，公司在差别化顾客链环节上的任何阶段都有新机遇。他们甚至指出当产品不再应用时也能差别化：[15]

佳能(Cannon) 佳能公司发展了一项自己花钱向顾客回收打印机卷筒的计划，然后修复这些卷筒并再次卖出。这项计划使得向顾客回收卷筒变得方便。对于顾客而言，他们所需做的只是把包裹放回联合包裹服务回收站。顾客也喜欢这一有利于环境的计划，并把佳能公司评为环境友好公司。

人员差别化

公司可以通过培养训练有素的人员来获得强大的竞争优势。新加坡航空公司之所以享誉全球，就是因为其拥有一批美丽高雅的航空小姐。麦当劳的雇员都彬彬有礼，IBM公司的人都是专家，迪斯尼乐园的雇员则都精神饱满。诸如通用电气、思科、富利多乐、西北共同人寿保险和普菲泽等公司的推销人员都享有卓越的声誉。[16]经过严格训练的人员具有六方面的特性：称职（competence）：雇员具有所需要的技能和知识；谦恭（courtesy）：雇员热情友好，尊重别人，体贴周到；诚实（credibility）：雇员诚实可信；可靠（reliability）：雇员能始终如一、正确无误地提供服务；负责（resposiveness）：雇员能对顾客的请求和问题迅速作出反应；沟通（communication）：雇员力求理解顾客并清楚地为顾客传达有关信息。[17]

当竞争者在立即停止生产和服务时，一些机智的公司正在市场上用它们员工的独特诀窍进行销售：

奥维斯公司（Orvis Company）　创建于1856年的奥维斯公司作为邮购和零售的供应商，主要提供"国产"服装、礼品和运动器械，并同L. L. 本恩（Bean）和埃迪·鲍尔（Eddie Bauer）竞争。同以前不一样，奥维斯公司提供其历史悠久的飞蝇钓鱼专家技术。它的飞蝇钓鱼学校位于从加利福尼亚到佛罗里达之间的风景宜人地区，其运动艰苦但易于新手接受。学校的附近坐落着奥维斯零售代销店。1968年，当它创办第一所钓鱼学校时，其销售收入低于100万美元。现在，公司年销售额已达3.5亿美元。虽然钓鱼产品的销售收入只是其海外收入的一小部分，但公司项目经理兼副总裁汤姆·罗森波（Tom Rosenbauer）说："如果没有继承飞蝇钓鱼这一技术，我们仅仅只是一个身着破衣服的小商贩。"[18]

渠道差别化

公司可通过设计分销渠道的覆盖面、专长和绩效来取得竞争优势。卡特彼勒在建筑设备上的成功原因之一是它开发了优秀的渠道。它的经销者比竞争者更本地化，卡特彼勒的经销者一般都受过良好培训和执行任务十分可靠。戴尔在电脑、雅芳在化妆品上，它们开发和管理高质量的直接营销渠道而获得差别化。艾姆斯宠物食品公司在如何违反传统和选择渠道上提供了有教育意义的事例，使之事业能成功。

艾姆斯宠物食品（Iams Pet food）　回溯至1946年，当波尔·艾姆斯（Paul Iams）创建这家公司时，宠物食品价格便宜，但营养不丰富，而且专门在超市和零星的食品店销售。艾姆斯放弃了传统渠道而转向当地兽医、饲养员和宠物商店。当现在的业主克雷·马歇尔（Clay Mathile）于70年代初加入这家公司时，他对市场渠道进行了战略调整。从1982年到1996年，艾姆斯的年销售额由1 600万美元迅速上升至5亿美元。[19]

357

形象差别化

购买者能从公司或品牌形象方面得到一种与众不同的感觉。能解释万宝路香烟异乎寻常的世界市场份额(约30%)的惟一理由就是万宝路的"万宝路牛仔"形象激起了大多数吸烟公众的强烈反应。酿酒公司也在努力开发它们品牌在差别化上的形象。

对个性和形象进行区别是很重要的。**个性**(identity)是公司确定或定位它自己或产品的一种方法。**形象**(image)是公众对公司和它的产品的认知方法。形象不仅受到公司的控制,而且也受其他许多因素的影响。耐克问题证明了形象有它自己的生命力这一事实。耐克公司在变幻莫测的青年市场中保持了它的吸引力。

耐克和气垫(Nike and Airwalk)　耐克的成功在于它让成百万的年轻消费者确信鞋不仅仅是鞋,而是代表个性。公司的战略意识如此成功以至于它"嗖的一声"就成为世界上最众所周知的标志。然而,耐克的流行——转向12岁~24岁的重要核心消费者——可以看出其从支流向主流的转变。其他的品牌也在改变形象,例如气垫公司,它放弃技术型的滑板和雪橇鞋,生产训练鞋。气垫公司在它的离奇的广告中促使小孩子喜欢把这鞋与极限运动联系起来。[20]

树立一个有效的形象需要做三件事。第一,它建立一种产品的特点和价值建议。第二,它必须通过一种与众不同的途径传递这一特点,从而使其与竞争者相区分。第三,它必须产生某种感染力,从而触动顾客的内心感觉,它必须利用公司可以利用的每一种传播手段和品牌接触。例如,"IBM就是服务"这个特定信息,必须通过一些标志、文字和视听媒体、气氛、事件和员工行为来表达。

标志

印象强烈的形象包括一个或几个标志。公司可以选择某些标志如狮子(哈里斯银行),苹果(苹果计算机公司),或者淘气男孩(食品乐公司)。公司也可利用一些名人来建立形象,就像推广新式香水时那样——感情型(伊莉莎白·泰勒)和无拘束型(切尔)。公司还可以选择不同的颜色作为标记,例如,蓝色(IBM公司),黄色(柯达)或红色(金宝汤料公司),有时也可用一些声响或音乐作为标志。图10—2介绍了美国著名公司的一些标志。

媒体

所挑选的形象必须通过广告媒体来创造一个故事梗概、一种情绪、一种与众不同的表演。它还应该出现在年度报告、小册子、商品目录、公司的文具和商业名片上。

图 10—2　美国一些著名公司的标志

资料来源：Rahul Jacob，"Corporate Reputations"，Fortune，March6，1995.

气氛

一家公司的实际空间场所是营造好的形象的途径。凯悦旅馆通过它的艺术画廊营造了一个形象。一家银行希望自己十分安全，就必须选择适当的建筑设计、内部设计、布局、颜色、材料和家具摆设等。

事件

一家公司可通过由其资助的各类活动营造某个形象。帕里尔（Perrier）是一家瓶装水公司，它通过资助一些有关健康和运动的活动，获得了卓越的声誉；美国电话电报公司和 IBM 公司充当交响音乐会和艺术展等的资助者；亨氏公司向医院捐款；而通用食品公司则向"母亲反对酒后驾车"协会提供资助。

采用多种形象建立技术而形成一种产品，其最好的实例之一是瑞士的斯沃琪手表：

斯沃琪（Swatch）　尼古拉斯·G·海克（Nicholas G. Hayek），斯沃琪手表的创造者，1983 年推出斯沃琪手表时，从法兰克福最高的银行悬挂了一条 500 英尺长的条幅，几个星期以后，每一个德国人都知道了斯沃琪。斯沃琪手表是轻结构、防水、防震的电子表并带有彩色塑料带。它有各种表面和表带，用于庆祝著名的艺术节、运动会、周年纪念日。价格从 40 美元～100 美元不等。该手表的设计诉求是年轻、有活力和追求潮流的人。

斯沃琪手表今天在 30 个以上的国家销售出 2 亿块手表。它们在珠宝店和时尚店出售，也在高档百货公司销售。斯沃琪充分发挥了它的促销和推销技能，下面是几个例子：

● 斯沃琪每年都推出二次有数量限制的"时尚（snazzy）"手表。只有斯沃琪俱乐部成员有权竞价购买它们。斯沃琪每次销售 4 万只，但收到的订单来自于 10 万人以上。它只能用抽签的形式来挑选 4 万名幸运者购买该手表。

● 克里斯蒂斯（Christie's），一家拍卖行，定期拍卖早期的斯沃琪表。一位收藏者花了6万美元买了一只稀有的斯沃琪手表。要知道斯沃琪到现在只有21年的历史，但它们已达到"时代经典"的地位。

● 斯沃琪经营某些自己的零售店。在米兰著名的维·蒙迪·拿破仑时尚街，斯沃琪吸引的参观者超过这条街上的任何一家。有时店门口挤满了人，高音喇叭读着四位数的号码，只有护照包含这四位数的人才能允许进门和购买斯沃琪手表。

● 斯沃琪在不断创新，并使人们对它产品的艺术化感到惊奇。除了标准化的塑料手表以外，斯沃琪在不断开发新产品，例如，伊罗妮（Irony）（金属表），光能表斯沃琪·苏拉（Swatch Solar），悦耳声音斯沃琪音乐闹钟（Swatch Musicall）。斯沃琪创造了全世界第一个手表式寻呼机，斯沃琪寻呼机（Swatch Beep），它还推出在全世界滑雪胜地使用的有"存取"信息功能的手表。

斯沃琪在营销书上清楚地写上了它是怎样通过提供超级式样、推销和促销而风行一时的。[21]

开发定位战略

任何产品都可以进行某些程度的差别化。[22]然而，并非所有商品的差别化都是有意义的或者是有价值的。一个有效的差别化应满足下列各原则：

● 重要性。该差别化能向相当数量的买主让渡较高价值的利益。
● 独特性。该差别化是公司以一种与众不同的方式提供的。
● 优越性。该差别化明显优于通过其他途径而获得相同的利益。
● 专利性。该差别化是其竞争者难以模仿的。
● 可承担性。买主有能力购买该差别化。
● 盈利性。公司将通过该差别化获得利润。

许多公司所采用的差别化手段没有满足上述诸原则中的一个或几个。新加坡的威斯汀·斯坦莫福特旅馆（Westin Stamford）宣称它是世界上最高的旅馆；事实上，对许多旅客来讲这点并不重要。宝丽来公司的即刻成相胶卷也没有幸免于难。尽管即刻成相是十分独特的，甚至是不易模仿的，但是，它与另一种捕捉运动镜头的机器，即摄像机相比显然缺乏优越性。当泰纳（Turner）广播系统安装了电视监视器，接通有线新闻网以观察在商店结账处的购买者，它认为它是结账渠道的赢家。然而，虽然这主意独特，甚至有先卖权，但它没有通过"多数"测试。顾客并不想在超市中寻找一种新的娱乐源泉。泰纳在花费了1 600万美元后，取消了这项活动。

尽管发生了上述案例，卡彭特（Carpenter）、格雷佐（Glazer）和纳卡莫多（Nakamoto）指出，品牌有时在差别化上的成功是创造出一种不相关属性上的区别。[23]宝洁公司差别化地推出它的福卡速溶咖啡，通过"薄片咖啡晶体"创造一种"独特专利过程"。广告暗示这个过程能改进咖啡的口味。而实际上，咖啡的粒子与口味没有关系，因为晶体很快在热水中被溶解。艾伯塔·卡尔弗公司(Alberto Culver)的艾伯塔天然香波。它对产品的差别化是把蚕丝放进它的香波内，广告语是"我们在瓶中倒进了蚕丝"。然而，公司发言人强调，蚕丝不可能为头发做什么。

每家公司都需要为它的市场供应品开发一个有差别化的定位。

定位(positioning)就是对公司的供应品和形象进行设计，从而使其能在目标顾客心目中占有一个独特的位置的行动。

定位的最后结果是成功地创立一个以市场为重点的价值建议书，它简单明了地阐述为什么目标市场会购买这产品。表 10—3 展示了三家公司(珀杜、富豪和达美乐)对它们的目标顾客在利益和价格上是怎样确定价值建议的。

表 10—3 价值建议的需求陈述和营销任务的实例

公司产品	目标顾客	利益	价格	价值建议
珀杜 (鸡)	对鸡有质量意识的消费者	嫩肉	溢价 10%	更嫩的金色鸡买中等溢价
富豪 (标准货运车)	有安全意识的"上层"家庭	耐用性和安全	溢价 20%	对你的家庭，是更安全,更耐用的货车
达美乐 (比萨饼)	有方便意向的	交货速度	溢价 15%	好吃的热比萨饼，订货后 30 分钟送上门,价格适中

里斯和特劳特的"定位"观念

定位这个词是由两位广告经理艾尔·里斯(Al Ries)和杰克·特劳特(Jack Trout)提出而后流行的。他们把定位看成是对现有产品的创造性实践：

定位起始于产品。一件商品、一项服务、一家公司、一个机构，或者甚至是一个人…… 然而，定位并非是对产品本身做什么行动。定位是指要针对潜在顾客的心理采取行动。即要将产品在潜在顾客的心目中定一个适当的位置。

里斯和特劳特认为现在的产品一般在顾客心目中都有一个位置。大家公认赫茨公司是世界上最大的汽车租赁行，可口可乐公司是世界上最大的软饮料公司，保时捷是世界上最好的运动跑车公司之一等。这些品牌占据了这些位置，其他的竞争者难以侵入，竞争者只能选择以下几种战略。

第一种战略是在消费者心目中加强和提高自己现在的定位。阿维斯公司将自己定位为汽车租赁行业的第二位，强调说："我们是老二，但我们要迎头赶上。"消费者知道这是确实可信的。生产七喜(7–Up)饮料的公司做广告宣传说，七喜汽水不是可乐型饮料，它是"逆可乐"。

第二种战略是寻找一个未被占领的定位。三枪巧克力棒糖在做广告时，声称比其他大多数巧克力棒糖要少 45% 的脂肪。联合泽西(United Jersey)银行设法与大银行进行竞争时，发现大银行发放贷款往往行动迟缓，它们便将联合泽西银行定位为"行动迅速的银行"。

第三种战略是退出竞争或对竞争重新定位。美国大部分购买餐具的顾客认为勒诺克斯(Lenox)瓷器和皇家达尔顿(Royal Doulton)瓷器均来自英格兰。皇家达尔顿公司推出广告说勒诺克斯瓷器是新泽西产的，而它的产品才真正是英格兰制造的。温狄斯公司著名的电视广告节目中有一个名叫克拉拉(Clara)的70岁老妇人，她看着一位竞争对手的汉堡包问道："牛肉到哪儿去啦？"这说明宣传攻势能动摇消费者对领头产品的信心。

里斯和特劳特指出在现代社会到处都充斥广告，即使这样，在人们的心理上也形成一种产品阶梯(product ladders)，例如，可口可乐—百事可乐—RC可乐或赫茨—阿维斯—天然。名列第一的公司的知名度最高。例如，有人问我们："谁第一个成功地单独飞越大西洋？"我们会说："是查尔斯·林德伯格(Charles Lindbergh)。"再问："第二人是谁？"我们就无言以对了。这就是公司拼命争夺首位的原因。"最大公司"的定位只有帮助一种品牌。第二位的品牌应该创造和引导进另一类目中。如七喜汽水是非可乐型饮料的第一名；保时捷赛车是小型运动跑车的第一名；迪尔牌香皂是除臭香皂的第一名。营销人员应识别并确定品牌能令人信服地获得一种重要属性或利益。

第四种战略是高级俱乐部战略。例如，一家公司可以宣传说自己是三家大公司之一。三大公司的概念是由第三大汽车公司——克莱斯勒汽车公司提出的(市场上最大的公司不会提出这种概念)。其含义是俱乐部的成员都是"最佳"的。

里斯和特劳特深刻揭示了消费者内心里对某个品牌的现行定位或重新定位的心理活动的本质。他们认为为了支持定位战略，公司应在产品、定价、地点和促销的每一目标方面，增加对定位的要求。[24]

推出多少差别？

每个公司必须决策为它的目标顾客推出多少差别(如利益、特色)。许多营销者竭力主张向目标市场只推出一种利益。罗斯·里弗(Rosser Reeves)说，一家公司应该为每一种产品制定一个惟一的销售定位(unique selling proposition – USP)，并专营这一定位。[25]佳洁士牙膏始终宣传其防蛀这一保护功能，而梅塞德斯则宣传其杰出的汽车发动机。里斯和屈劳特也支持一种连贯一致的定位信息。[26]每一种产品应该选择一个属性，并使其成为在这一属性方面的"第一名"。

"第一名"的定位主要有"最高的质量"、"最佳的服务"、"最合理的价格"、"最高的价值"，以及"最先进的技术"等。如果一家公司坚持不懈反复强调这些定位中的一个，并且令人信服地进行传播，它就可能出名，并取得优势。例如，家居用品销售中心在家用装修产品零售业内获得了"最佳服务"的声誉。

家居用品销售中心(Home Depor) 家居用品销售中心的创始人和首席执行官伯纳德·马库斯(Bernard Marcus)，在轻松的"与马库斯吃早餐"等小组会上向销售员传播服务的福音。有一个传说是，有一次马库斯走到他商店的后面的办公室，注意到有一把西尔斯公司的工匠牌扳手放在一堆顾客退回来待修理的工具中。当时，马库斯叫来了商店的全体修理工，他举起了这把扳手问是谁接受的，因为他们是不销售西尔斯商品的。一个修理工承认犯了错误，但马库斯露齿而笑，并把这件事引为取悦顾客而做了一桩非正统的好案例。家用百货公司销售人员外出为顾客服务并非是偶然的例子。其销售员都受过能在现场铺瓦片、电器安装和做其他项目的训练。这家连锁店也是一家大的建筑产品零售商，它有许多富有实践经验的业务员(如管子工、电灯匠和木匠)，他们随时准备帮助顾客。[27]

并不是每一个人都同意单一利益的定位总是最佳选择。公司也可试一下双重利益定位(double – benefit positioning)。如果有两家或更多的公司在同样的属性上都声称是最好的，这样做就很有必要了。钢制文件柜有限公司(Steelcase)是一家生产办公系列家具的公司，该公司在两项利益上与其竞争者相区别：最佳的按时送货和最佳的安装服务。富豪将其汽车定位为"最安全"和"最耐用"。

甚至推出三重利益的定位也不乏成功的例子。例如，比彻姆公司(Beecham)在促销其阿克福来希牙膏时，声称可提供三种利益：防蛀、爽口和增白。它的挑战是要说明消费者相信这一品牌确实具有这三种利益。比彻姆公司发明了一种可同时挤出三种颜色的牙膏，使顾客通过视觉相信该牙膏确实具有三种利益，从而解决了这个问题。在这样做的过程中，比彻姆公司采用了"反细分法"，也就是，它吸引了三个细分市场而不是一个细分市场。

当公司为其产品推出较多的优越性时，可能会变得难以令人相信，并失去一个明确的定位。一般而言，一家公司必须避免下述四种主要的定位错误：

1. 定位过低。有些公司发现购买者对产品只有一个模糊的印象。购买者并没有真正地感觉到它有什么特别之处。该品牌在拥挤的市场上就像另一个牌子。当百事在 1993 年引入它清爽的科里斯托百事饮料时，顾客没有特别印象。他们并没有"弄清楚"它在软饮料中有什么重要的利益。

2. 定位过高。买主可能对该产品了解得十分有限。因此，一个消费者可能认为蒂万尼公司只生产 5 000 美元的钻石戒指，而事实上，它也生产人们可承受的 900 美元的钻石戒指。

3. 定位混乱。顾客可能对产品的印象模糊不清。这种混乱可能是由于主题太多所致，也可能是由于产品定位变换太频繁所致。一个例子是斯蒂芬·乔布的光滑和强功率的 NeXT 桌面电脑，它首先定位于学生，然后是工程师，再后来是商人，结果都没有成功。

4. 定位怀疑。顾客可能发现很难相信该品牌在产品特色、价格或制造商方面的一些有关宣传。当通用汽车公司的凯迪拉克分部导入悉米路车时，它的定位是类似于豪华的宝马、梅塞德斯和奥迪。该车用皮坐位，有行李架，大量镀铬，凯迪拉克的标志打在底盘上，顾客们把它看成只是一种雪佛莱的卡非拉和奥斯莫比尔的菲尔扎组合的玩具车。这辆汽车的定位是"比更多还要多"，但顾客却认为它"多中不足"。

解决定位问题的好处在于，它能帮助公司解决营销组合问题。因此，一个将自己定位于"优质产品"位置的企业知道，它必须生产优质产品，制定一个高价，通过高档的经销店分销，以及在品味高的杂志上登广告。

公司应该怎样选择定位?我们用下面的例子来回答这个问题：

　　一家游乐园打算在洛杉矶地区建立一个新的主题公园，以吸引大量来洛杉矶游览迪斯尼乐园和其他旅游胜地的游客光临。洛杉矶现在已有七家主题公园在营业：迪斯尼、神奇山、诺特公司贝瑞农场、布什公园、日本鹿园、太平洋海洋世界和狮子狩猎园。

公司为了决策它的定位需做下列工作：它向消费者提供一系列三合一主题公园(如布什公园、日本鹿园和迪斯尼乐园)，并要求他们在三个之中选择二个最类同的和二个最不类同的公园。然后用统计分析方法得出认知图(perceptual map)，如图10—3。此图包括两个特性。图中的七个黑点代表洛杉矶地区的七家主要游乐场。任何两个公园越靠近，这两个公园就越相似；所以，从认知图上看，迪斯尼乐园和神奇山十分相似，而迪斯尼乐园和狮子狩猎园差别很大。

该图还包括人们在旅游胜地所追求的九种满足。这用箭头表示。从图上可以看出每个旅游胜地在各种属性上的位置。例如，消费者认为太平洋海洋世界"等候时间最短"，所以它位于箭头所指"等候时间较短"这一假想线上的最近处。消费者认为布什公园是最经济实惠的旅游地。[28]

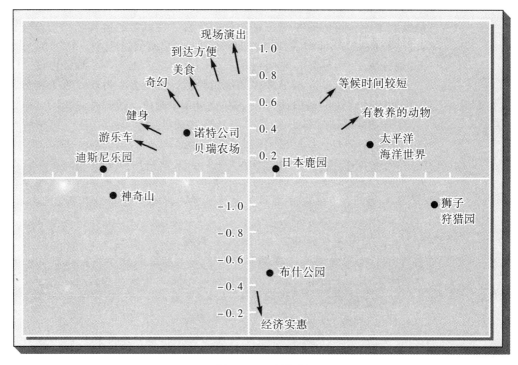

图10—3　认知图

该主题公园公司就能够认识到主题公园可以采取的各种不同的定位战略：[29]

● 特色定位。一家公司定位于自己的特色，如它的规模、它的历史。例如，迪斯尼乐园可在其广告中宣传自己为世界上最大的主题公园。

● 利益定位。把产品定位在某一特定利益上的领先者。例如，诺特公司的贝瑞农场定位于一个追求奇幻经历的主题公园，像生活在老的西部地区。

● 使用或应用定位。这包括把某些产品定位成使用或申请最佳者。日本鹿园可以将其定位在专门为那些只能花一个小时，并打算参加一些快节奏的娱乐活动的旅游者服务。

● 使用人定位。这包括把一种产品定位成对某些用途或应用是最好的。例如，神奇山可以宣传自己是"寻求刺激者"的乐园。

● 竞争者定位。在这里可以把自己定位成在某一方面比一个明的和暗的竞争者要更好些。例如，狮子狩猎园的广告是它有各种各样的动物，比日本鹿园多得多。

● 产品品目定位。在这里产品可以定位成在某些产品品目上是领先者。例如，可将太平洋海洋世界定位为"教育机构"，而不属"娱乐性主题公园"，从而使其成为出乎人们意料的一类不同的产品。

● 质量或价格定位。在这里产品可以定位成能提供最好的价值。例如，布什公园可以定位成每分钱都能获得"最好的价值"。

推出哪种差别

假设一家公司已确认了四种不同的定位优势：技术，成本，质量和服务（表10—4）。它有一个主要竞争者。这两家公司在技术方面都得8分（1分为最低分，10分为最高分）。竞争者在成本方面有较大的优势（8分而不是6分）。该公司的产品质量高于竞争者（8分而不是6分）。最后，两家公司提供的服务都低于平均水平。

表 10—4　　　　　　　　　　　　　　　竞争优势选择方法

(1) 竞争优势	(2) 公司现状 (1～10)	(3) 竞争者现状 (1～10)	(4) 改进现状的重要性 (高—中—低)	(5) 改进能力和速度 (高—中—低)	(6) 竞争者改进现状的能力 (高—中—低)	(7) 采取的行动
技术	8	8	低	低	中	维持
成本	6	8	高	中	中	修正
质量	8	6	低	低	高	修正
服务	4	3	高	高	低	投资

可见，该公司应该在成本或服务方面下功夫，以提高其市场吸引力。但是，公司还应考虑一些其他问题。首先是，每一种属性的改善对目标顾客来讲其重要性如何？第4栏表明，成本和服务的改进对顾客是十分重要的。下一步，公司是否有能力改进，以及需要多少时间？第5栏显示，公司在改进服务方面具有较强的能力和较快的速度。但是，如果该公司开始这样做的话，竞争者是否也能改进服务呢？第6栏显示，竞争者改进服务的能力较低，也许因为

竞争者不相信改进服务会带来奇迹，或者是因为缺少资金。以第 1 栏到第 6 栏的信息为基础，在第 7 栏显示了对每一种属性应采取的适当行动。对该公司来讲最重要的就是改进其服务，并将改进其促销。上面是孟山都公司在它的一个化学制品市场上得到的结果。孟山都公司马上聘用了一批额外技术服务人士，当这批人受训完毕，开始工作时，孟山都公司便向外宣称自己是"技术服务领导者"。

传播公司的定位

当公司制定一个明确的定位战略后，它还必须有效地传播这一定位。假设公司选择"质量最佳"这一定位策略，那么它必须保证传递这一诉求。该传播可以选择一些人们平时用来判断质量的标志和线索来进行。举例如下：

一位割草机制造商声称其割草机"动力很大"，并使用噪声很大的发动机，因为顾客认为噪声大的割草机动力强。

一位卡车制造商给卡车底盘的内层也刷上油漆，并非因为需要涂内层，而是因为这样可显示其对质量的关心。

一位汽车制造商给他的汽车安装了能承受猛烈撞击的车门，因为许多买主都在汽车陈列室里使劲关上车门，以此来检验车的质量好坏。

里兹·卡尔顿旅馆(Ritz Carlton)在接听电话时显示出它的高质量。它训练员工在三次铃响内接通电话，他们的声音是真心诚意的"微笑"声，尽可能减少断线，并对旅馆所有信息有充分的了解。

质量还可以通过其他营销要素加以传播。高价对顾客来讲常常是优质产品的信号。包装、分销渠道、广告和促销手段也会影响产品的质量形象。下面是一些损害产品的质量形象的例子：

● 一种十分著名的冷冻食品由于经常降低售价而破坏了其良好的形象。
● 一种优质啤酒因其由瓶装改为听装而损害了形象。
● 一种高档电视机，由于在经营大众商品的商店开始出售，而失去了它的优质产品形象。

一个制造商的声誉也将影响质量形象。一些公司对质量是一丝不苟的；消费者认为雀巢公司的产品和 IBM 公司的产品是信得过的。明智的公司都尽力将其有关质量的信息传达给顾客，并保证其质量的可靠性，否则就"退钱给顾客"。

产品生命周期的营销战略

随着产品、市场和竞争者的变化，一家公司需要修订和定位它的战略。这里，我们将讨论产品生命周期的概念和在产品生命周期的各个阶段如何改变它的战略。

产品生命周期的概念

我们讲产品有一个生命周期，就是说四件事：

● 产品有一个有限的生命。
● 产品销售经过不同的阶段，每一阶段都对销售者提出了不同的挑战。
● 在产品生命周期不同的阶段，产品利润有高有低。
● 在产品生命周期不同的阶段，产品需要不同的营销、财务、制造、购买和人力资源战略。

大多数关于产品生命周期(product life cycle，PLC)的讨论，把一种典型产品描绘成一条曲线(见图10—4)。这条曲线的特点分为四个阶段，即导入、成长、成熟和衰退。[30]

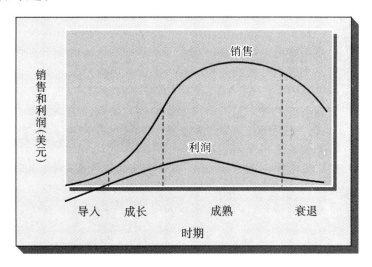

图10—4　销售与利润生命周期

1. 导入(introduction)。产品导入市场时，销售缓慢成长的时期。在这一阶段，因为产品导入市场所支付的巨额费用所致，利润几乎不存在。
2. 成长(growth)。产品被市场迅速接受和利润大量增加的时期。
3. 成熟(maturity)。因为产品已被大多数的潜在购买者所接受而造成的销售减慢的时期。为了对抗竞争，维持产品的地位，营销费用日益增加，利润稳定或下降。
4. 衰退(decline)。销售下降的趋势增强和利润不断下降的时期。
产品生命周期概念能够用于分析一个产品种类(酒)、一种产品形式(白酒)、一种产品(伏特加)或一个品牌(斯米诺夫)。

● 产品种类(product categories)具有最长的生命周期。许多产品种类的销售在成熟阶段是无限期的，这是因为它们与人口变化规律高度相关。有些主要的产品种类(打字机、报纸)似乎已进入衰退阶段；而另一些主要的产品种类

(传真机、蜂窝电话、瓶装水)明显已进入成长阶段。

● 产品形式(product form)比产品种类更能准确地体现标准的产品生命周期的历史。例如，手动打字机经历了产品生命周期的导入期、成长期、成熟期和衰退期；而当前的电子打字机和文字处理机正在重演被取代的类似历史。

● 产品(product)遵循标准的产品生命周期形式，或者表现为其他形式。

● 品牌产品(brand product)显示了最短的产品生命周期历史。虽然许多新品牌很快就走向死亡，但有些老品牌仍然经久不衰(如象牙雪，吉露－O，好时)，它们也被利用来命名新产品。例如，我们可以想到好时糖果，好时还成功地推出了好时点心、好时杏仁果糖、好时饼干和棒糖，等等。好时相信它能把强盛品牌的名字永远使用下去。

产品生命周期的其他形态

并非所有的产品都呈现钟型产品生命周期。研究人员确定了6种～17种不同的产品生命周期形态。[31]三种常见的产品生命周期形态见图10—5。图10—5(a)显示了"成长—衰退—成熟(growth-slump-maturity)"的形态。小型厨房设备常常具有这种特点。几年前的电动刀具在首次导入时的销量迅速上升，然后就稳定或"僵化"在该水平上。这一僵化水平之所以能维持，是因为后期采用者的首次购买与早期采用者的更换产品。[32]

图10—5(b)显示的"循环—再循环(cycle-recycle)"形态，常常用来描绘新药的销售。制药公司积极推销其新药，于是出现了第一个周期。后来销量下降，公司对新药发动第二次促销，这就产生了第二个周期(通常规模和持续期都低于第一次周期)。[33]

图10—5(c)是另一种常见的形式"扇形(scalloped)"，它是基于发现了新的产品特征、用途或用户，而使其生命持续向前。例如，尼龙销售就显示了这种扇形特征，因为许多新的用途——降落伞、袜子、衬衫、地毯，一个接一个地被发现。

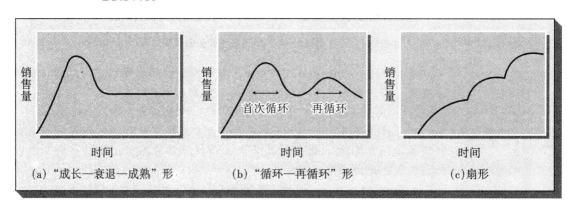

图10—5 常见的产品生命周期形态

风格、流行和时尚生命周期

有三种互有区别的产品生命周期类型——风格、流行和时尚(图10—6)。风格是显示在人们努力的一个领域里所出现的一种基本的和独特的方式。例如，在住宅中出现的风格(殖民地式、大牧场式、科德角式)；衣着(正式、便服、奇装异服)；艺术(现实的、超现实的、抽象的)。一旦一种风格创新后，它会维持许多世代，在此期间时而风行，时而衰落。流行(fashion)是在既定的领域里当前被接受或流行的一种风格。流行经历四个阶段[34]：区分阶段；模仿阶段；大量流行阶段；衰退阶段。

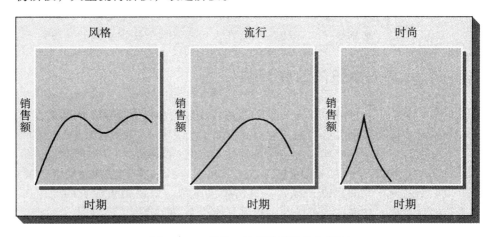

图 10—6　风格、流行和时尚生命周期

　　流行的周期长度很难预料。华生认为流行代表了一种购买妥协，当消费者开始寻找一度失去的某些属性时，流行行将没落。[35]例如，短车身的汽车风行一时后，人们感到短车身不舒服，购买长车身的人在增多。再说，如果太多的消费者趋向这种流行，也会使其他人退避开去。[36]

　　时尚(fad)是快速进入公众眼睛的时尚，它们被狂热地采用，很快地达到高峰，然后迅速衰退。它们的接受周期短，且趋向于只吸引寻求刺激者或标新立异的有限的追随者。它们的外表经常表现为新奇或善变，例如文身。由于时尚一般不能满足广泛的需求，因而它们是短命的。真正的营销赢家是那些较早地认识时尚并能把它们应用到产品中去，使它们发挥持久力量的人。下面是两个延长时尚生命周期的例子和一个在短期内达到高潮的例子：

　　便帽婴儿(Beanie Babies)　泰公司(Ty)于 1993 年把便帽婴儿投入市场，价格低于 5 美元。这种娇小、用豆子填充的玩具由公司的创始者泰·威纳(Ty Warner)设计，小孩子只要用零花钱就能买到这一玩具。很快，大人们开始抢购并收集这一玩具，公司的货到了商店放置架上就很快被兜售一空。泰公司意识到这种玩具风靡的主要原因是供不应求。因此，公司限制小玩具和专卖店的数量，以熟练驾御顾客的行为。同时公司也淘汰旧的产品用新的替代它们以增加产品的类型。1988 年有 100 种以上的类型被淘汰，并有 65 种新类型上市。淘汰的产品从紧握的收藏者手中转让价格达到 1 000 美元。当新的和淘汰的产品名宣布时，公司网站的访问次数飙升。在 1998 年 1 月，公司宣布产品变化时，访问该网站(www. ty.com)的次数增加了 3 500%。[37]

　　特里维尔·珀休德(Trivial Pursuit)　自从 1982 年特里维尔·珀休德在国际玩具展览会上初次亮相后，它已经在 32 个国家用 18 种语言卖出了

6 500 万张光盘，而且在成人游戏中保持着良好的销售记录。帕克（Parker）兄弟带着每年出现的新问题制作新游戏，以确保产品的大众化。它还创作旅行游戏包，儿童的游戏版本，特里维尔·珀休德 IV 系列，来自维珍娱乐公司的交互光盘。这些游戏也有自己的网站（www.trivialpursuit.com），在最初的两个月的试验里，网站访问次数达 10 万次。如果你在一次晚餐约会中有困难，没关系，NTN 娱乐网络会把特里维尔·珀休德游戏放在大约 3 000 个餐馆中供你消磨时光。[38]

导入阶段的营销战略

在这阶段，因为新产品是首次导入和进入经销商的渠道，因此销售成长趋向于缓慢发展。巴泽尔（Buzzell）认为，许多产品缓慢成长的原因是：生产能力扩展上的延误；有待解决的技术问题（消除缺点）；把产品供应给顾客，特别是获得足够的分销零售网点上的延误；和顾客不愿意改变既定的行为模式。[39]对于昂贵的新产品，如高清晰度电视，妨碍销售成长的原因还要添加其他因素，例如，产品的复杂性和只有少数购买者。

在导入阶段，由于销售量少及分销和促销费用高，公司要亏本或利润很低。它们需要大量经费以吸引分销商。促销支出占销售额最高的比率，因为它需要高水平的促销努力，以达到：(1)告诉潜在的消费者新的和他们所不知道的产品；(2)引导他们试用该产品；(3)使产品通过零售网点获得分销。公司销售的目标是那些最迫切的购买者，通常为高收入阶层。其价格偏高的原因是：产量比较低导致成本提高；生产上的技术问题可能还未全部掌握；需要高的毛利以支持销售成长所必需的巨额促销费用。

在推出一种新产品时，营销管理层要为各个营销变量（价格、促销、分销和产品质量）分别设立高或低两种水平。当只考虑价格和促销时，管理层将在四个战略中择一而行。

1. 快速撇脂战略（rapid-skimming strategy）。以高价和高促销水平的方式推出新产品。采用这一战略的假设条件是：潜在市场的大部分人还没有意识到该产品；知道它的人渴望得到该产品并有能力照价付款；公司面临着潜在的竞争和想建立品牌偏好。

2. 缓慢撇脂战略（slow-skimming strategy）。即以高价格和低促销方式推出新产品。采用这一战略的假设条件是：市场的规模有限；大多数的市场已知晓这种产品；购买者愿出高价；潜在竞争并不迫在眼前。

3. 快速渗透战略（rapid-penetration strategy）。即以低价格和高促销水平的方式推出新产品。采用这一战略的假设条件是：市场是大的；市场对该产品不知晓；大多数购买者对价格敏感；潜在竞争很强烈；随着生产规模的扩大和制造经验的积累，公司的单位制造成本会下降。

4. 缓慢渗透战略（slow-penetration strategy）。即以低价格和低促销水平推出新产品。采用这一战略的假设条件是：市场是大的；市场上该产品的知名度较高；市场对价格相当敏感；有一些潜在的竞争。

关于撇脂与渗透战略的更详细的介绍请参见第 17 章。

市场开拓者的优势

计划引进一个新产品的公司必须作出市场进入次序的决策。首先进入市场可以有高报酬，但也有风险且成本较高。对后进者来说，它也意味着能给公司带来先进的技术、质量或品牌优势。

在当今产品生命周期缩短的时代，需要加快创新的时间。许多行业的竞争者也在学习新技术和了解新市场的机会。首先能够解决问题的公司将在市场上享受"第一实践者"的优势。先进入的人比后进入的人得益更多。一份研究报告发现，晚进6个月但预算及时者在头5年内平均减少利润33%；产品及时进入但预算超过50%者，仅减少利润4%。

大多数研究报告认为市场开拓者能获得最大的优势。典型的市场开拓公司有金宝汤料、可口可乐、柯达、豪马克、比波特和施乐公司等，它们已成为市场的主导者。鲁宾逊和福内尔广泛研究了成熟期的消费品和工业用品企业以后，发现市场开拓者拥有的市场份额比早期追随者与后来者要高。[40]厄本(Urban)的报告也认为开拓者的优势是：第二个进入市场的人只能获得开拓者市场份额的71%，第三个只获得58%。[41]卡彭特(Carpenter)和纳考莫特(Nakamoto)还发现，在1923年曾经是市场领导者的25家公司中，到1983年仍为领导者的是19家，整整领先了60年。[42]

市场开拓者的优势是什么呢？研究显示消费者更偏爱开拓者的品牌。[43]如果他们试用过它并感到满意，早期使用者就偏好他们的品牌。开拓者的品牌还成为估价产品等级特征的标准。由于开拓者品牌定位于市场的中间，它更能吸引更多的使用者。它还能获得生产优势：规模经济、技术领袖、稀有资源的拥有和其他阻碍别人进入的障碍。

然而，对开拓者优势的质疑也是不可避免的。作为例外有鲍玛公司(袖珍计算器)、雷诺公司(圆珠笔)、奥斯波内公司(笔记本电脑)，它们都很快被后来者所超过。施纳拉斯研究了28个行业中模仿者超过创新者的例子。[44]他发现这些失败的开拓者的弱点是：新产品过于粗糙，定位不恰当或太超前于需求高峰；产品开发成本耗尽了创新者的资源；缺少与后进入的大公司的竞争资源；管理不完美或不健康的骄傲自大。而模仿者的成功在于，提供低价格，不断改进产品，或使用了战胜开拓者的残酷市场商战。

戈尔达(Golder)和泰尔斯(Tells)进一步对开拓者的优势提出疑问。[45]他们区分出发明者(inventor)(第一次开发出新产品类型的专利)，产品开拓者(product pioneer)(第一次开发出产品模型)和市场开拓者(market pioneer)(第一次销售这种产品类型)。他们提供了其他研究报告忽视的失败的开拓者的例子。他们进一步作出结论：开拓者的有些优势其实是言过其实的。他们列举大量的市场开拓者失败了，而大量的早期市场领袖(虽然并非开拓者)成功了，特别是如果他们有决心进入和投入巨大资源以获得市场领先者称号。后来者超过市场开拓者的例子有：IBM公司在计算机主机上超过斯佩里，松下在录橡机上超过索尼，得州仪器公司在袖珍计算器上超过鲍玛公司，通用电气公司在CT扫描仪上超过EMI公司。这个报告说明，在最低限度上，在某些环境下，后来者能超越开拓者的优势。根据罗伯森和加蒂诺的报告，精明的开拓者能够推出各种战略以防止后来者夺取他们的领导地位。[46]

开拓者可以设想他一开始可进入各种各样的市场，但是一下子全部进入是不可能的。假设市场细分化分析得到产品市场细分的情况如图10—7。开拓者应该分析每一市场各自的和组合的利润潜量，并作出一个市场扩展战略决策。例如在图10—7中，开拓者计划在产品市场 P_1M_1 中推出他的初期产品，然后用相同产品打入第二个市场（P_1M_2），接着通过在第二个市场发展第二种产品（P_2M_2），使竞争者措手不及，然后把第二种产品返销到第一个市场（P_2M_1）。如果执行这个战役计划，市场开拓公司就会在最初的两个细分市场中得到较大的份额，并且在这些细分市场中推出两三种产品。

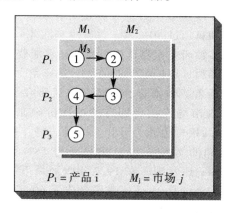

图10—7　长期的产品市场扩展战略

竞争周期

　　开拓者向前看，就会知道竞争早晚会发生，并会引起价格和他的市场份额的下降。问题是这种情况何时发生？开拓者在各个阶段应该做什么？福雷描述了开拓者必须向前看的**竞争周期**（competitive cycle）的各个阶段（图10—8）。[47]

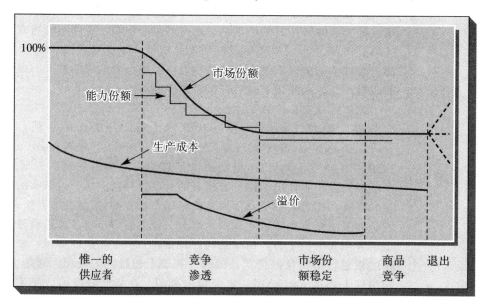

图10—8　竞争周期的各个阶段

资料来源：John B. Frey, "Pricing Over the Competitive Cycle," speech at the 1982 Marketing Conference. ⓒ 1982, The Conference Board, New York.

● 开始，开拓者是惟一的供应者，拥有 100% 生产能力和全部销售。第二阶段，竞争渗透，开始于一个新的竞争者已经建立了生产能力并上市销售。其他的竞争者也陆续登场，市场开拓者的生产能力份额和销售份额逐渐下降。后来的竞争者，因为可见的风险和他们质量上的不稳定性，因而常常采用低于开拓者价格的方式进入市场。随着时间的推移，与开拓者有关的可见的相对价值下降了，并引起开拓者的溢价下降。

● 在快速成长阶段，生产能力往往发展得过大，因此，当所引起的周期性下降发生时，该行业的过剩能力就会驱使毛利下降。这时，新的竞争者不大愿意加入这个竞争，而已经参加竞争的公司要努力巩固自己的地位。这样就进入了第三阶段，市场份额都趋向于稳定。

● 在市场份额稳定期以后，就进入商业竞争的时期，这时的产品被看成是商品。购买者不再支付商业溢价，供应商只能赚到一个平均的投资报酬率。在这一点上，公司退出竞争开始了。因此，对于可能仍在市场份额上处于支配地位的开拓者来说，他可以决定在别人离开后去进一步扩大市场份额。

成长阶段的营销战略

成长阶段的标志是销售迅速增长。早期采用者喜欢该产品，其他消费者开始追随领先者。由于有大规模的生产和利润机会吸引，新的竞争者进入市场，它们通过大规模生产来提高吸引力和利润。它们引进新产品特点和扩大分销连锁的数量。

在需求迅速增长的同时，产品价格维持不变或略有下降。公司维持同等的促销费用或把水平稍微提高，以满足竞争和继续培育市场。销售的高速上升，使促销费用对销售额的比率不断下降。

在这一阶段利润增加的原因是：促销成本被大量的销货额所分担；随着生产经验的增加单位产品制造成本比价格下降得更快。为了准备新的战略，公司必须注意增长速度何时开始下降。

在成长阶段，公司为了尽可能长地维持市场成长而采取下列战略：

● 公司改进产品质量和增加新产品的特色和式样。
● 公司增加新式样和侧翼产品。
● 公司进入新细分市场。
● 公司进入新的分销渠道。
● 公司的广告从产品知名度转移到产品偏好上。
● 公司在适当时候降低价格，以吸引另一层次价格敏感的购买者。

一家公司当它推行这些市场扩展战略后，将会大大加强其竞争地位。考虑雅虎! 的例子[48]：

雅虎!（Yahoo!） 自从 1994 年几个网上冲浪的大学生创建它以来，雅虎! 已成为排名第一的网站。多个搜索引擎，全面的信息和服务——涉及不动产、金融、新闻、购物和私人内容。在 1998 年，公司的股票上涨至每股 200 美元，市场资本达到 91 亿美元。经历了快速而短暂的上涨，雅虎！的竞争由简单走向惊慌。现有的门户入口竞争者已有用现金和电视网络来加强电子空间的信息搜索。微软、网境、美国在线公司和 NBC，它们已泰然应战。雅虎！的战略：成长，成长，再成长。雅虎！应允向那些以前没有连接的入口设备，比如电话机、传呼机、线索管理器等去发展。公司推出许可经营使用雅虎！来建立统一的品牌，它使用高科技来制作信息并将网络资料传送给桌面。雅虎！还计划通过在线记账和买方服务来拓展更多的电子商业业务，并且，它已经同威士国际信用证公司建立了业务关系。

公司在成长阶段面临着是选择高市场占有份额呢，还是选择当前高利润。如果把大量的钱用在产品改进、促销和分销上，它能获得一个优势地位，但要放弃获得最大的当前利润，而这一利润公司有希望在下一阶段得到补偿。

成熟阶段的营销战略

一种产品的销售增长率在达到某一点后将放慢步代，并进入相对的成熟阶段。这个阶段的持续期一般长于前两个阶段，并给营销管理层带来最难对付的挑战。大多数产品都处于生命周期的成熟阶段，因此，大部分的营销管理层处理的正是这些成熟产品。

成熟阶段仍可分成三个期间：成长、稳定和衰退。第一期间分销饱和而造成销售增长率开始下降，没有新的分销渠道可开辟了。第二期间由于市场已经饱和，销售量增长与人口增长呈同一水平。大多数潜在的消费者都已试用过该产品，而未来的销售正受到人口增长和重置需求的抑制。第三期间是衰退中的成熟，此时销售的绝对水平开始下降，顾客也开始转向其他产品和替代品。

销售增长率的减慢使得整个行业中的生产能力过剩，能力过剩又导致竞争加剧。竞争者更频繁地使用减价和不标价的方法销售。它们增加广告，扩大贸易和消费者交易的机会；为了找出比较好的产品式样和侧翼产品而增加研究和开发预算。这些步骤意味着某些利润的被侵蚀。有些较弱的竞争者开始退出。最后，该行业由一些地位牢固的竞争者组成，他们的基点是要获得竞争利益。

统治一个行业的往往是几个巨型公司——也许是一个质量领先者、服务领先者和成本领先者。这些公司为整个市场服务并通过高产量与低成本获取利润。围绕着这些占支配地位的公司的是大批的市场补缺公司。这些补缺者包括了市场专家、产品专家和产品定制者公司。补缺者极好地为小规模的目标市场服务并通常获得溢价。公司面临的问题是在成熟市场上它能否经过奋斗成为"三大巨头"之一，能否通过高产量及低成本或推行补缺战略来获取利润，以及通过高差价来得到利润。

在成熟阶段，许多公司会放弃这些弱势产品。它们认为最好的办法是把资金用于投入更有获利能力的产品和新产品。这是一种忽视新产品的低成功率和老产品仍有高潜力的做法。很多行业广泛地被认为进入成熟期——汽车、摩托车、电视机、手表、照相机——而日本人的成功说明情况未必不妙，他们发现了向顾客提供新价值的新方法。表面上看上去是衰落的品牌，诸如吉露－O 果冻、阿华田麦乳精、阿哈默小苏打，它们通过营销想像的运用，多次获得大的销售复兴。[49]在鞋类中沉默小狗的复兴使人们想起了这是一个已被忘却的旧品牌。

沉默小狗(Hush Popples)　沉默小狗曾经一度是休闲鞋类业的统治者，但是，当它的母公司，沃尔弗林世界(Wolverine World)，收购了与鞋类没有任何关系的企业后，沉默小狗品牌在20世纪80年代已经下滑到了无人认知的地步。而与此同时，沃尔弗林世界正在利用一系列的广告劝说顾客，沉默小狗品牌并不是为那些唠叨守旧的人开创的品牌。运气加上一定的营销活动使得这个品牌又恢复了生机。1994年，纽约的时装设计师约翰·巴雷特(John Barrett)将一些古典的沉默小狗的鞋子染上颜色——紫色、绿色及橙色——在他的流行服装展示会中搭配他设计的服装。此后不久，一份男装贸易杂志打出了沉默小狗又回来了的标题。下面是该公司进行的一些出色的营销的实例：它生产的新的沉默小狗鞋子利用了最新的颜色：粉蓝、石绿和电子橙色，并且限量在六家前卫的鞋店出售。公司也将售价从40美元提高到70美元，并且在好莱坞的庆典中免费展示。在鞋子被广泛地认可后，公司将它们陈列在一些较好的百货公司出售。沉默小狗的销售量1994年为3万双，二年后增加到170万双。同年利润增加了300%。[50]

市场改进

一家公司应该用组成销售量的两个因素，为它的品牌扩大市场寻找机会：

销售量 = 品牌使用人数量 × 每个使用人的使用率

一家公司能够通过下列三种方法的努力来扩大品牌使用人的数量：

1. 转变非使用人。公司能通过努力把非使用人转变为该类产品的使用人。例如，飞机货运服务成长的关键是不断地寻找新用户，说服它们相信空运比陆地运输有更多的好处。

2. 进入新的细分市场。强生产品公司曾经把它的婴儿洗发用品成功地推销给了成年使用人。

3. 争取竞争对手的顾客。百事可乐劝说可口可乐的饮用人改饮百事可乐。

可以设计让当前品牌使用者增加他们对该品牌的年使用率来提高产品数量。这里介绍三种策略：(1)公司可以努力使顾客更频繁地使用该产品。例如，橘子汁的营销人员应努力劝说除了在早餐时间饮用外，还可在一般场合下饮用。(2)公司可以努力使用户在每次使用时增加该产品的使用量。例如，洗头香波制造商可以给用户暗示，每次洗头时冲洗两次比一次更有效。(3)公司应努力发现该产品的各种新用途，并且要使人们相信它有更多种类的用途。例如，一个食品制造商通常的做法是在包装上列出几种食谱，以扩大消费者对这种食品全部用途的认识。[51]

产品改进

经理们还应努力改进该产品的特性以刺激销售，这包括对质量的改进、特点的改进或式样的改进。

质量改进(quality improvement)的目标是注重增加产品的功能特性——它的耐用性、可靠性、速度、口味。一个制造商通过推出"新颖和改进的"汽车、电视机或洗涤剂，通常能压倒他的竞争对手。食品杂货制造商把这种做法称之为"附加"推销并促销了一种新的附加产品，或者对这些东西用"更强"、"更大"或"更好"的术语进行广告宣传。这种战略有效的范围是：质量确能改进，买方相信质量被改进的说法和要求较高质量的用户有一个足够的数量。但是，顾客并不一定会接受一个"改进"的产品，请看下面一个关于新可乐的著名例子：

可口可乐(Coca-Cola) 为了与较甜口味的百事可乐竞争，可口可乐公司决定放弃它的传统配方，而给予偏爱百事的一代人一种甜口味饮料，并起名为新可乐。尽管轻率的口味测试表明了可乐饮用者偏爱带甜味的新可乐配方，但新可乐的诞生在全国引起骚动。市场调研者没有估计到消费者对可口可乐的感情。无数愤怒的来信、正式抗议，甚至法律威胁，都要求保留"真正的东西"。最后，新可乐在传统可口可乐偏好者的压力下垮台了。在宣布新可乐失败的2个月以后，该公司重新导入已有一个多世纪的"可口可乐经典"，从而强化了老配方的市场地位。

特点改进(feature improvement)的目标是注重产品的新特点(如尺寸、重量、材料、添加物、附件等)，扩大产品的多功能性、安全性或便利性。例如，你可能想不到一种腌菜也可以变化，但维来西克公司的研究与开发人员经过几年的努力改变了它的核心产品：

维来西克食品国际公司(Vlasic Foods International) 腌菜的消耗量曾经从20世纪80年代开始，每年跌落2%。但是，通过成功的新产品导入后，它的销售额又出现了新的高峰。从90年代中期开始，维来西克注意到人们非常讨厌腌菜叶子从汉堡包和三明治边上掉下来，它探索块型腌菜。最初，公司决定水平地分割腌菜，将它们切成片，称为"三明治堆场"。惟一的问题是这些腌菜通常包含黄瓜的子，而不是较脆的片。然后公司开始了"工程飞盘"项目，努力切取较大的腌菜切片。通过数年的研究和开发，1998年维来西克生产出了比传统型的腌菜黄瓜大10倍的黄瓜。腌菜切片或"薄片"大得足够覆盖整个的汉堡包表面，并且储存时可以成打地放在罐中。[52]

这种战略有以下的优点。新特点为公司建立了进步和领先地位的形象。新特点能被迅速采用、迅速丢弃，因此通常只要花非常少的费用就可供选择。新特点能够赢得某些细分市场的忠诚。新特点能够给公司带来免费的公众化宣传。新特点会给销售人员和分销商带来热情。其主要缺点是特点改进很容易被模仿；除非首先推出者享有永久的利益，否则它可能会得不偿失。[53]

式样改进(style improvement)战略的目的是注重于增加对产品的美学诉求。定期引进新的汽车模型是式样竞争，而并非是质量或特点竞争。在包装食品和家庭用品上，一些公司常引进颜色和结构的变化，以及对包装式样不断更新，把包装作为该产品的一种延伸。式样战略的优点是每家厂商可以获得一个独特的市场个性，以召集忠诚的追随者。但是，式样竞争也带来一些问题。第一，难以预料是否有人和有哪些人会喜欢这种新式样。第二，式样改变通常意味着不再生产老式样，公司将冒失去某些喜爱老式样顾客的风险。例如，消费者喜欢某种像花生果壳那样似乎无意义的东西。在美国，边吃花生边看棒球赛是一个长期的传统。观众总是把花生果连壳带进场，而后把壳丢在体育场的地板上。在 1986 年棒球季节，纽约的西尔体育场作为一个家庭娱乐场所，篡改了传统，销售不带壳的放在玻璃纸内的花生米，结果销量下降了 15%，并引起消费者的强烈不满。[54]

营销组合改进

产品经理还应努力通过改进营销组合的其他要素以刺激销售。他们应提出如下关键性问题：

● 价格。削价会吸引新试用者和新用户吗？如果是，要不要降低目录标价？或者通过特价、数量上或先购者的折扣、免费运输、较易的信贷条件等方法下降价格？或用提高价格来显示质量较好的方法更为有利？

● 分销。公司在现有的分销网点上能够获得比较多的产品支持和陈列吗？公司能够渗透入比较多的销售网点吗？公司的产品能够进入某些新类型的分销渠道吗？当固特异决定在沃尔玛、西尔斯和折扣轮胎商店出售轮胎时，在进入的第一年，市场份额从 14% 上升到 16%。走出轮胎经销渠道的范围，使固特异的成熟产品成长实现了差别化。[55]

● 广告。广告费用应该增加吗？广告词句或文稿应该修改吗？宣传媒介载体组合应该更换吗？宣传的时间、频率或规模应该变动吗？

● 销售促进。公司应该采用何种方法来加快销售促进——廉价销售、舍去零头、打折扣、担保、赠品和竞赛？

● 销售人员。销售人员的数量和质量应该增加或提高吗？销售队伍专业化的基础应该变更吗？销售区域应该重新划分吗？对销售队伍的奖励方法应该变更吗？销售访问计划需要改进吗？

● 服务。公司能够加快交货工作吗？公司能扩大对顾客的技术援助吗？公司能扩大提供更多的信贷吗？

营销人员经常讨论的哪一种方法在成熟阶段更有效。例如，公司通过增加其广告或促销预算会得益吗？有人说在成熟阶段促销的影响较大，因为消费者在他们的购买习惯和偏好上已达到某种平衡，心理上的说服力(广告活动)不如财务上的说服力(促销手段)有效。因此，许多消费—包装—商品公司用超过总促销预算 60% 的经费来支持对成熟产品的促销活动。但也有与此不同的意见说，品牌应该作为一项主要资产进行管理。把广告当做一种花费而不把它当做资本投资也是错误的观点。品牌经理喜欢使用促销手段，因为它的作用在近期内就容易被上级见到，但在实际上却损害了品牌长期利润的实现。

营销组合改进的主要问题是它们很容易被竞争者模仿，尤其是减价、附加服务和大量分销渗透等方法。因此，公司不大可能获得预期的利润，事实上在互相的逐步加紧的营销进攻中，所有的公司可能都经历过利润受侵蚀的过程。参见"营销视野——突破成熟产品的综合措施"，其展示了在产品成熟阶段重建销售的构架。

营销视野

突破成熟产品的综合措施

成熟产品的经理为了有所突破，需要一个确定识别的综合措施。圣母大学(Notre Dame)的约翰·A·韦伯(John A. Weber)教授设计了下列构架，并称为突破分析(gap analysis)，用以指导寻找成长的机会。这一构想的关键是识别并找出产品线、分销、使用、竞争等方面的差距。用市场结构分析法有助于解决如可尔爱德(Kool-Aid)等成熟型冷饮产品的问题：

1. 行业市场潜量规模的自然变化。现在的出生率和人文统计资料是否会增加对可尔爱德牌冷饮的消费量？经济的展望会对可尔爱德的消费量产生什么影响？

2. 新用途或者新客户的细分市场。能否使可尔爱德迎合青少年、未婚青年、年轻父母等的口味？

3. 创新产品的差别化。能否把可尔爱德制成含钙低、超高糖度等多种品种？

4. 增加新产品线。能否使用可尔爱德牌名推出新的软饮料产品线？

5. 刺激尚未使用者。是否可能说服未饮用可尔爱德的儿童尝试饮用本产品？

6. 刺激轻度使用者。能否促使儿童每天都饮用可尔爱德？

7. 提高每次使用量。能否增加每一包装容器所含可尔爱德的分量，并且提高价格？

8. 弥合现有产品和价格的差距。是否应推出新包装规格的可尔爱德？

9. 创造新产品线的要素。是否应创造新口味的可尔爱德？

10. 扩大分销覆盖地区。能否将可尔爱德的分销覆盖地区扩大到阿拉斯加、夏威夷和欧洲？

11. 提高产品分销密度。在中西部地区销售可尔爱德的方便店所占比例是70%，能否提高到90%。

12. 扩大分销陈列。向本行业供应的可尔爱德能否增加货架陈列？

13. 渗透替代产品阵地。能否使消费者相信可尔爱德是比其他软饮料(如汽车、牛奶等)更好的饮料？

14. 渗透直接竞争者的阵地。能否说服消费者舍弃主要竞争者的饮料，转向饮用可尔爱德？

15. 防守公司的现有阵地。我们能否使现有的饮用者感到满意，使他们保持忠诚？

资料来源：John A. Weber, *Identifying and Solving Marketing Problems with Gap Analysis* (Notre Dame, IN: Strategic Business Systems, 1986).

衰退阶段的营销战略

大多数的产品形式和品牌销售最终会衰退。这种销售衰退也许是缓慢的，如燕麦片的例子；也许很迅速，如埃德塞汽车的例子。销售可能会下降到零，或者也可能僵持在一个低水平上持续多年。

销售衰退的原因很多，其中包括技术进步、消费者口味的改变、国内外竞争的加剧。所有这些都会导致生产能力过剩、削价竞争增加和利润被侵蚀。

当销售和利润衰退时，有些公司退出了市场。留下来的公司可能会减少产品附加物。它们也可能从较小的细分市场和边际交易渠道中退出。它们也可能削减促销预算和进一步降低价格。

可惜的是，大多数的公司尚未能制定出一种周密思考的政策，以处理它们的已经老化的产品；相反，感情在起作用：

> 淘汰某产品或让它们自行灭亡是件乏味的事，并且经常会引起许多悲痛，犹如与多年好友的生离死别。这个便于携带的六边形椒盐饼干从来就是本公司生产的第一种产品。没有它，我们的产品线就不成为我们的产品线了。[56]

逻辑也在起着作用。管理层相信，在经济改善后，或营销战略修订后，或产品被改进后，销售将会上升。也可能因为疲软的产品对公司的其他产品的销售仍有贡献，因而把它保留下来。或者可能这种衰退期的产品的收入可能弥补它的付现成本，即使公司不能把它转化成利润。

除非有强有力的保留理由，否则继续经营一种疲软的产品对公司来说代价是非常高的。它的成本不只是无法回收的管理费和利润，在财务账上还有见不到的全部的隐藏成本：疲软产品可能在不相称地消耗管理层的时间；它需要频繁地调整价格和存货；它通常要花费昂贵的装置时间，而只能生产出少量的产品；它要求广告和推销队伍的努力，如果把这些注意力转移到"健康的"产品上将会更有利；它在市场上的非常不适宜性会引起顾客的疑虑，给该公司蒙上一层阴影。拖着疲软的产品可能会使公司在将来付出最大的代价。由于没有淘汰它，疲软产品会延误积极寻找替换品的工作。它们使产品组合失去平衡，延长了"昨天的生计产品"和缩短了"明天的生计产品"。

一家公司在处理它的老化产品中面临着许多任务和决策。第一个任务是建立辩论疲软产品的制度。公司任命一个有营销、研究与开发、制造和财务代表参加的产品审查委员会。这个委员会拟定一套辩论疲软产品的制度。主计长办公室提供每种产品的资料，其中包括产品在市场规模、市场份额、价格、成本和利润方面的动向。让这些信息经电子计算机程序分析，确定出可疑产品。其标准包括销售疲软产品的年数、市场份额的趋势、毛利和投资报酬。把列在可疑表上的产品向有关负责的经理们报告。由这些经理填写评估表，说明在营销战略不修改和修改后的情况下销售和获得利润前景。产品审查委员会利用这些信息，作出每一可疑产品的意向书——继续保留该产品、修改它的营销战略或放弃它。[57]

有些公司将比其他公司先放弃衰退市场。这在很大程度上取决于退出障碍的水平。[58]退出障碍越低，公司就越容易脱离该行业，同时对留下来的公司就更具诱惑力，它们可以去吸引退出公司留下的顾客。留下来的公司将会增加销售和利润。因此，一家公司必须对是否要在市场上坚持到底作出决定。例如，宝洁公司在衰退的液体肥皂业中坚持到最后，并且随着其他公司的退出而获得可观的利润。

在一个关于衰退行业的公司战略研究报告中，哈里根（Harrigan）区别出公司面对的五种衰退战略：

1. 增加公司的投资（使自己处于能支配或得到一个有利的竞争地位）。

2. 在未解决行业的不确定因素前，公司保持原有的投资水平。

3. 公司有选择地降低投资态势，抛弃无希望的顾客群体，同时加强对有利可图的顾客需求领域的投资。

4. 不顾对投资结构会产生什么后果，从公司的投资中获取（或榨取）巨利，以便快速回收现金。

5. 尽可能用有利的方式处理它的资产，迅速放弃该业务。[59]

一个衰退战略的实施要取决于一个行业的相对吸引力和公司在该行业中的竞争实力。一家公司当它发现自己处在吸引人的行业中并有竞争实力时，则它应该考虑增加或维持其投资水平。宝洁公司多次发现自己的一些品牌在强大的市场上表现令人沮丧，就试图扶植它能东山再起。

宝洁公司（Procter & Gamble）　宝洁公司曾经推出一种"不油腻"的文卓（Wondra）护手润肤膏，装在倒立式的瓶子里，润肤膏可从瓶底流出。尽管刚开始时销售量颇为可观，但是后来的销售情况却令人失望。消费者抱怨说油膏粘在瓶底，"不油腻"就意味着效果不佳。于是宝洁公司采取了两种调整方法：首先，将装文卓的瓶子改为正立式；然后重新改进润肤膏的配方，提高使用效果。结果，销售额上升了。

宝洁公司偏爱被别人遗弃的品牌名称并使其重新恢复青春。其发言人声称根本不存在产品生命周期这个概念。他们指出：象牙雪、佳美牌和其他许多"富媚"品牌的产品依旧永葆青春，经久不衰。

如果公司要在收割和放弃之间作出选择，它就要采取截然不同的战略。收割要求一方面要维持销售额；另一方面从一种产品或一项业务中逐渐减少成本。首先是要减少研究和开发成本以及对工厂和设备的投资。公司也可降低产品质量，不必补充即将退休的销售人员，撤销某些服务项目，减少用于广告的开支。公司可采取这些方法减少开支，而不能将这些情况泄露给顾客、竞争者和员工，不使他们知道公司正在逐渐淡出这项业务。否则，如果顾客知道这个情况，就会转向其他供应商；如果竞争者知道了，就会将此消息转告给顾客；如果公司员工知道了，就会改换门庭。因此，收割是一种违背道义的战略，较难以行之有效。但是，许多成熟的产品都可使用这种战略。在实行收割战略期间，只要销售量不暴跌，便可大大增加公司的现金流量。[60]

如果公司决定要放弃这项业务，可寻找一个买主。在这种情况下，公司可设法加强业务的吸引力。

公司要成功地重塑或使成熟产品年轻化，就必须对处于下降通道的老产品增加价值。不妨来研讨一下统治邮件计数器生产的皮特尼·鲍斯的例子：

皮特尼·鲍斯（Pitney Bowes）　1996年，一些批评家甚至皮特尼·鲍斯的内部员工预言，传真将取代皮特尼所依赖的一般邮件。然后，他们也预言电子邮件将取代传真，而所有的这些科技的先进组合将抹杀皮特尼的利润。当它发生时，直接的邮件和与网络有关的账单的巨浪产生了更多的邮件，而不是减少。然而，皮特尼公司再也坐不住了，因为一种从因特网下载的数字计数器和电子邮件将肯定威胁到它的商业核心。皮特尼正在转换它从邮件公司到信息公司的角色。公司正在发展软件产品，让顾客追踪引进的材料和输出的产品、转换账单、把文件打印成传真和电子邮件、并跟踪生效的文件。皮特尼的观点是：在线不是敌人，它是变成雄厚信息公司的媒体。皮特尼同时尽力奋战在计量器技术的最前线。总之，自从第一个邮资计数器申请专利以来，公司一直占领着市场的一角。它计划通过不断领先的新技术保住它的地位。[61]

当公司决定放弃一种产品时，它面临着进一步的决策。如果这种产品有强大的分销能力，并且声誉卓著，公司也许可将它售给其他公司。

科莱科、哈斯布罗和卷心菜娃娃（Coleco，Hasbro and Cabbage Patch Kids）　在20世纪80年代中期，卷心菜娃娃成为全国的幻想，连续三年成为最畅销玩具。在1984年和1985年的销售额超过5亿美元，然后它就失去通俗性并消逝了。然而，在1989年的夏天，哈斯布罗工业公司从科莱科工业公司买到了它的生产权和销售权。通过对这些玩具娃娃的大量广告和日益增加对大玩具商店的送货，哈斯布罗对卷心菜娃娃的名称实行管理，该娃娃又成为玩具行业中的顶级销售产品。[62]

如果公司找不到买方，就必须决定是迅速还是缓慢结束这个品牌。同时，它必须决定为从前的顾客保留多少部件库存量和维修服务。

产品生命周期概念：评论

许多人使用产品生命周期概念来解释产品和市场的动态性。作为一个计划工具，产品生命周期概念刻画出产品各个阶段主要营销挑战的特性，并提出公司应该实行可供选择的主要营销战略。作为一个控制工具，产品生命周期概念使公司能在产品性能上与过去类似产品作一对比。作为一个预测工具，因为销售历史存在着各种不同的形式，以及产品各个阶段的持续期也各不相同，因此产品生命周期概念的用处较少。产品生命周期各阶段的特点、目标和战略见表10—5。

产品生命周期理论也受到一些评论家的批评，评论家们认为生命周期的形

表 10—5　　　　　　　　　　　　　　产品生命周期各阶段的特点、目标和战略小结

	导入期	成长期	成熟期	衰退期
特点				
销售	低销售	销售快速上升	销售高峰	销售衰退
成本	按每一顾客计算的高成本	按每一顾客计算的平均成本	按每一顾客计算的低成本	按每一顾客计算的低成本
利润	亏损	利润上升	高利润	利润衰退
顾客	创新者	早期采用者	中间多数	落后者
竞争者	极少	逐渐增加	数量稳定开始衰退	数量衰减
营销目标	创造产品知名度和试用	最大限度地占有市场份额	保卫市场份额获取最大利润	对该品牌削减支出和挤取收益
战略				
产品	提供一个基本产品	提供产品的扩展品、服务、担保	品牌和样式的多样性	逐步淘汰疲软项目
价格	采用成本加成	市场渗透价格	较量或击败竞争者的价格	削价
分销	建立选择性分销	建立密集广泛的分销	建立更密集广泛的分销	进行选择：逐步淘汰无利的分销网点
广告	在早期采用经销商中建立产品的知名度	在大量市场中建立知名度和兴趣	强调品牌的区别和利益	减少到保持坚定忠诚者需求的水平
促销	大力加强销售促进以吸引试用	充分利用有大量消费者需求的有利条件,适当减少促销	增加对品牌转换的鼓励	减少到最低水平

资料来源: Chester R. Wasson, *Dynamic Competitive Strategy and Product Life Cycles* (Austin, IX: Austin Press, 1978); John A. Weber, "Planning Corporate Growth with inverted Product Life Cycles," *Long Range Planning,* October 1976, pp. 12 ～ 29; and Peter Doyle, "The Realities of the Product Life Cycle," *Quarterly Review of Marketing,* Summer 1976.

式和持续时间实在易变，他们指责说，产品的这些阶段并没有可预见的期间。换句话说，产品生命周期理论缺乏活的有机体所具有的各个阶段的固定顺序和各个阶段的固定长度。他们甚至指责说，营销者常常不能指出产品已进入哪一个阶段。一种产品似乎可能进入了成熟期，而实际上它只是达到成长阶段另一个高潮以前的某一段暂时的高成长期。最后，他们指责产品生命周期形式是应用营销战略的一个人为的行动，它并不是销售发展的必由之路：

假如某个品牌被消费者接受，但是这几年销路不好，这是因为其他因素的影响，例如，广告太少，在主要连锁店中没有被陈列，或有大量样品为后盾的"仿制"的竞争产品进入市场。管理层不去思考改正措施，反而认为它的品牌已经进入衰退阶段。因此，它撤回促销预算的费用并把它转入研究开发新项目中去。到第二年该品牌处境更糟，于是越发惊慌……显然，产品生命周期是一个由营销活动来决定的因变量，而不是一个要公司的营销方案适应它的自变量。[63]

市场演进

　　由于产品生命周期注重的是某一特定产品或品牌发生的情况，而不是全部市场的演变情况，因此，它描绘出一种产品导向的图像，而不是一个市场导向的写照。当公司受到新的需求、竞争者、技术、渠道和其他发展的影响时，它们需要一种预测市场演进路线的方法。

　　为了维持产品的品牌，它的定位必须随市场发展而进步。"新千年营销——孟山都公司：从陈旧的化学合成剂产品线到划时代的'生命科学'"，描写了一家公司是如何迅速重新定位和从容面对挑战的。

新千年营销

孟山都公司：从陈旧的化学合成剂产品线到划时代的"生命科学"

　　在不到十年的时间内，在圣洛伊斯的孟山都公司已从一个塑料和织物制品公司改头换面成一个现代生物技术公司，致力于食品及营养品事业。在 1996 年，公司首席执行官罗伯特·夏皮罗（Robert Shapiro）放弃了孟山都的核心业务，30 亿美元的化学制剂。现在，这家公司有一个 20 亿美元的化学药品部，12 亿美元的食品原料部，以及夏皮罗最感亲切的一个部门，即 30 亿美元的农产品生产部门，生产诸如用基因技术培育出的土豆等产品。

　　公司所有的 60 亿美元至今已投入到生物技术的创新业务中。世界人口以每 10 年 8 亿人口的数量增长，到 2100 年，人口将增加一倍，达到 110 亿。夏皮罗认为生物技术是养活并提高他们的营养水平的关键。他宣称用基因技术优化玉米、小麦、西红柿及大豆等农作物后，产量大量提高，而且可以防止某些疾病，使人类的生产力提高。夏皮罗相信，未来的 20 年里，人类会经历一个生物技术和基因工程的革命，将农作物、食物及营养品行业合并成一个单独的生命科学行业。夏皮罗现在在吞并小企业和减少与经营农作物的企业的商业往来，花费上千万美元积累生物技术专利。

　　孟山都的新市场定位在华尔街上引起反响。1997 年，孟山都获得了近 23 倍的收益，而一个纯粹的化工股票像陶氏化工公司仅为 10.5 倍。不过，公司也得面对怀疑不定的消费者和易被激怒的环保主义者。在英国，人们不赞成修改基因用作商业用途，而让消费者忧心如焚的疯牛病更是让人们觉得做过基因修改的作物还是不吃为妙。在法国，除玉米外，所有的修改基因的作物都在禁止之列，环保主义者担心基因修改对作物免疫力的长远影响。1998 年夏天，孟山都在英国《太阳日报》以整版的篇幅作了一系列的广告，标题为："我们相信食物应当在更少的杀虫剂的环境下生产出来"，"生物技术越多，工业化就越小"，以及"担心我们的后代饥饿的问题不能得到解决，但生物技术却可以"。

　　每条孟山都的广告都附有包括那些反对基因修改团体的热线电话和网址，如绿色和平（Greenpeace）和地球之友（Friends of Earth）。并且，它鼓励读者多接受各方面的意见，然后再作出决定。孟山都不仅将自己定位成一个生物技术革新的先锋，而且让自己成这个争论不休但又激动人心的新领域中各种公众讨论的倡导者。

资料来源: Robert Lenzner and bruce Upbin, "Monsanto v. Malthus," *Forbes*, March 10, 1997, p. 58 ~ 64; Maria Margaronis, "Greenwashed," *The Nation*, October 19, 1998, p. 10; Merrill Goozner, "Giant Poised to Enter a New Era Firm Plans to Be at Vanguard of a Revolution in Biotechnology," *Chicago Tribune*, June 2, 1998, p. 1; see also Forest L. Reinhardt, "Environmental Product Differentiation: Implications for Corporate Strategy," *California Management Review*, Summer 1998, pp. 43 ~ 70.

市场演进的各个阶段

像产品一样，市场演进通过四个阶段：出现阶段、成长阶段、成熟阶段和衰退阶段。

出现阶段

在市场具体化以前，先存在一个潜在市场。例如，人们想要一种比心算或纸笔计算更好的运算工具。到目前为止，虽然发明了算盘、计算尺和大型台式计算器，但是这种需要并没有得到完全的满足。假定一位企业家认识到这种需要并设想一种手掌式的小型电子计算器来满足这种需要。现在，他必须确定产品的属性，特别是物理尺寸和算术功能的数目。基于市场导向，他决定访问潜在的购买者。他要求他们对每一属性叙述他们的偏好水平。

假设有些顾客想要四则运算器（加、减、乘、除），其他的人希望有较多的功能（百分比计算、平方根、对数）。有的人需要一种小型袖珍式计算器，而其他的人则希望较大的。当使用者偏好上均匀扩散时，它就被称为扩散偏好市场。

这位企业家的问题是为这个市场设计一种最适宜的产品。他面临三种选择：

1. 该新产品被设计成满足市场上一个角落的偏好(单一补缺战略)。

2. 两种或更多的产品被同时推出，以夺取该市场的两个或更多的部分(多重补缺战略)。

3. 设计的新产品能被定位于市场的中间(大众市场战略)。

单一补缺战略对小公司具有最大的意义。一家小公司要夺取和占领大量市场，其资源明显不足。如果公司规模很大，一种在尺寸和功能数目上都"适中"的产品来争取大众市场则是有意义的了。居于中心地位的产品能使离实际产品所存在的偏好距离之和为最小。为大众市场设计的袖珍电子计算器，将会使不满意总和为最小。我们假设这个开拓型公司是个大公司，并且设计了一种用于大众市场的产品。它推出该产品后销售开始上升，出现阶段则已开始。

成长阶段

如果销售良好，新公司将进入该市场，即市场成长阶段。一个有趣的问题是：假定第一家公司已在市场中心建立了自己的地位，那么第二家公司进入市场的哪一个地方呢？第二家公司有三种选择：

1. 它可将其品牌定位于市场的一角(单一补缺战略)。

2. 它可将其品牌定位于第一家公司的旁边(大众市场战略)。

3. 它可在未被占领的不同角落推出两种或更多的产品(多重补缺战略)。

如果第二家公司是小公司,它应该避免和领头的公司作正面竞争,而在市场的一个角落推出它的产品。如果第二家公司的规模是大的,它可以在市场中心推出它的品牌与领头的公司对抗。于是,这两家公司很可能最后均分这个大众市场。或者,第二家大公司可能推行多重补缺战略。

宝洁公司(Procter & Gamble) 宝洁公司有时准备进入一个大竞争对手已经牢固占领的市场,它并不推出一种仿制品或供应单一细分市场的产品,而针对不同的细分市场连续引进一些产品。每次进入都产生了忠诚的追随者,并且从主要竞争者手里抢走一些生意。没多久,这主要竞争者被包围,其收益在减少,并且即使它想在市场边远的地方推出新品牌,也为时已过。然后,宝洁公司在胜利的一刻来临时,在主要的细分市场又推出了它的品牌。

成熟阶段

最后,全部的主要细分市场都被竞争者占领和提供服务。事实上,他们继续发展和互相侵入对方的细分市场,在此过程中减少了彼此的利润。市场分裂成越来越细小的碎片。残剩的那些极少数的未被占领的细分市场,虽然目前存在的产品并没有能满足其需要,但是它们实在太小了,以致毫无经济服务价值。在这个阶段,市场达到成熟期,几乎没有新产品出现。这用图10—9(a)来说明,字母代表供应各种细分市场的不同的公司。请注意,有两个细分市场没有被提供服务,因为它们对公司来说,提供的利润太小了。

在分裂阶段以后经常跟着是市场再结合阶段,这是因为出现了一种令人信服的对市场有吸引力的新属性所致。当宝洁公司引进一种新有效防蛀的含氟牙膏——佳洁士牌时,在牙膏市场上的市场再结合发生了。立即,宣传洁白力、清洁力、性感、口味型和漱口效果等的其他牙膏品牌,都被挤到角落里去了,因为消费者最需要的是防蛀牙膏。宝洁公司的佳洁士牙膏在市场份额中独占鳌头,如图10—9(b)的X区域所示。

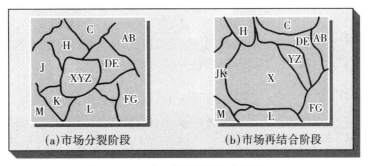

(a)市场分裂阶段   (b)市场再结合阶段

图10—9 市场分裂和再结合阶段

但是,即使是一个再结合市场,也不是市场演进的最后一个阶段。其他公司将会复制其成功的品牌,使市场最终陷入再度分裂。市场在分裂和再结合之间摆动。竞争带来市场分裂，而创新带来市场再结合。

衰退阶段

这时，现行产品的市场需求开始下降。总需求水平的下降往往就是新老技术交替的开始。因此，一位企业家可能发明口腔喷雾器以代替牙膏。在这种情况下，老技术将寿终正寝，而新的需求——技术生命周期出现。

案例：纸巾市场

市场的出现和演变经历数个阶段。最初，家庭主妇在厨房里只使用棉布和亚麻布料的抹布和手巾。有一家造纸公司，为寻求新的市场，开发出纸巾对布制手巾进行竞争。这个发展使新市场具体化。其他的造纸厂也进入和扩展市场。品牌的种数迅速增加并造成了市场分裂。行业中的能力过剩导致制造商们寻求新的特点。一个制造商听到消费者抱怨此种纸巾没有吸水能力，于是引进"吸水"纸巾，因此这个市场再结合阶段不会持续很久。市场再度分裂。然后，另一个制造商听到消费者希望一种"超强度"纸巾，便加工制造以引进这种产品。其他制造商马上纷起复制。再一个制造商又引进一种"不掉绒毛"的纸巾，接着又是仿造。这样，纸的发展从一个简单的产品开始，演变成具有各种吸水性、有强度和适用的产品。市场演进就这样被创新和竞争两股力量所驱使而前进。纸巾市场的最后细分是将纸巾的尺寸"定制化"，作为一种创意，它无疑也会很快被模仿。

属性竞争的动态分析

市场上的竞争使新产品的属性连续不断地产生。如果一种新属性成功了，于是几个竞争者马上就会供应这种属性的产品，使它丧失决定性的力量。同样地，现在大多数的银行服务态度是"友好的"，这种友好程度就不再成为影响消费者选择银行的基础；大多数的航空公司都供应飞行便餐，于是便餐也就不再是乘客挑选航空公司的基础。顾客的期望具有推动力。这一事实提示了公司在新属性创新上维持领先地位的战略的重要性。每一种新的属性，一旦成功，就会为公司创造一种差别利益，导致暂时地获取高于平均水平的市场份额和利润。市场领导者必须学会习惯于创新过程的本领。

一个极为重要的问题是：随着时间的推移，公司能否向前看和预计属性发展的结果能否可能高度符合需求以及在技术上的可行性？一家公司怎样寻找新的属性？下面列出四种可能的方法。

● 第一种方法是使用顾客调查过程。公司要求消费者提出他们喜欢附加在产品上的是什么属性和每个属性的欲望水平。公司还要审查开发每一属性的成本和可能的竞争反应。然后，它决定开发那些有可能获得最高增长利润的属性。

● 第二种方法是采用直观过程来观察新的属性。企业家不经过大量的营销研究，得到预感便着手产品开发。自然选择决定了胜利者和失败者。如果一个制造商直观得到的属性符合市场需求，便认为他是聪明的或只是运气。

● 第三种方法通过辩证过程来说明新属性的出现。任何有价值的属性经过竞争过程可推至极端形式。例如蓝色的牛仔裤，开始作为便宜的衣料物品推出，后来变为时髦服装而比较昂贵。但是，这种单向性的发展运动饱含着自我毁灭的萌芽。最后，某个制造商将发现一种用于紧身裤的便宜新材料，价格又下降了。

● 第四种方法是通过需要层次过程来控制新属性的出现(见第6章马斯洛理论)。根据这个理论，我们可推知第一代的汽车设计是为了提供基本运输和安全。后来，汽车开始在社会承认其地位需要方面投人所好。再后来，汽车被设计成帮助人们充分发挥"实现自我"。创新者的任务是评估什么时候市场准备满足某一较高层次的需要。

在市场上，新属性的实际展开比任何简单理论所提出的假设复杂得多。[64]我们不应低估技术和社会进步在影响新属性出现上的作用。例如，在桌上电脑微型化技术没有获得足够的发展前，消费者对桌上电脑的强烈兴趣仍是得不到满足的。技术预测可用以推算把新属性提供给消费者的未来技术发展的时机。在属性演进的形成中，社会因素也起着重要的作用。诸如通货膨胀、短缺、环境保护主义、用户第一主义和新生活方式等的发展，导致消费者对产品属性的再评价。通货膨胀增加了对小型汽车的需求，而汽车安全性增加了对较厚重汽车的需求。创新者必须利用营销调研来估量不同属性的需求潜量，据此来决定公司的最佳行动。

小结

1. 在一个竞争的行业中，取得竞争优势的关键是产品差别化。一个市场提供物可以在五个方面实行差别化：产品(特色、性能质量、一致性质量、耐用性、可靠性、可维修性、风格、设计)；服务(订货方便、交货、安装、客户培训、客户咨询、维修、多种服务)；人员；渠道；形象(标志、媒体、气氛、事件)。差别化值得建立的标准是它的重要性、独特性、优越性、专利性、可承担性和盈利性。

2. 许多营销者主张只促销一种产品利益，从而在他们定位的产品上制定一种独特的销售建议书。因为人们只记住的往往是"第一位"。但双重利益和三重利益定位也能成功，其条件是营销者在进入时确保没有定位过低、定位过高、定位混乱或定位可疑。

3. 由于经济条件的变化和竞争在实际中的多样性，公司在产品生命周期中应屡次调整它们的营销战略。技术、产品形式和品牌也存在着区别明显的生命周期。生命周期常见的发展阶段是导入、成长、成熟和衰退。今天的主导产品都处于成熟阶段。

4. 虽然许多产品展示出形状清晰的产品生命周期，它还有许多其他形态，包括成长—衰退—成熟形态、循环—再循环形态和扇形。风格、流行和时尚的生命周期是无规律的；在这些领域中成功的关键是创造有持久力的产品。

5. 在产品生命周期的每一阶段要求不同的营销战略。导入阶段的标志是，由于产品刚进入分销，成长缓慢和获得最小。在此阶段，公司必须在快速撤脂、缓慢撤脂、快速渗透或缓慢渗透等四种战略上作出决策。如果导入成功，产品就进入以快速销售成长和利润增长为标志的成长阶段。在此阶段，公司试图改进产品，进入新的细分市场和分销渠道，并且略为降低它的价格。接着是销售成长缓慢和利润稳定的成熟阶段。公司为恢复销售成长而寻求创新战略，包括市场、产品和营销组合的改进。最后，产品进入衰退阶段，在这一阶段，几乎无法阻止销售和利润的恶化。公司的任务是辨认真正的疲软产品，然后分别为其制定继续、集中或榨取等其中一项战略。最后，在给公司的利润、雇员和顾客造成最小困难的方式下，逐步淘汰疲软产品。

6. 像产品一样，市场演进也有四个阶段：出现、成长、成熟和衰退。当一种产品创造出来适合市场未满足的需要时，新市场出现了。竞争者用类似产品进入市场，导致了市场成长，接着，增长速度放慢，市场就进入了成熟期。然后市场进入了日益增长的分裂阶段，直到某家公司引进一项强大的新属性为止，这时市场被结合成少数几块大的部分。由于其他公司不断仿制这些新属性，这个阶段不会持续很久。

7. 公司必须努力预测市场所需要的新属性。利润属于早期采用新的和有价值利益属性的人们。成功的营销来自于对市场演进潜量创造性的想像和具体化。

应用

本章观念

1. 定义以下概念并描述它们之间的关系：
   a. 形象
   b. 差别化
   c. 价值定位
   d. 定位战略

2. 分析以下认知图并决定你如何根据竞争定位重新确定利华 2000 条形肥皂的市场位置。此图大致描述了制皂业概况(编制的数据只以演示为目的)。你的品牌意识和你的对手相比如何?你的品牌可能会受到的市场定位错误是什么?

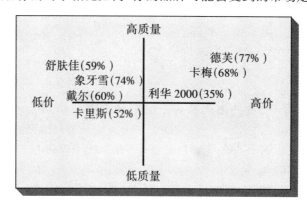

3. 仔细观察表 10A—1 中的数据。这些数据总结了检验纺织品软化剂测用的精选研究结果。该研究由一纺织品软化剂制造商委托完成，其产品正处于产品生命周期的成熟期。你将对该厂家提出什么产品和促销建议？哪类品牌扩展会有保证？

表 10A—1   检验纺织品软化剂使用的精选研究结果

答卷人比例	1997 年 7 月	1999 年 2 月
纺织品软化剂使用者①	60.0%	60.0%
非使用者	40.0%	40.0%
纺织品软化剂使用者	55.0%	74.0%
非使用者	66.0%	70.0%
纺织品软化剂使用者声称②		
每次用较少量的该软化剂	18.0%	24.0%
软化次数减少	16.0%	14.0%
总计(不重复)	26.0%	27.0%
非使用者不使用或停止使用软化剂的原因：		
环境原因	42.0%	48.0%
软化不满意	26.0%	13.0%
影响皮肤	29.0%	23.0%
需晒衣绳晾干	20.0%	29.0%

① 纺织品软化剂使用者在访问前三个月中至少使用过产品一次。非使用者没有。
② 27% 软化剂较少使用者声称他们这样做是为了环境。
资料来源：Adapted from Harvard Case Study 9-592-016.

营销与广告

1. 正如图 10A—1 中的广告所释，埃克斯贝利(Experian)通过直接邮寄为有前途的企业对企业市场商人提供大量的商业数据库。埃克斯贝利如何和与它的产品有关联的竞争数据库互相区分的呢？为什么你认为这些差别化是重要的？用与表 10—3 中的价值观念类似的方法，用一句话解释埃克斯贝利的价值观念。

2. 图 10A—2 中的广告鼓励顾客挑选由纯美利诺(Menino)羊毛制成的衣服。这个广告倡导什么样独特的销售主张？九个产品差别中哪一个对目标市场最重要？广告如何使用图像来支持促销的差别化？

图 10A—1   图 10A—2

聚焦技术

在一个行业中，第一个提供有价值的新特征对公司的竞争来说是事半功倍的有效方法，特别是在高科技领域，如计算机、软件、消费电子品中。这里连续的升级和更新产品导入市场是企业的生命。同科学一样，为这些产品辨别和选择合适的新的特征也是一门艺术。因为顾客经常不能表达其的需要(或认识它)，直到新产品出现时才能说明所需。例如，苹果公司发明了用一个按钮进入因特网的 iMac 电脑，这一特征对于网上冲浪的人来说可能不情愿但又十分欣赏。

选择一种高科技产品(例如，PDA 商务通、移动电话或 DVD 播放机)，并运用因特网、广告和其他方法，来研究制造商的至少两种产品特性。重点研究其中一个制造者的一个独特的产品特性。为什么在每个特性中应包含消费者价值？独特的产品特性怎样使公司更有效地参与竞争？在整个行业里，这种产品特性在类似产品中将花多长时间变得更大众化(甚至成为统一标准)？写出你的答案和理由。

新千年营销

为适应市场的发展，对公司、产品或品牌进行调整与定位是相当重要的。在前面的讨论中，孟山都已经成功地进行了转变。孟山都公司创办于 1901年，其后产品逐步扩大至塑料、化工及相关产业。然而，公司在 1985 年就开始对主营产品进行调整，以确定在新千年的定位。到 1997 年为止，公司最后把化学公司划时代地转换成生产生命科学产品的企业。

要想了解更多有关孟山都公司的过去、现在和将来，请访问孟山都网站（www. monsanto. com）。浏览公司的有关内容，如产品、产品通路和媒体中心。了解公司新的定位在产品生命周期各阶段是如何提供更多的发展机遇的，以及这些新产品(包括通路)是如何支持公司的新定位的？

你是营销者：索尼克公司的营销计划

在营销战略发展期间，营销者必须选择和传播一个有效的定位，从而差别化他们的产品。他们还必须在产品的生命周期和市场演进中设计适当的营销战略。

像前面一样，你和简·梅洛迪都在台式音响系统里工作，正在编制营销计划。回顾公司的形势和你以前在营销计划中所做的工作。然后，分析产品生命周期各个阶段对索尼克相关产品的影响，寻求有关公司的定位和市场战略的答案(注意需要进一步研究这里的需求)。

● 在有关产品、服务、人员、渠道和形象差别化中，哪一个因素最适合索尼克的形象、战略和目标？写出你选择的理由。

● 为了发展定位，应确定对目标顾客最有价值的利益。你是强调单方利益还是双方利益的定位？一句话，产品的有价值定位是什么？

● 索尼克台式音响系统处在产品生命周期的什么阶段？它对索尼克当前的市场目标和产品将来的发展和管理计划意味着什么？

● 如果你确定了索尼克台式音响系统在产品生命周期的所处阶段，这对营销组合、产品经营战略、服务战略和研究与开发战略有何含义？

一旦你回答出这些问题，它们对索尼克营销努力的影响，总结你的结论，写成书面的营销计划，或者，输入营销计划软件的目标/市场定位、营销战略、产品开发/管理部分中。

【注释】

[1] Edwin T. Crego Jr. and Peter D. Schiffrin, *Customer Centered Reengineering* (Home-wood, IL: Irwin, 1995).

[2] Some of these bases are discussed in David A. Garvin, "Competing on the Eight Dimensions of Quality," *Harvard Business Review*, November – December 1987, pp. 101 ~ 109.

[3] See Bernd Schmitt and Alex Simonson, *Marketing Aesthetics: The Strategic Management of Brand, Identity, and Image* (New York: Free Press, 1997).

[4] Gerry Khermouch, "'Zona Sets Collectible Max-packs," *Brandweek*, April 20, 1998, p. 16.

[5] See Philip Kotler, "Design: A Powerful but Neglected Strategic Tool," *Journal of Business Strategy*, Fall 1984, pp. 16 ~ 21. Also see Christopher Lorenz, *The Design Dimension* (New York: Basil Blackwell, 1986).

[6] "Hot R. I. P: The Floppy Disk," *Rolling Stone*, August 20, 1998, p. 86; Owen

Edwards, "Beauty and the Box," *Forbes,* October 5, 1998, p. 131.

[7] Joseph Weber, "A Better Grip on Hawking Tools," *Business Week,* June 5, 1995, p. 99.

[8] For further reading, George Stalk Jr. and Thomas M. Hout, *Competing Against Time* (New York: Free Press, 1990); Joseph D. Blackburn, *Time-Based Competition* (Homewood, IL: Irwin, 1991); Christopher Meyer, *Fast Cycle Time* (New York: Free Press, 1993); and "The Computer Liked Us," *U. S. News & World Report,* August 14, 1995, pp. 71 ~ 72.

[9] Donna Fenn, "Built for Speed," *Inc.,* September 1998, pp. 61 ~ 71.

[10] Ian C. MacMillan and Rita Gunther McGrath, "Discovering New Points of Differentiation," *Harvard Business Review,* July – August 1997, pp. 133 ~ 145.

[11] Adapted from Tom Peters's description in *Thiving on Chaos* (New York: Alfred A. Knopf, 1987), pp. 56 ~ 57.

[12] Christine Bittar, "The Rite Stuff," *Brandweek,* September 14, 1998, pp. 28 ~ 29.

[13] MacMillan and McGrath, "Discovering New Points of Differentiation. "

[14] See "Club for the Smart," *Marketing News,* May 23, 1994, p. 1

[15] MacMillan and McGrath, "Discovering New Points of Differentiation. "

[16] See "The 25 Best Sales Forces," *Sales & Marketing Management,* July 1998, pp. 32 ~ 50.

[17] For a similar list, see Leonard L. Berry and A. Parasuraman, *Marketing Services: Competing Through Quality* ("": Free press, 1991), p. 16.

[18] Susan Greco, "Inside-Out Marketing," *Inc.,* January 1998, pp. 51 ~ 59.

[19] Erin Davies, "Selling Sex and Cat Food," *Fortune,* June 9, 1997, p. 36.

[20] "Four Reasons Nike's Not Cool," *Fortune,* March 30, 1998, pp. 26 ~ 27.

[21] See "Swatch: Ambitious," *The Economist,* April 18, 1992, pp. 74 ~ 74. See also www. swatch. com.

[22] Theodore Levitt, "Marketing Success through Differentiation—of Anything," *Harvard Business Review,* January – February 1980.

[23] Gregory S. Carpenter, Rashi Glazer, and Kent Nakamoto, "Meaningful Brands from Meaningless Differentiation: The Dependence on Irrelevant Attributes," *Journal of Marketing Research,* August 1994, pp. 339 ~ 350.

[24] Al Ries and Jack Irout, *Positioning: The Battle for Your Mind* (New York: Warner Books, 1982).

[25] Rosser Reeves, *Reality in Advertising* (New York: Alfred A. Knopf, 1960).

[26] Ries and Trout, *Positioning.*

[27] Michael Treacy and Fred Wiersema, *The Discipline of Market Leaders* (Reading, MA: Addison-Wesley, 1994), p. 181; Walecia Konrad, "Cheerleading, and Clerks Who Know Awls from Augers," *Business Week,* August 3, 1992, p. 51.

[28] See Robert V. Stumpf, "The Market Structure of the Major Tourist Attractions in Southern California," *Proceedings of the 1976 Sperry Business Conference* (Chicago: American Marketing Association, 1976), pp. 101 ~ 106.

[29] See Yoram J. Wind, *Product Policy: Concepts, Methods and Strategy* (Reading, MA: Addison-Wesley, 1982), pp. 79 ~ 81; and David Aaker and J. Gary Shansby, "Positioning Your Product," *Business Horizons,* May – June 1982, pp. 56 ~ 62.

[30] Some authors distinguished additional stages. Wasson suggested a stage of competitive turbulence between growth and maturity. See Chester R. Wasson, *Dynamic Competitive Strategy and Product Life Cycles* (Austin, TX: Austin Press, 1978). *Maturity* describes a stage of sales growth slowdown and *saturation*, a stage of flat sales after sales have peaked.

[31] John E. Swan and David R. Rink, "Fitting Market Strategy to Varying Product Life Cycles," *Business Horizons*, January – February 1982, pp. 72 ~ 76; and Gerald J. Tellis and C. Merle Crawford, "An Evolutionary Approach to Product Growth Theory," *Journal of Marketing*, Fall 1981, pp. 125 ~ 134.

[32] See William E. Cox Jr., "Product Life Cycles as Marketing Models," *Journal of Business*, October 1967, pp. 375 ~ 384.

[33] See Jordan p. Yale, "The Strategy of Nylon's Growth," *Modern Textiles Magazine*, February 1964, pp. 32 ff. Also see Theodore Levitt, "Exploit the Product Life Cycle," *Harvard Business Review*, November – December 1965, pp. 81 ~ 94.

[34] Chester R. Wasson, "How Predictable Are Fashion and Other Product Life Cycles?" *Journal of Marketing*, July 1968, pp. 36 ~ 43.

[35] Ibid.

[36] William H. Reynolds, "Cars and Clothing: Understanding Fashion Trends," *Journal of Marketing*, July 1968, pp. 44 ~ 49.

[37] Gary Samuels, "Mystique marketing," *Forbes*, October 21, 1996, p. 276; Cyndee Miller, "Bliss in a Niche," *Marketing News*, March 31, 1997, pp. 1, 21; Carole Schmidt and Lynn Kaladjian, "Ty Connects Hot-Property Dots," *Brandweek*, June 16, 1997, p. 26. Information also drawn from www. ty. com/.

[38] Patrick Butters, "What Biggest Selling Adult Game Still Cranks Out Vexing Questions?" *Insight on the News*, January 26, 1998, p. 39.

[39] Robert D. Buzzell, "Competitive Behavior and Product Life Cycles," in *New Ideas for Successful Marketing*, eds. John S. Wright and Jack Goldstucker (Chicago: American Marketing Association, 1956), p. 51.

[40] William T. Robinson and Claes Fornell, "Sources of Market pioneer Advantages in Consumer Goods Industries," *Journal of Marketing Research*, August 1985, pp. 305 ~ 317.

[41] Glen L. Urban et al., "Market Share Rewards to Pioneerimg Brands: An Empirical Analysis and Strategic Implications," *Management Science*, June 1986, pp. 645 ~ 659.

[42] Gregory S. Carpenter and Kent Nakamoto, "Consumer Preference Formation and Pioneering Advantage," *Journal of Marketing Research*, August 1989, pp. 285 ~ 298.

[43] Frank R. Kardes, Gurumurthy Kalyanaram, Murali Chankdrashekaran, and Ronald J. Dornoff, "Brand Retrieval, Consideration Set Composition, Consumer Choice, and the Pioneering Advantage," *Journal of Consumer Research*, June 1993, pp. 62 ~ 75. See also Frank H. Alpert and Michael A. Kamins, "Pioneer Brand Advantage and Consumer Behavior: A Conceptual Framework and Propositional Inventory," *Journal of the Academy of Marketing Science*, Summer 1994, pp. 244 ~ 253.

[44] Steven P. Schnaars, *Managing Imitation Strategies* (New York: Free Press, 1994).

[45] Peter N. Golder and Gerald J. Tellis, "Pioneer Advantage: Marketing Logic or Marketing Legend?" *Journal of Marketing Research*, May 1992, pp. 34 ~ 46.

[46] Thomas S. Robertson and Hubert Gatignon, "How Innovators Thwart New Entrants into Their Market,"*Planning Review,* September – October 1991, pp. 4 ～ 11.

[47] John B. Frey, "Pricing Over the Competitive Cycle," speech presented at the 1982 Marketing Conference, Conference Board, New York.

[48] Linda Himelstein, "Yahoo! The Company, the Strategy, the Stock," *Business Week,* September 7, 1998, pp. 66 ～ 76.

[49] See Joulee Andrews and Daniel C. Smith, "In Search of the marketing Imagination: Factors Affecting the Creativity of Marketing Programs for Mature Products," *Journal of Marketing Research,* May 1996, pp. 174 ～ 187; William Boulding, Eunkyu Lee, and Richard Staelin, "Mastering the Mix: Do Advertising, promotion, and Sales FOrce Activities Lead to Differentiation?" *Journal of Marketing Research,* May 1994, pp. 159 ～ 172.

[50] John Bigness, "New Twists Revive past Product Hits," *Houston Chronicle,* October 11, 1998, p. 8; Denise Gellene, "An Old Dog's New Tricks: Hush Puppies' Return in the '90s Is No Small Feet,"*Los Angeles Times,* August 30, 1997, p. D1.

[51] Brian Wansink and Michael L. Ray, "Advertising Strategies to Increase usage Frequency,"*Journal of Marketing,* January 1996, pp. 31 ～ 46.

[52] Vanessa O'Connell, "Food: After years of Trial and Error, a Pickle Slice That Stays Put," *Wall Street Journal,* October 6, 1998, p. B1; "Vlasic's Hamburger-Size Pickles," *Wall Street Journal,* October 5, 1998, p. A26.

[53] Stephen M. Nowlis and Itamar Simmonson, "The Effect of New Product Features on Brand Choice,"*Journal of Marketing Research,* February 1996, pp. 36 ～ 46.

[54] Donald W. Hendon, *Classic Failures in Product Marketing* (New York: Quorumk Books, 1989), p. 29.

[55] Allen J. McGrath, "Growth Strategies with a '90s Twist,"*Across the Board,* March 1995, pp. 43 ～ 46.

[56] R. S. Alexander, "The Death and Burial of 'Sick Products,' "*Journal of Marketing,* April 1964, p. 1.

[57] See Philip Kotler, "Phasing Out Weak Products,"*Harvard Business Review,* March – April 1965, pp. 107 ～ 118; Richard T. Hise, A. Parasuraman, and R. Viswanathan, "Product Elimination: The Neglected Management Responsibility," *Journal of Business Strategy,* Spring 1984, pp. 56 ～ 63; and George J. Avlonitis, "Product Elimination Decision Making: does Formality Matter,"*Journal of Marketing,* Winter 1985, pp. 41 ～ 52.

[58] See Kathryn Rudie Harrigan, "The Effect of Exit Barriers upon Strategic Flexibility," *Strateguc Nabagenebt Hiyrbak* 1 (1980): 165 ～ 176.

[59] Kathryn Rudie Harrigan, "Strategies for Declining Industries,"*Journal of Business Strategy,* Fall 1980, p. 27.

[60] See Philip Kotler, "Harvesting Strategies for Weak Products,"*Business Horizons,* August 1978, pp. 15 ～ 22; and Laurence P. Feldman and Albert L. Page, "Harvesting: The Misunderstood Market Exit Strategy,"*Journal of Business Strategy,* Spring 1985, pp. 79 ～ 85.

[61] Claudia H. Deutsch, "Pitney Bowes Survives Faxe, E-Mail and the Internet," *New York TImes,* August 18, 1998, p. D1.

[62] John Grossmann, "A Follow-Up on Four Fabled Frenzies,"*Inc.,* October 1994, pp. 66 ～

67; Conrad Berenson and Iris Mohr-Jackson, "Product Rejuenation: A Less Risky Alternative to Product Innovation, "*Business Horizons,* November – December 1994, pp. 51 ～ 56.

[63] Nariman K. Dhalla and Sonia Yuspeh, "Forget the Product Life Cycle Concept! " *Harvard Business Review,* January – February 1976, p. 105.

[64] Marnik G. Dekimpe and Dominique M. Hanssens, "Empirical Generalizations About Market Evolution and Stationarity, "*Marketing Science* 14, no. 3, pt. 1 (1995): G109 ～ 121.

第 **11** 章
开发新的市场产品

科特勒论营销：

　　谁最后设计了产品？当然是顾客。

✎ **本章将阐述下列一些问题：**

● 公司在新产品开发中面临哪些挑战？
● 在新产品开发管理中应建立什么组织机构？
● 新产品开发过程中有哪些主要步骤和怎样更好地管理它们？
● 影响新推出产品的扩散率和消费采用率的因素有哪些？

　　一家公司一旦仔细进行了市场细分，选择了它的目标顾客，识别出顾客的需要并确定了它的市场位置后，它就能更好地开发新产品。营销者在这个过程中起着关键的作用，营销者与研究开发及其他部门人员，在产品开发过程的每一步骤中，辨认和评价新产品创意并共同工作。

　　每一家公司都必须开发新产品。新产品开发是公司将来生命的源泉。为了保持或提高公司的销售，公司应该去寻找新产品。顾客们需要新产品，而竞争者将尽最大努力提供给他们。每年，在美国杂货店就引进了 16 000 种新产品(包括产品线拓展和新的品牌)。

　　一家公司可以通过收购或新产品开发来获得产品。收购途径有三种形式。公司可以购买另一家公司，或者，它从其他公司购买许可权，或特许经营权。产品的开发可采取两种方式。公司可在自己的实验室开发新产品，也可委托研究机构或新产品开发公司来为公司开发特定的新产品。

　　布茨、艾伦和汉弥顿(Booz，Allen & Hamilton)公司辨认了新产品的六种类型[1]：

　　　　1. 新问世产品。开创新市场的新产品。

　　　　2. 新产品线。公司首次进入已建立市场的新产品。

　　　　3. 现行产品线的增补品。公司在已建立的产品线上增补的新产品(包括尺寸、口味等)。

　　　　4. 现行产品的改进更新。提供改进性能或有较大的可见价值的新产品，并替代现行产品。

5. 市场重定位。以新的市场或细分市场为目标的现行产品。

6. 成本减少。以较低成本提供同样性能的新产品。

所有新产品中只有 10% 是真正属于创新或新问世产品。由于它们对公司和市场来说都是新的，因此，这些产品包含了非常高的成本和风险。大多数公司实际上着力于改进现有产品，而不是创造一个新产品。在索尼公司，80%以上的新产品活动是改进和修正其现有产品。

新产品开发中的挑战

不开发新产品的公司正在承担很大的风险。在消费者的需要和口味不断变化、技术日新月异、产品生命周期日益缩短，以及本国和外国公司的竞争与日俱增的情况下，它们的产品将被淘汰。

同时，新产品开发的风险也是很大的。得州仪器公司在从计算机业务中撤退前，已损失了 6.6 亿美元；美国无线电（RCA）公司在它的影像游戏机上损失了 5 亿美元；联邦快递在它的邮政区域递送中损失了 3.4 亿美元；福特汽车公司在它生产的埃德塞汽车上损失了 2.5 亿美元；杜邦在它的称为可仿（Corfam）合成皮革上损失 1 亿美元；英国和法国的协和式飞机很可能永远无法回收它的投资。[2]

为了体会一种产品注定要走向失败时，公司要扔掉多少钱，考虑下面的例子：

R. J. 雷诺(R. J. Reynolds)　20 世纪 80 年代末期，雷诺烟草公司耗资 3 亿美元生产出含烟量少的首相牌(Premier)香烟。1988 年，在其推出 5 个月后，首相牌香烟因为烟民"不喜欢它的味道"而在试销市场中销声匿迹。而且，它还不易点燃。一位烟草业分析员说："当你试着吸入首相烟时，其气味很重。"首相烟损失巨大。雷诺公司又耗资 1.25 亿美元进行另外的尝试。1997 年，雷诺公司在田纳西州德加奴对无烟香烟伊西波斯(Eclipse)进行试验。然而，烟民说他们并不愿意改抽这种烟。无烟香烟是被加热而不是燃烧，烟量只是一般烟的10%。问题在于烟民喜欢有烟雾。研究表明，烟民不管非烟民是多么的不喜欢，他们还是喜欢烟雾缭绕。然而到目前为止，非烟民还是希望没有烟雾的香烟。[3]

新产品的失败率继续让人感到不安。在 1997 年，报告说有 25 261 种新包装食物被推向市场，但你甚至不会在当地的超市里找到它们，它们的处境如同科技小发明和软件程序一样。但足够让人晕倒的是其失败的数量：汤姆·维哈尔(Tom Vierhile)；市场情报服务有限公司和新产品申请公司的总经理评价说道，有近 80% 新近投入的产品并没有出现在市场上。[4]开发一种新产品需要花费 2 000 万美元～5 000 万美元，同时，你也想知道为什么人们还继续要去创新。然而，产品的失败仍会有有益的警示：那就是发明者、企业家和开发新产品的小组负责人知道什么不用去做。在一个新产品陈列橱和学习中心里，营销顾问罗伯特·麦克曼斯（Robert McMath）收集了 80 万件消费者产品，其中绝大多数都失败了。请看为那些失败者留言的"营销视野——失败先生的教训是为了下次获得甜蜜的成功：罗伯特·麦克曼斯新产品展示和学习中心"。

营销视野

失败先生的教训是为了下次获得甜蜜的成功：
罗伯特·麦克曼斯新产品展示和学习中心

漫步在罗伯特·麦克曼斯新产品展示和学习中心，就像走在一个如噩梦般的超市中。这里有奇巴成人食品（酸甜的精肉和鸡肉松）、用微波炉加工的冰激凌圣代、防风草根切片、喷雾状芥末、本－加牌阿司匹林和美乐清爽型啤酒。之外，理查德·西蒙斯·迪乔·维纳格莱（Richard Simmons Dijon Vinagrette）牌的液体色拉，放在坛子里的蒜味蛋糕和法拉（Farrah）牌香波又怎么样呢？这里所陈列的 80 000 种产品中的大多数都是失败的。在每一种产品的背后都是被浪费的金钱和希望，但是，天才的馆长、消费主义者史密斯·索尼亚（Smith Sonian）（他曾是高露洁公司的营销人员）认为从失败中，尤其在失败中，可以学到宝贵的经验。

在新产品展示和学习中心，产品开发者们每小时付费几百美元来这里参观，从其他人的错误中学习经验。麦克曼斯这一不同寻常的展览意味着有 40 亿美元的产品投资。在这一展览中，他以一定的标准筛选出一个行业中有几十种的教训，但通常，这在行业记忆的保留时间很短。为了服务于那些不能来伊萨克参观或付不起高额咨询费的人，麦克曼斯在一本名为《他们在想什么？》的书中阐述了他自己独到的见解。下面是几条麦克曼斯发表的有关营销的教训：

品牌的价值在于它的好名声，因为这是它历经很长时间才赢得的。人们忠诚于品牌。他们相信它可以带来相应的一系列产品属性。不要给某些不具备这些特点的产品冠以品牌之名，这样会造成对信任的浪费。当你听说本－加牌阿司匹林时，你会去联想本－加霜在烧灼皮肤的感觉？还是会想像把它吞服下去的感觉呢？罗伊斯·夏利（Louis Sherry）牌不加糖戈格佐拉（Gorgonzola）奶酪包装是除罗伊斯·夏利外的任何其他牌子，但罗伊斯·夏利却是以富含糖分和冰激凌而闻名的，它不该是无糖的奶酪和色拉。克拉克·杰克（Cracker Jack）牌麦片、斯马克（Smacker）的带赠品番茄酱和罗姆（Loom）干洗剂水果都是试图扯上一个好的品牌，然而却是很愚蠢的尝试。

模仿营销是新产品的头号杀手。大多数这类尝试都以失败告终。那些成功的尝试则需要超乎大多数营销人员所能提供的资源和坚忍不拔。百事可乐在将自己定位为可口可乐的主要竞争对手之前的几十年里，一直很审慎地维持生存。更进一步来说，百事可乐是一个多世纪以来挑战可口可乐的诸多品牌中为数不多的幸存者之一。谁听说过果珍可乐、可可可乐、由由可乐、法国葡萄可乐？国王可乐又怎样呢，有没有如它所说成为"高贵的饮料"？最近，非洲可乐未能成功地吸引非洲的苏打水饮料消费者，凯金可乐则恰恰在美国遭遇失败。在其他条件都相同的情况下，已经树立起来的产品与那些并未有根本性差别的新产品相比较，具有独特的优势。

不要被《……完全摊牌指导》（Complete Dummy's Guide to...）这类书的成功所迷惑。人们通常不会购买那些提醒他们缺点的产品。吉列的油性头发专用香波遭到失败是人们不愿承认自己有油乎乎的头发。人们更喜欢产品看上去与普遍产品一样而仅仅在瓶子上小心地注明"供油性头发使用"或"适用于敏感性皮肤"。人们不想时刻被提醒自己超重，呼吸有问题，出汗过多或年事已高。他们也不希望在自己的购物筐中放进这类产品，因为这等于向众人展现自己的弱点和缺陷。

有些产品与消费者平素购买的产品、服务或经验有着根本性的差别。这些差别太过显著，以至于因为消费者无法做相关联系而导致失败。你只要一听到这些创新产品的名字就可判断它们终将失败：吐司鸡蛋，黄瓜防汗喷雾，健康型海洋腊肠。其他一些创新观点成为一个品牌过去成功的牺牲品。例如，纳贝斯克的奥利奥小软糖，一种有巧克力外衣的糖果意欲与其他糖果相竞争，这听起来很自然。但是，多年以来纳贝斯克鼓励人们揭开奥利奥饼干中间的夹心。由于揭开的奥利奥饼干有一层巧克力外衣将会是件很麻烦的事，因此，奥利奥软糖给消费者造成了不和谐的感觉。

资料来源: Paul Lukas, "The Ghastliest Product Launches," *Fortune*, March 16, 1996, p. 44; Jan Alexander, "Failure Inc." *Worldbusiness*, May – June 1996, p. 46; Ted Anthony, "Where's Farrah Shampoo? Next to the Salsa Ketchup," *Maketing News*, May 6, 1996, p. 13; bulleted points are adapted from Robert M. McMath and Thom Forbes, *What Were They Thinking? Marketing Lessons I've Learned from Over 80, 000 New-Product Innovations and Idiocies* (New York: Times Business, 1998), pp. 22 ~ 24, 28, 30, 31, and 129 ~ 130.

新产品为什么会失败呢?

● 一位高层经理可能会不顾市场调查研究已作出的否定结论，推行他喜爱的产品构思。

● 创意是好的，但是对市场规模估计过高。

● 实际产品并没有达到设计要求。

● 产品在市场上定位错误，没有开展有效的广告活动，或对产品定价过高。

● 产品的开发成本高于预计数。

● 竞争对手的激烈反击超出事先估计。

另外，还有几个其他因素也影响了新产品开发：

● 在有些领域里重要的新产品构思太缺乏。能改进某种基础产品(如钢铁、清洁剂等)的方法寥寥无几。

● 细分成碎片的市场。激烈的竞争导致市场更加分化。各公司不得不把新产品对准较小的细分市场，而不是一个大众化市场，这意味着每种产品只能得到较小的销售和较少量的利润。

● 社会和政府限制。新产品必须符合消费者的安全和生态平衡。政府的要求使得药品、玩具和其他某些产业的创新速度减缓。

● 新产品开发过程中的高代价。一家公司为了找出少数几种好的新产品，必须提出大量的新产品构思，而且，公司面临着不断上升的研究与开发费用、制造费用和营销费用。

● 资本短缺。许多公司不能提供或筹集真正的创新研究所需的资金。

● 新产品开发完成的时限缩短。不能快速开发新产品的公司将失去优势。

公司必须学习怎样压缩产品开发的时间，其方法可采用计算机辅助的设计和生产技术，与战略合伙人共同开发，提早产品概念测试，以及执行先进的营销计划。聪明的公司现在也可以使用一种同步新产品开发（concurrent new-product development）的方法，在这种方法中，一个跨职能的工作小组参与产品开发到上市的全过程，如果某个职能领域发生问题，该小组参与攻关，而其他人员继续前进。同步开发像橄榄球比赛而不是接力赛，小组成员之间前前后后传递着这项新产品直到实现共同目标，艾伦－布拉德利公司（Allen-Bradley）（制造工业控制设备）同步开发的电子控制设备只需要2年，而在旧系统中，它需要6年。

● 成功产品的生命期缩短。当一种新产品成功后，竞争者会非常快地进行模仿。索尼公司在竞争者大量仿制其产品前曾领先了3年时间。现在，松下和其他竞争者仿制其产品只要6个月，因此，留给索尼重新创新的时间很少了。

面对这些挑战，公司用什么来确保它开发新产品能成功呢？库珀和克兰施米特发现成功的首要因素是其独特的产品优势。特别要指出的是，相对于竞争者有更高优势的产品的成功率为98%，较占优势者有58%的成功率，稍占优势者为18%的成功率。另一关键成功因素是在产品开发前就已明确定义产品的概念，因此，公司在操作时便可仔细地界定和估计目标市场、产品要求和利益。再一个成功因素是技术与营销的协同性、在每一产品开发阶段执行工作的质量和市场吸引力。[5]

马迪科（Madique）和泽杰（Zirger）对电子行业成功推出的产品做了个别的研究，发现成功产品有八个因素。特别是他们发现了新产品成功更有可能的因素是：公司对顾客需要认识更深刻，其效率对成本的比例越高，赶在竞争者前面进入市场越早，期望的贡献毛利越高，把产品推向市场的宣布越早，得到最高管理层的支持越多，有更多的跨职能小组在活动。[6]

这个小组一开始就参与研究与开发、工程、制造、采购、营销和财务，只有这样，新产品有开发才能最有效地进行。该产品的创意必须从市场营销的观点加以研究，这个特定的跨职能小组要参与和开发项目的全面过程。一个研究日本的报告指出，日本新产品开发的成功，在很大程度上得益于应用了跨职能小组的工作。

有效的组织安排

最高管理层对新产品的成功负有最终的责任。新产品的开发工作要求高层管理者确定业务领域、产品类型和明确的标准。例如，古尔德公司（Gould）建立了下列接受标准：

● 该产品在5年内能进入市场。
● 该产品的市场潜在销售量至少有500万美元和15%的增长率。
● 该产品至少有30%的销售回报率和40%的投资回报率。
● 该产品将取得技术或市场领先地位。

新产品开发的预算

最高管理层必须决定新产品开发需用多少预算支出。研究和开发新产品的结局是非常不确定的，以致使得按照常规投资标准来编制预算十分困难。有些公司解决这个问题的方法是采用鼓励措施和财务支持，以争取尽可能多的项目建议书，并寄希望于从中择优录用。另一些公司采用传统的销售额百分比，或根据与竞争者相当的费用，以确定本公司的研究与开发所需的投资额。还有些公司先确定到底需要多少成功的新产品，然后倒过来估算投资费用。

在美国新产品研究与开发著名的是总部在明尼阿波利斯的 3M 公司：

明尼苏达采矿和制造公司(3M)   3M 很早就开始培育创新文化和创意：在 1906 年，面对着采矿经营的失败，它却最后从砂砾和废料中生产出砂布纸。今天，3M 制造 6 万多种产品，包括标准纸、胶粘剂、计算机磁盘、接触片、贴纸，等等。每一年公司推出 200 多种新产品。公司雄心勃勃的目标是销售 150 亿美元，公司每个部门在其上市 4 年内的产品中至少获得 30% 的收益。[7]

● 3M 公司不仅鼓励工程师而且鼓励每个人成为"产品冠军"。公司的 15% 法则允许所有员工在工作时间有 15% 的时间研究个人感兴趣的项目。诸如即时贴簿、掩饰带和 3M 微处理器技术都是得益于 15% 法则。

● 每一个积极的新创意都交给由"执行冠军"领导的、受多种训练的开发小组处理。

● 3M 知道失败与教训是难免的。它的口号是"为了发现王子，你必须与无数个青蛙接吻"。

● 3M 每年向开发组颁发"金牌奖"，这些产品在正式上市的三年中，在美国市场获得了 200 多万美元的销售额，在世界市场的销售额为 400 万美元。

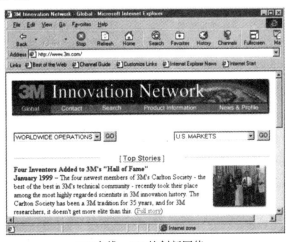

3M 在线：3M 的创新网络。

表 11—1 显示了一家公司怎样计算新产品开发投资成本。在一个大的包装消费品公司里，新产品经理回顾了他的公司考虑的 64 个新产品创意的处理结果。通过创意筛选阶段的只有 1/4，即 16 个，在这一阶段鉴别每一创意的成本是 1 000 美元。通过概念测试阶段的是其的一半，即 8 个，每一个的成本是 2 万美元。在产品开发阶段中留下来的只剩下 4 个。在市场测试中状况良好的剩下 2 个，每个的成本为 50 万美元。当这 2 个新产品推向市场时，每个成本为 500 万美元，并且只有一个是非常成功的。因此，这个成功的创意花费了公司 572.1 万美元的开发费用。在这个过程中，63 个其他的创意在中途被抛弃。由此可见，开发一个成功的新产品的总成本是 1 398.4 万美元。除非公司能通过提高比率和降低每一阶段的成本，否则公司必须为每一希望得到成功的新创意准备开支 1 400 万美元左右。如果最高管理层希望在下年中开发 4 个成功的新产品它的预算至少是 5 600 万美元(4×14 000 000)。

表 11—1 寻找一个成功的新产品的估计成本(从 64 个新创意开始)

阶段	创意个数	通过比率	每个产品创意的成本(美元)	总成本(美元)
1. 创意筛选	64	1:4	1 000	64 000
2. 概念测试	16	1:2	20 000	320 000
3. 产品开发	8	1:2	200 000	1 600 000
4. 市场测试	4	1:2	500 000	2 000 000
5. 推向全国	2	1:2	5 000 000	10 000 000
			5 721 000	13 984 000

组织新产品开发

公司们在处理新产品开发组织结构中有若干种方法。[8]最常见的有：

● 产品经理。许多公司把新产品工作交给它们的产品经理们。实际上，这种制度有一些缺陷。产品经理们常常忙于管理他们的生产线，他们除了对品牌更改和扩充感兴趣外，很少有时间考虑新产品，同时，他们也缺乏开发新产品所需的专有技能和知识。

● 新产品经理。卡夫和强生公司设有隶属于产品类别经理领导的新产品经理职位。一方面，这个职位使得开发新产品的功能专业化；另一方面，新产品经理的工作局限于在他们的产品市场范围的产品改进和产品线扩展。

● 新产品委员会。大多数的公司都有一个高层管理委员会负责审核新产品建议。

● 新产品部。大公司常设立一个新产品部，该产品的主管拥有实权并与高层管理者密切联系。其主要职责包括产生和筛选新创意，指挥和协调研究开发工作，进行实地试销和商品化。

● 新产品开发组。3M、陶氏、西屋电器(Westinghouse)和通用磨坊公司(General Mills)等把新产品开发主要工作指派给新产品开发组。新产品开发组由各业务部门的人员组成，负责把一种特定产品或生意投入市场。他们暂时解除其他职务后给予预算、时间期限与"参加战斗"和"安排工作"。参与战斗是指挥公司员工负责开发一项新业务或产品。安排工作包括一个非正规的工作场所，有时是在车间，在那里战斗小组开发新产品。关于公司在开发新产品时，怎样从交错职能团队中得益，参见"营销视野——产品开发不只是工程师的事：跨部门团队的高明之处"。

营销视野

产品开发不只是工程师的事：跨部门团队的高明之处

特兰西·基德(Tracy Kidder)在他最畅销的书《新机器的精髓》(The Soul of a New Machine)中，描述了一群工程师从紧密结合的团队形式为数据通用(Data General)开发一种革命性的新型计算机。这些工程师遵循长期以来的产品开发的传统，即工程师和科学家为开发新产品独立地工作，不仅与外界隔离，而且与公司其他部门也隔离。

尽管将新产品开发只委托给工程师或科学家可以发掘他们的智力成果，但这也造成了严重低效率和营销近视者——工程师致力于创造"更好的捕鼠器，"然而，潜在顾客却不真正需要更好的捕鼠器。

20世纪80年代末和90年代初，随着跨部门团队的引入，这一脆弱的工程师孤立工作的传统被打破。在缩短设计周期、新技术获得杠杆效应和降低产品开发成本的压力下，制造商正在把产品设计——一个工程师的独立行为转变为一个涉及公司各部门及主要供应商的动态过程。通过对《设计新闻和购买》杂志的读者的调查，80%的回应者报告说他们的公司运用跨部门团队来开发新产品。

克莱斯勒，作为全球利润最高的汽车制造商，首当其冲运用这种新产品。80年代末，克莱斯勒开始将工程师与购买队伍结盟。结果是从新产品开发过程中砍掉了一个官僚层。自从组建部门团队以来，克莱斯勒缩短了新车开发周期的40%，并大大降低了成本。例如，80年代末，国内汽车制造商的开发时间为5年。现在，克莱斯勒的新型轿车或卡车从概念到营销只需3年或更短的时间。把其他部门的关键性人物增加进来的另一好处是创造更多的知识。哈雷－戴维森在设计的概念阶段将工程师、制造部门和供应商联合起来。对于像车闸这样的复杂部件，它应用供应商来领导开发。哈雷－戴维森公司的部门购买经理利罗·齐特(Leroy Zimdar)说："除了聘用室内专家外，我们依赖供应方面现有的能力。"

虽然跨部门团队设计过程有种种优点，但没有人由此而认为组建并运作一个团队是件容易的事。唐·H·理斯特(Dow H. Lester)，霍奇斯特(Hoechst)部门的作业经理首先明白了这一点。理斯特具有10年的新产品合作团队领导的经验，他为组建新产品合作提出了如下标准：

● 要求团队领导风格和专业技能水平。新产品概念越复杂，所需的专业技能越强。
● 团队成员的能力和专长。霍奇斯特组建的新合作团队包括在化学、工程、营销调研、金融分析和制造方面有能力或专长的人。不同的公司将选择不同的部门组合。
● 对特定新产品概念有一定水平的兴趣。是否存在兴趣，甚至浓厚兴趣是高水平的拥有意识和责任(一位"概念倡导者")。
● 个人收益的潜力。"这对我意味着什么？"什么因素驱动个人加入这一过程？

● 从广泛意义而言的团队成员多样性。这包括种族、性别、国籍、经验、跨专业深度和人格等方面的多样性。越是具有多样性，视野范围就越广，团队决策潜力也越强。

资料来源：Donj H. Lester, "Critical Success Factors for New Product Development" *Research Technology Management*, January – February 1998, pp. 36 ~ 43; Tim Minahan, "Harley Davidson Revs Up Development Process," Design News, May 18, 1998, pp. S18 ~ S23; Time Minahan, "Platform Teams Pair with Suppliers to Drive Chrysler to Better Designs," *Purchasing*, May 7, 1998, pp. 44S3 ~ 44S7; Design Teams Bring Radical Change in Product Development," *Design News*, May 18, 1998, p. S2; see also Gary S. Lynn, "New Product Team Learning: Developing and Profiting from Your Knowledge Capital," *California Management Review*, Summer 1998, pp. 74 ~ 93.

管理创新过程的最高级的工具是阶段关卡系统(stage-gate system)。它已在3M公司和其他一些公司得到应用。[9]其基本思路是把创新过程分为几个独立的阶段。在每个阶段的最后有一扇门或一个检查站。工作在跨职能组织的项目负责人在项目向下一阶段发展时，必须准备通向各扇门的一组资料。例如，在业务计划阶段向产品开发阶段过渡时，要有消费者需要与利益的研究报告、竞争分析和技术鉴定报告等实证材料。高一层次的经理作为看门人为每扇门建立审查标准，以判断该项目是否该进入下一阶段，因为这包含了高成本。看门人做四个决策：进入下一阶段、结束、继续、重新循环。

分阶段体系是创新过程中的一个强有力的原则，它使在各个步骤中对所有参与者而言都是可见的，同时在每一点上都对项目领导人和小组的责任给予明确说明。实行分阶段体系的公司有美孚、3M、惠普和西雅图的弗罗克公司(Fluke)，一家手动电子仪器方面的领先者。丹麦玩具制造商利格公司(Lego)，每年更新1/3的产品线。自20世纪80年代以来，利格依赖分阶段新产品开发过程，确保将快速推出产品所涉及的各要素组合在一起。[10]

现在，我们准备考察产品开发过程的八个阶段：创意产生、创意筛选、概念发展和测试，营销战略，商业分析，产品开发，市场试销，商品化。新产品开发过程中各个阶段和决策的描述见图11—1。

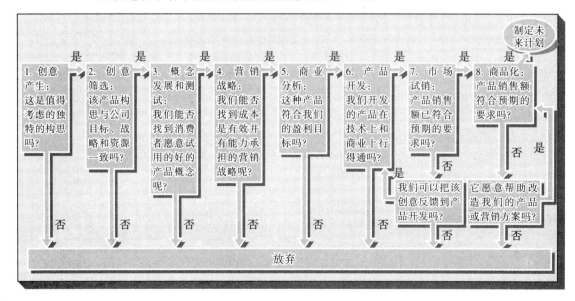

图11—1　新产品开发决策过程

管理开发过程：创意

创意产生

新产品开发过程的第一个阶段是寻找产品创意。最高管理层应确定要着重研究的产品与市场范围，并指出新产品开发的目标。他们还应该阐明对开发创新产品、改进现行产品和仿造竞争产品应作出多大努力。新产品创意的来源有很多：顾客、科学家、竞争者、雇员、经销商和最高管理层。

依照市场营销的概念，顾客需求和欲望（customer needs and wants）是寻找新产品创意的合乎逻辑的起点。希培尔（Hippel）曾经论证过，大量的工业产品的新创意起源于用户。[11]技术产品公司许多信息的获得可以通过研究领先用户（lead users），即首先使用公司的产品和比其他顾客先认识到需求改进的用户。许多最好的创意来自于向顾客询问现行产品的问题而获得。例如，3M公司为了从SOS和巴利努公司（Brillo）中夺取钢材肥皂盒的补缺市场，它专门组织了八次国内的消费者集中小组讨论会。3M询问消费者在使用传统肥皂盒上的问题，最多的抱怨是什么。这些产生了好的创意，即一种新的苏格兰非刺痛肥皂盒。这种新的肥皂盒的销售现在已经超过了它所期望的25%的市场份额。[12]

成功的公司建立了公司的文化以鼓励每一个员工寻找关于改进公司生产、产品和服务的新创意。丰田声称它的员工每年提出200万个创意（平均每人35个），并有85%以上被执行。柯达和一些美国公司给年度内提出最佳创意的员工奖金和鼓励。

公司通过对竞争者产品和服务的监视也能发现新创意。它们可以倾听分销商、供应商和销售代表讲述在工作中的情况和问题。它们可以发现顾客喜欢或不喜欢它们竞争者的产品。它们可以买进竞争者的产品，把它们拆开，然后制造更好的产品。公司的销售代表和经销商是新产品创意特别好的来源。他们掌握着顾客需求和抱怨的第一手资料。他们通常也是第一个知道竞争发展情况的人。为了产生新的创意，越来越多的公司正在培训和奖励它们的销售代表和经销商。

最高管理层是新产品创意的主要来源。有些公司的领导者，例如，宝丽来公司的前任首席执行官艾德温·H·兰德(Edwin H. Land)，亲自负责公司的技术创新工作。另一方面，惠普公司的首席执行官刘易斯·普拉特(Lewis Platt)相信，高层管理者的作用是创造一个环境，鼓励业务经理参与冒险和创造新的成长机会。在普拉特的领导下，惠普被建成为一个高度自动化的企业。

新产品创意的其他各种来源有发明家、专利代理人、大学和商业性的实验室、行业顾问、广告代理商、营销研究公司和工业出版物。由于创意来自于许多渠道，各种创意受到关注的机会就落到了该组中对产品创优负有责任的某个人身上。除非这个人本身热心于产品创意，否则，创意就不可能受到认真的考虑。参见"营销备忘——十种获得伟大新产品创意的方法"。

十种获得伟大新产品创意的方法

1. 举办比萨—录像聚会，像柯达公司那样，举办非正式会议，会上顾客与公司的工程师和设计人员一起讨论问题、需求，以及用头脑风暴提出潜在问题的解决方案。

2. 允许技术人员花费时间从事他们喜欢的项目。3M 公司允许员工有 15% 的时间干自己的事，罗姆－哈斯(Rohm & Hass)公司允许 10% 的时间干自己喜欢的活。

3. 使顾客头脑风暴会议成为工厂活动的常见特征。

4. 对你的顾客进行调查。发现在你和你的竞争对手的产品中，他们喜欢哪些，不喜欢哪些。

5. 像弗罗克公司和惠普公司那样，对客户进行"寻求缺陷"或"扎营"式调查。

6. 运用重复方式。一群顾客呆在一间房内座谈，确认问题；一群技术人员在另一间房内，听取问题并运用头脑风暴法解决方案。然后，立即将所提出的解决方案拿到顾客那里测试。

7. 建立关键词搜索，时常浏览各国的贸易出版物以获得新产品发布等方面的消息。

8. 把贸易展览当做智力成果信息，你可以仅在一个地方看到所有你所属行业的新产品。

9. 让你的技术人员和营销人员参观供应商的实验室，并与技术人员一起花时间探索现在有什么新东西。

10. 建立一个创意构思库，使其向众人开放并易于进入。允许员工思考并提出建设性的建议。

资料来源：Adapted from Robert Cooper, *Product Leadership: Creating and Lounching Superior New Products* (New York: Perseus Books, 1998).

创意筛选

任何公司应该通过适当的组织来吸引好的创意。公司应激发员工提出构思，它应派出一位创意管理者(idea manager)，并使他的名字和电话家喻户晓。创意应写在纸上并且创意委员会每一周检查一次。创意委员会把创意分成三组：有前途的创意、暂时搁置的创意和放弃。每个有前途的创意需经一位委员会成员的认真研究并应作出报告返回。经挑选的有前途创意然后进入全面的筛选程序。该公司将会对提交最佳创意的员工给予报酬或受到重视。

在筛选阶段，公司必须避免两种错误。所谓误舍(drop-error)是指一家公司错过了某一有缺点但能改正的好创意。对别人的创意挑错是很容易的事(图11—2)。一旦想起它们曾经舍弃的某些创意时，常常会感到不寒而栗：施乐公司看中了切斯特·卡尔森(Chester Carlson)的复印机，认为它是有新颖性和希望的产品；而 IBM 公司和依斯曼·柯达公司却忽视了它。美国无线电公司能够预料到无线电的革新机会；而胜利唱机公司则不能。马歇尔·菲尔德公司(Marshall Field)懂得分期付款购买的独特的市场发展机会；而恩迪科特·约翰逊(Endicott Johnson)却丧失良机。西尔斯(Sears)忽略了商品打折扣的重要性；而沃尔玛和凯马特注意到了这一点。[13]如果一家公司犯了太多的误舍错误，那么，它的标准一定是订得太保守了。

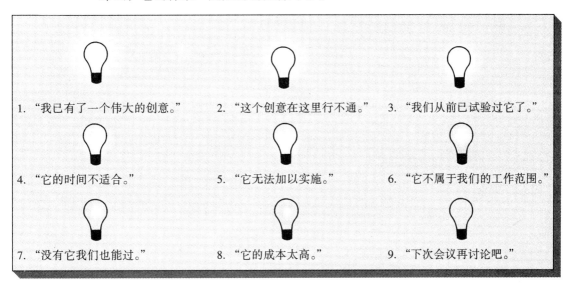

1. "我已有了一个伟大的创意。"　　2. "这个创意在这里行不通。"　　3. "我们从前已试验过它了。"

4. "它的时间不适合。"　　5. "它无法加以实施。"　　6. "它不属于我们的工作范围。"

7. "没有它我们也能过。"　　8. "它的成本太高。"　　9. "下次会议再讨论吧。"

图 11—2　与新创意抗争的力量

资料来源: With permisson of Jerold Panas, Young & Partners, Inc.

误用错误(go-errors)是发生于公司容许一个错误的创意投入开发和商品化阶段。我们应该区分这种结局下产品失败的三种类型。产品的绝对失败(absolute product failure)，它损失了金钱，其销售额连变动成本都不能回收。产品的部分失败(partial product failure)，虽然损失了金钱，但是，它的销售可以收回全部的变动成本和部分固定成本。产品的相对失败（relative product failure），它能产生一定的利润，但是，低于公司的目标报酬率。

筛选的目的是尽可能早地发现和放弃错误的创意。其理由是每一后继发展阶段的开发成本将提高到非常可观的数额。大多数的公司要求主管人员把新产品创意填入一张标准的表式内，以便于新产品委员会审核。表式包括产品名称、目标市场、竞争状况，以及粗略推测的市场规模、产品价格、开发时间和开发成本、制造成本、报酬率。

然后执行委员会根据一套标准来检查每一个新产品创意。该产品满足了市场需要吗？它提供了优越的价值吗？它有明显的优势吗？公司有必需的专有技术吗？新产品能实现预期的销售量、销售增长和利润吗？对经筛选后留下的创意，用指数加权法进行分等，见表 11—2。表中的第 1 列表示产品成功地导入市场所必需的因素。第 2 列是管理层根据这些因素的相对重要性而给予的权数。下一步测验在每一个因素上对公司的能力进行由 0.0 到 1.0 的分等处理。最后是将每一成功因素的权数和本公司的能力水平相乘，得到公司成功地把这种产品导入市场的能力总评分。在本例中，该产品创意得 0.69 分，它处在"尚佳创意"水平。这种基本的分等设计方法可以考虑进一步的改进。其目的是为了促进有系统的产品创意评估和讨论。但它并不能取代管理层的决策。

表 11—2　　　　　　　　　　　　　产品创意的分等设计

产品成功的必要因素	相对权数(1)	产品能力水平(2)	评分(1)×(2)
产品的独特优点	0.40	0.8	0.32
高的绩效成本比率	0.30	0.6	0.18
高的营销资金支持	0.20	0.7	0.14
较少的强力竞争	0.10	0.5	0.05
小计	1.00		0.69[①]

① 分等标准：0.00～0.30 为差；0.31～0.60 为尚可；0.61～0.80 为佳。最低标准：0.61。

在新产品创意的发展过程中，公司需要不断对它的总成功率进行评价，一般可采用下列公式：

$$总成功率 = \frac{技\ 术}{完成率} \times \frac{在技术完成率}{确定后的商业化率} \times \frac{在\ 商\ 业\ 化\ 率}{确定后的经济成功率}$$

例如，估计这三个比率分别是 0.50，0.64 和 0.74，公司计算出总成功率为 0.24。然后，公司判断这个成功率是否使公司下决心进一步把新产品开发工作继续下去。

管理开发过程：从概念到战略

概念的发展和测试

有吸引力的创意经提炼可以成为产品概念。**产品创意**(product idea)是公司本身希望提供给市场的一种可能产品的设想。**产品概念**(product concept)是用有意义的消费者术语表达的详细的构思。

概念发展

我们用下面的例子来说明概念的发展。一个大的食品加工商获得一个粉状的牛奶添加剂产品的创意，它能增加营养价值和味道，这就是产品的创意。然而，消费者不会去购买产品创意；他们要买的是产品概念。

一个产品创意都能转化为几种产品概念。第一，要问的问题是谁使用这种产品？这牛奶添加剂的对象可以是婴儿、小孩、少年、青年、中年或老年人。第二，这种产品的主要益处是什么？口味、营养、提神、健身？第三，这种饮料的主要场合在哪儿？早餐、上午点心、午餐、下午点心、晚餐、夜宵？根据这些问题，公司就会形成几个产品概念：

● 概念 1：一种快速早餐饮料，使成年人很快得到营养并且不需要准备早餐。

- 概念 2：一种可口快餐饮料，供孩子们中午饮用提神。
- 概念 3：一种康复补品，适合于老年人夜间就寝时饮用。

　　每一个概念代表了**目录概念**（category concept），即他们把每个创意定位在一个目录中。确定一种产品竞争的是目录概念，而不是产品创意。快速早餐饮料必须与火腿蛋、麦片、咖啡茶点和其他早点互相竞争。可口快餐饮料必须与软饮料、水果汁和其他饮料相竞争。

　　假定快速早餐饮料概念看上去最佳。下一个任务就是显示该产品与其他早餐产品之间的位置。图 11—3(a)是一张关于成本和准备时间的二维产品定位图，它显示了快速早餐饮料与其他早餐点的相对独立位置。快速早餐饮料使购买者感到又便宜又方便。它的最近竞争品是冷麦片；距离最远的竞争品是火腿蛋。这些对比在把产品概念投放市场时可加以利用。

　　下一步，产品概念必须转化为**品牌概念**（brand concept）。图 11—3(b)显示了一个品牌定位图（brand-positioning map），表示三种早餐饮料的定位情况。公司需要决定生产这种饮料的费用是多少和含有多少卡的热量。一种新品牌可以被定位于中等热量的市场部位，或定位于高价格和高热量的市场部位。该公司不想在现有品牌的旁边定位，因为在那里将需要为争夺市场份额开展商战。

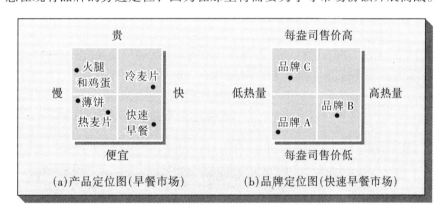

图 11—3　产品和品牌定位

概念测试

　　概念测试需要和合适的目标消费者一起测试这些产品概念，然后收集消费者的反应。这些概念可以用符号或实体形式来展示。在这阶段，用文字或图形描述就足够了。但是，概念测试与最后的产品形状越接近，概念测试的可靠性越高。今天的计算机辅助设计和制造程序已改变了传统的做法。今天的公司能够在计算机上设计各种实体产品(如小的仪器或玩具)，然后制成塑料模型，给预期的消费者观察这些模型和要求他们评论。[14]

　　某些公司也应用虚拟现实程序来测试产品概念。虚拟现实程序应用计算机和感觉设备(如手套和眼镜)来模拟真实。加德国际公司(Gadd)开发了一种名为模拟商店的调研工具，即用光盘虚拟现实方法来再造一种店铺环境，调研人员可以测试消费者对产品定位、店铺陈列和包装设计等因素的反应。假定一位谷物制造商想测试对新型包装设计和店铺货架摆放的消费者反应。使用一台桌面电脑运行模拟商店，被测的购物者凭借一个显示杂货店外观的屏幕开始了疯狂购物。他们点击进入虚拟商店并被引导到合适的商品部。一旦到了那里，他们就可以浏览货架，拿起各种谷物包装，将其旋转以研究标签——甚至会环视左右看看后面的货架上有什么。加德公司的调研经理解释说："一旦用户走向我们要测试的商品种类，他们可以看到多种不同的包装、货架陈列和包装色彩。根据他们的行为，我们甚至可以询问用户为什么会采取那样的行动。"[15]

许多公司今天使用顾客驱动工程（customer-driven engineering）设计新产品。顾客驱动工程是工程的最后设计中高度重视顾客的偏好意见。下面介绍一家公司是怎样应用万维网来推进它的顾客驱动工程的：

松下半导体公司（National Semiconductor） 设在加州圣德·克拉拉的松下半导体公司运用"applets"和特色搜索技术使其整个的产品数据库可以从网上进入。通过追踪顾客的搜索，松下半导体公司可以决定对它们来说最重要的行为特征。公司的网络服务经理说，有时了解顾客何时找不到产品比了解顾客何时找到产品更重要。这些信息帮助松下半导体公司缩短了确认市场补缺空间和开发新产品所需的时间。从根本上来说，这是一种高质量市场调研——而且是免费的。[16]

概念测试的一个重要内容是把精心制作的概念说明书呈现在消费者面前。在我们的牛奶案例中对概念 1 可以这样描述：

一种添加在牛奶中的粉状产品，制成快速早餐，营养丰富，美味可口，操作简便。它有三种口味(可可、香草、草莓)，装成小包，每盒六包，每盒售价2.49 美元。

消费者在收到这些信息后，我们要求他们回答下列问题：

问题	产品衡量范围
1. 你是否清楚该产品概念并相信其利益？	可传播性和可信度。如果得分低，这概念就必须重新界定或修订。
2. 你是否认为该产品解决了你的某个问题，满足了某一需要？	需求程度。需求越强烈，预期的消费者兴趣就越高。
3. 你目前是否有其他产品满足这一需求并使你满意？	新产品和现有产品的差距。差距越大，预期的消费者兴趣就越高，需求程度可与差距程度相乘，乘积为需求—差距分数。需求—差距分数越高，预期的消费者兴趣就越高。需求—差距的高分意味着消费者对可供选择的产品还未满足。
4. 相对于价值而言价格是否合理？	认识价值。认识价值越高，预期的消费者兴趣就越高。
5. 你是否(肯定、可能、可能不、肯定不)会买该产品？	购买意图。我们会认为，购买意图对确切地回答了括号内前三个问题的消费者来讲是非常重要的。
6. 谁可能会使用这一产品，在什么时间购买和使用频率怎样？	用户目标、购买时间和购买频率。

这些回答的信息还告诉公司新产品与其他产品的比较以及他们的最理想的目标产品是什么？需求—差距程度和购买意图程度可用产品类别的标准来校核，以便看出该概念是否可能成功，是否是大胆的尝试，还是可能要失败。某食品制造商对"肯定要购买"得分低于40%的概念一律予以摒弃。

组合分析法

消费者对不同产品概念的偏好可用一种日益广泛使用的技术，即**组合分析法**(conjoint analysis)进行衡量。组合分析是区分消费者结合一个物体的各种属性水平态度的效用价值。它向被测试者显示这些属性在不同组合水平中的各种假设供应体，要求他们根据偏好对各种供应体进行排序。其结果能被用于确定有最佳吸引力的供应物、估计市场份额和公司可以获得的利润等一系列管理工作中。

格林(Green)和温德(Wind)用开发一种新的家用地毯清洁工具为例子，说明了这种组合测量的技术。[17]假设新产品营销人员考虑下列五个设计要素：

● 三种包装设计(A，B，C—见图11—4)。
● 三种品牌名称(K2R，格洛丽，比斯尔)。
● 三种价格(1.19美元，1.39美元，1.59美元)。
● 可能的"好管家"封印(是，否)。
● 可能的退款保证(是，否)。

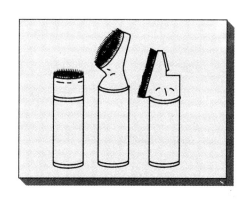

图11—4　组合方法案例

用五种要素相结合，营销人员可以形成108种可能的产品概念($3 \times 3 \times 3 \times 2 \times 2$)。如果这些概念都要求消费者排列或评价，显然太多了。有一个能对108种比较产品进行选择的样本可供参考，而消费者能很方便地从最偏好到最不喜爱将它们排列出来。

营销者现在可用统计程序计算这五种属性的效用函数(图11—5)。对效用的衡量从0—1进行排列；效用越高，也就是顾客在这一属性水平上偏好越深。例如对包装来说，B产品包装是令人偏好的，其次是C，最后为A(A几乎没有效用)。品牌名称偏好的次序是：比斯尔，K2R，格洛丽。在定价上，消费者的效用与价格成反比。一个"好管家"封印较受欢迎，但它不能增加较多的效用，因此不值得花精力去得到它。退货保证特别令人偏好。我们把这些结果组合起来，就能看到最合乎需求的产品：外形设计是 B，品牌名称为比斯尔，售价是 1.19 美元，有"好管家"标志和有退货保证。

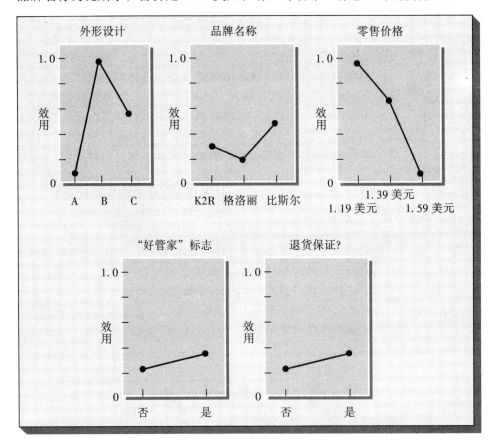

图 11—5　组合分析中的效用功能

我们还能确定这个顾客对各个属性之间的重要认识。属性关系重要性表示了各个属性从高到低的效用水平。很清楚，该顾客认为最重要的属性是价格和包装设计；随后为退货保证，品牌名称；最后为"好管家"标志。

当偏好数据从大量的目标顾客样本中收集以后，这些数据就能用于估计特定的供应物取得的市场份额，并能假设出竞争者的反应。然而，由于成本的原因，公司可能不把获得最大市场份额的产品推向市场。例如，公司可能决定推出包装 C，虽然它的效果比包装 B 差，但成本下降很多，在采用时能多获利。最有吸引力的产品往往并非是最盈利的产品。

在某些条件下，研究人员并不对每个产品应用全方位面貌测试数据，而是同时对两个因素进行(称为配对法)。例如，向被测试者展示有三种价格水平和三种包装类型的表格，询问他们对这九种组合中，最喜欢哪一种，以此类推向下排列，等等。然后，向他们展示另外由两个变量配对的表格。在存在有许多变量和潜在供应物时，使用配对法显得较为方便。然而，由于被测试者同时集中于两个变量之间，使逼真性稍差。

组合分析已成为最普及的概念开发方法之一和测试工具。马里奥特

（Marriott）已在乡村旅馆的概念中从组合分析中得益。其他方面的应用包括航空旅行服务、道德药物和信用卡特征分析。

营销战略发展

测试以后，新产品经理必须提出一个把这种产品引入市场的初步营销战略计划。营销战略计划包括三个部分。第一部分描述目标市场的规模、结构和行为；所计划产品的定位和销售量，市场份额，开头几年的利润目标：

> 快速早餐饮料的目标市场是有孩子的家庭，他们接受方便的、有营养的和便宜的早餐方式。公司的品牌将在市场上定位于较高价格、较高质量点。公司的最初目标是销售50万箱或占市场份额的10%，第一年的亏损不超过130万美元。第二年的目标是销售70万箱或占市场份额的14%，计划盈利220万美元。

营销战略计划的第二部分描述产品的计划价格、分销策略和第一年的营销预算：

> 该产品带有巧克力口味，装成小包，一盒6包，每盒零售79美分。每箱48盒，批发给中间商每箱24美元。最初两个月经销商每买四箱可附送一箱，加上广告合作津贴。免费样品挨户赠送，报纸上的广告附有20美分折价券。总的促销预算为290万美元。广告预算为600万美元。以对半的比例分配给全国和本地。2/3用于电视、1/3用于报纸。广告文稿应着重营养和方便的利益概念。广告宣传概念将以喝了快速早餐饮料后身体日益强壮的小孩为中心。第一年营销调研将花费10万美元，用于购买商店审计和消费者固定样本信息，以观察市场反应和购买率。

营销战略计划的第三部分描述预期的长期销售量和利润目标，以及不同时间的销售战略组合：

> 该公司希望最后获取25%的市场份额和实现12%的税后投资报酬率。为了达到这个目标，产品质量的起点要高，并且随着时间的推移，通过技术研究对产品不断改进。价格在刚投入市场时，高价位定价，然后再逐渐地降低价格，以扩大市场和对抗竞争者。总促销预算每年递增20%左右，初期广告费与促销费的比例为65:35，最后发展成50:50。在第一年以后，营销调研费将削减到每年6万美元。

商业分析

一旦管理层发展了它的产品概念和一个营销战略，它就能够对这个建议的商业吸引力作出评价。管理层必须复审销售量、成本和利润预计，以确定它们是否满足公司的目标。如果它们能符合，那么产品概念就能进入产品开发阶段。随着新信息的到来，该商业分析也可作进一步的修订和扩充。

估计总销售量

管理层需要估计销售量是否高到公司足够得到一项令人满意的利润。销售量估计方法取决于一次性购买的产品（如订婚戒指、退休住房）呢，还是属于非经常性购买的产品或经常性购买的产品。对一次性购买的产品，开始时销售量上升到达高峰，然后当潜在的购货人数逐渐减少，下降而逐渐趋于零[图11—6(a)]。但是，如果新的购买者在不断地进入市场时，该曲线不会下降到零。

非经常性购买的产品，例如汽车、烤面包炉和企业设备显示出更新周期，它们既受实体磨损的支配，又会受式样、特点和口味变化的影响而被废弃。这类产品的销售预测要求分别作出首次销售量和更新销售量[图11—6(b)]。

经常性购买的产品，例如消费者和工业购买的非耐用品，有与图11—6(c)相类似的产品生命周期销售量。开始时，首次购买人数逐渐减少到剩下为数较少的购买者(假设人口固定)。如果该产品使某些顾客深感满意，他们就会成为稳定客户，此时重复购买很快就产生了。销售曲线最后落在一个稳定的水平上，即表示一个稳定的重复购买量；到这时，该产品就不再属于新产品的范畴了。

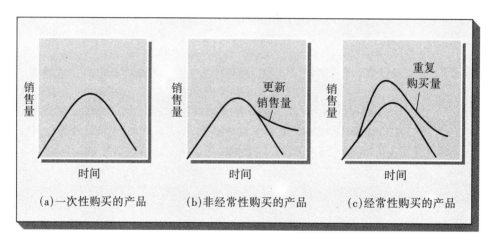

图11—6　三种产品类型的销售生命周期

在估计新产品销售量时，经理第一步工作是估计新产品在各个时期的首次购买量。这里有许多种技术可采用。在估计更新销售量时，管理层必须研究它的产品的残存年限分布(survival-age distribution)，即年内一、二、三等的更新销售次数。分布表的最低点指出了第一次更新销售的产生。实际的更新时间将受到多种因素的影响。由于更新销售量在产品实际使用前很难估计，因此，有些制造商在开始推出新产品时，单以首次销售量作为估计基础。

对于经常性购买的新产品，卖方不但要估计首次销售量，而且还要估计重购销售量。一个高重复购买率意味着顾客对该产品的满意，甚至在首次购买行为全部发生后，销售量可能仍处在高水平。卖方应注意在每个重复购买阶层中发生的再购买百分比：谁买一次、两次、三次，等等。有些产品和品牌引入市场一小段时间后便消失了。[18]

估计成本和利润

销售预测准备好以后，管理层就能够估计预期的成本和利润。研究开发部门、制造部门、营销部门和财务部门将对这些成本进行估算。表11—3以快速早餐饮料为例，说明了该产品的销售量、成本和利润的五年计划。

	第 0 年	第 1 年	第 2 年	第 3 年	第 4 年	第 5 年
1. 销售收入	0	11 889	15 381	19 654	28 253	32 491
2. 销售成本	0	3 981	5 150	6 581	9 461	10 880
3. 销售毛利	0	7 908	10 231	13 073	18 792	21 611
4. 开发成本	−3 500	0	0	0	0	0
5. 营销成本	0	8 000	6 460	8 255	11 866	13 646
6. 分摊的管理费	0	1 189	1 538	1 965	2 825	3 249
7. 贡献毛利	−3 500	−1 281	2 233	2 853	4 101	4 716
8. 补充贡献	0	0	0	0	0	0
9. 贡献净额	−3 500	−1 281	2 233	2 853	4 101	4 716
10. 折现贡献(15%)	−3 500	−1 113	1 691	1 877	2 343	2 346
11. 折现现金流量累计	−3 500	−4 613	−2 922	−1 045	1 298	3 644

表 11—3 　　　　　　　　预计的五年现金流量表　　　　　　　单位：千美元

第 1 行显示了在五年中各年的预计销售收入。该公司预计第一年的销售收入为 11 889 000 美元(约 500 000 箱，每箱 24 万美元)；接下来的两年每年预计销售量增长约 28%，第四年增长 47%，第五年增长率下降为 15%。这个销售预计的背景是一组假设的市场成长率、公司市场份额和工厂实现价格。

第 2 行显示了销售成本，它接近于销售收入的 33%。此成本通过估算每箱人工、组成成分和包装等的平均成本而得出。

第 3 行显示了销售毛利，它等于销售收入与销售成本之差。

第 4 行显示了预期的开发成本 350 万美元。开发成本由三部分组成。第一是研究、开发和测试实体产品的产品开发成本；第二是营销方案的优化调整和估计市场可能反应的营销研究成本，包括包装试验、室内安装试验、品名试验和试销的估计成本；第三是新设备、新的或更新的厂房和存货投的制造发展成本。

第 5 行显示了这五年的营销成本，包括广告宣传、促销活动、营销调研、销售人员支出和营销管理等。在第一年，营销成本占销售额的 67%，估计到第五年，则是销售额的 42%。

第 6 行显示了对这种新产品分摊的管理费，包括管理人员的工资、供热、照明，等等。

第 7 行贡献毛利，它是销货毛利减去前三项成本的差。

第 8 行补充贡献，它列出了由于新产品的导入而引起的公司其他产品的收入变化。它由两部分组成。伴生收入是指由于在产品线上增加了这种产品后，使公司其他产品也增加了收入；拨补收入是由于产品线增加这种产品后，使公司其他产品减少的收入。[19]表 11—3 是假设无补充贡献。

第 9 行显示了贡献净额，这里与毛利完全一样。

第 10 行显示了折现贡献，即每个未来贡献的现值以每年 15% 递减折现。例如，公司直到第五年才得到 471.6 万美元，如果该公司的资金每年能获得 15% 利润的话，那么，这个金额在今天只相当于 234.6 万美元。[20]

最后，第 11 行显示了折现现金流量累计，它是第 10 行每年贡献的累计。这个现金流量是管理层决定是否继续产品开发或放弃这个计划的关键数字。人们主要对两件事感兴趣。第一件是最大投资损失，即该计划能够产生的最高损失。我们看到，公司第一年的最大损失为 461.3 万美元；如果公司停止该计划，那么此数额就损失了。第二年是回收期，它是公司回收包括 15% 报酬率的投资。这里的回收期约为三年半。因此，管理层必须决定它能否承受 460 万美元的最大投资损失和等待三年半才收回全部投资的风险。

公司也可使用其他财务方法来评估某新产品建议的价值。最简单的方法是**损益平衡分析法**(break-even analysis)，管理层估算出公司应该销售出多少箱产品才能在已定的价格和成本结构上得以平衡。如果管理层认为至少能卖到保本点的箱数，就应该正常地把计划推向新产品开发阶段。

最复杂的方法是**风险分析法**(risk analysis)。在一个假设的营销环境的计划工作的营销战略下，对一个影响盈利率的不确定的变量进行三种估计(乐观、悲观和最可能)。计算机模拟各种可能的结果，并计算出显示可能报酬率和它们利润的范围和它们报酬率的概率分布。[21]

管理开发过程：从开发到商品化

产品开发

如果产品概念通过了商业测试，就移至研究开发部或工程部，把它发展成实体产品。到目前为止，它只是一段语言描述、一张图纸或一个非常原始的模型。产品开发阶段需要大量的投资，相比之下前面的构思成本要小得多。在本阶段要解决的问题是产品构思能否转化为在技术上和商业上可行的产品。如果失败了，公司除了获得在这个过程中的有用的信息之外，它的积累投资将被损失掉。

一套名为品质功能开发(quality function deployment，QFD)的方法，可以帮助把目标顾客的要求变为实际的产品原型。这种方法把市场调研得来的期望顾客属性(customer attributes，CAs)列成清单，并将其转化为工程属性(engineering attributes，EAs)。例如，某一潜在卡车用户希望获得一定的加速度(CA)。工程师可将其转化为所需的马力或其他工程等量值(EAs)。这一方法可以衡量满足顾客需求的成本和盈亏平衡点。品质功能开发的一项主要贡献在于它增进了营销人员、工程师和制造部门人员之间的沟通。[22]

研究开发部将开发关于该产品概念的一种或几种实体形式，它希望能找到满足下列标准的一种产品原型：消费者觉得它是产品概念说明中关键属性的具体体现；在正常使用和正常条件下，该原型安全地执行其功能；该原型能够在预算的制造成本下生产出来。

开发和制造一个成功的原型可以花费数日、数周、数月甚至数年。例如，设计一种新的商用飞机，开发工作要好几年，然而，先进的虚拟真实技术加快了这个过程。设计和测试的过程可以通过模拟来完成。例如，计算机可以灵活地获取新信息上的反映，并且能迅速地探索各种不确定的方案。

波音（Boeing） 在波音公司，777型飞机的所有数字化开发使用了一个"计算机人"，由其在屏幕上爬入三维空间的"飞机"中，演示对实体飞机的维修难度。这类计算机模型可以指出设计的缺陷，否则这些缺陷在真人开始在实际飞机原型上作业时才会被发现。它避免了与实际飞机原型开发诸阶段相关的时间和费用成本，波音开发过程的灵活性，使它能评价更多的设计方案。[23]

甚至开发一种新的口味配方也很花时间。例如，麦氏威尔（Maxwell House）发现消费者喜爱的咖啡品牌，是具有"粗犷、提神、回味无穷"的咖啡。它的实验室技术员用了四个多月的时间，混合各种咖啡和风味，制出了与上述味道相似的配方。但是，它的制造太贵以致不能大量投产，公司只能对这种混合物"降低成本"以适应目标制造成本。然而，这使口味遭到了损害，因此，新的咖啡品牌在市场上销路并不好。

随着万维网的出现，有必要以更快的速度生产产品原型和进行更为灵活的产品开发。米歇尔·施拉格（Michael Schrage）——MIT媒体实验室的研究助理，曾正确地预言："对于一个新型组织来说，有效地生产原型是它希望获得的最有价值的核心竞争力。"[24]这一点对于诸如微软、网景（Netscape）等软件公司以及硅谷几百家高技术风险企业来说是正确的。施拉格说，尽管以技术规格为导向的公司要求每个"i"必须有点，每个"t"必须交叉，但是，以产品原型为导向的公司——如雅虎！、微软和网景——却珍视快速但不够整洁的测试和实验。参见"新千年营销——在因特网时代开发产品：网景公司浏览器的故事"。

新千年营销

在因特网时代开发产品：网景公司浏览器的故事

传统的产品开发过程是非常程式化的。一件新产品历经设计、开发，移交至生产部门，并在随后的某一明确指定的阶段推入市场……然而，灵活的产品开发却将最终的设计定型尽量延迟。因此，概念发展阶段和执行阶段——即把概念变为现实——不是相继进行，而是有所重叠。公司通过认可变革的必要性以及降低变革成本的努力，能够对产品开发过程中涌现出来的新的信息作出反应。

当技术、产品特性和竞争环境可以预测并且演化缓慢时，传统的产品开发过程可以很好地进行。但是，在无序的商业环境中，渐进的方法是低效率的，它会导致生产出过时的产品——也就是说产品不能表达消费者的需要和利用最新技术（网景公司在开发第二代网络浏览器时所面对的正是这样一种无序的环境）。电脑业巨头微软公司已经建立了自己的敏捷产品开发过程，并且准备开发一种与网景相竞争的产品。

网景公司在1996年1月推出了导航者（Navigator）2.0，之后又立即开始开发下一代网络浏览器，导航者3.0，计划在同一年的8月推出。网景的开发小组——包括工程师、营销部和客户支持部的人员——迅速开发出产品原型。到2月14日，即项目只进行了六周之后，网景就将 Beta 0 版本放到公司的内部项目网站上，以供开发部门测试。尽管许多预想的功能仍未实现，但原型具备了新产品的精髓，并从开发小组那里得到了有意义的反馈。2 月 22 日，还不到两周时间，这一小组又发布了更新版本 Beta1，仍是只面向内部开发人员。3 月初，已解决了产品的主要问题，Beta 2 第一次公开推出，出现在网景的因特网网站上。这之后直到 8 月的正式发布日期期间，几乎每隔几周就进行一次补充的公开发布，每一次 Beta 的重新发布都日渐成熟。

Beta 版本的开发序列对网景公司来说是非常有意义的，因为它使开发小组还在进行网络浏览器设计的时候，就能针对用户的反馈和市场的变化一致作出反应。Beta 的使用者大多比网景的广大顾客要精明些，因此是一个有价值的信息来源……开发小组对竞争产品也密切关注。网景不时将微软的竞争产品——探索者（Explorer）——最新的 Beta 版本拿来做一番性能和格式的比较。

为了促进对项目进行过程中所产生的大量信息的整合，网景在其内部网上建立了一个项目网站。该网站包括产品的开发方案和技术规格，并且在目标日期变动和添加新的性能时予以更新。此外，它还包括公告牌，通过公告牌，小组成员可以掌握各部分的设计进展，注意到某一特性的完成和目前版本存在的问题。一旦网景进入公开的 Beta 测试阶段，这些内部网的特性就显得更有价值，因为这是需要对更多信息进行接收、分类和处理。

资料来源：Adapted from Marco Iansiti and Alan MacCormack, "Developing Products on Internet Time," *Harvard Business Review*, September – October 1997, pp. 108 ～ 117.

实验室的科学家不仅要设计符合要求的功能特性，而且要知道如何通过实体暗示来传达心理上的见解。消费者对不同颜色、尺寸、重量和其他实体暗示的不同反应是什么？在漱口水的例子中，黄色象征着"防腐"的效用（利斯特林 – Listerine），红色象征着"清新"的效用（拉沃斯林 – Lavoris），绿色象征着"凉爽"的效用（斯克波 – Scope）。市场营销人员需要和实验室人员一起工作，告诉他们消费者是怎样判别所有寻求的产品品质的。

新产品原型准备好以后，必须通过一系列严格的功能测试（functional tests）和消费者测试（customer tests）。阿尔发测试（alpha testing）这个名称是指在公司内部测试产品，看它在不同的应用环境下是如何表现的。在对产品原型进行进一步提炼后，公司进入贝塔测试（beta testing）。公司招募一组顾客使用该原型，并反缕使用信息。贝塔测试在潜在顾客是异常情况下非常有用，潜在应用并非是完全不可知的，某些决策，包括产品购买和寻找早期采用的意见带头人是必须作出的。[25]下面是几个产品进入市场以前，功能测试的例子：

肖氏工业（Shaw Industries） 肖氏工业公司付给临时雇员每小时 5 美元让他们在五条样品毯上来回踱步，每天 8 小时，每条地毯平均记录 14 英里。肖氏工业公司计算散步者的 2 万步等于一块地毯几年的磨损。

苹果电脑（Apple Computer） 苹果电脑公司假设它的功率笔记本电脑（PowerBook）在最坏的环境中被粗暴使用：它被百事可乐和其他苏打水浸湿，被蛋黄酱玷污，在 140℃ 温度的炉上烤或在汽车后箱震

418

动的模拟条件下，测试它的功能变化情况。

　　吉列(Gillette)　在吉列公司，每天来自各部门的200名不刮胡子的志愿者，走上公司在南波士顿的制造与研究的二楼，走进有水槽与镜子的小间，他们从另一小窗接受技术员的指示刮胡子洗脸，完成以后，他们还要填写调查表。"我们花钱做试验，这样你在家中刮胡子就舒服了。"吉列的一个员工如是说。[26]

定位产品在耐用性和其他功能的公司们也能通过广告进行测试：

　　科利牌礼服(Corelle Dinnerware)　科利公司消费品部的科利牌礼服的某些广告不同寻常，它的特征是高度耐用性。在菲尼克斯市的五辆公共汽车上，户外媒体网络TDI制作了一个特殊的有机玻璃笼子，四英尺长一英尺高，中间有一个科利的招牌。招牌随着汽车加速、减速、转弯而自由地前后翻动。[27]

　　消费者测试可采用多种方式，从把消费者带入实验室试验产品到送样品上门试用。室内产品安排测试被广泛应用在从风味冰激凌到新器具等的不同产品上。当杜邦开发新的合成地毯时，它为许多家提供免费地毯，作为交换的条件，是这些用户要反映新地毯与传统地毯相比，有什么喜欢与不喜欢的地方？

　　在测试诸如电动汽车的这样尖端产品时，营销者必须像产品设计师和工程师一样发挥创造性：鲁奇是巴尔蒂克海的一个小岛，它成为测试未来电动汽车的试验地。前民主德国鲁奇岛上的58名居住者，他们从驾驶旧式的汽车改为驾驶宝马、戴姆勒·克莱斯勒和奥迪的电动模型车。鲁奇的试验使制造商认识到一些问题：鲁奇居民必须仔细计算旅行的路程，因为电池的电力有限。而更换电池也不容易，每次得花上半小时到一个晚上不等。[28]

　　消费者偏好测试有好几种技术方法。假设向消费者显示三个项目——A，B，C。它们可能是三种照相机、三个保险计划，或三种广告。

　　● **简单顺序排列法**(rank-order)要求消费者根据他的偏好对三个项目进行排序。该消费者可能排出A>B>C。这个方法不能显示消费者对每个项目喜爱的强烈程度，他可能对这三个项目都非常不喜欢。这个方法也没有指出他喜爱一个项目胜过另一个项目的程度，而且，当一组的项目数较多时，这个方法的使用是困难的。

　　● **配对比较法**(paired-comparison)要求给消费者提供一组项目，两个一对，在每对中选择所偏好的一个。例如，给消费者提出三对：AB，AC，BC，他或她选择A抛弃B，选择A抛弃C，选择B抛弃C。然后，我们可以推断出A>B>C。这种两者取一选择偏好的方法使人们感到很方便，配对比较法使消费者的兴趣集中在两个项目上，注意它们的不同和相似处。

　　● **单元分等法**(monadic-rating)要求消费者根据等级量表，对每种产品的喜欢程度进行分等。假设有七个等级的量表。一表示很不喜欢，四表示中立态度，七表示很喜欢。假设消费者填出下列等级：A＝6，B＝5，C＝3。我们可以获得消费者个人喜欢的次序(如A>B>C)，甚至了解他对每种产品偏好有质的水平和各个偏好之间的大体距离。

市场测试

在管理层对产品功能测试的结果感到满意以后，该产品就要被准备确定品牌名称、包装设计和制定一个准确性的营销方案，在更可信的消费者环境中对它进行测试。市场测试的目的是了解消费者和经销商对处理、使用和再购买实际产品将如何反应。

并非所有的公司都选择市场测试的途径。例如，雷维隆公司（Revlon）的一位高级职员说："在我们的领域内——主要不采用大规模分销的高价化妆品——我们不需要市场测试。当我们开发一种新产品时，譬如说一种改良的液体化妆品，因为我们熟悉这个领域，知道它将会畅销。更何况我们在百货店里还有 1 500 个示范者在促销呢！"然而，大多数公司都知道市场测试能够获得有价值的信息，包括购买者、经销商、营销方案的有效性、市场潜在量和其他事项等。其主要问题是要搞多少市场测试和选用哪一种方式？

市场测试的数量，一方面受到投资成本和风险的影响；另一方面也受到时间压力和研究成本的影响。高投资—高风险产品值得进行市场测试，以防止铸成错误；市场测试的成本将在项目本身占微不足道的比例。高成本风险产品——那些创造新产品品种(首次推出的快速早餐)或具有新奇的特性(最早推出的含氟牙膏)——比某些改良的产品(另一种牙膏品牌)更值得进行市场测试。宝洁公司花了两年时间试销它的新产品奥利斯特，一种无卡路里的脂肪替代品。虽然美国食品和药品管理局 1996 年批准了这一新产品，但有一小部分(估计约2%)消费者出现胃部不适和副作用，并将之不太准确地称为"肛裂"。公司在配方中做了些改动，但尽管随后的试销证明副作用未发生，美国食品和药品管理局仍要求每一种用奥利斯特制造的食品在包装上有一个标签，上写"这种产品含有奥利斯特，奥利斯特可能会造成胃痉挛和大便失禁，奥利斯特阻止对某些维他命和其他营养物质的吸收……"[29]。但是，如果由于换季刚刚开始或竞争者即将推出他们的品牌时，公司把它们的品牌导入市场受到强大的压力，市场测试的金额可能会受到严格的限制。该公司宁可冒产品失败的风险而不愿冒失去高成功产品的分销或市场渗透的风险。

接下来我们讨论消费品市场测试和企业市场测试。

消费品市场测试

在对消费者的测试中，公司应该对销售的主要决定因素进行估计：试用、首次再购买、采用和购买频率。公司希望看到这些因素都处于高水平状况。在有些场合，它将发现许多消费者试用过该产品，但并不再购买，这表明消费者对产品不满意；也可能发现首次再购买量很高但以后急速在下降；也可能发现有高的持久采用率，但购买频率很低(如美食家冷冻食品)。

下面说明从成本最便宜的到最昂贵的消费品市场的主要试销方法。

销售波研究(sales-wave research)　在销售波研究中，公司开始免费提供产品给消费者试用，然后以低价再次提供该产品或竞争者的产品。这样重复提供该产品 3 次～ 5 次(销售波)，公司密切注意有多少消费者再次选择本公司的产品和他们对满意程度的评价。销售波研究也能采用使消费者看到一种或几种粗略的广告概念的形式，以观察广告对重复购买的影响。

销售波研究能够被迅速贯彻，也能够在竞争条件相对有把握的情况下进行工作，并能够在不需要完成最后的包装和广告状况下执行。但另一方面，因为消费者是预先被选出进行产品试销工作的，因此，销售波研究不能表明不同的促销活动能促成的试用率。同时，它也不能表明从中间商那得到分销和有利的货架位置的品牌作用。

模拟市场测试（simulated market testing） 它要求找到 30 名～ 40 名熟悉品牌和有偏好的购货者，邀请他们观看简短的商业广告电视片。其中，包括一些著名的商业广告片和若干新片，其内容涉及一批不同的产品。公司要推出的新产品广告片也混在其中，为了不引起特别注意不把它挑选出来。然后，公司发给每个人少量的钱并邀请他们到一家商店去，他们可以买或不买任何物品。公司注意有多少消费者购买了该产品和与其竞争的品牌。这是衡量本产品商业广告对竞争广告有效性试验的一个尺度。接着把消费者召集在一起，请他们回答买或不买的理由。几个星期以后，用电话向他们再询问，以确定他们对产品的态度、使用情况、满意程度和再购买意图，同时，公司为他们再购买任何产品提供机会。

这种方法有几个优点。它非常精确，它只要用很短的时间和在真正测试市场中的少量成本，对广告效果和试用率（延伸下去就是重购率）得出有把握的结果。对产品预先测试一般只需要 3 个月，其成本为 25 万美元。[30]其结果经常被输入新产品预测模型之中，以预测最终的销售水平。有些营销调研公司提供这种服务，它们对随后推入市场的产品营销水平预测的精确性常常令人惊讶不已。[31]

控制营销测试（controlled test marketing） 有些研究公司安排了一个在其控制下的本地商店团体，在给予一定费用的条件下，它们同意经销新产品。研究公司依照预定的计划，把该产品交给参与的商店，并且负责安排货架位置、饰面数量、陈列和购物点的促销活动和定价等。销售结果能够从货架和动态反应以及消费者日记来审查。在试销期间，公司也能在地方报纸上试验小型广告的效果。

控制试销的公司可以测试店内因素的影响，和在没有消费者直接卷入的情况下的有限广告对消费者购买行为的影响。随后，再用抽样调查的方法抽选一部分消费者，征求他们对产品的印象。公司可以不需要动用自己的销售力量，不需要给予商业折让，或花费时间去建立分销渠道。但另一方面，控制试销不提供把新产品推销给经销商经营的经验。这种技术也容易把产品暴露在竞争者面前。

测试市场（test markets） 测试市场是测试这种新消费品的最后方法。公司选定少数有代表性的测试城市，在那里，公司的销售队伍努力把该产品推销给商业部门经销以及为它们取得良好的货架陈列。在这个市场里，公司将类似向全国市场推销那样，展开全面的广告和促销活动。这是一个为总体计划彩排的机会。测试市场工作能够使公司花费高于 100 万美元，这取决于测试城市的数目、测试的时期和公司需收集的数据总数。

管理层面临如下问题：

1. 测试多少城市？大多数测试使用 2 个～6 个城市。在下列情况下必须使用较多的城市：可能损失较大时，竞争性营销战略的数目较多时，地区的差别较大时，可计算的竞争者对测试市场的干扰机会较多时。

2. 选择哪些城市？每一家公司都制定了一套选择它自己的测试城市的标准。有的公司的标准是有多样化的行业、良好的宣传媒体、合作化的连锁商店、平均水平的竞争活动和无过度试销的迹象。

3. 测试期限？测试市场的期限从几个月到几年不等，产品的平均再购买时期越长，则测试所需的周期也越长，以便观察重复购买率；另一方面，如果竞争者正在抢先进入市场，则测试周期应该缩短。

4. 收集什么信息？仓库发货数据能显示存货购买总量，但不能说明每周的零售销量。商店审计能显示实际的零售销量和竞争者的市场份额，但不能揭示不同品牌的购买者的特点。消费者固定样本调查能指出什么样的人正在购买什么样的品牌，以及他们的忠诚性和转换率。买方调查能获得关于消费者态度、使用和满意的深度的信息。

5. 采取何种行动？如果测试市场有高试用率和高再购率，则公司可作出推广全国的决策。如果测试市场呈现一个高试用率和低再购率，则反映了顾客的不满意，该产品应该重新设计或放弃它。如果测试市场呈现一个低试用率和高再购率，则认为产品是令人满意的，但应设法让更多的人来试用它，这意味着加强广告宣传和促销活动。最后，如果试用率和再购率都很低，那么该产品应该被放弃。

测试营销能预先测试不同营销计划的影响。高露洁公司在四个城市中运用不同的营销组合试销新的肥皂产品。这四种方法是：(1)平均量的广告结合免费样品挨家挨户地赠送；(2)大量广告加样品赠送；(3)平均量的广告结合邮寄赠券附单；(4)平均量的广告和不提供任何特别的介绍。第三种方法获得了最好的利润水平，虽然销量不是最高。

虽然测试营销有其好处，但许多公司怀疑它的价值。在迅速变化的市场面前，公司一旦发现未被满足的需要，进入该市场是第一位的。测试营销使速度放慢，并把计划展露在竞争对手面前，使他们加快开发竞争产品。宝洁公司在几年前发生过此事，当时它在测试准备扩大市场的杜克·海因斯(Duncan Hines)面霜。通用磨坊公司(General Mill)立即注意到了，并推出它的贝蒂·克罗克(Betty Crocker)品牌，它现在统治了这种品种的市场。甚至，有进取性的公司日益加快的步伐糟蹋了市场测试，使得测试缺少可靠性。例如，当百事公司测试山露(Mountain Dew)运动饮料时，加多雷特(Gatorade)发疯地用优惠券和广告进行反击。[32]

今天，许多大公司正在跳过测试营销阶段并依赖于其他一些市场试销方法。例如，通用磨坊公司喜欢把大约 25% 的新产品推向国内，但由于数量太大而被竞争者所瓦解。调查资料告诉它们，在当前日子里，应该怎样把产品推出和它们应该采取什么改进措施。而高露洁公司经常先在小的"领先国家"推出新产品，如果成功了，则推向其他国家。

然而，经理们在决定开展市场测试前，应该考虑周全。有一个例子说明当公司决定跳过正规的市场测试而推广产品时，它的结局是灾难性和可悲的。

纳贝斯克食品公司(Nabisco Foods Company)　　纳贝斯克公司在其家乡进行了塔德粗食(Teddy Grahams)的营销活动,塔德粗食是一种熊形状的谷物饼干,有好几种口味。因此,公司决定将塔德粗食推向新的地区。1989年,公司推出了巧克力味、肉桂味、蜂蜜味的早餐谷物饼干。但消费者却不太喜欢这些口味,因此,产品开发人员又回到厨房修改配方,但没有对其进行试验。后果是灾难性的。尽管现在口味好一些了,但饼干却不能像广告中表现的那样在牛奶中碎裂,而是饼干在碗底部形成一层黏而湿的糊状物。超市经理们拒绝进这种饼干,现在,纳贝斯克想再重新修改配方却为时已晚。这样,一种本来有前途的新产品因为仓促推向市场而被扼杀。[33]

企业商品市场测试

　　企业商品也可从市场测试中获得好处。贵重的工业品和新技术通常用阿尔发测试(公司内部)和贝塔测试(公司外部),在贝塔测试中,卖主的技术人员观察在这些测试地点是怎样使用该产品的,发现在安全与服务方面未能预见的问题,以及客户在培训和服务方面的要求。卖主还能观察到在客户操作中该设备应添加多少价值,以作为随后定价的依据。在测试结束后,卖主将要求使用者解释其购买兴趣及其理由。

　　测试顾客的好处表现在数个方面:它们能影响卖主的产品设计,获得与竞争者相比较的新产品经验,获得对合作者投资报酬率的价格分配,并获得技术先锋的声誉。同时,由于贝塔测试只在少量的地点进行,卖主应非常仔细地研究测试结果,该测试不应随机地安排,对每一测试点要根据具体情况进行有区别的测试,这就是应有限地使之普遍化。测试点的风险是,如果被测试顾客效果不佳,该不利的报告会使产品开发半途而废。

　　第二种对企业商品普遍使用的市场测试方法是在贸易展览会上介绍新的业务产品。贸易展览会吸引着大量的购买者,他们可以在短短几天内考察新产品。制造商能够观察到买方对新产品的兴趣有多少,他们对各种特点和价格的反应如何,有多少表示了购买动机或订了货。例如,书籍出版商常规上在每年春天的美国书商联合的会议上推出秋季新书的篇名。在那里,他们展示样书或新小说的"概述"或打破传统的在只读光盘上的参考书目,它包括了书的封面内容。如果大的书店连锁公司反对这书的封面设计或新书的篇目,出版商就更新篇目内容或封面。贸易展览会的缺点是把产品暴露给了竞争对手,因此,制造商对推出该产品应该有充分准备。

　　新的工业用品还能够在分销商的陈列室中测试,在该产品的旁边可能放着制造商的其他产品和竞争者的产品。这种方法在该产品正常销售气氛下获得顾客可能会提出订货而这些订单是难以满足的,并且进入陈列室的那些顾客,又可能并不代表目标市场顾客。

　　有些工业制造商在大量使用测试营销的方法。他们生产供应数量有限的产品,并提供给销售队伍在限定的地区销售,给予促销支持、印刷产品目录单等。管理层通过这种方法,能够获知在全面的营销活动下可能发生的事情,以及能作出在较多信息支持下对产品实行商品化的决策。

商品化

如果公司决定该产品实行商品化，它将面临到目前为止的最大的成本。公司将必须建立或租赁一个全面的生产制造设施。工厂的规模将是关键的决策变量。为了安全方面的原因，公司可建立一个比销售预测小的工厂。桂格麦片公司(Quaker Oats)推出它的100%天然牌早餐麦片时就是这样的。但是市场需求大大高于它的销售预测，以至于在几乎有一年的时间内它拿不出足够的产品给商店。虽然它对反应的热烈喜悦不已，但是预测的不足使它遭受了相当大的利润损失。

另一个主要成本是市场营销。为了把一种主要的新的消费包装品引入全国市场，在第一年公司可能必须花费2 000万美元～8 000万美元的广告和促销费。在第一年里，把新的食用产品引入市场的营销费用通常要达到销货额的57%。

在电影行业，一部影片的营销费用超过制作成本并非鲜见，特别是那些被好莱坞称为"顶梁柱"的大片，其巨大的爆炸性轰动可以赚取巨额收入负担制片厂其他项目的支出。在1987—1997年的10年间，影片制作平均成本从2 000万美元增至5 300万美元，而营销费用却从670万美元增至2 200万美元。下面一个案例说明了钱和营销可以为一部新影片做什么，以及不能做什么。

索尼动画娱乐公司(Sony Pictures Entertainment)　1998年夏季，你可能会发现巨大的广告牌，它使用吸引人注意的双重色调写着"尺寸不是问题"。然而，你可能已经忘记了广告牌所叫卖的影片。索尼动画娱乐公司花费1.25亿美元制作其轰动性《戈德基拉》(Godzilla)，并开支2亿美元营销费用宣传。实际上，索尼的250位诸如泰科·贝尔这样营销合作商把2亿美元中的1.5亿美元花在了为《戈德基拉》在背包、T恤和其他登山用品上做广告的特许权。这场声势浩大的广告运动渗透进了广告牌、公共汽车、侍者礼服和T恤、电视和广播中。但是，相对于索尼的这些营销努力而言,《戈德基拉》事实上却是一个巨大的失败。放映三周以后，总收入才1.1亿美元，只有预计的一半。索尼的高层人士看过首映之后，认为《戈德基拉》具有轰动效果，他们决定花费更多营销费用。通过吸引尽可能多的观众进电影院，索尼的这场赌博，最后收回了成本。最后的总收入比制作和营销成本高出1.75亿美元。[34]

何时(时机)

在新产品正式上市时，进入市场时机的选择是个关键问题。对手也接近完成其新产品的开发工作。公司面临着三种选择：

1. 首先进入。公司通常可得到"先行者优势"，包括掌握了主要的分销商和顾客以及得到有声望的领先地位。另一方面，如果产品未经过彻底的审查而匆匆上市，则该公司可能获得有缺陷的形象。

2. 平行进入。公司可决定与竞争对手同时进入市场。当有两个竞争对手对新产品同时做广告时，会引起市场更多的注意力。

3. 后期进入。公司可有意推迟进入市场，而等竞争对手进入后再进入。竞争对手将先为开拓市场付出代价。竞争对手的产品可能暴露出缺陷，而后期进入者却能避免。并且，公司可了解到市场规模。

时机决策还包括了其他的考虑因素。假设公司用新产品替换公司另一老产品，在正常销售的情况下，它应该推迟到老产品存货销完为止。如果产品具有很强的季节性，那么在没有到达合适的季节时应延迟推出。[35]

何地（地理战略）

公司必须决定新产品是否推向单一的地区、一个区域、几个区域、全国市场或国际市场。大多数公司会在一段时间内有计划地推出产品。例如，可口可乐公司在美国一半地区推出其新产品西特拉（Citra），一种不含咖啡因、葡萄口味的饮料，这是一次多阶段产品推出行动，继在菲尼克斯、南得克萨斯和南佛罗里达试销之后，于 1998 年 1 月在达拉斯、丹佛和辛辛那提推出。[36]小公司特别会选择一个有吸引力的城市和实现闪电战以进入市场。它们也可能一次进入另外的几个城市。大公司将会把它们的产品引入某一整个区域，然后再进入另一区域。具有全国分销网的公司，例如汽车公司，除非生产的产量不足，否则会将它们的新型汽车一下子推向全国市场。

大多数公司主要为国内市场的销售设计它们的新产品。如果公司开始考虑将它们推向邻近国家或全球市场时，如有必要将需要重新设计。库珀和克兰施米特（Kleinschmidt）在研究工业产品中发现，只考虑为国内市场设计的产品有较大的失败率、低市场份额和低成长性。然而，这就是公司在设计新产品时最为普遍的方法。从另一角度看，为世界市场设计的产品，或至少考虑邻近国家的产品，获得了可观的高利润。根据库珀和克兰施米特的报告，只有 17% 的产品采取了后一种设计方法。[37]他们的结论是，公司想要取得新产品成功的高比例，就必须在设计和新产品开发中采用国际导向。

在选择市场扩展时，公司可以对候选的市场排成横行，而把市场吸引力条件排成纵列。这些主要的评价条件有市场潜量、公司的当地信誉、通道铺设成本、该地区传播媒体的成本、该地区对其他地区的影响和竞争渗透。

存在的竞争将对拓展市场战略有很大的影响。假设麦当劳公司推出生产比萨馅饼的新快餐连锁店。又假设另一个不好对付的竞争对手必胜客公司已牢固地占领了东海岸市场。在东海岸还有另一个较弱的比萨连锁店。中西部是另外两个连锁店的战场。南部倒是一片空白，但必胜客正在计划进入。我们可以看到麦当劳在选择一个扩展战略时，就会面临着一个十分复杂的决策。

随着万维网将世界的边远地区连接为一体，竞争就更有可能跨越国界。公司们日益在全球范围内推出新产品，而不是以一国或一地区为范围。然而，掌控全球性新产品推出却是一个挑战。办公自动化公司是全球领先的个人电脑设计软件和多媒体工具供应商，它在 150 多个国家拥有 300 万客户。该公司的主席和首席执行官科拉·巴兹（Carol Bartz）说，影响全球性产品推出成功与否的最大障碍是让不同的营销人员对产品定位取得共识："问题是速度——以足够快的速度获取材料。我们要使他们一直认同外观（使用一种形象），接下来是进行一次当地的巡回展示。这需要高度的共识。"[38]国际性产品推出的合作需要很多精力，下面的铱星公司的"世界电话"案例就说明了这一点。

铱星公司(Iridium Inc.)　铱星公司的电话有砖块那么大，带天线，厚得像一根结实的面包条，它价值 3 000 美元。这种卫星连接的电话可以与地球上任何一地进行沟通。在把这种笨重的、昂贵的设备推向广泛的、散布于全球的市场时，铱星公司面临着无数挑战。巴西预计会预售 46 000 部铱星公司电话，因为这个国家有向外开放的电话系统。中东的铱星公司需要这种电话，因为它是沙漠"雄鹰"们最佳的工具。铱星公司印度区经理为富有商人安排专门的聚会。这些人也许会需要这种新的地位标志。最后，公司依赖 APL，一家公关集团的事业部，设计了一个活动方案，这一方案可能是有史以来最大的一夜创品牌的行动。这场花费 1.4 亿美元的活动在 45 个国家展开。邮寄材料被译成 13 种文字。电视广告在 17 条线路上规划。在世界各地的机场休息厅建铱星电话亭，旅客可以亲自使用电话。最后，作为这次全球性产品推出的最后象征性活动，APL 雇用激光专家把公司的巨大的星座标志打到云彩上。[39]

给谁(目标市场预期顾客)

在市场扩展中，公司必须把它的分销和促销目标对准最有希望的购买者群体。这时公司已经根据前一阶段的市场试销描绘出主要的预期销售对象。理想的新消费品的主要潜在购买者应该具有下列特点：他们将是早期采用者，大用户，意见舆论领袖和对他们的接触成本不高。[40]同时具有这些特点的群体是很少的。公司可根据这些特点对各种预期的群体作出评价，然后把目标对准最有前途的顾客群体。公司的目的在于尽快地获得高销售额，以激励销售队伍和吸引其他新的预期顾客。

铱星公司的广告宣称它是全世界第一个运行卫星支持的无线通话和寻呼网络。

许多公司惊奇地发现了真正购买它们产品的人及其原因。微波炉的大量发展仅仅是因为用微波炉爆米花的发展。当只读光盘多媒体的特征被介绍后，家用电脑的购买戏剧性地增加了。

用什么方法(导入市场战略)

公司必须制定一个把新产品引入展示市场的实施计划。1998 年初，有价格竞争优势的 iMac 的首发式，标志着苹果电脑公司在 14 年休眠之后又重新进入个人计算机行业。公司发动了一场大规模的营销闪电战来推出新的电脑。

苹果电脑公司(Apple computer Inc.) 苹果电脑公司的 iMac 是一款狭长的、鸡蛋形的带有点击进入因特网功能的计算机，其产品推出是戏剧性的。iMac 一直是一个保守的秘密，直到 1998 年 5 月 6 日，乔布斯(Jobs)亲自在震惊的访问者们面前揭开罩在机器上的面纱。8月 14 日的周末，计算机零售商准备了午夜疯狂销售活动，在商店上方安排了一个 20 英尺高的充气 iMac 飞艇。全国的广播电台开始一场附送 iMac 赠品的倒计时庆祝活动。乔布斯亲自签了五张 iMac "金"卡，并将它们放入五个 iMac 的盒子中，拿到者在此后的五年内将会每年获得一台免费的 iMac。苹果电脑公司以一场耗资 1 亿美元的广告活动进一步强化了新产品的推出，这也是苹果公司有史以来规模最大的一次广告活动，通过电视、印刷品、广播和户外广告牌等方式促销 iMac。这场运动的标志是与"智力之丝"和"我思考，所以选择 iMac"等标语一起推出的 iMac 形象。[41]

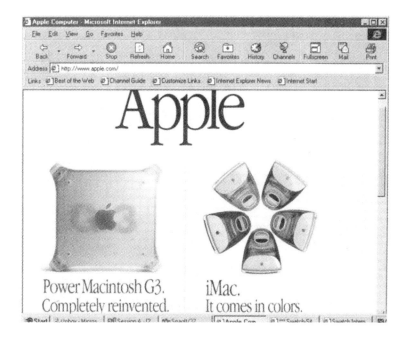

苹果公司在线：闪电式推出的可视新产品的广告似乎告诉人们得益很多。

为了对新产品推出工作的许多活动进行排序协调，管理层可采用各种网络计划技术，例如关键路线排序法。**关键路线排序法**(critical path scheduling, CPS)要求设计一张表示同时发生和有次序的活动，这些活动对于产品的推动都是会发生的。通过估计每项活动的时间，来估计全部活动的时间。在关键路线上，任何一项活动的推迟都会影响整个项目。如果该产品必须提早推出，计划员就要研究最短的关键路径和寻找减少时间的方法。[42]

消费者采用过程

潜在的消费者怎样认识新产品、试用和采用或拒绝它们？[采用(adoption)是从一个对产品的个人决定发展到成为固定用户的过程。]**消费者忠诚过程**(consumer-loyalty process)跟随**消费者采用过程**(consumer-adoption process)的后面，而消费者忠诚过程乃是现有的生产者所关注的问题。

若干年前，新产品的营销人员在推出他们的产品时，应用大众化市场方法(mass-market approach)。他们把产品到处分销和把广告做得家喻户晓，其观点是绝大多数人都是潜在的购买者。然而，这种大众化市场法有两个缺点：它需要庞大的营销费用，它在非潜在消费者身上耗费了太多的费用。这些缺点的改进导致了第二种方法，即**大用户目标营销法**(heavy user target marketing)，在那里该产品一开始就对准大用户。

这种方法只有在大用户可以被确认，并且他们包含在首次试用该新产品的顾客之内才有意义。但是，即使是大用户群体，消费者对新产品和品牌的兴趣是各不相同的；许多大用户相当忠诚于他们使用的现行品牌。许多新产品的营销者现在把目标瞄准那些早期采用的消费者。**早期采用者理论**(early-adopter theory)的内容有：

- 在同一目标市场中的人，从他们接触新产品到试用新产品所需的时间有所不同。
- 早期采用者具有某些共同特点，他们与晚期采用者有区别。
- 存在着针对早期采用者类型的有效宣传工具。
- 早期采用者往往是意见带头人，这有助于新产品的传播给其他潜在购买者的"广告宣传"。

创新扩散和消费者采用的理论将帮助营销者辨认早期采用者的线索。

采用过程中的各个阶段

创新(innovation)是指被某些人认知(perceived)为是新的任何商品、服务或创意。这个创意可能已有很长时间的历史，但对把它看成是新的人来说，它就是一种创新。创新随着时间的推移延伸入社会系统。罗杰斯(Rogers)对**创新扩散过程**(innovation diffusion process)所下的定义是"一个新的观念从它的发明创造开始到最终的用户或采用者的传播过程"[43]。而消费者的采用过程是重点研究一个人从第一次听到一种创新到最后采用的心理过程。

据观察，新产品采用者发展有下列五个阶段：

1. 知晓。消费者对该产品有所觉察，但缺少关于它的信息。
2. 兴趣。消费者受到激发，以寻找该创新产品的信息。
3. 评价。消费者考虑试用该创新产品是否明智。

4. 试用。消费者小规模地试用了该创新产品，以改进他或她对其价值的评价。

5. 采用。消费者决定全面和经常地使用该创新产品。

这一系列的采用过程分析，可以启发新产品的营销人员如何使消费者通过这些阶段。一个是电动洗碗机制造商可能发现许多消费者停留在感兴趣阶段；他们不进入试用阶段是因为害怕洗碗机靠不住和需要大量的投资费用。但是，如果实行每月只要付出少量费用就可试用的办法，这些消费者就会愿意使用电动洗碗机。制造商可以考虑提出一个试用计划，让消费者有选择购买的机会。大多数普通型的交互式光盘产品的开发者发现消费者只停留在兴趣或试用阶段而没有快速转入接受阶段。

光盘行业（CD-ROMs） 20世纪90年代早期的光盘业，似乎对每个人都有空间。多媒体开发商制造动作游戏和教育软件，并进而转入生产多种互动性产品，产品范围包括从超文本小说到多媒体音乐诗集。现在，这些产品的销售状况都不好，有的甚至在市场上消失了。销售不佳的一个主要原因是网络的发展。大多数光盘，特别是参照性产品，在网上找到一个更节省成本的源泉，一个可以使它们及时更新并与用户群保持联系的媒介。光盘在极度细分的娱乐市场上也面对着几百个竞争对手。另一个问题是有严重质量问题的产品充斥市场。虽然消费者愿意容忍较低的质量，但他们对技术缺陷没有耐心，当迪斯尼公司被大量的有缺陷的《狮子王》的光盘退货所困扰时，《纽约时报》宣称光盘行业已告死亡。[44]

影响采用过程的因素

营销者认识到在采用过程中有如下特征：人们在准备试用新产品的态度上有着明显的差别；个人影响在采用过程中有大的作用；创新的特征对它自身的采用率有影响；在组织中可以根据它们的准备采用新产品的情况进行分类。

人们在准备试用新产品的态度上有着明显的差别

罗杰斯对个人创新的定义是"在同一社会体系中，某个人比其他成员相对早地采用创意的程度"。在每一产品领域中，有人倾向于成为消费先驱和早期采用者。有些人首先采用服装新款式或新的家用器具；有些医生首先用新药配方；也有些农民首先采用新的耕作方法。另有一些人很晚才采用新产品。把人们分为几种类别的情况见图11—7。在开始时缓慢发展，然后采用的人数日益增加。直到达到一个高峰。再然后逐渐减少，最后留下少数不采用这一创新的人。

罗杰斯认为这五类采用者的价值导向是不同的。创新者是冒险的；他们愿意冒风险试用新创意。早期采用者被尊敬所支配；他们是社会上的意见带头人，采用新创意较早但态度谨慎仔细。早期多数型所持的态度慎重；虽然他们不是意见带头人，但比一般的人们先采用新创意。晚期多数型所持的是怀疑观

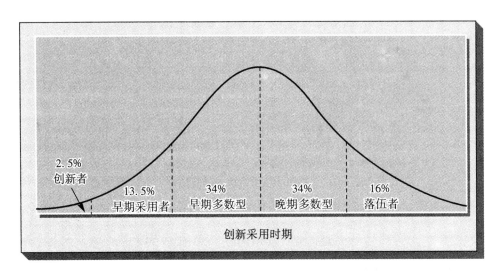

图 11—7   以接受创新相对时间为基础的采用者分类

资料来源: Redrawn from Everett M. Rogers, *Diffusion of Innovations* (New York: Free Press, 1983).

点；他们要等到大多数人都已试用后才采用该创新。最后，落伍者受到传统束缚；他们怀疑任何变革，由受传统束缚的人组成，他们只有在创新的自身变为传统事物后才采用它。

这种采用者分类方法，要求一家创新的公司应该研究创新者和早期采用者的人文统计、心理和媒体的特征，以及如何直接具体地同他们互通信息。辨认早期采用者通常是不容易的。例如，研究结果表明创新型的农民很可能比非创新型的农民有较好的教育和高效率。创新的家庭主妇比非创新的家庭主妇更爱交际和有较高的社会地位。有些社会阶层里早期采用者的人数较多。根据罗杰斯的假设：早期采用者相对年龄较轻、有较高的社会地位、财务状况较佳，他们比晚期采用者更善于利用较客观和广泛的信息来源。[45]

个人影响起着重要的作用

个人影响(personal influence)是指某个人使其他人的态度或购买可能有所改变的效果。虽然个人影响是一个重要的因素，但它的意义在有些场合和对某些个人比在其他一些场合和个人更大，与其他阶段相比，在采用过程的评估阶段中的个人影响显得更为重要。它对后期采用者的影响胜过早期采用者。在风险环境下，它更显得重要。

创新的特征对它自身的采用率的影响

有些产品几乎只用一个晚上的时间就大受欢迎(如飞盘)，而有些产品要经过一段很长的时间才会被接受(如柴油发动机汽车)。在对创新采用率的影响中，有五个特征显得特别重要。下面我们结合个人计算机采用率，对这些特征进行讨论。

第一个特征是创新的**相对优点**(relative advantage)——优于现行产品的程度。如果使用个人计算机被认知的相对优点越大，譬如说在统计所得税和记财务账上，个人计算机就会更快地被采用。

第二个特征是创新的**一致性**(compatibility)——新产品与社会中的个人的价值和经验相吻合的程度。例如，个人计算机非常适于中上层家庭的生活方式。

第三个特征是创新的**复杂性**(complexity)——了解和使用新产品的相对困难程度。个人计算机是复杂的，因此要经过一段长时间才能渗透入美国家庭。

第四个特征是创新的**可分性**(divisibility)——新产品在有限制的基础上可能被试用的程度。个人计算机租赁和购买相结合可以增加它们的采用率。

第五个特征是创新的**传播性**(communicability)——新产品的使用结果能被观察到或向其他人转述的程度。个人计算机能自行演算和描述的事实将帮助它们较快地在社会系统中扩散。

其他一些特征也会影响采用率，例如，成本、风险和不确定性、科学可靠性、社会的赞许等。开发新产品的营销人员在设计新产品和营销方案时，必须研究所有这些因素，同时对关键性的因素要给予最大的关注。[46]

对组织采用创新也可以进行分类

一种新教学法的推行者需要去确定那些有较高采用可能的学校；一种新医疗设备部件的生产者需要去确定那些有高采用可能的医院。采用与各种组织的环境(社会进步、社会收入)、组织本身(大小、利润、改变的压力)和管理者(教育水平、年龄、经验)有联系。当试图让一些基本由政府资助的组织(如公立学校)接受一种产品时，其他力量起着一定作用。一种反传统或创新产品会被持反对意见的公众所扼杀。克里斯托弗·惠特尔(Christopher Whittle)的第一频道，一家中等学校电视台遇到的正是这类问题。

第一频道传播有限公司和 K-Ⅲ传播公司(Channel One Communications Inc. and K-Ⅲ Communication Corporation) 你还记得第一频道吗？这是克里斯托弗·惠特尔的伟大计划——将免费的电视节目传播入每一所中等学校。学校每天早晨将收看一段 20 分钟的新闻广播，其中包括 2 分钟的付费广告。结果，惠特尔最后像一个圆滑的小商贩，遇到了来自家长和老师的反对，他们不允许商业在学校中占据一席之地，早期第一频道新闻广播，配以激烈的摇滚音乐，看来更像广告而不像新闻，这点也于它不利。惠特尔的媒体帝国 1994 年崩溃了。然而，最后的尾声很有趣，作为从产品失败中吸取教训的见证者，另一家公司买下了第一频道，并设法使许多学校接受它，最后它拥有 800 万公众，占美国十几岁少年的 40%。

K-Ⅲ传播公司听取了老师和家长的意见，将新闻节目办得更严肃。虽然还有收费广告，但公众的骚动没有了，正如一位校长所说："甚至商业广告也能让我们谈论形象怎样树立"，因此，也许惠特尔的产品构思是正确的，它只是执行不力。[47]

小结

1. 一家公司一旦细分了市场，选择了它的目标顾客群体，识别出他们的需要，确定了所希望的市场位置，它就准备开发和推出合适的新产品。营销与其他部门应积极参与新产品开发的每一步骤。

2. 成功的新产品开发要求公司建立一个有效的组织，以管理新产品开发过程。公司可以挑选使用产品经理、新产品经理、新产品委员会、新产品部或新产品开发组等形式。

3. 新产品开发过程包括八个阶段：创意产生，创意筛选，概念发展和测试，营销战略发展，商业分析，产品开发，市场试销，商品化。每一阶段的目的是确定该创意是否应该进一步发展或放弃。公司总是要求差的创意被继续发展和好的创意抛弃的可能性为最小。

4. 消费者的采用过程是顾客对新产品的认识、试用、采用或拒绝它们。今天，许多营销者的目标是新产品的大用户和早期采用者，对这两类群体的认识可以通过特定的媒体和求助于意见带头人。消费者的采用过程除营销者以外受到许多因素的影响，其中包括消费者和组织对新产品的试用意愿、个人的影响以及新产品或创新的特点。

应用

本章观念

1. 要产生真正好的新产品，你需要灵感、汗水和好的技术。一些公司拼命试图开发新产品是因为它们更重视灵感和汗水。亚历克斯·奥斯本（Alex Osborn）的强有力的创造性方法可使新鲜的果汁在每个人的体内流淌。经考虑确定一个你熟悉的产品或服务，列出它的属性，再修改每个属性以改进产品。以下表格将为你带来帮助。

属性一览表									
属性	扩大	缩小	替代	适合	重新安排	翻转	联合	新用途	更新

如果你开始填表有困难，考虑一个属性改变和扩展的著名案例：奥里奥饼干。以简单的黑白奥里奥起家，纳贝斯克公司开发了双层奥里奥、巧克力夹心奥里奥、巨型奥里奥、迷你奥里奥、低脂奥里奥和低卡路里奥里奥。还有不同的包装和包装尺码，奥里奥曲奇冰激凌、奥里奥曲奇冰激凌蛋卷、奥里奥格兰诺拉条及奥里奥款客小食。

2. 准备一组问题清单，管理层应在开发新产品或服务前回答这些问题。根据以下类别组织这些问题：(a)市场机会；(b)竞争；(c)生产；(d)可给予专利权的特征；(e)产品分销或服务让渡；(f)财务。再为你即将有的新产品创意回答每个问题。一种新服务的开发和测试与实体产品的开发和测试是否相同？

3. 表 11A—1 记述了除臭牌袜子的家庭测试结果。在开始这一测试前，每一位参加的消费者选择一款他或她喜欢的除臭牌袜子式样。最后，参加者总结以后他们购买该袜子的可能性。根据表 11A—1 中记录的数据，你能从这些数据中得出什么结论？顾客最喜爱哪一类袜子？假定这些测试者是市场的销售代表，该市场的价格敏感度如何？该公司应逐一包装除臭产品(第6、第7栏)，还是用三双装会更好些(第8、第9栏)？

表 11A—1 　　　　　　　　　　　　　　购买除臭牌的可能性

| | 袜子种类 | | | | | 包装尺寸和价格 | | |
	(1)	(2)	(3)	(4)	(5)	(6)	(7)	(8)	(9)
	全部调查对象	24英寸套袜	18英寸套袜	运动袜	水手袜	每双 1.79美元~ 1.99美元	每双 1.99美元~ 2.49美元	3双 4.99美元~ 5.99美元	3双 5.99美元~ 6.99美元
基本应答数	185	60	22	34	69	53	42	42	48
肯定买(%)	38	43	45	42	29	42	45	31	33
很可能买(%)	44	47	27	35	51	38	40	48	50
不一定买(%)	14	7	23	15	16	13	20	19	13
很可能不买(%)	3	3	5	6	41	4	5	—	4
肯定不买(%)	2	—		3	3	4		2	—

说明：根据在四周时间内的消费者家庭调查汇总。

资料来源：CU Market Research.

营销与广告

1. 奥维尔·伦德巴厅(Oville Redenbacher)为消费者推出了许多种爆米花。该公司最近又推出了有两种特色的微波炉爆米花，如图 11A—1 中的广告所示。在产品开发阶段，这一创意将被描述成怎样的产品概念？请提出一种恰当的概念表述。对这种爆米花产品来说，应采用什么样的消费者试验？为什么？在产品推出之前，你会采用控制市场试销或市场测试来衡量消费者反应吗？请解释你的回答。

图 11A—1

聚焦技术

在新产品开发过程中，营销者可以用综合分析法来分析产品方案，确定最具吸引力的产品特征，并研究顾客是怎样看待每一产品特征的相对重要程度的。因为最具吸引力的产品并不一定利润最高，所以营销人员必须估计几个方案的潜在市场份额和利润。鉴于这种技术的复杂化，营销人员常使用高级软件对结果打分。

为了更方便理解，从反应者的角度看待的综合分析，请用网络搜索器找到调查点（Survey Site——<u>www. surveysite. com/</u>），一家在线市场调研公司的主页。点击"demos"，定位于综合分析样本。做完这一样本后，点击综合分析指示。以这一样本综合分析为基础测试的是什么产品特征？为什么你要测试这些产品特征？对测试的产品特征而言，你认为哪一种产品概念最具吸引力？为什么？

新千年营销

在新千年开始之际，混乱的商业环境和极其大的竞争压力是网络公司每天面对的现象。为了领先于他人，这些营销人员同时进行新产品开发过程的两个步骤，在收集有关要推出的新产品的信息的同时，将概念开发和执行一起进行。

要了解快车道上的新产品开发，看看微软公司，该公司将程序预览（注释：即马上要推出软件的 beta 版本）放在其网站（<u>www. microsoft. com</u>）的一个特殊位置上。在 Office 2000 软件推出前几个月，公司以 19.95 美元的议价，提供预览版本。一份非声明解释说，beta 版本"与最后所提供的产品在效率和适应性方面不是处在一个水平上…… 使用这一软件的所有风险或后果由用户自负，微软公司不提供任何明确的或暗示性担保。"用户为什么要参加这一产品测试并为这一权力而付费？微软想要获得什么？微软应该在产品开发过程的哪一阶段开始 beta 测试？

你是营销者：索尼克公司的营销计划

公司在经过细分市场、确定目标受众并研究其需求，进而创造出恰当的市场定位的同时，将需要做出一些选择，产品战略就在其中。以这些选择为基础，营销人员制定新产品开发和管理的计划。

现在，请你考虑一下索尼克公司的新产品开发选择。回顾公司的环境分析和迄今为止你所制定的营销计划。然后回答下列问题(注意在必要时需追加进行更多的研究)：

● 何种新产品在满足目标细分市场需求的同时，会有助于索尼克公司实现其目标在市场上更有效地展开竞争？请详细说明。

● 自己或与其他同学一起想出 4 种~5 种新产品创意，并说明你将怎样筛选这些创意？

● 将最有希望的创意发展为产品概念并说明你计划怎样测试这一概念。必须测试哪些指标？

● 假定创意的测试结果良好，请为新产品的导入开发一个营销战略。其中包括：对目标市场的描述，产品定位，前两年的预期销售量、利润和市场份额目标，渠道战略以及你为新产品导入所设定的营销预算。

在导师指导下，将你的产品开发和管理创意概括进书面的营销计划中，或者将其输入营销计划软件的产品开发/管理部分。其中必须包括你计划引入的每种新产品的预期销售量、利润和预算需要。

【注释】

[1] *New Products Management for the 1980s* (New York: Booz, Allen & Hamiltonm, 1982).

[2] Christopher Power, "Flops, "*Business Week*, August 16, 1993, pp. 76 ~ 82.

[3] "Somkeless Cigarettes Not Catching on with Consumers, " *Marketing News*, August 4, 1997, p. 21; Robert McMath, "Smokeless Isn't Smoking, "*American Demographics*, October 1996.

[4] Erika Rasmussen, "Staying Power, " *Sales & Marketing Management*, August 1998, pp. 44 ~ 46.

[5] Robert G. Cooper and Elko J. Kleinschmidt, *New Products: The Key Factors in Success* (Chicago: American Marketing Association, 1990).

[6] Modesto A. Madique and Billie Jo Zirger, "A Study of Success and Failure in Product Innovation: The Case of the U. S. Electronics Industry, " *IEEE Transactions on Engineering Management*, November 1984, pp. 192 ~ 203.

[7] Michelle Conlin, "Too Much Doodle?" *Forbes*, Obtober 19, 1998, pp. 54 ~ 55; Tim Stevens, "Idea Dollars, "*Industry Week*, February 16, 1998, pp. 47 ~ 49.

[8] See David S. Hopkins, *Options in New-Product Organization* (New York: Conference Board, 1974); Doug Ayers, Robert Dahlstrom, and Steven J. Skinner, "An Exploratory Investigation of Organizational Antecedents to New Product Success," *Journal of Marketing Research*, February 1997, pp. 107 ~ 116.

[9] See Robert G. Cooper, "Stage-Gate Systems: A New Tool for Managing New Products," *Business Horizons*, May – June 1990, pp. 44 ~ 45. See also his "The New Prod System: The Industry Experience," *Journal of Product Innovation Management* 9 (1992): 113 ~ 127.

[10] Robert Cooper, *Product Leadership: Creating and Launching Superior New Products* (New York: Perseus Books, 1998).

[11] Eric von Hippel, "Lead Users: A Source of Nover Product Concepts," *Masnagement Science*, July 1986, pp. 791 ~ 805. Also see his *The Sources of Innovation* (New York: Oxford University Press, 1988); and "Learning from Lead Users," in *Marketing in an Electronic Age*, ed. Robert D. Buzzell (Cambridge, MA: Harvard Business School Press, 1985), pp. 308 ~ 317.

[12] Constance Gustke, "Corporate Growth through Venture Management," *Harvard Business Review*, January – February 1969, p. 44. See also Carol J. Loomis, "Dinosaurs?" *Fortune*, May 3, 1993, pp. 36 ~ 42.

[13] Mark Hanan, "Corporate Growth through Venture Management," *Harvard Business Review*, January – February 1969, p. 44. See also Carol J. Loomis, "Dinosaurs?" *Fortune*, May 3, 1993, pp. 36 ~ 42.

[14] "The Ultimate Widget: 3-D 'Printing' May Revolutionize Product Design and Manufacturing," *U. S. News & World Report*, July 20, 1992, p. 55.

[15] Tom Dellacave Jr., "Curing Market Research Headaches," *Sales & marketing Management*, July 1996, pp. 84 ~ 85.

[16] Dan Deitz, "Customer-Driven Engineering," *Mechanical Engineering*, May 1996, p. 68.

[17] The full-profile example was taken from paul E. Green and Yoram Wind, "New Ways to Measure Consumers' Judgments," *Harvard Business Review* (July – August 1975), pp. 107 ~ 117. Copyright © 1975 by the President and Fellows of harvard College; all rights reserved. Also see Paul E. Green and V. Srinivasan, "Conjoint Analysis in Marketing: New Developments with Implications for Research and Practice," *Journal of Marketing*, October 1990, pp. 3 ~ 19; Jonathan Weiner, "Forecasting Demand: Consumer Electronics Marketer Uses a Conjoint Approach to Configure Its New Product and Set the RIght Price," *Marketing Research: A Magazine of Management & Applications*, Summer 1994, pp. 6 ~ 11; Dick R. Wittnick, Marco Vriens, and Wim Burhenne, "Commercial Uses of Conjoint Analysis in Europe: Results and Critical Reflections," *International Journal of Research in Marketing*, January 1994, pp. 41 ~ 52.

[18] See Robert Blattberg and John Golanty, "Tracker: An Early Test Market Forecasting and Diagnostic Model for New Product Planning," *Journal of Marketing Research*, May 1978, pp. 192 ~ 202; Glen L. Urban, Bruce D. Weinberg, and John R. Hauser, "Premarket Forecasting of Really New Products," *Journal of marketing*, January 1996, pp. 47 ~ 60; Peter N. Golder and Gerald J. Tellis, "Will It Ever Fly? Modeling the Takeoff of Really New Consumer Durables," *Marketing Science*, 16, no. 3 (1997): 256 ~ 270.

[19] See Roger A. Kerin, Michael G. Harvey, and James T. Rothe, "Cannibalism and New Product Development," *Business Horizons*, October 1978, pp. 25 ~ 31.

[20] The present value (V) of a future sum (I) to be received t years from today and discounted at the interest rate (r) is given by $V = I_t(1 + r)^t$. Thus $4\,761\,000 / (1.15)^5 = \$2\,346\,000$.

[21] See David B. Hertz, "Risk Analysis in Capital Investment," *Harvard Business Review*, January – February 1964, pp. 96 ~ 106.

[22] See John Hauser, "House of Quality," *Harvard Business Review*, May – June 1988, pp. 63 ~ 73. Customer-driven engineering is also called "quality function deployment." See Lawrence R. Guinta and Nancy C. Praizler, *The QFD Book: The Team Approach to Solving Problems and Satisfying Customers through Quality Function Deployment* (New York: AMACOM, 1993); V. Srinivasan, William S. Lovejoy, and David Beach, "Integrated product Design for Marketability and Manufacturing," *Journal of marketing Research*, February 1997, pp. 154 ~ 163.

[23] Macrco Iansiti and Alan MacCormack, "Developing Products on Internet Time," *Harvard Business Review*, September – October 1997, pp. 108 ~ 117; Srikant Datar, C. Clark Jordan, and kannan Srinivasan, "Advantages of Time Based New Product Development in a Fast-Cycle Industry," *Journal of Marketing Research*, February 1997; pp. 36 ~ 49; Christopher D. Ittner and David F. Larcker, "Product Development Cycle Time and Organizational Performance," *Journal of Marketing Research*, February 1997, pp. 13 ~ 23.

[24] Tom Peters, The Circle of Innovation, (New York: Alfred A. Knopf, 1997), p. 96.

[25] Ibid., p. 99.

[26] Faye Rice, "Secrets of Product Testing," *Fortune*, November 28, 1994, pp. 172 ~ 174; Lawrence Ingrassia, "Taming the Monster: How Big Companies Can Change: Keeping Sharp: Gillette Holds Its Edge by Endlessly Searching for a Better Shave," *Wall Street Journal*, December 10, 1992, p. A1.

[27] Gerry Khermouch, "Plate Tectonics," *Brandweek*, February 12, 1996, p. 1.

[28] Audrey Choi and Gabriella Stern, "The Lessons of Rügen: Electric Cars are Slow, Temperamental and exasperating," *Wall Street Journal*, March 30, 1995, p. B1.

[29] John Schwartz, "After 2 Years of Market Tests, Olestra Products Going National; Consumer Advocates Still COncerned About Health Risks," *Washington Post*, February 11, 1998, p. A3.

[30] Christopher Power, "Will it Sell in Podunk? Hard to Say," *Business Week*, August 10, 1992, pp. 46 ~ 47.

[31] See Kevin J. Clancy, Robert S. Shulman, and Marianne Wolf, *Simulated Test Marketing: Technology for Launching Successful New products* (New York: Lexington Books, 1994); and V. Mahajan and Jerry Wind, "New Product Models: Practice, Shortcomings, and Desired Improvements," *Journal of Product Innovation Management* 9 (1992): 128 ~ 139; Glen L. Urban, John R. Hauser, and Roberta A. Chicos, "Information Acceleration: Validation and Lessons from the Field," *Journal of Marketing Research*, February 1997, pp. 143 ~ 153.

[32] Power, "Will It Sell in Podunk," pp. 46 ~ 47.

[33] Robert McMath, "To Test or Not to Test . . . ," American Demographics, June 1998, p. 64.

[34] Corie Brown, "The Lizard Was a Turkey," *Newsweek*, June 15, 998, p. 71; Time Carvell, "How Sony Created a Monster," *Fortune*, June 8, 1998, pp. 162 ~ 170.

[35] For further discussion, see Robert J. Thomas, "Timing—The Key to Market Entry,"

Journal of Consumer Marketing, Summer 1985, pp. 77 ~ 87; Thomas S. Robertson, Jehoshua Eliashberg, and talia Rymon, "New Product Announcement Signals and Incumbent Reactions," *Journal of Marketing*, July 1995, pp. 1 ~ 15; Frank H. alpert and Michael A. Kamins, "Pioneer Brand Advantages and Consumer Behavior: A Conceptual Framework and Propositional Inventory," *Journal of the Academy of Marketing Science* Summer 1994, pp. 244 ~ 236.

[36] Mickey H. Graming, "Coca-Cola Unveiling New Citrus Drink," *Atlanta Journal and Constitution*, January 24, 1998, p. E3.

[37] See Cooper and Kleinschmidt, *New Products*, pp. 35 ~ 38.

[38] Erika Rasmusson, "Staying Power," *Sales & Marketing Management*, August 1998, pp. 44 ~ 46.

[39] Quentin hardy, "Iridium's Orbit to Sell a World Phone, Play to Executive Fears of Being out of Touch: Satellite Consortium Chooses That Pitch for Bid to Build a Global Brand Overnight," *Wall Street Journal*, June 4, 1998 p. A1; Sally Beatty, "Iridium Is Betting Satellite Phone Will Hook Restless Professionals," *Wall Street Journal*, June 122, 1998, p. B6.

[40] Philip Kotler and Gerald Zaltman, "Targeting Prosepects for a New Product," *Journal of Advertising Research*, February 1976, pp. 7 ~ 20.

[41] Jim Carlton, "From Apple, a New Marketing Blitz," *Wall Stree Journal*, August 14, 1998, p. B1.

[42] For details, see Keith G. Lockyer, *Critical Path Analysis and Other Project Network Techniques* (London: Pitman, 1984). Also see Arvind Rangaswamy and Gary L. Lilien, "Software Tools for new Product Development," *Journal of Marketing Reserch*, February 1997, pp. 177 ~ 184.

[43] The following discussion leans heavily on Everett M. Rogers, *Diffusion of Innovations* (New York: Free Press, 1962). Also see his third edition, published in 1983.

[44] Gillian Newson and Eric Brown, "CD-ROM: What Went Wrong?" *NewMedia*, august 1998, pp. 32 ~ 38.

[45] Rogers, *Diffusion of Innovations*, p. 192. Also see S. Ram and Hyung-Shik Jung, "Innovativeness in Product Usage: A Comparison of Early Adopters and Early Majority," *Psychology and Marketing*, January – February 1994, pp. 57 ~ 68.

[46] See Hubert Gatignon and Thomas S. Robertson, "A Propositional Inventory for New Diffusion Research," *Journal of COnsumer Research*, March 1985, pp. 849 ~ 867; Vijay Mahajan, Eitan Muller, and Frank M. Bass, "Diffusion of New Products: Empirical Generalizations and Managerial Uses," *Marketing Science*, 14, no. 3, part 2 (1995); G79 ~ G89; Fareena Sultan, John U. Farley, and Donald R. Lehmann, "Reflection on 'A Meta-Analysis of Applications of diffusion Models,'" *Journal of Marketing Rsearch*, May 1996, pp. 247 ~ 249; Minhi Hahn, Sehoon Park, and Andris A. Zoltners, "Analysis of New Product Diffusion using a Four-segment Trial-repeat Model," *Marketing Science*, 13, no. 3 (1994), 224 ~ 247.

[47] Joshua Levine, "TV in the Classroom," *Forbes*, January 27, 1997, p. 98.

第**12**章
设计全球市场提供物

科特勒论营销：

你的公司不应该属于它不能获得最佳成绩的市场上。

本章将阐述下列一些问题：

- 一家公司在考虑进入国外市场前应研究哪些因素？
- 公司应怎样正确评价与选择欲进入的国外市场？
- 进入国外市场时可选择的方法有哪些？
- 公司在使其产品和营销计划适应国外时应作哪些补充？
- 公司应怎样管理和组织它的国际活动？

随着越来越迅速的通信、运输和资金流动的发展，世界已经迅速地变小了。在一种国家开发的产品——古奇（Gucci）皮具、蒙德·白朗克（Mont Blanc）笔、麦当劳汉堡、日本寿司（Sushi）、夏奈尔（Chanel）西装、德国宝马汽车——在其他国家受到了热烈的欢迎。一位德国企业家穿着阿曼尼西装，在日本餐馆会见英国朋友，然后回家，打开俄罗斯的伏特加酒，并在电视中看着美国的肥皂剧。

1969 年以来，世界上最富有的 14 个国家的多国公司的数量已增加了 3 倍，从 7 000 家增加到 24 000 家。事实上，这些公司今天控制了 1/3 的全部私有财产和销售额达 6 万亿美元。美国的国际贸易占了美国国民生产总值的 1/4，从 1970 年起，美国的年增长率达 11%。[1]

的确，许多公司开展国际营销活动已有几十年。雀巢、壳牌、拜耳、东芝被全世界大多数消费者所熟悉。然而今天，全球竞争也在加剧。从没考虑过外国竞争者的国内公司突然发现在竞争中落伍了。美国的报纸天天都在报道日本产品在许多市场上战胜了美国产品，其中有电子消费品、摩托车、复印机、照相机和手表；日本、德国、瑞士和韩国的汽车进入并赢得了美国市场；美国在纺织品和鞋业市场上输给了发展中国家。许多产品表面上由美国公司生产而实际被外国公司所拥有：巴顿书店（Bantam）、巴斯金-罗宾斯冰激凌（Baskin-Robbins）、火石领带（Firestone）、薄荷先生软饮料（Dr. Pepper）和品食乐蛋糕伴侣。

虽然有些美国公司希望通过保护立法抑制外国货物进口的势头，但这只是权宜之计。对公司来说，最好的做法是参与竞争，不断在国内改进产品和拓展国外市场。不可否认，虽然公司需要进入海外市场并参加竞争，但风险也很大，包括边界转移、政府不稳、外汇问题、贪污腐败和技术剽窃。[2]然而，我们认为在全球行业中销售产品的公司，除了经营国际化以外，其他别无选择。为了做好这些工作，它们要做一系列的决策（图12—1）。

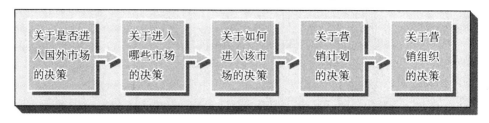

图12—1　国际营销中的主要决策

全球行业(global industry)是指在这个行业中，在主要地区或国家市场的竞争者的战略地位将受到全球市场地位的总体影响。[3]一家全球公司(global firm)在超过一个国家的市场经营时，在其成本和声誉上，比纯粹是国内的公司拥有研究与开发、生产、后勤、营销和财务上更多的优势。

全球公司以世界为基础计划、经营和协调它们的活动。福特公司的"世界车"，其驾驶室是在欧洲制造的，底盘是在北美制造的，而整车则在巴西组装，然后输入美国销售。奥蒂斯电梯(Otis)从法国引进电梯门，小传动部件来自西班牙，电子设备来自德国，马达装置来自日本，作为系统一体化使用是在美国。一家公司并非要很大才能搞全球化。中小型公司可以进行全球补缺。甚至，一个运动联合会也可以全球化：

美国篮球联合会(The NBA)　当NBA比赛季节结束后，篮球巨星并没有去佛罗里达休息和娱乐。是的，夏科尔·奥尼(Shaquille O'-Neal)到韩国，卡尔·马龙(Karl Malone)到中国香港，艾林·伊福逊(Allen Iverson)到中国内地。受NBA和全球公司可口可乐、锐步和麦当劳的调度，这些高酬金的推销员向众多的年轻球迷叫卖苏打水、零食、汉堡包和篮球。在中国的男孩穿着公牛队服装，因为他们喜欢迈克尔·乔丹(Michael Jordan)。NBA有105个全球成员，他们以全球第一运动联合会的身份出现。NBA运动出现在全世界的电视上，签约的全球公司、NBA联合会和它的合作者销售NBA许可的篮球、广告牌、T恤和帽子在美国以外达到5亿美元。[4]

关于是否进入国外市场的决策

如果国内市场足够大的话，大多数公司都乐意待在国内开展经营活动。经理们用不着去学习外国语言和法律，不必处理易变的货币，无须面对外国政治与法律的不确定因素，也无须改动产品设计去迎合不同顾客的需求与希望。经营国内市场既简单又安全。

然而，有几个因素驱动一家公司进入国际领域从事经营活动：

● 公司的国内市场受到全球公司的优质或低价产品的攻击。公司可能想要在外国竞争者的国内市场展开反攻。
● 公司可能发现国外市场比国内市场有更高的利润机会。
● 公司可能需要扩大顾客的盘子以实现规模经济。
● 公司可能想要减少只依靠一个市场而带来的风险。
● 公司的顾客在国外并要求国际服务。

公司在作出进入国外市场决策以前，必须权衡以下几项风险：

● 公司可能不了解外国顾客的偏好和败在竞争者有吸引力的产品之下(表12—1列出了在这些领域中的疏忽)。
● 公司可能不了解外国商业文化和不知道如何与外国人相处(表12—2列出了某些挑战)。
● 公司可能不了解外国法规，招致预算外成本的增加。
● 公司可能认识到它缺少具有丰富国际经验的经理。
● 外国可以修改其商法使进入者处在不利的地位，可以实行货币贬值或实行外汇管制，或可以发动政治动乱并没收外来资产。

权衡公司的优势和风险后，许多公司往往不采取行动，直至发生某种事件促使它进入国际舞台。某些人(一家国内出口商、外国进口商、外国政府)引发了该公司到海外销售。或者，公司感到生产能力过剩并必须为它的商品寻找另外的市场。

表 12—1　　　　　　　　　　　　**在国际营销中的疏忽**

贺曼公司(Hallmark)在法国推出印刷精美的贺卡。但法国人不喜欢贺卡上柔情蜜意的词句，而喜欢自己亲自在卡片上写出心里话。

荷兰飞利浦公司发现日本人的厨房比较狭小，便缩小了咖啡壶的尺寸；日本人的手比较小，便缩小了剃须刀的尺寸。经过这番改进后，该公司才开始在日本盈利。

可口可乐公司发现在西班牙很少有人使用大容量的冰箱，便不得不停止在西班牙销售两公升瓶装的可口可乐。

通用食品公司的果珍饮料最初在法国遭到失败，因为该公司本想用它代替早餐橘子汁，而法国人很少喝橘子汁，吃早餐时几乎不喝橘子汁。

凯洛格公司的泡波果馅饼曾在英国失利，因为在英国拥有烤面包电炉的家庭比美国要少得多，而且英国人觉得这种饼过于甜腻，不合他们的口味。

宝洁公司的佳洁士牙膏在墨西哥使用美国式的广告进行推销，一开始就败下阵来。因为墨西哥人不相信或者根本不考虑预防龋齿的好处，哪怕是符合科学道理的广告宣传对他们也毫无吸引力。

续前表

通用食品公司挥霍数百万美元，竭力向日本消费者兜售有包装的蛋糕糊。该公司忽视了日本家庭的烤箱拥有率只有 3% 。后来，他们推出在日本的米饭锅上烤蛋糕的主意，这又忽视了日本人米饭锅是整天用来使米饭保暖并现吃现盛的这个事实。

S. C. 庄臣公司(Johnson)的地板蜡最初在日本失败了。地板蜡使地板太滑，他们忽视了日本人在家里不穿鞋这个事实。

表 12—2　　　　　　　　　　　　在国际营销中的挑战

1. 高额外债	许多国家债台高筑，甚至连外债的利息也无力偿还。例如，印度尼西亚、波兰和俄国。
2. 政府不稳	某些国家由于高额债务、通货膨胀和失业率高，政府非常不稳定。因此，外国公司面临被没收、国有化、限制利润汇回本国等危险。为了帮助预防这些风险，许多公司购买政治风险评估报告，例如，商业国际（BI）的《国家评估服务报告》、BERI 或弗罗斯特和沙里文（frost & Sullivan）的《世界政治风险预测》。
3. 外汇波动	高额债务和政局动荡会迫使一个国家的货币贬值。外国公司在利润返回权利上希望采用硬通货，但这种选择在许多市场不适用。
4. 外国政府苛求投资者	有的国家政府关于外国公司的规定日益增加，例如，规定在合资企业国内合作者的股份应占大部分；要求大批雇用本国人担任高层管理人员；对贸易诀窍技术转让；限制汇回本国的利润。
5. 关税和其他贸易壁垒	有的国家政府为了保护本国工业，往往征收不合理的高额关税。它们还设置无形的贸易壁垒，例如，控制或者拖延批准进口申请，要求对进口产品进行调整。
6. 贪污腐败	一些国家的官员公然索贿，他们常常和行贿最多的人，而不是和最佳投标者做生意。1977 年通过的《关于国外腐败行为法案》，禁止美国管理人员行贿，然而来自欧洲和其他国家的竞争者则不受此种限制。经济合作与发展组织（OECD）中的工业化国家最近同意公司对外国官员的行贿构成刑事犯罪。
7. 技术剽窃	在海外开办工厂的公司担心外国管理人员学会了产品制造技术，另立门户，进行公开或秘密的竞争。在机械、电子、化学和制药等许多行业中都发生了这种情况。
8. 调整产品和沟通信息的高成本	向国外发展的必须认真研究每个外国市场，熟知那里的经济、政治和文化环境，并要采取相应的措施调整其产品和产品通报方式，以适应外国的需要。
9. 边境转移	国际边境是营销的基础工作之一，因为它们主导和形成了经济行为。改变边境线意味着营销目标也改变了。

进入哪些市场的决策

公司在决定进入国外市场之时，需要确定自己国际营销的目标和政策。国外销售将占公司总销售额多大的比例？大多数公司在国外业务开创阶段，规模都很小。有些计划只将国外业务作为一个很小的部分。另一些计划较大，期望国外业务最终将与国内业务有同样的规模，甚至觉得国外业务比国内业务更加重要。在因特网如何"向海外发展"是一个特殊的挑战；参见"新千年营销——WWW. TheWorldIsYourOyster.com: 全球性电子商务的里里外外"。

新千年营销

WWW. TheWorldIsYourOyster.com: 全球性电子商务的里里外外

就在几年之前，心脏科学公司渴望打入国外市场，但却不知从哪里入手。公司知道存在一个医药设备和产品的海外市场，但要弄清楚怎样进入那个市场，对小公司来说是个挑战。随着公司的快速推进，现在该公司 85% 的收入来自海外。大多数业务不是来自美国官方的出口辅助渠道，心脏科学公司日渐增多的海外客户只需点击 www. cardiacscience. com，就可以很方便地找到公司的信息和心脏监视器。

大大小小的公司都在利用网络没有国家界限这一优势。从事全球性电子商务的大公司有汽车制造商(通用汽车)、直销公司(L. L. 比恩和兰特·爱达 – Land's End)、鞋业巨头(耐克和锐步)以及像亚马逊书店这样的网络超级明星，它收购了三家欧洲公司组建了它的欧洲图书、音像销售机构。

对于有些公司来说，营销是一种冲动或碰运气的事。它们为美国市场提供英文的内容，如果外国用户在其中一时冲动，结果买了什么东西，那当然非常好。哈巴斯贝斯·科格斯(Hyperspace Cowgirls)是纽约一家有 3 年历史的儿童软件开发商，虽然它没有海外营销人员，但在欧洲却有几桩生意。该公司经理苏珊·肖说："我们根本不在国外做广告，人们就会找上门来。"该公司网址为 www. hygirls. com。

还有一些公司做出战略决策，想成为全球网络商业的一部分。它们使用网络及相关服务来接触母国之外的新顾客、保持现有的国外客户、从国外供应商那里获取资源以及建立全球性品牌知名度。这些公司中间，有的对自己的网站进行改造，使用当地语言为最有潜力的国外市场提供特色、详细的内容和服务。锐步公司建立了一个多种语言的欧洲网站——英语、法语、德语、西班牙语和意大利语——试图提高其在这些市场的品牌知名度。这一网址为 www. europe. reebok. com，主要面向热衷于运动和健身的人，其中包括在各地发生的有关事件报道。许多富于进取意识的公司利用全球性电子商务繁荣，使不同国家之间的因特网交易变得更为简便有效。例如，1998 年数字设备公司和全球联结公司(Globalink)开始提供自动的电子信件和网上交易。

然而，在公司自动转换网页之前，需要找出拥有最多潜在上网人口的国家和地区。现在欧洲和日本是主要目标。欧洲起步比美国晚了约 4 年，但却追赶得很快：网上注册用户从 1998 年占欧洲人口的 7%，到 2001 年增加到 13%。有几个因素加快了这一进程。一旦欧洲电话管制放松，因特网应用将激增。欧洲前进的步伐将会更快，因为它不需作翻新改造或不需经过一个探索阶段。欧洲在安全交易方面比美国略微超前。实际上，威士信用卡选择了欧洲联盟来测试它最大的安全性试验方案。欧洲工商业在投资1.25亿美元准备计算机的同时，将自己的业务放到了网上。卡萨·加西亚(Casa Garcia)，一家有150年历史的意大利葡萄酒制造商，现在用因特网取代了它每年与办公室、仓库和代理商之间的35 000份传真和信件。该公司利用网络将销售网扩展到60个国家。

尽管欧洲和亚洲的电子商务发展令人鼓舞，但有些因特网营销人员有时过高估计了机会。虽然仅香港一地就有90家因特网服务供应商，但中美洲、南美洲和非洲等欠发达国家却只有少数或没有因特网服务供应商，使用户只好用国际长途电话联网。因为因特网的中坚力量植根于美国，因此它在国外响应的次数令人沮丧。即便随着电话线路和个人电脑的渗透，高昂的连接成本也极大地限制了因特网的应用。欧洲的因特网注册用户月均花费75美元，而在美国通过当地免费电话无限制联结因特网的费用仅为25美元。

此外，全球性公司也许会与政府限制或文化禁忌相冲突。在德国，卖方在订单发出两周之后才可以接受通过信用卡的付款。你的计算机屏幕上不能出现卍字标志，因此，如果亚马逊书店有一本关于纳粹德国的书在封面有卐字，那么，它是否应为违反德国法律而负责任？由谁来支付国际电子商务的销售税和关税的问题还处于模糊状态。

最后，业界人士应认识到网络不会为全球性业务交易提供完全的解决方案——大概永远都不会。许多公司不会用电子信件来进行最后的结算。人们仍有必要在国际交易展览中参观和感受产品。对于某些商品进出口而言，网络不能超越海关的繁文缛节和当地的管制。网络也不能保证商品完好地运达。

网络所能做的就是让国外客户了解你的业务。网络现在已为一些零售商和目录零售商做到了这一点。夏普形象公司(Sharper Image)从国外客户那里获得了25%的网上业务。公司为全球前景发展而兴奋，但也承认它仍被困于海外市场的挑战，比如语言和通货问题。

资料来源: Alice Laplante, "Global Boundaries. Com," *Computerworld*, October 6, 1997, pp. G6 ~ G9; Roberta Maynard, "Trade Links via the Internet." *Nation's Business*, December 1997, pp. 51 ~ 53; Michelle V. Rafter, "Multilingual Sites Give Companies Access to Global Revenue Sources," *Chicago Tribune*, May 11, 1998, Business Section, p. 9; Marla Dickerson, "Small Business Strategies; Techology; Foreign Concept; All Those Inflated Expectations Aside, Mary Firms Are Finding the Internet Invaluable in Pursuing International Trade," *Los Angeles Times*, October 14, 1998, pp. c2, C10; Stephen Baker, Finally, Europeans Are Storming the Net," *Business Week*, May 11, 1998, p. 48; Eric J. Adams, "Ready, SET, Go!" *World, Trade*, April 1997, pp. 34 ~ 35, "Reebok Targets Its New Web Site at Euro Markets," *Marketing*, October 1, 1998, p. 16; Peter Krasilovsky," A Whole New World, "Markeing Tools supplement, *Demographics*, May 1996, pp. 22 ~ 25; Richrd N. Miller, "The Year Ahead," *Direct Marketing*, January 1997, pp. 42 ~ 44; Jack Gee; "Parlez-Net?" *Industry Week*, April 21, 1997, pp. 78 ~ 79.

公司必须决策其市场是扩展到几个国家还是许多国家以及扩展的速度是多快。请看迪科玩具公司的例子：

迪科玩具公司(Tyco Toys Inc.) 1990年，迪科玩具公司开始向欧洲扩展时，它在本国的一群销售生力军已将它推至第四位全美玩具制造商的位置，而四年以前它还仅仅排在第22位。然而，美国之外地区的销售量仅占它总销售量的13%，而公司的竞争者却有大量的海外销售量。迪科玩具公司想尽快缩短差距,为像玩具反斗城(Toys "R" Us)那样的具有全球视角的零售商提供更好的服务。开始的计划是每年设立一个欧洲分支机构,每一分支机构预计在12个月后转入盈利。但公司却加快了步伐,一年内在意大利、西班牙、德国和比利时都开办了分支机构。迪科玩具公司还收购了环球马奇伯克斯集团公司(Universal Matchbox)(中国香港一家大型的印模铸造玩具车制造商)。迪科玩具公司这种不正常的国外快速推进,伴随着国内销售趋淡,很快使高层管理人员精疲力竭,这些人对如何在边远国家运作毫无经验。在1995年度报告中,公司说第三个行政年度为净亏损,主要来自于欧洲市场。为了减少亏损,迪科玩具公司清算解散了意大利的分支机构,将其他三个国家的分支机构进行合并,并遣散了1/3的欧洲员工。[5]

与之相对照,安利公司的经历却不同:

安利(Amway) 以门对门的直销网络而著称的消费品公司安利于1971年扩展到澳大利亚,一个远离美国但却与美国很相似的市场。在20世纪80年代,安利扩展到十多个国家,从那以后其步伐加快了。到1997年,安利成为一家多国公司,活跃在从匈牙利到马来西亚再到巴西的250万销售人员以其上门销售为安利带来68亿美元的销售额。安利现在在43个国家销售产品。它的目标是在未来10年海外市场占总销售额的80%。考虑到安利在国外市场的68亿美元销售收入已占据总销售额的70%,因此,实现这一目标并非不现实或纯系野心。[6]

总而言之,把经营范围限制在少数几个国家,并在每个国家全力向纵深发展,这样才较为妥当。阿依尔(Ayna)和齐夫(Zif)认为如果有下列情况,公司应该进入少数国家:

● 进入市场和控制市场的成本高。
● 调整产品和通信方式的成本高。
● 最初选定的国家人口多、收入高,两者发展快。
● 主要的外国公司能建立阻止进入市场的壁垒。[7]

公司还得对进入哪一种类型国家的市场作出决策。一些国家的市场是否具有吸引力,取决于产品、地理因素、收入和人口状况、政治气候及一些其他因素。有些卖主也可能对某类国家或对世界的某个地区,有特殊的偏好。肯尼齐·奥玛(Kenichi Ohmae)认为只有"三大列强"——美国、西欧和远东——值得作为市场来开拓,因为这些市场占了国际贸易的大部分。[8]

奥玛的观点只有短期效应,但从长远来看,它对于世界经济来说是一种灾难性的政策。发展中国家未被满足的需求代表着大量的机会,这些国家是食品、服装、住房、家用电子产品、家用电器和其他商品的巨大的潜在市场。许多市场领先者带头冲击东欧、中国、越南和古巴,在那里需要许多没有被满足

445

的需要。

区域性的经济一体化——在国家集团间的贸易协议——近年来日益加剧。它的发展意味着公司们更乐于进入整个海外区域，而非在一个时间段只进入一个国家。

区域性自由贸易区

有些国家组成了自由贸易区或经济共同体——一群在国际贸易规则下朝共同目标努力的国家组成的组织。欧盟（European Union，EU）就是这样一个组织。欧盟组建于1957年，通过降低其成员国之间产品、服务、金融和劳务流动壁垒以及制定对非成员国的贸易政策来创建一个统一的欧洲市场。现在，欧盟使用统一货币，欧洲货币体系。1998年，作为迈向统一货币的多年度计划的第一步，11个参加国锁定了它们的汇率（英国、丹麦和瑞典迄今仍不在其中）。最终取代各成员国货币的欧洲货币和票据将到2002年进入流通，工商业和居民在此前还不需进行货币转换。

今天，欧盟成为世界上最大的单一市场。它的15个成员国拥有3.7亿消费者和世界出口量的20%。随着21世纪更多的欧洲国家寻求加入欧盟，它将包括28个国家的4.5亿人口。

欧洲的统一为美国和其他非欧洲公司提供了大量贸易机会。然而，它也带来了威胁。随着统一进程加深，欧洲公司将会更大、更有竞争力。飞机工业中欧洲空中客车与美国波音公司之间的竞争就证明了这一点。然而，更大的忧患在于欧盟内部壁垒的降低会产生更坚厚的外墙。有些观察家认为一个"牢固的欧洲"将会给欧盟国家带来好处，但却通过更严格的进口关税、当地有特点的需求和其他非关税壁垒等阻碍外来竞争者。

此外，那些计划进行一体化的"泛欧洲"（Pan-European）营销活动的公司应该小心从事。即使欧盟真的执行统一的贸易管制和做法，组建一个统一的欧洲并不意味着组建一个同质的市场。在欧洲进行营销的公司面对的是14种不同的语言，2000年的历史文化差异和多得令人吃惊的本地条款，请看知名的利波特广告代理公司（Leo Burnett）在为联合迪斯特勒（United Distiller）的约翰尼·沃尔卡公司设计单一欧洲活动计划时的遭遇：

约翰尼·沃尔卡（Johnnie Walker） 只有经过多次痛苦的实验和修改，最后的广告案才得以发布并取得成功。在一个标题为"生命之水"的广告中，一个男人在帕波罗拉参加了公牛赛跑，在逃脱被踩死的命运之后，以一杯约翰尼·沃尔卡红酒来庆祝。在许多国家，像帕波罗拉这样的场景引起了愤怒，因为人们说："西班牙人不懂威士忌"。这个广告在德国彻底失败，因为对德国人来说它只会显得鲁莽。杰尼·沃基（Jenny Vaughn），约翰尼·沃尔卡公司的世界品牌经理说："还有个失败原因在于德国的动物权力运动保护者，在德国你不能在电视上出现一条鱼缸中的金鱼，因此，公牛赛跑是不允许的。"[9]

最成功的泛欧洲广告应具有高度可视性和象征性。这些广告集中于产品和消费者，指向市场调研人员一致认同的两类欧洲消费者之一——年轻人和富人。TAG 霍耶尔（Heuer）手表就是一个这样的广告，其中有一位游泳者追逐一条鲨鱼，一位跨栏运动员跨越擦过的栏杆，一位接力跑运动员接过接力棒，所有这些都是各地运动员在用以提高成绩。

在北美，美国和加拿大于 1989 年清除了贸易壁垒。1994 年 1 月，北美自由贸易协定（NAFTA）在美国、墨西哥和加拿大之间建立了一个自由贸易区。这一协定建立了一个单一的市场，包括 3.6 亿人口，生产和消费 6.7 亿美元的产品和服务。在执行协定 15 年之后，三国之间的所有贸易壁垒和投资限制将被取消。在协定未签署前，美国进入墨西哥的商品关税为 13%，而现在则只有 6%。

拉丁美洲和南美洲也建立了一些自由贸易区。例如，MERCOSUL 现在包括巴西、哥伦比亚和墨西哥。智利和墨西哥也建立了一个成功的自由贸易区。委内瑞拉、哥伦比亚和墨西哥三国集团也在就自由贸易区进行谈判。NAFTA 看来将最终与这些自由贸易区合并，建立一个全美洲自由贸易区。

虽然美国长久以来将拉丁美洲看做自己的后院，但欧洲国家已进入了这一有潜力的市场，随着华盛顿力图将 NAFTA 扩展到拉丁美洲，欧洲国家进行了报复。MERCOSUL 于 1995 年与欧盟的双边贸易额为 430 亿美元，比与美国的贸易额多 140 亿美元。当拉丁美洲进行市场改革和公共部门私有化时，欧洲国家的公司很快进入以获取有利可图的重建拉丁美洲基础设施的合同。西班牙的泰利福尼加·伊斯巴纳公司（Telefonica de Espana）花费了 50 亿美元购买巴西、智利、秘鲁和阿根廷的电话公司。欧洲公司很快进入了私有部门。在巴西，十大私有公司中的七家是欧洲所有的，而只有两家为美国所有。在拉美运作成功的欧洲大公司有汽车业巨头大众和菲亚特，法国连锁超市家乐福和盎格鲁（Anglo）——荷兰私人保健品集团杰西–利华（Gessy-Lever）。

美国公司目睹欧洲在拉美的入侵之后，向华盛顿方面施加压力，以求更快地把智利纳入 NAFTA 并向美洲自由贸易区迈进。MERCOSUL 不仅意味着一个包括 22 亿消费者的国内市场，随着整个太平洋沿岸与亚洲的联系，MERCO-SUL 将成为一个重要的世界出口的低成本平台。然而，美国的两大集团——劳工组织和环境保护组织——对美洲自由贸易区的利益持怀疑态度。劳工组织认为 NAFTA 已经造成了大量的制造业工作流向墨西哥，因为那里的工资要低得多。环境保护组织则指出那些不愿受美国环境保护委员会严格限制的公司将迁至墨西哥，因为那里的环境管制要宽松一些。[10]

18 个环太平洋国家，包括 NAFTA 的成员国、日本和中国正在探讨在亚太经济合作组织（Asian Pacific Economic Cooperation, APEC）的主办之下建立泛太平洋自由贸易区。加勒比海地区、东南亚和部分非洲国家也在积极尝试建立地区性经济一体化组织。

然而，不管有多少国家和地区整合它们的贸易政策和标准，每个国家仍有各自必须加以认识的特征。一国对不同商品和服务的接受程度和它作为一个市场对外国公司的吸引力主要取决于它的经济、政治、法律和文化的环境。

评估潜在的市场

假定公司搜集了一份潜在的出口市场名单，它如何在其中选择呢？许多国家会选择向毗邻国家销售产品，因为它们对自己的邻国比较了解，而且向邻国出口的成本控制也较好。因此毫不奇怪，美国的最大市场是加拿大，而瑞典的公司首先向斯堪的那维亚邻国销售商品。随着美国公司向海外拓展数量的增加，许多人认为最好从邻近的加拿大开始。

大美洲减压（Great American Backrub） 大美洲减压公司是一家服务性公司，为神经紧张的顾客提供疏解服务，它瞄准了北部市场，因为它估计加拿大人和美国人一样的紧张。它在安大略省的多伦多开办了第一家国外分公司。佛罗里达分公司克里奥威特（Clearwater）地区的经理理卡多·科拉（Ricardo Coia）推理说，鉴于加拿大人与美国人的相似性，加拿大人也在"试图缓解压力"。[11]

很多时候，**心理相近性**（psychic proximity）决定选择。许多美国公司喜欢在加拿大、英国和澳大利亚销售产品，而不太喜欢像德国和法国等更大的市场销售产品，因为前者在语言、法律和文化方面让它们感到更舒服。

总之，公司喜欢进入的国家有三个特征：（1）在市场吸引力方面排位较高；（2）市场风险低；（3）公司拥有竞争优势。这也是制造业巨头贝克特尔公司评估海外市场的办法：

贝克特尔（Bechtel） 在贝克特尔公司进入新的市场之前，公司要进行详细的战略性市场分析。它展望市场未来5年～10年的情况以决定在这5年～10年间是否投资。管理小组分析大略的图景，做一个成本—收益分析，其中的因素有竞争者地位、基础设施、管制和贸易壁垒以及税收状况（公司和个人税收）。理想的新市场应该对其产品或服务存在未被开发的需求；有一定质量的、熟练的可生产产品的劳动力以及一个热情欢迎投资的环境（政府环境和物质环境）。

有没有国家完全满足贝克特尔公司的标准？每国都各有长短。例如，新加坡虽然有受过教育的讲英语的劳动力，政局稳定并鼓励外来投资，但其人口很少。虽然许多中欧国家拥有热切的、渴望学习的劳动力，但它们的基础设施却造成了困难。管理团队在评估新市场时，必须决定公司的投资是否可以获得足够盈利以覆盖风险和其他不利因素。[12]

如何进入该市场的决策

当一公司决定向某一国家市场销售其产品后，就须确定进入该国市场的最佳方式。可选择的方式有多种：间接出口(indirect exporting)、直接出口(direct exporting)、许可证贸易(licensing)、合资企业(joint ventures)和直接投资(direct investment)。图 12—2 展示了五种进入市场的战略。随着公司涉及的战略加深，它将包含着更多的投资承诺、风险、控制和潜在利润。

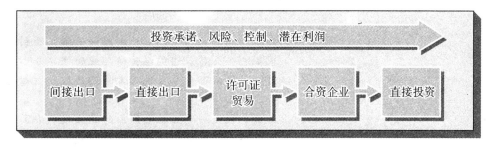

图12—2　进入国外市场五种形式

间接出口

进入国外市场最简单的方法是出口产品。**偶尔出口**(occasional exporting)是一种被动出口活动，是指公司有时出口其多余产品，或为了满足国外市场的主动订单。**主动出口**(active exporting)是指公司从事向某一市场扩大出口的活动。在这两种情况下，公司都是在本国制造所有产品，这些产品可以根据国外市场加以变更，也可以不加变更。

间接出口(indirect exporting)是公司出口产品初期常用的方法，即通过中间商出口它们的产品。出口中间商有四种：国内的出口商。购买制造厂商的产品后，自行向国外销售。国内的出口代理商。负责寻找国外的销售机会，并代表厂商与进口商洽谈交易，收取佣金。各种贸易公司都属于这种出口代理商。合作机构。由一个代表数家厂商并部分地受其管理和控制的合作机构，经营出口业务。如水果、坚果等初级产品生产者，常使用这种出口组织形式。出口经营公司。负责经营一家公司的出口业务，收取费用。

间接出口有两个好处。首先，这种方法所需的投资较少，它不必组织自己的海外推销队伍，不必自己签订出口合同。其次，它所承担的风险较小，国际营销中间商能提供专有知识和服务给有关厂商，这样，卖主通常也就能少犯错误。

直接出口

公司最终要自行直接经营其出口业务。这样就要增加投资，承担更大风险，但潜在的收益也会大些。

大学游戏（University Games）　大学游戏公司的创建者和经理鲍勃·摩根(Bob Moog)说，他公司的国际销售战略很大程度上依赖第三方分销，并具有相当大的灵活性。摩根说："我们确定要渗透的国外市场，然后与当地能给我们以较大控制权的分销商建立合资企业。在澳大利亚，我们预期销售 5 000 套纸板游戏。这些将在美国生产。如果销量达到 25 000 套，那么我们将与澳大利亚或新西兰的制造商建立合资企业来印制这些游戏。"[13]

公司直接出口可采取以下几种方法：

● 国内的出口部或事业部。它有可能发展成为一个独立的利润中心。

● 海外销售分支机构或子公司。它们经营该企业的产品分销，而且还可以经营仓储和各种促销活动。这种销售分支机构常常还是展览中心和销售服务中心。

● 巡回旅行的出口销售代表。企业派遣国内的销售代表去国外寻找业务。

● 外国的经销商或代理商。这些经销商和代理商可能被授予在那个国家或有限制的地区的特许经营权。

公司究竟是直接出口还是间接出口，许多公司在海外建厂生产之前将出口作为一种"测水深浅"的方法。IPSCO 公司就很好地实施了这一战略。20 世纪 80 年代早期，这一设在萨斯客彻温的钢铁制造商从加拿大向美国出口钢管和平板钢，尽管运输成本颇高。但一旦公司发现美国市场对其产品的需求量很大，它将决定在美国设立机构。[14]

一家公司开始或扩展出口业务的最好方法之一是参加海外贸易展览会。一家美国软件公司通过在香港的国际软件出口展览会上展示的商品而得到订单。随着万维网的发展，公司不需参加贸易展览就可向海外购买者和分销商展示产品。通过因特网进行的电子交流扩展了公司特别是小公司的经营范围，扩展到全球市场。因特网成为一种有效的方式，可以获取免费的出口信息和指导，进行市场调研，为相隔几个时区的客户提供订货和支付的安全操作。表 12—3 列出了五个免费在线出口帮助信息来源。请点击"营销备忘——让你的网站全球尽知"，以获得吸引海外客户的网站提示。

表 12—3 在线出口帮助信息来源

寻找有关贸易和出口的免费信息向来不容易。这里提供了一些搜寻站点：

● 对于一般性贸易和国家、地区市场信息方面的常见问题，可以去 www.ita.dol.gov 站点(美国国际贸易商务管理部)。

● 有关运作资本、直接贷款、融资担保和出口保险的信息：www.exim.gov(美国进出口银行)。

●融资专家建议：www.sba.gov(美国小企业管理局)。

●有关需特殊许可才可出口的技术产品：www.bxa.doc.gov(出口管理局，商务部的一个分支)。

● 有关数以千计的世界性贸易展览和会议：www.tscentral.com(贸易展览的中心，马萨诸塞州韦尔斯利的一家公司)。

此外，还可以点击本州的出口促进办公室，看它是否有网上资源以及与其网站相连的工商业公司。

资料来源：Reprinted from "Going Online for Exporting Help," *Nation's Bussiness*, December 1997, p. 52.

营销备忘

让你的网站全球尽知

许多必须进行详细计划才开始推出出口产品的公司，现在却推出了会损害它们在全球客户心目中形象的网站。这看起来就像是使用为欧洲邮编所不允许使用的邮寄的地址，或是没有为指向日本客户的网站提供翻译。这里提供了一些创建有利于出口的网站的建议：

● 确保国际性客户可以以一定速度浏览你的网站。在有些国家，网上连接速度仍限于 9 600bps。用你的网站收藏或海外镜像将有所帮助。你的信息离客户越近，你就越发可以更好地确保快速可靠的传输。你还可以考虑建一个只有文本的版本。不要让海外客户等着下载占用带宽很多的图片，你应该设计与之相应的文本信息。

● 确保你所联系的市场中的每一客户都可上你的网站，并以他或她方便的语言、习惯和文化订购产品。因为每一国家都有独特的URL 地址，你可以开发一个电子商务软件，在他或她登记时自动测知其是否是一位国外客户。这样你就可以自动生成为某国特定的主页，使用的是其所在国语言。还可以将你的网站与通货转换计算相连接，每天，每小时甚至每次交易都可计算以访问者所在国货币所表示的价格。最后，服装公司不要忘记为国外客户提供尺寸换算表。

● 避免形式上的不统一，让地址对全球客户都有意义。这听起来像一个微小的细节，然而当登记或订单不能识别像口音这样的标识时，人们会感到恼火。同样，地址应该适应全球邮编。许多国家没有与州一级相对应的邮寄地址，所以不必要求每位访问者都在此栏填写。

● 提供有关你公司的充分信息，使联系信息唾手可得。网络中提供公司信息的那一部分通常是最多访问的区域。提供尽可能多的有关你公司实力的信息是建立可信度的一个好办法，这对那些在海外没名气的小公司尤为重要。同样，不要将联系信息——名称、电话号码或传真号码——淹没在网页中。尽可能让它清晰可见。

● 不要把网站发展的事只留给技术人员。网站发展要包括营销人员，以确保网站与你所要树立的形象保持一致。你甚至可以让海外代表或供应商审查网页，以确保对你所要进入的国外市场有吸引力。

资料来源：EricJ. Adarms, "Electronic Clectronic Commerce Goes Global." *World Trade*, April 1998, pp. 90～92; Roberta Maynard, "Creating an Export-Friendly Site," *Nations's Business*, December 1997, p. 51; J. D. Mosely-Matchett, "Remember; It's the *Marketing News*, January 20, 1997, p. 16.

许可证贸易

　　许可证贸易是介入国际营销的一种最简单形式。许证方与国外受证方达成协议，向受证方提供生产制造技术的使用权、商标使用权、专利使用权、商业秘密或者其他有价值的项目，从而获取费用收入或提成。许证方不用冒太大的风险就能打入国外市场；受证方也能获得成熟的生产技术，生产名牌的产品或使用名牌的商标。电子贸易集团是在加利福尼亚的帕洛·奥托(Palo Alto)的一家网上经纪交易商，它与一家以色列投资银行耶路撒冷环球公司签署了一项许可协议。电子贸易集团与以色列公司的协议是建立许可协议和国际合资企业战略的一部分，致力于将它的非投资品牌推广到国外。电子贸易集团已在澳大利亚设立了分部，并宣布计划在德国和中欧也建立分部。[15]

一个电子商务的印刷广告：在线证券经纪人向世界市场进军。

　　许可证贸易方式也存在一些潜在的不利因素，即企业对受证方的控制较少，不如自己设厂。此外，如果受证方经营得很成功，许证方就会丧失唾手可得的利润，一旦合同期满或终止，它就会发现一个新的自己培养的竞争对手。

为避免出现这些危险的后果，许证方通常需要在产品中供应某些特定的配料或部件(如可口可乐公司)。但最好的战略是许证方不断进行革新，使受证方产生对许证方的依赖。

公司许可证贸易有多种方法。公司可像凯悦和马里奥特出售**管理合同**(management contracts)，为国外旅馆提供管理服务，收取管理费。如果管理的公司被允许在商定的时间内购买自己所管理公司的部分股票，那么这种协议就特别有吸引力。

另一种进入方法是**合同制造**(contract manufacturing)，公司与当地的制造商签订合同，由当地厂商制造产品。西尔斯公司(Sears)就是用这种方法在墨西哥和西班牙开设百货公司的，西尔斯公司在当地找一些够格的厂商，生产多种产品供其销售。在合同式生产方式中，有这样的遗憾即公司对制造过程的控制更少，还损失了如果由自己制造可获得的潜在利润。另一方面也使公司能较快地进入国外市场，风险较小，并且有机会日后与当地的厂商合伙或者买下当地的工厂。

最后，公司进入国外市场可通过**特许经营**(franchising)，一种更完整的许可形式。许可方向受许可方提供一个完整的品牌观念和操作系统。作为回报，受许可方参与投资和支付费用给许可方。诸如麦当劳、肯德基和阿维斯等，通过特许经营它们的零售观念，逐步进入国外市场。

肯德基与麦当劳一起，成为最早进入半封闭的日本市场的快餐连锁店之一。

> **肯德基公司**(KFC)　尽管日本市场的接受程度颇高，但肯德基仍有大量困难需克服。日本人对快餐和连锁店经营的观念感觉不舒服。他们认为快餐是非自然食品，用机械手段制造，不利于健康。肯德基在日本的广告代理麦肯－埃里克森公司(McCann-Erickson)认为它需要树立对肯德基品牌的信任度并敦促肯德基这样做。它拍摄了山德士上校创始肯德基的真实场景。为了展示肯德基的哲学——南方式的热情，美国古老的传统以及真正的家庭烹制方法——广告代理公司第一次创造了富有南方特色的母亲形象。广告名为"我那古老的肯德基家乡"，由史蒂芬·福斯特在后院烹调，广告展示了山德士上校的母亲用 11 种秘方为她的孙儿们制作食物。这一广告取得了巨大成功，不到八年的时间里，肯德基在日本的分店由 400 家增加到 1 000 多家。许多日本人都记住了"我那古老的肯德基家乡"。[16]

合资企业

外国投资者与当地的投资者合伙组成一个当地的企业，双方共享所有权和共同实行控制。例如[17]：

● 可口可乐与瑞士雀巢公司合资在国际市场上开发"即时好饮"茶和咖啡，目前这在日本有相当大销售量。

● 宝洁公司与它在意大利的主要对手法特合资生产销往英国和意大利的尿

布。这家合资企业已占领了英国和意大利的市场。

● 惠而浦取得了荷兰飞利浦公司白色电器股份53%，从而进入欧洲市场。

合资企业的建立可能是出于经济上的或政治上的需要。外国的企业可能缺少资金、缺少物质资源或管理力量，不能够单独经营一家企业；或者外国政府要求建立合资企业作为进入该国市场的交换条件。甚至巨人公司也参与合资以打开顽固的市场。当联合利华准备进入中国冰激凌市场时，它与一家中国政府投资的阳星公司合资。这家合资企业的总经理说，中国公司帮助克服了难以对付的官僚主义，建立了新技术的冰激凌厂，并且已经运行了12个月。[18]

合资的方式也有某些缺点。合伙者可能对投资、营销方法或其他政策有不同的意见。有些企业喜欢将从合资企业获得的利润用于再投资，以扩大该企业的规模，而当地企业则常常喜欢将利润提走。美国电话电报公司与意大利电脑制造商好利获得的合资失败了，原因是这两家公司不能形成一个明确的、共同同意的战略。此外，合资的方式还会妨碍多国公司执行其建立在全球基础上的特定的生产与营销政策。

直接投资

进入国外市场的最后一种方法是在国外投资设立装配或制造设施。一家外国公司可以购买当地公司部分或全部的股权或者自己直接投资设备。如果觉得国外市场足够大时，在该国建立生产设施便会具有明显的优势。第一，企业因能获得廉价的劳动力或原料供应、能获得外国政府关于投资的奖励、能节省运费等。第二，由于所开办的工厂能增加东道国的就业机会，该企业就能在该国树立更良好的形象。第三，该企业加强了与东道国政府、顾客、当地供应商以及经营商的关系，使它能够按照当地的要求改进其产品，更好地适应当地的营销环境。第四，企业能够完全自主地控制自己的投资，因此也就能够制定最有利于实现其长期国际营销目标的生产与营销政策。第五，公司保证了进入该市场的通路，以防东道国坚持只能购买本国生产的产品。下面是一家公司在海外计划中利用当地关系的优势的例子：

CPC 国际公司　　CPC 国际公司拥有一些著名的食品品牌，如赫尔马牌蛋黄酱和科罗拉(Konorr)系列汤料，这一公司喜欢全面地在国外生产，而不是在国外包装或出口。因此，公司在 110 个销售国家中的 62 国生产产品。当在海外经营时，公司一律使用当地人员和管理者，特别是那些了解市场可以进行有效竞争的人。公司将营销业务交给当地管理者去做，认为他们更了解自己的市场，会比新泽西总部的人员更了解如何有效竞争。[19]

直接投资最主要的缺点是使企业的大笔投资置于风险之下，诸如货币不能兑换或货币贬值、市场萎缩或工厂遭当地接管、没收等。有时候，公司将会发现压缩或终止营业的成本太高，因为东道国要求向员工支付高额的遣散费。

国际化进程

大多数国家面临的问题是各国参加国际贸易的公司都为数较少。国家无法获得充足的外汇，用以支付想要进口的货物款。结果，许多政府都转而从事积极的出口促销。出口促销计划应该建立在对公司国际化进程有充分理解的基础上。

约翰逊和威德西－波尔（Wiedersheim-Paul）对瑞典公司中的**国际化进程**（internationalization process）进行了研究。[20]他们认为公司要通过四个阶段才能取得国际化进程：

1. 没有规律的出口活动。
2. 通过独立的代表（代理人）出口。
3. 建立一家或若干家销售子公司。
4. 在国外投资生产设备。

第一个任务是如何使公司从第一阶段发展到第二阶段。这就要研究公司如何作出它的第一项出口决定。[21]大多数公司通过与独立代理商合作，通常是向距离较近的或同类的国家出口。如果初战告捷，公司就会雇用更多的代理商向其他国家扩展。过一段时间，公司会成立出口部处理其与代理商的关系。然后，公司发现某些出口市场很大，最好由本公司的销售人员直接经营这些市场，它们就在这些国家成立分销子公司以代替代理商。这样就增加了它们的义务和风险，但也增加其利润潜量。它们为了管理这些分销子公司，又成立国际营销部以取代出口部。如果某些市场继续稳定发展，或者东道国坚持在当地生产，公司就采取下一个步骤，在当地建厂生产。这意味着投入的资金和利润潜量均已有所增加。至此，这些公司作为多国公司的经营发展顺利，应重新考虑如何用最佳方法组织和管理它的全球资源、资金、制造和营销。

关于营销方案的决策

国际公司必须决策对营销组合要进行多大的调整，才能适应当地市场的状况？一个极端的情况是，公司使用其全球范围内**标准化营销组合**（standardized marketing mix）。产品、广告和分销渠道都标准化，这样使成本也就可以降至最低限度。另一个极端的情况是**适应化营销组合**（adapted marketing mix），生产厂根据各个目标市场的特点调整其营销组合的内容。"营销视野——全球标准化还是本地适应化？"讨论了这些内容。

在上述两种极端情况之间，则存在着许多供选择的可能。我们就公司进入国外市场时，可能采取哪些措施调整它的产品、促销、价格和分销讨论如下。

全球标准化还是本地适应化?

营销观念坚持认为消费者的需要是有差异的，因此，如能针对每个目标顾客群体的具体情况调整营销计划，将会收到事半功倍的效果。既然这种做法可在一个国家内实施，那么在那些经济、政治和文化条件千差万别的国外市场，同样也应当可以适用。

然而，1983年，哈佛大学的西奥多·莱维特教授在《哈佛商业评论》发表了著名文章挑战这个观点，理性地提出了全球标准化的基本原理：

世界正在成为一个共同的市场，不管人们居住在何方，他们都要在这里寻求相同的产品和生活方式。全球公司必须忘记国家和文化之间的特殊差异，而集中精力满足全球性的需求趋势。

莱维特认为新的通信、运输和传播技术已经创造了一个更加同质的世界市场。他的话是一个预言。万维网的开发，全世界有线和卫星电视的迅速扩展，电信网络在创造性地连接了边远地区，所有这些都使莱维特的预言在结为果实。例如，各种有针对性的美国节目向发展中国家的家庭传播，集中激发消费者的欲望，特别是年轻人的。在迪姆、威特·雷诺特(Dean, Witter Reynolds)工作的高级经济学家杰西夫·奎南(Joseph Quinlan)说："一个全球的音乐电视(MTV)时代"是当前形成的消费者群体。奎南说："他们偏好可乐而非茶水，偏好耐克而非便鞋，偏好麦克奴兹(McNuggets)而非大米，偏好信用卡而非现金。"时尚趋势流行迅速，其推动力是电视和因特网聊天屋的群体。新电影和电视剧的流传通过爱达酷网站(www. ain't. it. cool. com)在全世界的每个地方都能接收。人们需要和欲望的收敛为采用标准化产品的年轻中产阶层创造了全球市场。

莱维特认为，传统的多国公司不能聚焦于全球市场的口味集中性，而强调特定市场之间的差别性。它们生产发展高度适应顾客化的产品。其结果导致低效率和向消费者索要高价。

相反，莱维特强调全球公司用同样的方法向所有顾客销售大致相同的产品。它们重视世界市场的相似性，"脚踏实地加强推销在世界各地均可适用的标准化产品和服务。"这些国际营销者通过产品标准化、分销、营销和管理，取得了很高的经济效益。这样，它们便可提供大众价廉物美更加可靠的产品，从而将效益转化为消费者需要的更高价值。可口可乐、麦当劳汉堡、万宝路、耐克、NBA和吉列等，它们有成功的全球性营销产品。研讨一下吉列的例子：

根据公司最近的估计，大约有12亿人至少经常在应用一个吉列的产品。吉列的剃须刀——占公司50%并获24亿美元的经营利润——抓住了拉丁美洲91%的市场和印度的69%。吉列在单一市场销售少数几种产品获得规模经济效应。但当公司努力推销它的高价高技术剃须刀时面临着挑战，例如萨沙(Sensor)和新的未上市的马奇(Mach)3，在许多国家当前流行逆价值观念。但吉列并未放弃全球集中化的计划。

给人印象深刻的是除了全球标准化外，许多公司努力推出它们的全球产品。丰田在世界平台上建设科罗拉(Corolla)，福特在创造世界车福克斯(Focus)。然而，大多数产品要求某些适应性。丰田的科罗拉在款式上展示了它的某些差别。麦当劳汉堡在墨西哥用辣椒酱油代替番茄酱。可口可乐在各国的甜味不同。宝洁公司知道亚洲购买者对在美国流行的家庭大包装有戒心。宝洁在远东销售洗发水将其放在一个香袋里。

当公司在寻找超标准化以节约成本时，当地的竞争者也会在每个国家提供顾客想要的更多的东西。即使是 MTV，它的标志是"全球 MTV 代人"，作为最大的全球节目，也在减少本地的产品线：

MTV 欧洲在几十种本地音乐频道的打击下，如德国 Viva、荷兰的音乐因素和斯堪的纳维亚 ZTV，它被迫减少了它的泛欧洲计划，在当地的 MTV 欧洲偏好中它抓住大量的美国和英国流行者公众。在它的地盘，用四个独立的 MTV 广播台创造性地分配给本地频道：MTV 英国、北方、中部和南方欧洲。这四个频道为它的本地市场定制音乐节目，当然，也包括比维斯（Beavis）和巴西特（Butthead）的在泛欧洲流行的健康节目。

公司不可预先肯定自己的产品能顺利销往他国，所以应检查所有可能修改的因素，确定哪些修改会使收入的增长超过成本的增长：

- 产品特点
- 颜色
- 广告主题
- 品牌名称
- 材料
- 广告媒体
- 标签
- 价格
- 广告技巧
- 包装
- 促进销售

一项对公司修改计划的研究表明，公司对 80% 出口产品都要做一项或若干项修改，平均每种产品要做四项修改。还有一点必须认识到：不管公司是否愿意，一些东道国要求做这种修改。法国不允许用小孩做广告；德国不准用"最好"这个词宣传产品等。

综上所述，也许莱维特的名言应再短些，是的，即全球营销。

全球标准化则未必需要。

资料来源：Theodore Levit, "The Globalization of Markets," *Harvard Business Review*, May-June 1983, pp. 92～102; Bernard Wysocki Jr., "The Global Mall: In Developing Nations, Marny Youths Splurge, Mainly on U. S. Good," *Wall Street journal*, June 26, 1997, p. Al; "What Makes a Compayny Great?" *Fortune*, October 26, 1998, pp. 218～226; Lawrence Donegan, "Heavy Job Rotation MTV Europe Sacks 80 Employees in the Name of 'Regionalisation.' Is This the End for Eruopop as We Know It, Asks Lawrence Donegan," *The Guadian*, November 21, 1997, p. 19; David M. Szymanski, Sundar G. Bharadwaj, and P. Rajan Varadarajan, "Standardixation versus Adaptation of International Marketing Strategy: An Empirical Investigation." *Jounal of Marketing*, October 1993. 1～17.

产品

基甘（Keegan）把适用于国外市场的产品和促销的战略，区分为五种（图12—3）。[22]

直接延伸（straight extension）是把产品直接推入国外市场，不加任何改动。企业最高管理层指示营销人员"就拿这种产品去寻找顾客"。那么，第一步先应当弄清楚国外消费者是否使用这种产品。在美国，有 80% 的男子使用除臭剂，在瑞典是 55%，在意大利为 28%，而在菲律宾，只有 8%。在访问一个国家的妇女使用除臭剂的次数时，经常得到的答复是"一年中在我参加舞会时才会用它"，因此，引进这种产品在当地是很难站住脚的。

有些公司采用直接推广的方法在照相机、家用电器、许多机床等产品上获得了成功，然而也有一些公司却遭到了惨败。通用食品公司向英国市场引进标准的粉状吉露牌果子冻。它们发现，英国消费者只喜欢片状或块状的食品。金

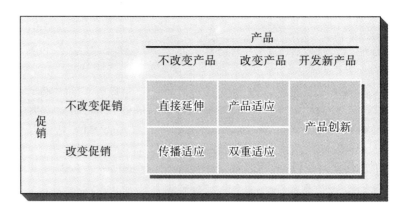

图 12—3　国际营销中五种产品与促销战略

宝汤料公司把浓缩汤料引入英国损失了大约 3 000 万美元，因为它们没有向消费者说明使用该汤料时应加水冲淡；消费者看到的只是这么个小罐头，便觉得太贵了。直接延伸的方法之所以能常常被使用，是因为不需要增加研究与开发费用，不需改动生产设备，也不需要改变促销方法。但是，从长期看，可能会使成本上升。

　　产品适应(product adaptation)指改变产品的设计以适应当地的情况和爱好。这里有几种改变方式。一家公司可以生产地区型(regional version)产品，例如西欧型、北美型等。蜂窝手机的超级明星诺基亚为每个主要市场定制了6100 系列手机。开发商专门为亚洲建立了简单声音识别系统，解决键板问题和提高了铃声，使人们在亚洲繁杂的大街上也能听到铃声。或者，它生产某一国家型(country version)。在日本，唐尼(Donut)咖啡杯更小更轻以满足日本消费者一般手型；甚至热狗也小一些。卡夫食品公司销往不同国家的咖啡采用不同的混合配方，因为英国人喜欢喝加牛奶的咖啡，法国人喜欢喝不加牛奶或糖的浓咖啡，而拉丁美洲人喜欢巧克力味的咖啡。公司可以生产一个城市型(city version)的产品，例如，满足慕尼黑口味或东京口味的啤酒。最后，公司应生产不同零售商型(retailer version)的产品，例如，在瑞士同时为移民连锁店和合作连锁店生产不同配方的咖啡。

　　为了使产品能适应当地的口味和偏好，有时还需要迎合当地的迷信或信仰。在亚洲，某些超自然的力量会直接影响销售。风水(feng shui)这个概念就是一个典型的例子：

　　凯悦旅馆(Hyatt Hotels)　在中国内地、中国香港和新加坡(甚至发展至日本、越南和韩国)，风水意味着"风与水"。风水先生或占卜者将对任何投资作一最佳环境的建议，特别是对办公大楼中的门桌和其他物品的摆放都有说头。为了有好风水，大楼必须面对水，两边有山。它还不能对山神关门。凯悦在新加坡的设计没有风水的概念，结果只能重新设计以开门迎客。原先的前台与门和走道平行，这被认为会使财富流失。而且，门面对西北，这会让讨厌的鬼进来。占卜者建议改变设计，以便留住财富和让鬼走出去。[23]

产品创新(product invention)是指生产某种产品。一种新产品的发明可以有两种形式：后向创新与前向创新。后向创新是指老产品的翻新，是把以前的某种产品形式加以适当的改变，正好适合某国现在的需求。国民收银机公司把价格只及现代化收银机一半的手摇收银机重新寻找市场，结果在拉丁美洲和非洲销售了相当大数量的这种老式收银机。这个例子正好表明国际产品生命周期理论的有效性，同一种产品，在不同的国家里，有不同的产品生命周期。前向创新(forward invention)是指创造一种全新的产品以满足另一个国家的需求。在发展中国家，对低价的高蛋白食品有极大的需求，一些食品公司，像桂格麦片公司、斯威夫特和孟山都公司，对发展中国家营养需要状况进行调查，生产出一些食品新品种，并且大做广告，吸引消费者试用和购买这些新产品。丰田生产的汽车，如泰国的苏罗纳(Soluna)和在印尼、菲律宾和中国台湾的丰田实用汽车，都为帮助本地员工生产符合本地需要而作专门的设计。[24]在最近的全球化转换过程中，美国公司不仅为海外市场投资新产品，而且从国际化经营中延长了产品生命和构思，并把它们带回国内市场。例如，哈根达斯(Haagen-Dazs)，在阿根廷独占性地开发了一种风味食品，即卡拉梅兹(Caramelize)牛奶销售。一年以后，公司的这种风味食品出现在从波士顿到洛杉矶到迈阿密的超市里。这种混合风味现在在美国月销售 100 万美元，特别在迈阿密受欢迎，它的销售速度是其他风味食品的 2 倍。[25]产品创新战略，特别是在海外的产品创新，所花代价很大，但获利也将很大。

在国际贸易中，服务贸易的比例在增加。事实上，服务贸易的增长速度是商品贸易的 2 倍。那些最大的服务公司，在会计、广告、银行、通信、建筑、保险、法律和管理咨询中，积极推进全球化。这些全球著名的公司有美国运通、花旗银行、地中海俱乐部、希尔顿和托马斯·库克公司(Thomas Cook)。美国的信用卡公司已经跨越大西洋到达欧洲，争夺信用卡业务。在英国，行业巨头花旗银行和美国运通已从英国大银行，如巴克利(Barclays)夺取了许多业务，控制了 7% 的市场。[26]许多零售商也努力用相类似的方法进入。面对着美国国内市场的缓慢增长，沃尔玛用它在美国业务中获得的现金流投入到它的有90 亿美元的国际分店中。在 1997 年 11 月，沃尔玛收购了德国的零售商沃德卡夫(Wertkauf)增加了年收入 14 亿美元的 21 个巨型超市。在两个月前，它又购买了墨西哥的合资伙伴——CIFRA。它还进入了阿根廷、印尼和中国。1998年，沃尔玛在全球有 602 个零售店，国外雇员达 105 000 人，并且计划 2000年在美国之外再开办 50 家～ 60 家零售店。[27]实体型零售店进行海外扩展的企业还有很多。网上零售商亚马逊在线也收购了三家欧洲公司——两家在英国，一家在德国——以建立欧洲书籍和光盘销售机构。

当零售商和其他服务提供机构也在向海外拓展的同时，许多国家在设立市场准入障碍或法规，使服务贸易难以进入国外市场。巴西要求所有的会计师必须拥有巴西大学的学位。西欧许多国家限制美国电视节目。美国许多州禁止外国银行设立分行，但同时向韩国施压，要求让美国银行准入。世界贸易组织希望国际服务贸易走向自由，但进程缓慢。

销售书籍、光盘或光驱的零售商以及娱乐业公司有时不得不面对某些国家(如中国和新加坡)的检查制度。参看波顿斯书籍和音乐公司的案例。

波顿斯书籍和音乐公司(Borders Books and Music) 波顿斯公司于1997年末进入新加坡市场。虽然时值亚洲金融危机和新加坡历史上最严重的零售业滑坡，它的进入仍取得了巨大成功。它的140 000种商品中的许多种从未在新加坡供应。当地书店太小，从未尝试经营在一般西方书店常见的书籍。然而，波顿斯公司必须与新加坡的自我检查制度保持一致。波顿斯与出版物检查委员会(CUP)保持一致，对自己的商品进行内部审查。波顿斯必须把潜在热门商品呈交给CUP批准。检查人员否定了马奎斯德·山德(Marquis de sade)和威廉·波拉斯(William Burroughs)的《露天午餐》一书。然而，波顿斯也在拓展经营范围。它有五层货架的性和生育方面的书籍，并计划取得对同性恋学术研究书籍的许可，这在新加坡其他地方是不允许的。[28]

很明显，为了在其他国家开展业务，有时必须对所在国的伦理和意识形态作出妥协。

促销

在国际营销中，公司既可以原封不动地采用与国内市场相同的促销战略，也可以根据每一个当地市场的状况加以改变，这称为**传播适应**(communication adaptation)。如果它既调整产品，又调整传播，则称为**双重适应**（dual adaptation)。

以信息为例，公司可将信息变化分为四个不同的层次。公司只要改变语言、名称和颜色就可将同一个信息普遍用于全世界。埃克森石油公司的广告都是"给你的油箱加个老虎"，并且已为世界各地所接受。广告的文稿可以稍加修改，如将色彩略加变化以避开某些国家的忌讳，紫色在马尼拉会与死亡联系起来；白色在日本用于哀悼。甚至对某些名字也要作修改。当克雷罗尔(Clairol)在德国推出螺旋钢(mist stick)时，它发现"mist"是粪便的含义。牛奶协会的广告"购买牛奶"，在墨西哥的西班牙人读成是"你喂奶了吗？"当库尔斯(Coors)的广告"使你放松"在西班牙被读成"忍受腹泻"。在西班牙，雪佛莱的"Nava"车，被翻译成"走不动"。有一个宣传肥皂的广告是"能洗净最脏的地方"，在说法语的加拿大魁北克译成是"一种洗阴部的肥皂"。[29]

第二种可行的办法就是用同一个主题适应每一个当地市场价值观。佳美(Camay)肥皂有一则商业广告，画面上一位美女正在沐浴；而在委内瑞拉，画面上看到的是一位男士在洗澡间里；在意大利和法国，只能看到一位男士的手；而在日本，则是看到有位男士正在洗澡间外面等着。丹麦啤酒公司——嘉士伯(Carlsberg)不仅接受一国的制度、文化，而且更进一步地接受单个城市或更小地区的制度、文化。这家有151年历史的丹麦啤酒公司在全球140多个国家经营，鉴于它认为美国市场已达到成熟和为了体现公司的竞争力，它决定采取本土化方针，以赢得那些对其品牌尚不熟悉的顾客。所有的广告都以嘉士伯酒的形象为特点，并且仍具有各城市特色的幽默语言。例如，在曼哈顿的广告有一则标题为"整夜在外，远离喧嚣。用嘉士伯庆祝特殊时刻。"[30]

第三种办法是建立一个国际性广告资料库，其中有适合每个国家风格的广告。可口可乐和固特异公司采用了这种办法。最后，有些公司允许它们的各国管理人员，当然要在原则许可的范围之内，创造具有各国特色的广告。卡夫公司为其厨房用具奶酪搅拌器在不同国家采用了不同的广告，因为在波多黎各奶酪被涂在任何食物上，搅拌器的渗透率为95%，在加拿大奶酪只用于早餐，搅拌器渗透率为65%，而在美国，奶酪被认为是垃圾食品，搅拌器的渗透率仅为35%。

广告媒体的使用也需要国际适应性，因为可用的媒体在不同的国家是不同的。挪威、保加利亚和法国不允许在电视中做香烟和烈酒广告；澳大利亚和意大利对儿童的电视广告有限制；沙特阿拉伯不希望在广告中出现妇女；印度收广告税；杂志的效益也是因国而异，杂志在意大利就发挥了巨大作用，而在奥地利的影响却不大。英国的报纸发行到全国各地；但在西班牙，厂商只能在当地报纸上刊登广告。

营销者还必须在不同的市场适应各种不同的促销技术。德国禁止赠券；法国禁止抽奖游戏并对奖品和礼品限制在产品价值的5%以内；在欧洲和日本的人们趋向于写信询价而非电话——它可能被衍生成直接邮购和其他的促销活动。这些不同的偏好和限制使得国际公司一般把销售促进的责任交给一位当地的管理代表。

价格

多国公司向海外推销商品时，面临几种特定的定价问题。它们必须处理价格阶升现象、转移价格、倾销价格和灰色市场等问题。

当公司向海外销售产品时，它们面临层层加价（price escalation）问题。一个古奇公司的手提包可以在意大利卖120美元，但在日本卖240美元。为什么？因为古奇包从出厂价加上了运输成本、关税、进口商差价、批发商差价和零售商差价。根据这些增加的成本，再加上货币波动风险，制造商利润不变，产品在国外要卖到原价的2倍～5倍。因为国与国的成本阶升情况各不相同，所以公司需要有以下三种选择：

1. 在各地统一定价。可口可乐公司可在世界各地都以60美分的同等价格销售。由于各国的阶升成本不同，可口可乐公司在各国利润率有较大差别。它在贫穷国家就是高价，而在富裕国家就不是高价。

2. 根据各国市场定价。可口可乐公司用这种方法便可用各国所承受的价格销售。但这忽视了各个国家之间实际成本的差异。而且，中间商会把可乐从低价格国家运到高价格国家。

3. 根据各国成本定价。可口可乐公司在世界各地使用统一的标准成本加价。但在那些成本高的国家，可口可乐使用这种定价方法会失去市场。

另一个问题是商品运往其国外的子公司时，总公司应如何确定**转移价格**（transfer price），即在同一公司内向另一单位收取的费用。请看下面的例子：

豪夫曼－拉若切（Hoffman-LaRoche） 多年来。瑞士的豪夫曼－

拉若切制药公司以每千克22美元的价格向其意大利子公司销售利眠灵，以便获取高额利润，因为意大利的公司税较低。但是，它又以每千克925美元的价格向在英国的子公司销售同样的利眠灵，这是为了在国内而不是在英国谋取高额利润，因为英国的公司税高。英国统筹委员会控告豪夫曼－拉若切公司并要求补交税款，最终胜诉。

如果总公司向子公司索价太高，结果就要支付更高的关税，尽管它可能在国外支付的所得税较少。如果售价太低，公司就会被指控为倾销。公司用低于国内市场的价格在国外销售同一产品的这种做法被称为倾销。增你智公司(Zenith)曾经指控日本的电视机厂商在美国市场倾销电视机。如果美国海关总署认定是倾销，则将征收反倾销税。各国政府都在严防舞弊现象发生，常常迫使公司以正常交易价格，即与其他竞争者相同或相似的产品价格销售。

许多多国公司受到灰市问题的困扰。**灰色市场**(gray-market)是同样的产品在不同的地域售不同的价格。在低售价国家的经销商把它们运往高售价国家出售，这样就能获利更多。

美能达(Minolta)　由于运输费用和关税低，美能达公司向香港经销商出售照相机的价格低于销往德国的价格。香港经销商销售照相机的毛利比德国零售商的毛利低，因为后者在大宗交易中往往加价很高。结果，美能达照相机在香港的零售价是174美元，而在德国的零售价是270美元。一些香港批发商注意到这个差价，就将美能达照相机运销给德国经销商，售价比他们支付给德国分销商的价格还要低。德国分销商无法销售库存货，只能向美能达公司抱怨。

公司常常发现一些雄心勃勃的分销商的购买量超过它们在本国的销售量。它们为了利润差价，从中获利，将商品转运到其他国家，与那里已有的分销商竞争。多国公司试图通过控制分销商，或者向成本较低的分销商提高售价，或者改变产品特点为不同的国家服务等办法以防止出现灰市。

随着向单一货币的转化，传统的欧洲市场将会消失。11国对统一货币的接受将会减轻价格差别化。例如，1998年，一瓶卡特莱德(Catorade)以欧元表示，在德国售3.5欧元，而在西班牙只售0.9欧元。一旦消费者认识到国家之间的价格差别，公司将不得不调整接受统一欧元的国家的价格，使其趋向一致。那些经营创新性产品、特殊产品或必需产品的公司将不太受价格透明的影响。比如，马尔·波克斯公司(Mail Boxes)在欧洲有350家分店，认为顾客不会因为巴黎发传真说价格比意大利高就会不再购买。[31]

因特网也降低了国家之间的价格差别。当公司在网上销售产品时，随着顾客可以方便地找出产品在不同国家的售价，价格变得透明起来。以网上培训课程为例。虽然教室培训课程每天的费用在美国、法国和泰国组建有很大不同，但网上培训课每天的费用却必须一致。[32]

近年来出现的对全球性定价的另一挑战是，那些生产过剩、货币便宜有强烈出口需要的国家降低了价格，贬低了本国货币价值。这给多国公司带来了挑战：疲软的需求和不愿支付高价使得在这些新兴市场的销售出现了困难。有些

多国公司找到了比单纯的降低价格，承担损失更有利、更具创造性的应对方法：[33]

通用电气公司（General Electric Company） 通用电气的实力系统组织不是争取更大的市场份额，而是集中于在每位客户的支出中占据更大的份额。这个组织询问它的前100位客户对它们而言最重要的一级服务是什么，通用电气怎样来改善服务。答案使得公司将更换旧的或损坏的零部件的反应时间由12周缩短为6周。通用电气还向客户咨询在欧洲和亚洲的多样环境中开展业务的细微差异，并且开始提供客户设备升级所需的维修部门。通过增加、帮助客户降低成本提高效率，通用电气避免了商品的调价，创造了更多利润。

普罗克艾公司（Praxair Inc.） 普罗克艾是位于康涅狄格州唐巴利的一家工业气体制造商，它降低成本的速度比降低价格的速度还快。普罗克艾的采购小组与销售和营销处于同等重要的地位。普罗克艾组建了全球性采购小组，该团队利用技术联合当地分散的作业机构共同购买电信设备和服务、运输油料一级计算机和办公设备。目标是从更少的供应商那里购买更多产品，以获得最优批发价。虽然采购底线不会公布，但五大类似全球性采购组中已有一家将目标定位供应商网络由1 200个降为300个。

地点（分销渠道）

太多的美国制造商所考虑的只是把产品运出工厂。它们还应该关心产品是如何在国外市场内部流转的。换句话说，国际公司对于将产品送至最终用户手中的分销问题，必须有一个整体渠道的观点。图12—4是指从卖方至最终买方之间的三个主要环节。第一个环节是**销售商的国际营销总部**（seller's international headquarters），它是决定渠道分配和其他营销组合的出口部门或国际事业部。第二个环节是**国家间的渠道**（channels between nations），它负责决策与何种类型中间商（代理商，贸易公司）打交道和运输方式（海运，空运），以及财务和风险管理。第三个环节是**外国国内渠道**（channel within foreign nations），它负责将进口货物从入境处送达最终用户手中。

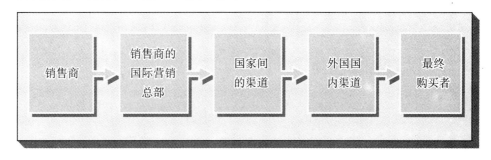

销售商 → 销售商的国际营销总部 → 国家间的渠道 → 外国国内渠道 → 最终购买者

图12—4 国际营销的整体渠道

各个国家国内的分销渠道状况是很不相同的，各国市场里经营进口商品所涉及的中间商数目和类型，有显著的差别。宝洁公司要向日本市场销售肥皂，必须一一经过可以认为是世界上最复杂的分销系统：宝洁公司只能将产品出口售给一家总批发商，总批发商再卖给行业批发商，行业批发商再卖给专业批发商，专业批发商然后卖给区域性批发商，区域性批发商再卖给各地方的批发商，最后由各地方的批发商卖给零售商。所有这些层次使进口商品的零售价格比进口价格高出两至三倍。假如宝洁公司把同样的肥皂销往赤道非洲，它只要将货物卖给进口批发商，由进口批发商卖给一家或几家中间商，中间商就可以把商品卖给当地市场的小商人（这些小商人多数是妇女）。

国外零售商的规模及特点还有另一不同之处。在美国，大规模的连锁零售商店占主要地位，但在其他国家，大多数情况是众多的、各自独立的小零售商店经营着商品的零售。在印度，虽有几百万零售商，但开的都是小小的店铺，或者干脆摆地摊，他们的加价幅度甚大，不过通过讨价还价成交的价格是会大幅度下降的。人民的收入很低，他们不得不每天只买当天所需的物品，此外，他们一次购物的数量还受步行时或骑自行车时有限携带量的影响。另外在那里，商品的包装不为人们重视，考究的包装反会增加成本。例如，在印度，香烟不是整包卖的，而是拆包按支卖的。把批量商品拆零销售，依旧是那里中间商和小商人的一个重要职能，正是这种职能，使得那些阻碍着发展中国家大规模零售商业扩大和发展的冗长的分销渠道得以长久存在下去。

决策营销组织

根据公司对国际营销领域介入的不同程度，公司管理国际营销活动的机构至少有三种不同的方式：通过出口部、国际事业部或全球组织。

出口部

一个企业介入国际营销，通常采用将货物运往国外的简单方式。如果国际销售扩大，公司就会设立一个出口部，由一名销售经理和几名工作人员组成。随着销售的进一步发展，出口部也就随之扩大，只有将各种营销服务内容都包括在内，才能适应积极向外扩大销售的需要。倘使企业已在国外拥有合营企业或已直接投资设厂，那么，出口部这样的机构也就不再胜任了。

国际事业部

许多公司现在已经介入好几个国际市场和组建了合资企业。这样，公司便迟早要设立一个国际事业部，专门处理公司的国际业务活动。国际事业部由该部的总经理领导，负责制定其目标与预算，并负责公司在国际市场上的业务发展。

国际事业部有多种组织形式。国际事业部的公司职能人员为各经营单位提供服务。经营单位的设置可按下面三个原则中的一种或几种来考虑。它们可以是**地理区域性组织**(geographical organizations)，由分别主管北美、拉丁美洲、欧洲、非洲和远东地区业务的副总经理对主管国际事业部的总经理负责。这些地区副总经理负责管理承担地区业务的销售人员、销售分支机构、分销商和受证方。经营单位也可以是按**世界产品组**(world product groups)设置的组织机构，每个经营单位由一名副总经理负责，主管每个产品组在全世界市场的销售。副总经理可以向公司职能部门的地区专家征询有关各不同地区的专门知识。最后，经营单位还可以是一些国际子公司，每个子公司由一名经理主管。各子公司经理向主管国际事业部的总经理负责。

许多多国公司在这三种组织之间游移不定：

> **IBM 公司** 该公司重大的组织战略之一是调动 235 000 员工到 14 个顾客中心组，诸如石油和天然气、娱乐和财务服务。用这种方法使大客户可以放弃在中央销售办公室处理业务，而直接进入 IBM 公司安装了网络的计算机中。在老系统下，与 20 个国家打交道的公司客户必须签合同，而在现在，它是与 20 位蓝色小巨人打交道，每个小巨人都有自己的价格构成和服务标准。[34]

全球组织

有些公司已经成为真正的全球组织。公司的最高管理层和职员从事对世界性的生产设施、营销战略、财务收支和后勤供给系统的计划工作。全球经营单位对公司最高负责人和执行委员会负责，而不再是对国际事业部的主管负责。经理们受过全球经营方面的训练。经理人员可从其他国家聘任；零部件及其他供应可以向任何价格最低的地方去采购，投资在预期能获得最大收益的地方。

在许多国家经营的公司面临几种组织的复杂结构。例如，当为在德国银行系统的计算机定价时，该计算机的产品经理、作为银行部的市场经理和德国地区经理，他们对定价的影响各是多少呢？巴特莱特(Bartlett)和戈尔西(Ghoshal)提出在一定条件下，每种方法都能最佳运行。在他们的《跨越边界的管理》论文中，描述了有些组织适用于全球一体化(如资本密集性生产，同质需求等)，也有些适用于国别反应式(如当地标准和壁垒，当地偏好强烈)。他们进而讨论三种组织战略：[35]

1. **全球战略**(global strategy)把世界作为一个简单的市场。这种战略适用于该组织对全球一体化反应是强的，而对国别反应是弱的。例如，有特征的消费者电子产品，全世界大多数购买者都接受标准化的便携收音机、CD 机和电视机等。巴特莱特和戈尔西还指出，松下公司比通用电气与飞利浦公司在消费者电子产品市场上做得更好，因为松下推行了更加全球性协调和标准化的方法。

2. **多国战略**(multinational strategy)适用于对各国的机会分设战略投资组合的方法。该战略适用于对国家反应是强的，而对全球一体化反应是弱的组织。其产品特点是品牌包装商品，如食品、清洁剂产品等。作者指出，联合利华公司比花王和宝洁公司做得更好，因为联合利华给它的当地分公司以更大的自主决策权。

3. "全球本土化"战略("glocal" strategy)对核心因素标准化，而对其他因素地方化。这种战略适用于诸如距离通信的行业中，在那里，各国对其设备有一定的应用要求，而公司提供的核心元器件是标准化的。巴特莱特和戈尔西指出，爱立信公司在平衡这些问题方面比日本电气公司(它更全球导向)和国际电话电报公司(它更地区导向)要好得多。

一个最成功的"全球本土化"企业是 ABB 公司，它由瑞典的 ASEA 公司和瑞士的 Brown Boveri 公司合并而成：[36]

ABB ABB 的产品包括电力变压器、电气设备、仪器、汽车部件等。每年销售额 310 亿美元，拥有 219 000 个员工。ABB 公司由格兰·林达西(Goeran Lindahl)领导。该公司的格言是"ABB 是全球公司到处本土化"。它规定英语是公司官方语言(所有 ABB 经理都必须讲英语)，所有财务报告必须用美元计算。ABB 的组织协调三组关系：全球化与地方化；大与小；分权与集权。ABB 总部只有 170 个职员(处理 19 个国家业务)，而西门子公司总部有 3 000 个员工。ABB 的产品线组织为 8 条业务线，65 个业务地区，1 300 家公司和 5 000 个利润中心，平均每个利润中心 50 个员工。经理定期从一个国家调往另一个国家，鼓励不同国籍的人在一起工作。在这种模式下，某些单位超级本土化和享有很多自主权，而另一些超级全球化和中央集权。

小结

1. 大多数公司不再只集中于国内市场。虽然国际舞台上有许多挑战(边界转移、政府不稳、外汇问题、贪污腐败和技术被剽窃)，在全球行业销售的公司别无选择，只有开展国际化经营。公司不能简单地呆在国内并出口剩余的市场产品。

2. 在决定进入国外市场后，公司需要对它自己的国际营销目标与政策作出决策。首先，公司必须确定它进入少数几个国家还是许多。然后，它必须决策进入哪种类型的国家。一般来说，心心相印比地理相近更重要。总之，可供选择的国家应按三种标准排序：市场吸引力、竞争优势和风险。

3. 一旦公司决定进入某一国家时，它必须确定最佳进入方式。广泛选择的方式有间接出口、直接出口、许可证贸易、合资企业和直接投资。每一个成功战略还包括投资承诺、风险、控制和潜力。公司一般开始于间接出口，随着国际领域经验的增加，逐步走向以后的各个阶段。

4. 在决策营销方案时，公司必须根据当地的条件决定，调整多少营销组合(产品、促销、价格和地点)。营销组合的标准化和适应化是两个极端，在其中有许多方法可采用。在产品层面，公司可采用的战略有直接延伸、产品适应或产品创新。在促销层面，公司可以选择传播适应或双重适应。在价格层面，公司可能遭遇价格阶升或灰色市场，制定一个标准价格是非常困难的。在分销层面，公司需要采用整体渠道的观念，把产品送到最终用户手中。在创立营销组合的各因素中，公司必须对每个国家的文化、社会、政治、技术、环境和法律限制有所了解。

5. 根据公司国际介入的程度，它们管理国际营销活动有三种方式：通过出口部、国际事业部或全球组织。大多数公司开始是通过出口部出口，然后演变成国际事业部。少数公司的最高管理层以全球计划和组织为基础，它们成了全球公司。

应用

本章观念

1. 由于竞争，国内市场减少，一个色拉调味业的中型的公司试图决定"是否去国外"（见图 12—1）。在该公司决定涉足国际业务前，它应向它自己提出哪些关于政治、宗教及文化因素的问题？选择一个国家并根据这个国家的状况回答上述每一个问题，再决定是否在该国销售色拉调味汁。

2. 从以下选项中选择一个国家或地区并准备一份关于其营销机构和实践的简短报告(2 页～5 页)。论述该国国内企业面临的挑战及想在那里做生意的美国企业面临的挑战。

    a. 墨西哥   b. 欧洲联盟   c. 乌克兰

    d. 中华人民共和国   e. 日本   f. 南非

3. 一家在西欧经营业务的美国重型设备制造商一直雇用美国人当销售员。该公司觉得雇用并培训当地人作销售员可降低费用。对于国外销售雇用美国人和当地人的优缺点是什么？

营销与广告

总部位于纽约的 ABC 地毯公司，展示了图 12A—1 所示的广告，让美国消费者了解它的地毯机及地面覆盖，产品也在伦敦哈罗兹(Harods)百货商店的主要分支机构销售。为什么 ABC 公司要把这种情况告诉纽约的消费者？这是一种出口、合资企业或者直接投资的例子吗？ABC 公司以这种方式进入英国市场会有什么好处？

图 12A—1

聚焦技术

细节，细节——出口商的日程里充满了细节，其中包括堆积如山的政府文书。

现在，技术帮助出口商减少了对美国联邦文件的追逐。美国海关、美国商务部和其他联邦机构联合组建了自动出口系统(AES)，即以前出口商需呈交给几个政府机构才可完成的多种表格的电子版本。出口商使用 AES，只需使用电子数据交换(EDI)格式输入一次信息，然后将表格传输给美国海关。这个系统使出口过程实现了流水化，节省了时间，提高了所收集信息的正确性。

请访问美国顾客服务网站(www. customs. vstreas. gov)。在首页，点击进／出口按钮并进入自动系统和 AES 的路径。这一系统是否会影响国家之间的分销渠道？你认为美国政府为什么要创建 AES？谁将从加速出口文书处理工作中获益？解释你的答案。

新千年营销

参与全球性电子商务的营销人员需要讲它们目标客户的本地语言。这方面的两个典型例子是锐步的网站(www. reebok. com／)和雀巢的网站(www. restle. com／html／network. html)。锐步的主页是一扇大门，借此通向为欧洲的法国、德国、意大利、西班牙和英国，以及中国香港和韩国专门设计的特定网站。雀巢的网站链接着公司在中国台湾、澳大利亚、巴西、智利、新西兰、瑞典、西班牙、德国、法国、日本、瑞士、希腊和英国的分公司。

把你的搜索引擎指向锐步或雀巢的网站，然后顺着这两条链接进入另一种语言的公司网站。你发现另一种语言的网站有何异同之处？哪些网站可进行网上购物？网站是否鼓励消费者与公司联系？为什么本地联系方式(电话、信件、地址)对于本地客户来说是重要的？

你是营销者：索尼克公司的营销计划

全球性营销为不同规模的公司提供了一种通过将顾客扩展到国外市场而获得成长的机会。然而，全球营销的复杂性要求进行详细的计划和准确的执行。

作为简·梅洛迪的助手，你正在为索尼克公司的主体声系统进行全球市场调研。先考你事先所做的公司市场现状分析和营销方案。然后，回答下列有关索尼克全球营销战略的问题(注意在必要时还要进行更多的研究)：

● 如果索尼克想在其他国家销售产品，它采用出口、许可证贸易、合资企业还是直接投资方式？为什么？

● 对索尼克来说哪些外国市场最有前途？可以到贸易指南针网站(www. tradecompass. com)寻找特定国家的贸易和营销信息。也可以去访问密歇根大学国际商务教育和研究网站(ciber. bus. msu. edu／busres. htm)。

● 索尼克公司是应该采用全球标准化还是本地适应化？为了回答这个问题，你需要研究你所选择的外国市场的电子标准文件，以及消费者的利益和竞争者的产品。你怎样收集这些数据？

● 对索尼克公司在其他国家应使用怎样的营销组合战略和战术？

在对潜在的全球市场和营销组合战略、战术进行检查之后，把你的观点概括成一份书面的营销计划，或将它们输入营销计划程序软件的相应部分，其中包括市场、SWOT 和观点分析以及营销战略。

【注释】

[1] John Alden, "What in the World Driives UPS?" *International Business*, Aprill 1998, pp. 6 ～ 7 + .

[2] For more on shifting borders, see Terry Clark, "National Boundaries, Border Zones, and Marketing Strategy: A Conceptual Framework and Theoretical Model of Secondary Boundary Effects" *Journal of Marketing*, July 1994, pp. 67 ～ 80.

[3] Michael E. Porter, *Competitive Strategy* (New York: Free Press, 1980), p. 275.

[4] Marc Gunther, "They All Want to Be Like Mike" *Fortune*, July 21 1997, pp. 51 ～ 53.

[5] Joann S. Lublin, "Too Much, Too Fast," *Wall Street Journal*, September 26, 1996, p. R8.

[6] Yumiro Ono, "On a Mission: Amway Grows Abroad, Sending'Ambassadors' to Spread the Word," *Wall Street Journal*, May 14, 1997, p. A1.

[7] Igal Ayal and Jehiel Zif, "Market Expansion Strategies in Multinational Marketing," *Journal of Marketing*, Spring 1979, pp. 84 ～ 94.

[8] See Kenichi Ohmae, *Triad Power* (New york: Free Press, 1985); and Philip Kotler and Nikhilesh Dholakia, "Ending Global Stagnation: Linking the Fortunes of the Industrial and Developing Countries," *Business in the Contemporary World*, Spring 1989, pp. 86 ～ 97.

[9] John Heilemann, "All Europeans Are Not Alike," *The New Yorker*, April 28 – May 5, 1997, pp. 174 ～ 181.

[10] Emeric Lepoutre, "Europe's Challenge to the US in South America's Biggest Market: The Economic Power of the Mercosur Common Market Is Indisputable," *Christian Science Monitor*, April 8, 1997, p. 19; Ian Katz, "Is Europe Elbowing the U. S. Out of South America?" *Business Week*, August 4, 1997, p. 56.

[11] Solange De Santis, "U. S. Companies Increasingly Look to Canada to Make Their Initial Foray into Foreign Lands," *Wall Street Journal*, July 15, 1998, p. A10.

[12] Charlene Marmer Solomon, "Don't Get Burned by Hot New Markets," *Workforce*, January 1998, pp. 12 ～ 22.

[13] Russ Banham, "Not-So-Clear Choices," *International Business* November-De-cember 1997, pp. 23 ～ 25.

[14] Ibid.

[15] "In Brief: e-Trade Licensing Deal Gives It an Israeli Link," *American Banker*, May 11, 1998.

[16] Cynthia kemper, "KFC Tradition sold Japan on Chicken," *Denver Post*, June 7, 1998, p. J4.

[17] Laura Mazur and Annik Hogg, *The Marketing Challenge* (Wokingham, England: Addi-son-Wesley, 1993), pp. 42 ～ 44; Janwillem Karel, "Brand Strategy Positions Products Worldwide," *Journal of Business Strategy* 12, no. 3 (May – June 1991): 16 ～ 19.

[18] Paula Dwyer, "Tearing Up Today's Organization Chart," *Business Week*, November 18, 1994, pp. 80 ～ 90.

[19] Banham, "Not-So-Clear Choices."

[20] See Jan Johanson and Finn Wieder-sheim-Paul, "The Internationalization of the Firm, " *Journal of Management Studies*, October 1975, pp. 305 ~ 322.

[21] See Stan Reid, "The Decision Maker and Export Entry and Expansion, " *Journal of International Business Studies*, Fall 1981, pp. 101 ~ 112; Igal Ayal, "Industry Export Performance: Assessment and Prediction, " *Journal of Marketing*, Summer 1982, pp. 54 ~ 61; and Somkid Jatusripitak, *The Exporting Behavior of Manufacturing Firms* (Ann Arbor, MI: University of Michigan Press, 1986).

[22] Warren J. Keegan, *Multnational Marketing Management*, 5th ed. (Upper Saddle River, NJ: Prentice Hall, 1995), pp. 378 ~ 381.

[23] J. S. Perry Hobson, " *Feng Shui:* Its Impacts on the Asian Hospitality Industry, " *International Journal of Contemporary Hospitality Management* 6, no. 6(1994): 21 ~ 26; Bernd H. Schmitt and Yigang Pan, "In Asia, the Supernatural Means Sales, " *New York Times*, February 19, 1995, pp. 3, 11.

[24] "What Makes a Company Great?" *Fortune, October 26, 1998*, pp. 218 ~ 226.

[25] David Leonhardt, "It Was a Hit in Buenos Aires—So Why Not Boise?" *Business Week*, September 7, 1998, pp. 56 ~ 58.

[26] Charles P. Wallace, "Charge! " *Fortune*, September 28, 1998, pp. 189 ~ 196.

[27] "The Growth of Global Retailers, " *The Journal of Business Strategy* , May – June 1998, p. 14.

[28] Ben Dolven, "Find the Niche, " *Far Eastern Economic Review*, March 26, 1998, pp. 58 ~ 59.

[29] Richard P. Carpenter and the Globe Staff, "What They Meant to Say Was. . .," *Boston Globe*, August 2, 1998, p. M6.

[30] Carlos Briceno, "Labatt Believes Going 'Glocal' Will Melt the Ice for Carlsbery, " *Beverage World*, September 30 – October 31, 1988, p. 17.

[31] Maricris G. Briones, "The Euro Starts Here, " *Marketing News*, July 20, 1998, pp. 1, 39.

[32] Elliott Masie, "Global Pricing in an Internet World, " *Computer Reseller News*, May 11, 1998, pp. 55, 58.

[33] Ram Charan, "The Rules Have Changed, " *Fortune*, March 16, 1998, pp. 159 ~ 162.

[34] Dwyer, "Tearing Up Today's Organization Chart, " pp. 80 ~ 90.

[35] See Christopher A. Bartlett and Sumantra Ghoshal, *Managing Across Borders* (Cambridge MA: Harvard Business School Press, 1989).

[36] Martha M. Hamilton, "Going Global: A World of Difference; DaimlerChrysler Joins Growing List of Titans That Must Find New Ways to Compete, " *Washington Post*, May 10, 1998, p. H1; Jeremy Main, "Globe-zilla, " *Working Woman*, October 1998, p. 9; Charles Fleming and Leslie Lopez, "The Corporate Challenge – No Boundaries: ABB's Dramatic Plan to Recast Its Business Structure Along Global Lines: It May Not Be Easy – or Wise, " *Wall Street Journal*, September 28, 1998, p. R16.

第 IV 篇
制定营销决策

第 13 章　管理产品线和品牌
第 14 章　设计与管理服务
第 15 章　设计定价战略与方案

第13章

管理产品线和品牌

科特勒论营销：

　　留住顾客的最好方法是持续地计算怎样使他们失去的较少而获得的较多。

本章将阐述下列一些问题：

● 产品的特征有哪些？

● 一家公司如何建立和管理它的产品组合和产品线？

● 一家公司如何制定更好的品牌决策？

● 包装和标签是如何作为营销工具利用的？

　　作为经理，雷·克拉克(Ray Kroc)(麦当劳)、德夫·汤姆斯(Dave Thomas)(温迪公司－Wendy)和山德士上校(肯德基)有何共同之处？他们都有着精彩的人生，足以在艺术和娱乐网络(A&E)的著名"人物传记"电视节目中出现。通过"人物传记"，A&E提供了优秀产品和品牌管理的经验。

　　艺术和娱乐网络(Arts & Entertainment Network，A&E)　　A&E逐步将个人传记，即晚间回眸历史人物发展为它的驰名品牌，这是一个运用一系列媒体的节目，从家用录像带、因特网到儿童书籍、日历和书籍。现在，它的第11期介绍了500多人。A&E的经理正在尝试将产品线扩展到新的形式。家用录像带显然是第一个扩展产品。通过直接响应、目录、网络方式以及在约500家巴诺(Barnes & Noble)书店的店铺销售方式进行销售，证明最畅销的是关于耶稣、杰克·奥纳西斯(Jackie Onassis)、桑达·克罗斯(Santa Clans)和托马斯·杰菲逊(Thomas Jefferson)的传说。一个1996年创建的个人传记网站现在已增长到包括22 000个人物；它的拥挤程度已超出A&E自己的网站每月200万的访问量的规模。后来,在一场仓促准备之后,公司推出了有关电视节目中的音乐家的个人传记书籍和一套个人传记光盘。在它的创造性媒介中,《个人传记》最后扩展为黄金时段的一套电视影片系列片。所有这些新产品都是核心产品,是晚间电视节目的扩展。它的排名开始跳跃前进,1997年《个人传记》的排名比前一年前进了17%。

A&E 成功的故事强调了营销组合中第一个也是最重要的因素：产品。如果消费者认为某个电视节目讨厌、烦人或不相关，那么任何广告和促销都不能使他们转向这一节目。[11]

产品是**市场提供物**(market offering)中的关键因素。营销组合计划起始于如何形成一个提供物以满足目标顾客的需要或欲望。顾客用三个基本因素评判该提供物：产品特点和质量，服务组合和质量，合适的提供物价格(图 13—1)。在本章，我们讨论产品；下一章，讨论服务；再下一章，讨论价格。这三个要素紧密配合才能成为有竞争吸引力的提供物。

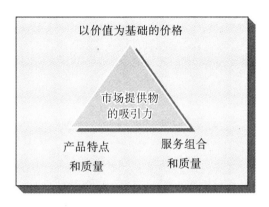

图 13—1　市场提供物的组成部分

产品和产品组合

产品(product)是能够提供给市场以满足需要和欲望的任何东西。

产品在市场上包括实体商品(physical goods)、服务(service)、经验(experiences)、事件(events)、人(persons)、地点(places)、财产(properties)、组织(organizations)、信息(information)和创意(ideas)。

产品的层次

在计划市场提供物或产品时，营销者需要考虑五个产品层次(图 13—2)。[2]每个层次都增加了顾客更多的价值，它们构成**顾客价值层级**(customer value hierarchy)。最基本的层次是**核心利益**(core benefit)：顾客真正所购买的基本服务或利益。在旅馆，夜宿旅客真正要购买的是"休息与睡眠"。对于钻头，购买代理人真正要买的是"孔"。营销者必须认识到他们自己是利益的提供人。

在第二个层次，营销者必须将核心利益转化为**基础产品**(basic product)，即产品的基本形式。如一个旅馆的房间应包括床、浴室、毛巾、桌子、衣橱、厕所等。

在第三个层次，营销者准备了一个**期望产品**(expected product)，即购买者购买产品时通常希望和默认的一组属性和条件。例如，旅客期望干净的床、新

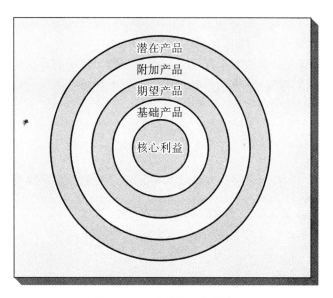

图 13—2　产品的五个层次

的毛巾、工作台灯和相对安静的环境。由于大多数旅馆能满足这最低的期望，所以，旅客通常没有什么偏好并且找最方便或更便宜的旅店留宿。

　　在第四个层次，营销者准备了一个**附加产品**(augmented product)，即包括增加的服务和利益。例如，旅馆能增加它的产品，包括电视机、鲜花、迅速入住、结账快捷、美味晚餐和良好房间服务等。埃尔默·惠勒(Elmer Wheeler)经过观察说："不是在销售牛排——而是在销售'咝咝'声。"

　　今天的竞争从本质上说，发生在产品的附加层次(在欠发达国家，竞争主要发生在期望产品层次)。产品的附加层次使得营销人员必须正视购买者的整**体消费系统**(consumption system)：用户在获得、使用、修理和处理产品上的行为方法。[3]正如莱维特所说：

　　　　新竞争并不在于各家公司在其工厂中生产什么，而在于在工厂以外它们增加的形式，诸如包装、服务、广告、客户咨询、融资、送货安排、仓储，以及人们所重视的其他价值。[4]

　　对于产品附加战略的有些事情也应该注意到。第一，每个附加利益需要公司的成本。营销人员必须问一下，顾客愿为这附加成本额外付款吗?第二，附加利益马上会变成期望利益。如旅客现在期望在他们的房间里有遥控电视机和其他使人愉快的东西。这意味着竞争者必须寻找更进一步的特色和利益并加入到他们的供应物中。第三，当公司为其附加产品提高价格时，某些竞争者可能会反其道而行之，用一个很低的价格为顾客提供一个期望产品。如当四季宾馆(Four Seasons)、里兹－卡尔顿旅馆(Ritz-Carlton)这些高档宾馆业务增长时，我们看到它们周围出现了许多低成本的旅馆和汽车旅馆，如汽车旅馆第六号(Motel 6)和舒适小店(Comfort Inn)，为那些只要基本产品的顾客服务。

　　第五个层次是**潜在产品**(potential product)，即该产品最终可能会实现的全部附加部分和将来会转换的部分。在这里，公司用新的方法满足顾客和区分他们的供应品。那种顾客能占用一套客房的全套家庭服务式旅馆代表了对传统旅馆产品的新转换。

成功的公司在它们的提供物中增加了额外的利益，使得不仅让顾客满意（satisfy），而且令顾客愉悦（delight）。愉悦是指对提供物添加了出乎意料的惊喜。如旅馆客人在枕下发现了糖果，或发现了一束花，或在录像机内发现了经挑选的录像带。例如，里兹－卡尔顿旅馆记住客人的偏好并根据客人的偏好来准备房间。

产品层级

每一产品与其他产品有联系。产品层级从基本需要开始，一直延伸到能够满足这些需要的一些具体项目。我们可以界定产品有七个层级（这里以人寿保险为例）：

1. 需求族（need family）。体现产品门类的核心需求。例如，安全。

2. 产品族（product family）。能满足某一核心需要的所有各种产品。例如，储蓄和收入。

3. 产品种类（product class）。产品集合中被认为具有某些相同功能的一组产品。例如，金融证券。

4. 产品线（product line）。同一产品种类中密切相关的一组产品。它们以类似方式起作用，或出售给相同的顾客群，或通过同类型的销售网点出售，或在一定的幅度内作价格变动。例如，人寿保险。

5. 产品类型（product type）。指同一产品线中分属于若干可能的产品形式中一种的那些产品项目。例如，有期限人寿保险。

6. 品牌（brand）。指与产品线上一种或几种产品项目相联系的产品名称，用以识别产品项目的来源和特点。例如，"谨慎"。

7. 项目（item）[或称库存单位（stockkeeping unit）或产品实体（product variant）]。一个品牌或产品线内的明确的单位，它可以依据尺寸、价格、外形或其他属性加以区分。例如，可更新的有期限谨慎人寿保险。

在产品层级中，还有两个其他的术语常被提及。**产品系列**（product system）是指一组各种各样而又相关的项目，它们的功能可以配合使用。例如，尼康公司（Nikon）出售的一种基本型35毫米的照相机，都附有各种规格的镜头、滤色镜以及构成产品系列的其他配件。**产品组合**（product mix）（或产品品种配备），它是指某一特定销售商所能提供给消费者的一整套产品和项目。

产品分类

根据传统惯例，营销人员以产品的各种特征为基础将产品分成不同的类型：耐用性、有形性和使用（消费者或工业用户）。每一种产品类型应该有与之相适应的营销组合战略。[5]

耐用性和有形性
产品可以根据其耐用性和有形性，将其分为三组：

1. 非耐用品（nondurable goods）。非耐用品属于有形产品，消费时，它一般具有一种或一些用途：啤酒和肥皂等。由于这类产品消费快，购买频率高，合适的营销战略应该是：使消费者能在许多地点购买到这类产品；售价中包含的盈利要低；要大力做广告宣传，以吸引消费者作一番尝试，并促其建立偏好。

2. 耐用品(durable goods)。耐用品属于有形产品，通常有许多用途：冰箱、机床和服装等。耐用品一般需要较多地采用人员推销和服务的形式，它应当获得较高的利润，需要提供较多的销售保证条件。

3. 服务(services)。服务是无形的、不可分离的、可变的和易消失的。作为结果，它们一般要求更多的质量控制、供应者信用能力和适用性。例如理发和修理。

消费品分类

消费者购买的大量商品，根据消费者购买习惯进行分类。我们可以将商品分成方便品、选购品、特殊品和非渴求商品。

方便品(convenience goods)指顾客经常购买或即刻购买，并几乎不作购买比较和购买努力的商品。这类产品包括烟草制品、肥皂和报纸等。

方便品可以进一步分类。**日用品**(staples)是消费者经常购买的产品。某消费者也许经常要购买亨氏番茄酱、佳洁士牙膏，以及丽子饼干。**冲动品**(impulse goods)是消费者没有经过计划或寻找而购买的产品。由于消费者一般不愿专门去选购，这些产品到处可以购得。棒糖和杂志之所以被搁在旅馆结账台旁边，这是因为顾客可能原来没有想到要购买它们。**急用品**(emergency goods)是当消费者的需求十分紧迫时购买的产品。如在下暴雨时购买雨伞，在第一次冬季暴雪时购买靴子和铁铲。生产急用品的厂商将它们放在许多供应网点出售，以便一旦顾客需要这些商品时，厂商不会错过销售良机。

选购品(shopping goods)指消费者在选购过程中，对产品的适用性、质量、价格和式样等基本方面要作有针对性比较的产品。这类产品包括家具、服装、旧汽车和重要器械等。

选购品可以进一步划分为同质选购品和异质选购品。**同质选购品**(homogeneous shopping goods)的质量相似，但价格却明显不同，所以有进行选购的必要。**异质选购品**(heterogeneous shopping goods)的特色和服务上的区别比价格更重要。它们的销售者必须备有大量的品种花色，以满足不同的爱好；它们还必须拥有受过良好训练的推销人员，为顾客提供信息和咨询。

特殊品(specialty goods)指具有独有特征或品牌标记的产品，对这些产品，有相当多的购买者一般都愿意为此做特殊的购买努力。这类产品通常包括特殊品牌和特殊式样的花色商品，小汽车、高保真度元器件、摄影器材以及男式西服。

梅塞德斯汽车属于一种特殊品，因为购买者不惜远道去购买它。特殊品不涉及购买者对商品的比较问题；购买者仅需花费时间，找到经销该商品的经销商即可。经销商不必考虑销售地点是否方便；但是，他们要让可能的购买者知道购买地点。

非渴求商品(unsought goods)指消费者未曾听说过或即使听说过一般也不想购买的产品。例如，新产品如烟尘检测仪和食品加工器就属于此类产品，消费者通过广告宣传才了解了它们。传统的非渴求商品有人寿保险、墓地、墓碑，以及百科全书。

非渴求商品需要广告和人员推销的支持。

工业品分类

工业品可以根据它们如何进入生产过程和相对成本这两点进行分类。我们可以把工业品分成三组：材料和部件，资本项目，以及供应品与服务。

材料和部件(materials and parts)指完全要转化为制造商所生产的成品的那类产品。它们可分成两类：原材料以及半制成品和部件。

原材料(raw materials)本身又可以分成两个主类：农产品(如小麦、棉花、家畜、水果和蔬菜)；天然产品(如鱼、木材、原油和铁矿砂)。农产品由许多生产者所提供，他们将这些产品交给销售中间商，这些中间商对农产品进行集中、分级、储存、运输和销售服务。农产品的易腐性和季节性的特点，决定了对之要采用特殊的营销措施。农产品的特点导致了它只需较少的广告宣传和促销活动。商品同业公会经常展开活动，以促进人们对它们的产品(如土豆、李子以及牛奶)的消费。有些生产商还给其产品标上通用的品牌名称，如新奇士柑橘(Sunkist)和奇奎塔香蕉(Chiquita)。

天然产品的供应是非常有限的。这些产品一般体积大，单位价值低，并且需要大量的运输，把它们从生产者手中转移到使用者手中。少数比较大的生产商希望把天然产品直接售给工业品用户。因为这些用户依赖于天然产品，所以它们与供应商之间普遍采用长期合同制。天然产品的同质性从量上限制了创造需求的活动。价格因素和交货可靠性是影响人们选择供应商的主要因素。

半制成品和部件(manufactured materials and parts)可以用构成材料(如铁、棉纱、水泥、金属线材)与构成部件(如小发动机、车胎、铸件)来加以说明。构成材料(component materials)通常需要进一步加工。例如，把生铁加工成钢材，把棉纱织成布。构成材料标准化的性质通常意味着，价格和供应商的可信性是最重要的购买因素。构成部件(component parts)在不进一步改变其形态的情况下，也完全可以成为最终产品的一部分。如小发动机可直接装入真空吸尘器，车胎可直接安装到汽车上。大部分半制成品和部件是直接售给工业用户的。一般提前一年或在更早些时候即开始预订。营销方面要考虑的主要因素是价格和服务，品牌和广告就显得不那么重要了。

资本项目(capital items)指部分地进入产成品中的商品。它们包括两个部分：装备和附属设备。

装备(installations)包括建筑物(如厂房和办公室)与固定设备(如发电机、钻床、计算机、电梯)。装备属于主要的购置物。用户通常直接从制造商那里购买此类产品。该产品的销售特点是，售前需要经过长期的谈判。制造商需使用一流的销售队伍，其中常常包括销售工程师。制造商不得不乐意设计各种规格的产品和提供售后服务。广告是需要的，但是远不如人员推销那样重要。

附属设备(equipment)包括轻型制造设备和工具(如手用工具、起重卡车)，以及办公设备(如打字机、办公桌)，这种设备不会成为最终产品的组成部分。它们在生产过程中仅仅起辅助作用。它们比装备的使用寿命短，但是比作业用品的使用寿命长。尽管有些生产附属设备的厂家将产品直接销售给用户，但是大部分厂家利用中间商，这是因为市场的地理位置分散，用户众多，订购数量少。质量、特色、价格和服务是用户选择中间商时所要考虑的主要因素。虽然广告是可以有效地加以利用的，但是人员推销比广告要重要得多。

供应品和业务服务(supplies and business services)是短寿命的商品和服务项目，它们促进了最终产品的开发和管理。

供应品可以分为两类：操作用品(operating supplies)(如润滑油、煤、打字纸、铅笔)和维修用品(油漆、钉子、扫帚)。供应品相当于工业领域内的方便品，因为一般来说，重购这些物品十分容易，直接再采购即可。由于顾客人数众多，区域分散，且这些产品的单价低，所以一般都是通过中间商销售这些产品。由于供应品是十足的标准品，顾客对它无强烈的品牌偏爱，价格因素和服务就成了要考虑的重要因素。

业务服务包括维修或修理服务(如清洗窗户、修理打字机)和商业咨询服务(如法律咨询、管理咨询、做广告)。维修或修理服务通常以订立合同的形式提供。维修服务一般由小型单位提供，而修理服务一般由生产该设备的制造商提供。业务咨询服务是一种正规的新的任务——采购工作，工业用户根据供应商的声望和人员素质来挑选供应商。

产品组合

我们首先研讨产品组合决策。

产品组合(product mix)(也称产品品种搭配 – product assortment)是一个特定销售者售予购买者的一组产品，它包括所有产品线和产品项目。

柯达公司产品组合由两条强大的产品线组成：信息和形象产品。日本电气公司(NEC)基本产品组合是通信和计算机产品。米其林公司有三条产品线：轮胎，地图和餐饮服务。

公司的产品组合还具有一定的宽度、长度、深度和黏度。这些概念如表13—1所示。表中以宝洁公司生产的消费品为例。

表 13—1　　宝洁公司的产品组合宽度和产品线长度(包括导入市场的日期)

产品组合的宽度				
清洁剂	牙膏	条状肥皂	纸尿布	纸巾
象牙雪 1930	格利 1952	象牙 1879	帮宝适 1961	媚人 1928
德来夫特 1933	佳洁士 1955	柯克斯 1885	露肤 1976	粉扑 1960
汰渍 1946		洗污 1893		旗帜 1982
快乐 1950		佳美 1926		绝顶 1100 1992
奥克雪多 1914		爵士 1952		
德希 1954		保洁净 1963		
波尔德 1965		海岸 1974		
圭尼 1966		玉兰油 1993		
伊拉 1972				

(左侧竖排标注：产品线长度)

● 产品组合的宽度(width)是指该公司具有多少条不同的产品线。表13—

479

1表明，产品组合的宽度是五条产品线(实际上，该公司还有许多另外增加的产品线)。

● 产品组合的长度(length)是指它的产品组合中的产品项目总数。在表13—1中，产品项目总数是25个。我们再来看一看该公司产品线的平均长度。平均长度就是总长度(这里是25)除以产品线数(这里是5)，结果为5。

● 产品组合的深度(depth)是指产品线中的每一产品有多少品种。例如，佳洁士牌牙膏有三种规格和两种配方(普通味和薄荷味)，佳洁士牌牙膏的深度就是6。通过计算每一品牌的产品品种数目，我们就可以计算出宝洁公司的产品组合的平均深度。

● 产品组合的黏性(consistency)是指各条产品线在最终用途、生产条件、分销渠道或者其他方面相互关联的程度。由于宝洁公司的产品都是通过同样的分销渠道出售的消费品，因此我们可以说，该公司的产品线具有黏性；就这些产品对购买者的用途不一样而言，我们又可以说，该公司的产品线缺乏黏性。

上述产品组合的四种尺度使公司可以采用四种方法发展其经营业务。公司可以增加新的产品线，以扩大产品组合的宽度。公司也可以延长它现有的产品线。此外，公司可以更多地增加每一产品的品种，以增加产品组合的深度。最后，公司可以推出有较多的黏度的产品线。

产品线决策

一种产品组合由多种产品线组成。在通用电气公司家用电器事业部里，有冰箱、电炉、洗衣机等产品线的经理。在美国西北大学，设有医学院、法学院、工商管理学院、工程学院、音乐学院、语言学院、新闻学院和文学院等各个学院的院长。

在一种产品线中，公司经常开发一个**基础平台**(basic platform)和**原型**(modules)，它们将为满足不同的顾客要求而增加功能。汽车制造商围绕基础平台设计汽车。家庭装修围绕增加的功能设计原型家庭。这些原型的方法使公司在降低生产成本时能提供更多的品种。

产品线分析

产品线经理需要知道产品线上的每一个产品项目的销售额和利润，以决定哪些项目需要发展、维持、收益或放弃。他们还要了解每种产品的市场轮廓。

销售额和利润

图13—3列举了具有五个产品项目的产品线销售额和利润情况。产品线上的第一个项目占总销售额的50%，占总利润的30%。前面两个项目占总销售额的80%和总利润的60%。如果这两个项目突然受到竞争者的打击，产品线的销售额和利润就会急剧下降。把销售额高度集中于少数几个项目之上，则意

味着产品线具有脆弱性，务必小心翼翼地监视好并保护好这些项目。在另外一头，最后一个产品项目仅占到产品线销售额和利润额的 5% 。产品线经理甚至可以考虑将这一销售呆滞的产品项目从产品线上撤除掉，除非它有较强的增长潜力。

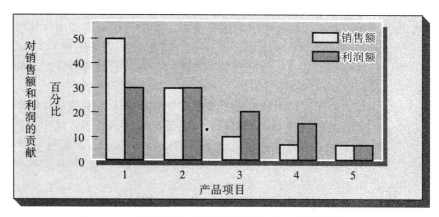

图 13—3　产品项目对产品线总销售额和利润的贡献

市场轮廓

　　产品线经理还必须针对竞争者产品线的情况，来分析一下自己的产品线定位问题。以一家造纸公司生产纸板的一条产品线为例。[6]纸板的两个主要属性是纸张重量和成品质量。纸张的标准重量级别一般有 90、120、150 和 180 重量单位。成品质量有三个标准层次。图 13—4 是一张产品图，表示 X 公司和 A，B，C，D 等四个竞争对手的各自产品线的项目定位情况。竞争者 A 出售两个产品项目，它们均为超重量级，处在中到低级成品质量范围之内。竞争者 C 出售三个项目，三个项目中，重量越重的，成品质量也就越高。竞争者 D 出

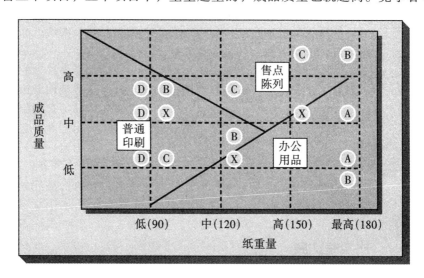

图 13—4　纸产品线的产品图

资料来源：Indurstrial Product Policy: Managing the Existing Product Line by Benson P. Shapiro. Cambridge, MA: Marketing Scence Institute Report No. 77 ～ 110.

售三个项目，均是轻量级的，但成品质量不一样。最后，X 公司提供出售三个重量各不相同的项目，其成品质量在低级和中级之间变动。

产品项目图对设计产品线的营销战略是有用的。该图表明了哪些竞争者的产品项目在与 X 公司的产品项目进行竞争。例如，X 公司低重量—中等质量的纸板与竞争者 D 的纸板展开竞争。但是，X 公司高质量—中等质量的纸板却没有直接的竞争者。这个图为可能出现的新产品项目如何定位提供了启示。例如，还没有哪家制造商在生产高重量—低等质量的纸板。如果 X 公司认定这种纸板有大量的尚未满足的需求，并且它有能力生产这种纸板并能作出适当的定价，它就应当在产品线上增加这一产品项目。

产品项目图还有一个作用，即它有助于根据消费者购买纸张的偏好来识别细分市场。图 13—4 表明了根据重量和质量这两个属性，普通印刷业、售点陈列业和办公用品业对纸张类型的各自偏好。该图表明 X 公司定位于满足一般印刷业的需求上是适宜的，但对其他两个行业的服务效益则较差，应考虑生产更多的纸张类型以满足这些需要。

在完成了产品线的分析以后，产品经理必须研讨对产品线长度、产品线现代化、产品线特色化和产品线削减，并作出决策。

产品线长度

产品线经理面临的主要问题之一，是产品线的长度。如果产品线经理能够通过增加产品项目来增加利润的话，那就说明现有的产品线太短；如果产品线经理能够通过削减产品项目来增加利润的话，那就说明现有的产品线太长。

产品线长度受到公司目标的影响。那些希望具有完善的产品线或具有其他目标的公司，正在试图寻求较高的市场份额。同时，市场成长也会要求公司具有较长的产品线。追求高额利润的公司宁可具有经慎重挑选的项目组成的短产品线。

产品线具有不断延长的趋势。生产能力过剩会促使产品线经理开发新的产品项目。推销队伍和分销商也希望产品线更为全面，以满足顾客的需求。为了追求更高的销售额和利润，产品线经理希望增加产品线上的产品项目。但是，当产品项目增加后，有几类费用也相应上升。这些费用有设计费和工程费、仓储费、转产费、订货处理费、运输费，以及新产品项目的促销费。其结果，有人会要求遏制住产品线如此迅速发展的势头。公司的高层管理者可能会冻结一些项目。控制人员可能要求研究大量亏损的产品项目，先是产品线随意增长，随后是大量的产品削减，这种模式将会重复多次。

一家公司可以采用两种方法来有系统地增加其产品线的长度：产品线扩展和产品线填补。

产品线扩展

每个公司的产品线只是该行业整个范围的一部分。例如，宝马汽车公司(BMW)的汽车在整个汽车市场上的定价属于中高档范围。如果公司超出现有的范围来增加它的产品线长度，这就叫**产品线扩展**(line stretching)。公司可以向下或向上来扩展其产品线，或同时朝两个方向扩展。

向下扩展   一家公司最初位于市场的中端，随后想要引进低价产品线的原因有三个：

1. 公司可能注意到在低档市场有巨大的成长机会，例如，大众商品商店如沃尔玛和其他在价值定价中成长的销售商。

2. 公司可能希望拖住在低档产品市场的竞争者，使它不进入高档市场。如果公司在低档市场进攻竞争者，竞争者经常会决定在低档市场反击。

3. 公司可能会发现中档市场处于停滞或衰退状态。

一家公司在决定向低档市场扩展时面临着许多品牌选择。例如，索尼面临着三种选择：

1. 所有产品均使用索尼这个品牌（索尼是这样做的）。

2. 用次级品牌引入低价产品，如索尼·价值(Sony Value)系列。其他公司也是这样做的，如吉列公司推出了吉列·新闻(Good News)，美国航空公司推出了联邦快递(United Express)。风险在于索尼品牌将损失某些质量形象，索尼的购买者将转向低价产品。

3. 用另一不同的品牌引入低价产品，不提索尼名字。但是，索尼公司将花费许多钱来树立新品牌，而大多数商家甚至因为没有索尼的名字而不接受这一品牌。

向低档市场扩展会带来风险。柯达公司推出了柯达玩时(Funtime)胶卷来挑战低价品牌，但玩时的定价不够低，并不能与低价胶卷竞争。柯达还发现一些经常性顾客购买玩时来与核心品牌相左。因此，公司收回玩时。另一方面，梅塞德斯成功地推出了售价为 30 000 美元的 C 等车，而没有损害其他售价100 000 美元以上的高级汽车。约翰·戴亚(John Deere)以萨波拉·约翰·戴亚(Sabre John Deere)的品牌推出了低价草地拖拉机，同时仍用约翰·戴亚的品牌销售高价位拖拉机。

向上扩展   公司可能会打算进入高档产品市场，它们也许被高档产品较高的增长率和较高的利润幅度所吸引，或是为了能有机会把自己定位于完整产品线的制造商上。许多市场在生育令人吃惊的高档市场，如星巴克咖啡、哈根达斯冰激凌(Haagen-Dazs)和伊夫(Evian)瓶装水。领先的日本汽车公司在导入高档汽车：丰田推出凌志日产推出无限(Infinity)；本田推出雅阁(Accura)。注意到它们都采用新名字而非原来的名字。

也有公司用已有的名字进入高档市场。奇罗(Gallo)导入欧内斯特(Emest)和贾利·奇罗·范里德斯(Julio Gallo Varietals)品牌，它们的定价是普通酒的二倍以上。通用电气公司用 GE 形象(GE Profile)品牌在高档市场上推出大量电器产品。[7]

双向扩展   定位于市场中端的公司可能会决定朝向上向下两个方向扩展其产品线。得州仪器公司以中等价格和中等质量推出了第一批计算器。逐渐地，它在低端增加机型，价格更低，最终夺走了鲍玛公司的市场份额；它在高端市场与惠普公司竞争。双向扩展战略致使得州仪器公司占据了早期袖珍计算器市场的领导地位。

马里奥特旅馆集团(Marritott)还对它的旅馆供应线实行双向扩展(图 13—5)。在中档价格旅馆的旁边，它增加了马里奥特侯爵线为市场的高档需求服务，庭院线为市场的稍低档需求服务，而集市式小旅店则安排度假者和其他低档需求的旅客。该战略主要的风险是旅客在其他的马里奥特连锁旅馆发现了低价并能提供他们想要的同等满意服务时，就会提出降价的要求。然而，对马里奥特来说，抓住要求低价的顾客，不让他们流向竞争者，比丢掉他们更为有利。

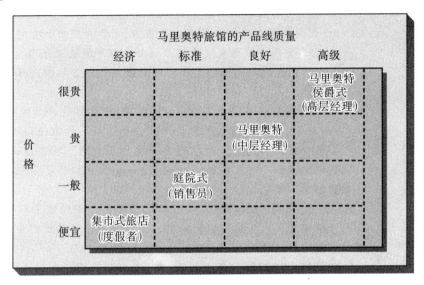

图 13—5　产品线的双向扩展：马里奥特旅馆

产品线填补

产品线也可以拉长，办法是在现有产品线的范围内增加一些产品项目。采取**产品线填补**(line filling)决策有这样几个动机：获取增量利润；满足那些经常抱怨由于产品线不足而使销售额下降的经销商；充分利用剩余的生产能力；争取成为领先的产品线完整的公司；设法填补市场空隙，防止竞争者的侵入。

如果产品线的填补导致新旧产品自相残杀，以及在消费者中造成混乱的话，那就说明是搞过头了。公司必须使消费者能在其心目中区分出公司的每一个产品项目。每一个产品项目必须具备显著可见差别(just-noticeable difference)。[8]根据韦伯定律(Weber's law)，顾客区别相对差别比区别绝对差别的能力强。顾客能够看出 2 英尺长和 3 英尺长的纸板的长短差距，也能够看出 20 英尺长和 30 英尺长的纸板的长短差距，但对 29 英尺与 30 英尺的纸板差别就无法区别出来。公司一定要使新产品的每一项目具有显著的差别。

公司要检查一下计划开发的产品项目能否有某种市场需求，而不单单是为满足公司内部的需要。福特公司在研制著名的埃德塞汽车时，只是考虑满足公司内部在福特和林肯之间定位上的需要，而不是满足市场需要，从而损失了 3.5 亿美元。

产品线现代化

产品线需要现代化。一家公司的机床可能还是 20 世纪 50 年代的老面孔，这就会使该公司败在产品线较为新式的竞争者手下。问题是产品线是要逐渐现代化，还是一下子现代化？渐进的方法可以使公司在改进整个产品线之前，观察一个顾客和经销商是否喜欢新样式的产品。逐渐现代化可使公司的现金流量耗费较少。但是，它使竞争者有机会看到变化，并开始设计他们自己的产品线。

就迅速变化中的产品市场而言，现代化是必不可少的。公司计划改进产品，是为了引诱顾客移入(customer migration)较高价值和较高价格的产品项目。微处理生产公司如英特尔、摩托罗拉和软件公司如微软的莲花，它们的产品是在不断引进更新换代的更先进形式。然而，主要问题在于必须选择改进产品的最佳时机，使之不至于过早(这会使现有产品线的销售受到不良影响)，也不至于过迟(在竞争者为较先进的设备树立了很高的声誉之后)。

产品线特色化和产品线削减

产品线经理在产品线中有典型地选择一个或少数几个产品项目进行特色化。西尔斯公司宣传出售一种价格特低的缝纫机，以此吸引顾客。另一方面，经理们以高端类产品项目进行特色化，以提高产品线的等级。斯特森公司(Stetson)推销一种男帽，售价 150 美元，结果几乎无人问津，但这种帽子起到了"王冠珠宝"的作用，提高了整条产品线的形象。

有时候，公司发现产品线上有一端销售情况良好，而另一端却有问题。公司可以努力促进对动销较慢的产品需要，如果这些动销较慢的产品是在缺乏需要和闲置的单独的工厂里生产出来的，更应努力加以促进。霍尼韦尔公司(Honeywell)面临着其中型计算机的销路不如大型计算机销路的情况。然而，有些人认为公司应该只对销路好的产品进行促销，而不应当花力量去维持疲软的产品项目。

产品线经理必须定期检查产品项目，研究削减问题。产品线中含有会使利润减少的卖不掉的陈货。他们可以通过销售额和成本的分析，来识别疲软的项目。一家化学公司将其产品从 217 种削减为 93 种，留下来的这 93 种产品的销售额是最大的，对利润的贡献也最大，并且具有极为长远的发展潜力。

产品线削减的另一种情况是公司缺乏生产能力。当需求紧迫时，公司通常缩短产品线；而在需求松缓时，则拉长产品线。

品牌决策

品牌是产品战略中的一个主要课题。一方面，开发一种有品牌的产品需要大量的长期投资，特别是用在广告、促销和包装上。许多品牌导向的公司与制造商签约许可它们生产。中国台湾制造商在全世界生产衣服、家用电器和电脑，但不使用中国台湾的原品牌。

另一方面，制造商最终认识到了拥有自己品牌的公司的威力。日本与韩国的公司为建立品牌慷慨地花费，诸如索尼、丰田、金星、三星，等等。这些公司即使不在国内生产这些产品，该品牌名字也能继续使顾客保持忠诚。

什么是品牌

区别专业的营销者的最佳方式也许是看他们是否拥有对品牌的创造、维持、保护和扩展的能力。营销者常说："品牌工作是一门艺术和营销的奠基石。"美国市场营销协会对品牌的定义如下：

品牌(brand)是一种名称、术语、标记、符号或设计，或是它们的组合运用，其目的是借以辨认某个销售者或某群销售者的产品或服务，并使之同竞争对手的产品和服务区别开来。

从本质上说，从一个品牌上能辨别出销售者或制造者。根据商标法，销售者对品牌名获得长期的专用权。这与诸如专利权和著作权等权益不同，后者是有时间限制的。

品牌的要点，是销售者向购买者长期提供的一组特定的特点、利益和服务。最好的品牌传达了质量的保证。然而，品牌还是一个更为复杂的符号标志。[9]一个品牌能表达出六层意思：

1. 属性。一个品牌首先给人带来特定的属性。例如，梅塞德斯表现出昂贵、优良制造、工艺精良、耐用、高声誉。

2. 利益。属性需要转换成功能和情感利益。属性"耐用"可以转化为功能利益："我可以几年不买车了"。属性"昂贵"可以转换成情感利益："这车帮助我体现了重要性和令人羡慕"。

3. 价值。品牌还体现了该制造商的某些价值感。梅塞德斯体现了高性能、安全和威信。

4. 文化。品牌可能象征了一定的文化。梅塞德斯意味着德国文化：有组织、有效率、高品质。

5. 个性。品牌代表了一定的个性。梅塞德斯可以使人想起一位不会无聊的老板(人)，一头有权势的狮子(动物)，或一座质朴的宫殿(标的物)。

6. 使用者。品牌还体现了购买或使用这种产品的是哪一种消费者。我们期望看到的是一位55岁的高级经理坐在车的后座上，而非一位20岁的女秘书。

如果一家公司把品牌仅看做是一个名字，它就忽视品牌内容的关键点。品牌的挑战是要深入开发一组正面联系品牌的内涵。营销者必须决定对品牌的认知如何锁定。错误之一是只促销品牌的属性。首先，购买者感兴趣的是品牌利益而不是属性。其次，竞争者会很容易地复制这些属性。最后，当前的品牌属性在将来可能毫无价值。

仅宣传这个品牌的一个优势具有很大风险。假定梅塞德斯吹捧它的主要优势是"高性能"。再假定几个竞争品牌体现了同样高或更高的性能。或假定汽车购买者开始认为高性能不如其他优势重要。因此，梅塞德斯应需要有更大的自由度来调整新的优势定位。

一个品牌最持久的含义应是它的价值、文化和个性，它们确定了品牌的基础。梅塞德斯表示了高技术、绩效、成功。这就是梅塞德斯必须采用的品牌战略。如果梅塞德斯的名字在市场廉价销售，这就是错误。因为这冲淡了梅塞德斯多年来所建立的价值观和个性。

品牌权益

各种品牌在市场上的力量和价值各不相同。极端情形是绝大多数购买者不知道某些品牌。稍好一些是购买者对某些品牌有一定程度的品牌知晓度(brand awareness)。较好一些是有相当高程度的品牌接受度(brand acceptability)。再较好一些是购买者有高程度的品牌偏好度(brand preference)。最后一种是高程度的品牌忠诚度(brand loyally)。H. J. 亨氏公司(Heinz)的首席执行官托尼·奥赖利(Tony O'Reilly)建议用这种方法测量品牌忠诚度:"我们酸性测试……是当一位家庭主妇,她打算买亨氏的番茄酱,结果走进一家商店发现没有。她就走出商店到其他地方去买。"

像奥赖利所希望的对亨氏品牌忠诚的顾客是基本没有的。阿克(Aaker)区分出顾客对品牌的五种态度,从低到高排列如下:

1. 顾客将转换品牌,特别是由于价格原因。无品牌忠诚。
2. 顾客是满意的,没有理由转换品牌。
3. 顾客是满意的并不会因为费用而转换品牌。
4. 顾客认识到品牌的价值并把它看做朋友。
5. 顾客愿为该品牌做贡献。

品牌权益(brand equity)与上述排列的 3、4、5 类顾客有多少是密切相关的。与品牌权益有关的因素还有:品牌名字的知晓度,认识的品牌质量,强烈的精神和感情结合度,以及其他资产,如专利、商标和渠道关系。[10]

有些公司是建立在获得和建设富裕的**品牌投资组合**(brand portfolios)基础上的。大都会公司(Grand Metropolitan)获得各种品牌,如品食乐、绿巨人(Green Giant)蔬菜、哈根达斯冰激凌和伯克王。雀巢公司获得了能得利(英国)、卡纳西(Carnation)(美国)、斯多发(Stouffer)(美国)、布通尼 - 珀奇娜(Buitoni - Perugina)(意大利)和皮拉(Perrer)(法国)等品牌,成为全世界最大的食品公司。事实上,雀巢花了 45 亿美元购买能得利,这超过其账面价格的 5 倍。这些公司一般不把品牌权益列于资产负债表,因为需要对其价值估算的公断。测量品牌权益价值的一种方法是,该品牌溢价值乘上它与平均品牌相比多增加的销售数量。[11]

1997 年,世界十大顶级品牌是(按次序排列):可口可乐,万宝路,IBM,麦当劳,迪斯尼,索尼,柯达,英特尔,吉列和百威。可口可乐品牌权益为480 亿美元,万宝路为 470 亿美元,IBM 为 240 亿美元。[12]

高的品牌权益公司提供了竞争优势:

● 由于其高水平的消费者品牌知晓和忠诚度,公司营销成本降低了。

● 由于顾客希望分销商与零售商经营这些品牌,这加强了公司对他们的讨价还价能力。

● 由于该品牌有更高的认知品质,公司可比竞争者卖更高的价格。

● 由于该品牌有高信誉,公司可容易地开展品牌拓展。

● 在激烈的价格竞争中,品牌给公司提供了某些保护作用。

品牌名称需要很好地管理，以致不使它的品牌价值发生损耗。这些权益要不断维持或改进，包括品牌知晓度、品牌认知质量和功能、积极的品牌联合等。这些要求不断的研究与开发投资、有技巧的广告、出色的交易和顾客服务，以及其他方法。某些公司，例如，加拿大特赖(Dry)和高露洁，任命了"品牌权益经理"，以指导品牌的形象、联合和质量，防止短期战术活动损害该品牌。有些公司会将品牌交给另外的专业公司管理，专业公司只进行品牌的管理而不管其他业务。森达特公司的哈利·西富门(Henry Silverman)成功地管理着品牌，而不是拥有品牌。

森达特公司(Cendant Corporation)　哈利·西富门成功地论证了品牌就是一切，并且说明品牌可与其他业务经营方面的工作分开运行。森达特拥有并管理的品牌有预算自负的汽车旅馆(戴斯旅馆－Days Inn 和超级 8—Super 8)，有已衰弱的品牌（哈沃斯·强生－Howard Johnson 和拉马加－Ramada），有强大的房地产连锁店（21 世纪和格特威尔－Coldwen Banker），有汽车租赁公司阿维斯（Avis）。其他公司拥有和运作复杂的品牌业务部分，而西富门的时间和精力则花在品牌渗透、复兴、扩展、结合和杠杆盈利上。例如，他曾改变了 21 世纪的品牌形象。旧的电视广告强调公司广大的房地产网络，但西富门的调研表明购买者并不关心 21 世纪公司有多大，他们关心与公司的房地产代理商建立良好关系。西富门发起了一场新的广告运动，主要集中于这些更个人化的特性，21 世纪的年收入翻了一番。[13]

宝洁公司并不认为一个良好管理的品牌也存在品牌生命周期的问题。许多品牌领先了 70 年并且现在还是品牌领袖：柯达、里格利(Wrigley)、吉列、可口可乐、亨氏和金宝汤料。

某些分析家认为品牌比公司的特定产品活得更长久和更容易。他们认为品牌是一家公司的主要的更为长久的资产。每一个强有力的品牌实际上代表了一组忠诚的顾客。因此，品牌权益作为基本的资产是**顾客权益**(customer equity)。这也说明了营销计划应适当地集中于拓展**忠诚顾客寿命价值**(loyal customer lifetime value)，并且把品牌管理作为一种主要的营销工具。

不幸的是，许多公司对自己最大的资产——品牌管理不善。在对更多利润的追逐中，品牌容易失去重心。这就是斯内普饮料公司在夸克·奥兹(Quaker Oats)1994 年以 17 亿美元收购它时所遭遇的情况。

斯内普饮料公司(Snapple Beverage Corporation)　斯内普饮料公司通过大众化营销以及向小分销机构和便利店分销而成为国内著名品牌。分析家说因为夸克不了解斯内普饮料公司对大众市场的吸引力，它改变了广告——抛弃了身材丰满的广为人知的女士形象，还取消了独特的分销系统。后果马上就显现了：斯内普饮料公司开始损失钱财和市场份额，使得竞争者乘虚进入。夸克最终不能挽救深陷困境的品牌，只好在 1997 年以 3 亿美元又卖掉了斯内普饮料公司。[14]

在库茨玛斯基(Kuczmarski)协会网络对行业的许多公司研究中，只有43%的公司指出它们曾经测量品牌权益。72%的公司充分相信它们的品牌权益，但已有2年没有寻求财务支持，超过2/3者没有形成长期的品牌战略。尽管我们通常认为品牌是给制造商有形产品带来增值的资产，服务性公司现在也对它非常重视。[15]随着华尔街竞争的加剧，金融服务公司在品牌上花费达数百万美元，以期吸引投资者。就像可口可乐公司让你在口渴时想到苏打水一样，马里尔·罗奇(Merrill Lynch)和蔡斯(Chase)让你在需要融资专业知识诀窍时给他们打电话。金融服务公司的总广告支出自1991年后已增长了127%。[16]

品牌化中的挑战

品牌化向营销人员提出了具有挑战性的决策。主要的决策如图13—6所示。下面我们逐一讨论。

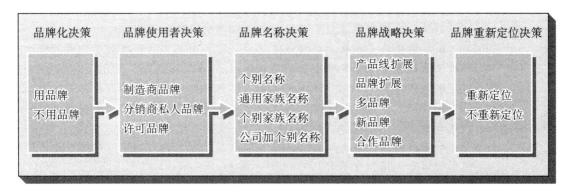

图13—6　品牌化决策一览表

品牌化决策：有品牌或无品牌？

第一个决策是，公司是否一定要给产品标上品牌名称。在历史上，许多产品不用品牌。生产者和中间商把产品直接从桶、箱子和容器内取出来销售，无须供应商的任何辨认凭证。中世纪的行会经过努力，要求手工业者把商标标在他们的产品上，以保护他们自己并使消费者不受劣质产品的损害，这使最早的品牌标记得以诞生；在美术领域内，艺术家在他们的作品上附上了标记，品牌也就开始建立起来。

今天，品牌化的发展是如此迅速，以致今天很少有产品不使用品牌。盐被包装在表示有特色的制造商的包装物内，柑橘上贴有柑橘种植者的姓名，一般的螺帽和螺丝被包装在有经销商标签的玻璃纸内，汽车部件火花塞、车胎和过滤器分别标有汽车制造商的品牌名称。新鲜食品——如鸡肉、火鸡及鲑鱼，也冠以品牌名做广告宣传。

在有些情况下，一些日常消费品和药品又回到了不用品牌的状态。在20世纪70年代早期，法国巨型超市家乐福在其商店推出一系列"无品牌"的商品。未注册（generics）产品是无品牌、包装简易、不太昂贵的普通商品，如细条实心面，面巾纸，以及罐装桃子。它们提供标准质量或者较低质量的产品，其售价可能低于在全国范围内做广告的品牌产品的 20% ～ 40% ，低于有专属标记品牌产品的 10% ～ 20% 。这些产品之所以售价较低，是因为使用的产品配料质量较低，用于产品的标签和包装费用较少，以及产品的广告宣传费用压到了最低限度。

全国性品牌产品已用多种方式与未注册产品展开了角逐。如罗尔斯顿－普琳娜公司已不断提高其产品质量，并把目标集中在特定的宠物购买者身上，这些购买者非常希望和他们的小宝贝融为一体，并非常关心这些产品的质量。宝洁公司推出了旗帜纸类产品。该产品的质量低于公司高质量的产品线，但高于未注册产品的质量，并以具有竞争性的价格出售。其他一些公司干脆用降价的办法来与未注册产品开展竞争。[17]

很明显，建立品牌要付出许多成本，那么，为什么销售者还要使用品牌呢?这是因为使用品牌给销售者带来一些好处：

● 有了品牌名称可以使销售者比较容易处理订单并发现一些问题。

● 销售者的品牌名称和商标对产品独特的特点提供法律保护。

● 品牌化给了销售者这样一个机会，即吸引忠实的和有利于公司的顾客。品牌忠诚使销售者在竞争中得到某些保护。

● 品牌化有助于销售者细分市场。取代只推销一种清洁剂的做法，宝洁公司可以提供 8 种品牌的清洁剂，每一种配方略有不同，然后分别推向特定用途的细分市场。

● 强有力的品牌有助于建立公司形象，使它更容易地推出新品牌并获得分销商和消费者信任和接受。

有证据表明，分销商想把品牌名称作为一种手段，用以方便产品经营，识别供应商，把握一定的生产质量标准，增强购买者的偏好。消费者要求有品牌名称，是为了帮助他们识别质量差别，更有效地购买商品。

品牌使用者决策

制造商在如何使用品牌方面有好几种选择。推出产品可能用属于制造商品牌（manufacturer brand）（有时称为全国品牌），也可以用分销商品牌（distributor brand）（即称为零售商、商店、办公室或私人品牌），或许可品牌名称（licensed brand name）。或者制造商还可能将某些产品标上自己的名称，而将某些产品标上销售商标签出售。凯洛格公司、约翰·迪尔公司和 IBM 公司生产的所有产品，实际上用的都是它们自己的品牌名称。哈特·施夫纳和麦克斯公司（Hart Schaffnet & Marx）销售的大量成衣，用的是特许品牌名，如克里斯汀·迪奥，皮尔·卡丹，以及约翰·卡森。惠而浦公司（Whirlpool）生产的产品既用它自己的名称，又用分销商的名称，如西尔斯·肯摩尔（Sears Kenmore）器具。

虽然在市场上制造商的品牌趋向于占支配地位，一些大型零售商和批发商已开发出它们自己的品牌。西尔斯创造了许多名称——"顽强"电池，"工匠"工具，"肯摩尔"器具，这些名牌已博得用户的品牌忠诚。零售商如利明特公司、班内顿、博迪、加布和马斯基本上都销售自有品牌。百货公司、超市和药店有特色的商店品牌在日益增加。例如在英国，两家大连锁超市开发了受人欢迎的商店品牌——桑宝利可乐(桑宝利)和经典可乐(特斯克)。在英国最大的食品连锁店桑宝利的仓库里,50% 是私人标签;它的毛利比美国零售商高六倍。美国超市私人品牌销售平均为 19.7% 。某些专家相信 50% 全国品牌限制了私人品牌的发展,其理由是:(1)消费者对某些全国品牌有偏好;(2)许多产品项目用私人品牌没有吸引力。

中间商为什么要为采用他们自己的品牌而煞费苦心呢?因为他们必须找到能提供质量稳定的产品的合格供应商。他们必须订购大批量的产品,将他们的资金用于储备存货。他们必须出钱宣传推广自己的私人标记。尽管私人品牌存在着一些潜在的不利因素,但私人品牌有两个优点。第一,它有利可图。中间商通常可以找到具有过剩生产能力的制造商,这些制造商能以较低的成本生产出使用私人标记的产品。其他成本,如广告费和产品实体分配费用也比较低。这就意味着私人品牌采用人有可能制定较低的产品售价,并且一般有可能获得较高的利润。第二,零售商用自己开发的独家专用商店品牌差别化于其他竞争者。许多消费者是分不清全国品牌与商店品牌的区别的。

在制造商品牌和中间商品牌的对抗中,中间商具有许多有利条件。由于零售店的货架空间是有限的,许多超市现在要收货架费作为接受新品牌的条件,以分摊它的陈列和储藏成本。一家巨型超市——安全之路(Safeway),向一家生产比萨卷的小制造商收取 2.5 万美元的储存费。零售商还要收特定陈列货架费和店内广告费。中间商把显著的陈列地点留给自己的品牌并保证有更充足的备货。零售商正在确立他们品牌的质量。请考虑下面的例子:

洛布路(Loblaw) 自从 1984 年,洛布路的总裁选择品牌经营食品系列并首次向市场推广以来,我们在谈及"私人标签"时通常会马上想起洛布路及其总裁选择的这一品牌。设在多伦多的洛布路连锁超市展示了商店品牌的威力。一个设计良好的战略,其中包括它那广为人知的总裁决策和"无品牌"标签,帮助洛布路实现了差别化并成为加拿大和美国一家有实力的商店。某些洛布路所属的商店拥有超过 40% 的私人标签产品。通过将私人标签用于新产品——如冷冻杰巴拉亚(Jambalaya),冷冻大米布丁和冷冻开胃小菜——洛布路在减少了相对较贵的全国品牌和地区性品牌的同时仍增加了产品种类。洛布路的商店品牌经营很成功,最后,它允许其他国家的与它无竞争的零售商使用它们,从而将一个本地的商店品牌发展为全球性品牌。现在,17 家连锁超市的 1 700 家店铺经营着洛布路的总裁选择品牌。[18]

使用全国品牌的制造商被日益强大的零售商所挫败。凯文·普赖斯(Kevin Price)说得好:"十年前,零售商只是制造商脚后跟的一条汪汪叫的狗——虽然有妨害,但只稍有刺激;你喂它,它就走开了。今天,它是一头公牛,并且它想撕裂你的手和脚。你很想看它跟跄而去,然而你太忙于防御以致无能为力。"[19]一些营销评论家推测,除最强有力的制造商品牌以外,中间商品牌最终将击败所有的制造商品牌。

几年以前,消费者所看到的品牌是按商项目录进行**品牌阶梯**(brand ladder)排列的,喜爱的品牌在上依次向下。现在商店里这种阶梯排列在消失,而让位于**品牌类似**(brand parity)的消费者认知，即许多品牌都是相似的。[20]消费者会购买任何一个可接受的品牌。前卡夫(Kraft)公司经理 J. D. 韦纳(Weiner)说："当人们用汰渍(Tide)洗衣粉代替欢乐(Cheer)洗衣粉时，并不会有特别的犹豫不决。"DDB 尼达姆（Needham）全球报告中说，包装用品的消费者认为，他们只购买著名品牌比例从 1975 年的 77% 下降至 1990 年的 62%。格雷(Grey)广告公司研究报告说，66% 的消费者认为他们愿意挑选低价品牌，特别是商店品牌。

除了商店品牌的实力增强外，全国品牌优势下降的原因很多。消费者对价格更敏感。他们注意与制造商竞争的相等值的质量，以及全国零售商在复制最好品牌的商品。连续不断的赠券和特价商战训练了一代消费者注重商品的售价。事实上，公司已在整个促销预算中削减了 30% 的广告费，这也打击了对它们品牌的支持。没完没了的品牌与产品线拓展模糊了品牌的辨认力，产品的扩散造成一片混乱。当然，因特网作为一个最新的因素，不见得会削弱国内品牌，但它却改变了整个品牌的概貌。尽管某些"数字化生成"的公司，如网景和美国在线利用因特网一夜成名，但其他公司却在网络广告中倾注了几百万美元仍未在品牌认知方面产生显著影响。参见"新千年营销——在万维网上建品牌：不易实现的目标"。

新千年营销

在万维网上建品牌：不易实现的目标

有没有这一天，你的脑海中没有任何电视广告？或者，是否去年的广告语在你脑中仍记忆犹新："我想为全世界的人买一杯可乐"或"扑通、扑通，嘶嘶、嘶嘶，何等轻松惬意"。如果你跟大多数人一样，你的脑海中一定会吸纳一定数量的广告语。现在，请尝试回忆你在网上冲浪时看到的最后一个广告。脑中一片空白？不必吃惊。网络作为树立品牌的工具的无效性是困扰营销人员的一大问题。

通过网络广告树立品牌的总是令营销人员非常困惑，宝洁公司为此在 1998 年夏召开峰会。400 多位经理汇集宝洁在辛辛那提的总部，从因特网公司如美国在线(America Online)和代理在线(agency. com)，到诸如联合利华和卡夫这样的包装日用品巨头。它们的目标：利用因特网的互动性，建立并维系品牌。以下是营销人员所面临的几大挑战：

● 网络的一对一的性质并不能建立大众化的品牌知晓。在万维网上进行的是数以百万计的私人谈话。那么，你怎么能确立一个像"就是可乐"这样的共同含义？而共同含义是品牌知晓和品牌价值核心所在。这与成千上万人看世界杯时会同时看到 30 秒的百威广告是不同的。这也是为什么电视奏效的战术在网上却不灵的原因。比尔·阿特拉蒂克(Bell Atlantic)拍摄了一部有关雅皮士新婚夫妇特罗伊(Troy)和琳达(Linda)的网上肥皂剧。虽然这个网站获得了许多评论和拥有许多追随者，但比尔·阿特拉蒂克的调研表明它们对树立品牌毫无用处。美国在线的销售经理梅亚·巴龙(Meyer Berlow)是这样表述这个问题的："最基本的广告方式被打破了。我跳到你面前，给你一些娱乐和一些希望会改变你行为的信息，这已经是陈旧模式。在房间只有三个频道和一个洗手间时，这种方式是有效的。但现有消费者有一百万种选择。"

● 因特网广告的形式是低效率的。宝洁公司和像巴龙一样困惑的人，谈到如果增加带宽可以有高保真的音响和完全动画时，那么原有模式将会有效。宝洁公司推动因特网广告商使用更大的、形式更复杂的广告。到目前为止，网上广告几乎都被消费者所忽略掉。网上广告两种最常见的形式是旗帜广告和填隙广告。旗帜广告是那些小的长方形广告，你可以点击它以获取更多信息。在一次令人沮丧的丘比特（Jupiter）传播调查中，21% 的因特网用户说他们根本不会点击旗帜广告，另有 51% 的人说他们很少点击。填隙广告在网页还未下载之前的引擎窗口中闪烁，大多数消费者认为它让人讨厌。

● 在数字世界中，消费者处于控制地位。即使广告人员把巨大的、昂贵的广告放在网上，他们也有可能面对消费者的敌视。那些跟网络一起长大的人，被唐·塔普斯科特（Don Tapscott）称之为"网络一代"，他们对一般广告持挑剔态度并且特别憎恨网上广告。更为重要的是，数字化的发展使网上冲浪者可以根据实际价值而不根据像品牌这样无形的东西来选择产品。比较网（compare.net）提供了免费的网上购买指导，可以用它来比较 10 000 多种产品的特性。不久，被称为软波斯（soft bots）、知道波斯（knowbots）或波斯（bots）将会了解你所有的偏好。这些不知疲倦的工作人员将在网上冲浪为你寻找你要的信息——寻找最适合你需求的巧克力甜饼或桌面电脑。这一发展将会进一步削弱品牌。

因此，不必奇怪，有些电子商务的超级明星不在网上进行品牌建设工作。思科花钱在《华尔街杂志》而不是在网上旗帜做整页的广告。戴尔公司是《技术贸易杂志》1997年第五位最大的支出者并且进行了一场花费为 1 亿美元的电视广告运动。虽然这家以得州奥斯汀为基地的公司希望在网上进行 50% 的交易，它承认这样的交易量不会来自网上广告。

同时，网景、亚马逊和雅虎！一夜成功的例子又说明品牌可以在网上成长并获得客户忠诚。怎样做到这一点？那些在网上有强大品牌知晓的公司都有帮助消费者的网站——或者是在戴尔在线组装计算机系统，或者是在雅虎！在线为客户提供定制服务的选择。那些准备在网络世界树立品牌的公司必须为消费者提供网上服务或网上经验。富利斯特调查公司（Forrest）的吉姆·奈尔说："经验——而不是诱导认知的广告——将促成对品牌的态度。"最新的网上广告理论包括所谓的"理性品牌"。这个观点就是将传统品牌营销的情感基调与只在网上提供的真正服务相结合。土星（Saturn）汽车的电视广告虽然还是提供老套的幽默诉求吸引力。但是，现在它们力争观众去公司的网站，在那里客户提供多种服务。网站帮助焦急的汽车买主选择车型、计算花费并寻找一个网上交易商。

然而，理性品牌并非万灵丹。如果你销售的是肥皂或香波，那么，使用因特网作为商务工具并没有多少优势。这些公司所拥有的产品不能产生以网络为基础的经验和服务。包装日用品生产商很少用毛巾擦拭自己。例如，宝洁公司把它的少量网上营销预算的大多花在诸如总是（Always）牌短裤、彭蒂（Panty）牌发夹和帮宝适纸尿布上，因为这些商品的目标受众市场狭窄且有更多的个人主观问题。公司将帮宝适在线加入帮宝适父母学院，为新的父母或希望做父母的人解决各种疑难问题。联合利华公司与网上超市公司——网上杂货商（Netgrocer）达成一项协议，当人们在网上购物时，联合利华使用广告来促销产品，这种情况类似于公司与连锁超市合作进行店内促销。有一件事消费者可以确信，随着电子商务的发展，网上的广告和品牌建立活动不是更少，而将是更多。

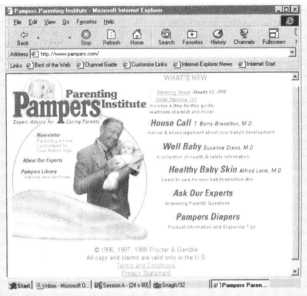

帮宝适父母学院的主页。

资料来源：Jeffey O'Brien, "Web Advertising and the Branding Mission," *Upside*, September 1998, pp. 90～94；Don Tapscott, "Net Culture Reshapes Brand Oppoortunities, *Advertising Age*, November 10, 1997；Saul Hansell, "Selling Soap Without the Soap Operas, Marketers Seek Ways to Build Brands on the Web" *New York Times*, August 24, 1998, p. D1；Ellen Neuborne, "Branding on the Net" *Business Week*, November 9, pp. 76～78.

　　制造商的反应是花大量的钱用于指引消费者的广告和促销活动，以保持强烈的品牌偏好。为了补偿促销费用，他们必须把售价稍提高一些。与此同时，众多的分销商对他们施加很大的压力，如果他们要想取得足够的货架面积的话，他们就要将更多的钱用于贸易折让和优惠上。一旦制造商作出让步，他们就只有减少花费在对消费者促销上的钱，他们的品牌领导地位开始下降。这就是使用全国性品牌的制造商的难处。

　　为了在贸易战中保持优势，有领导品牌的营销者需要采用以下战略。他们需要投资研究与开发，以获得新的品牌、产品线扩展和不断的质量改进。他们需要"推出"强有力的广告计划以维持高的品牌知晓度和偏好。他们需要找到大的零售商作为"合伙人"，以共同寻找能改进他们共同业绩的后勤系统和竞争战略。

　　但是，当一家公司很小或刚刚起步，不能一下子投百万元到广告中去时，他们该怎么办呢？技术公司特别擅长于以非传统的营销方法来实现品牌知晓。下面有两个例子：[21]

　　美国在线公司(America Online Inc.)　　一半以上的美国家庭都熟悉美国在线(AOL)。这是因为美国在线免费出让它的软件。几年来，美国在线在全国范围推广其软件，从前是软盘现在是光盘，并提供消费者一个月免费试用。公司还会在一些不同寻常的地方放置它的产品：在大米西克斯(Rice Chex)谷物盆中、美国航空公司的飞行餐中和奥米哈(Omaha)鱼片包装中。因为很难描述网上服务会给初学者带来怎样的好处，美国在线认为最佳办法就是让他们试用。然后，一旦消费者开始使用美国在线，公司认为它那用户友好的程序将吸引消费者订购。从美国在线方面来看，纯粹是由于消费者的性情使很多人没有转向订购其他网络供应商。

太阳微系统公司(Sun Microsystems Inc.) 太阳微系统公司几乎是通过公共关系来树立其旗舰软件——杰夫(Java)的可视性的。太阳微系统公司公关游击战的目标主要集中于公司的死敌微软公司。例如，当微软开发了一项与太阳微的"杰夫豆"相竞争的技术后，太阳微打听了微软公司计划推出产品的时间和地点。在微软召开发布会之前，太阳微邮寄了几袋咖啡豆给记者，并附一便条写着"微软为什么如此神经过敏？"太阳微邀请记者参加一个杰夫豆培训班，培训所在的宾馆靠近微软召开软件开发人员新闻发布会并推出新产品的地方。太阳微说这一战术取得了轰动效果："它吸引了250多人，并把对微软技术的疑虑种子植到了记者头脑中。"约翰·罗伊拉科诺(John Loiacono)，太阳微的品牌营销副经理说："要把它想成一次军事活动"。

要想了解更多的不凭借广告建立品牌知晓的方法，参见"营销备忘——品牌知晓的药方：九种强化品牌的方法"。

营销备忘

品牌知晓的药方：九种强化品牌的方法

随着公司更多地意识到品牌力量的重要性，它们想知道怎样强化自己的品牌。许多管理人员认为答案在于增加广告预算，但广告费是昂贵的，而且也并不总是有效的。广告只是建立更多的品牌知晓和品牌偏好的九种方法之一：

1. 开发创造性的广告。阿波苏尔特伏特加和贝纳通公司的联合色彩(United Colors)。

2. 赞助众所周知的事件。IBM赞助艺术展览，AT&T赞助高尔夫球赛。

3. 邀请你的顾客参加俱乐部。雀巢的卡萨·布多尼(Casa Buitoni)俱乐部，哈雷–戴维森的HOG俱乐部。

4. 邀请顾客参加你的工厂或办公室。卡比利(Cadbury)的主题公园和凯洛格的谷物城。

5. 创建自己的零售机构。耐克城和索尼。

6. 提供良好的公众服务。贝利亚的健身训练和雀巢的雀顶(Nestops)。

7. 对某些社会机构给予援助。博迪商店为无家可归者提供援助，本–杰里把7.5%的利润捐给慈善机构。

8. 成为价值领袖。宜家(IKEA)和家用百货(Home Depot)。

9. 树立一个代表公司的强有力的发言人或形象代言人：理查德·布兰森(维珍公司)。阿妮塔·罗迪克（Anita Roddick）(博迪商店)和山德士上校（肯德基）。

资料来源：Patricia Nakache, "Secrets of the New Brand Builders," *Fortune* June 22, 1998, 167～170.

品牌名称决策

产品使用品牌的制造商和服务商必须选择产品的品牌名称。这里有四种战略：

1. 个别的品牌名称。采用这种策略的有通用磨坊公司(比斯奎克、金米德尔、伯特·克洛克、天然山谷)。采用单个品牌名称的战略主要的一个好处是，它没有将公司的声誉系在某一产品牌名的成败之上。假如某一品牌的产品失败了或者出现了低质情况，这不会损害制造商的名声。生产高档手表如精工(Seiko)的制造商，可以不用它的品牌名称引进较低质量的手表产品线(帕尔斯 – Pulsar)。这种战略可以使公司为每一新产品寻找最佳的名称。

2. 对所有产品使用共同的家族品牌名称。运用这种策略的有亨氏公司和通用电气公司。对所有的产品使用共同的家族品牌也有一些好处。引进一种产品的费用较少，因为不需要进行"品名"的调查工作，或者不需要为建立品牌名称认知和偏好而花费大量的广告费。此外，如果制造商的声誉良好，产品的销路就会非常好。金宝汤料公司介绍新的汤料时，就用"金宝"这一牌名，使人一看即知，马上获得品牌认知。

3. 对所有产品使用不同类别的家族品牌名称。运用这种策略的有西尔斯公司(器具产品的牌名为"肯摩尔"，妇女服装的牌名为"瑞溪"，主要家用设备的牌名为"家艺")。如果某公司生产截然不同的产品，则使用共同的家族品牌名称就不怎么合适了。史威夫特公司对其产品火腿(普利姆)和肥料(肥高洛)就使用了分开的家族品牌名称。米德·强生公司在开发了一个能增加体重的食品新品种后，创造了一个新的家族品牌名称"营养素"，以避免与减肥产品的家族品牌名称"麦克瑞克尔"混淆起来。公司通常对同类产品中质量不同的产品使用不同的家族品牌名称。例如，大西洋与太平洋公司销售的一级品、二级品和三级品的品牌分别为安·蓓姬、苏塔娜、爱奥娜。

4. 公司的商号名称和单个产品名称相结合。运用这种策略的有凯洛格公司(凯洛格克利比大米、凯洛格麦皮葡萄干和凯洛格富来卡玉米)。有些制造商试图将其公司名称与每种产品的单个品牌名称联系起来。公司名称可使新产品正统化，而单个品牌名称又可使新产品个性化。

当公司决定了它的品牌名称战略后，它将要进行选择特定品牌名称的工作。公司可选择人名(本田、伊斯帝·劳达)，地点(美国航空公司、肯德基炸鸡)，质量(安全之路商店、耐用组织)，生活方式(关注体重者、健康选择)，或艺术名字(埃克森、柯达)。对一品牌名称所要求的质量有：[22]

● 它应该使人们联想到产品的利益。例如，雅美，工匠，电子手表。
● 它应该使人们联想到产品的作用和颜色等品质。例如，新奇士，斯毕克和斯班尼，火鸟。
● 它应该易读、易认和易记。简短的品牌名称效果较好。例如，汰渍，佳洁士，喷射。
● 它应该与众不同。例如，野马，柯达，埃克森。
● 它不应该用其他国家有不良意思的词。例如，"Nova"对西班牙语的国家的汽车销售来说是一个坏名字，因为它的意思是"走不动"。

　　一般来说，公司选择品牌名称，先列一张清单，详细地写明各种不同名称的含义，讨论它们的优点，挑选后留下少数几个，在目标顾客中测试和作最后的选择。今天，许多公司更喜欢雇用营销研究公司开发名字和测试它们。这些公司应用头脑风暴法会议和计算机数据库，进行联想、判断和其他品质研究分类。名称研究过程包括：联想测试（association tests）（名称能在心目中产生什么形象？），学习测试（learning tests）（名称的易读性如何？），记忆测试（memory tests）（名称的易记性如何？），以及偏好测试（performance tests）（哪些名称受到偏好？）。当然，公司还必须通过数据库查找，保证它选择的名字没有被其他人所注册。然而，这些过程是不便宜的。"名称博弈"最知名的专家之一是在旧金山的名称实验室（Namelab），据说它的平均费用是 60 000 美元。名称实验室负责起名的品牌名称有阿库雷（Acura）和康柏（Compaq）。另一个著名的起名公司是兰德联合会（Landor Associates），它也在旧金山。它的起名费用是 25 000 美元～ 60 000 美元不等。[23]

　　许多公司努力制造独一无二的品牌名称，使之最终成为辨认这类产品的标志。这种品牌名称的成功例子有：费雪捷达尔，克里奈克斯，基蒂·利特尔李维，吉露－O波普斯洛，苏格兰磁带，施乐和菲波戈勒斯。在 1994 年，联邦快递正式缩短了它的名字为"FedEx"，它正成为"第二天交货"的同义词。然而，一个在同种产品类目中的品名可能威胁到公司对该品名的专有权。"玻璃纸"（Cellophane）和"碎麦"已成为一般领域中的商品名称，它们可为任何制造商所应用。

　　为了迅速地在全球市场中成长，公司在选择品牌名称时要放眼全球。这些名字在其他国家也要有意义。康柏喜欢它家用电脑的名字是普雷萨罗（Presario），它在各种拉丁语言中是同一个意思。在法国、西班牙、拉丁语国和葡萄牙有相同或类似的联想，但在英语中就不同了。它使人立即想到"节目主持人"繁忙和幻想的魔术主人。在其他国家，公司还应考虑改变它的原有品名。例如，安休斯－布希（Anheuser－Busch）在德国不能用"波德威斯特"（Budweiser）的名字。

品牌战略决策

　　当公司进行品牌战略决策时，它发现有五种选择。公司可以进行**产品线扩展**（line extensions）（现在品牌名中加上新规格，新风味等以扩大产项目录），**品牌延伸**（brand extensions）（品牌名扩展到新产品项目录中），**多品牌**（multibrands）（新品牌名介绍进同一产项目录中），**新品牌**（new brands）（为新的目录产品设计新品牌名），**合作品牌**（cobrands）（两个或更多著名品牌的组合）。

　　产品线扩展　产品线扩展是公司在同样的品牌名称下面，在相同的产品种类中引进增加的项目内容，如新口味、形式、颜色、增加成分、包装规格，等等。丹诺公司（Dannon）最近引进了数条丹诺酸乳酪线，包括减肥"轻"酸乳酪和甜点酸乳酪，如"薄荷巧克力奶饼"和"焦糖苹果脆"。大量主要的新产品活动由产品线扩展组成。

　　许多公司现在还引进**品牌变形**（branded variants），它为专门的零售商或分销渠道设计品牌线。这是因为零售商为他们的顾客提供有区别的商品时，向制造商施加压力所致。照相机公司可能供应低级相机以满足大众商品店，并对专业相机商店限制它的最高售价。或者，华伦天奴可能为它的套装和上装设计和供应不同的产品线，以满足不同百货公司的需要。[24]

产品线扩展也包含风险，它在营销专家中引起激烈的争论。[25]一种意见是它也可能使品牌名称丧失它特定的意义；里斯和特劳特称它为"产品线扩展陷阱"[26]。在过去，向一个顾客提问可乐时，她的反应是6.5盎司瓶装的那种。今天，卖主必须问：新的、传统的或樱桃可乐?普通的还是减肥的?含咖啡因的还是不含的?瓶装还是罐装的?有时因为原来的品牌过于强大，致使它的产品线扩展造成混乱，加上销售数量不足，难以冲抵它们的开发和促销成本。例如，A—1家禽沙司的彻底失败是因为人们只把A—1当做牛肉；克洛克斯洗衣粉被人们一开始就认为是"漂白"的，大家并不想使自己的衣服失去颜色。研讨下面的失败例子：

      纳贝斯克(Nabisco)　当产品线扩展的销售良好时，会吸引其他项目加入这条产品线。当无花果牛顿的表兄弟酸果蔓牛顿、乌饭树牛顿和苹果牛顿都在为纳贝斯克公司销售时，该产品的创始品牌无花果牛顿似乎成了另一种口味。一条产品线的扩展应该抢走竞争品牌的销售，而不是蚕食本公司的其他项目。

然而，产品线扩展能够和常常具有积极的一面。它们的存活率高于新品牌产品。某些营销主管辩解产品线扩展是建立一项业务的最好方法。金伯里－克拉克(Kimberly-Clark)的克利纳克斯(Kleenex)单位在产品线扩展上获得了巨大成功。"我们在室内的每一个房间都放上了纸巾。"该公司执行主管说："只要它放在那里，它就会被使用。"该公司推出20种纸巾，包括浸有护肤液的纸巾、小孩房间保育室的图画纸巾，比克利纳克斯常规尺寸大60%的"男用"纸巾盒。

另外，激烈的市场竞争为产品线扩展加了一把火，使相对等的竞争者推出新的产品。当纳贝斯克推出了不增肥饼干时，每一个竞争者为了防御，都扩展了它们的产品线。雷迪(Reddy)、霍克(Holak)和布海特(Bhat)通过对34种品牌的75个产品线近20年的数据研究得出以下结论：成功的品牌往往是强势品牌的产品线拓展，有标志性的品牌，投入广告和促销多的品牌，早进入市场的品牌。公司的规模和它的营销竞争也起重要作用。[27]

品牌延伸　公司可能决定利用现有品牌名称来推出其他产品类目中的一种新产品。本田利用其公司名称推出了摩托车、助动车、滑雪车、割草机、海上发动机和雪地摩托。这使本田能打出广告语，它能满足"在两个车库中放六部本田"。加普在全美国的商店销售特色肥皂、洗衣液、洗发水、整发器、洗澡液、洗澡盐和香水喷液。公司品牌的一个新发展趋势是把它们的公司品牌许可给其他制造商——从床垫到鞋子。参见"营销视野——从哈雷－戴维森牌扶手椅到可口可乐牌鱼饵：公司品牌的崛起"。

从哈雷－戴维森牌扶手椅到可口可乐牌鱼饵：公司品牌的崛起

当宝马公司买下劳斯莱斯这个品牌时，它为此支付了 6 000 万美元。这说明精明的投资者都很清楚地知道：一个好的品牌是这个企业最有价值的财富。现在，公司们已经认识到，尽管它们不能将这些财富放在展示厅里展览，不能将它们写入企业的宣传小册子里，不能在企业的明信片里炫耀它们，也不能在企业的关键产品中看到它们的影子，但是，它们可以利用特许的方式大力推进它们产品的品牌形象和价值。这就可以解释为什么突然间我们看到许多带有公司品牌标志的产品——比如带有品食乐公司标志的防烫套垫，带有可口可乐公司标志的野餐用品，带有哈雷－戴维森公司标志的扶手椅和婴儿衣服，以及带有美国联邦政府标志的钥匙链、大号口杯和便携刀。

1997 年，在美国和加拿大两国通过特许经营的方式共销售了 732.3 亿美元的产品。其中通过企业品牌特许的方式销售的产品占到总数的 22%，这个数目与那些特许娱乐业所获取的收入是一样的！这些将自己的品牌用于特许生产和经营的风气大有愈演愈烈之势，主要的原因在于企业认识到这种方式的风险很低，而且它对提高企业的产品知名度和企业的品牌价值却是大有好处的。当然，可口可乐公司特许经营方式的成功也刺激了成千上万的企业采取这种经营方式。然而，很少有人知道在以前可口可乐公司并没有将这种特许经营看做是一条发财的途径，在公司看来，这只是一种防御性的战略。到了 20 世纪 80 年代早期，一个律师向可口可乐公司建议，如果公司不利用自己的品牌进入 T 恤衫的市场，其他人也会合法借用公司的品牌这样做。于是可口可乐公司很快采取了一项特许计划，在开始的时候，这项计划推进得很谨慎。但到现在，这项计划已经包括 240 个以上被授权使用可口可乐公司标志的企业，至少 10 000 种产品，如婴儿服、耳环、用可口可乐罐外形包装的鱼饵、拳击短裤等。仅仅在 1997 年，就有 5 000 万件经可口可乐公司授权的产品被销售。

尽管许多公司在向零售商和分销商销售带有公司标志和名称的促销产品方面已经有很长的历史了，但真正的转变却是在它们制定全面的零售促销计划后才开始的。这种转变体现在企业不仅考虑当前的品牌知名度也顾及到未来企业品牌的知名度。卡特彼勒和约翰·迪尔这两家公司的产品虽然只有很狭窄的市场，但现在它们却授权其他厂商生产范围广泛的带有公司标志的产品。许多这些产品的销售对象是青少年，但这些青少年当然既不是卡特彼勒公司的打桩机的目标客户，也不是约翰·迪尔公司的拖拉机的目标客户！这两家公司是如何发挥公司品牌威力的呢？举例来说，卡特彼勒与比格·斯密斯品牌公司（Big Smith Brands）有一项特许协议，允许比格·斯密斯品牌公司生产卡特彼勒牌工作服。卡特彼勒还与马特尔公司（Mattel）合作建立了以它的建筑设备为模型的玩具生产线。卡特彼勒公司和约翰·迪尔公司都与鞋类制造商达成协议来生产工作鞋。现在，"卡特"（Cat）牌鞋在年轻人中是最热销的产品。《建立强势品牌》一书的作者大卫·阿卡（David Aaker）说新的经过品牌包装后的产品将会帮助设备制造商开拓年轻人的市场。他继续说，那些喜欢迪尔公司产品的人"现在在变得越来越老了，这样，约翰·迪尔公司不得不争取那些 20 多岁或 30 多岁的中青年顾客来理解它们的产品。"

有时，一些公司把特许经营作为将它们的产品打入新的目标市场的方法。尽管哈雷－戴维森牌扶手椅看起来是不可能的产品，它实际上是哈雷－戴维森摩托车公司进入妇女市场的一种方法。目前妇女市场的销售额只占到该公司销售额的 9% 。哈雷－戴维森摩托车公司也授权其他公司生产带有公司标志的儿童玩具，包括穿着一整套非常女性化服装的芭比娃娃。通过这些方法，哈雷－戴维森公司力图吸引下一代年轻人成为哈雷－戴维森摩托车的购买者。该公司的最终目标是销售更多的摩托车给那些非核心市场的顾客。

这种特许经营的方式给那些被授权经营的企业带来了什么呢？它们可是支付了一大笔费用给那些品牌或商标持有者才取得特许经营权的。与依靠娱乐业专有经营权或利用那些名人来经营的方式相比，利用其他企业的品牌来经营可说是风险很小的经营方式。想想看，当你用某个体育名人作为你的产品的品牌代表时，这个体育名人却因为吸毒而被拘捕，那你的产品将受到多大的打击？或者当一个生产哥斯拉怪兽玩具产品的厂商在哥斯拉怪兽这部电影在市场上遭到彻底失败后，他怎么处理他的产品呢？

相比之下，公司品牌可说是一个安全的避风港。许多公司品牌已经存在几十年了，而且这些企业品牌对顾客有惊人的吸引力。特别是对那些在婴儿潮出生的这一代人来说，怀旧感是驱使他们购买可口可乐牌沙滩毛巾或是好幽默(Good Humor)牌铸制卡车模型的动力。贝斯多克(Beanstalk)集团负责管理可口可乐、哈雷－戴维森和哈默(Hormel)品牌的特许经营，该公司的主席萨奇·M·西格尔(Seth M. Siegel)说："我们虽然生活在一个务实的社会，但人们仍喜欢用那些曾经打动过他们的品牌。"

资料来源：Adapted from Constance L. hays, "No More Brand X: Licensing of Names Adds to Image and Profit," *New York Times*, June 12, 1998, p. D1; with additional information drawn from Carleen Hawn, "What's in a Name? Whatever You Make It," *Forbes*, July 27, 1998, pp. 84 ~ 88. Carl Quintanilla, "Advertising: Caterpillar, Deere Break Ground in COnsumer-Product Territory," *wall Street Journal*, June 20, 1996, p. B2. Also see David A. Aaaker, *Building Strong Brands* (New York: Free Press, 1995).

与产品线扩展一样，品牌延伸战略有许多优点。索尼把它的名字用于它的大多数新的电子产品中，它使每种新产品立即建立高质量的认识。同时，品牌延伸战略也有风险。新产品可能使买者失望并损坏了公司其他产品的信任度。品牌名称对新产品可能不适宜——例如，标准石油番茄酱、德雷诺牛奶或波音科隆香水。品牌名称滥用会失去它在消费者心目中的特写定位。当消费者不再把品牌名与一种特定产品或者高度类似产品联系起来时，品牌稀释产生了。一个品牌越强，它的目标市场越狭窄。以伦敦为基地的维珍集团那引人瞩目的首席执行官和公司的创始人理查德·布兰森(Richard Branson)大胆地将维珍这个品牌用于一大堆互不关联的产品。然而，持否定意见的人却认为他是在降低维珍品牌的价值。

维珍集团(Virgin Group)　维珍集团在起步阶段是以音乐商店而出名的，现在主要是以航空公司而闻名的。维珍集团的业务跨越三大洲，涉及航空、铁路、金融服务、音乐商店销售、电影和饮料。然而，该公司的品牌被用于几十项互不相关的领域。营销专家和金融分析家警告布兰森，公司现在的做法正在损害公司的品牌价值。在布兰森看来，公司的品牌延伸到多个领域却加强了公司锐意前进的形象。

布兰森喜欢进入顾客选择较少的行业。比如他用维珍可乐来与饮料业巨头百事可乐和可口可乐抗衡。布兰森说:"我们有一套利用我们品牌的信誉进入某些行业,并挑战那些市场领导者的策略。在这些行业,我们相信消费者并没有得到物有所值的东西。"然而,如果布兰森不能像他许诺的那样从公司的维珍可乐或铁路运输服务中获取利润的话,维珍这个品牌将不可避免地失去光泽。[28]

竞争者相信品牌稀释。考虑下面在凯悦和马利奥特旅馆的对比例子:

凯悦和马利奥特(Hyatt and Marriott) 凯悦的做法是品牌延伸战略。凯悦的名字出现在各种旅馆中,即凯悦胜地、凯悦摄政管辖、凯悦套房和凯悦公园。马利奥特与此相反,实行多品牌战略。它的各种旅馆分别称为:马利奥特侯爵式、马利奥特、常居旅店、庭院和集市式旅店。对凯悦的顾客来说,很难分辨凯悦的各种旅馆,而马利奥特很清楚地对不同的细分片进行定位,为它们的每一个建立了明确的品牌名称和形象。

公司在引入它们的品牌名称时,必须研究它与新产品的联系程度如何。最佳结局是该品牌名使新产品和原有产品都扩大了销售。一个可接受的结果是新产品有销售和对原有产品没有影响。最坏结局是新产品失败了并伤害了原有产品。[29]

多品牌 一家公司经常在相同产品类目中引进其他品牌。有时,公司看到这是一种为不同买主提供不同性能或诉求的方法。例如,宝洁公司产品在清洁剂中有九个品牌。多品牌战略还能使公司占领更多的分销商货架。或者,公司建立侧翼品牌(flanker brands)是为了保护其主要品牌。例如,精工为它高价精工·莱塞尔(Seiko Lasalle)[和低价帕尔斯(Pulsar)]手表取名不同,以保护它的侧翼。有时,公司通过获取竞争公司的品牌,从而继承不同的品牌名称。瑞士的多国公司伊莱克斯(Electrolux),获取许多品牌名以稳定其在仪器设备产品线的地位(福利奇迪、凯尔维纳多、西屋电气、扎纳西、白色、吉布森)。

引进多品牌的陷阱是,每个品牌仅仅只占领了很小的市场份额,也可能毫无利润。公司把资源分配于过多的品牌,而不是为获取高利润水平的少数品牌服务。理想的方法是,一家公司的品牌应蚕食竞争者品牌而不是自相残杀。至少,多品牌战略获取的净利润能大于同类相残后的损失。[30]

新品牌 当公司在新商项目录中推出一种产品,它可能发现原有的品牌名不适合于它。如果天美时公司(Timex)决定生产牙刷,但它不愿意称其为天美时牙刷。在美国市场上,建立一种大众消费品的新品牌名称的成本,大约从5 000万美元～10 000美元不等。

合作品牌 合作品牌(cobranding),也称为双重品牌(dual branding),这是两个或更多的品牌在一个提供物上联合起来。每个品牌的持有人期望另一个其他品牌能强化品牌的偏好或购买意愿。对合作包装的产品来说,各个品牌希望它能接触到新的受众,因为它已和其他品牌联合起来了。

英特尔的奔腾II处理器的广告。

合作品牌的形式有多种。一种是**中间产品合作品牌**（ingredient cobranding）。如富豪公司的广告，它使用米其林轮胎或贝帝·克罗卡的果仁蛋糕，包括一罐好事巧克力糖浆。另一种形式是**同一公司合作品牌**（same-company cobranding），如通用磨坊公司的特里克斯／约波兰特酸奶。还有一种形式是**合资合作品牌**（joint venture cobranding），如在日本的通用电气公司和日立公司的日光灯，由花旗银行和美国航空公司共同发行的花旗银行AA级信用卡。最后是一种**多持有人合作品牌**（multiple-sponsor cobranding），例如托利金德（Taligent）是苹果公司、IBM公司和摩托罗拉公司技术联盟下的品牌。[31]

许多生产中间过程产品的制造商——马达、电脑芯片、地毯纤维——进入了最终的品牌产品行列，而个别的识别标志往往丢失了。这些制造商希望他们的品牌成为最终产品的一个组成部分。中间产品品牌成功的例子不多，但英特尔、纳特莱斯特（Nutrasweet）、戈特斯（Gortex）却成功了。英特尔对消费者直接品牌宣传活动使许多个人电脑的购买者只购买"内置英特尔"品牌的电脑。最后，一些主要的个人电脑制造商——IBM、戴尔、康柏——不得不放弃便宜的供应商而购买英特尔公司的芯片。同样，瑟尔（Searle）说服许多饮料消费者寻找纳特莱斯特的配料。外衣制造商如果用了戈特斯的面料就能卖高价。虽然有这些成功的例子，但大多数中间过程产品的制造商发现，说服消费者坚持某些成分、材料或配料在最终产品中是很困难的。消费者不会因为汽车内有钱皮恩

(Champion)火花塞或斯坦马斯特(Stainmaster)装饰品而购买这辆汽车。

品牌重新定位决策

也许一种品牌在市场上最初定位是适宜的，但是到后来，在面临新的竞争者或顾客偏好改变时，公司可能不得不对之重新定位。考虑下面的重新定位例子：

　　七喜(7-Up)　七喜饮料是许多软饮料中的一种，主要购买者是老年人，他们对饮料的要求是刺激性小和有柠檬味。调查结果表明，即使大部分软饮料消费者偏好"可乐"，他们也不是始终如一的，况且还有许多消费者并不喝可乐饮料。七喜公司使了一个高招，从而获得了非可乐饮料市场的领先地位。非可乐饮料具有既有朝气又提神的特色，其目的是取代可乐饮料。七喜饮料是传统软饮料的替换物，而不仅仅是另一种软饮料。

包装和标签

许多实体产品必须要有包装和标签。有一些包装是闻名于世的：如"可口可乐"的瓶子，"雷格"女用连裤袜的蛋形包装。许多营销人员把包装称为第五个 P，前面四个 P 分别为价格（price）、产品（product）、地点（place）和促销（promotion）。不过，大多数营销人员还是把包装视为产品战略中的一个要素。

包装

我们将包装界定为：

　　包装（packaging）是指设计并生产容器或包扎物的一系列活动。

这种容器或包扎物被称为包装物。包装物可以包括多达三个层次的材料。例如，老味牌剃须液（Old Spice）装于瓶（主要包装），它又装于纸盒（次要包装），装产品的瓦楞纸箱（运输包装），每箱装 6 打。

包装已成为强有力的营销手段。设计良好的包装能为消费者创造方便价值，为生产者创造促销价值。多种多样的因素对作为一种营销手段的包装发展发挥了作用：

● 自助。越来越多的产品在超级市场上和折扣商店里以自助的形式出售。在一个通常的超市中，它储存了 15 000 种商品项目，典型的购买者每分钟经过 300 个项目。如果 53% 的顾客是即兴购买，这些有效的包装就像"五秒钟商业广告"一样。包装必须执行许多推销任务。它必须能吸引注意力，说明产品的特色，给消费者以信心，形成一个有利的总体印象。

● 消费者富裕。日益增长的消费者富裕是指消费者愿意为良好包装带来的方便、外观、可靠性和声望多付些钱。

● 公司和品牌形象。公司已意识到设计良好包装的巨大作用，它有助于消费者迅速辨认出是哪家公司或哪一品牌。金宝汤料公司估计平均每个购买者一年中看到它的熟悉的红与白标志颜色 76 次，这等于创造了广告费价值 2 600 万美元。

● 创新机会。包装的创新给消费者带来较大的好处，也为制造商带来利润。牙膏气压软管包装产品已占有 12% 牙膏市场。因为许多消费者觉得它又方便又不会弄脏手。切斯布拉夫 – 旁氏公司 (Chesebrough-Pond) 推出新颖的阿奇之 (Aziza) 指甲上光笔后，指甲油销售额增长了 22%。

为新产品制定有效的包装，这需要作出大量的决策。第一个任务要建立**包装概念** (packing concept)。包装概念的定义是，规定包装基本上应为何物，或为一种特定产品起什么作用。接下来必须为包装设计的其他要素作出决策——包装物的大小、形状、材料、色彩、文字说明，以及品牌标记。决策的内容还必须包括：大量的文字说明还是少量的文字说明，采用玻璃纸或其他透明的薄膜，塑料的或薄片状的盘子，等等。这些决策必须受"多次检验"。包装的各个要素必须相互协调。包装的要素也必须与定价、广告和其他营销要素相互协调。

包装一经设计好后，必须进行一些测试。进行**工程测试** (engineering tests) 的目的是为了保证包装在正常情况下经得起磨损；进行**视觉测试** (visual tests) 的目的是为了保证字迹清楚和色彩协调；进行**经销商测试** (dealer tests) 的目的是为了保证经销商发现包装具有的吸引力，并且能够便于处理；进行**消费者测试** (consumer tests) 的目的是为了保证赢得有利的消费者反应。

尽管预先采取了这些试验措施，但是包装设计有时还会存在某种根本性的缺陷：

普兰德生命储藏公司 (Planter Lifesavers company)　在 1992 年初，普兰德生命储藏公司利用一种新的产品包装来开拓它的花生果市场。该公司从一种真空包装的块状咖啡的成功中获得了灵感，推出了一种真空包装的普兰德 (Planter) 新鲜盐味烘花生果。公司的目的是利用新鲜的烘咖啡与新鲜的烘花生果的联系，来推广它们的产品。消费者对这两种产品做了某种联系，但是这种联系却导致了灾难性后果：公司的烘花生果刚一出现在杂货商店的货架上，普兰德公司的母公司，纳贝斯克公司开始收到许多愤怒的商店经理的投诉电话。他们想知道谁将为他们的咖啡研磨机支付清洗费用。实情是消费者把真空包装的花生果当做了咖啡，把花生果放进了商店的咖啡研磨机，从而造成这种后果。不巧的是，这种新包装的花生果出现在包装外形类似的咖啡的消费热潮中。因为花生果也是成块状的，消费者在超市的灯光下很难分清这两种产品的包装袋。不用说，普兰德公司放弃了这种真空包装![32]

为某新产品设计效果良好的包装可能要花费数万美元，并需要数月以至一年的时间。公司应该注意到，对包装的环境和安全问题已日益被关注。纸张、铝材和其他材料的短缺要求营销者减少包装。许多包装物成为破碎的瓶和罐乱丢于街道和田头。所有这些包装物成为处理固体废料的一大问题，需要大量劳动力和精力来处理这些废料。因此，许多公司开展"绿色"包装活动：S. C. 庄臣，重新用少于 80% 塑料的材料包装它的雅丝丽(Agree)洗发水，宝洁公司将它的秘密(Secret)和万全(Sure)除臭剂撤销外包装盒子，每年节省了 340 万磅的纸张。

泰特拉·派克(Tetra Pak)　泰特拉·派克是一家瑞士主要的跨国公司，该公司提供了一个从顾客角度思考的创新性包装的例子。泰特拉·派克公司发明了一种"无菌"包装袋，这种包装袋能够储存牛奶、水果汁和其他易腐烂的流体食物而不用冷冻。这就使企业没有必要将钱花在购买冷冻汽车和其他的冷冻设备上。借助它，企业可以在广大的地域范围内运输这些易腐烂的食物。超市也能将这种泰特拉·派克包装袋包装的产品直接放在普通的货架上，从而节省了宝贵的冷冻柜空间。泰特拉·派克公司的格言是"泰特拉·派克包装袋物有所值"。泰特拉·派克公司通过广告直接宣传公司的包装袋对消费者的好处，该公司甚至发起了一项旨在保护环境的包装袋回收运动。

标签

销售者必须为其产品设计标签。标签可以是附在产品上的简易签条，也可以是精心设计的作为包装一部分的图案。标签可能仅标有牌名，也可能具有许多信息。即使销售者喜欢用简易标签，但是法律可能规定标签要具有附加的信息。

标签执行着多种功能。首先，标签发挥识别(identified)产品或品牌的作用，如标在鲜橙上的牌名"新奇士"即是一例。标签也有可能起到为产品分等的作用，如罐装桃子的标签就标有 A 级、B 级和 C 级。标签可能描述(describe)有关产品的一些情况：谁生产这一产品，在什么地方生产，什么时候生产，产品的内容是什么，如何使用这一产品，以及如何安全地使用这一产品。最后，标签或许能够以引人的图案来推广(promote)产品的销售。

众所周知的品牌标签过一段时间就会变成老面孔，这时就需要重新梳妆打扮。自 19 世纪 90 年代以来，象牙肥皂的标签已被改头换面了 18 次，标签的大小和字母的设计都逐渐改变了。当竞争者开始用新鲜水果的图案作为其软饮料的标签时，"橙汁"软饮料上的标签为此曾作了大幅度的变动，结果，"橙汁"软饮料的销售额大量增加。橙汁在包装上设计了一种具有新记号的标签，以此表示其产品新鲜，质地非常浓稠，颜色较深。

长期以来，法律始终关注着标签、包装和产品的一般形态。1914 年联邦贸易委员会法案认为有错误、误导或欺骗性的标签或包装构成了不公平竞争。美国国会在 1967 年通过了妥善包装与标签法案，对标签作了强制性的规定，鼓励包装数量标准化，允许联邦官员对特殊行业建立包装要求。食品与药品管理局(FDA)要求食品生产者表明营养标记，清楚指出蛋白质、脂肪、碳水化合物及热量在产品中的含量，以及维他命和矿物质在每天服用时的比例容差。食品与药品管理局最近推出控制诸如描述"轻的"、"高质量"、"无胆固醇"的潜在误导标签。消费主义者在游说要增加标签法案，要求出厂日期(以描述产品的新鲜程度)、单位价格(用标准计量单位描述产品成本)、等级标记(对消费品作一定的质量等级排列)，以及百分比标记(显示重要成分的各个百分比)。

小结

1. 产品是营销组合中第一个和最重要的要素。产品战略要求对产品组合、产品线、品牌、包装和标签作出协调一致的决策。

2. 在计划营销提供物或产品时，营销者需要考虑产品的五个层次。最基本的层次是核心利益，即顾客真正所购买的基本利益或服务。在第二个层次，营销者必须将核心利益转化为基础产品。在第三个层次，营销者准备了一个期望产品，即购买者购买产品时通常希望和默认的一组属性和条件。在第四个层次，营销者准备了一个附加产品，即包括增加的服务和利益，它能把公司的提供物与竞争者的提供物区别开来。在第五即最后一个层次，营销者准备了潜在产品，即该产品最终可能会实现的全部附加部分和新转换部分。

3. 产品可有好几种分类方法。根据其耐用性和有形性，可分为非耐用品、耐用品或服务。在消费品中，它可分为方便品(日用品、冲动品、急用品)；选购品(同质品和异质品)；特殊品；或非渴求商品。在工业品中，根据它们进入的生产过程分为三种：材料和部件(原材料，即农产品和天然产品，以及半制成品和部件，即构成材料和构成部件)；资本项目(装备和附属设备)；或供应品和业务服务(操作用品，维修用品，维修和修理服务，业务咨询服务)。

4. 大部分公司都经营一种以上的产品，这就可以把产品组合描绘成具有一定宽度、长度、深度和相容度。产品组合的四度理论是公司制定产品战略的工具，以决策哪些产品线需要发展、维持、收获和撤销。为了分析产品线和决策有多少资源应投资到该产品线，产品线经理需要观察它们的销售额、利润和市场轮廓。

5. 一家公司改变它的营销组合中产品成分可通过延长产品线长度的方法进行(向下扩展、向上扩展或双向扩展)，或产品线填补，产品线现代化，某些产品线特色化，削减和排除最少盈利的产品。

6. 品牌是产品战略的一个主要课题。品牌建设是昂贵的和花费时间的，它可以兴旺或毁掉一种产品。最有价值的品牌必然有它的资产权益，它是公司的重要资产。在品牌战略的考虑中，公司必须决策是否要制定品牌，是产品制造商品牌还是分销商或私人品牌，用哪一个品牌名，以及是否要进行产品线扩展、品牌延伸、多品牌、新品牌或合作品牌，最好的品牌名称启发人想起该产品的利益；提示产品的质量；易读、易认和易记；它与众不同；在其他国家和其他语言中没有负面含义。

7. 许多实体产品在进入市场时需要包装和标签。一个设计良好的包装能为顾客创造便利价值和为产品创造促销价值。实际上，它们对产品的作用就像"5 秒钟广告"。营销人员必须建立一个包装概念，并在功能和心理方面对这一概念进行测试，以保证它实现所预期的目标，并使之与公共政策和社会责任保持一致。实体产品也需要标签，便于产品的识别、可能的分级、说明和促销。法律要求销售者在标签上提供一些信息，让消费者了解并保护消费者。

应用

本章观念

1. 确定以下每家大公司的基本职责。换而言之，每家公司寻求满足什么基本需要？(a)通用汽车公司；(b)拜尔(阿司匹林制造商)；(c)诚信共同基金；(d)西尔斯；(e)《美国新闻世界报道》(杂志)。

2. 大多数公司宁可发展多样化的产品以避免对单一产品的过分依赖，但生产并销售一种产品对一家公司有一定的优势，它有哪些优势？

3.1986 年美国市场营销协会设立了爱迪生奖以表彰消费商品创新的优秀者。获胜者(产品本身)是根据下列标准评选的：

● 市场创新。创新战略、市场定位、广告和销售促进所有这些都反映为市场成功。
● 盈利性和持久力。
● 技术创新。
● 市场结构创新。开辟新市场，或通过新建市场细分片或控制已存在的市场细分片重构现有市场。
● 持久价值。
● 社会影响。产品改善了消费者的生活方式和／或扩大了消费者的选择自由。

过去曾赢得此项奖励的产品有：凯洛格的健康选择(Healthy Choice)谷类食品，纳贝斯克公司的降脂奥里奥，富利多乐(Frito-Lay)的托斯蒂托斯(Tostitos)面包和费罗利多(Ferolito)的亚利桑那(Arizona)冰茶。选择你认为达到上述标准的五种产品，并解释你为何认为这些产品会成为赢家。

营销与广告

1. 马林·汤姆(Tom's of Maine)制造的牙膏产品在市场上的定位是环境友好，该公司产品是纯天然的不含人造的成分。图 13A—1 是该公司的含氟牙膏的广告。这种产品的核心利益是什么？它的基础产品、期望产品和附加产品又是什么？分析这个广告，结合广告的主题解释这种产品和它的包装战略的基本组成部分是什么？

2. 图 13A—2 显示了奇普公司(Zippo)以企业市场为目标的广告。以这个广告和你对奇普公司的了解为基础，讨论该公司的产品组合。为什么奇普公司将公司的品牌名放在广告中所示的三种产品上？怎么将这个广告所代表的品牌战略归类？这种战略暗示了奇普公司什么样的品牌观念？解释你的回答？

图 13A—1   图 13A—2

聚焦技术

一种产品的名称里有什么隐藏的含义？对营销人员来说，产品名称是企业一项宝贵的资产，所以必须仔细考虑。一些企业雇用专业的营销咨询公司来为企业的产品取名或者测试可能的产品名称。另一些企业却倾向于自己动脑来解决这个取名的难题。现在，那些相信"自己动手(DIY)"的营销人员可以借助于名称风暴公司(Namestormers)开发的产品取名技术了。

在名称风暴的 Web 站点(www. namestormers. com)上，有一段说明来解释这种软件是如何工作的，同时顾客还可以从网站上免费下载该软件的展示版。在这个站点上，也有对一种叫名称波浪(NameWave)服务的解释，这种基于因特网的服务能够根据顾客提出的分类标准而自动生成 40 个产品名。利用名称风暴或名称波浪的优点是什么？缺点是什么？如果你负责发展产品的品牌，你将选择哪一种方法？说出选择的理由或者不选择的理由。

新千年营销

像早先提到的那样，帮宝适公司是一个无论在因特网上或者是网下都积极开展品牌营销的公司。除了传统的广告宣传方案外，帮宝适公司还开设了一个提供增值服务的 Web 站点(www. pampers. com)，这个站点是向父母解答如何培养孩子问题的，网站上其他的内容还包括化妆培训。

浏览帮宝适公司的网页，点击"有什么新闻"（What's New)部分，看看父母们在这里能够找到些什么。然后到"帮宝适纸尿布"部分，在两条线上点击，你就会获得如何向帮宝适公司订货的信息。在输入你的邮政编码后，你能看见几个零售商的旗帜广告。请回答，为什么这些零售商想链接到帮宝适公司的 Web 站点上？为什么宝洁公司重视这些链接呢？这个站点对所有参与的零售商以及帮宝适公司的品牌建设有什么贡献？

你是营销者：索尼克公司的营销计划

关于产品和产品品牌所做的决策对于任何营销计划能否取得成功都是关键的。在计划阶段，营销人员必须考虑许多涉及到产品组合、产品线长度、品牌权益和品牌战略的问题。

作为简·梅洛迪的助手，你承担了为索尼克公司的台式音响管理产品线和品牌的责任。考虑索尼克公司当前的实际情况，公司的目标市场和以前的市场营销计划中的产品战略。通过回答下面的问题来设计索尼克公司的战略：

● 什么是索尼克公司台式音响的核心利益？你认为这种潜在产品应该具备什么样的组成要素？

● 分析你当前的产品组合和你的产品线。你所做的建议是什么？为什么做这样的建议？

● 索尼克这个品牌的属性和利益是什么？

● 你向索尼克公司所建议的产品线和品牌延伸、新品牌或其他品牌战略是什么？为什么？

想想看，你对这些问题的回答将怎样影响索尼克公司的营销工作。根据你导师的安排，把它们写进一个书面的营销计划中，或者，把它们输入到营销计划程序软件中的营销战略中。

【注释】

[1] T. L. Stanley, "Brand Builders: BioGenetics at A&E," *Brand week*, April 6, 1998, pp. 22 ~ 23.

[2] This discussion is adapted from Theodore Levitt, "Marketing Success through Differenti-ation—of Anything," *Harvard Business Reveiew*, January – February 1980, pp. 83 ~ 91. The first level, core benefit, has been added to Levitt's discussion.

[3] See Harper W. Boryd Jr. and Sidney Levey, "New Dimensions in Consumer Analysis," *Harvard Business Review*, November-December 1963, pp. 129 ~ 140.

[4] Theodore Levitt, *The Marketing Mode* (New York: McGraw-Hill, 1969), p. 2.

[5] For some definitions, see *Dictionary of Markeeting Terms*, ed. Peter D. Bennett (Chicago: American Marketing Association, 1995). Also see Patrick E. Murphy and Ben M. Enis,

"Chssifying Products Strategically," *Journal of Marketing*, July 1986, pp. 24 ~ 42.

[6] This illustration is found in Benson P. Shapiro, *Industrial Product Policy: Managing the Existing Product Line* (Cambridge, MA: Marketing Science Institute, September 1997), pp. 3 ~ 5, 98 ~ 101.

[7] See David A. Aaker, "Should You Yake Your Brand to Where the Action Is?" *Harvard Business Reveew*, September-October 1997), pp. 135 ~ 143.

[8] See Steuart Henderson Britt, "How Weber's Law Can Be Applied to Marketing," *Business Horizones*, February 1975, pp. 21 ~ 29.

[9] See Jean-Noel Kapfer, *Strategic Brand Management: New Approaches to Creating and Evaluating Branad Equity* (London: Kogan Page, 1992), pp. 38 ff; Jennifer L. Aaker, "Dimensions of Brand Personality" *journal of Marketing Research*, August 1997, pp. 347 ~ 356.

[10] David A. Aaker, *Buiding Strong Branas* (New Youk. Free Press, 1995) . Also see Kevin Lane Keller, *Strategic Brand Management: Building, Measuring, and Managing Brand Equity* (Upper Saddle River, NJ: Prentice Hall, 1998).

[11] Aaker, *Building Strong Brands*. Also see Patrick Barwise et al., *Accounting for Brands* (London: Institute of Chartered Accountants in England and Wales, 1990); and Peter H. Farquhar, Julia Y. Han, and Yuju Ijiri, "Brands on the Balance Sheet," *Marketing Management*, Winter 1992, pp. 16 ~ 22. Brand equity should reflect not only the capitalized value of the incremental profits from the current use of the brand name but also the value of its potential extensions to other products.

[12] Kurt Badenhausen with Joyce Artinian and Christopher Nikolov, "Most Valuable Brands," *Financial World*, September-October 1997, pp. 62 ~ 63.

[13] Evan Schwartz, "The Brand man," *Context*, Summer 1998, pp. 54 ~ 88.

[14] Margaret Webb pressler, "The Power of Branding," *Washington Post*, July 27, 1997, p. H1.

[15] Scott Davis and Darrell Douglass, "Holistic Approach to Brand Equity Management," *Marketing News*, January 16, 1995, pp. 4 ~ 5.

[16] Hohn F. Geer Jr., "Brand War on Wall Street," *Financial World*, May 20, 1997, pp. 54 ~ 63.

[17] For further reading, sed Brian F. Harris and Roger A. Strang, "Marketing Strategies in the Age in the Age of Generics," *Jonrnal of Marketing*, Fall 1985, pp. 70 ~ 81.

[18] "President's Choice Continues Brisk Pace," *Frozen Food Age*, March 1998, pp. 17 ~ 18; Warren Thayer, "Label to Surge," *Frozen Food Age*, May 1996, p. 1.

[19] Quoted in "Trade poromotion: Mruch Ado About Nothing," *Promo*, October 1991, p. 37.

[20] See Paul S. Richardson, Alan S. Dick, and Arun K. Jain, "Extrinsic and Intrinsic Cue Effects on Perceptions of Store Brand Quality," *Journal of Marketing*, October 1994, pp. 28 ~ 36.

[21] Patricia Nakache, "Secrets of the New Brand Builders," *Fortune*, June 22, 1998, pp. 167 ~ 170.

[22] See Kim Robertson, "Strategically Desirable Brand Name Characteristics," *Journal of Consumer Marketing*, Fall 1989, pp. 61 ~ 70.

[23] John Burgess, "$60, 000 for One Good Word; Fims May Pay Through the Nose for n Name," *Washington Post*, October 21, 1996, p. F19.

[24] See Steven M. Shugan, "Branded Variants," *1989 AMA Educators Proceedings*

(Chicageo: American Marketing Association, 1989), pp. 33 ～ 38.

[25] Robert McMath, "Product Proliferation," *Adweek (Eastern E. d) Superbrnds 1995 Supplement*, 1995, pp. 34 ～ 40; John A. Quelch and David Kenny, "Extend Profits, Not Product Lines," *Harvard Business Review*, September-October 1994, pp. 153 ～ 160; and Bruce G. S. Hardle, Leonard M. Lodish, James V. Kilmer, David R. Beatty, et al., "The Logic of Product-Line Extensions," *Harvard Business Review*, November-December 1994, pp. 53 ～ 62.

[26] Al Ries and Jack Trout, *Positioning: The Battle for Your Mind* (New York: McGraw-Hill, 1981)

[27] From Srinivas K. Reddy, Susan L. Holak, and Subodh Bhat, "To Extend or Not to Extend: Success Determinants of Line Extensions," *Journal of Marketing Research*, May 1994, pp. 243 ～ 262. See also Morris A. Cohen, Jehoshua Eliashberg, and Teck H. Ho, "An Anatomy of a Decision-Support System for Daveloping and Launching Line Extension," *Journal of Marketing Research*, February 1997, pp. 117 ～ 129; V. Padmanabhan, Surendra Rajiv, and Kannan Srinivasan, "New Products, Upgrades, and New Releases: ARationale for Sequential Product Introduction," *Journal of Marketing Research*, November 1997, pp. 456 ～ 472

[28] Julia Flynn, "Then Came Branson," *Business Week*, October 26, 1998, pp. 11 ～ 20.

[29] Barbara Loken and Deborah Roedder John, "Diluting Brand Beliefs: When Do Brand Extensions Have a Negative Impact?" *Journal of Marketing*, July 1993, pp. 71 ～ 84; Deborah Roedder John, Barbara Loken, and Christohper Joiner, "The Negative Impact of Extensions: Can Flagship Products Be Diluted," *Journal of Marketing*, January 1998, pp. 19 ～ 32; Susan M. Broniarcyzk and Joseph W. Alba, "The Importance of the Brand in Brand Extension," *Journal of Marketing Resarch*, May 1994, pp. 21 ～ 48 (this entire issue of) *JMR* is devoted to brands and brand equity).

[30] See Mark B. Taylor, "Cannibalism in Multibrand Firms," *Journal of Business Strategy*, Spring 1986, pp. 69 ～ 75.

[31] Bernard L. Simonin and Julie A. Ruth, "Is a Company Known by the Company It Keeps? Assesing the Spillover Effects of Brand Alliances on Consumer Brand Attitudes," *Journal of Marketing Research*, February 1998, pp. 30 ～ 42.

[32] Robert M. McNath, "Chock Full of (Pea) nuts," *American Demographics*, April 1997, p. 60.

第**14**章

设计与管理服务

科特勒论营销：

　　任何业务都是一种服务：你并非是一家化学产品公司；你是在从事化学产品的服务业务。

本章将阐述下列一些问题：

● 如何界定服务并对其进行分类？

● 服务与货品相比有哪些区别？

● 服务公司如何改进其服务差别化，提高服务质量和生产力？

● 产品制造公司如何改善它们的顾客支持服务？

　　营销理论和实践的发展起源于实体产品的销售，例如牙膏、汽车和钢铁。然而，近年来主要大趋势之一就是服务业的惊人增长。在美国，从事服务业的人数占总就业人数的 79% ，其产值占总国民生产总值的 74% ，且预计到 2005 年它将代表了所有就业机会净增长值。[1]这些数字引发了人们对服务营销中特定问题的浓厚兴趣。[2]

服务的性质

　　服务行业门类繁多。政府部门(government sector)，包括法庭、职业服务机关、医院、贷款代办处、军事部门、警察和消防部门、邮电局、管理机关和学校在内，都属于服务行业。私有非营利部门(private nonprofit sector)，包括博物馆、慈善团体、教会、大学、基金会和医院在内，也都是服务行业。许多业务部门(business sector)，包括航空公司、银行、计算机维修处、旅店、保险公司、律师事务所、管理咨询公司、医疗机构、电影公司、管道修理公司和房地产公司等，也是服务行业。在制造业部门(manufacturing sector)，许多工作人员其实是服务提供者，如计算机操作人员、会计师和法律顾问等。事实上，他们已构成了一个"服务工厂"，专门向"商品工厂"提供服务。

我们对服务的定义如下：

服务（service）是一方能够向另一方提供的基本上是无形的任何活动或利益，并且不导致任何所有权的产生。它的产生可能与某种有形产品联系在一起，也可能毫无关联。

服务正在因特网上普及。只要在网上冲浪就能接触虚拟的服务提供者。"虚拟助手"将是文字处理、计划事件和管理办公杂务；在线的顾问将通过电子信箱发出忠告。下面是一个例子：

曼哈顿的股份目标和虚拟成长公司（Manhattan's StockObjects and Virtual Growth, Inc.）　纽约城的股份目标公司正在为它的基于网站的数据库做市场推广，这个数据库由那些用于 Web 站点制作的动画、三维模型和其他多媒体组件构成。当股份目标公司需要一些财务会计服务时，它向另一家纽约的高科技"硅谷"企业虚拟成长公司寻求支持。虚拟成长公司提供一套"虚拟财务长官（CFO）"服务。股份目标公司的首席运营官（COO）将公司的财务数据输入虚拟成长公司提供的一套制表软件模板中，该模板程序自动产生资产负债表和现金流量表。这些电子表格通过电子邮件送到虚拟成长公司，在收到后，虚拟成长公司将指派一个注册会计师来解释这些数据并在战略上向股份目标公司作出建议。虚拟成长公司还为股份目标公司提供许多别的财务和税收方面的服务。这些服务每月总的费用只有 1 700 美元，而雇用一个全职的财务长官每年的费用是 100 000 美元甚至更高。[3]

制造商和分销商能够利用服务战略细分他们自己。俄勒冈州波特兰市的阿克米（Acme）建筑材料公司已经投资超过 135 000 美元，在它的"夜间猫头鹰"投递业务上。这样，阿克米的顾客晚上在公司的站点上订购的货物，在第二天一大早，就能被送到顾客的手中。该公司的地区负责人说"对价格斤斤计较的顾客是不能在这里做生意的，但是，那些认识我们所提供服务的整体价值的顾客将服务得更好。我们的这种服务对竞争者是极大的威胁，他们不得不每天看着我们的生意蒸蒸日上，而四处打电话寻找客户。"[4]

服务组合的分类

一家公司对市场的供应通常包含某些服务在内。这种服务成分可能是全部供应的较小部分，或者是全部供应的较大部分。服务供应可分为五种类型：

1. 纯粹有形商品。此类供应主要是有形物品，诸如肥皂、牙膏或盐等。产品中没有伴随服务。

2. 伴随服务的有形商品。此类供应包括有附带旨在提高对顾客的吸引力的一种或多种服务的有形商品。据莱维特观察："普通产品（如汽车、计算机）的技术越复杂，它的销售越发依靠其伴随顾客服务的质量和效用（如展览室、送货、修理和保养、帮助操作、培训操作人员、装配指导、履行保证等）。从这个意义上说，通用汽车公司是一家服务密集型的而不是制造密集型的企业，如果没有服务，它的销售就会萎缩。"[5] 参见"营

513

营销视野

为利润销售服务

由于许多公司在其所出售的商品上获得的利润日益下降，它们不得不将更多注意力转向通过服务来赚钱。有时它们会对一些服务收费，而这些服务在过去则是向购买产品者免费提供的。另一方面，它们对其服务的定价也较高。今天，汽车经销商的大部分利润来自于融资、保险和修理等服务以及合同，而不是出售汽车。许多汽车制造商，例如福特、通用和本田都在鼓励它们的汽车经销商在顾客便利的地方建立服务点。经销商也在向顾客提供传真、计算机等服务以及销售一些与汽车相关的时尚用品。一家位于新泽西州波尔特的服务点甚至设有修剪指甲的沙龙。

制造商可以从下面六个方面开拓服务业务：

1. 将其产品重新包装成系统解决组合。一家公司可以不再满足于只销售它的产品——化工制品、计算机、机械工具等——而是将它们组合成一个服务项目，以满足顾客多方面的需要。这种服务成为使 IBM 改变的主要因素。这个计算机制造商现在帮助企业开发、执行和维持计算机系统，包括网络、内部网和电子商务站点。IBM 供应设备（它自己的和其他公司的）和服务系统。系统解决现在占 IBM 销售的 25%。

2. 将公司的内部服务改组成可销售的外部服务。有些公司把内部能力卖给其他公司。例如，施乐公司开发了一种高效的内部培训推销员的计划，后来决定推出施乐学习系统，将它的推销员培训系统出售给其他公司。

3. 利用公司的物质设备向其他公司提供服务。拥有物质设备的公司常常发现它们可以向其他公司提供设备服务。位于华盛顿州尼那市的金伯利·克拉克公司（Kimberly-Clark）经营和维护自己的一组飞机，该公司就扩大了其设备的利用率，向其他拥有自己机组的公司提供和出售飞机维护与检修服务。

4. 提供管理其他公司物质设备的业务。强生控制公司是一家生产恒温器和能源系统的公司，在那里，设计人员一度把他们的业务局限在很窄的范围内。现在该公司的设计人员也走出设计室，到客户的大厦里，管理他们帮助客户安装的空调系统。施乐公司也在从生产复印机的角色向"文件处理公司"的角色转换。现在施乐公司的业务范围不仅限于为 4 300 家大企业提供复印机，也包括了投递上百万份文件的服务。施乐公司的商业服务部门在 1992 年开始运作，目前是施乐的一个关键性部门，并且在 1997 年凭借它的优质服务夺取了麦尔肯·鲍特里奇国家质量奖。

5. 推销财务服务。设备公司常常发现，它们可以从向顾客提供资金融通业务方面而获利。通用电气公司是世界上最大的生产诸如冰箱和灯泡的产品公司。今天，通用汽车公司增长最快的部门是通用财务，它的业务范围涉及到 28 个领域，从信用卡、卡车租赁到保险服务。它现在的年收入是 400 亿美元。在 1990 年，通用财务的净收入占通用汽车公司净收入的 29%，到 1997 年，通用财务的净收入已经占到通用汽车公司净收入的 40%。在德国，电气行业巨头西门子从它的财务运作中取得了同生产经营一样多的收入。现在，西门子建立了自己的财务公司。西门子的财务部门已经从一个传统的花钱部门，一个旧式的企业财务部门，转变成了公司的盈利中心。

6. 进入分销服务。制造商也可以进行前向一体化，拥有和经营零售店，推销其产品。哈特·雪夫那(Hart Schaffner)和麦克斯公司(Marx)的主业是服装制造，但同时也经营着一系列服装连锁店。桂格麦片公司是一家谷物制造商，同时经营着几家连锁餐厅。许多制造商还经营工厂零售商店，有些制造商还开设了旗舰商店。以莎莉公司(Sara Lee)为例，该公司现在经营着203家兰格斯(L'eggs)、哈尼斯(Hanes)、巴利(Bali)、普兰德等品牌的代销店，与1995年相比，增加了53家代销店。莎莉公司还经营着53家马车(Coach)品牌的销售店，42家冠军(Champion)品牌的销售店，13家莎莉品牌的销售店和两家哈尼斯·米尔(Hanes Mill)品牌的代销店。耐克公司过去很看不起打折的销售方式，现在却在自己的店铺里销售打折的公司产品。它经营着49家自营商店，11家名叫耐克城(NikeTown)的展示零售店。在芝加哥，索尼公司开了专门的展示店来增强公司的品牌形象，在这里陈列了索尼公司制造的所有电子消费产品。

7. 利用因特网技术来创建新的服务。许多厂商正在因特网上提供系列化的顾客服务。帕洛·奥托(Palo Alto)的软件开发商伊图特公司(Intuit)建立了一种集成该公司桌面程序的网上服务(www.quicken.com)。伊图特公司的快速抵押(Quicken Mortgage)服务能使该软件用户获取六个抵押商的报价并与他们交易。尽管所有这些在快速抵押站点(quicken.com)上的服务到现在为止都是免费的，但公司也可以在网站上增加一些盈利的项目，比如税收服务。即使所有的服务都是免费的，伊图特公司也可以通过广告和合作的方式取得收入。趋微(Trend Micro)是一家位于加州的反病毒软件的生产商，该公司向它的软件产品个人－西林(PC－Cillin)的用户提供反病毒服务，价格是每年20美元。用户24小时都可以通过电子邮件将任何未知的病毒送给趋微公司分布在全球的专家来寻求帮助。

资料来源：See also Irving D. Canton, "Learning to Love the Service Economy," *Harvard Business Review*, May-June 1984, pp. 89～97; Mack Hanan, *Profits Without Products: How to Transform Your Product Business into a Service* (New York: Amacom, 1992); and Ronald Henkoff, "Service Is Everbody's Business," *Fortune*, June 27, 1994, pp. 49～60.

3. 有形商品与服务的混合。此类供应包括相应的有形商品与服务。例如，餐馆既提供食品又提供服务。

4. 主要服务伴随小物品和小服务。此类供应由一项主要服务和某些附加的服务或辅助品一起组成。例如，航空公司的乘客购买的是运输服务，他们到达目的地的开支并没有表现为任何有形的物品。但是，一次旅程包括供给某些有形物品如食物与饮料、票根和航空杂志。这种服务的实现需要有被称作飞机的资本密集的实物，但是主要项目是服务。

5. 纯粹服务。此类供应主要是提供服务，例如照看小孩、精神治疗和按摩。

由于货品与服务的组合有着千变万化的差别，除非对服务做更进一步的区分，否则，对服务做结论性的概括是困难的。然而，做某些概括也是安全的：

第一，服务可区分为以设备为基础(equipment based)的服务(汽车冲洗，自动售货机)和以人为基础(people based)的服务(窗门擦洗，会计服务)。以人为基础的服务也根据其是否由不熟练的、熟练的或专业的工作人员提供加以区分。

第二，有些服务需要客户在场(client's presence)，而有些则不需要。做脑外科手术的病人必须在场，而修理汽车的顾客就不需在场。如果客户必须到场，服务提供者就必须考虑他或她的需要。因此，美容院经营者必将投资于店堂的装饰、背景音乐以及同顾客进行轻松的交谈。

第三，服务亦可按是满足个人需要（personal need）（个人服务）还是业务需要（business need）（企业服务）来加以区分。医生为私人或受雇于某企业的雇员做身体检查所定的收费标准是不同的。服务提供者通常对个人和企业市场制定不同的市场营销方案。

第四，服务提供者也因其目标（objectives）（营利或非营利）和所有权（ownership）（私有或公有）不同而有所不同。当这两方面的特点交叉时，便产生了四种完全不同的服务机构类型。显然，一家由私人投资开办的医院与私立慈善医院或美国退役军人管理局医院的营销方案是各有千秋的。[6]

服务的特点及其营销含义

服务有以下四个主要特点对制定营销方案影响很大，它们是无形性（intangibility）、不可分离性（inseparability）、可变性（variability）和易消失性（perishability）。

无形性

服务是无形的。服务与有形产品不同，在被购买之前，是看不见，尝不到，摸不着，听不到和嗅不出的。人们做"面部整形手术"，在购买这种服务之前是看不见成效的；精神病医师诊疗所的病人也无法预知结果。

购买者为减少不确定性，他们寻求服务质量的标志或证据。他们将根据看到的地方、人员、设备、传播资料、象征和价格，作出服务质量的判断。因此，服务提供者的任务是"管理证据"，"化无形为有形"。[7]产品营销者受到的挑战是要求他们增加抽象观念，而服务营销者受到的挑战则是要求他们在其抽象供应上增加有形概念。请考虑如下有形概念："阿利斯达特是你的好帮手"；"我获得了一块靠山石"（谨慎保险公司）。

假定一家银行意欲将自己定位为一服务"快速"的银行，该银行可通过几种营销工具使定位战略有形化：

1. 地点。银行的有形环境必须暗示出快速和有效的服务。银行的外部和内部设计简洁明快，对办公桌摆设和人行通道应进行认真设计安排。

2. 人员。银行工作人员应是忙碌的。在柜台处理业务的员工应有足够的数量。

3. 设备。设备——计算机、复印机、办公桌——应当看上去富有"艺术情趣"

4. 传播材料。传播材料——文件和图片——显示有效率和有速度。

5. 象征。它的名字和象征体现银行的快速服务。

6. 价格。银行可用广告表示任何顾客排队时间超过 5 分钟，在他的账户上增加 5 美元。

服务营销者必须能够转换无形的服务为具体的利益。考虑邓白氏的例子：

邓白氏（Dun & Bradstreet） 邓白氏是一家享有很高声誉的年收

入 20 亿美元的公司。它的数据库中储存了 1 100 万家美国公司的资料，这些资料是这样的广泛以至于邓白氏公司成了众多买家和卖家的情报咨询中心。该公司的 600 名业务人员帮助企业确定它们的顾客的信用状况。邓白氏公司负责市场营销的副主席说道"如果我们被要求提供银行对顾客信用评级，我们将不得不研究银行的顾客的投资组合，并利用我们数据库的资料，根据企业顾客的信用状况和财务稳健性给他们打分，这样，我们就可以告诉企业，你有多少顾客是高风险顾客，有多少是低风险顾客。"[8]

不可分离性

一般说来,服务的产生和消费是同时进行的。这与有形商品情况不同，后者是被制造出来后，先投入存储，随后销售，最后消费。如果服务是由人提供的，那么个人就是服务的一部分。因为当服务正在生产时客户也在场，提供者和客户相互作用是服务营销的一个特征。提供服务的人和客户两者对服务的结果都有影响。

就娱乐和专业服务的情况而论，购买者对提供者是极为关心的。如果在珀尔·杰姆(Pearl Jam)音乐上，报幕员宣告说，珀尔·杰姆稍感不适，将由玛利·奥斯门娜(Marie Osmona)代替；或者有人说，因为 F·李·贝利 (F. Lee Bailey)没有时间不能前来，将由约翰·诺布底(John Nobody)代他进行法律辩护；这样，所提供的服务就有所不同了。当客户对提供者有强烈的偏好时，则可用价格作为标准来合理分配受偏爱的提供者的时间的有限供应。

对于这种限制可以用几种不同的战略。服务提供者可以学会为大群体服务。心理分析学家已经从一对一的单独临床治疗改为小群体治疗，继而扩大到在一家旅馆大厅里为 300 多人的群体治疗而取得"疗效"。服务提供者也可学会加快服务速度——心理分析学家可每次用 30 分钟而不再用 50 分钟看一个病人，以便看更多病人。服务机构可以训练更多的服务提供者和提高顾客信任，例如，H&R 布洛克公司(Block)及其遍布全国各地的训练有素的税收顾问网络就是这样做的。

可变性

因为服务取决于由谁来提供及在何时和何地提供，所以，服务具有极大的可变性。某些医生有高超的临床经验；而另一些则对病人缺少耐心。某些外科医生有良好的开刀记录；而另一些却缺少成功的案例。服务购买者知道这种服务的可变性很大，因此，在选择服务提供者之前少不得要同别人作一番讨论。

服务公司对质量控制可采取三个步骤：第一步，投资于挑选优秀人员和对他们进行培训。吸收能够做到良好服务的员工和对他们严格训练是关系到员工能否有高度熟练专业还是低技能工作者的重要步骤。下面是两个例子：

霍恩集团(The Horn Group) 位于加州的霍恩集团是专为那些动力十足的硅谷软件开发商和技术咨询公司做公共关系的。公司的创建者萨伯琳娜·霍恩(Sabrina Horn)在鼓舞员工的士气，提高他们的工作热情以及培训方面投入很大。她设计了一套教育计划，其中包括一个利用午餐时间的研讨会，研讨会的讨论范围从如何写新闻稿到如何管理客户。员工如果想继续深造的话，也能获得学习费用的补偿。有趣的是，霍恩集团也举办保龄球晚会、捡垃圾等活动来培养员工的创造性和团队精神并且给员工一个建立彼此友爱精神和放松的机会。[9]

ISS 国际服务系统（ISS International Service System）　ISS 公司是一家提供企业清洗服务的公司，这种行业的公司的特征是低技能要求的员工和高级员工同时并存。ISS 公司的员工培训很紧张。在工作的前六个月，员工要学习清洁技术，比如在一些特殊的污点上或材料表面上应该用什么清洁剂，安全注意事项等。然后，员工的学习计划又从应用化学转到应用经济学上。他们要学习怎样向顾客解释合同，如何计算每一个顾客对 ISS 公司收益的贡献。这种培训使员工感觉到自己对顾客和公司的利益都是至关重要的。[10]

第二步，在组织内将服务实施过程标准化。这有助于公司建立一个服务蓝图（service blueprint），即用一流程图描绘出服务工作和过程。[11]图 14—1 显示了美国花卉传送组织的执行过程。顾客要做的就限于拨电话号码，选择所要的花以及提出订货要求。在这幕后，花卉组织要收集鲜花，将花插入容器，然后送花，最后收取货款。

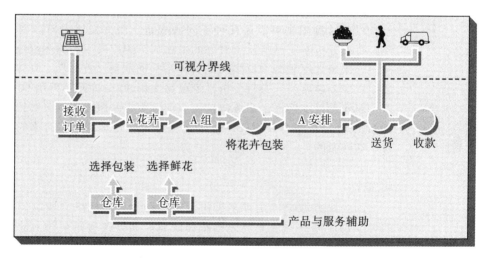

图 14—1　服务执行过程图：美国送花业务

资料来源：Adapted from G. Lynn Shostack, "Service Positioning Through Stuctural Change," *Journal of Marketing*, January 1987, p. 39. Reprinted with permission of the American Marketing Association.

第三步，通过顾客建议和投诉系统、顾客调查和对比购买，追踪顾客的满意情况。

易消失性

服务不能储存。许多医生对未能按事前约定时间前来就医的病人仍要收费，其原因在于服务的价值只存在于当病人前来就医这一段时间。当需求稳定时，服务的易消失性不成为问题，因为服务所需物品可在事先准备。当需求上下波动时，服务公司就会碰到困难。例如，公共运输公司由于早晚时间交通拥挤所需车辆多于全天的均衡需要，因而必须拥有更多的运输设备。

萨瑟(Sasser)曾论述过一家服务企业为更好解决需求与供给两者之间的矛盾所采取的几种战略。[12]

在需求方面：

● 采用差别定价方法使某些需求从最高峰转移到非高峰时期。例如实行早晚场电影低票价和周末汽车租金折扣等方法。

● 开发非高峰需求。如麦当劳公司开展早餐服务；旅店也开展周末小休假服务。

● 可在最高峰时期开展补充性服务，供等候接待的顾客选择。例如在饭馆可设供应鸡尾酒的休息室供等候空桌子的顾客临时休息之用；银行可设置自动柜员机。

● 预定制度是管理需求水平的一种方法，航空公司、旅馆和医生已广泛应用。

在供给方面：

● 在需求高峰时段可雇用兼职人员服务。大学入学人数增加时可增聘兼职教师；饭店在必要时也可招聘兼职服务员。

● 在高峰时段可以采用有效率的服务程序。如雇员在最高峰时期只执行基本的任务；医务辅助人员可以帮助繁忙时期的医生。

● 鼓励顾客扩大参与部分工作。如由顾客填自己的病历，或由他们自己把所购食品杂物装入袋内。

● 发展共用的服务设备。几家医院合资购买医疗设备共同使用。

● 发展扩大将来业务的设施。如游乐园购买周围的土地以便为了将来的发展。

美特俱乐部用独特的方法解决非正常的问题：

美特俱乐部(Club Med) 美特俱乐部成立于1955年，它目前在世界各地经营着数百处以"美特村庄"命名的休闲胜地。如果公司不能销售完它的旅馆房间和一揽子服务项目，它就会遭受一定的损失。现在，美特俱乐部使用电子邮件将未销售完的、打折的服务项目及时通知它的数据库中的 34 000 名顾客。这些顾客在星期三之前就被告知如果他们想周末旅行时可用的旅馆房间、航空座位等信息。采用这种方式，顾客可以享受到30% ～ 40%的折扣，而对这些电子邮件平均的反馈率为1.2%。通过电子邮件销售这些闲置资源，美特俱乐部任何一处的"村庄"都可以每月增加 25 000 美元～ 40 000 美元的收入。在这项计划开始前，美特俱乐部只能依靠旅行代理服务社销售这些空闲的资源。同时在美特俱乐部的数据库里也储存了诸如顾客假期，顾客对体育、活动、旅行时间的偏好，顾客的婚姻状况以及地理数据等信息。由于当前采用电子邮件通知顾客的方式是没有针对性的，所以，该公司计划在将来建立一对一的非常有针对性的营销信息。[13]

服务公司的营销战略

迄今为止，服务公司营销工作的应用方法仍落后于制造业公司。许多服务企业规模很小(补鞋店、理发店)，而且不采用正规的管理或营销技术；也有些服务性企业(律师事务所和会计师事务所)过去曾认为应用市场营销不符合其专业特点。其他服务性企业(大学、医院)面对大量需求仍未能认识到营销的必要性。但现在情况发生了变化。考虑美国邮政服务的例子：

美国邮政服务(USPS)　在 1992 年，马弗·鲁尼恩(Marvin Runy-on)被聘为美国邮政服务总监。他优先要考虑的关键问题是增加邮寄数量和收入，使美国邮政更加以市场为导向。从那以后，美国邮政服务转换自己为营销的机器。成功的关键在于优先邮件计划，对 6 天至 1 个星期交货改为两三天内交货，每二磅物品只收 3.2 美元。虽然它像它的对手联邦快速(FedEx)和联合包裹服务运送公司(UPS)一样，邮政隔天交割是办不到的，但它的价格竞争是强有力的。1998 年，美国邮政服务过火的电视广告激怒了竞争对手联邦快速和联合包裹服务运送公司。在当时，美国邮政服务采用了制定多种货物收费标准并且在周六不安排邮件投递的策略，这种策略使成千上万的顾客转向美国邮政服务的邮件投递，这样却大大地激怒了竞争对手。联邦快速甚至以不公平的广告竞争来控告美国邮政服务。美国邮政服务毫不妥协地继续扩大它的优先邮件的市场。由于 1997 年联合包裹服务运送公司的员工罢工而耽误了邮件，因此，诺特斯通公司(Nordstrom)将它的大多数的目录投递业务转向通过美国邮政服务的优先邮件来投递。现在，诺特斯通公司 80% 寄往外地的包裹和 100% 的商品是通过美国邮政服务来投递的。[14]

传统的 4P 营销方法主要适用于货物经营，但对服务来说，它还要增加某些要素。布恩斯(Booms)和比特纳(Bitner)建议对服务营销还要加三个 P：人(people)，实体证明(physical evidence)和过程(process)。[15]由于绝大多数服务是人提供的，选择人、培训人和对员工的激励，在顾客满意上差别很大。理想的情况是，员工应展示胜任度、执行态度、责任心、主动性、解决问题的能力和信誉。服务性公司，例如联邦快递和马里奥特旅馆信任员工，授权前台的雇员在解决顾客问题时能开销到 100 美元。

公司还应该通过实体证明和展示来表现它们的服务质量。例如，一家旅馆开发其外观，使为顾客服务和体现预期的顾客价值建议的形式表面化，它是否清洁、迅速或体现顾客其他利益。最后，服务公司要选择不同的过程，以提交它们的服务。例如，一家菜馆开发不同形式，在咖啡厅、快餐、小吃和烛光晚宴服务。

有几个因素影响会造成服务冲突（图14—2）。请考虑顾客A访问一家银行，想得到一笔贷款（服务X）。顾客A看到其他顾客正在为此或别的服务而等待。顾客A还看到一个由建筑物、内部装饰、设备、家具等组成的物质环境。顾客A还看到联络人员，并与信贷员作了交谈。所有这些都是顾客A能看见的。看不见的是整个"不公开的"生产过程，以及提供可见服务业务的组织系统。因此，服务结果在相当程度上受到各种变量的影响。[16]

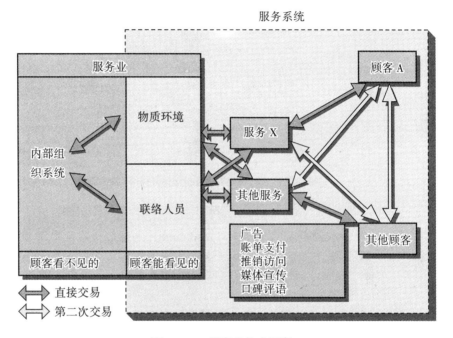

图14—2　服务业构成要素

资料来源：Slightly modifed from P. Eiglier and E. Langeard, "A Conceptual Approach to the Service Offering,"in *Proceedings of the EAARM X Annual Conference*, ed. H. Hartvig Larsen and S. Heede (Copenhagen: Copenhagen School of Economics and Business Administration, 1981).

从复杂性这一角度出发，格兰鲁斯（Gronroos）曾主张服务营销不仅需要传统的4P外部营销，还要加上两个营销要素，即内部营销和交互作用营销（图14—3）。[17]**外部营销**（external marketing）是指公司为顾客准备的服务、定价、分销和促销等常规工作。**内部营销**（internal marketing）是公司对员工培养和激励工作，使其更好地为顾客服务。贝利（Berry）曾论述营销部门可能做的最大贡献就是"特别善于促使机构的其他部门中的每个人都实行营销"。[18]

雷德福公众医院（Radford Community Hospital）　雷德福公众医院建立了1万元的基金，用来付给被证明正当投诉的病人，其设诉范围从饭菜过冷到在急诊室等候时间过长。这个方案"吸引人处"是到了年终这笔基金的所余款项，金额无论多少都将被分给医院的工作人员。这是为了使全体员工能很好地对待病人而增加的一种巨大鼓励。假如医院有 100 个职工，而到年终时没有付钱给病人，那么每个工作人员便可得到 100 美元的额外津贴。在头 6 个月里这家医院仅付给病人 300 美元。

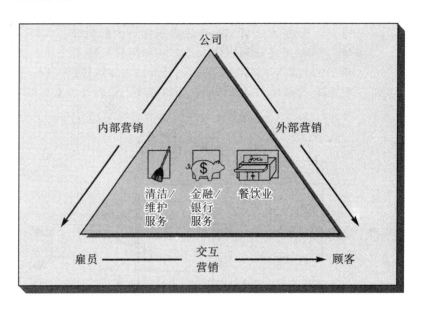

图 14—3　服务业三种营销类型

交互营销（interactive marketing）是指雇员在与服务客户时的技能。因为顾客评价服务质量，不仅依据其**技术质量**（technical quality）（例如外科手术成功与否？），而且也依据其**职能质量**（functional quality）（例如外科医生是否对病人表示关心并能鼓舞其信心？）。[19]专业人员必须提供"高接触"和"高技术"。[20]考虑下面丝网和阿马克公司的案例：

　　查理斯·丝网（Charles SchWeb）　查理斯·丝网是美国最大的证券折扣经纪商，该公司通过网站提供创新性的高科技、便捷性的服务。作为主要的在线证券交易的始作俑者之一，公司在 1998 年有200 万投资者通过它的在线交易网络进行交易。尽管丝网公司还没能提供因特网上的无缝交易服务，但是，它将最综合、最全面的财经信息、公司研究报告、证券分析师的分析报告放到了网上。此外，它还提供账户信息以及从零售经纪人那里获取的专业研究报告。通过增加这些服务和将一些投资工具放到该公司的网站上，丝网扮演了在线投资咨询者的角色。尽管如此，在线证券交易方式还没有取代投资者传统的通过电话或在丝网分支机构进行交易的方式。[21]

　　阿马克（Aramark）　食品服务是以宾夕法尼亚州为基地的阿马克公司提供的许多服务项目之一，公司现在的食品服务包括每天向医院提供的 20 万份病号饭。1997 年，阿马克决定改进它向医院病人提供的食品服务，因此它创建了一个专有数据库，里面储存了大量的关于病人口味偏好的数据，这样，阿马克公司就能更好地为顾客服务。这些不断累积的顾客数据资料被立即分析并同步更新数据库。以后，向病人提供的食品就将基于这些分析资料。同时，阿马克的厨房员工还需要接受 40 小时的培训，教他们学会举止彬彬有礼，工作高效并且快捷。可以说，当训练有素的员工将按照数据库资料做出来的适合病人口味的食物交给病人时，阿马克的服务，综合体现了高科技和一切为顾客着想的特点。利用这套系统，阿马克大大地缩短了向顾客递送食物的时间——从 24 小时缩短到 2 分钟。由于提供了更好的服务，根据调查资料，阿马克公司使它的顾客满意度从 84% 提高到了92%。[22]

有些服务即使是在顾客已经接受之后也无法公正评价其技术质量。图14—4 把各种不同的产品与服务按照对其评估的困难程度予以排列。[23]图左边是可高度搜索质量(search quality)的商品和服务，即具有购买者购前便能评价的特点。中间是需高度体验质量(experience quality)的商品和服务，即具有购买者购后才能够评价的特点。右边靠高度信用质量(credence quality)的商品和服务，即具有购买者即使在消费之后通常也难于做出评价的特点。[24]

由于服务通常更侧重于体验和信用程度，故消费者在购买时觉得风险较大。这里有几种结果。第一，消费者通常依靠口头传闻而不是服务公司的广告。第二，他们更多的是通过价格、人员和物质设施等来判断其服务质量。第三，如果满意的话，他们将非常忠实于该服务的提供者。

服务公司面临三个任务，即提高其竞争差别化(competitive differentia-tion)、服务质量(service quality)和生产率(productivity)。由于这几方面是互相影响的，所以，我们将逐项分别予以探讨。

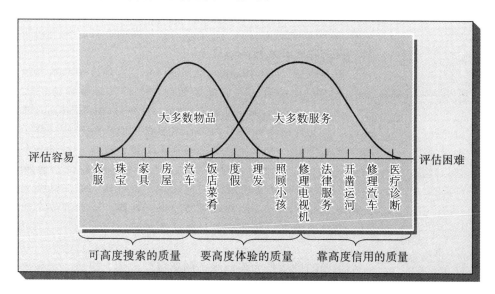

图 14—4　对不同产品的连续评估

资料来源：Valaraie A. Zeithaml, "How Consumer Evaluation Processes Differ between Goods and Services," in *Marketing of Services*, ed. James H. Donnelly and William R. George. Reprinted with permission of the American Marketing Association, 1981.

竞争差别化

服务营销者经常抱怨说，要想做到把他们的服务与竞争者的服务区分开来是件十分困难的事。通信、运输、能源、银行等主要行业的经营不规范化，使得价格竞争愈演愈烈。在预算价格上成功的航空公司表明，许多乘客对航空票价的高低比服务的好坏更为关心。查里斯·丝网公司在票据贴现经纪业服务方面的巨大成功表明，许多顾客只要能够省钱，便不再忠诚于历史悠久、信誉卓著的经纪行。只要顾客认为服务的差别不大，他们对提供者的关心程度便会小于对价格的关心程度。

解决价格竞争的办法是发展差别化提供物、差别化交付或差别化形象。

提供物

提供物可以包括一些创新特色。顾客所期望的是所谓基本服务组合(primary service package)，在此基础上可以增加次要服务特色(secondary service feature)。在航空运输业，各个运输公司已经引进了次要服务特色，诸如机舱电影、预订座位、销售商品、空对地电话业务和常客奖励等办法。马里奥特为技术人员准备专用房间，提供计算机、传真机和电子信箱。

许多公司增设网站以提供次要服务特色，这在以前是闻所未闻的：

凯泽－珀曼内特(Kaiser-Permanente) 像许多健康保障组织一样，尽力向顾客提供增值服务。作为拥有 920 万病人的最大的健康保障组织，凯泽建立了一个 Web 站点，通过这个站点，这些病人就可以预约拜访的时间，利用电子邮件征询护士和药剂师的意见(病人可以在 24 小时内得到答复)。该组织还计划向会员提供访问实验室成果的渠道和在线补充药品的服务。[25]

美国航空公司(American Airline Inc.) 作为辅助服务项目的一部分，美国航空公司已经有很长的向该公司飞行常客提供优惠的历史了。现在，美国航空公司使用广阔视野公司(BroadVision)开发的一对一的营销软件来加强公司向飞行常客提供服务的网站。作为该公司飞行常客的会员，可以创建自己的个人文档，提供一些诸如家庭所在地附近的机场，通常的飞行路线，自己和家人的座位、食物偏好等信息，这样，公司的会员就大大简化了订票过程。有了这些顾客资料，美国航空公司就可以做些通常难以做到的事，如向那些急于带放假的小孩飞往迪斯尼乐园的父母提供机票折扣。[26]

一个主要的挑战是大多数服务创新容易被他人模仿。很少能有创新的服务能够长期保持领先地位的。然而，有的服务公司仍在经常研究与开发服务创新，获得了超过竞争者的暂时的连续优势。它们由于赢得创新的名声，可以保住总是希望得到最佳服务的顾客。花旗银行由于积极创造或推动了如自动柜员机、全国性银行业务、广泛金融账户和信用卡，以及浮动优惠利率等项创新，在银行界享有创新领先者的声望。

交付

一家服务公司可以雇用和训练更好的人员交付它的服务（家用百货，诺特斯通）。它可以开发更吸引人的物质环境（博顿图书和音乐商店，辛伯兰克斯·奥顿电影院）。或它可以设计一个高级的交付过程（麦当劳）。

进步保险公司（Progressive Insurance） 克利夫兰为基地的进步保险公司在处理顾客的交通事故索赔时遇到了很大的困难。为了摆脱困境，该公司围绕解决这些困难的方法设计了新的服务战略。现在，公司有一队每天在公路巡逻的事故调查员，一旦在辖区内有交通事故发生，这些调查员就能够及时赶到事故现场。在事故现场，调查员记录下所有他们需要的信息并且常常在事故现场就解决了索赔的难题。[27]

形象

服务公司通过符号象征和品牌标记来创造它们的差别形象。芝加哥的哈里斯银行（Harris）采用狮子作为象征并应用在信封信笺上和广告中，甚至将动物标本献给新的存款者。结果，"哈里斯狮子"为大家熟知，并被赋予具有银行形象。一些医院由于在其服务领域实行最佳服务曾经取得"大牌子"的名声，如梅友诊疗所（Mayo）、马萨诸塞州大众医院和斯罗恩·凯特琳研究所等。它们中的任何一家医院可在其他城市设置附属诊疗所，并以其品牌威力来大量吸引病人。美国运通是少数几家享有国际声誉并以服务著称的公司之一：

美国运通（American Express） 许多年来，该公司的消费卡部门一直为公司的灵活性而自豪。公司的广告比如"会员优先"、"美国运通卡：出门少不了"开拓了一个富裕的高层顾客群，这些顾客能够按月付清他们的运通卡账单，并且承担高额的年费。世界范围内，总共有4 500万顾客在使用该公司的运通卡，然而，公司仍感到必须重新改造自己：其他的信用卡诸如威士信用卡和万事达信用卡已经在蚕食公司的传统领地了。美国运通公司认识到现在的顾客需要的是实实在在的产品价值而不仅是产品的声望、威信等，作为公司的忠实用户，他们应该得到优惠或其他的好处。针对这种情况，美国运通开始采取反击的措施，它们推出了数量惊人的新产品，包括新的信用卡。美国运通新的"蓝卡"将目标对准了年龄介于25岁～35岁的广大顾客，并取得了良好的业绩，公司负责市场营销的董事约翰·克雷威（John Crewe）也因此在《广告时代》杂志举办的1998年市场风云人物的评选中争得了一席之地。目前，美国运通公司继续保持了所有的传统优势，如优质服务、良好声誉、价值等，并且正在利用这些优势来大力开拓年轻并且富裕的顾客群体。[28]

管理服务质量

一家服务公司取胜的方法在于一贯地提供比竞争者更高的服务质量和超过目标顾客对服务质量的期望。顾客的预期是由过去的感受、口头传闻和广告宣传所形成的。顾客在接受服务之后，**把感知服务**(perceived service)和**预期服务**(expected service)进行比较。如果感知服务达不到预期的服务水平，顾客便失去对提供者的兴趣。如果感知服务得到满足或超过他们的预期，他们就有可能会再次光顾该提供者。参见"营销备忘——超越顾客的最高愿望：服务营销自查要点"。

营销备忘

超越顾客的最高愿望：服务营销自查要点

顾客的期望是评价服务质量的最真实标准。有效地掌握顾客的期望，设置目标并超越它们。贝利和帕拉苏拉莫(Parasuraman)提出，让营销经理在寻求掌握或超越客户期望时，多思考以下一些问题：

1. 我们是否努力真诚地为顾客服务？我们在促销方案实施之前，是否检查过它的准确性？我们对顾客所做的承诺是否能被执行人员全部理解？我们是否评估过诸如价格的变化对顾客期望的影响？

2. 为顾客提供服务在本公司是否是至高无上的？我们是否强调为客户提供可靠的服务是有效管理客户期望的最佳方式？我们的员工是否接受过专门的训练？他们所提供的准确无误的服务是否获得了应有的报酬？我们是否经常评估自己的服务，去发现并改进潜在的不足？

3. 我们是否和客户进行有效的沟通？我们是否定期与我们的客户进行沟通去确定他们的需要，使其对我们的服务满意？我们是否培训过我们的员工要求其向客户说明我们对他们的关心，并非常重视他们？

4. 我们在提供服务过程中是否给过客户惊喜？我们的员工是否意识到提供服务的过程是超出客户期望的最佳机会？我们是否采取过措施鼓励我们的员工向客户提供出色的服务？

5. 我们的员工是把服务过程中发现的问题看做是机会还是作为烦恼？你是否准备鼓励员工提供优质服务？你是否因其提供出色的服务而给其奖励？

6. 我们是否不断地评估并改进我们的服务以超越顾客的期望？我们是否能始终如一地坚持适当的服务水平？我们能否利用机会来超越所期望的服务水平？

资料来源：Excepted from Leonard L. Berry and A. Parasuraman, *Marketing Services: Competing Through Quality* (New Yrok: Free Press, 1991), pp. 72～73; alsosee Leonard L. Berry, *On Great Service. A Framework for Action*(New York: Free Press, 1995), and his *Discovering the Soul of Service* (New York: Fress, 1999).

帕拉苏拉莫、塞登尔(Zeithaml)和贝利系统地提出一种服务质量模型，其最重要之点是对服务提供者提供预期服务质量的主要要求。[29]图14—5的模型表明招致提供服务失败的五种差距。现叙述如下：

　　1. 消费者期望和管理者感知之间的差距。管理人员不能总是正确地感知顾客的需要。医院管理人员可能认为病人会依据伙食质量来评价医院的服务，而病人可能更加关心的是护士对召唤作出反应是否迅速。

　　2. 管理者的感知与服务质量规范之间的差距。管理层可以正确地认识到顾客的需要，但没有建立特定的标准。医院管理者告诉护士服务要

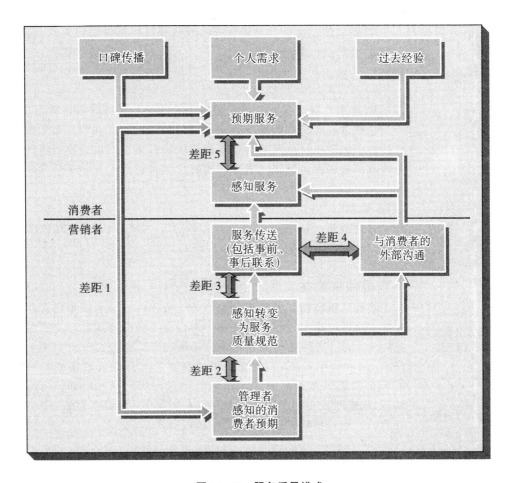

图14—5 服务质量模式

资料来源：A. Parasuraman, Valarie A. Zeithaml, and Leonard L. Berry. "A Conceptual Model of Service Quality and Its Implications for Future Research," *Journal of Marketing*, Fall 1985, p. 44. Reprinted with permissionof the American Markdeting Association. The model is more fully discussed or elaborated in Valarie A. Zeithalm and Mary Jo Bitner, *Services Marketing*, (New York: McGraw Hill, 1996), ch. 2.

"快捷"，但对快捷却没有具体标准。

3. 服务质量规范和服务提供之间的差距。工作人员可能缺乏训练或劳累过度或没有能力或不愿意满足该标准，或者标准本身是相互抵触的，如既要求耐心听顾客反映，又要服务得快。

4. 服务提供与外部传播之间的差距。消费者的期望会受到服务提供者和广告的传播材料所做的允诺的影响。如果一家医院的小册子展示的房间十分堂皇，但客人到达后发现房间很寒碜和破旧，那么问题就在于外部材料扭曲了顾客的期望。

5. 感知服务与预期服务之间的差距。该差距是指顾客衡量公司标准不同或没有感觉到该服务质量。一个医生访问病人是关心他，但病人误解为医生的工作有了差错才会访问他。

上述的研究人员还发现了决定服务质量的五种因素。这些因素根据顾客的回答依重要度排列如下：[30]

1. 可信性。执行已允诺服务的可信赖性和精确性的能力。
2. 责任心。帮助顾客和提供快速服务的心甘情愿的程度。
3. 保证。员工的知识和礼貌，以及他们传播信任和信心的能力。
4. 神入度。对顾客照顾、个性化关心的程度。
5. 有形体现。实体工具、设备、人员和沟通材料的体现。

一些管理水平高的服务公司所进行的各种研究表明，它们在服务质量方面有些共同的做法：战略观念，最高管理层有负责质量管理的传统，高标准，服务绩效监督制度，满足顾客投诉制度，以及对员工和顾客都满意的高度关注。

战略观念

名列前茅的服务公司"令顾客着迷"。它们十分了解其目标顾客和他们的需要。它们制定了明确的战略。

最高管理层责任

诸如马里奥特、迪斯尼和麦当劳等公司都有服务质量负责制度。这些公司的管理层不仅按月查核财务成绩，而且也查核服务成绩。麦当劳公司雷·克劳克(Ray Kroc)坚持连续地评估该公司的每个商店在 QSCV[质量(quality)、服务(service)和价值(value)]方面是否符合要求。有些公司在员工的工资单里插上提示：这是顾客给你的。沃尔玛创始人山姆·沃顿(Sam Walton)要求员工发誓："我庄严宣布和声明：每个顾客在离我 10 英尺时，我将微笑，用眼睛注视着他们，欢迎他们，这就是帮助山姆。"

高标准

最佳服务提供者一般都为其服务质量规定很高的标准。例如，斯威塞公司(Swissair)的目标是：要求 96% 以上的旅客评价其服务为优良或上等，否则便采取改进行动。花旗银行的目标是电话铃响 10 秒钟之内必须有人接和顾客来信必须在 2 天内作出答复。建立标准应有适当的高度。标准能精确地达到 98% 听起来很好，但结果是使联邦快递每天丧失了 64 000 个包裹；允许每页纸上拼错 10 个单词，每天就会写错 400 000 份药方，一年中就会有 8 天的饮水不安全。区别一家公司就在于它是仅提供"最起码"的服务还是"有突破"的服务，即瞄准 100% 的零缺陷服务。[31]

监督制度

一些最大的服务公司对本公司的服务绩效和竞争者的服务绩效定期地进行审计。它们使用一些方法来衡量绩效：比较性购物，佯装购买，顾客调查，建议与投诉表格，服务审计，给总裁信件。通用电气公司一年发出 70 万张调查卡给许多家庭，请它们对公司服务人员的绩效进行评比。花旗银行在 ART，即准确性(accuracy)、反应性(responsiveness)和时间性(timeliness)这几项标准上不断进行检查。第一芝加哥银行采用了一个绩效衡量方案，它由以每星期中大量的顾客敏感问题上的绩效为基础的表式组成。图 14—6 是一个典型表式，它显示了回答顾客提问服务的速度。当它的绩效低于最低被接受水平时就将采取行动。随着时间的推进，它还不断提高其绩效目标。

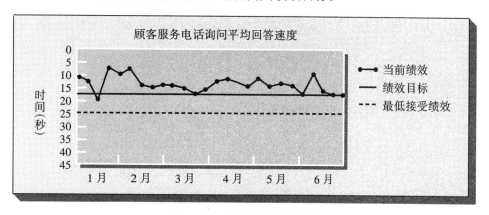

图14—6　追踪顾客服务绩效

在设计顾客反馈方案，如调查方法时，营销者应重新评估现有的信仰和假定。如果他们不这样做，其对质量的调查结果可能会走入歧路，请看联合包裹服务运送公司的发现：

　　联合包裹服务运送公司(UPS)　　UPS认为准点交货是顾客最为关心的事情，它甚至在界定质量含义时，把时间和行为作为基本条件。为了加快交货速度，它推出一系列措施，它详细规定了在城市公寓乘电梯的时间是多少，敲门打铃后的应答时间是多少，因此，UPS的调查集中于询问顾客，他们对公司的交货时间是否满意，他们是否希望公司加快交货时间。然而，UPS的问题不在点子上。当公司开展更广泛的提问并涉及到服务的改善时，顾客更多地希望与送货司机有面对面交流的机会。如果司机不着急，并与顾客多交谈时，顾客就会给他们提出很好的操作建议。[32]

　　服务通常可根据其对顾客重要性（customer importance）和公司绩效（company performance）来予以评价。重要绩效分析（importance-performance analysis）可按服务项目和对各项活动的要求进行打分。在表14—1中表示出顾客如何评价汽车经销商的服务部门在重要性和绩效上的14种服务因素（属性）。重要性按"极重要"、"重要"、"稍重要"和"不重要"四级计分法予以评价。经销商的绩效按"优"、"良"、"中"、"劣"四级计分法予以评价。例如"工作一次便完成"在平均重要性等级方面得3.83分，在平均绩效等级方面得2.63分，这说明顾客感到这项服务是非常重要的，但工作却做得不理想。

　　这14种因素的评价等级在图14—7中表示，并区分为四个象限。象限A表示没有达到期望水平的重要服务因素，它们包括因素1、2和9。经销商应在这些因素方面尽力改进服务部门的绩效。象限B表示服务部门正做得很好的重要服务因素，其任务是要将高水平的绩效保持下去。象限C表示所提供的次要服务因素质量低下，但由于它们不甚重要，所以不必理会。象限D表示次要服务因素。如"发出维修通知"完成得非常出色，但属于一种不必要的

表 14—1   对汽车经销商在顾客重要性和绩效上的评分

属性	属性说明	表示重要性评价[1]	表示绩效评价[2]
1	工作一次便完成	3.83	2.63
2	收到批评意见迅速采取行动	2.63	2.73
3	迅速保修	2.60	3.15
4	胜任任何需做的工作	3.56	3.00
5	如有需要即可提供服务	3.41	3.05
6	服务殷勤有礼和友好	3.41	3.29
7	按商定时间将汽车准备好	3.38	3.03
8	只完成必要的作业	3.37	3.11
9	低价服务	3.29	2.00
10	服务完成后打扫干净	3.27	3.02
11	方便家庭	2.25	2.25
12	方便工作	2.43	2.49
13	优惠借用大客车和汽车	2.37	2.35
14	发出维修通知	2.05	3.33

① 按"极重要"(4)、"重要"(3)、"稍重要"(2)、"不重要"(1)四个等级评价。
② 按"优"(4)、"良"(3)、"中"(2)、"劣"(1)四个等级评价。本表亦提供"无法判断"这一栏。

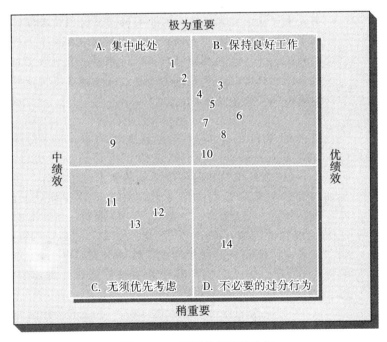

图 14—7　重要性与绩效分析

过度行为。该公司也许应该较少地发出维修通知，并把精力集中于改进公司在重要绩效方面的薄弱环节。该分析也应该在每个项目上与竞争者进行对比分析。[33]

满足顾客投诉

许多研究顾客的报告指出，购买者在时间上约占 25% 左右。但是，只有 5% 的人投诉。另外的 95% 或者认为投诉不值得，或者他们不知道怎么样和向谁投诉。

在这 5% 的投诉者中只有大约 50% 的问题得到圆满解决。而满意地解决顾客问题是十分必要的。一般来说，一个满意的顾客会向三个人介绍产品的优点，而平均一个不满意的顾客会向 11 个人讲该产品的坏话。如果扩展开来，这 11 个人再去讲坏话，则坏话的传播就会指数般地上升。

然而，得到满意解决的投诉者往往会比从没有不满意的顾客更容易成为公司最忠诚的客户。登记在册的 34% 的重大问题投诉者，在问题解决后会再次购买该公司的产品，而小问题投诉者的重购率达 52%。如果公司迅速解决投诉，则重购率将在 52%（大问题投诉者）和 95%（小问题投诉者）之间。[34]

塔克斯(Tax)和布朗(Brown)发现那些乐于听取顾客投诉的公司(这些公司也会授予它们的员工权利在现场修复与顾客的关系)，能够比那些不注意倾听顾客投诉的公司获取更多的收入和更多的利润。[35]塔克斯和布朗也发现能够有效地解决顾客投诉的公司有以下的特点。

● 制定和发展员工的雇用标准和培训计划。这些标准和培训计划充分考虑了雇员在碰到公司服务或产品使顾客不满意时应该做的善后工作。

● 制定善后工作的指导方针。目标是达到公平和使顾客满意。

● 去除那些使顾客投诉不方便的障碍，建立有效的反映机制。包括授权给员工，使他们有权利对公司有瑕疵的产品和服务向顾客作出补偿。这方面的成功例子一个是必胜客，必胜客在它的所有比萨饼的包装盒上都印有公司的免费投诉电话。当有顾客投诉时，必胜客向分店经理发送语音邮件通告他们顾客的投诉。分店经理必须在 48 小时内向顾客打电话并解决顾客的投诉。另一个例子是维珍大西洋航空公司，当维珍大西洋航空公司的航班在延误几小时后抵达伦敦希思罗机场时，该公司的首席执行官理查德·布兰森会亲自赶到机场向乘客道歉并且向乘客提供免费机票作为航班延误的补偿。

● 维系顾客和产品数据库。这样公司可以分析顾客投诉的类型和缘由并且相应地调整公司的政策。

凯悦旅馆在发展一个有效的商誉恢复计划上获得了很高的评价。

凯悦旅馆(Hyatt Hotels)　凯悦旅馆在对顾客投诉的响应速度上表现得十分优秀。举例来说，当一个商业旅客登记住进了该公司在丹佛的一家旅馆里，但是，该旅客不喜欢他的房间。在这种情况下，旅客打开房间里的电视机后可以发现凯悦旅馆的旅客调查部门的欢迎词，他使用电视机的遥控器，旅客可以输入他的意见。令旅客大吃一惊并且感到高兴的是，在收到有旅客意见的电子调查表之后 5 分钟内，旅馆经理就会打电话给旅客告诉他由于旅馆已经客满，所以旅客的客房不能调换，但是，旅客将会收到一份温馨的礼物作为补偿。通过系统分析顾客调查表，凯悦公司的经理能够提醒员工注意发现并解决问

题。不管是提供能够接受硬币的机器或是在旅客进入房间时老一套的欢迎词，凯悦都能够快速地将旅客的服务请求和意见迅速地反馈到能解决问题的训练有素的员工手上。[36]

使员工和顾客都满意

管理工作杰出的服务公司认为员工关系会反映顾客关系，因而，管理层创造出一种能够得到员工支持并对优良服务绩效给予奖赏的环境。管理部门应经常地检查员工对工作是否满意的情况。卡尔·阿尔布雷克特（Karl Albrecht）观察到不高兴的雇员是"恐怖"的。在《顾客是第二位》中，罗森布拉（Rosenbluth）和彼得斯（Peters）走得更远，他们说如果公司真正希望使顾客满意的话，那么，公司雇员，而不是公司的顾客，必须是第一位的。[37]安全之路连锁超市发现当它建立向顾客尽量表示友好的政策后，员工的工作压力大大增加了：

安全之路连锁超市（Safeway Stores Inc.）　在20世纪90年代，安全之路连锁超市建立了一个不寻常的富于进攻性的计划来要求员工对顾客表示友好。在该公司制定的规则中包括以下内容：让眼光与顾客接触、微笑、对每个顾客都致以问候，提供产品的样品，向潜在顾客提供购买商品的建议。为了保证这些规则能够彻底贯彻，连锁超市雇用了一个"神秘的员工"，他的职责是秘密地考核员工。那些被评为差的员工将被送去接受培训，学习如何对顾客表示友好。尽管调查显示顾客对这项计划很高兴，但许多员工承认感受到压力，有些员工退出了这项计划。"它太刻意造作了，这是不自然、不真实的"。一个在安全之路连锁超市干了20年却由于这项政策而辞职的老出纳说。不高兴的员工抱怨说在公司机械的规则下他们必须克服自己的本能。举例来说，员工被要求向那些心事重重的顾客打招呼，因为这些顾客的身体语言告诉工作人员他们想独处。这个计划在因特网上激起了关于虚假友好还是真实友好的讨论。在一个冠以"关注安全之路微笑"主题的因特网讨论组中得出的意见是：以2:1反对该公司的这项计划。[38]

满足员工的一个重要内容是帮助员工处理办公室以外的生活问题。有些员工家务事比较多，聪明的公司用弹性工作制来调节员工的需要。康涅狄格州的联合信托（Union Trust）银行雇用和保留更多的有小孩的母亲，在小孩从学校回家的一段时间内，该银行调节母亲暂停工作以满足她们照顾小孩的需要。[39]

管理生产率

服务公司承受着降低成本和提高生产率的巨大压力。提高服务生产率有七种方法。

第一，使服务提供者更加努力地工作或工作更加熟练。但可通过挑选和训练提高他们的工作技能。

第二，用在某种程度上放弃服务质量来增加服务数量。在保健组织中工作的医生已开始扩大诊治病人的人数，同时减少诊治每个病人的时间。

第三，通过增加设备和标准化生产来实现"服务工业化"。莱维特建议公司采取"制造业态度"来对待生产服务。这种方法就是如以麦当劳公司为代表的快餐零售业所采用的装配线方法，最终体现在"工艺汉堡包"中。[40]凯悦旅馆采用自我服务的测试机以方便客人进店登记和结账。西南航空公司使用类似于自动柜员机的设备为购票和登机提供自我服务。加拿大多伦多市附近的休迪斯医院只医治疝症患者，通过标准化服务，使病人平均住院时间由七天降低到三天半。尽管医生从每个病人处获得的收入相对少了，护士也将护理比一般医院更多的病人，但是，病人都出乎意料地感到满意。[41]

第四，用发明一种产品的办法减少或淘汰某种服务需要。如电视机代替了户外娱乐，快干和免熨的衬衣减少了对商业洗衣店的需要，以及某些抗生素减少了对结核病疗养院的需求等。

第五，设计更加有效的服务。戒烟诊疗所和慢跑锻炼可减少以后对费用浩大的医疗服务的需求；雇请辅助法律工作者可减少对费用昂贵的法律专业人员的需要。

第六，鼓励顾客用自己的劳动代替公司的劳动。商业公司在将邮件送到邮政局以前先自行分拣者所付邮费较低。

第七，利用技术的力量给顾客以更好的服务和使服务人员生产率更高，公司应用网站为顾客提供学习机会，收集有价值顾客的数据并使自己的业务增值。参见"新千年营销——为顾客授权的技术"。

新千年营销

为顾客授权的技术

使商业模式发生很大改变的因特网应用并不一定非常复杂。电子邮件已经证明了这点。通过使顾客获取信息和在商家和顾客之间、顾客和商家的数据之间的沟通可以增加实际价值。

内容创造

通过允许顾客创造自己的内容，商家可以增加自己业务的价值并减轻工作负担。个性化应用让顾客可以增加产品的价值，这又被称作价值贡献。商家和顾客共享信息能够促进学习和加速产品周转。

现实例子：齐城公司(GeoCities)提供用户一个免费的主页空间，之后，收取一定的费用，让用户更新他们的主页或者增加小的电子商务站点。旅城(Travelocity)使用一种软件让顾客可以在公司的网站上预先浏览旅游景点，并且用户还能够在网站上创建自己理想的旅游景点。阿西五金器具公司(Ace)的站点上有一个计算油漆消耗量的计算器，利用它，顾客可以计算出特定项目需要购买的油漆量。

合作

使用合作工具，顾客可以一起学习并一起创造一些新的东西。网上论坛、公告牌使人与人之间的沟通更加容易。网上会议和网上传输信息的工具使商业活动可以涉及全球。群组游戏和信用评级系统可以为电子商务站点的拥有者提供需要的信息。网上投票、顾客调查和合作性渗透使一对一的营销更加顺畅。

现实例子：电子贸易（E-Trade）游戏，这个游戏让玩家可以体会高度风险的交易和竞争的刺激而不需要冒损失一分钱的风险，同时关于玩家对产品偏好的信息被传到了公司。而像网络公司的虚拟光盒可以让设计者和顾客能够在购买照片之前检查外形和设计。

教育

实时学习和在线信息提供具有很大的商业价值，因为它们改善了顾客的效率。如果操作正确的话，用户很快都将依赖这种产品。

现实例子：ZDNet和菲尼克斯（Phoenix）大学展示了如何借助变化多样的特定的自我调控课程和远程的电子邮件，指导教师来复制甚至大大改善现在的教学状况。

商业

无摩擦的在线交易是发展的目标，如果一个网站能够提供范围广泛的产品选择，知识丰富的销售辅助，那么，它将是对传统购物中心的有力挑战者。

现实例子：定制光盘在线让用户从数千首歌曲中挑选他们喜爱的歌曲来组成他们的音乐光盘。公司对每一次制作收取一定的费用，在处理过程中，公司也收集顾客对音乐口味的信息。

控制

通过将它们的设备与因特网相联，公司可以通过代理控制机构和传感器来远程管理真实世界的机器或处理过程。很快地，每件产品都能够与另外的产品通信——照相机，远端传感器——我们将能够从网上控制它们。

现实例子：Y2K链接在线（Y2Klinks.com）使用一种尼罗斯多蒂公司（Neurostudio）开发出来的称作"米尼"（Millie）的代理程序来回答用户关于千年虫问题的询问。哈勃网站（Hubbell）允许学校的学生通过网络浏览器来操纵巨大的哈勃天文望远镜。

新的平台

很快，个人辅助设备、蜂窝电话和仪表板上的计算机将会有能力和灵活地来控制所有其他的应用。新的信息设备和IC卡为顾客的控制应用提供了更多的可能性。

现实例子：奥迪波尔在线（Audible.com）正在为它的电子图书引入一款手持的移动阅览器。耐斯加波公司（Netscape）的首脑杰姆·巴克斯蒂尔（Jim Barksdale）预言传统的银行将很快让位给与因特网相联的免费的电子支票本，采用新方式，网络银行可以吸引更多的顾客。

资料来源：Adapted from "The Technologies of Customer Empowerment," *New Media*, October 1998, p. 36.

技术使服务工作者产生更大的生产力。例如：[42]

圣迭戈医疗中心（San Diege Medical Center）　加州大学圣迭戈医疗中心的呼吸道专家现在在他们的实验组合仪器中带上微型计算

机。在过去，治疗专家们必须等待护士工作站的病人报告。今天，治疗专家能从手提电脑中得到中央计算机的治疗信息。其结果是他们能为病人工作更多的时间。

思科系统(Cisco Systems) 思科公司制造网络基础产品，如交换设备、转发器和因特网软件。为了应付顾客的查询和技术求助，思科精心设计了顾客经常会问到的一些问题知识库(FAQs)，这样顾客就可以通过拜访思科公司的网站来自己寻找正确的答案而无须询问公司的任何工作人员。采用这种安排，思科减少了70%的求助电话访问，即每月5万个求助电话访问，每月节省了1 000万美元(平均一个电话访问节省200美元)。现在，思科使用700名员工来应对求助电话访问而不是1 000人。每一个求助电话中出现的新问题以及解决方法都被送入公司的知识库，这样，就能减少未来同样问题的求助电话。

公司必须避免那种一味追求提高生产率而使认知质量下降的行为。有些提高生产率的手段会导致过度标准化，因此，使顾客无法得到他们特殊要求的服务；"高接触"被"高技术"所代替了。伯克王公司成功地开展"随便你挑"活动向麦当劳公司挑战。这样，顾客便可得到"定制"的汉堡包三明治，虽然这样做在某种程度上会降低伯克王公司的生产率。

管理产品支持服务

到目前为止，我们把注意力都集中于服务行业。但这并不意味以产品为基础的行业可以不重视向它们的顾客提供组合服务。设备制造商——小型家电、办公机器、拖拉机、电脑主机、飞机——都向顾客供应产品支持服务。事实上，产品支持服务已成为取得竞争优势的重要战场。某些设备公司，例如，卡特彼勒和约翰·迪尔公司，它们利润的50%来自产品支持服务。在全球市场上，公司有好产品但在当地提供差的产品支持服务会造成一系列的不利。当苏伯路公司进入澳大利亚市场时，为了避免产品支持服务问题，它与澳大利亚大众公司的经销者签订合同，借助它们的网络提供部件和服务。

毫无疑问，提供高质量服务的公司会胜过不太重视以服务为导向的竞争者。表14—2便提供了这方面的证据。一个战略计划研究会根据"相关认知服

表14—2 服务质量对相对绩效的贡献

	服务质量最高三家	服务质量最低三家	百分点的差额
与竞争者比较的价格指数	7%	− 2%	+ 9%
市场份额年变化率	6%	− 2%	8%
销售量年增长率	17%	8%	+ 9%
销售收益	12%	1%	+ 11%

Phillip Thompson, Glenn Desourza, and Bradley T. G "The Stategic Management of Service and Quality," *Quality Progress*, June 1985, p. 24.

务质量"的名次排列，从 3 000 个业务单位中挑选出前三名和最后三名。该表格显示了高质量服务企业凭借其优等服务质量的实力，可以做到收费较高、增长较快和可赚取较多利润。

公司必须非常详细地确定顾客需要，以设计它的产品和产品支持系统。顾客们对其所期望的产品最怕服务的中断。顾客有三种顾虑：[43]

- 顾客担心可靠性和故障次数。一个农夫可原谅其联合收割机每年坏一次，但不希望坏两次或三次。
- 顾客担心停机时间。停机时间越长，顾客使用成本越高，顾客指望销售者的服务可靠性，即销售者迅速修复的能力，或至少能借一台给他以不中断工作。[44]
- 顾客担心维护与修理的备用成本。顾客花费在正常的维护、修理服务中的成本是多少呢？

一个购买者在考虑以上这些因素后才挑选卖主。购买者在评估供应者的生命周期成本，生命周期成本是购买成本加上维护与修理成本，再减去贴现的折旧残值。顾客在选择卖主时有权利询问这些数据。

对可信赖性、服务的可靠性和维持的重要性认识，因产品与用户不同而不同。只有一台计算机的办公室比有几台计算机的办公室更需要产品的可信赖性和快速修理服务。航空公司在飞机飞行时需要 100% 的可靠性。对于这个内容的更详细论述，参见"营销视野——用提供保证来促进销售"。

营销视野

用提供保证来促进销售

所有销售商都有义务满足商品购买者正常和合理的愿望。担保(warranties)是指制造商对产品预期应达到的性能的正式陈述。产品可以根据担保条例退给制造商或指定的修理中心，要求修理、调换或退款。担保，不管是成文还是隐含的，都具有法律效用。

许多销售商提供保证(guarantees)。保证即对产品的使用不满意的话，可以退还（"退款"保证就是一例）。销售商应该保证其条款陈述十分清晰并简单易行，公司的赔偿必须及时。否则的话，买主就会不满意，而这种不满意将导致失去回头客，导致说坏话，甚至打官司，考虑达美乐比萨饼公司(Domino's Pizza)的例子，它推出在接到电话订货的 30 分钟内保证送货上门，它从此大获成功。最先的保证是一旦迟到，比萨饼免费（后来宣传减少收费三美元）。公司取消这项保证是在 1989 年，当年圣·路易斯法庭判决达美乐的司机撞倒了一位妇女，赔款 7 800 万美元。

今天，许多公司提出的保证"总体或完全满意"，但并没有具体细节。例如，宝洁公司在广告中说："如果您不满意，不管什么理由，都可以更换或退货。"有些公司提出了一种不同寻常的保证，使其与竞争者的距离拉开，并把它作为有效的销售工具。例如：

- 通用汽车公司的土星部门将在 30 天内接受新车的退货，如果用户不满意。

- 哈普顿旅馆保证有宁静的夜晚，否则旅客可以不付钱。
- L.L. 比恩公司是一家邮售公司，它保证要使其顾客"在各个方面任何时候百分之百满意"。如果一位顾客买了一双靴子，两个月以后发现靴子磨损很快，比恩公司就收回这双靴子，把钱退给顾客，或者重新换给他们一双其他牌子的靴子。
- A. T. 克劳斯公司(Cross)保证它的克劳斯钢笔和铅笔是终身保修的。所以，顾客的钢笔如果坏了，只要给克劳斯公司写封信(信纸、信封在任何销售克劳斯公司文具的商店都有供应)，公司就会免费给你修笔或更换新笔。
- 联邦快递公司是通过保证第二天送到，"早上10:30前绝对、肯定送到"的承诺，赢得了顾客的心。
- 奥克利工厂(Oakley)，一家在芝加哥的建筑产品供应商，作出下列保证：如果在产品目录的某一项缺货并不能立即供应，顾客将免费得到它。这项使顾客高兴的保证帮助它在1988—1991年提高了公司销售额的33%，而在此同时，该行业与前期相比销售额下降了41%。
- 澳柯玛美国公司(Okuma)是一家机器工具制造商，提供机器工具零件修理24小时服务；如果运输超过24小时，该零件是不收费的。
- BBBK是一家灭虫公司，该公司作出如下保证：(1)在害虫全部消灭之前，无须付费；(2)如果灭害失效，顾客将收到全部退款，并得到下一次灭害所需要的费用；(3)如果旅客在BBBK委托人所在的旅馆发现一只害虫，将由BBBK公司支付旅客的房费，并送上一封致歉信；(4)如果委托人的设施因此而被关闭，BBBK公司将承担全部罚金、损失的利润，再外加5 000美元。由于如此高的保证条件，因此BBBK公司的收费高于其竞争公司的10倍，并占有很高的市场份额，而为了兑现保证条件所付出的金额仅占其销售额的0.4%。
- 斯克拉伯迪布汽车清洗公司(ScrubaDub)在麻省内蒂克，如果顾客对购买的顾客基本清洗服务不满意将提供重洗服务；该公司俱乐部的成员(花5.59美元得到会员卡和得到一定优惠)，如果他们洗车后在24小时内遇到下雨或雪，也可得到免费重洗。

保证在两种场合中是有效的。一是这家公司或这种产品不太知名。例如，某家公司可能开发了一种清洁剂，声称可以去掉地毯上最顽固的污渍。那么，一个"如不满意，就可退款"的保证就可以给买主在购买此产品时增加一些信心。第二种场合是产品的质量远远优于竞争产品。这样，公司就能保证最佳的绩效，因为它知道竞争对手不能够提供同样的保证。

资料来源：For additional reading, see "More Firms Pledge Guaranteed Servic," *Wall Street Journal*, July 17, 1991, pp. B1, B6; and Barbara Ettore, "Phenomenal Promises Mean Business," *Management Review*, March 1994, pp. 18～23. Also see Christopher W. L. Hart, *Extraordinary Guarantees* (New York: Amacom, 1993); and Sridhar Moorthy and Kannan Srinivasan, "Signaling Quality with a Money-Back Guarantee: The Role of Transaction Costs," *Marketing Science* 14, no. 4(1995): 442～426.

为了提供最佳支持服务，一家制造商必须识别顾客最重视的各项服务及其相对重要性。就医疗诊断设备等一些价格昂贵的设备而言，制造商至少应提供**便利服务**(facilitating service)，例如设备安装、人员培训、维护与修理服务，以及融资服务。它们还应提供**增值服务**(value-augmenting service)。一家大型的办公家具公司，赫尔曼·米勒(Herman Miller)向购买者提出如下保证：(1)产品保修5年；(2)设计安装后的质量检查；(3)保证搬入日期；(4)系列产品的换新折扣。

一家制造商能够以不同的方式提供产品的售后服务支持并征收相应的费用。一家专业有机化学公司提供标准产品，另加基本的服务。如果顾客需要更多的服务，他可以支付额外的费用或者提高每年购买的产品数量来达到更高的级别，从而能享受到更多的附加服务。与此不同的是，巴克斯特健康护理公司(Baxter Healthcare)提供给重要的顾客奖励点(被称作巴克斯特钱)，这种奖励点与顾客购买的商品的数量成比例。顾客可以使用这些奖励点来购买公司不同的附加服务。作为另一类例子，许多公司与顾客签订服务合同(service contracts)，这些合同有不同的保修期和其他服务条款，这样，顾客可以在基本服务之外选择更多的附加服务。

公司们需要按先后次序计划其产品设计和服务组合决策。设计和质量保证经理应从一开始便参加新产品小组工作。好的产品设计应减少所需要的事后的服务量。佳能公司的家用复印机，使用一种用后即丢弃的色带滚筒，从而极大地减少了服务需求。柯达公司和3M公司已设计一种设备，使用者只要接上插头便可将其与中心诊断设施链接起来，用以进行各种实验，探明故障位置，从而通过电话线便可修复设备。

售后服务战略

大多数公司有客户服务部门，但客户服务部门的服务质量差距很大。一个极端是它们简单地把顾客的电话转到相关的人或部门，请它们处理，并不追踪该顾客是否得到满意答复。另一个极端是客户服务部门热心地听取顾客的要求、建议，甚至投诉，并且处理问题迅速。

大多数公司随着服务提供阶段的演进而在市场上获得更多的成功。制造商通常开始于建立一个内部的零部件和服务部门。它们希望跟踪设备的使用情况，并了解设备存在的问题。它们还知道训练其他人员的费用昂贵并且需要时间。它们还发现经营"供应零配件维修"生意获利颇丰。只要它们是所需零配件惟一的供应者，它们便能索取最高的价钱。事实上，许多设备制造商为了推销设备便将设备定价较低，而靠"零配件服务"生意赚钱来补偿。一些设备制造商在售后服务中赚取的钱占其全部利润的一半以上。这说明为什么出现竞争者制造同样或相似的零配件以较低价格销售给顾客或中间商的情况。制造商向顾客警告使用非制造商制造的零配件的危险，但是它们的警告并不总是令人信服的。

随着时间的推移，制造商将较多的维修服务转移给分销商和经销商。这些中间商更接近顾客，经营网点较多，它们提供的服务质量虽不见得高，但较为快捷。尽管制造商只销售零部件，而将服务盈利让给了中间商，它们依然能赚得利润。随后，独立的服务公司出现了。现在汽车服务工作的40%以上是在汽车特许经销商店以外，由诸如麦得斯·乌夫拉尔(Midas Muffler)、西尔斯和J. C. 彭尼公司(Penney)等独立的修理厂和连锁修理部来完成的。专门维修汽车底盘、电信设备和其他各种设备线的独立的服务机构也已出现，它们一般比制造商或授权的中间商收费较低或提供的服务比较快。

最后，一些大客户自己承担起维修服务的责任。一家拥有百台小型计算机、打印机和有关设备的公司，可能认为由自己的维修人员进行现场维修是比较便宜的。这些公司通常要求制造商价格下降，因为它们自己负责维修。

顾客服务领域的主要趋势

李莉曾指出顾客服务领域有如下主要倾向：[45]

1. 许多设备制造商正在制造性能更加可靠和易于修理的设备。这一方面是由于电动机械设备已由不易损坏和更易修理的电子设备所代替；另一方面是由于许多公司正在增加使用可按需要随意放置的组件和可随意更换的零件，以便于用户自行维修。

2. 顾客对购买产品服务越来越老练，并且迫切要求实行"分项服务"。他们要求对每一服务成分进行个别报价，并希望取得自行采购服务成分的权利。

3. 顾客越来越不喜欢由为数众多的服务提供者来维修其各种不同类型的设备。当前有一些第三方服务机构在从事范围更大的设备维修业务。[46]

4. 服务合同(还称为"扩大的担保")，在这里销售商同意在一定的时间内，在合同价格下提供免费的维修服务。这种合同的重要性在减弱。汽车在 10 万英里内是无须服务的，因为永不损坏的设备的增加，顾客已不太情愿为维修设备而每年支付一大笔费用，而这笔维修费竟占购买该设备价格的 2% ～ 10%。

5. 可供顾客选择的服务项目正在迅速增加，而这正是造成服务价格和利润下降的原因。设备制造商不得不考虑于服务合同之外如何在设备定价上赚钱。

小结

1. 服务是一方能够向另一方提供的基本上是无形的功效或利益而不导致任何所有权产生的行为。它的产生可能与某些有形产品相联系，也可能毫无关联。美国已日益走向服务经济，营销者对营销服务的兴趣也在日益增加。

2. 服务是无形的、不可分离的、可变的和易消失的。上述每一特点都提出了问题并要求采取相应的战略。营销者必须寻求各种方法，使无形的服务成为有形化服务；增加服务供应提供者的生产效率；增加服务供应品的质量和使之标准化；在市场需求的高峰或非高峰协调服务的供应。

3. 服务行业在接受和应用营销观念和方法方面通常落后于制造业公司，但现在这种情况正发生变化。服务营销战略不仅需要外部营销，也需要内部营销，以便激励员工，用交互作用营销强调对"高技术"和"高接触"的重要性。

4. 服务组织在营销中面临三个任务：(1)它必须在提供物、交付或形象上提供差别化。(2)它必须管理服务质量，以满足或超过顾客的期望值。对最注重顾客导向的公司必须有战略观点，高层管理层有负责质量管理的传统，高标准，服务绩效监督制度，满足顾客投诉的制度，使员工和顾客都满意的内部环境。(3)它必须管理它的工作生产率，包括提高员工的工作技巧，通过放弃某些质量来增加服务数量，使服务产业化，增加新的解决方案，设计更为有效的服务，鼓励顾客用自己的劳动代替公司的劳动，或利用技术节约时间和金钱。

5. 即使是以产品为基础的公司也必须向顾客提供并管理服务组合。为了对产品提供最有力的支持，一家制造商必须识别顾客最重视的各项服务和其相对重要性。服务组合包括售前服务(促进和价值增加服务)和售后服务(客户服务部门、维修服务)。

应用

本章观念

1. 从 1987 年以来，设立在俄亥俄州克利弗兰的一家执业会计师事务所的营业额从 315 000 美元上升到 5 000 000 美元——每年的增长速度为 22%。令人惊奇的是，这一增长并没有依靠合并、收购甚或一个大的营销预算。该事务所的管理合伙人加里·沙米斯(Gary Shamis)承认该事务所的服务是优秀的，但和其他成千上万的出色竞争者相比并不特别好。那么该事务所成功的秘诀是什么呢？

该事务所采用多方位营销战略，这一战略是以公共交通图开始的——道路图，即该公司想达到的特定目标的清单。道路图是一个工作工具，它每天被使用并加强以保持目标在公司伙伴和合伙人心目中的形象。除此之外，沙米斯相信客户购买感知，并以事实为结果。产生一个需经常关注及加强的明确感知。以下营销工具可帮助产生这一感知：(a)公共宣传；(b)广告；(c)讨论会；(d)印刷材料。

对每一种营销工具，建议该会计师事务所能将其服务和其竞争者区别开来的方法。记住：大多数会计师事务所提供相同类型的服务。谁应对履行该会计师事务所多方位的成功战略负责？

2. 确定核心需要，服务特征(质量水准、特性、式样、品牌名及包装)，并补充由以下服务行业的顾客提供的产品：(a)美国海军；(b)有组织的宗教团体；(c)人寿保险公司。

3. 大多数购买新车的购买者想到了以下的局面：他们走进陈列室，一名热情的销售员立刻凑了上来，他看来什么事都懂，就是不知如何回答他们的问题。如果他们问价格是多少，销售员就会找一个能回答这个问题的人。一旦他们看上去马上要签合同，销售员就开始出售更多可供选择的东西或者是可选择的包装、防锈材料、延长保证期，等等。但是，一旦车被递交到用户手中后，如出现了什么问题，再和销售员取得联系就变得十分困难。

个别或组成小组，列出当面临汽车销售时，顾客感知问题的根本原因。再

540

把关系营销观念引入这一过程，设计一个改变经销商文化的新系统。

营销与广告

1. 图 14A—1 显示了贝尔南方电话公司（BellSouth）为企业顾客和消费者设计的广告。这个广告的内容是如何反映贝尔南方电话公司广告上三个附言所涉及的应用？对那些购买了无形服务产品的企业顾客而言，广告是如何证明服务质量对减少他们的商业不确定性的重要性的？贝尔南方电话公司的广告是针对哪一些企业顾客和消费者的？

2. 图 14A—2 是 GMAC 的广告，它说明了通用汽车公司的某种产品的支持服务：该项融资服务使消费者能够买得起新车。GMAC 的这项财务服务能够在售前或售后使用吗？这是一项与其他产品捆绑在一起的销售服务吗？它是一种便利服务还是一种增值服务？解释你的回答。

图 14A—1

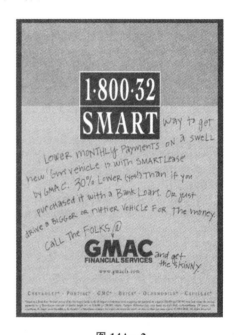

图 14A—2

聚焦技术

因特网已经飞快地成为每一个营销人员的顾客服务支持战略的一部分。通过在线服务支持，几乎任何一种产品都能够被细分，即使是 3M 公司的即时贴也能够被细分。这些无处不在的可方便的撕下来的便条可以用在纸张或软磁盘上。在专门为这种产品开设的网站上这样写着"没有它们，你将怎么办？"如果消费者或企业顾客想知道问题的答案，他们可以访问这个网站，在该网站上还有许多经常更新的创意、举办的比赛和有趣的笑话。

在这个即时贴的网站上浏览（www.mmm.com／Post-it），看看产品区、下载区和一些每月更新的特色部分。为什么 3M 公司要建立这个相关的扩展站点来专门展示这个人人皆知的产品呢？你怎么考虑即时贴的用户的可能反应呢？其他一些基本的家用或商用的办公室产品也能从相类似的在线服务中获得利益吗？

新千年营销

在人的一生中都持续不断地学习新的东西，它对个人的事业发展和个人的成长都是非常重要的。现在，那些想增强自己能力的计算机用户都在通过学习编程、数据库技术、Web 站点设计以及一些其他的技能来提高自己，他们可以通过参加 ZDU 大学的网上教学来实现这样的目的。ZDU 是齐夫 – 戴维斯公司(Ziff-Davis)提供的在线服务，该公司出版了范围很广的关于信息技术的杂志。在付出按年计或按月计的学费后，学生可以根据爱好登记学习不受数量限制的 ZDU 的课程，同时，学生也可以按照他们的时间表来安排学习计划。

浏览 ZDU 大学的网站(www.zdu.com/)，特别注意学校的课程目录，一些免费提供的项目以及 ZDU 的手册。ZDU 是如何管理这些通过在线服务学习的学生的？ZDU 是如何展示它的服务质量的？解释 ZDU 是如何成功地综合了"高科技"和"高接触"来使学生满意的？

你是营销者：索尼克公司的营销计划

任何货品或服务的营销者在准备他们的营销计划时，都必须确定他们的营销战略。如果他们的产品是无形产品，他们需要认真地考虑如何满足顾客的期望；如果他们的产品是有形产品，他们需要考虑如何提供合适的产品支持服务。

作为简·梅洛迪的助理人员，你承担了为索尼克的台式音响设计产品支持服务的工作。从考虑公司当前的实际情况和你以前所做的初步的营销计划开始，通过考虑下面的一些问题来设计你的服务战略：

● 什么是台式音响购买者最希望和最需要的产品支持服务？（当你回答这个问题时，回头看看你的顾客研究报告，索尼克公司的优势所在的分析报告以及你收集的市场竞争状况的情报。）

● 为了使顾客满意，索尼克公司应该有什么样的售后服务安排，或如何使它更完善？

● 为了使索尼克公司的产品和服务更具竞争性，应该向顾客提供什么样的产品保证？

● 索尼克公司需要什么样的内部营销计划来配合公司的外部营销计划，以使你设计的产品支持服务更加有效？

考虑你的服务战略怎样来帮助改善索尼克公司的整体营销计划。最后，根据导师的指示，归纳出你在营销计划中的建议和计划，把它们写进一个书面的营销计划中，或者，把它们输入到营销计划程序软件中作为营销战略的一部分内容。

【注释】

[1] Ronald Henkoff, "Service Is Everybody's Business," *Fortune*, June 27, 1994, pp. 48 ~ 60.

[2] See G. Lynn Shostack, "Breaking Free from Product Marketing" *Journal of Marketing*, April 1977, pp. 73 ~ 80. ; Leonard L. Breey, "Services Marketing Is Different," *Business*, May-June 1980, pp. 24 ~ 30; Eric Langeard, John E. G. Bateson, Christopher H. Lovelock, and Pierre Eiglier, *Services Marketing: New Insights from Consumers and Managers* (Cambridge, MA: Marketing Science Institute, 1981); Karl Albrecth and Ron Zemke, *Service America! Doing Business in the New Economy* (Homewood, IL: Dow Jones-Jrwin, 1986); Karl Albrecht, *At America's Service* (Homewood, IL: Dow Jones-Irwin, 1988); and Benjamin Scheider and David E. Bowen, *Winning the Service Game* (Boston: Harvard Business School Press, 1995).

[3] Anne Zeiger, "The Many Virtues of 'Virtual Services,'" *Business Week*, September 14, 1998, pp. ENT18 ~ ENT20.

[4] Johnson, "Service at a Price," *Industrial Distribution*, May 1998, pp. 91 ~ 94.

[5] Theodore Levitt, "Production-Line Approach to Service," *Harvard Business Review*, September-October 1972, pp. 41 ~ 42.

[6] Further classifications of services are described in Chrisopher H. Lovelock, *Services Marketing*, 3d ed. (Upper Saddle River, NJ: Prentice Hall, 1996). Also see John E. Bateson, *Managing Services Marketing: Text and Readings*, 3d ed. (Hinsdale, IL: Dryden, 1995).

[7] See Theodore Levitt, "Marketing Intangible Products and Product Intangibles," *Harvard Business Review*, May-June 1981, pp. 94 ~ 102; and Berry, "Services Marketing Is Different."

[8] Geoffrey Brewer, "Selling an Intangible," *Sales & Marketing Management*, January 1998, pp. 52 ~ 58.

[9] Ibid.

[10] "Business: Service with a Smile," *The Economist*, April 25, 1998, pp. 63 ~ 64.

[11] See G. Lynn Shostck, "Service Positioning Through Struchtrual Change," *Journal of Marketing*, January 1987, pp. 34 ~ 43.

[12] See W. Earl Sasser, "Match Supply and Demand in Service Industries," *Harvard Business Review*, November-December1976, pp. 133 ~ 140.

[13] Carol Krol, "Case Study: Club Med Uses E-mail to Pitch Unsold, Discounted Packages," *Advertising Age*, December 14, 1998, p. 40.

[14] Anthony Palazzo, "Postal Service Sees Shipping customers in Internet Retailers – Trying to Capitalize on Needs of High-Tech Marketers, 'Snail Mail' Meets E-Mail," *Wall Street Journal*, March 20, 1998, p. B7; Bill McAllister, "FedEx Delivers Blow to Ad Campaingn by Postal Service," *The Washington Post*, December 9, 1998, p. C11.

[15] See B. H. Booms and M. J. Bitner, "Marketing Strategies and Organizational Structrues for Service Firms," in *Marketing of Services*, eds. J. Donnelly and W. R. Geoge (Chicago: American Marketing Association, 1981), pp. 47 ~ 51.

[16] Keaveney has identified more than 800 critical behaviors of service firms that cause customers to switch services. These behaviors fit into 8 categories ranging from price inconvenience, and core service failure to service encounter failure, failed employee response to service failures, and ethical problems. See Susan M. Keaveney, "Customer Switching Behavuiru in Service Industries: An

Exploratory Study, "*Journal of Marketing*, April 1995, pp. 71 ~ 82. See also Michael D. Hartline and O. C. Ferrell, "The Management of Customer-Contact Service Employees: Am Empirical Investigation, "*Journal of marketing* October 1996, pp. 52 ~ 70; Lois A. Mohr, Mary Jo Bitner, and Bernard H. Booms, "Critical Service Encounters: The Employee's Viewpoint, "*Journal of Marketing*, October 1994, pp. 95 ~ 106; Linda L. Price, Eric J. Arnould, and Patrick Tierney, "Going to Extremes: Managing Service Encounters and Assessing Provider Performance, "*Journal of Marketing*, April 1995, pp. 83 ~ 97.

[17] Christian Gronroos, "A Service Quality Model and Its Marketing Impilcations, "*European Journal of Marketing*18, no. 4(1984); 36 ~ 44. Gronroos's model is one of the most thoughtful contributions to service-marketing strategy.

[18]Leonard Berry, "Big Ideas in Services Marketing, "*Journal of Consumer Marketing*, Spring 1986, pp. 47 ~ 51. See also Walter E. Greene, Gary D. Walls, and Larry J. Schrest, "Internal Marketing: The Key to External Marketing Success, "*Journal of Services Marketing* 8, no. 4(1994): 5 ~ 13; John R. Hauser, Duncan I. Simester, and Birger Wernerfelt, "Internal Customers and Internal Suppliers, "*Journal of Marketing Research*, August 1996, pp. 268 ~ 280.

[19] Gronroos, "Service Quality Model, " pp. 38 ~ 39.

[20] See Philip Kotler and Paul N. Bloom, *Marketing Professioal Services* (Upper Saddle River, NJ: Prentice Hall, 1984).

[21] Laurie J. Elynn, "Eating Your Young, " *Context*, Summer 1988, pp. 45 ~ 47; see also Mark Schwanhausser, "SchwabEvolves in the Web Ear, " *Chicago Tribune*, October 12, 1998, Business Section, p. 10; and John Evan Frook, "Web Proves It's Good for Business, " *Internet Week*, December 21, 1998, p. 15.

[22] See Marlene Piturro, "Getting a Charge Out of Service, " *Sales & Marketing Management*, November 1998, pp. 86 ~ 91.

[23] See Valarie A. Zeithaml, "How Consumer Evaluation Processes Differ between Goods and Services, " in Donnelly and George, eds., *Marketing of Services*, pp. 1986 ~ 190.

[24] Amy Ostrom and Dawn Iacobucci, "Consumer Trade-offs and the Evaluation of Services, " *Journal of Marketing*, January 1995, pp. 17 ~ 28.

[25] Heather Green, "A Cyber Revolt in Health Care, " *Business Week*, October 19, 1998, pp. 154 ~ 156.

[26] Robert D. Hof, "Now It's Your Web, "*Business Week*, October 5, 1998, pp. 164 ~ 176.

[27] Ian C. MacMillan and Rita Gunther McGrath, "Discovering New Points of Differentiation, "*Harvard Business Review*, July-August 1997, p. 133 ~ 145.

[28] Suzanne Bidlake, "John Crewe, American Express Blue Card, " *Advertising Age International*, December 14, 1998, p. 10; Sue Beenstock, "Blooded, " *Marketing*, June 4, 1998, p. 14; Pamela Sherrid, "A New Class Act at AMEX, " *U. S. News & world Report*, June 23, 1997, pp. 39 ~ 40.

[29] A. Parasuraman, Valarie A. Zeithaml, and Leonard L. Berry, "A Conceptual Model of Service Quality and Its Implications for Future Research, " *Journal of Marketing*, Fall 1985, pp. 41 ~ 50. See also Susan J. Devlin and H. K. Dong, "Service Quality from the Customers' Perspective, " *Marketing Research: A Magazine of Management & Applications*, Winter 1994, pp. 4 ~ 13; William Boulding, Ajay Kalra, and Richard Staelin, "A Dynamic Process Model of

544

Service Quality: From Expecta tions to Behavioral Intentions, " *Journal of Marketing Research,* February 1993, pp. 7 ~ 27.

[30] Leonard L. Berry and A. Parasuraman, *Marketing Services: Competing Through Quality* (New York: Free Press, 1991), p. 16.

[31] See James L. Heskett, W. Earl Sasser Jr., and Christopher W. L. Hart, *Service Breadthroughs* (New York: Free Press, 1990).

[32] David Greising, "Quality: How to Make It Pay," *Business Week,* August 8, 1994, pp. 54 ~ 59.

[33] John A. Martilla and John C. James, "Importance-Performance Analysis," *Journal of Marketing,* January 1977, pp. 77 ~ 79.

[34] See John Goodman, Technical Assistance Research Program (TARP), U. S. Office of Consumer Affairs Study on Complaint Handing in America, 1986; Albrecht and Zemke, *Service America!;* Berry and Parasuraman, *Marketing Services;* Roland T. Rust, Bala Subramanian, and mark Wells, "Making Complaints a Management Tool," *Marketing Management* 1, no. 3 (1992): 41 ~ 45; Stephen S. Tax, Stephen W. Brown, and Murali Chandrashekaran, "Customer Evaluations of Service Complaint Experiences: Implications for Relationship Marketing," *Journal of Marketing,* April 1998, pp. 60 ~ 76.

[35] Stephen S. Taz and Stephen W. Brown, "Recovering and Learning from Service Failure," *Sloan Management Review,* Fall 1998, pp. 75 ~ 88.

[36] Robert Hiebeler, Thomas B. Kelly, and Charles Ketteman, *Best Practices: Building Your Business with Customer-Focused Solutions* (New York: Arthur Andersen/Simon & Schuster, 1997), pp. 184 ~ 185.

[37] See Hal F. Rosenbluth and Diane McFerrin Peters, *The Customer Comes Second* (New York: William Morrow, 1992).

[38] Kirstin Downey Grimsley, "Service with a Forced Smile; Safeway's Courtesy Campaign Also Elicits Some Frowns," *Washington Post, October 18, 1998, p. A1.*

[39] Myron Magnet, "The Productivity Payoff Arrives," *Fortune,* June 27, 1994, pp. 79 ~ 84.

[40] Theodore Levitt, "Production-Line Approach to Service" *Harvard Business Review* September-October 1972, pp. 41 ~ 52; also see his "Industrialization of Service," *Harvard Business Review,* September-October 1976, pp. 64 ~ 74.

[41] See William H. Davidow and Bro Uttal, *Total Customer Service: The Ultimate Weapon* (New York: Harper & Row, 1989).

[42] Nilly Landau, "Are You Being Served?" *International Business,* March 1995, pp. 38 ~ 40.

[43] See Milind M. Lele and Uday S. Karmarkar, "Good Product Support Is Smart Marketing," *Harvard Business Review,* November-December 1983, pp. 124 ~ 132.

[44] For recent research on the effects of delays in service on service evaluations, see Shirley Taylor, "Waiting for Service: The Relationship Between Delays and Evaluations of Service," *Journal of Marketing,* April 1994, pp. 56 ~ 69; Michael K. Hui and David K. Tse, "What to Tell Consumers in Waits of Different Lengths: An Integrative Model of Service Evaluation," *Journal of Marketing,* April 1996, pp. 81 ~ 90.

[45] Milind M. Lele, "How Service Needs Influence Product Strategy," *Sloan Management Review*, Fall 1986, pp. 63 ~ 70.

[46] However, see Ellen Day and Richard J. Fox, "Extended Warranties, Service Contracts, and Maintenance Agreement – A Marketing Opportunity?" *Journal of Consumer Marketing*, Fall 1985, pp. 77 ~ 86.

第15章
设计定价战略与方案

科特勒论营销：

　　你不是通过价格出售产品，你是出售价格。

本章将阐述下列一些问题：

● 公司首次推出产品或服务将如何定价？

● 如何修订产品的价格以适应变化环境和机会的需要？

● 公司怎样发起价格变动和怎样对价格变动作出反应？

　　所有营利组织和许多非营利组织都面临一个给它们的产品或者服务制定价格的任务。价格以许多名目出现：

　　我们的周围处处遇到价格问题。你租公寓要付房租；受教育要付学费；看病要付费给医生或牙医。航空、铁路、出租汽车和公共汽车公司在为你提供服务的时候要你买票；地方公用事业称它们的价格为费率；地方银行要为你的借款收取利息。你驾车行驶在佛罗里达州的阳光大道上要交纳通行费；汽车保险公司要向你收取保险费。邀请来的演讲者收取演讲费后才会告诉你关于一个政府官员接受贿赂后去帮助一个不诚实的人窃取贸易协会收集的会费的故事。你所属的俱乐部或者学会可能征收特别摊派款去支付不平常的费用。你的常年律师可能为她的服务要求你支付辩护费。付给一个经理的"价格"叫薪水，一个推销人员的价格可能是一笔"佣金"，一个工人的价格是工资。最后，虽然一些经济学家不会同意，但我们中许多人感到所得税是这样一种价格，它是我们为取得赚钱的特权而付出的价格。[1]

　　从历史上的大多数情况来看，价格是通过买方与卖方互相协商而确定的。卖方给所有的买者规定一个价格是一个比较近代的观念。它形成的动因是19世纪末大规模零售业的发展。F. W. 伍尔沃思（Woolworth）、特弗尼公司（Tiffany）、约翰·沃纳梅克（John Wanamaker）和其他公司登了一则"严格执行单一价格政策"的广告，因为它们经营非常多的商品和管理着非常多的雇员。

　　仅100年后的今天，因特网在承诺要逆转这种固定定价的趋势，它使人们又回到协商定价的时代。因特网公司内部网和其他的无线电设施正把全球不同的人、不同的设备、不同的公司联系在一起——把买方和卖方联系在一起，而这种情况是前所未有的。诸如公司网(Compare Net)和价格扫描网(PriceScan. com)这样的网站,使买者能够快速且轻易地对产品及其价格进行比较。而诸如电子海湾网(eBay. com)和在售网(Onsale. com)这样的网上拍卖站点使买方和卖方能够轻易地对成千上万种商品进行协商定价——从重新组装的电脑到珍贵的锡制火车。与此同时,新技术的出现使卖者能够收集有关顾客的购买习惯、偏好,甚至是花费限制等方面的详细数据,以便他们能够根据顾客的需要来组织产品的生产和定价。[2]

在传统的观念中,价格是作为买者作出选择的主要决定因素。在较贫穷的国家里和较贫穷的群体中,就商品性的产品而言,仍然是如此。但在最近的10年里,在买者选择行为中非价格因素已经相对地变得更重要了。然而,价格还仍是决定公司市场份额和盈利率的最重要因素之一。消费者和采购代理非常关心价格信息和价格折扣。消费者在商店购物更谨慎,这迫使零售商降低售价,接着,零售商又向制造商加压以降低价格。其结果是市场成为大量打折和促销的地方。

在营销组合中,价格是能产生收入的因素;其他因素表现为成本。价格也是营销组合中最灵活的因素,它与产品特征和渠道承诺不同,它的变化是异常迅速的。同时,价格竞争是许多公司所面临的头号问题。但是,许多公司不会很好地处理定价问题。它们共同的毛病是:所定价格过分地以成本导向;价格未能依据市场变化及时经常地加以修改;价格的制定是同营销组合的其他部分相脱离的,未被看成是市场定位战略的内在要素,并且对不同的产品品目、细分市场和购买环境,价格的差别变化也不够多样化。

公司处理定价有多种方法,在小公司内,价格是由老板制定的。在大公司内,定价由事业部经理和产品线经理处理。即使这样,高层管理者也要制定一些总的定价目标和政策,并常需批准由下一级管理部门建议的价格。在定价是关键因素的那些行业(航空公司、铁路公司、石油公司),公司常常建立一个定价部门去制定价格或者帮助其他部门确定适当的价格。这个部门向营销部门、财务部门或高层管理者报告。其他对定价施加影响的人包括销售经理、生产经理、财务经理和会计。

制定价格

当一个公司开发一个新产品时,当它将一个常规产品推入一个新的分销渠道或者一个地理区域时,当它正式地就一项新的承包工程投标时,公司必须为它们制定一个价格。

公司必须对其产品在质量和价格上的定位作出决策。在有些市场上,如汽车市场,可以发现8个价格点(price points):

市场细分	举例(汽车)
顶级	劳斯莱斯
黄金标准	梅塞德斯 – 奔驰
豪华	奥迪

特定需要	富豪
中档	别克
便利	福特·卫护
类似品，但较便宜	现代
价格导向	开拉

企业在价格—质量细分市场上存在着竞争。图 15—1 所示是 9 种可能采取的价格—质量战略。图中对角线上的第 1、5、9 战略都可以在同一个市场上同时存在：即一家公司可以提供优质高价的产品，而另一家公司以普通价格提供质量一般的产品，还有一家公司以低价销售劣质产品。三个竞争者也就能与这组购买者长期共存，他们是坚持质量者、坚持价格者和介于这两者之间的人。

		价格		
		高	中	低
产品质量	高	1. 溢价战略	2. 高价值战略	3. 超值战略
	中	4. 高价战略	5. 普通战略	6. 优良价值战略
	低	7. 骗取战略	8. 虚假经济战略	9. 经济战略

图 15—1　9 种价格—质量战略

第 2、3、6 战略定位表明如何向对角线定位方法之间采用竞争的战略。第 2 种战略表示："我们的产品质量与第 1 个方格的产品质量一样好，但是我们售价更低。"第 3 种战略表达相同的意思，能为顾客节省更多钱。 如果对质量敏感的顾客信任这些竞争者，他们将会明智地从这些竞争者手中购买商品，并节省金钱(除非第 1 种战略公司的产品对特定的顾客有吸引力)。

第 4、7、8 战略定位，就是说与产品价值相比，产品定价过高。 顾客会觉得"受骗上当"了，并可能抱怨，或者散布有关公司的坏话。

公司在制定其价格政策时，必须考虑许多因素。在下面几个段落里，我们将就价格制定的六个步骤进行描述：(1)选择定价目标；(2)确定需求；(3)估计成本；(4)分析竞争者成本价格和提供物；(5)选择定价方法；(6)选定最终价格(见图 15—2)。

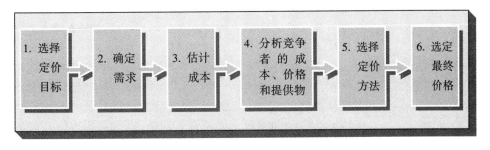

图 15—2　制定价格政策

选择定价目标

公司首先必须决定给它的市场供应物作怎样的定位。一个公司对它的那些目标越清楚，它制定价格越容易。一个公司通过定价来追求六个主要目标：生成最大当期利润，最高当期收入，最大市场份额，最高销售成长，最大市场撇脂，或产品—质量领先。

如果公司遇上生产力过剩或剧烈竞争或者要消费者的需求改变时，它们要把维持生存作为其主要目标。利润比起生存来要次要得多。只要它们的价格能够弥补可变成本和一些固定成本，它们就能够维持住企业。但生存是一个短期目标，从长远来看，公司必须学会怎样增加价值，否则将面临破产。

许多公司想制定一个能达到最大当期利润的价格。它们估计需求和成本，并据此选择出一种价格，这个价格将能产生最大的当期利润、现金流量或投资报酬率。这一目标假设的前提是：公司对其需求量和成本函数了如指掌，但在实践中却难以精确预测。公司在强调当前的财务经营状况时，由于不考虑其他营销组合因素、竞争对手的反应和对价格的法律限制，所以忽视了它的长期效益。

某些公司试图使其占有的市场份额最大化。它们认为销售量越高，产品的单位成本就越低，长期利润也就越高。它们假定市场对价格是敏感的，并把价格定在最低线上。得州仪器公司 (TI) 就采取了这种市场渗透定价 (market-penetration pricing) 政策。TI 公司特设立一个巨大的工厂，将其产品的价格定得尽可能地低，以赚取更大的市场份额，降低产品的成本，而产品成本的降低又可使其价格进一步降低。在以下条件下制定低价是可行的：(1)市场对价格高度敏感，低价会推动市场的成长；(2)随着生产的积累，产品的生产成本和销售成本下降；(3)低价可以阻止现实的和潜在的竞争。

许多公司喜欢制定高价来"撇脂"市场。英特尔是市场撇脂定价的老手：

英特尔(Intel) 一个分析师曾这样形容英特尔公司的定价政策："这个集成电路巨人每 12 个月就要推出一种新的，具有更高盈利的微处理机，并把旧的微处理机的价格定在更低的价位上以满足需求。"当英特尔公司推出一种新的计算机集成电路时，它的定价是 1 000 美元，这个价格使它刚好能占有市场的一定份额。这些新的集成电路能够增加高能级个人电脑机和服务器的性能。如果顾客等不及，他们就会在价格较高的时候去购买。随着销售额的下降及竞争对手推出相似的集成电路对其构成威胁时，英特尔公司就会降低其产品的价格来吸引下一层次对价格敏感的顾客。最终价格跌落到最低水平，每个集成电路仅售 200 美元多一点，使该集成电路成为一个热线大众市场的处理机。通过这种方式，英特尔公司从各个不同的市场中获取了最大量的收入。[3]

市场撇脂定价的奏效，需符合下列条件：(1)顾客的人数足以构成当前的需要；(2)小批量生产的单位成本不至高到无法从交易中获得好处的程度；(3)开始的高价未能吸引更多竞争者；(4)高价有助于树立优质产品的形象。

一个公司可以树立在市场上成为产品质量领先地位这样的目标。考虑梅塔格公司的例子：

梅塔格(Maytag)　梅塔格公司长期以来一直生产高质量的洗衣机，并且其价格比其竞争对手的产品价格要高(梅塔格的口号是"使用寿命最长久"。在它的广告上梅塔格公司的产品修理人员在电话机旁睡着了。因为没有人给他打电话要求修理服务)。现在，梅塔格公司改变了其战略，虽然仍然从其产品的高质量中获利，但把重点放在创造新特点和利益上。该公司正试图将人们的购买周期从"等机器坏了再去购买"改变为"想要就买"。其目的是让购买者以高于正常价值的价格去购买梅塔格公司的具有杰出特征的电器，即使他们的旧机器仍然能用。为了吸引对价格敏感的消费者，梅塔格公司在其新广告中指出洗衣机是衣服的保养者，而这些衣服通常都是300美元～400美元一件的，因此，它们的价格要更高些。例如，梅塔格公司的新的欧洲风格的洗衣机，其售价为800美元，是其他洗衣机成本的2倍，然而，该公司的营销人员宣传这种洗衣机省水、省电，而且因为它对衣服的磨损较小，可以延长衣服的使用寿命。[4]

非营利的公共组织可以采用一些其他定价目标。一个大学的目标是抵消部分成本(partical cost recovery)，它必须依赖私人馈赠和公共资助以抵消它的维护成本。一家非营利医院的定价目标可以是抵消全部成本(full cost)。一家非营利的剧院的定价是使剧院的座位坐到最满。一家社会服务机构可以用社会定价(social price)，以适应不同客户的收入情况。

无论公司的特定目的是什么，那些以价格作为战略手段的公司将比那些仅仅依靠成本或市场定价的公司赚取更多的利润。为了进一步研究公司如何利用定价政策来实现其目标，可以参见"营销视野——强有力的定价者：明智的公司怎样利用定价作为战略手段"。

营销视野

强有力的定价者：明智的公司怎样利用定价作为战略手段

公司的总经理和各部门的经理一直抱怨定价是一个令人头疼的大问题，并且随着时间的推移变得越来越难。许多公司匆匆制定价格战略，例如："我们计算出产品成本，再加上行业过去的平均边际毛利，作为我们产品的价格。"或者是"价格是由市场决定的，我们必须计算出它是怎样得来的。"

但是，明智的公司对定价有不同的看法：它们把定价作为一个关键的战略手段。"强有力的定价者们"已经发现了价格对利润的极大影响作用。以下是几个公司的例子，它们强有力的定价战略已经帮助它们处于该行业中的领先地位：

定价和营销战略相结合。斯沃琪公司的手表定价战略典型地反映了定价和综合营销战略的有机结合。按照斯沃琪公司设计实验室负责人的说法，它的基本模型的价格固定在40美元，这是一个简化的价格，是一个不带任何附加成分的价格。价格可以反映出我们试图传达的商品上的其他特性。它使我们同世界上的手表生产商区别开来。一只斯沃琪公司的手表不仅是可以买得起的，而且是可以获得的。买一块斯沃琪公司的手表是很容易就作出的决定，也是一个很容易被接受的决定。把价格定在 40 美元与定在 37.5 美元是不同的，它也不同于标价是 50 美元，但通常以八折销售的情形。就像该手表的广告和设计一样，把价格固定在 40 美元意味着"你不用担心会犯错误，开心点"。

定价和价值前景相结合。葛兰素制药公司（Glaxo）发明了一种治疗溃疡的药扎泰尔（Zantal），打击该种药品市场上现有的生产商泰格米特公司（Tagamet）。传统的观念认为：作为该市场上的第二生产商，葛兰素公司的扎泰尔的定价应比泰格米特的低 10%。葛兰素公司的总裁保罗·吉罗拉姆（Paul Girolam）认为扎泰尔要比泰格米特公司的产品好，因为该药物的相互影响和副作用小，而且更便于服用。当这些信息被充分反映到市场上后，它的优势为该产品高溢价价格的制定提供了基础。葛兰素公司的扎泰尔产品的价格要比泰格米特产品的价格高得多，并且它获得市场上的领先地位。

按照细分价值来定价并提供服务。巴根斯·伯格公司（Bugs Burgor）生产的伯格杀虫剂的定价是生产同类产品其他公司的 5 倍。巴根斯公司能够获得这个溢价价格是因为它把中心放在一个对质量特别敏感的市场（旅店和餐馆）上，并向它们提供它们认为最有价值的东西：保证没有害虫而不是控制害虫。它所提供给这个特定市场的优质服务使它能够制定出这样的价格。这样高的价格使它有能力培训服务人员并支付其工资，这样就可以激励他们提供优质的服务。因此，他们所提供产品的价值决定了其价格，而价格又反过来为提供这种价值所必要采取的行动集聚资金。

按照细分成本和竞争形势来制定价格。《财富》杂志称进步保险公司（Progressive Insurance）是汽车保险业中的"明智定价之王"。该公司在收集和分析损失数据上比其他任何公司都做得好。它清楚了解为各种类型的顾客提供服务成本是多少，这使它能够对那些高风险的可获利的客房提供保险服务，而其他公司是不愿这样保险的。没有人与它竞争，加上它对成本有一个可靠的认识，进步保险公司在为这类客户提供服务中盈利颇大。

资料来源：Adapte from Robert J. Dolan and Hermann Simon, "Power Pricers," Across the Board, May 1997, pp. 18～19.

确定需求

每一种价格都将导致一个不同水平的需求，并且由此对它的营销目标产生不同的效果。价格变动和最终需求水平之间的关系可在常见的需求线（demand curve）中获得[见图 15—3(a)]。在正常情况下，需求和价格是反向关系，也就是说，价格越高，需求越低；而价格越低，需求越高。就威望商品来说，需求曲线有时呈正斜率。一家香水公司发现通过提高产品的价格，它销售了更多的而不是更少的香水。消费者认为较高的价格意味着一种较好的或更昂贵的香水商品。然而，假若价格定得太高，需求水平将会下降。

价格敏感度

需求线显示的是市场对可能销售的各种价格的反应。它概括了具有各种价

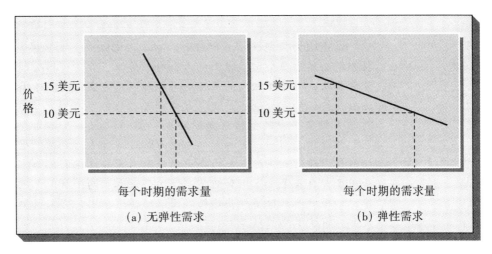

图 15—3　无弹性和有弹性需求

格敏感性的许多人的反应。第一个重要步骤就是要了解有哪些因素影响顾客的价格敏感性。纳格尔(Nagle)指出有 9 种因素：

1. 独特价值效应。产品越是独特，顾客对价格越不敏感。

2. 替代品知名效应。顾客对替代品知之越少，他们对价格的敏感性越低。

3. 难以比较效应。如果顾客难以对替代品的质量进行比较，他们对价格越不敏感。

4. 总开支效应。开支在顾客收入中所占比重越小，他们对价格的敏感性越低。

5. 最终利益效应。开支在最终产品的全部成本的费用中所占比例越低，顾客的价格敏感性越低。

6. 分摊成本效应。如果一部分成本由另一方分摊，顾客的价格敏感性越低。

7. 积累投资效应。如果产品与以前购买的资产合在一起使用，顾客就对价格不敏感。

8. 价格质量效应。假设顾客认为某种产品质量更优、声望更高或是更高档的产品，顾客对价格的敏感性就越低。

9. 存货效应。顾客如无法储存商品，他们对价格的敏感性就低。[5]

有许多因素，诸如政府撤销管制和因特网上的瞬时价格比较技术，使产品变成了顾客眼中的商品，并且增加了他们对价格的敏感性。当有许多其他的竞争对手也在以可比价格或更低的价格销售同种产品时，营销人员就要比以前任何时候都要努力工作以使他提供的产品和其他产品区别开来。和以前不同的还有，公司必须正确理解其现有的和潜在的顾客对价格的敏感性，以及人们愿意在价格和产品特性上所作的取舍程度。用营销顾问凯文·克兰西（Kevin Clancy)的话来说，那些仅关注价格敏感性的公司是"把钱放在桌子上"。甚至，在能源市场上，你会认为 1 000 瓦特就是 1 000 瓦特。但有些公用事业公司开始意识到这个事实，它也有差别。这些公用事业公司购买能源，并为其附上商标，进行营销策划，为顾客提供独特的服务。请看下面的绿山电力公司的例子。

绿山电力公司(Green Mountain Power, GMP)　　作为一个小的佛蒙特州的公用事业公司，绿山电力公司正进军已取消价格管制的消费者能源市场，它坚信相同的千瓦小时也可以是有区别的。绿山电力公司进行了广泛的市场调研，发现大部分潜在的客户不仅关心环境，而且愿意支付多一点的价格来保护环境。因为绿山电力公司是一个"绿色"能源供应商——它的大部分能源都是通过水力发电产生的，这样顾客就以通过购买绿山电力公司的能源来减轻环保的压力。绿山电力公司已经在马萨诸塞州和新罕布什尔州设立了两个居民区能源销售总工程，成功地打败了那些价格更便宜的公司，因为它们仅把中心放在那些对价格敏感的顾客上。[6]

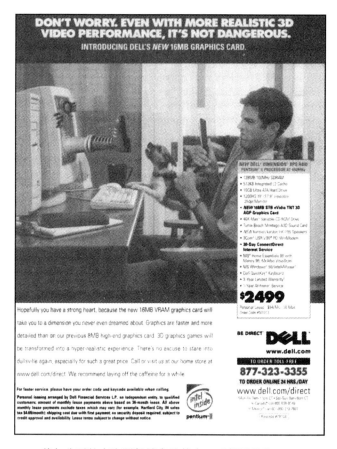

戴尔公司的广告既促销产品特点，又促销价格。

估计需求线的方法

　　大多数公司作了一些尝试去测量它们的需求线。它们可采用以下几种方法。

　　第一种是用统计方法分析过去的价格、销售数量和其他因素的数据来估算它们的关系。这种数据分析可以是纵向的(随时间变化)或横向的(在同一时间，不同的地点）。建立合适的模型和用适当的统计技术来处理数据需要相当高的技能。

第二种方法是价格实验法。贝内特和威尔金森利用一种在商店内估算需求线的方法：他们在一个折扣商店里有系统地变动几个销售产品的价格，并观察其结果。[7]这种方法反复地在相类似地区变化不同的价格，研究价格是怎样影响销售的。

第三种方法是询问购买者在不同的价格水平，他们会买多少产品。[8]然而，这种方法的主要问题是在购买者认为价格较高时会降低他们的购买愿望，这迫使公司不能制定高价格。

在测算价格与需求之间的关系时，市场调研者必须控制可能影响需求的其他因素。竞争者的反应是各不相同的。还有，在改变价格的同时又改变营销组合的其他因素时，它们对价格有什么影响就很难分离出来。纳格尔（Nagle）曾精辟地概括了各种衡量价格敏感性和需求的方法。[9]

需求的价格弹性

营销人员必须知道需求对于价格的变动将如何反应。在图 15—3 中考虑了两种需求曲线。在图 15—3(a)中，价格从 10 美元提高到 15 美元，引起了需求量从 105 单位到 100 单位相当小的下降。在 15—3(b)中，同样的价格提高幅度却引起了需求量从 150 单位到 50 单位相当大的下降。如果需求变化相当大，则该需求是有弹性(elastic)的。

在下面这几种情况下，需求只有很小的弹性：(1)代用品很少或没有，或没有竞争者；(2)买者对较高的价格不敏感；(3)买者对改变他们的购买习惯和寻找较低价格表现迟缓；(4)买者认为由于质量改进，正常的通货膨胀和其他一些因素，该较高的价格是公道的。假如需求是有弹性而不是无弹性的，卖主就要考虑降低他们的价格。一个比较低的价格将会产生比较高的总收入。只要生产和销售的成本不是不成比例地增长的，这种做法就是有意义的。[10]

纽约市交通管理层曾对地铁票价进行了变动，这一事件可以说明不考虑那些需求富于弹性的顾客的需要所导致的影响。1997 年，纽约市长宣布第二年纽约市的地铁乘客可以购买日票、周票或者月票，而不必每乘一次地铁买一次票。通过购买日(周、月)票，乘客还可以享受折扣优惠。对于使用月票的乘客来说，如果这张月票用了至少 47 次，那么这种优惠是富于刺激性的。然而，《巴林》杂志(Barron)的一个记者指出这种特殊的车票没有给那些需求富于弹性的人带来好处，并且，对那些在郊区的非上班族乘客也没有带来好处，因为他们乘坐地铁的次数最少。他根据价格弹性对纽约市的地铁乘客所作的划分如下。上班族的需求曲线是完全无弹性的：无论票价发生了什么变化，这些人都必须去上班，然后回家。"所有乘客"的稍有弹性的需求曲线中包括那些住在市里的上班族和那些当票价下降时会乘地铁去从事其他活动的人们。然而，非上班族乘客的需求线的价格弹性是最大的，因为当票价降低时，这些人乘坐地铁的次数会越多。[11]

价格弹性取决于拟定的价格变动的大小和方向。微小的价格变动可以忽略，大的价格变动却是重要的。削价与提价的意义可能不同。最后，长期的价格弹性易于同短期的价格弹性有所区别。一种价格提高以后买者可能继续向现行的供应厂商购货，那是因为选择一位新的供应厂商要花费时间，但是它们最终可能转向其他供应厂商。在这种情况下，从长远看要比从短期来看需求更富有弹性。也可能发生正好相反的情况，买者在接到了提价通知后就抛弃了一个供应厂商，但是以后又回来。短期和长远的弹性之间的区别在于卖主需要多少时间了解他们在价格变动上的总影响。

估计成本

需求在很大程度上为公司制定其产品价格，并确定一个最高价格限度，而公司的成本是底数。公司想要制定的价格，应能包括它的所有生产、分销和推销该产品的成本，还包括对公司所作的努力和承担的风险的一个公平的报酬。

成本的类型和生产的水平

一个公司的成本有两种形式：固定成本和变动成本。固定成本(fixed costs)(通常也称企业一般管理费)是不随生产或销售收入的变化而变化的成本。一个公司每月必须支付的账款如租金、取暖费、利息、行政人员的薪水等等，是与公司的产量无关的费用。

变动成本(variable costs)是随着生产水平的变化而直接发生变化的。例如，由得州仪器公司生产的每台掌上计算器，它的成本就包括塑料、芯片、电线、包装等等费用。生产每台产品的这些成本都是不变的。它们被称为变动成本是因为它的总数是随着生产产品的数量的变化而变化的。

总成本(total costs)是一定水平的生产所需的固定成本和变动成本的总和。管理层需要制定一个价格，这一价格至少要包括该一定水平生产所需的全部生产成本。制造商如想改变价格的话，至少要考虑在一定生产水平下的总成本。

为了明智地定价，管理层必须了解在不同的生产水平下，其成本是怎样变化的。

举个例子，假如得州仪器公司已建造了一个日产1 000台掌上计算器的固定规模的工厂，假如每天生产的单位不多，每个单位的成本就高。当生产量每天达到1 000台时，每个单位产品就分担较小的固定成本。得州仪器公司每天也可能生产大于1 000台的产品，但成本要有所增加。生产量达到1 000台以后，平均成本增加是因为工厂的生产变得效率低了：工人们不得不为等待机器而排队，机器在更经常地发生故障，同时工人们在工作中难免互相妨碍[见图15—4(a)]。

假如得州仪器公司相信它能够一天销售2 000台的产品，它应该考虑建造一座大的工厂。这家工厂将使用更有效率的机器并作更有效的工作安排，这时一天生产2 000台产品的单位成本将比一天生产1 000台产品的单位成本来得少。这在长期的平均成本曲线中可得到说明[见图15—4(b)]。事实上，根据图15—4(b)表示，一个日产3 000台产品的工厂将是更有效益的。但是，日产4 000台产品的工厂将是效益较低的，因为增大了规模的不经济性：太多的工人不利管理；日常文书事务减慢了工作进度，等等。图15—4(b)表示如果需求额大到足以维持生产的这种水平，那么建造日产3 000台产品的工厂将是最适宜的规模。

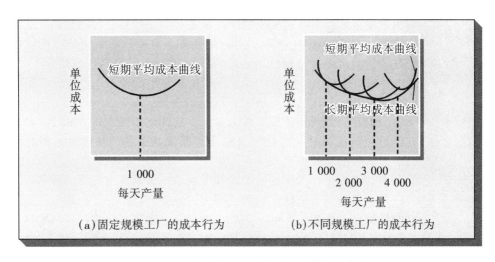

（a）固定规模工厂的成本行为　　　　（b）不同规模工厂的成本行为

图15—4　在每期不同生产水平下的单位成本

积累生产经验

假设得州仪器公司建造了一座日产 3 000 台掌上计算器的工厂。当得州仪器公司获得生产掌上计算器的经验时，它认识到怎样做效果较好。工人们找到了捷径，原料流程得到了改进，采购成本也下降了，等等。结果是随着生产经验的积累，平均成本趋于下降。这种情况在图 15—5 中得到说明。这样，起初生产 10 万台计算器的平均成本是每台 10 美元，当公司开始生产 20 万台计算器时，平均成本已下降到 9 美元。当公司积累了生产经验后，产量倍增到 40 万台时，平均成本是 8 美元。 随着积累生产经验而来的平均成本的下降被称为经验曲线（experience curve）或学习曲线（learning curve）。

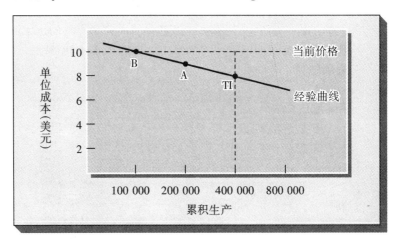

图15—5　作为积累生产经验的函数的单位成本：经验曲线

现在，假定这个行业中有三家公司，得州仪器公司与 A 公司、B 公司相互竞争。得州仪器公司在过去的产量已达 40 万台，平均成本 8 美元。该公司是生产成本最低的生产商。如果 3 家公司都以每台 10 美元的价格销售，得州仪器公司每销售一台可获利润 2 美元；A 公司获利润 1 美元，B 公司不赔不赚。得州仪器公司高明的一招就是将单价降到 9 美元。如果这样就会将 B 公司赶出市场，A公司甚至考虑要停产歇业。得州仪器公司将会趁虚而入，接管本来属于 B 公司(也许还有 A 公司)的业务。另外，对价格敏感的顾客将会进入较低价格的市场。得州仪器公司的成本将会继续以更快速度下降，即使每台售价 9 美元，盈利也绰绰有余。该公司反复使用这种攻击性定价战略，获得了市场份额，并将其他公司赶出了该行业。

但经验曲线定价仍有较大风险。这种攻击性定价方法使其产品给人以价格低且质量低的感觉。这种战略还要假设竞争者不甚强大，不愿决战到底。最后，这种战略使得公司要多建工厂以满足需求，而竞争者则可创新降低成本的技术，以比仍在按旧的经验曲线经营的市场领导者更低的成本投入营销。

大多数经验曲线定价都重视生产成本。然而，所有的成本，包括营销成本都受到经验增加的影响。因此，假如有三家公司分别投资巨款试行电信营销，假定电信营销的成本随着经验的积累而不断降低，那么使用这种方法时间最长的公司的电信营销的成本是最低的。在其他各项成本相同的情况下，该公司产品的售价还可略有降低，并仍能获得同样的效益。[12]

差别化的营销报价

今天的公司努力使它们的报价和合同条款适应不同的购买者。例如，一个制造商对不同的零售渠道谈判不同的合同条款。一个零售商要求每天交货一次(以减少库存)，而另一零售商要求每星期交 2 次货以获得较低的价格。因此，该制造商对每个零售渠道的成本不一样，其利润也就不同。为了估算对不同零售商的实际盈利水平，该制造商必须应用活动——基础成本(active-based-cost，ABC)，而不是标准成本会计(standard cost accounting)。[13]

ABC 会计努力确定为每个实体各不同的客户服务的实际成本。变动成本和间接成本两者必须分解并在每个实体上体现出来。公司如果不正确衡量这些实际成本，它们就无法正确衡量它们的利润。它们也无法分配它们的营销和其他工作。确定在一个顾客关系上的实际成本还能帮助一个公司向顾客收费时作圆满解释。

目标成本法

我们已发现成本随着生产规模和经验在变化。它们还受到公司的设计人员、工程师和采购代理对其关注程度的影响。日本人特别重视这种目标成本法(target costing)。[14]他们用市场研究方法确定一个新产品的开发设计功能，然后，根据销售诉求和竞争价格确定该产品的定价。他们从价格中减少设计毛利，而该目标成本是必须达到的。然后，他们检查每一个成本项目——设计、工程费、制造费、销售费等等，并把它们分解为进一步的细目。他们考虑的是调整细目、减少功能和降低供应商成本的方法。其整个目标是使最后的成本项目在目标成本之内。如果不成功，他们就会反对开发这项产品，因为它无法按目标价格销售从而实现目标利润。如果他们成功了，利润也会随之而来。

分析竞争者成本、价格和提供物

在由市场需求和成本所决定的可能价格的范围内，竞争者的成本、价格和可能的价格反应也在帮助公司制定它的价格。如果企业提供的东西与一个主要竞争者提供的东西相似，那么企业必须把价格定得接近于竞争者，否则就要失去销售额。若企业提供的东西是次级的，它就不能够像竞争者所做的那样定价。倘若企业提供的东西是优越的，企业索价就可比竞争者高。然而，企业必须知道，竞争者可能针对企业的价格作出反应。

选择定价方法

有了 3C——需求表(the customers demand schedule)、成本函数(the cost function)、竞争者价格（the competitors' prices），现在公司就可以选定一个价格了。图 15—6 归纳了在制定价格中的三种主要考虑因素。产品成本规定了某价格的最低底数。竞争者的价格和代用品的价格提供了公司在制定其价格时必须考虑的标定点。在该公司提供的信息中，独特的产品特点是其价格的最高限度。

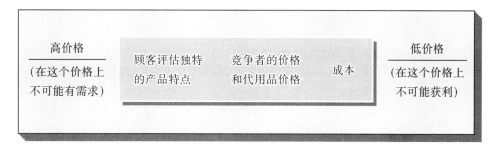

图 15—6　制定价格中的 3C 模式

公司通过在这三种考虑因素中的一个或几个来选定定价方法以解决定价问题。然后，该定价方法有希望导致一个特定的价格。我们将研究六种定价方法：成本加成定价法，目标收益定价法，认知价值定价法，价值定价法，通行价格定价法和密封投标定价法。

成本加成定价法

最基本的定价方法是在产品的成本上加一个标准的加成。建筑公司提出的承包工程投标价格就是通过估算总项目成本，再加上一个能获利的标准加成。律师和会计师典型的定价方法也是在他们的成本上加上一个标准的加成。国防工程的承包商对政府就是用这种方法定价的。

假定制造烤面包机的厂商期望的成本和销售额如下：

变动成本　　　　　10 美元
固定成本　　　　　300 000 美元
预计单位销售量　　50 000 个

该制造商的单位成本：

$$单位成本 = 变动成本 + \frac{固定成本}{单位销售量} = 10 + \frac{300\ 000}{50\ 000} = 16(美元)$$

现在，假设该制造商想要在销售额中有 20% 的利润加成，其加成价格是：

$$加成价格 = \frac{单位成本}{1 - 销售额中的预计利润} = \frac{16美元}{1 - 0.2} = 20(美元)$$

该制造商将每台烤面包机以 20 美元的价格售给经销商，每台盈利 4 美元。经销商将会再加成，如果他们想从销售额中获 50% 的利润，就会将每台售价定为 40 美元。这就等于 100% 的成本加成。

季节性强的产品的加成往往较高(以弥补无法售罄的风险)，特殊品、周转慢的产品、储存和搬运费用高的产品以及需求弹性低的产品也需加成较高，如没有注册商标的药。不幸的是，那些最没有能力支付医药费的人往往是那些承受卖价与成本差额最多的人：未参加保险的单个顾客和医疗保障方案中的年老者。就医生所开的药方而言，非注册商标的药，其卖价与成本之间的差额极高。

非注册商标药品(Generic Drugs)。药店对某些非注册商标的药品的成本加价超过了 1 000% 。例如，药店对一种治精神病药哈杜(Halolot)(这种药没有注册商标)的平均定价为 18.08 美元，而该药品制造商所花费的成本仅为 0.62 美元，是其成本的 2 900% 还不止。佐维拉克(Zorirax)是一种抗病毒类药，如果是没有注册商标的，其在药店中的平均售价为 61.64 美元，是其制造商索价(7.22 美元)的 8 倍还不止。药店不仅从中获得了巨额利润，而且当它们鼓励顾客购买非注册商标的药以省钱时，它们还给人留下了很好的印象。事实上，非注册商标的药也有比已注册商标的同种药品便宜的情况。站在它们自身的角度，药店声称非注册商标的药品所带来的高额利润并不能说明所有的事情。就像一个病人去医生那儿看病并且了解到治病的价格不仅仅是其成本价，药店的顾客还要支付药店经理人员所花费的时间以及为了维持药店的经营所发生的其他费用。[15]

应用标准加成对定价是否合乎逻辑？一般来讲，它是否定的。忽视当前的需求、认知价值和竞争关系的任何定价方法是不大可能制定出一个最适宜的价格的。加成定价法只有在所定的价格能精确地产生预期销售量时才可采用。

当公司引进新产品时，经常定高价以快速回收成本。但若竞争者价格很低，则高加成战略行不通。这种情况曾发生在荷兰电器公司飞利浦的 CD 机上。飞利浦希望每台 CD 机能赚钱，而日本竞争者定价很低，日本人很快占领了市场份额并反过来又导致生产成本实质性的下降。

有许多理由使加成定价法仍然被普遍应用。首先，卖方确定成本比对需求的估计更容易。把价格同成本结合在一起，卖方可以简化它们自己的定价任务。其次，在这个行业的所有企业可能都使用这种定价方法，它们的价格就会趋于相似，因而价格竞争就会减少到最小。如果当它们在定价时注意需求的变化，那么价格竞争就不可能减少到最低程度。第三，许多人感到成本加成定价法对买方和卖方来讲都比较公平。在买方的需求变得急迫时，卖方不利用这一有利条件谋求额外利益，而仍能获得公平的投资报酬。

目标收益定价法

在目标收益定价法(target-return pricing)中，企业试图确定能带来它正在追求的目标投资收益。通用汽车公司使用目标收益定价法，把汽车价格定得使它的投资能取得 15% ～ 20% 的利润。这种定价方法也被公用事业单位所使用，这些单位要受到对于它们的投资只能获得一个公平报酬的限制。

假设一家烤面包机制造商在企业中投资 100 万美元，想要制定能获得 20% 利润的价格，即 20 万美元，下列公式可求出目标利润价格：

$$目标投资报酬价格 = 单位成本 + \frac{目标利润 \times 投资成本}{销售量(单位)}$$

$$= 16 \ 美元 + \frac{0.2 \times 1 \ 000 \ 000}{50 \ 000} = 20(美元)$$

如果公司的成本和预测的销售量都计算得很准确，这家制造商就能实现 20% 的投资报酬率。但是，销售量如果达不到 5 万台怎么办？这家制造商可绘制一张保本图(break-even chart)，以便了解在其他销售水平上会发生什么情况 (见图 15—7)。不论销售量是多少，固定成本都是 30 万美元。在固定成本上附加上变动成本，变动成本随着销售量成直线上升趋势。总收入曲线从零开始，每销售一个单位，它就直线上升。

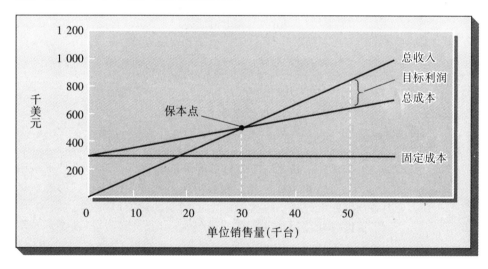

图 15—7 保本图：确定目标投资报酬价格和保本产量

总收入曲线和总成本曲线在 30 000 单位处相交，这就是保本点，保本销售量计算公式如下：

$$保本销售量 = \frac{固定成本}{价格 - 变动成本} = \frac{300 \ 000美元}{(20 - 10)美元} = 30 \ 000(单位)$$

该制造商当然希望在市场上以 20 美元的价格销售 50 000 台。在这种情况下，其 100 万美元的投资将盈利 20 万美元。然而，这在很大程度上也取决于价格弹性和竞争者的价格，但目标收益定价法不考虑这些因素。制造商应研究不同的价格，并就这些因素对销售与利润的反应作出测算。制造商也应设法降低固定成本和(或)变动成本，因为这可降低其必须的保本销售量。

认知价值定价法

日益增多的公司把它们的价格建立在产品的认知价值（perceived value）的基础上。它们明白，作为定价的关键，不是卖方的成本，而是购买者对价值的认知。它们利用在营销组合中的非价格变量在购买者心目中建立起认知价值。价格就建立在捕捉到的认知价值上。[16]

杜邦公司是主要实施认知价值定价法的典型之一。当杜邦公司为地毯业开发了它的新合成纤维时，它向地毯制造商论证：它能够负担得起杜邦公司每磅1.40美元的新纤维的价格，并且依然获取它的当期利润。杜邦公司称此为价值使用定价（value-in-use price）。然而，杜邦公司意识到新原料以每磅1.40美元定价将使市场对它不感兴趣。所以，制定了一个低于1.40美元的价格来适应它。杜邦公司没有用它的单位制造成本去制定这个价格，而首先判断继续生产是否会有足够的利润。

杜邦还在它的每一化学品中附加一个更大的选择，因此，它不是出售商品，而是帮助顾客解决问题。考虑下面的例子：

特点	标准水平	溢价水平	增加的价值（美元）
质量	不纯杂质每百万分之一	不纯杂质每百万分之一	1.40
交货	二周内	一周内	0.15
系统	仅供应化工品	供应全部系统	0.80
创新	没有研究与开发支持	高水平的研究与开发支持	2.00
再培训	一次性培训	有要求可以再培训	0.40
服务	通过国内办事处购买	当地供应	0.25
价格	100 美元/磅	105 美元/磅	5.00

该化学品价格在一个标准报价或溢价之间。顾客希望购买溢价产品时，每磅105美元而非100美元。顾客可能只要较少的溢价提供物。杜邦对它的溢价供应物拆开来处理，顾客对选择的增加的价值付费。

卡特彼勒公司也使用认知价值观念为它的建筑设备制定价格。它可能定价一台拖拉机为100 000美元，虽然同样公司的拖拉机可能定价是90 000美元。而卡特彼勒公司却会获得比竞争者多的销售额！当一个潜在的顾客问一位卡特彼勒公司的经销商为什么要为卡特彼勒公司的拖拉机多付10 000美元时，这个经销商回答说：

90 000 美元	拖拉机的价格，这仅是相当于竞争者的拖拉机价格
7 000 美元	为产品优越的耐用性增收的溢价
6 000 美元	为产品优越的可靠性增收的溢价
5 000 美元	为优越的服务增收的溢价
2 000 美元	为零配件的较长期的担保增收的溢价
110 000 美元	包括一揽子价值的价格
– 10 000 美元	折扣额
100 000 美元	最终价格

卡特彼勒的经销商能向顾客解释为什么卡特彼勒的拖拉机贵于竞争者。顾

客认识到虽然他被要求为卡特彼勒公司的拖拉机付 10 000 美元的溢价，但事实上他增加了 20 000 美元的价值! 他最终选择了卡特彼勒公司的拖拉机，因为他确信卡特彼勒公司的拖拉机在使用期内的操作成本将较小。

认知价值定价法的关键是准确地确定市场对所提供价值的认知。对自己提供的价值产生夸张自满看法的卖主，会把它们的产品定价过高。或者，它们可能对认知价值估价过低，而定的价格低于它们能够达到的价值。为了建立起市场的认知价值，作为有效定价的一种指南，市场调研是必须的。[17]

价值定价法

最近，有些公司采用了价值定价法（value pricing），即用相当低的价格出售高质量供应品。价值定价法认为价格应该代表了向消费者供应产品的价值。

计算机行业已经从利用最多的技术来赚取利润转变为以更低的价格来生产具有基本性能的计算机以赚取利润。

莫诺雷尔计算机公司（Monorail） 1996 年，莫诺雷尔计算机公司，一家几乎不出名的公司，以仅 999 美元的价格来销售其计算机，目的是为了吸引那些对价格敏感的顾客。在短短的几个月时间里，康柏和帕卡德·贝尔（Packard Bell）NEC 公司也仿效其做法，于是一个低于 1 000 美元的计算机市场形成了。这些公司使计算机的零售价格平均下降了 400 美元。现在，又有另外一家本来不怎么出名的公司，电子机器公司（Emachines），承诺进一步以价值来定价。它所生产的 E 塔（E-Tower）计算机，当不带监视器时其售价将低于 500 美元，这种产品是为了吸引全美国 55% 的年收入介于 25 000 美元～30 000 美元之间的没有电脑的家庭而特意设计的，虽然 E 塔的价格很低，但其性能却很强：配置有松下微处理器公司（National）生产的西耐克斯（Cyrix）微处理器，2GB 的硬盘驱动器，32MB 的内存，光盘驱动器，还有其他的一些配置。[18]

最近，宝洁公司对某些产品改变了它的定价政策而引起相当大的震动。帮宝适和露肤尿布、液体的汰渍清洁剂和富卡咖啡，现在实行价值定价而非溢价政策。在过去，一个品牌忠诚家庭在宝洁公司的产品上，一年比私人品牌或低价品牌要多支出 725 美元的溢价。宝洁公司看到了如今是价值关注时代，这种高溢价政策将会带来麻烦。为了推行价值定价法，宝洁公司进行了彻底改革。它重新设计了它的发展、制造、分销、定价、市场和产品销售政策，以便为每一个供应连锁点提供更多的价值。[19]价值定价并非简单地在某一产品上的售价比竞争者低。它是需要逆工程地设计公司操作过程，以便真正地成为低成本的生产而不牺牲质量，用更低的售价来吸引大量的关注价值的顾客参与购买。[20]

价值定价的一个重要形式是天天低价（everyday low pricing，EDLP），这产生于零售商店。一个希望采用天天低价的零售商将不实行暂时的短期折扣行为。这种经久不变的价格防止了每周价格的不确定性，并能与采取促销导向竞争者的"高—低"定价法形成鲜明对比。在高—低定价（high-low pricing）中，零售商每天使用较高的售价，但经常临时用比天天低价还要低的售价来促销产品。

近年来，高—低定价已让路于天天低价，包括在各地推出通用汽车公司土星车的经销商店，以及高档百货公司如诺特斯通。但天天低价之王当之无愧的应属沃尔玛，是它实际上界定了这个术语。除了对极少数商品在每月价格上有所调整外，沃尔玛在主要品牌上实行天天低价。一个沃尔玛的经理说："这不是一个短期战略，你必须承担义务，你必须保持比天天低价还要低的费用率。"

零售商采用天天低价有几个原因，最重要的原因是柜台销售和促销成本太高，而且腐蚀了消费者对每天货价的信任度。消费者对这种花时间寻找超市中的优惠和奖券失去了耐心。

然而，这也不否定促销能创造刺激和拉动购买。因为这些原因，天天低价并非保证总是成功。由于超市面临来自柜台内和其他渠道的激烈竞争，许多人发现拉动购买的关键是把高—低定价和天天低价组成价格策略，并增加广告和促销活动。[21]

通行价格定价法

在通行价格定价法（going-rate pricing）中，企业的价格主要基于竞争者价格。企业的价格可能与它主要竞争者的价格相同，也可能高于竞争者或低于竞争者。在少数制造商控制市场的行业中，例如销售钢铁、纸张、化肥等商品，企业通常收取相同价格。那些小型企业是"跟随着领导者"的。它们变动自己的价格，与其说是根据自己的需求变化或成本变化，不如说是依据市场领导者的价格变动。有些企业可以支付一些微小的奖品或折扣，但是，它们保持着适量的差异。因而较小的汽油零售商通常只比主要的汽油公司调低几美分。这不会引起差异的增加或减少。

通行价格定价法是相当常见的方法。在测算成本有困难或竞争者不确定时，企业感到通行价格定价法提出了一个有效的解决办法。就这种价格产生的一种公平的报酬和不扰乱行业间的协调这点而论，通行价格定价法被认为反映了行业的集体智慧。

密封投标定价法

竞争的定价法也支配了一些对工程进行投标的企业。企业定价的基点与其说是依赖对企业成本或需求的密切联系，不如说是取决于预期的竞争者将制定怎样的价格。某企业想要赢得某个合同，这就需要它制定比其他企业较低的价格。同时，公司不能将价格定得低于成本。

两个相反吸引力的净作用可以用某一特定投标的期望利润加以描述（见表15—1）。假设出价 9 500 美元的投标额可能有得到某合同的机会，譬如说中标率为 0.81，但只能产生低利润，譬如说 100 美元。因而这个投标的期望利润是 81 美元。如果这个企业出价 11 000 美元，它的利润是 1 600 美元，但它得到这个合同的机会可能降低，譬如说降低为 0.01。期望利润将仅仅是 16 美元。一个符合逻辑的出价标准将是定出一个能获取最大期望利润的出价。根据表 15—1，最好的出价将是 10 000 美元，因为这个出价的期望利润是 216 美元。

表 15—1　　　　　　　　　　　　　不同递价对于期望利润的影响

公司的投标	公司的利润	投标中标率(假定的)	期望利润(美元)
9 500 美元	100 美元	0.81	81
10 000	600	0.36	216
10 500	1 100	0.09	99
11 000	1 600	0.01	16

　　对经常参加投标的大企业来讲，利用期望利润作为一种出价标准来制定价格是有意义的。在竞争中给对方一些让步，从长远看，企业将取得最大的利润。只是偶然出价的企业或者需要某一具体合同的企业就不会发现利用期望利润标准对它是有利的。例如，这个出价标准不能分辨以 0.10 中标率获得 1 000 美元的利润和以 0.80 中标率获得 125 美元利润之间有什么不同。然而，那些想保持继续生产的企业将宁可要第二个合同而不愿接受第一个合同。

选定最终价格

　　上述定价方法的目的是缩小从中选定最终价格的价格范围。在选定最终价格时，公司必须引进一些附加的考虑因素，包括心理定价法，其他营销因素对价格的影响，公司定价政策和其他各方对价格的影响。

心理定价法

　　许多顾客把价格作为质量的一种指标。当弗莱希曼把它的杜松子酒的价格从每瓶 4.50 美元上升到每瓶 5.50 美元时，它的酒店的销售额没有下降，反而上升了。以自我感觉为主的产品，例如香水和昂贵的小汽车，用形象定价法是特别有效的。100 美元一瓶的香水可能只相当于值 10 美元香味，但人们仍愿意支付 100 美元，因为这个价钱提供了某些特别的东西。

　　研究价格和汽车的质量感觉间的相互关系。[22] 高价的汽车被认为具有高质量；同样，高质量的汽车被认为应有比实际价格更高的售价。如果有像外观差异和商店形象等其他信息资料的话，价格就不成为质量的重要指示器了。但是，如果没有其他象征，价格仍不失为一个重要的质量象征。

　　购买者在选择某产品时，脑海中往往有一个参考价格。可以形成参考价格的有目前市场价格、过去的价格或者购货环境，例如，销售商可将其产品放在高价产品旁边，暗示两者是同类产品。百货公司可分别在几个按价格分类的柜台销售妇女服装；人们在价格昂贵的柜台看到的服装就认为质量较好。标出生产商提出的高价，或者说明该产品原来定价较高，或者指出某竞争对手的高价，这使人们产生了参考价格。[23]

　　许多购买者相信价格应有一个尾数。报纸广告常介绍有尾数的商品。如不把一个立体声扩音机的价格定在 300 美元而将其定价为 299 美元，顾客认为这个价格与其说是在 300 美元的范围内不如说是在 200 美元的范围内。另一种解释是，有尾数的价格给人有打折或特价的味道。但必须注意的是，如果产品追求高价位而非低价位的形象，切忌使用这种定位法。

其他营销因素对价格的影响

最终价格必须考虑其品牌质量和竞争者的广告宣传。法瑞斯（Farris）和赖伯斯坦（Reibstein）对 277 家消费品企业作了考察，认为在相对价格、相对质量与相对广告之间有以下关系：

- 相对质量水平一般，但具有高广告预算的品牌能产生溢价。消费者愿意购买高价名牌产品而不是不出名的产品。
- 具有相对的高质量水平和相对的高广告支出的品牌能产生高价。反之，低质量品牌和低广告费用只能售低价。
- 对市场领导者和对低成长产品来说，在产品生命周期的最后阶段，高价与高广告费之间的正相关关系保持得最强烈。[24]

公司定价政策

价格必须同公司定价政策的一致性相符合。许多公司建立价格部门以制定定价政策并对制定的价格作出决策。它们的目标是确保销售人员对顾客开价的合理性并能使公司盈利。

其他各方对价格的影响

管理层也必须考虑其他各方对拟定价格的反应。分销商和经销商对于这价格将感觉如何？公司的推销人员是愿按此价格推销呢，还是抱怨此价格太高？竞争者对这价格将会作出怎样的反应？当供应厂商看到公司的价格时，会不会提高它们的价格？政府会不会干涉和制止这个价格的制定？

倘若是最后一种情况，营销人员必须了解影响价格的法令，并确信他们的定价政策能站得住脚。美国法律规定，卖方不能与竞争者共谋后定价：价格协定（price-fixing）是非法的。另外，许多的联邦和州政府还保护消费者免遭欺骗定价之害。例如，法律禁止一个公司人为地拔高"常规"价格，然后宣布"降低"，而实际是原价。

修订价格

通常，公司不是制定一种单一的价格，而要建立一种价格结构，它可以反映诸如地区需求和成本、市场细分要求、购买时机订单水平、交货频率、保证、服务合同和其他因素等的变化情况。在提供了折扣、折让和促销后，一家公司很少会从经销自己产品的各家经销商那儿获取相同的利润。我们将讨论几种价格修订战略：地理定价、价格折扣和折让、促销定价、差别定价和产品组合定价。

地理定价（现金、对销贸易和易货贸易）

地理定价包含着公司给国内不同地方和各国之间的顾客如何决定其产品的定价。一个议题是公司是否应对边远的顾客收取较高的价格，以弥补较高的装运成本及赢得增加的业务？另一个议题是如何交付款项。当购买者缺乏足够的硬货来偿付他的购买物时，这一议题就是严重的。很多时候购买者在付款时要求提供其他的条款，而这种实践就导致了对销贸易（countertrade）。美国公司想要成交的话，经常受到对销贸易的压力。在出口贸易中，对销贸易已占世界贸易的 15% ～ 25% 左右。对销贸易有以下几种方式：[25]物物交换、补偿贸易、产品回购和反向购买。

● 物物交换（barter）。物物交换即商品与商品的直接交换，没有货币，没有第三方参与。1993 年，一个法国大服装商伊米内斯·S. A.（Eminence S. A.）推出价值 250 万美元、由美国制造的内衣和运动衣，与东欧的客户作 5 年的物物交换，其交换的内容从全球运输到在东欧杂志上做广告等。

● 补偿贸易（compensation deal）。在这一形式中，付给卖方的货款一部分采用现金，其余部分则以产品偿还。英国一家飞机制造商向巴西出售飞机，收取 70% 现金，其余的则是咖啡。

● 产品回购（buyback arrangement）。卖方向另一个国家出售工厂、设备或技术，并同意接受一部分用该设备生产的产品，作为付款的一部分。美国某化学公司为印度某公司建造了一座工厂，美方同意一部分货款以现金支付，余数则以该工厂所制造的化学产品偿还。

● 反向购买（offset）。卖方收到全部是现金的货款，但必须同意在一个规定时间内用相等数量的货币来购买该国商品。例如，百事可乐公司向俄罗斯出售其浓缩汁，并同意接受卢布而将它花在购买俄罗斯的产品上，如伏特加等。

在比较复杂的对销贸易中，参与者将不止两方。例如，戴姆勒－奔驰售给罗马尼亚 30 辆卡车，同意接受 150 辆罗马尼亚制造的吉普车作为交换，这些吉普车将在厄瓜多尔出售，以换取香蕉，这些香蕉又被运回德国，卖给连锁超级市场，换取德国马克。通过这样一个交易循环，最后换得了德国货币。为了开展对销贸易，许多公司建立了独立的对销贸易部门。也有些公司依靠易货贸易商号和对销贸易专家帮助以支持这种交易。

价格折扣和折让

为了能及早结清账单、批量购买和淡季采购等，许多公司都会修改它们的基本报价单。这些价格调整被称为折扣（discounts）和折让（allowance），参见表15—2。公司在作调整时必须非常小心，否则，它们的利润将会与计划差额太大。[26]

杰克·特劳特（Jack Trout）是《定位》和其他几本市场营销指南书的作者，他提醒人们注意一些目录销售公司通过经常性的廉价销售来进行自我毁灭

表 15—2	价格折扣和折让
现金折扣	现金折扣(cash discount)是对及时付清账款的购买者的一种价格折扣。最典型的例子是"2/10,净30",意思是:应在30天内付清货款,但如果在交货后10天内付款,照价给予2%的现金折扣。这样的折扣在许多行业是惯用的
数量折扣	数量折扣(quantity discount)是卖方因买方购买数量大而给予的一种折扣。典型例子是"购买少于100单位,每单位10美元;购买100单位或更多,则每单位9美元"。数量折扣必须提供给全部的顾客,同时它不能超过同进行大量销售相联系的卖方所节约的费用。他们可以在非累计基础上提供折扣(每张订单),也可以在累计基础上提供折扣(在一个规定的时期内订购的数量)
功能折扣	功能折扣(functional discount)[也叫贸易折扣(trade discount)],是由制造厂商向履行了某种功能,如推销、储存和账条记载的贸易渠道成员所提供的一种折扣。对不同的贸易渠道成员,制造厂商可以提供不同的功能折扣,因为它们提供的是各种各样的服务
季节折扣	季节折扣(seasonal discount)是卖主向那些购买非当令商品或服务的买者提供的一种折扣。雪橇制造厂商在春季和夏季向零售商提供季节折扣,以鼓励早期定购。旅馆、汽车旅馆和航空公司在它们经营淡季期间也提供季节折扣
折让	折让是根据价目表给顾客以价格折扣的另一种类型。例如,旧货折价折让就是当顾客买了一件新品目的商品时,允许交还同类商品的旧货,在新货价格上给予折扣。旧货折价折让在耐用消费品的交易中最为普遍。促销折让是卖方为了回报经销商参加广告和支持销售活动而支付的款项或给予的价格折扣

的倾向。特劳特指出,米克公司(Mink)的衣服和床垫好像从来没有按照接近于它的标出的价格销售过。当自选商很高兴地得到折扣时,市场并没有任何反应而仅仅是等待一项交易的发生。折扣定价已经成为许多同时提供商品和劳务的公司的习惯做法(modus operandi),其数量是惊人的。甚至是百事可乐和可口可乐,世界上的两个最受欢迎的品牌,也卷入了价格战,这场竞争最终损害了它们的品牌权益。参见"营销备忘——折扣的戒律",这是杰克·特劳特在折扣方面的建议。

营销备忘

折扣的戒律

● 因为其他人都提供折扣优惠,你就不应该再提供这种优惠。

● 你在制定折扣政策时要有创意。

● 你应该利用折扣政策来清理存货或增加业务量。

● 你应该对这项交易在时间上作出限制。你必须确保最终顾客得到这项交易。

● 为了在一个成熟市场上生存,你才应该制定折扣政策。

● 尽可能早地停止这种折扣优惠。

资料来源:Reprinted from Jack Trout, "Prices: Simple Guidelines Get Them Right," Journal of Business Strategy, November-December 1998, pp. 13～16.

促销定价

公司可以采用几种定价技术来刺激更早的购买。

● 牺牲品定价。超级市场和百货商店以少数商品作为牺牲品将其价格定低，以招揽顾客，吸引他们来到本店，并期望他们购买正常标价的其他商品。但是，一般说来，制造商不愿以自己的品牌作为牺牲品。因为这样不仅会引起其他以正常价格销售的零售商的抱怨，还会损害品牌形象。制造商曾试图通过零售价保护阻止中间商采用牺牲品定价法，但是这些法律已被取消。

● 特别事件定价。在某种季节里，卖主也利用特别事件定价来吸引更多的顾客购买。例如，每年的8月份是学生返校购物的旺季。

● 现金回扣。汽车和其他消费品制造厂商有时会向在特定时间内向进行购买的顾客提供现金回扣，刺激他们购买产品。有回扣的赠券刺激了销售量增长，但公司的花费并不像降价那么大。

● 低息贷款。公司不是用降价而是向顾客提供低息借款。汽车生产商曾采取宣布给予顾客以3%低息短期借款的办法，甚至曾采用无息贷款，以招徕顾客。

● 较长的付款条款。销售者，特别是贷款银行和汽车公司，延长它们的贷款时间，这样减少了每月的付款金额。顾客经常对贷款成本考虑较少（如利率）。他们担心的是每月的支付自己能不能承受。

● 保证和服务合同。公司可以增加免费保证或服务合同来促销。

● 心理折扣。这是指故意给产品定个高价，然后大幅度降价出售，如"原价359美元，现价299美元"。美国联邦贸易委员会和企业改进局一直同非法折扣做斗争。然而，来自正常价格的折扣作为促销价格是合法的。

促销定价战略常常是得不偿失的游戏。如果它们一旦被应用，竞争者便会竞相效仿。因此，对公司来说就会丧失其效果。如果它们失败了，这就浪费了公司的资金，而这些资金可用于产生长期影响的营销方法，例如改进产品质量和服务或通过广告改善产品形象。

差别定价

公司常常会修改它们的基价以适应在顾客、产品、地理位置等方面的差异。差别定价(discriminatory pricing)描述了这样一种情况，在那里公司以两种或两种以上不反映成本比例差异的价格来推销一种产品或者提供一项服务。差别定价有以下几种形式：

● 顾客细分定价。对同样的产品或者服务，不同顾客支付不同的数额。博物馆对学生和老年人收取一个较低的门票费用。

● 产品式样定价。产品的式样不同，制定的价格也不同，这个价格对于它们各自的成本是不成比例的。依云公司(Evian)的48盎司瓶装矿泉水为2美元。同样的水装在 1.7 盎司瓶内，但加了一个喷雾器售价 6 美元。通过产品式样定价，依云在一种式样中每盎司卖 3.00 美元，而在另一式样中，每盎司只卖 0.04 美元。

● 形象定价。有些公司根据不同的形象，给同一种产品定出两个不同的价格。例如，一家香水制造商可将香水装入一种瓶子，给以命名，树立形象，每盎司定价 10 美元；然后用一种花式瓶装上这种香水，给以不同命名的形象，每盎司定价 30 美元。

● 地点定价。不同地点可制定不同的价格，即使所提供的每个地点的成本是相同的。一个戏院按不同的座位收取不同座位价格，因为观众偏爱某些地点。

● 时间定价。不同日期，甚至不同钟点，都可以季节性地变动价格。长途电话按一天的不同时段，以及按周末与周内其余不同的日子分段收费。时间定价的一种特定形式是占位定价（yield pricing），旅馆和航空公司为了保证高占位，所以常常采用。例如，游船为了保证满座，在开航前 2 天购票可以降价。

实行这种差别定价，必须具备一定条件。第一，市场必须能够细分，而且这些细分市场要显示不同的需求程度。第二，付低价的细分市场人员不得将产品转手或转销给付高价的细分市场。第三，在高价的细分市场中，竞争者无法以低于公司的价格出售。第四，细分的控制市场的费用不应超过差别定价所得的额外收入。第五，实践这种定价法不应该引起顾客反感和敌意。第六，差别定价的特定形式不应是非法的。[27]

由于当前的某些行业中正在发生放松规定的做法，竞争者增加了差别定价法的使用。航空公司在乘客的同一航次飞行中，根据座位不同收费不同；白天与晚上不同；工作日与非工作日不同；季节不同；青年、中年、老年不同等等。航空公司称这一制度给公司带来管理性盈利，它们试图尽可能地使飞机能满载以获得更多收入。

大多数消费者甚至可能没有意识到在多大程度上他们是被差别定价的对象。例如，诸如维克多利斯·西克赖特（Victoria's Secret）这样的目录零售商通常发送这样的目录，它们销售同样的商品，所不同的是价格。那些生活比较富裕的消费者可能只看到那些较高的价格。办公用品超市斯坦伯尔斯（Staples）在它所发送的办公用品供应目录中，也是以不同的价格列示的。

计算机技术使卖方更易于实施差别定价行为。例如，它们可以利用软件在网站上监视其顾客的变动，并且根据每一个顾客的情况来提供服务并进行定价。然而，新的应用软件也允许买方通过瞬间的价格比较来区别各个卖方。要想了解关于这个话题的更多的内容，参见"新千年营销——数字差异化：对于卖方和买方，因特网是怎样在定价上引起革命的"。

新千年营销

数字差异化：对于卖方和买方，因特网是怎样在定价上引起革命的

应用网站最多的是电子商务。然而，因特网绝不仅仅是一个新的"市场交易场

所"。以因特网为基础的技术实际上正改变着市场交易的规则。就像在 19 世纪 70 年代人们从阿伦·蒙哥利·沃德(Aaron Montgomery Ward)的邮购订货业务中首先发现固定定价一样，100 多年后在因特网上人们又首次看到了浮动定价的再次使用。以下简短地列示了因特网怎样使卖方能够区分出各个不同的买者以及使买者能够区分出各个不同的卖者！

卖方能够……

……监视顾客的行为并根据各个顾客的不同需要提供相应的服务。虽然销售代理软件和进行价格比较的网站总会告诉顾客公开的价格，但是，他们可能看不到某些特定的交易，而借助新技术的帮助他们就能够看到。例如，普生尼飞(Porsonify)(在旧金山市最先开始使用)软件使以 Web 为基础的商人能够辨认出其 Web 站点的各个访问者。该软件研究 Web 站点的各个访问者的"点击流"，即人们访问该 Web 站点的路线。以这种研究为基础，该软件能够瞬时为顾客提供特定的商品和价格来吸引其购物。如果某个访问者的举止像是一个对价格敏感的人，系统就会给他或她提供一个较低的价格。但是，顾客们注意到：微软公司正在开发一种与普生尼飞相似的软件，比尔·盖茨预测该网站将能够很快辨认出各个消费者，能够记住在过去他们为其所购买的商品花了多少钱，并且能够以此为依据向顾客提供恰当的价格。

……向特定的顾客提供特殊的价格。是的，在网站上价格变得更加透明了，但是，卖方已经发现以某些方式来隐藏某些特定的交易。现代光碟是一个音乐唱片的网上供应商，通过给特定的顾客发电子邮件，告诉他们一个特定网站的地址，在那儿商品的价格较低。如果你不知道这个秘密地址，你就必须为你所购买的商品支付全部价款。微软办公软件(Office)由于有了电子乡村软件，其销售额有了很大的提高。对于那些通过微机的网站进入它的顾客，当他们追加购买某些微软的程序时，它会向他们提供一个较低的价格。当地杂货店中的计算机也能够让某些顾客得到一个较低的价格：现金出纳机能够根据你的手推车中的商品内容打印出将给你的赠券。

……根据需求的变化不停地改变价格。可口可乐公司有一个大胆的创意：为什么一听可口可乐的价格必须是一直不变的？人们在炎热的夏天购买一听可口可乐所付的钱为什么不能比他们在寒冷的雨天购买同样的一听可口可乐所付的钱多一些？这个饮料业的巨人将开始用与该公司的内部计算机网络连接的智能售货机进行实验，这样能使公司监测到较远地方的存货变动情况，并相应地改变价格。虽然顾客可能会反对可口可乐公司的突然提价。但是，如果售货机上显示了一个特别的促销行动，例如降价 20 美分，则即使是在一个寒冷刺骨的天气里，人们也有可能被说服去买一听可口可乐来喝。如果这种想法听起来太荒唐了，那么看看下面的这则消息：市场营销人员已经在用外部网和私人网络将他们和供应商以及顾客联系在一起，以便在能够承受时准确地处置关于存货、成本和需求方面的问题，并瞬时地调整价格。

卖方和买方都能够……

……在在线拍卖和交易所内协商价格。想卖掉成百上千多余的但有轻微磨损的小器具吗？在 www.eBay.com 站点上粘贴一张销售广告。想以便宜的价格买一套好的棒球卡片吗？在站点 www.azww.com 去 Bockhout 的珍品商场逛一下。到 2002 年，利用拍卖技术在因特网上销售的商品和劳务的价值预计将有 1 290 亿美元，那将是所有因特网上交易量的 29% 。在成千上万的因特网拍卖站点中，在售网（Onsale）和电子海湾网（eBay.com）是最大的两个，而且有大部分的因特网业务，它们是真正在盈利。自从在售网于 1995 年开业以来，已经进行了不止 400 万次的投标活动。在电子海湾网站点，大约有 100 万已注册的用户对 700 000 个项目进行了投标，涉及 1 000 多个目录。突然之间，有几个世纪历史的讨价还价艺术变得模糊了，因为因特网使它变得更经济了。在砖和泥浆构成的世界里，卖方要花费许多的间接费用与各个不同的买者协商价格。在因特网上，每次的交易成本大幅下降，所以对一件几美元而不是成千上万美元的商品进行拍卖是可行的，甚至是可以盈利的。家庭购物（The Home Shopping）网络给计算机编制了一套程序，使之能够接受针对 3 000 件珠宝的 3 000 次超过 210 美元的最合适的投标。卖方喜欢拍卖行为，因为这样它们可以处理掉多余的存货。业务市场营销人员也利用其来进行一些对时间敏感的交易，并且用来估计新产品可能的定价所带来的利益，他们所进行的交易占网上拍卖销售量的 68%。很简单，买方喜欢他们发现的便宜货。毕竟，电子海湾网是以其所有者搜索 Web 站点为其女朋友购买好的佩兹容器开始的。

买方能够……

……从成千上万的销售商那儿得到瞬时的价格比较。价格透明是 Web 站点的流行词语。消费者不再需要时间和精力去逛商店比较，新技术使人们通过点击鼠标就能够获得价格比较。价格比较有点像雨后春笋般，几乎每天都有一个新的出现，这些站点基本上以产品信息的大型计算机数据库为基础。价格扫描网（PriceScan.com）每天要吸引 9 000 个访问者，其中大部分的买者都是公司。公司网（Company. Net）也让消费者们对成千上万的商品的价格进行比较。智能购物代理商、软件购物机器人（也被称为 "Bots"）使价格比较又深入了一步。诸如 MySimin、Junglee 和 Jango 软件购物机器人，它们能从 900 个商人那儿挑选出产品、价格和评论杂志。小贩们对 Bots 和价格比较站点的使用非常恼火，以至于许多人甚至关闭了他们的 Web 站点。然而，令人吃惊的是，许多零售商正买下全部的 Bots 公司，他们的目的是培养出更加老练的购物代理商以帮助他们建立网上超市。

……说出他们的价格并实现这个价格。无疑更多的因特网开创者全追随价格线（Priceline）商业模式。价格线网（Priceline. com）允许旅客们在最后一分钟为他们预计的飞机票说出他们认为合适的价格，并且可能得到一张 400 美元的机票从华盛顿飞往旧金山，而其全价可能是 1 200 美元。利用复杂的软件，价格线网的经纪人每天要向 18 个航空公司竞价投标约 1 000 张机票。芬达·杰伊·沃克（Foundor Jay Walker）的风格是利用电子商务进行汽车销售，预订旅馆房间和进行家庭财产抵押。通过利用像价格线公司这样的服务，消费者能够形成他们自己的价格。卖方也可以利用这一服务：航空公司能够为那些空座位找到需求，而旅馆无疑也会欢迎这种机会以出售其空房间。

资料来源：Amy E. Cortese, "Good-Bye to Fixed Pricing?" Business Week, May 4, 1998, pp. 71～84；Scott Woolley, "I Got It Cheaper than You," Forbes, November 2, 1998, pp. 82～84；Scott Woolley, "Price War!" Forbes, December 14, 1998, pp. 182～184；Michael Krauss, "Web Offers Biggest Prize in Product Pricing Game," Marketing News, July 6, 1998, p. 8；Julie Pitta, "Competitive Shopping," Forbes, February 9, 1998, pp. 92～95；Matthew Nelson, "Going Once, Going Twice..." InfoWorld, November 9, 1998, pp. 1, 64；Leslie Walker, "The Net's Battle of the Bots," Washington Post, December 10, 1998, p. B1；Heather Green, "A Cybershopper's Best Friend," Busines Week, May 4, 1998, p. 84；Rebecca Quick, "Buying the Goods— The Attack of the Robots: Comparison-Shopping Technology is Here — Whether Retailers Like It or Not," Wall Street Journal, December 7, 1998, p. R14.

有些形式的价格差别是非法的，它们对同一个贸易组织中的不同的人提供不同的价格条款。然而，如果卖方能够证明他向不同的零售商销售不同数量或不同质量的同种产品所发生的成本是不同的，那么这种价格歧视是合法的。掠夺性定价(predatory pricing)(销价低于成本以图破坏竞争)的做法是违法的。

然而，虽然惊夺性定价被认为是违法的，但法庭可能认定它是合法的：理论上违法但是几乎不能证实。但是，新一代的经济学家们认为这种做法是错误的、违法的，尤其是就软件而言。经济学家布赖恩·阿瑟斯(Brian Arthurs)认为，一旦一家公司在某行业(例如计算机行业，在该行业中有一个很强的倾向就是消费者将在一个标准附近聚集)中获得了决定性的领先时，其竞争对手几乎不可能改变它的领先地位(即使是当其提高价格时)。美国政府针对微软公司的反托拉斯纠纷案件能够引起人们对这个问题的高度重视，许多人认为这是该公司的掠夺性定价战术，即便这个案子会造成其他的冤案。

  微软(Microsoft) 当这个软件业的巨人以垄断市场为其目标时，它经常向顾客提供一项顾客不可拒绝的服务：免费的产品以赢得顾客。1996年，微软公司开始赠送其提供的因特网浏览器服务，Web浏览器——在某些情况下该公司甚至通过向顾客提供免费的软件和营销帮助来"支付"人们对因特网浏览器的使用。它在从网景公司(Netscape)手中夺取支配市场的地位中，该战略是关键性的。网景公司不断地修订其定价结构，但是，"收费"都不是最吸引人的销售途径。现在，微软公司提供的大部分赠送活动都是其试图在相互作用的计算机市场中赢得份额所作努力的一部分。例如，该公司向那些购买视窗NT网络操作系统的顾客提供免费的Web服务器软件，而同种软件的具有更高性能的版本网景公司要卖4 100美元。然而，并不是这种赠送行为引起了其竞争对手认为它是一个掠夺者，而是因为该公司在获取了能够支配市场的份额后想把价格提升到市场水平以上。在过去的7年时间里，它向购买其视窗操作系统(其中附有因特网浏览器)的PC机制造商索取的批发价格已经翻了一倍。[28]

产品组合定价

当某种产品成为产品组合的一部分时，对这种产品定价的逻辑必须加以修订。在这种情况下，企业要寻找一组在整个产品组合方面能获得最大利润的共同价格。定价是困难的，因为各种各样的产品有需求和在成本之间内在的相互关系及受到不同程度竞争的影响。我们在产品组合定价中可区分出六种情况：产品线定价法、选择特色定价法、附带产品定价法、两段定价法、副产品定价法和成组产品定价法。

产品线定价法
公司通常宁愿发展产品线而不愿做单件产品。

英特尔（Intel）   1997 年秋天，英特尔公司将其产品线划分瞄准特定微处理器市场，如廉价的 PC 机、中型"操作"的 PC 机和性能极强的整体服务器。这个战略使英特尔公司平衡了某些产品带来的微利，例如，赛扬（Celerons）其售价仅为 86 美元，它使该公司进入了低价 PC 机的市场，它拥有现金牛产品像奔腾 II（Pentium II）这样的工作平台和服务器集成电路块，其成本为 2 000 美元，却能带来很多利润。该公司盈利性最强的集成电路类产品是排列在中间的奔腾 II 产品，97% 的定价在 1 500 美元以上的 PC 机都使用该产品。[29]

在许多商业行业中，卖主为他们行业的产品使用众所周知的价格点。于是，男子服装店可以将男式西装定在三种价格水平上：250 美元、350 美元和 500 美元。有了这三个价格点，顾客就会联想到这是低质量、中等质量和高质量的西装。卖方的任务就是建立能向价格差异提供证据的认知质量差异。

选择特色定价法

许多公司提供各种可选择产品或具有特色的主要产品。汽车购买者能够选购电动窗户控制器、去雾装置和灯光调节器。然而，为这些选择制定价格是个棘手的问题。汽车公司必须考虑哪些品目要计入总价格和哪些品目是供选购的。许多年来，美国汽车公司的常规定价是为一辆降低档次去掉了附件的车型做广告，出价为 10 000 美元，去吸引人们进入展览厅，而把大部分展览厅空间用于展示一辆 13 000 美元或以上的装备齐全的小汽车。

餐馆面临着同样的定价问题，餐馆的顾客可能在饭菜以外要杯酒。许多餐馆将酒的价格定得高，食品的价格定得低，食品收入弥补食品和其他他经营餐馆的费用，而靠酒类商品获得利润。这就解释了为什么服务员要力图说服顾客买酒喝。另外一些餐馆则会将它们酒类的价格定得低而食品价格定得高，以引来一大群好喝酒的人。

附带产品定价法

有些公司生产必须与它的主要产品一起使用的产品，或称附属产品（captive）。生产剃须刀架和照相机的制造厂商常常将它们的价格定得低，而将一个高的毛利额加在刀片和胶卷上。

然而，相关产品在后期市场（aftermarket），即对主要产品的附属供应品，定价太高也有危险。卡特彼勒公司以高价销售零件和服务，在后期市场上获得高额利润。因此，那些仿制其零件的"非法仿制者"便应运而生，他们将假冒零件销售给"角落"机械师安装，有时他们不将节约的费用交给顾客。与此同时，卡特彼勒公司丧失了销售额。[30]

两段定价法

服务性公司常常采用两段定价法（two-part pricing），收取固定费用，另加一笔可变的使用费。电话用户每个月至少要付一笔钱，如果使用次数超过规定还要增收另一笔费用。游乐园先收入场券的费用，如果增加游玩项目，还要再收费。服务性公司面临着与相关产品定价相似的问题，即基本服务收费多少?可变使用收费多少?固定费用应该较低，以便吸引顾客使用该服务项目，并通过可变使用费获取利润。

副产品定价法

在生产加工食用肉类、石油产品和其他化学产品中，常常有副产品。如果这些副产品对某些顾客群具有价值，必须根据其价值定价。副产品的收入多，都将使公司更易于为其主要产品制定较低价格，以便在市场上增加竞争力。

公司有时并不一定认识到副产品有多少价值。例如，在 Doo 动物园肥料公司(Zoo-Doo Compost)成立以前，许多动物园并没有认识到它们的副产品之一(肥料)，它是一种增加年收入的优良的资源。[31]

成组产品定价法

销售商常常将一组产品组合在一起，定价销售。汽车生产商可将一整套任选品一揽子销售，售价比分别购买这些产品要低。剧场公司可出售季度预定票，售价可低于分别购买每一场演出的费用。由于顾客本来无意购买全部产品，在这个价格束上节约的金额必须相当可观，这就吸引了顾客购买。[32]

某些顾客并不需要成组产品的全部内容。假定一个医用设备供应商的供应品中包括免费送货和培训，一位特定顾客可能要求放弃免费的送货和培训，以得到较低的售价。顾客要求的是“非组合”供应物。如果顾客取消某些项目，公司的成本项目减少的开支比价格减少得更多，则销售者将实际增加利润。例如， 供应商不送货节约了 100 美元，而顾客价格减少 80 美元，则供应商增加了 20 美元的利润。

发动价格变更和对它的反应

公司面临是否需要降价或提价的问题。

发动降价

有几种情况可能导致企业考虑降价，即使这样可能会引发一场价格战争。一种情况是过多的生产能力。这里是指企业要有追加的新的营业额，然而通过增强推销、产品改进或其他可供选择的措施并不能达到。许多公司抛弃了“追随领导者定价法”而转向“灵活的定价法”，以促进它们的销售。但是，价格变更的发起者会面临一场价格战，因为竞争者都要设法保住自己的市场份额。

另一种情况是面临强有力的价格竞争而正在下降中的市场份额。公司或者从使其成本低于竞争者开始，或是发动降价以期望扩大市场份额，从而依靠较大的销量，以降低成本。但这种战略也存在下列的高风险:

● 低质量误区。消费者会认为产品质量低于售价高的竞争者质量。

● 脆弱的市场占有率误区。低价能买到市场占有率，但是买不到市场的忠诚，顾客会转向另一个价格更低的公司。

● 浅钱袋误区。因为售价高的竞争者具有深厚的现金储备，它们也能降价并能持续更长时间。

在经济衰退(economic recession)期间，公司不得不考虑降低价格。在困难时期，消费者减少了他们的费用。公司可能有的一些反应见表15—3。

表 15—3　　　　　　　　　　　营销组合对策

战略选择	原因	结果
1. 维持价格和认知价值,筛选顾客	公司有很忠实的顾客,愿将低收入顾客让给竞争对手	市场份额缩小,利润降低
2. 提高价格和认知价值	提价补偿上涨的成本,提高产品质量使高价合理	市场份额缩小,保持利润
3. 维持价格,提高认知价值	维持价格,提高认知价值可节约资金	市场份额缩小;短期利润下降,长期利润上升
4. 部分降价,提高认知价值	必须对顾客降价,但强调产品的价值有所提高	保持市场份额,短期利润下降,长期保持利润
5. 大幅度降价,保持认知价值	约束和减少价格竞争	保持市场份额,短期利润下降
6. 大幅度降价,降低认知价值	约束和减少价格竞争,保持利润率	保持市场份额,保持售货盈利,长期则利润下降
7. 保持价格,降低认知价值	削减营销开支,抑制成本增高	市场份额缩小,保持售货盈利,长期则利润下降
8. 引入一个经济的模式	给市场以它想要的东西	某些人会同类相残,但是总量会更高

发动提价

一个成功的提价能增加相当大的利润。例如，假定公司的利润幅度是销售额的3%，倘若销售量未受影响，则提价1%将增加33%的利润。我们用表15—4来说明这个问题。如果我们假设一家公司定单价是10美元，销售了100个单位，成本是970美元，利润是30美元或占销售额3%。提价10美分(1%)，就增加利润33.3%，而销售量不变。

表 15—4　　　　　　　　　　　在提价前后的利润

	提价前	提价后
价格	10 美元	10.10(美元)(提价1%)
销售单位	100(个)	100(个)
收入	1 000(美元)	1 010 美元
成本	−970(美元)	−970 美元
利润	30 美元	40 美元(利润增长33.3%)

引起提价的一个主要因素是成本膨胀(cost inflation)。与生产率增长不相称的成本提高，压低了利润幅度，同时会导致公司要定期地提高价格。在预料要发生进一步的通货膨胀或政府的价格控制时，公司提高的价格常常比成本的增加要多，这种价格称为预期价格(anticipatory pricing)。公司由于担心成本飞涨而对向顾客作长期的价格约定犹豫不决。

引起提价的另一个因素是供不应求(overdemand)。当一个公司不能满足它所有的顾客的需要时，它要能提价，可能对顾客限额供应，或者两者均用。提高"实际"价格有几种方法，每种方法对顾客产生的影响却不同，以下是常用的几种调价方法：

● 采用延缓报价。公司决定到产品制成或者交货时才制定最终价格。生产周期长的产业如工业建筑和重型设备制造业等，采用延缓报价定价法相当普遍。

● 使用价格自动调整条款。公司要求顾客按当前价格付款，并且支付交货前由于通货膨胀引起增长的全部或部分费用。合同中的价格自动调整条款规定，根据某个规定的物价指数如生活费用指数计算提高价格。在施工时间较长的工业工程方面，许多合同中都有价格自动调整条款。

● 分别处理产品价目。公司为了保持其产品价格，将先前供应的免费送货与安装的产品分解为各个零部件，并分别为单一的或多个的构件定价出售。许多饭馆也已把按餐定价转为按用菜项目定价。在高通货膨胀国家有个笑话说，现在的汽车价格不再包括轮胎和方向盘。

● 减少折扣。公司减少常用的现金和数量折扣，指示其销售人员不可为了争取生意不按目录价格报价。

公司还可以决定它是否一次性地大幅度提价还是小幅度多次提价。例如，萨普卡特商店(Supercus)是一家著名的理发连锁商店，它的经理在讨论，是现在立即从 10 美元提高到 12 美元，还是今年提价到 11 美元，明年提价到 12 美元。一般来说，顾客喜欢有规律地小量提价而不是大幅度涨价。

在把涨价转嫁给顾客时，公司应该避免落下价格骗子的形象。公司还需要考虑谁将承担这个提价。顾客的记忆会长久保持，在市场疲软时，他们会群起而反对价格骗子。这种事情曾发生在凯洛格公司的身上：

凯洛格(Kellogg)　在 20 世纪 80 年代，凯洛格公司提高其早餐食品的价格，从而其股票价格高涨。该公司这样来为其价格上涨进行辩护，它说随着越来越多的妇女参加工作，任何家庭都不会关心早餐成本的上升，虽然这个战略在相当一段时间内发挥了作用，但是在 20 世纪 90 年代初期，人们开始关心这个问题：一盒玉米片的成本是多少。随之凯洛格公司的利润也开始减少。凯洛格公司的反应是降低成本并关闭了一些工厂，该公司甚至将早餐的价格降了许多。但是，尽管这个行动影响到了利润，它仍未能像公司希望的那样有助于销售的增长。[33]

为了避免这种形象，需要某些技术：不要忘记围绕着任何一次价格上涨必须存在一种公正的意义，在事情变化前，先通知顾客，以便他们事先采购以减少冲击，偏高的涨价要向顾客作出合理的解释，首先使用不引人注目的价格技术，包括取消折扣、限量供应、削减低利润产品产量，等等。对于长期项目合同或投标采用条款调整价格，如调价的基础以被公认的国民价格指数为准。[34]

公司还有其他方法可以不必提价便可弥补高额成本或满足大量需求。可行的方法有以下几种：

- 压缩产品分量，价格不变。（赫尔希食品公司曾经保持一根棒糖的价格不变，但缩小了棒糖。另一方面，雀巢公司仍保持其产品分量但提价。）
- 使用便宜的材料或配方做代用品。（许多棒糖公司用人造巧克力代替真正天然巧克力，与可可提价作斗争。汽车制造商尽可能用塑料代替金属。）
- 减少或者改变产品特点，降低成本。（西尔斯公司简化了许多家用电器的设计，以便与折扣商店销售的商品进行价格竞争。）
- 改变或者减少服务项目，如取消安装、免费送货。
- 使用价格较为低廉的包装材料，促销更大包装产品，以降低包装的相对成本。
- 缩小产品的尺寸、规格和型号。
- 创造新的经济的品牌。（珍宝食品商店向重视价格的顾客推出 170 种未注册食品，价格比全国性品牌低 10% ～ 30% 。）

价格变化的反应

任何价格变化将会受到购买者、竞争者、分销商、供应厂商，甚至政府的注意。

顾客的反应

顾客经常在价格变化后提出质疑。[35]一次降价能作出下面几种解释：这种品目将被最新型号所替换；这种品目有某些缺点，销售情况不好；这个企业在财务方面有些麻烦，它可能不会继续经营下去，以供应未来需要的零配件；这价格甚至还会进一步下跌，等待观望是合算的；或者这种产品的质量已经下降。

提价通常会阻碍销售，也可能给买方带来某些积极的意义：这种品目是非常"热门"的，或者，这种品目代表了一种非同寻常的优良价值。

顾客对非常值钱的或者经常购买的产品的价格大多数是敏感的，而他们对自己不经常购买的某些少量的品目几乎不注意它的较高价格。有些购买者通常对其产品的购买、操作和售后服务的总费用的关心要比对这产品的价格关心得多。倘若顾客能确信产品的总寿命成本是较低的，卖主就能赚取比竞争者更多的钱且依然能做成这笔生意。

竞争者的反应

一个打算变更价格的企业必须考虑到竞争者的反应。在那些企业数量少、产品同质、买者信息灵通的地方，竞争者是很可能会作出反应的。

企业怎样才能预期到它的竞争者们可能作出的反应呢?假定企业面对一个强大的竞争者,竞争者的反应能从两点优势上估计出来。一个优势点是假定竞争者对价格变更以一既定的方式作出反应,在这种情况下,他的反应能够被预计。另一个优势点是假定竞争者把每一个价格变更作为一种新的挑战,并且在这时根据当时的自身利益作出反应。在这种情况下,公司将要分析此时竞争者的自身利益在什么地方。要调查竞争者财务状况、最近的销售量与生产能力、忠诚的顾客和公司目标。如果竞争者有一个市场份额目标,他很可能要跟进这个价格变更。如果他有一个获取最大利润的目标,他可能在某些战略上作出反应,例如提高广告预算或改进产品质量。

由于对一个公司的降价,竞争者可能作不同解释,使问题复杂化:竞争者可能推测公司正试图悄悄地夺取市场,可能推测公司经营情况不佳并企图增加销售量,或者,公司希望整个行业减价以刺激总需求。

对竞争者价格变化的反应

公司怎样对由竞争者发动的价格变更作出反应?在一个同质的产品市场中,企业如果不跟进降价,大多数买者将到价格最低的竞争者那里去购买。当一个企业在同质的产品市场上提高它的价格时,其他企业可能不跟进。如果提价对全行业将是有好处的,它们会照做。但是,如果有一个企业认为它或本行业不会获得好处,它的固执会使市场领导者取消这次提价。

在异质的产品市场上,一个企业对竞争者的价格变更有更多的选择自由。企业可以考虑下面的问题:(1)为什么竞争者要变动这个价格?它是想悄悄地夺取市场,利用过剩的生产能力,适应成本的变动状况,还是要领导一个行业范围内的价格变动?(2)竞争者计划作这个价格变动是临时的还是长期的措施?(3)如果本公司对此不作出反应,本公司的市场份额和利润将会发生什么样的情况?其他公司是否将作出反应?(4)对于每一种可能发生的反应,竞争者与其他企业的回答很可能是什么?

市场领导者常常面临由那些较小的企业为努力取得市场份额而进行的有进取心的降价。利用价格,富士攻击了柯达,毕克攻击了吉列,康柏攻击了IBM。品牌领导者还面临着充斥市场的低价位的私人商店品牌的挑战。品牌领导者在这方面有几种选择:

● 维持原价格。领导者可以维持它的原来价格和利润幅度,当它认为:(1)如果降低,会失去很多利润;(2)不会失去很多的市场份额;(3)当必要时,会重新获得市场份额。领导者感到他能抓住好的顾客,而放弃一些较差的顾客给竞争者。反对维持原价的理由是当攻击者的销售量提高,它会获得更大的自信心,而领导者的推销人员会变得士气低落,领导者将会失去比预期的更多的市场份额。这会使领导者恐慌,降低价格去重新获得市场份额,并发现要比预期更困难,代价更大。

● 维持原价和增加价值。领导者可以改进它的产品、服务和信息沟通。企业可以发现维持原价和花钱去改进它所提供的产品比降价和以较低毛利来经营要便宜得多。

● 降价。领导者可以降低自己的价格，以达到竞争者价格的水平。它可以这样做是因为：(1)它的成本将随着数量增加而下降；(2)它将失去很多的市场份额因为本市场对价格是敏感的；(3)一旦它失去市场份额，它要使尽全力去重新获得市场份额。这个行动在短期内会减少企业的利润。

● 提高价格同时改进质量。领导者可以提价并引入一些新品牌商品去包围那种进行攻击的品牌商品。

休布兰(Heublein)　当休布兰公司的史米尔诺夫(Sminoff)伏特加酒，即一种占美国伏特加酒市场 23% 份额的品牌，受到另一种品牌即华尔夫施密特攻击，以低于 1 美元 1 瓶的价格出售时，休布兰公司曾利用了这种战略。休布兰没有降低史米尔诺夫的 1 美元价格，相反它把这种品牌的价格提高了 1 美元，用增加的收入作广告。休布兰建立了另外一种品牌雷尔斯卡来同华尔夫施密特竞争，并且还生产另一种品牌波波夫，以低于华尔夫施密特的售价出售。这种战略有效地包围了华尔夫施密特并赋予史米尔诺夫更高级的形象。

● 推出廉价产品线反击。在经营产品中增加廉价品种，或者另外创立一个廉价品牌。柯达推出了新的低价位的季节性胶卷，称作游戏时间(Funtime)。美乐啤酒推出低价啤酒，其品牌是红狗(Red Dog)。

最好的反应需要根据情况而变化。公司必须考虑产品所处生命周期的阶段，它在公司的产品业务组合中的重要地位，竞争者的意图和资源，市场对于价格和质量的敏感度，数量成本的关系和公司可供选择的各种机会。

在价格变动的时候，深入分析公司可供选择的方案并不常常是可行的。竞争者可能已经花费了相当多的时间准备这个决策，但是公司可能不得不在几小时或几天内作出决定性的反应。大约仅有一种办法可以缩短价格反应的决策时间，那就是预计可能发生的竞争者的价格变动并准备相应的反应措施。图15—8 展示了如果一个竞争者降价，公司能够利用的价格反应程序。应付价格

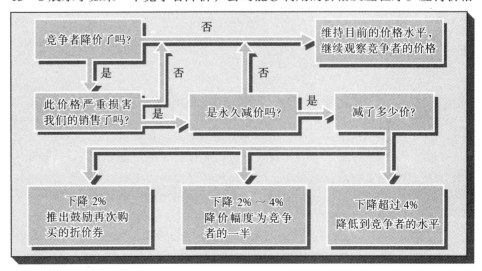

图15—8　应付竞争者降价的价格反应方案

变动的反应程序最适用于这样的行业，即频繁发生价格变化的行业和对迅速作出反应是至关重要的行业。在肉类包装、木材和石油业中能发现这类例子。

小结

1. 在现代市场营销过程中，尽管非价格因素的作用在增长，但价格仍是营销组合中的一个重要因素；其他3P只表现为成本。

2. 在制定价格政策中，公司要经历六个步骤。首先，它要选择它的定价目标，这涉及到用产品提供物来完成的任务(生存，最大的当期利润，最大市场份额，最大的市场撇脂或产品—质量领先)。第二，公司要确定需求线，它表示在每一可能的价格上公司的可能销量。无弹性的需求越多，公司能够制定的价格就越高。第三，公司要估计在不同的产量水平上，以及随着生产经验积累的不同的水平，对不同的营销提供物的成本是怎样变化的。第四，它考察竞争者的成本、价格和提供物。第五，公司要在下面这些定价方法中选择一种方法：成本加成定价法，目标收益定价法，认知价值定价法，价值定价法，通行价格定价法以及密封投标定价法。最后，公司要选定它的最终价格，采用心理定价的方法，考虑其他营销因素对价格的影响，公司定位政策和价格受其他各方的影响。

3. 公司通常不要制定一种单一的价格，而要建立一种价格结构，它可以反映诸如地区需求和成本，市场细分要求，购买时机，订货水平和其他因素的变化情况。可适用的价格修订战略有好几种：(1)地理定价；(2)价格折扣和折让；(3)促销定价；(4)差别定价；(5)产品组合定价，它包括产品线定价、选择特色定价、附带产品定价、两段定价、副产品定价和成组产品定价等方法。

4. 公司在制定了它们的定价战略后，往往又面临着修改价格的局面。价格下降可能是由于过剩的生产能力，市场份额在下降，通过低成本争取市场支配地位的愿望，或经济衰退。提价的原因可能是成本膨胀或供不应求。

5. 提价方法有多种，包括压缩产品分量而非涨价，使用便宜的材料或配方，减少或改变产品特点。

6. 公司面对由竞争才发动的一个价格变更，必须努力了解竞争者的意图和价格变更可能持续的时间。公司的战略常常取决于它的产品是同质还是异质的。市场领导者受低价竞争者的进攻时，可选择采用维持原价，提高被认知产品的质量，降价，提高价格同时改进质量，或推出廉价产品线来反击。

应用

本章观念

1. 企业不能总依靠消费者从同其他竞争者的产品相比中意识到它们提供

的产品的价值。每个企业的产品不仅价格不同，对消费者的操作费用、营运资本费用、安装、资金筹措及处理费用的影响也不同。精明的企业使用一种叫做顾客经济价值(EVC)的工具来建立它们顾客的价值认知。EVC 是由比较顾客现使用产品(参考产品)的益处和顾客对产品的总花费得出的。

图 15A—1 显示了一家公司如何测定 EVC。假定麦克纳米制造商为了同消费者目前使用的产品 X 竞争，正在开发两个产品 Y 和 Z。

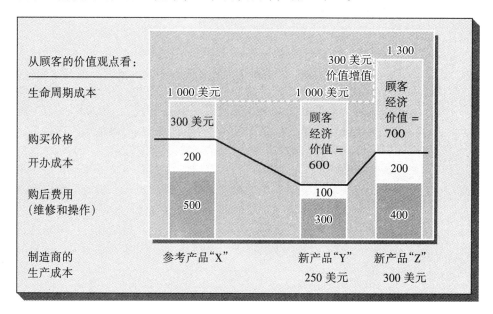

图 15A—1

新产品 Y 和参考产品 X 的功能相同，但它的开办成本和购买后费用仅为400 美元(对比之下，产品 X 为 700 美元)，为顾客节省了 300 美元。因为顾客现有产品的生命周期费用为 1 000 美元，新产品 Y 提供给顾客的经济价值为600 美元(1 000 减去 400)。麦克纳米花费 250 美元生产一台 Y 产品。

新产品 Z 比产品 X 或 Y 有更多的特性或工作特点。Z 产品的这些外加特征和参考产品相比有 300 美元的认知增值价值。因此和现有产品相比，Z 节省了 100 美元购买后花费，给顾客带来 700 美元的经济价值。因此虽然产品 Z 高于 Y 的购买后花费，产品 Z 比 Y 有更高的 EVC，因为它提供了额外的顾客价值。生产一台 Z 产品需花费麦克纳米 300 美元。

用图 15A—1 回答以下问题：

a. 一公司愿为 Y 产品支付的最高价是多少？Z 产品呢？

b. 该公司应将其价格定在它的费用和顾客认知的 EVC 之间的某一点上。假定麦克纳米对 Y 产品和 Z 产品采用这一做法，将价格分别定在每台 400 美元和每台 475 美元。对每一台售出的 Y 和 Z 麦克纳米可得多少利润？

c. 麦克纳米制造部如何用 EVC 来决定它和它的新产品应进入的市场细分？

2. 三家公司(A、B、C)生产快速继电器开关。现要求一家工业买方审查并对各个公司的产品排队。它们可用"诊断方法"评估这三种产品的属性。关于每个属性，它们分派给三家公司 100 点。它们还分派 100 点来反映属性的相对重要性权数。假定结果如表 15A—1：

表 15A—1

重要性权数	属性	产品 A	B	C
25	产品耐用性	40	40	20
30	产品可靠性	33	33	33
30	交货可靠性	50	25	25
15	服务质量	45	35	20
100	（平均认知价值）	(41.65)	(32.65)	(24.9)

把对每家公司的评分乘以重要性权数，我们发现 A 公司提供的产品的认知价值高于平均数（在 42），B 公司提供的产品的认知价值相当平均数（在 33），C 公司提供的产品认知价值低于平均数（在 25）。图 15A—2 显示公司 A 从 2.55 美元下降至 2.00 美元的结果。

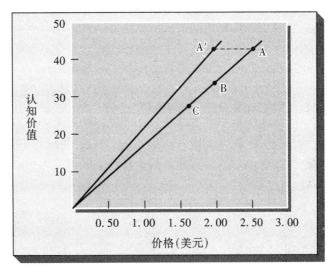

图 15A—2

a. 假定买方愿付 2.00 美元买一个一般开关（即认知价值为 33 点的开关），每家公司会为它的开关报价为多少？

b. 根据图 15A—2 中描绘的结果，A 公司会采取什么策略？B 公司对 A 公司的价格改变会作怎么样的反应？

3. 许多公司忙着给它们的贸易伙伴和顾客以折扣、补贴及特别条件，却意识不到这样下来留给它们自己的利润会多么微薄。研讨以下情形：

经销商目录价格	6.00 美元
– 订单规模折扣	0.10 美元
– 竞争折扣	0.12 美元
= 发票价	5.78 美元
– 支付条件折扣	0.30 美元
– 年度额折扣	0.37 美元

– 让利促销	0.35 美元
– 合作广告	0.20 美元
– 运费	0.19 美元
= 口袋价格	4.37 美元

在此，制造商向经销商报了 6.00 美元的目录价格，而扣除预订量大小折扣和竞争折扣，留下发票价 5.78 美元。但这一数字并不代表制造商的零售价（即留在制造商口袋里的钱）。进一步的花费使制造商的零售价仅为 4.37 美元。论述价格降低将对公司利润产生的财务影响。在这一实例中，事实上有百分之几的经销商的目录价格进入了制造商的口袋？在给折扣前，公司该考虑些什么？

营销与广告

1. 图 15A—3 中的西利克斯公司(Cyrix)的广告重点突出该公司的更低售价的集成电路芯片，虽然其中未提到任何的实际价格。因为西利克斯公司不是一个个人电脑制造商，而且，它也不是直接将产品卖给计算机的使用者，那么，它为什么要把其集成电路价格降低的消息做广告呢？在西利克斯公司的这则广告中哪一种会影响到价格的敏感性因素？你认为配置了价格更低的集成电路的计算机，其需求是有弹性的还是无弹性的？为什么？

2. 电子贸易公司(E-trade)是一个以因特网为基础的证券经纪公司，提供在线股票交易服务，每次的交易成本 14.95 美元，它比传统的经纪公司索取的价格要低得多。图 15A—4 中的广告宣传了使用电子贸易公司所带来的低价格以及其他好处。讨论在这个市场中的需求弹性，并分析为什么电子贸易公司会选择把其所提供服务的价格定得这么低，现有和潜在的可能会对这种定价作出什么反应？

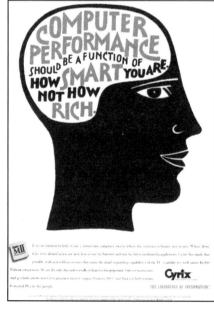 

图 15A—3　　　　　　　　　　　　　　　图 15A—4

聚焦技术

对于大型超市和药品连锁店来说，在定价技术被广泛使用之前，要对几十家甚至是成百上千家商店的成千上万个价格进行管理是一个很令人头疼的问题。现在，零售商通常是把价格输入中央计算机中，然后通过信息系统链将该信息分配传输到现金出纳机上。一些软件程序的功能在进一步加强，它们利用新产品的定价数据建立的文档，这些文档能够被打印出来并寄给其所属的各个商店。

总控制信息(Total Control Information)，一个软件公司，特意为大型零售商制作了一个定价软件。在该公司的 Web 站点上(www. tcisolutions. com/hqpm. htm)可以浏览这个程序。这种类型的软件是怎样为那些以高—低定价为特征的超市连锁店服务呢？这种类型的软件又怎样为那些根据地理位置定价的药品连锁店服务呢？

新千年营销

定价战略中的最新的改变之一就是邀请顾客来为产品进行定价，这是价格线(Priceline)公司所使用的一种商业模式，该公司在 1998 年中期开始了其以Web 为基础的这项服务，并且进行了大型的媒体宣传活动：通过访问价格线公司的 Web 站点(www. priceline. com)，看一下该系统是如何运作的，在屏幕的左边，点击"什么是价格线网(Priceline. com)？"和"价格线网是如何运作的？"两项，以了解该公司及其竞价投标过程，同时点击其他项，看一下其将要提供哪些服务？关于价格线公司的顾客对价格的敏感性问题，你有什么看法？价格线公司在其 Web 站点上还应提供什么产品特色？为什么？

你是营销者：索尼克公司的营销计划

在每一个营销计划中，定价是一个关键性的因素，因为它直接与公司的收入和利润目标相联系。为了有效地设计定价战略并对其进行管理，营销人员不仅要考虑它们的成本，而且还要考虑顾客的看法及其竞争对手的反应。

作为简·梅洛迪(Jane Melody)的助手，你负责对索尼克公司(Sonic)的立式立体音响进行定价。再看一下该公司目前的处境，尤其是产品、优势、劣势、机会以及所面临的威胁。同时，重新考虑你对目标市场及其定位所了解到的情况，然后，回答下面的关于定价方面的几个问题(指出在什么地方还必须进行额外的研究)：

● 索尼克公司的首要的定价目标是什么？为什么？

● 索尼克公司的顾客们对价格敏感吗？其需求是有弹性，还是无弹性的？产品定价的含义是什么？

● 索尼克公司如何对其整个产品线进行定价？产品定价如何与营销组合中的其他因素相协调？

● 索尼克公司应该考虑哪些价格调整措施？（如折扣、折让和促销定价）

在你制定完定价战略和方案后，总结一下你的建议，并把它们写进书面的营销计划中，或者把它们输入营销计划程序软件中的营销战略部分中的营销组合／定价部分，采用哪一种方法取决于你导师的指示。

【注释】

［1］David J. Schwartz, Marketing Today: A Basic *Approach*, 3d ed. (New York: Harcourt Brace Jovanovich, 1981), p. 271.

［2］Amy E. COrtese, "Good-Bye to Fixed Pricing?" *Business Week, May* 4, 1998, pp. 71～84.

［3］Andy Reinhardt, "Pentium: The Next Generation," *Business Week, May* 12, 1997, pp. 42～43; David Kirkpatrick, "Intel's Amazing Profit Machine," *Fortune*, February 17, 1997, pp. 60～72.

［4］Steve Gelsi, "Spin-Cycle Doctor," *Brandweek*, March 10, 1997, pp. 38～40; Tim Stevens, "From Reliable to 'Wow'," *Industry Week*, June 22, 1998, pp. 22～26.

［5］Thomas T. Nagle and Reed K. Holden, *The Strategy and Tactics of Pricing*, 2d ed. (Upper Saddle River, NJ: Prentice Hall, 1995), ch. 4. This is an excellent reference book for making pricing decisions.

［6］Kevin J. Clancy, "At What Profit Price?" *Brandweek*, June 23, 1997, pp. 24～28.

［7］See Sidney Bennett and J. B. Wilkinson, "Price-Quantity Relationships and Price Elasticity Under In-Store Experimentation," *Journal of Business Research*, January 1974, pp. 30～34.

［8］John R. Nevin, "Laboratory Experiments for Estimating Consumer Demand—A Validation Study," *Journal of Marketing Research*, August 1974, pp. 261～268; and Jonathan Weiner, "Forecasting Demand: Consumer Electronics Marketer Uses a Conjoint Approach to Configure Its New Product and Set the Right Price," *Marketing Research: A Magazine of Management & Applications*, Summer 1994, pp. 6～11.

［9］Nagle and Holden, *The Strategy and Tactics of Pricing*, ch. 13.

［10］For summary of elasticity studies, see Dominique M. Hanssens, Leonard J. Parsons, and Randall L. Schultz, *Market Response Models: Econometric and Time Series Analysis* (Boston: Kluwer Academic Publishers, 1990), pp. 187～191.

［11］Gene Epstein, "Economic Beat: Stretching Things," *Barron's*, December 15, 1997, p. 65.

［12］See William W. Alberts, "The Experience Curve Doctrine Reconsidered," *Journal of Marketing*, July 1989, pp. 36～49.

［13］See Robin Cooper and Robert S. Kaplan, "Profit Priorities from Activity-Based Costing," *Harvard Business Review*, May-June 1991, pp. 130～135. For more on ABC, see ch. 24.

［14］See "Japan's Smart Secret Weapon," *Fortune*, August 12, 1991, p. 75.

［15］Elyse Tanouye, "Drugs: Steep Markups on Generics Top Branded Drugs," *Wall Street Journal*, December 31, 1998, p. B1.

［16］Tung-Zong Chang and Albert R. Wildt, "Price, Product Information, and Purchase Intention: An Empirical Study," *Journal of the Academy of Marketing Science*, Winter 1994, pp. 16～

27. See also G. Dean Kortge and Patrick A. Okonkwo, "Perceived Value Approach to Pricing, " *Industrial Marketing Management*, May 1993, pp. 133 ~ 140.

[17] For an empirical study of nine methods used by companies to assess customer value, see James C. Anderson, Dipank C. Jain, and Pradeep K. Chintagunta, "Customer Value Assessment in Business Markets: A State-of-Practice Study, "*Journal of Business-to -Business Marketing* 1, no. 1 (1993): 3 ~ 29.

[18] Roger Crockett, "PC Makers Race to the Bottom, " *Business Week*, October 12, 1998, p. 48.

[19] Bill Saporito, "Behind the Tumult at P&G, "*Fortune*, March 7, 1994, pp. 74 ~ 82.

[20] Stephen J. Hoch, Xavier Dreze, and Mary J. Purk, "EDLP, Hi-Lo, and Margin Arithmetic, " *Journal of Marketing*, October 1994, pp. 16 ~ 27; Rajiv Lal and R. Rao, "Supermarket Competition: The Case of Eeryday Low Pricing, "*Marketing Science* 16, no. 1 (1997); 60 ~ 80.

[21] Becky Bull, "No Consensus on Pricing, " *Progressive Grocer*, November 1998, pp. 87 ~ 90.

[22] Gary M. Erickson and Johny K. Johansson, "The Role of Price in Multi-Attribute Product-Evaluations, "*Journal of Consumer Research*, September 1985, pp. 195 ~ 199.

[23] K. N. Rajendran and Gerard J. Tellis, "Contextual and Temporal Components of Reference Price, "*Journal of Marketing*, January 1994, pp. 22 ~ 34.

[24] Paul W. Farris and David J. Reibstein, "How Prices, Expenditures, and Profits Are Linked, " *Harvard Business Review*, November-December 1979, pp. 173 ~ 184. See also Makoto Abe, "Price and Advertising Strategy of a National Brand Against Its Private-Label Clone: A Signaling Game Approach, "*Journal of Business Research*, July 1995, 241 ~ 250.

[25] See Michael Rowe, *countertrade* (London: Euromoney Books, 1989); P. N. Agarwala, *Countertrade: A Global Perspective* (New Delhi: Vikas Publishing House, 1991); and Christopher M. Korth, ed., *international Countertrade* (New York: Quorum Books, 1987).

[26] See Michael V. Marn and Robert L. Rosiello, "Managing Price, Gaining Profit, " *Harvard Business Review*, September-October 1992, pp. 84 ~ 94. See also Gerard J. Tellis, "Tackling the Retailer Decision Maze: Which Brands to Discount, How Much, When, and Why?" *Marketing Science* 14, no. 3, pt. 2(1995); 271 ~ 299.

[27] For more information on specific types of price discrimination that are illegal, see Henry Cheesman, *Contemporary Business Law* (Upper Saddle River, NJ: Prentice Hall, 1995).

[28] Mike France, "Does Predatory Pricing Make Microsoft a Predator?" *Business Week*, November 23, 1998, pp. 130 ~ 132. See also Joseph P. Guiltinan and Gregory T. Gundlack, "Aggressive and Predatory Pricing: A Framework for Analysis, " *Journal of Advertising*, July 1996, pp. 87 ~ 102.

[29] Andy Reinhardt, "Who Says Intel's Chips Are Down?" *Business Week*, December 7, 1998, pp. 103 ~ 104.

[30] See Robert E. Weigand, "Buy In-Follow On Strategies for Profit, " *Sloan Management Review*, Spring 1991, pp. 29 ~ 37.

[31] Susan Krafft, "Love, Love Me Doo", *American Demographics*, June 1994, pp. 15 ~ 16.

[32] See Gerald J. Tellis, "Beyond the Many Faces of Price: An Integration of Pricing Strategies, " *Journal of Marketing*, Octogber 1986, p. 155. This excellent article also analyzes and

illustrates other pricing strategies.

[33] "Costly Cornflakes," *New York Times*, January 12, 1999, p. A1.

[34] Eric Mitchell, "How Not to Raise Prices," *Small Business Reports*, November 1990, pp. 64 ~ 67.

[35] For excellent review, see Kent B. Monroe, "Buyers' Subjective Perceptions of Price," *Journal of Marketing Research*, February 1973, pp. 70 ~ 80.

第 V 篇

管理和传送营销方案

第 16 章　管理营销渠道

第 17 章　管理零售、批发和市场后勤

第 18 章　管理整合营销传播

第 19 章　管理广告、销售促进和公共关系

第 20 章　管理销售力量

第 21 章　管理直接营销和在线营销

第 22 章　管理整体营销努力

管理营销渠道

科特勒论营销:

必须根据它们的效率、贡献能力和适应能力来选择渠道。

本章我们从功能的角度阐述下列问题:

● 营销渠道是什么?

● 公司在设计、管理、评价和修正其渠道时将面临什么决策?

● 渠道的动态发展趋势是什么?

● 如何管理渠道的冲突?

在当今的社会中,大多数的生产者并不是将其产品直接出售给最终用户。在生产者和最终用户之间有执行不同功能和具有不同名称的营销中间机构。这些中间机构组成了营销渠道[也称贸易渠道(trade channel)或分销渠道(distribution channel)]。

有的中间机构(如批发商和零售商)买进商品,取得商品所有权,然后再出售商品,它们就叫做买卖中间商(merchants)。其他(如经纪人、制造商代理人和销售代理人)则寻找顾客,他们有时也代表生产厂商同顾客谈判,但是不取得商品所有权,他们就叫做代理商(agents)。还有一些(如运输公司、独立仓库、银行和广告代理商)则支持分销活动,但它们既不取得商品所有权,也不参与买或卖的谈判,它们就叫做辅助机构(facilitators)。

营销渠道(marketing channels)是促使产品或服务顺利地被使用或消费的一整套相互依存的组织。[1]

营销渠道决策是企业管理层面临的最重要的决策。公司所选择的渠道将直接影响所有其他营销决策。公司的定价取决于它是利用大型的、高质量的经销商还是利用中型、中等质量的经销商。公司的推销力量和广告决策取决于对经销商的培训和鼓励。此外,公司的渠道决策还包括一个对其他公司的比较长期的承诺。当一个汽车制造商和独立的经销商签订合同,由后者经销前者的汽车以后,该汽车制造商在第二天就必须尊重其经销权,不得以本公司的销售网点取而代之。柯立(Corey)指出:

一个分销系统……是一项关键性的外部资源。它的建立通常需要若干年，并且不是轻易可以改变的。它的重要性不亚于其他关键性的内部资源，诸如制造部门、研究部门、工程部门和地区销售人员以及辅助设备，等等。对于大量从事分销活动的企业以及它们为之服务的某一个特定的市场而言，分销系统代表着一种重要的公司义务的承诺。同时，它也代表着构成这种基本组织的一系列政策和实践活动的承诺，这些政策和实践编织成一个巨大的长期的关系网。[2]

在第 17 章，我们将从零售商、批发商和实体分销代理机构的角度讨论营销渠道问题。

营销渠道执行什么功能

生产者为何愿意把部分销售工作委托给中间机构呢？这种委托意味着放弃对于如何推销产品和销售给谁等方面的某些控制。然而从另一角度看，生产者从中间机构中也获得下列好处。

● 许多生产者缺乏进行直接营销的财力资源。例如，通用汽车公司在北美通过 8 100 多个独立经销商出售它的汽车。要买下这些经销商的全部产权，即使是通用汽车公司也很难筹集到这批现金。

● 在某种情况下，直接营销并不可行。例如，小威廉·华格利公司（Willam Wrigley Jr.）发现，在全国建立口香糖小零售店，或者挨家挨户出售口香糖，或者邮售，都是不现实的。如果这样，它就要同时出售许多小商品，还要中止在药房和杂货店出售口香糖的业务。赖莱公司发现，通过由各种独立的私有的分销机构所组成的巨大的分销网来推销口香糖，事情会容易得多。

● 有能力建立自己的销售渠道的生产者常能通过增加其主要业务的投资而获得更大的利益。如果一个公司在制造业上的投资报酬率是 20%，而零售业务的投资报酬率只有 10%，那么它就不会自己经营零售业务。

利用中间商的目的就在于它们能够更加有效地推动商品广泛地进入目标市场。营销中间机构凭借自己的各种联系、经验、专业知识以及活动规模，将比生产企业自己干得更加出色。按照斯特恩(Stern)和艾尔－安塞利(El-Ansary)的说法：

中间商使商品和服务流通顺畅……为了把生产者生产的商品和服务分类与消费者需求分类之间的差距弥合起来，这一程序是必要的。这种差距是由于制造商一般生产大量的种类有限的商品。而消费者则通常只需求数量有限但种类繁多的商品这一事实造成的。[3]

图 16—1 显示了利用中间商是实现经济效益的一个主要源泉。(a)部分显示了 3 个生产者，每个生产者都利用直接营销分别接触到 3 个顾客。这个系统要求 9 次交易联系。(b)部分显示了 3 个生产者通过同一个分销商和 3 个顾客发生联系。这个系统只要求 6 次交易联系。这样，中间商就减少了必须进行的工作量。

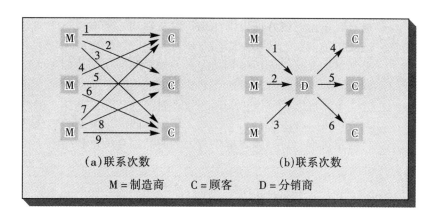

图 16—1 分销商的经济效果

渠道的功能和流程

一个营销渠道执行的功能是把商品从生产者那里转移到消费者手里。它弥合了产品、服务和其使用者之间的缺口，主要包括时间、地点和持有权等缺口。营销渠道的成员执行了一系列重要功能：

● 它们收集和传播营销环境中有关潜在与现行顾客、竞争对手和其他参与者力量的营销调研信息。
● 它们发展和传播有关供应物的富有说服力的吸引顾客报价的沟通材料。
● 它们尽力达成有关产品的价格和其他条件的最终协议，以实现所有权或者持有权的转移。
● 它们从制造商处获得订单。
● 它们在不同的营销渠道层面收付存货资金。
● 它们在执行渠道任务的过程中承担有关风险。
● 它们提供与产品实体有关的一系列的储运工作。
● 它们通过银行或其他金融机构为买方付款。
● 它们提供物权从一个组织或个人转移到其他人。

渠道中有些是正向流程(forward flow)(实体、所有权和促销)；另一些是反向流程(backward flow)(订货和付款)；还有一些是双向流程(信息、谈判、筹资和风险承担)。铲车营销发生的 5 个流程见图 16—2。如把这些流程并在一张图表中，即便十分简单的营销渠道也会出现复杂的情况。一个销售实体产品的制造商至少需要三个渠道为它服务：销售渠道(sales channel)，交货渠道(delivery channel)和服务渠道(service channel)。这些渠道不可能由一个公司组成。例如，戴尔计算机公司使用电话和因特网作为它的销售渠道，速递运输服务作为交货渠道，当地的维修人员作为服务渠道。

问题并不在于上述功能是否需要执行——它们必须执行——而是在于由谁来执行。所有这些功能都具有三个共同点：它们使用稀缺资源；它们常常可以通过专业化而更好地发挥作用，以及它们在渠道成员之间是可以转换的。当制造商把若干功能转移到中间商那儿，生产者的费用和价格下降了，但是中间商必须增加开支，以负担其功能。如果中间商比制造商更有效，消费者的价格将较低。如果消费者自己执行某些功能，他们享受的价格就更低了。

由此可见，营销功能比在什么时间内执行这些功能的机构更为基本。渠道的变化很大程度上是由于发现了更为有效的集中或分散经济功能的途径，这些功能是执行向目标顾客提供有用的商品组合的过程中所不可缺少的。

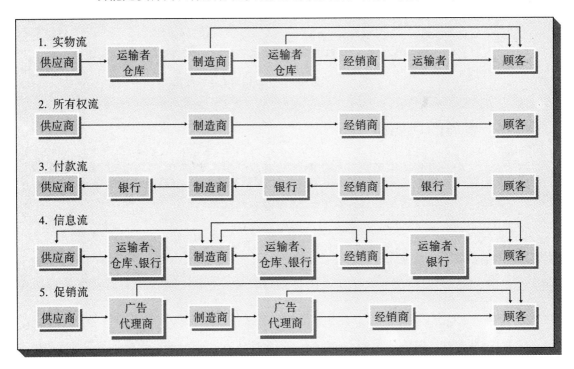

图 16—2 铲车营销渠道中的五个营销流程

渠道级数

生产者和最终顾客是每个渠道的组成部分。我们将用中间机构的级数来表示渠道的长度(length)。图 16—3(a)举例说明了几种不同长度的营销渠道。

零级渠道(zero-level channel) [也叫**直接营销渠道**(direct-marketing channel)]是由生产者直接销售给最终顾客。直接营销的主要方式是上门推销、家庭展示会、邮购、电话营销、电视直销、因特网销售和制造商自设商店。雅芳公司的销售代表基本上都是上门向妇女推销化妆品；特普威公司(Tupperware)的销售代表通过家庭展示会来推销其厨房用品；富兰克林造币公司(Franklin Mint) 则是通过邮寄方式出售各种收藏物；西利逊 – 李迈经纪公司(Shearson-Lehman)通过电话寻找新客户；某些实验设备的制造商通过电视广告片或长达 1 小时的"信息传播"销售产品；胜家公司(Singer)则是通过自己的商店出售缝纫机。

一级渠道(one-level channel)包括一个销售中间机构，如零售商。二级渠道

(two-level channel)包括两个中间机构。在消费者市场,它们一般是一个批发商和一个零售商。三级渠道(three-level channel)包括三个中间机构。例如,在肉类包装行业中,批发商出售给中转商,它再售给零售商。级数更长的营销渠道也还有。在日本,食品分销有六个层级。然而,从生产者的观点看,渠道级数越高,获得最终用户信息和控制也越困难。

图16—3(b)展示了常见的工业市场营销渠道。工业市场生产者可利用其销售人员直接销售产品给工业品顾客;或者可销售给工业品经销商,由他销售给工业品顾客;或者可通过生产商的代表或自属的销售分支机构直接销售给工业品顾客;或者通过工业品经销商销售给工业品顾客。因此,零级、一级和二级营销渠道在工业营销渠道中颇为常见。

渠道一般是指产品的前向运动。有人也提出了所谓的后向渠道(backward channel)。根据齐克门特(Zikmund)和斯坦顿(Stanton)的观点:

固体垃圾再处理是一种重要的生态目标。尽管再处理在技术上是可行的。逆转分配渠道中的物质流向——通过"后向"渠道营销垃圾——则代表了一种挑战。现有的各种后向渠道是粗糙的,财务动机是不充分的。必须动员消费者成为生产者,经受角色的变化——这是逆转分配过程的原动力。[4]

有几种中间商在各种"后向"渠道中起作用,其中包括:生产商的回收中心,如社区小组;传统的中间商,如软性饮料中间商;废物收集专家;回收利用中心;废物回收利用经纪商;中央处理仓库。[5]

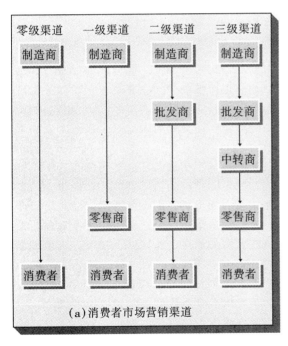

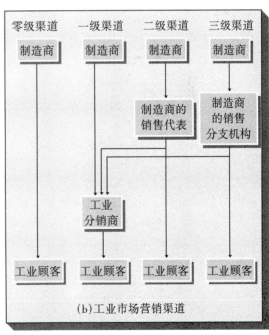

图16—3 消费者和工业市场营销渠道

服务领域的渠道

营销渠道概念并不局限于实体产品的分配。提供服务和咨询意见的生产商同样面临如何使其产品接近到目标公众并为其采用的问题。学校发展了"教育传播系统"，医院发展了"健康传送系统"。这些机构必须找出适合于在本地区传播给当地人群的代理机构和本地企业。

医院必须建立在需要充分医疗服务的人的所在地区，我们必须把学校建在接近学龄儿童的地方。消防队必须设在能够最迅速到达可能是火灾区的位置，投票站必须设在便于选民投票的位置，不要为了到投票站投票而浪费无谓的时间、精力或者钱财。为了向儿童提供更好的教育，许多州都面临着合理选择分校位置的问题。在城里，我们必须为儿童创办游乐场，并确定它的位置。许多人口过多的国家必须指定生育控制卫生站的适当位置，要便于接近需要避孕和计划生育信息的人们。[6]

随着因特网技术的进步，某些行业如银行、保险、旅游和股票的买卖，将通过新的渠道进行。

营销渠道也适用于"个人"营销。1940年以前，专业喜剧演员可以通过七种途径接近顾客：杂技场，专门比赛，夜总会，电台，电影，狂欢节和戏院。但现在喜剧俱乐部和有线电视台的出现代替了它们，歌舞杂技场在销声匿迹。政治家也须寻找渠道组合——大众媒体、集会、咖啡时间——以便向他们的选民传递信息。[7]

渠道设计决策

一个新公司通常在一个有限的市场工作为一个当地的或地区的经营者开始销售。它通常需要利用现有的中间商。当地市场的中间商总是很有限的：少量制造商的销售代理商、少量批发商、几家零售店、几家卡车运输公司和一些货栈。决定什么是最佳渠道可能不成为问题。问题是如何说服一个或几个可利用的中间商来经销这种产品线。

如果新公司成功了，它可能开发新的市场。制造商还会利用现有的中间机构，尽管这可能意味着在不同地区将利用不同类型的营销渠道。在比较小的市场，公司可以直接销售给零售商；在比较大的市场，它可以通过分销商销售产品。在农村地区，它可以利用综合商人；在城市地区，它可以通过专业商。在国家的某个地区，它可以采用独家经销，因为商人都这样做；在另一个地区，它可以通过所有愿意经销这一商品的售货点出售商品。在一个国家，它可能利用国际销售代理商；而在另一个国家，它必须与当地公司合资办企业。[8]简言之，制造商的渠道系统是在适应当地市场机会和条件的过程中逐步形成的。

设计一个渠道系统要求：分析需要，建立渠道目标，识别主要的渠道选择方案和对它们作出评价。

分析顾客需要的服务产出水平

在设计营销渠道中，营销人员必须了解目标顾客需要的服务产出水平（service output levels）。渠道可提供五种服务产出：

1. 批量大小。批量是营销渠道在购买过程中提供给顾客的一次的单位数量。在购买新汽车时，赫茨出租汽车公司(Hertz)偏好能大批量购买的渠道；而家庭夫妇想要那种能允许购买一辆的渠道。

2. 等候时间。渠道的顾客等待收到货物的平均时间。顾客一般喜欢快速交货渠道。

3. 空间便利。空间便利是营销渠道为顾客购买产品所提供的方便程度。空间便利的用途被直接营销进一步强化。例如，雪佛莱比凯迪拉克有更大的空间便利，它有更多的雪佛莱经销商。雪佛莱较高的市场分散化帮助顾客节省运输和寻求成本，及为汽车修理提供方便。

4. 产品品种。产品品种是营销渠道提供的商品花色品种的宽度。一般来说，顾客喜欢较宽的花式品种，因为这使得实际上满足顾客需要的机会更多。

5. 服务支持。服务支持是渠道提供的附加服务(信贷、交货、安装、修理)。渠道提供的服务工作越多，渠道的工作量就越大。[9]

营销渠道的设计者必须了解提高服务产出的水平意味着渠道成本的增加和对顾客的价格上升。折扣商店成功表明，许多消费者更愿意接受较低水平的服务而带来的低价格。

建立渠道目标和结构

渠道目标应表述为目标服务产出水平。巴克林(Bucklin)的观点是：在竞争情况下，渠道机构在安排其功能任务时，把某些期望达到的服务产出水平的整个渠道费用最小化。[10]一般来说，可依据消费者对不同服务产出水平来识别细分市场。有效的渠道计划工作要求决定服务于什么细分市场和在各种情况下能是最好的渠道。

渠道目标因产品特性不同而不同。易腐商品要求较直接的营销。体积庞大的产品，如建筑材料，要求采用运输距离最短，在产品从生产者向消费者移动的过程中搬运次数最少的渠道布局。非标准化产品，如顾客定制机器和特制模型等则由公司销售代表直接销售。需要安装或长期服务的产品，如冷热系统，通常也由公司或者独家特许商经销。单位价值高的产品一般由公司推销员销售，很少通过中间机构。

渠道设计应反映不同类型的中间机构在执行各种任务时的优势和劣势。例如，制造商的代表接触每个顾客所耗费的费用较少，因为总费用由几个客户所分摊。但是，制造商的代表对每个顾客的销售努力则不如公司直接销售代表所能达到的水平。渠道设计还受到竞争者使用的渠道的制约。

渠道设计必须适应大环境。当经济不景气时，生产者总是要求以最经济的方法将其产品推入市场。这就意味着利用较短的渠道，取消一些非根本性的服务，以减少产品的最终价格。法律规定和限制也将影响渠道设计。美国法律规定禁止可能会严重减少竞争或者倾向于垄断的各种渠道安排。

识别主要的渠道选择方案

在公司已经确定了它的目标市场和所期望的定位后，下一步它就要识别它的渠道选择。一个渠道选择方案由三方面的要素确定：商业中间机构的类型，中间机构的数目，每个渠道成员的条件及其相互责任。

中间机构的类型

公司应该弄清楚能够承担其渠道工作的中间单位的类型。请看下面两个例子：

一家生产测试设备的公司，发明了一种可探出有移动零件的机器发生联结不良现象的音波探测器。这家公司的经理们认为，这种产品在所有使用或者制造电机、内燃机和汽车轮机的行业里都有市场。这就意味着对于诸如飞机制造业、汽车、铁路、食品罐头、建筑以及石油等行业都有用。公司的推销力量很有限，因此问题是如何有效地进入以上各种行业。经管理层讨论，提出下列渠道以供选择：

● 公司推销队伍。扩大公司直接推销人员的队伍。指派销售代表到各地区去，赋予他们与该地区的所有潜在顾客进行接触的责任。或者以不同行业为目标，分别发展公司的推销队伍。

● 制造代理商。在不同地区，或在最终使用的行业里，委托制造厂代理商出售新的测试设备。

● 工业分销商。在不同地区或者最终使用的行业里，寻找愿意购买和经营新产品的分销商。给他们独家经销权和足够的权利，对他们进行产品知识培训，并给予促销方面的支持。

一家消费电子产品公司决定生产汽车用蜂窝手机。在考虑分配渠道时，它提出了下列选择方案：

● OEM 市场。公司可以与一个或几个汽车制造商签订合同，销售它的手机。汽车制造厂将其安装在所造汽车设备上。OEM 是原设备制造商（original equipment manufacture）的缩写。

● 汽车经销商市场。公司可以把手机卖给不同的汽车经销商，可供后者在提供汽车修理业务时调换。

● 汽车部件零售商。公司可以通过汽车部件零售商销售手机，他们可以通过直接推销队伍或其他分销商和这些零售商打交道。

● 汽车电话专业经销商。公司可以通过直销人员或中间商，出售汽车电话号码给汽车电话专业经销商。

● 邮购市场。公司可以在邮购商品目录上为它的手机做广告。

公司也可以寻找更新的营销渠道。风琴一向是在小的乐器店出售，可是康恩风琴公司一反惯例，通过百货商店和折扣商店出售风琴，吸引了更多人的注意。本月新书俱乐部也大胆地采用了新渠道，通过邮寄销售书籍。其他卖者随即仿效，纷纷成立了本月唱片俱乐部、本月糖果俱乐部、本月鲜花俱乐部和本月水果俱乐部等几十个诸如此类的组织。

有的时候，由于成本或其他困难，公司无法利用主渠道，而不得不寻找非常规渠道。非常规渠道的优点是，在最初进入渠道时，公司遭遇竞争的程度较低。美国天美时钟表公司原来准备通过传统的珠宝商店，但最终价格低廉的天美时牌手表设法通过大众化商店出售，由于大众化的商店的迅速发展，结果大获成功。雅芳公司由于无法打入正规的百货公司，结果便选择了挨门挨户推销化妆品的做法，这比通过百货公司销售的大多数化妆品公司所赚的钱还多得多。

奇多糖果公司(Chiodo Candy)　在20世纪80年代，奇多糖果公司在超市货架空间上打垮了糖果巨人 E. J. 布拉赫（Brach）。到1988年，它开始投入另一分销渠道。它在俱乐部和仓储商店又成为赢家，这在当时是新出现的渠道。俱乐部商店不要求上货架费并乐意接受产品。为了满足这些商店要求的大包装，奇多开发了一种装2磅块糖的塑料罐。过了不久，俱乐部的购买者每次的订购超过 8 000 罐。[11]

中间机构的数目

公司必须决定每个渠道层次使用多少中间商。有三种战略可供选择：专营性分销，选择性分销和密集性分销。

专营性分销(exclusive distribution)是严格地限制经营公司产品或服务的中间商数目。它适用于生产商想对再售商实行大量的服务水平和服务售点的控制。一般来说，专营性的再售商同意不再经营竞争品牌。由于授予专营性分销，生产商希望能获得更积极的和有见识的销售。专营性分销能提高产品的形象和允许更高的售价。它要求的是公司与再售商之间紧密的合伙人关系。在销售新汽车、某些主要电器用具和某些妇女服装品牌时常采用这种方式。

选择性分销(selective distribution)是利用一家以上，但又不是让所有愿意经销的几家机构都来经营某一种特定产品。一些已建立信誉的公司，或者一些新公司，都利用选择性分销来吸引经销商。公司不必在许许多多的销售点包括许多边际单位上耗费自己的精力。它能够和挑选出来的中间商建立良好的工作关系，并且可望获得一个高于平均水平的推销努力。选择性分销能使生产者获得足够的市场覆盖面，与密集型分销相比有较大的控制和较低的成本。耐克，世界上最大的运动鞋制造商，是选择性分销的一个很好的例子。

耐克(Nike)　耐克公司在六种不同类型的商店中销售其生产的运动鞋和运动衣：(1)体育用品专卖店，例如，高尔夫职业选手用品商店，在那儿耐克公司已经宣布了其准备生产一种新型运动鞋的计划；(2)大众体育用品商店，那里有许多不同样式的耐克产品；(3)百货商店，那里集中销售最新样式的耐克产品；(4)大型综合商场，那里仅销售折扣款式；(5)耐克产品零售商店，包括大城市中的耐克城，在那里有耐克公司生产的全部产品，但其重点是销售最新样式的耐克产品；(6)工厂的门市零售店，所销售的大部分是二手货和存货。同时，耐克公司限制销售其产品的商店的数量。例如，在佐治亚州牛顿县，它仅允许贝尔克百货商店（Belk）和罗克罗姆商店（Lockeroom）销售其所生产的产品。[12]

密集性分销(intensive distribution)的特点是尽可能多地使用商店销售商品或服务。当消费者要求在当地能大量、方便地购买时，实行密集性分销就至关重要。该战略一般用于方便品项目，如香烟、汽油、肥皂、零食小吃和口香糖。

制造商在不断地被诱导着从专营或选择性分销走向更广泛的密集性分销，以增加它们的市场覆盖面和销量。这有利于短期绩效但经常打击他们的长期绩效。假设比尔·布拉斯(Bill Blass)，作为高级时装生产商，想进入密集性分销，公司把产品从当前高档零售商扩大至大众商业企业，它将会失去陈列布置、服务水平和价格的优势。这些增多的零售点有不同的管理费用，某些会降低售价，这导致了价格战。比尔·布拉斯服装的威信会在购买者中失去，制造商所控制的溢价将会降低。

渠道成员的条件和责任

生产者必须确定渠道成员的条件和责任。每个渠道成员必须区别对待和给他们盈利的机会。[13] "贸易关系组合"中的主要因素有：价格政策、销售条件、地区权利，以及每一方所应提供的具体服务。

价格政策(price policy)要求生产者制定价目表和折扣细目单。生产者必须确信这些是公平的和足够数量的。

销售条件(conditions of sale)是指付款条件和生产者的担保。大多数生产者对于付款较早的分销商给予现金折扣。生产者也可以向分销商提供有关商品质量不好或价格下跌等方面的担保。有关价格下跌所作出的担保能吸引分销商购买较大数量的商品。

分销商的地区权利(distributors territorial rights)是贸易关系组合的另一个要素。分销商需要知道生产者打算在哪些地区给予其他分销商以特许权。它们总喜欢把自己销售地区的所有销售实绩都归功于自己，不管这些买卖是否是通过它们而促成的。

对于双方的服务和责任(mutual services and responsibilities)，必须十分谨慎地确定，尤其是在采用特许经营和独家代理等渠道形式时。例如，麦当劳公司向加盟的特许经营者提供房屋、促销支持、记账制度、人员培训和一般行政管理与技术协助。而反过来，该经营者必须在物质设备方面符合公司的标准，对公司新的促销方案予以合作，提供公司需要的情报，并采购特定的食品。

对主要的渠道方案进行评估

每一渠道都需要以经济性(economic)、可控制性(control)和适应性(adaptive)这三种标准进行评估。请看下面的例子：

梅菲斯家具制造商(Memphis)想在西海岸零售商店出售它的产品。该制造商正在两种可能的方案之间进行抉择：

1. 一种可能是聘用10名新的销售代表，在旧金山组成一个推销办事处。他们除了基本工资外，还将根据其销售量获得佣金。

2. 另一种可能是在旧金山利用一家与零售商有广泛联系的制造厂商销售代理行。这家代理行有30名销售代表，他们将按其销售量获得佣金。

经济标准

每一种渠道方案都将产生不同水平的销售量和成本。第一个问题是使用公司的推销队伍销售量大呢，还是使用代理商销售量大？大多数营销经理认为，使用公司的推销队伍销售量大。公司推销代表完全致力于本公司的产品，他们在推销本公司的产品方面受过较好的训练；他们更富有进取性，因为他们的未来与公司密切相关；他们更可能获得成功，因为顾客喜欢直接与公司打交道。

然而，推销代理商也可能比公司推销队伍的销售量大。首先，推销代理商有 30 个推销代表，不是 10 个。第二，代理商的推销员可能和直接推销员同样积极，这取决于推销该产品的佣金是多少。第三，有些顾客喜欢和代表几家厂商的代理商打交道，而不喜欢与某一个公司的推销员来往。第四，代理商与市场有广泛的联系，而公司的推销队伍则必须从头做起。

下一步是估计每一个渠道不同的销售量的成本。这个成本表见图16—4。利用推销代理商的固定成本，比公司组建自己的推销办公室使用的推销成本低。但是利用代理商的费用增长很快，因为推销代理商的佣金比公司推销员高。

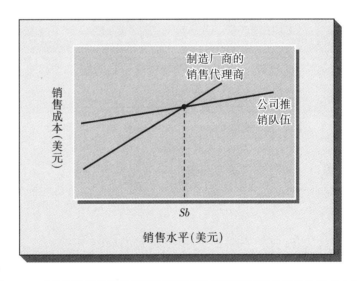

图16—4   关于选择公司推销员和制造厂商销售代理商的损益临界成本图

最后一步是比较销售量与成本。如图16—4中所示，在某一个销售水平上（Sb）上两种渠道的销售成本相等。当销售量小于（Sb）时，利用推销代理商较为有利，而当销售量高于（Sb）时，利用公司推销机构则更为适宜。一般来讲，代理商适宜于小型公司，或者大公司在某一个很小的区域采用，因为这个区域的销售量很低，没有必要使用公司自己的推销员。

控制标准

评价必须进一步扩大到要考虑两种渠道的控制问题。销售代理商是一个独立的公司，它关心的是本公司利润的最大化。代理商可能集中在那些从其处购买商品最多的顾客，而不是从对某个特定制造商的产品感兴趣方面考虑的。此外，代理商的推销人员可能没有掌握有关公司产品的技术细节，或者不能有效地运用它的促销材料。

适应性标准

为了发展渠道，渠道成员互相之间都允诺在某种程度下在一个特定的时期内持续维持义务，但由于生产商对变化市场响应的能力问题，其允诺的持续时间在缩短。在迅速变化、非持久和不确定的产品市场上，生产商需要寻求能适应不断变化的渠道结构和政策。

渠道管理决策

公司在确定了渠道方案之后，必须对每个中间商进行选择、培训、激励和评价。此外，随着时间的变化，渠道安排必须调整。

选择渠道成员

生产商为其所选中的渠道吸引合格的中间商方面的能力是不同的。丰田汽车公司吸引了新的商人经销它的凌志(lexus)汽车。然而，宝丽来公司初创时，就没有一家照相设备商店愿意经销它的新式照相机，它被迫转向大众化商品零售店。研讨一下爱普生的例子：

爱普生(Epson)　日本爱普生公司是制造计算机打印机的大厂家。该公司准备扩大其产品线，增加经营各种计算机。该公司对现有的经销商颇不满意，也不相信它们有向零售商店销售其新产品的能力，因此，公司决定秘密招聘新的分销商。爱普生雇用了一家名为赫格拉特(Hergenrather)的招聘公司，并给予下述指示：

● 寻找在褐色商品(电视机等)或白色商品(电冰箱等)方面有两步分销经验(工厂到配销商到经销商)的申请者。

● 申请者应是首席执行官型的，他们愿意并有能力建立其自己的分销机构。

● 他们将被付给 8 万美元的年薪加奖以及 37.5 万美元的资金用于帮助他们建立企业，他们每人各出资 2.5 万美元。他们每人均可持有企业的股票。

● 他们将只经营爱普生公司的产品，但可经营其他公司的软件。每个分销商将配备一名负责培训工作的经理和一个设备齐全的维修中心。

招聘公司在《华尔街日报》上刊登的招聘广告，吸引了近 1 700 封申请信，但其中多半是不合格的求职者。于是，该公司用电话簿黄页上的商业部分电话号码得到目前分销商的名称，并打电话与它的第二常务经理联系。公司安排了与有关人员会见，并在做了大量工作之后提出了一份最具资格的人员名单。爱普生选择了 12 名最好的候选者。

最后的步骤要求终止爱普生公司现有的分销商。他们将在被通知后的90

天期限内交接工作。然而，虽然这些步骤都完成了，爱普生作为一个成功的计算机制造商还有很长的距离。[14]

不管生产企业找中间商难也好，易也好，它们至少要确定鉴别好的中间商的特性。它们要评价中间商：经商的年数；经营的其他产品；成长和盈利记录；偿付能力；合作态度以及声誉。如果中间商是销售代理商，生产者还要评价其所经销的其他产品的数量和特征及其推销力量的规模和素质。如果中间商是要独家经销的百货商店，生产者就要评价商店的店址、未来成长的潜量和客户的类型。

培训渠道成员

公司需要仔细地计划培训它们的分销商和经销商，并执行之。因为中间商可以被看成是公司的最终用户。下面是一些对再售商培训的例子。

微软公司要求第三方的服务工程师要学完一系列的课程并参加资格证书考试。那些通过考试的人通常被称为"微软受证专家"，他们利用这个称号来开展业务。

米德公司(Mita)，复印设备的生产商，使用一种定制的CD驱动器对其经销商进行训练。在销售任何复印设备中，经销商的销售代理需要经过所有的步骤，同时因为这CD-ROM程序是双向互动的，销售代理可以和假设的顾客"谈话"，进行一次销售代理，处理所能发生的拒绝问题和征求销售。销售代理的业绩将被打分，然后，CD-ROM会向他们提供一些改进的建议。

福特汽车公司通过它的以卫星为基础的"福特之星网络"向它的6 000多个经销点发送训练程序和技术信息，每一个经销商的服务工程人员坐在会议桌旁观看，监视器中正在播放内容，其中一名教师正在向他们解释一些程序，如如何修理车板电子设备，并向他们提问和回答问题。

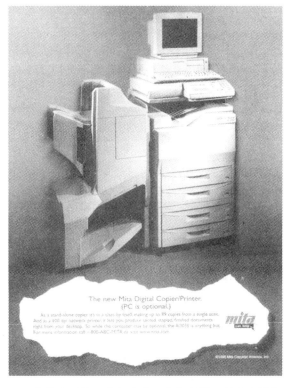

米德公司的一个新广告，它们培训经销商和销售代表，以便用定制的 CD-ROM 推销其复杂的设备。

激励渠道成员

公司应该用与看待其最终用户同样的方式来看待它的中间商。公司应该确定其中间商的需要和结构，研究渠道定位(channel positioning)，使它的渠道提供物(channel offering)能根据这些中间商的需要而提供优质的价值。公司应该安排一些培训课题、市场调研课程以及其他的能力培养课程(capability-building programs)，以改进中间商的工作业绩。公司应该连续不断地传送着这样一个观点，即它是把中间商当做合伙人看待的，它们一起共同努力以取悦于最终的消费者。

布鲁斯基酿酒公司(Brewski Brewing Company)　当布鲁斯基酿酒公司开展业务时，它对与它签过合同销售其产品的大小分销商实行激励。一旦分销商开始出售布鲁斯基产品，就能得到价值300美元皮夹克的奖励，以作为它系列短期激励方案的分销目标。另外，分销商提供给顶级顾客一个用硬木材料手工雕刻和绘制的带有布鲁斯基标志的龙头杖。[15]

要激励渠道成员出色地执行任务，制造商必须从尽力了解各个中间商的不同需要和欲望做起。麦克范(McVey)列举的下列观点有助于理解中间商：

中间商经常充当其顾客的采购代理，其次才是它的供应商的销售代理。……它对经销顾客希望从他那儿买到的任何产品都十分感兴趣……

中间商试图把他的供应物组合成一个品目族，它可以把商品像一揽子品种组合那样综合起来出售给单个顾客。他的销售努力主要用于获取这类品种组合的订单，而不是个别的商品品目。

除非有一定的刺激，中间商不会为所出售的各种品牌分别进行销售记录。……有关产品开发、定价、包装或者促销计划的大量信息都被埋没在中间商的非标准化记录中，有时它们甚至有意识地对供应商保密。[16]

在管理与分销商的关系时，生产商所采用的方式有很大的不同。从本质上讲，它们可以应用下述类型的力量形式以获取合作：

● 强制力量(coercive power)是表示当中间商不合作的话，制造商就威胁停止某些资源或中止关系。在中间商紧密依赖制造商的情况下这种方法是相当有效的。但实施压力会使中间商产生不满和逼使它们组织抵抗力量。

● 报酬力量(reward power)是指为中间商执行特定活动时，制造商给予的附加利益。报酬力量通常比压力效果更好，但开支过高。中间商的工作要被制造商确认为是应做工作以外的行为。当制造商有一定要求时，中间商越来越多地、不断地要求报酬。如果报酬后来被取消的话，中间商就会感到受骗了。

● 法律力量(legitimate power)被广泛地应用于制造商依据合同所载明的规定或从属关系，要求中间商有所行动。例如，通用汽车公司坚持经销商应保持一定的存货以作为授权协议的一个内容。制造商认为这是自己的权利，也是中间商应有的义务。一旦中间商认为制造商在法律方面占主导地位，法律力量就起作用了。

● 专家力量(expert power)可被那些具备专门技术的制造商所利用，而这些专门技术正是中间商认为有价值的。例如，制造商可能有一个很完整复杂的系统来确定中间商中的领头人，或给中间商的销售员以专业训练。这是一种力量的有效形式，如果中间商得不到制造商的帮助，他就会经营得很糟糕。其问题是一旦中间商掌握了该专门技术，该力量的基础被削弱。制造商必须连续不断地发展新专门技术，以至中间商会迫切地不断要求与制造商合作。

● 相关力量(referent power)产生于中间商以与制造商合作为自豪的情况下。例如，IBM、卡特彼勒、麦当劳和惠普等公司有高度的相关力量，中间商一般都准备遵从它们的愿望。如有可能，如果管理层依次培养相关力量、专家力量、法律力量和报酬力量的话，他们将获得最成功的合作，但最好应避免使用强制力量。[17]

中间机构把目标放在以合作、合伙或分销计划为基础的关系上。[18]大多数生产商看到这个主要的挑战，它们也在设法获得中间机构的合作。为了做到这一点它们采用各种正面鼓励，例如较高的毛利，特殊优惠，各种奖金，合作性广告补助，陈列津贴以及推销竞赛等。有时它们则采用反面制裁，如威胁说要降低毛利，放慢交货，或者终止关系等。上述方法的不足之处是生产者并没有真正了解分销商的需要、问题、实力和弱点。

较为精明的公司则努力与它们的分销商结成长期的合伙关系(partnership)。制造商要弄清楚在市场覆盖面、产品供应、市场开发、账务要求、技术建议和服务，以及市场信息等方面，制造商要从经销商那里得到什么。制造厂商企求在这些政策上得到分销商的合作，并引进一个为追随这种政策的功能合作计划。下面是成功建立伙伴关系的一些例子：

● 蒂姆肯公司(Timken)(滚珠轴承)要求其销售代表对分销商进行多层次的访问。

● 杜邦公司建立了一个分销商营销指导委员会，定期集会讨论有关问题。

● 戴克(Dayco)公司(工程用塑料和橡胶制品)实行每年一次为期一周的休养周制度，请20个分销商管理人员和20个戴克公司的管理人员参加，以加强互相联系。

● 范内蒂·费尔(Vanity Fair)、李维·斯特劳斯(Levi Strauss)和黑尼斯(Hanes)都与廉价零售店及商场的服装销售部建立了"迅速响应"的合作关系。

● 拉斯特–奥利(Rust-Oleum)向它的每个分销商发出一张包括营销计划的"菜单"，以供分销商选择最适合其的方案。

分销计划(distribution programming)是最先进的供应方法——联系分销商，它的定义为：建立一个有计划的、专业管理的纵向营销系统，把制造商和分销商双方的需要结合起来。制造厂商在公司内部设立一个分销商关系计划(distributor-relations planning)。它的任务是探求分销商的各种需要和制定推销方案，以帮助每个分销商的经营尽可能达到最佳水平。该部门和分销商联合规定：销售目标，存货水平，铺面空间和商品陈列显示安排，销售培训要求以及广告促销计划等。其目的在于转变分销商的这种想法，即它们主要是赚买方（同供应商相对的一方）的钱，它们作为卖方也能赚钱（作为聪明的纵向营销系统的一员）。卡夫和宝洁公司是两家有出色分销计划的公司。

太多的制造商把它们的分销商和经销商作为其顾客而不是工作伙伴。到现在为止，我们把制造商和分销商作为一个独立的组织。然而，许多制造商从其他制造商处购得相关产品而成为分销商，更进一步，某些分销商也拥有或控制了制造商的内部品牌。"营销视野——牛仔服的其他名字……品牌或标签"介绍了牛仔服行业的情况，但它对其他行业有参考作用。

营销视野

牛仔服的其他名字……品牌或标签

零售商和制造商认为各种类型品牌间的区别是很关键的，因为它们对利润有很大的影响，所以，它们努力用形象和销售渠道的差别化来区分各种品牌。牛仔服——美国人衣柜中的主要内容（年产值106亿美元的行业）——可分为4个层次：全国品牌、设计师标签、私人标签和零售店品牌。

全国品牌为一个在全国范围内做广告宣传并销售这种牛仔服的制造商所拥有。在19世纪70年代，李维·斯特劳斯用斜纹粗棉布制的牛仔服是首批获得全国认同的品牌中的一个。在接下来的一个世纪里，全国品牌的数量继续增加，但是，在20世纪80年代，品牌牛仔服的销售量出现了一个巨大的飞跃。拥有全国品牌称号的牛仔服包括李维（仍然居于销量第一的位置）、沃伦拉（Wrangler）和李（Lee）（两者都是VF公司的产品）、奇斯（Guess）。在20世纪80—90年代，李维由于销售其非斜纹粗布制的休闲裤杜克斯（Dockers）和斜纹粗布制的裙裤斯莱特斯（Slates）而获得了很大的成功。

设计师标签，全国品牌下面的一个分类，它是用设计师的名字命名的，并且通常无论是在国内还是在国外售价都较高（在100美元或以上）。目前，服装设计师中的巨星们——罗芬·拉莱（Ralph Lauren）、卡菲·克莱因（Calvin Klein）、汤默·黑尔菲卡（Tomny Hilfiger）和杜娜·卡莱（Donna Karan）——他们都有自己的牛仔服系列。在全国牛仔服的销售中，卡菲·克莱因居于第二位，仅次于李维。自从1978年卡菲·克莱因作了一则非常著名的广告以来，它就一直在市场中居于领先的地位，在这则广告中一个十多岁的小孩布罗克·西尔德斯（Brooke Shieds）说了这样一句话："你知道在我和我的卡菲之间有什么吗？什么都没有。"一些外国的设计师标签，比如雨果·波斯（Hugo Boss）也进入美国市场。甚至，一些已经退休的设计师，例如李兹·克莱波（Liz Claiborne）和格罗利·范德比特（Gloria Vanderbilt）也有他们的牛仔服系列。

私人标签为一个零售商所有，并且只有在它们自己的商店里才能看到。例如，沃尔玛销售的卡西·利·哥得福（Kathie Lee Gifford）系列，凯马特销售的杰克利·史密斯（Jaclyn Smith），费特兰特（Federated）商店销售的巴杰（Badge）男孩系列，西尔斯销售的卡罗（Canyon）蓝河系列，J. C. 朋内（Penney）销售的真正亚利桑那（Original Arizona）牛仔伙伴系列。亚利桑那牛仔服系列（孩子们称之为"佐奴斯"），它的成功使朋内1997年位居牛仔服销售的第三名，这同时也导致了其主要竞争对手西尔斯销售的卡罗蓝河系列品牌的发展。

零售店品牌是一个连锁店的名字，它被作为该商店或目录销售中大部分商品的独有品牌。这种类型的品牌包括加普(Gap)、利明德(The Limited)、J. 克鲁(Crew)、L. L. 本(Bean)、兰德(Land)的伊得(End)。加普在1991年首次成功地导入了一整套的零售店品牌的牛仔服系列。1996年零售店品牌的牛仔服的销售增加了5.8%，1997年又增加了5%。

不同类型的品牌对利润有不同的影响，私人标签的牛仔服的定价要比全国品牌的低且要比设计师标签的低得多。另一方面，零售店品牌牛仔服的价格通常与全国品牌的比较接近，但比私人标签要高。然而，边际利润并不是与售价成比例，零售店品牌的牛仔服的边际利润通常要比全国品牌的牛仔服的边际利润高5% ～ 15%。

资料来源："True Blue,"Esquire, July 1, 1994, p. 102; George White, "Wall Street, California; Fashion Pushes Sales Forward," Los Angeles Times, September 8, 1998, p. B1; Sharon Haver, "Shedding Light on Denim's Dark Past," Rocky Mountain News, May 28, 1998, p. 6D; Stacy Perman, "Business: Levis's Gets the Blues," Time, November 11, 1997, p. 66.

评价渠道成员

生产商必须定期按一定标准衡量中间商的表现，例如，销售配额完成情况，平均存货水平，向顾客交货时间，对损坏和遗失商品的处理，与公司促销和培训计划的合作情况。

一位生产商偶然发现它为特定的中间商所做的实际工作付费太多了。一位制造商也发现，它在为分销商仓库中的存货而向其作补偿，但分销商实际上将货存于由生产商付费的公共仓库。生产者应该建立当贸易渠道的服务达到某一水平时，它们应付报酬的功能折扣。生产商要对为其工作的中间商作出评议、训练或激励，如果不能胜任时应中止其业务。

渠道改进安排

一个生产商必须定期地检查和改进他的渠道安排。当渠道成员不能按计划工作时，消费者的购买方式发生变化，市场扩大、新的竞争者兴起和创新的分销战略出现以及产品进入产品生命周期的后一阶段时，便有必要对渠道进行改进。

在产品生命周期的整个过程中始终都保持竞争优势的营销渠道是没有的。早期购买者可能愿意通过增值高的渠道来购买，但后来购买者愿意转向低成本渠道购买。办公室小型复印机起初是经由制造商的直接销售人员销售，后来经由办公室设备经销商销售，再后通过大型综合商场，而现在则经由邮购公司和因特网营销者销售。

米兰德·李利(Miland Lele)设计了图16—5的坐标方格，用以表示个人电脑和新款服装在产品生命周期不同阶段的渠道变化情况。

● 导入期。新产品或新款式一般经由专业的渠道(诸如业余爱好者商店、精品店)进入市场。这种渠道能够发现流行趋势并能吸引早期的采用者。

● 迅速成长期。随着购买的兴趣增长，高销售额渠道便会出现(如专业店、百货公司)，这些渠道也提供服务，但不如先前的渠道提供得多。

● 成熟期。随着增长缓慢下降，一些竞争者便会将其产品转入低成本渠道(大型综合商场)销售。

● 衰退期。当衰退开始时，成本更低的渠道(如邮购商店、减价商店)便会应运而生。[19]

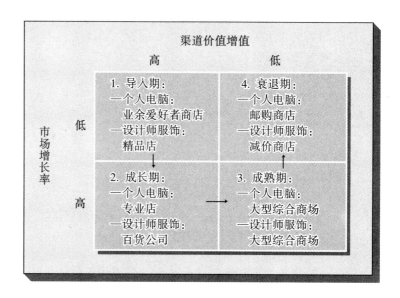

图 16—5　渠道价值增值与增长率

在较少进入壁垒的竞争市场上，选择自由的渠道结构将随着时间的推移而变化。在给定的成本下，现在的渠道结构不再有最有效的服务输出。因此，当前的结构需要改变它的选择结构的方向。渠道适应可分为三个层次。这种改进包括增减个别渠道成员，增减某些特定的市场渠道，或者创建一种全新的方式销售其产品。

增减某些特定的中间商要求进行增量分析。利用或者不用这家中间商，对公司的盈利有何影响？一家汽车制造商决定减少一家经销商，这不仅要考虑到会减少这家经销商的销货量，还要估计到给制造厂商的其他经销商所带来的销售上的得失。

有时，生产商会考虑停止使用所有低于一定销售量水平的中间商。考虑下列例子：

纳维斯达(Navistar)　纳维斯达卡车制造商注意到，他的 5% 的经销商每年所出售的卡车不到三四辆。而该公司为这些商人所提供的服务所耗费的费用超过了他们的销售所得到的利润。但是，撤销这些商人的决定会在整个渠道系统引起极大的反响。由于管理费用将被分摊到较少的卡车，因而使生产卡车的单位成本增加；一些雇员和设备因此而闲置着；这些市场上的若干业务可能会转向竞争者；其他经销商也会因此而感到不安。所有这些因素都是企业必须慎重考虑的。

最困难的决策是改进整个渠道战略。[20]分销渠道很明显地随着时间在走向过时。销售者现行的分销系统和满足目标顾客需要和欲望的理想系统之间的差距在扩大。这种案例有：雅芳公司挨门挨户的化妆品上门推销系统随着妇女走上工作岗位而必须修改；IBM公司在实地销售力量上对专销的依靠随着低价个人计算机的导入而不得不修改。

斯特恩(Stern)和斯达迪文(Sturdivant)总结出一个框架，称为顾客驱动分销系统设计(customer-driven distribution system design)，分析过时的分销系统走向目标顾客理想系统的步骤。[21]从根本上说，公司必须减少在目标顾客期望和服务产出方面的差距，它要求现在的系统改进，管理层思考在限制条件下的可行性。它包括六个步骤。

1. 研究目标顾客对相关渠道服务产出的价值认知、需要和期望。
2. 检查顾客期望的公司和竞争者的现行分销系统的业绩。
3. 发现需要进行改进的产出差距。
4. 识别限制改进行动的主要条件。
5. 设计"理想的"渠道解决方案。
6. 实施重新构造的分销系统。

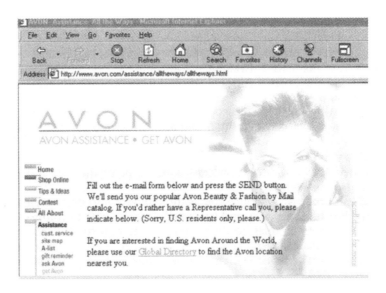

想要寻找雅芳的产品吗？请从雅芳的主页上得到帮助。

渠道动态

分销渠道不是一成不变的，新型的批发机构和零售机构不断涌现，全新的渠道系统正在逐渐形成。这里，我们将考察最近发展的垂直、水平和多渠道营销系统，以及这些系统之间是如何合作、冲突和竞争的。

垂直营销系统

垂直营销系统(vertical marketing system，VMS)是近年来渠道发展中最重大的发展之一。传统营销渠道由一个(或一组)独立的生产者、批发商和零售商组成。每个成员都是作为一个独立的企业实体追求自己利润的最大化，即使它是以损害系统整体利益为代价也在所不惜。没有一个渠道成员对于其他成员拥有全部的或者足够的控制权。

垂直营销系统则相反，它是由生产者、批发商和零售商所组成的一种统一的联合体。一个渠道成员作为渠道领袖拥有其他成员的产权，或者是一种特许经营关系，或者这个渠道成员拥有相当实力，其他成员愿意合作。垂直营销系统可以由生产商支配，也可以由批发商或者零售商支配。垂直营销系统有利于控制渠道行动，消除渠道成员为追求各自利益而造成的冲突。它们能够通过其规模、谈判实力和重复服务的减少而获得效益。在消费品销售中，垂直营销系统已经成为一种占主导地位的分销形式，占全部市场的 70% ～ 80% 之间，垂直营销系统的三种类型是公司式、管理式和合同式。

公司式垂直营销系统

公司式垂直营销系统(corporate VMS)是由同一个所有者名下的相关的生产部门和分销部门组合成的。垂直一体化被公司所喜爱是因为它能对渠道实现高水平的控制。例如，西尔斯百货公司从它部分拥有或全部拥有的公司里销售商品的比例超过 50% 。希尔温－威廉斯(Sherwin-Williams)公司不仅制造油漆，而且拥有 2 000 多家零售网点。巨人食品商店经营一家制冰设备厂、软饮料装瓶业务、一家冰激凌制造厂，还有一间面包烘房，为一家叫"巨人"的商店供应从馅饼到生日蛋糕的各种食品。

管理式垂直营销系统

管理式垂直营销系统(administered VMS)的生产和分销是由一家规模大、实力强的企业出面组织的。名牌制造商有能力从再售者那儿得到强有力的贸易合作和支持。例如，柯达、吉列、宝洁和金宝汤料公司等，能够在有关商品展销、货柜位置、促销活动和定价政策等方面取得其再售者的非同寻常的合作。

合同式垂直营销系统

合同式垂直营销系统(contractual VMS)是由各自独立的公司在不同的生产和分配水平上组成，它们以合同为基础来统一它们的行动，以求获得比其独立行动时所能得到的更大的经济和销售效果。约翰斯顿(Johnston)和劳伦斯(Lawrence)称它们是"增加价值的合伙人"。[22]合同式垂直营销系统近年来获得了很大的发展，成为经济生活中最引人瞩目的发展之一。合同式垂直营销系统有三种形式：

　　1. 批发商倡办的自愿连锁组织。批发商组织独立的零售商成立自愿连锁组织，帮助它们与大型连锁组织相抗衡。批发商制定一个方案，根据这一方案，使独立零售的销售活动标准化，并获得采购经济的好处，这样，就能使这个群体有效地和其他连锁组织竞争。

2. 零售商合作组织。零售商可以带头组织一个新的企业实体来开展批发业务和可能的生产活动。成员通过零售商合作组织集中采购，联合进行广告宣传。利润按成员的购买量比例进行分配。非成员零售商也可以通过合作组织采购，但不能分享利润。

3. 特许经营组织。在生产分配过程中，一个被称做特许经营(franchise)的渠道成员可能连接几个环节。特许经营是近年来发展最快和最令人感兴趣的零售形式。尽管基本思想还是老的，但是，有些特许经营的形式是崭新的。

传统的特许经营系统是制造商倡办的零售特许经营系统。例如，福特汽车公司特许经销商出售它的汽车，这些经销商都是独立的生意人，但是，同意满足有关销售和服务的各种条件。另一种是制造商倡办的批发特许经营系统。可口可乐饮料公司特许各个市场上的装瓶商(批发商)购买该公司的浓缩饮料，然后，由装瓶商充碳酸气，装瓶，再把它们出售给本地市场的零售商。一种新的系统是服务公司倡办的零售特许经营系统。这里，由一个服务公司组织整个系统，以便将其服务有效地提供给消费者。这种形式出现在出租汽车行业(赫茨公司、阿维斯公司)和快餐服务行业(如麦当劳公司、伯克王公司)和汽车旅馆行业(霍华德·约翰逊，拉玛达旅馆)。

零售业中的新竞争

许多没有参加垂直营销系统的独立的零售商，发展了各种专业商店，专门为那些对大商人缺乏吸引力的细分市场提供服务。结果在零售行业形成了两极分化的现象：即一方面是大规模的垂直营销组织；另一方面，则是独立的专业商店。这一发展给制造商带来了一个问题。它们和独立的中间商之间的联系是千丝万缕的，不是轻易能切断的。但是它们最终又必须和高速发展的垂直营销系统重新组合，同时还不得不接受若干无吸引力的条件。垂直营销系统不时有绕过大制造商，建立自己的制造业务的威胁。零售业中的新的竞争不再是独立的企业实体之间的争夺，而是集中规划网络工作的综合性系统(公司式的，管理式的，合同式的)之间为了达到最佳经济成本和顾客反应所进行的争夺。例如，为了吸引那些对价值敏感的消费者，加普成立了老海军服装公司，这是一个巨大的成功。然后，它为了占领一个比加普规模更大的市场，又购买了 Banana 连锁店。现在，它在三个不同的价格水平上都占领了相当大的市场份额。[23]

水平营销系统

另一个渠道发展形式是水平营销系统(horizontal marketing system)，它由两个或两个以上的公司联合开发一个市场。这些公司缺乏资本、技能、生产或营销资源来独自进行商业冒险，或者承担风险；或者它发现与其他公司联合可以产生巨大的协同作用。公司间的联合行动可以是暂时性的，也可以是永久性的，也可以创立一个专门公司。阿德勒(Adler)将它称为共生营销(symbiotic marketing)。[24]考察下面的例子：

H&R 布洛克和 GEICO(H&R Block & GEICO)　　H&R 布洛克公司是编制税务报表的连锁企业，它与 GEICO 保险公司签订协议，提供汽车保险信息给布洛克的顾客。GEICO 是在美国第 7 大的私人客车保险集团。H&R 布洛克的顾客现在有了通过免费电话号码接触 GE-ICO 的机会，从而了解他们汽车保险的情况。

莎莉传播公司和沃尔玛(Sara Lee Intimates & Wal-Mart)　　莎莉传播公司和沃尔玛公司成功地签订了一项长达 10 年的协议，这项协议使它们的业务从开始的 1.34 亿美元增加到 10 亿美元。两个公司均拥有自己的产品、运作系统、信息管理系统和营销人员，它们主要效力于该协议的履行。公司定期会晤以解决所遇到的问题并且为共同的市场份额目标制定计划，这要求分享市场营销信息、存货水平、销售历史、价格变化以及其他的机密信息。[25]

多渠道营销系统

过去，许多公司只向单一市场使用单一渠道进入市场。今天，随着顾客细分市场和可能产生的不断增加，越来越多的公司采用多渠道营销。当一个公司利用两个或更多的市场营销途径对一个或更多个顾客分部进行研究时，就出现了多渠道营销(multichannel marketing)。以下是几个例子。

派克－哈尼飞(Parker-Hannifin)　　派克－哈尼飞公司向木材加工业、渔业和飞机制造业中的客户销售。派克－哈尼飞建立了三个独立的销售渠道：林业设备批发商，海洋作业设备批发商和工业设备批发商，以销售其产品，而不只通过一个工业设备批发商销售。批发商之间好像很少存在冲突，因为三种批发商它们所面临的目标细分顾客都是独立的。

斯迪哈(Steihl)　　斯迪哈公司生产三个系列的电动锯。第一个系列的产品是针对家庭事务和进行维修的小型承包商而设计的，它们在家居改善中心(例如，家居百货公司和罗威斯)出售；第二个系列的产品是针对那些专门进行住宅楼建设的大型承包商而设计的专门的链条锯，它们由为承包商提供服务的批发商出售；第三个系列的产品是最后一种也是最好的一种锯，它们是承租商业楼建设的大规模的承包商用于切割混凝土造的和钢筋造的大梁的，它们只在那些专门经营切割工具的批发商那儿出售。在每一种情况下，公司都必须为不同的经销商制定不同的条款、支持方案、激励措施、包装要求以及定价策略。

通过增加更多的渠道，公司可以得到三个重要的好处。首先是增加了市场覆盖面公司不断增加渠道是为了获得顾客细分市场，而它当前的渠道是没有的。第二是降低渠道成本，公司可以增加能降低向现有顾客销售成本的新渠道(如电话销售而不是人员访问小客户)。第三是实行顾客定制化销售，公司可以增加其销售特征更适合顾客要求的渠道（如利用技术型推销员销售较复杂的设备）。

然而，获得新渠道需要代价。一般来说，引进新渠道会产生冲突和控制问题。当两个或更多的公司渠道为同一客户竞争时，冲突便发生了。控制问题则产生于新渠道成员更具独立性和合作越来越困难时。

很清楚，公司需要优先考虑它的渠道建设。莫里阿特(Moriarty)和莫兰(Moran)建议使用混合方法来计划渠道建设(见图16—6)。该方格图显示了几种营销渠道(行)和几种需求产生的任务(列)。[26]该图描述了为什么只使用一个营销渠道是得不偿失的。考虑只使用直接销售队伍。一个销售员必须发现需求，对顾客进行合格审查，售前服务，谈判结束，提供售后服务和进行客户管理。但是，让公司完成前期的任务将更有效，而让销售员为节省时间做访问顾客和结束销售的工作。公司的营销部门应该通过电信、直接邮寄、广告和贸易展览会产生需求。公司应用合格审查技术，如检查需求者是否想要访问和是否有足够的购买力，排列需求者的热、温和冷的态度。该部门还应该通过售前应用广告、直邮和电信营销产生潜在的顾客。在预期顾客咨询产品和准备购买时，由销售人员去销售。这样，昂贵的人员推销主要用于结束销售和管理客户。多渠道结构优化了市场覆盖面、顾客定制和控制，同时使成本与冲突最小化。

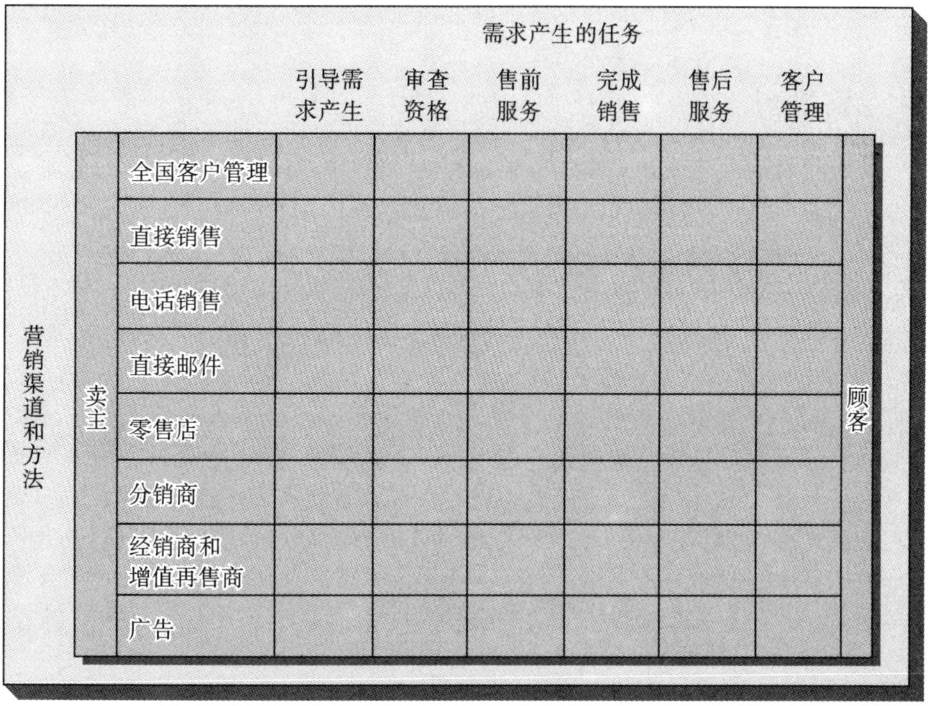

图16—6　混合方格各种需求任务

资料来源：Rowland T. Moriarty and Ursula Moran, "Marketing Hybrid Marketing Systems," Harvard Business Review, November – December 1990, p. 150.

公司应为不同的顾客规模设计不同的销售渠道。公司对大客户可以采用人员直销，中客户用电话营销，分销商处理小客户。用这种方法，公司可以为各种顾客采用适当的成本。然而，这些收获被日益增长的内部争夺客户业主

(account ownership)的冲突所抵消了。例如，销售代表想为他的地区的所有销售提供赊账，而不顾及他使用的营销渠道。

在同一渠道中各个公司的作用

一个行业中的每个公司都必须明确它在渠道系统中的角色，麦克康门(McCammon)把它们划分成五种不同的角色：[27]

1. 圈内者(insiders)是主渠道的成员。它们能够接近自己所选择的供应资源，在行业内享有较高的声誉。它们希望现有的渠道布局长久不变。它们是行业准则的主要实施者。

2. 奋斗者(strivers)是努力成为圈内者的公司。它们不易接近自己所选择的供应资源，在供应短缺期间，这是一个很大的障碍，它们坚持行业准则，因为它们渴望成为圈内者。

3. 补充者（complementers）是非主渠道的成员。它们承担一些为渠道其他成员所不愿意做的工作，或者为市场中较小的细分片提供服务，或者经销小批量商品。它们通常从现有系统中获得好处，并且尊重行业准则。

4. 转移者(transients)是主渠道之外的，并且无意成为其成员的公司。它们在市场上或进或出，伺机而动。它们只考虑短期利益，而对于坚持行业准则毫无兴趣。

5. 圈外革新者(outside innovators)是主渠道的真正的挑战者和破坏者。它们发展一种新的系统来实施渠道营销工作；如果成功，它们就会迫使主渠道重新改组。参见"新千年营销——大汽车市场是如何改变汽车销售业务的"。

新千年营销

大汽车市场是如何改变汽车销售业务的

任何一个想买一辆旧车的人都会认为这是一件有风险的事。从你踏上旧车的停车场，并且见过旧车的销售人员那一刻起，你都非常警惕。这些车子可能有许多看不见的问题，可能定价过高、可能保单金额不足或者没有保单。两个公司的出现改变了该行业的面貌和标准。1993年，环路城（Circuit City）公司，一个电子产品的零售商开设了大汽车市场（CarMax）——汽车超市，它开创了旧车销售行业的新时代。第一家汽车超市设立在弗吉尼亚州里士满。大汽车市场现在有13家店，并且争取到2002年达到90家。

大汽车市场有什么特别的地方吗？大汽车市场把它的汽车超市设立在市郊的靠近主要高速公路线的地方，面积很大，每一个汽车超市中大约有500辆旧车。顾客步入一个很吸引人的展览厅，类似于人们在新车经销商店里看到的展览厅。他们的孩子可安排在日托所被人照看着，那里有许多玩具和游戏。当销售人员发现顾客在寻找某种类型的车时，他们会把顾客带到一个电脑售货亭前。利用计算机的触摸式屏幕，销售人员检索出库存中所有符合顾客标准的旧车清单。每一辆车子的彩照都可以被展示一番，同时还会为你展示车子的特性和其固定的售价。这里不能协商定价，而且由于销售人员是根据所售车子的数量而不是根据所售车子的价值来获取佣金的，所以，他们也没有动力要去说服顾客购买价格更高的车子。在选购旧车时，顾客知道大汽车市场的技工已经进行了一次 110 点的检查，并且进行了必要的修理。而且，购买旧车有 5 天付款时间和 30 天的综合担保。如果顾客想进行融资贷款来购车，大汽车市场的销售人员会在 20 分钟内安排好这件事，整个过程不需要 1 个小时。

为什么人们对旧车行业的合理化感兴趣？首先，新车的价格在 10 年内几乎翻了一番，这使得许多人宁愿去买旧车以省钱，尤其在当今的汽车性能更好，使用寿命更长的情况下。其次，汽车租赁业的巨大发展也使旧车的供给增加了许多。再次，银行也越来越愿意向购买旧车的人提供低成本的融资贷款，尤其是当它们发现购买旧车的人的违约率要比购买新车的人的违约率低时。最后，经销商反映销售旧车所赚取的净利润要高些，如果销售一辆新车的利润是 130 美元的话，那么旧车的利润约有 265 美元。由于以上这种种原因，大汽车市场更愿意把它所从事的业务称为"先拥有的汽车"或者"几乎是新车"而不是"旧车"。

大汽车市场也有竞争对手，其中有韦恩·休兹加（Wayne Huizenga）在 1995 年设立的全国汽车市场（AutoNation），他也是布罗克巴士（Blockbuster）影碟公司的创始人。该公司计划到 2000 年开设 90 家汽车超市。此外，全国汽车市场还设立了一家经营新车的连锁店，销售多种品牌的新车，现在该公司已经占领了新车市场（年销售量 3 300 亿美元）的 1% 的份额。休兹加甚至想利用汽车行业中的剩余生产能力生产一种家庭品牌的汽车，他可能会利用韩国的一个汽车制造商来生产全国汽车市场的汽车。

资料来源：Gabriella Stern, "Nearly New' Autos for Sale: Dealers Buff Up Their Marketing of Used Cars," Wall Street Journal, February 17, 1995, p. B1; Gregory J. Gilligan, "Circuit City's CarMax Superstores Pass $300 Million in Yearly Sales," Knight-Ridder/Tribune Business News, April 5, 1997, p. 19.

冲突、合作和竞争

对渠道无论进行怎样好的设计和管理，总会有某些冲突，最基本的原因就是各个独立的业务实体的利益总不可能一致。这里我们讨论三个问题：在渠道中产生哪种类型的冲突？渠道冲突的主要原因是什么？怎样才能解决渠道冲突？

冲突和竞争的类型

假定一个制造商建立了包括批发商和零售商的各种渠道。制造商希望渠道合作，该合作产生的整体渠道利润高于各自为政的各个渠道成员的利润。通过合作，渠道成员能够更有效地了解目标市场，为其提供服务，满足其需求。然而，垂直、水平和多渠道的冲突也产生了。垂直渠道冲突（vertical channel conflict）是指同一渠道中不同层次之间的利害冲突，这类冲突更为常见。通用汽车公司为了实行有关服务、价格和广告方面的一系列政策，和它的经销商发生了矛盾。可口可乐公司和它的装瓶商发生摩擦，因为后者也为佩帕公司（Dr. Pepper）装瓶。更详细的论述，参见"营销视野——在消费包装商品行业中的垂直渠道冲突"。

在消费包装商品行业中的垂直渠道冲突

许多年来，消费包装商品的大制造商相对于零售商，拥有高度的市场力量。这是基于制造商巨量广告以建立品牌偏好，结果是零售商被迫经营它们的品牌。但是，现在零售商对制造商的力量关系已发生了某些转移：

1. 巨型零售商的成长和它们集中的购买力（在瑞士，两家零售商——米格洛斯（Migros）和库珀（Coop）——占据了全部食品零售的大约70%）。

2. 零售商开发了容易辨认的低价商店品牌与制造商品牌相竞争。

3. 提供的新品牌缺少可容纳的货架（在美国，平均每家超市经营2.4万个品目而制造商每年推出1万个新品目）。

4. 巨型零售商坚持要从制造商处取得更多的促销费用，否则它们的品牌在商店里就不允许进入或维持，并得不到商店的支持。

5. 制造商广告费的减少和大量受众的广告腐蚀。

6. 零售商日益成长的营销与要求的高级化（使用条形码、扫描数据、电子数据交换和直接产品利润能力）。

零售商成长的实力是多方面的，它们向制造商征收上架费，这是制造商想让其新产品进入商店的费用；展示费是占用商场空间的费用；罚款是延误或订单不完全的费用；退场费是把货退给制造商的成本费用。

制造商还发现，如果它们的品牌不是全国品牌领先者的头三位的话，将被逐出商店。由于零售商不愿意在同一个食品品目中经营多于四种的品牌，而且其中两个是它自己的，因此，只有两个全国顶级品牌才能赚钱。其余的小品牌只能为商店品牌做加工业务。

所有这些是制造商面对零售商的挑战，它们应怎样重新获得和拥有自己的力量？很清楚，制造商不可能建立零售网点。制造商也不想继续在交易促销中大量花钱，因此，它们的品牌建设能力在下降。市场份额领先者在研究下述战略，以维持它们在渠道中的力量：

1. 把力量集中在有机会成为某一品目中头两位的品牌上，并继续研究改进它们的质量、特点、包装等。

2. 保持一项积极的产品线扩展方案和仔细地计划品牌延伸程序。作为计划的一部分，开发有战斗力的品牌与零售商店品牌竞争。

3. 尽可能搞目标广告以建立和维持品牌特许经营。

4. 把各个主要零售渠道作为有区别的目标市场，认识它们各自的需要，调整供应品和销售系统，以便为每个目标零售商的盈利能力服务。把它们作为战略合伙人并准备定制工作产品、包装、服务、利益、电子联结和成本节约。

5. 提高开展服务质量和开展新服务。精确及时地交清订单上的全部商品，订单周期时间缩短，提高交货能力，商品咨询，加强存货管理，订货和开单过程简便化，加强订单／发运的信息管理。

6. 研讨采取的每日低价方针这种贸易交易形式，它导致了大量的预算错误、预购和商品的地域位置转移。

7. 有进取心地扩展其他零售渠道，如仓储成员俱乐部、折扣商店、便利商店和某些直接营销。

　　警惕性高的制造商，若要对零售客户处于一个强有力的地位，就应采用一个称做有效消费者反应的系统。它包括四种方法。第一是以活动为基础的成本会计，它能使制造商衡量并显示满足连锁商店要求的真实成本。第二是电子数据交换，它改进制造商管理存货、运输、促销发布等的能力，为它自身与零售商的利益服务好。第三是连续补充程序，它能使制造商根据实际情况预测商店需求从而补充产品。第四是流动交叉点补充，它能使较大的零售商分销中心及时为各个独立商店运输卸货，使分销中心几乎没有仓储时间损失。掌握了有效消费者反应系统的制造商将获得比竞争者更多的优势。

　　资料来源：For additional reading, see "Not Everyone Loves a Supermarket Special: P&G Moves to Banish Wildly Fluctuating Prices That Boosts Its Costs," Business Week, February 17, 1992, pp. 64～68; Gary Davis, Trade Marketing Strategies (London: Paul hapman, 1993).

　　水平渠道冲突(horizontal channel conflict)是指存在于渠道同一层次的成员公司之间的冲突。在芝加哥，一些福特汽车经销商对该城市的另外一些福特汽车经销商感到不满，埋怨它们在价格和广告方面过于进取。必胜客公司的一些特约经营商店抱怨另外一些必胜客公司的特约经营商店，说它们在配料上弄虚作假，服务质量低劣，损害了整个必胜客的形象。人们指责贝纳通(Benetton)，说它的特约经营商店在纷纷关门，每一个商店的利润在减少。

　　多渠道冲突(multichannel conflict)产生于在制造商已经建立了两个或更多的渠道，并且它们互相在推销给同一市场时产生竞争。当李维·斯特劳斯公司同意把牛仔裤在其正常的特约商店渠道之外再分销给西尔斯百货公司和彭尼公司时，它遭到特约商店的强烈不满，当某些服装制造商(拉尔夫·劳伦纳和安妮·克莱因)开了自己的服装店，卖它们衣服的百货公司就不高兴。当固特异开始把它的畅销的品牌轮胎通过大众化市场零售商，如西尔斯、沃尔玛和折扣轮胎店出售时，代销其产品的独立经销商就异常愤怒了。最后，为了缓和它们的不满提供给它们其他零售点不销售的某些特许轮胎模型。当一个渠道的成员或者降低价格(在大量购买的基础上)，或者降低毛利时，多渠道冲突会变得特别强烈。

渠道冲突的原因

　　区分产生渠道冲突的不同原因是重要的。有些原因很容易解决，另一些却很困难。

　　一个主要的原因是目标不一致(goad in compatibility)。例如，制造商想要通过低价政策获取快速市场增长。另一方面，经销商更偏爱高毛利地推行短期的盈利率。有的时候，冲突产生于不明确的任务和权利。IBM公司通过自己的销售队伍向大客户供货，但它的授权经销商也努力向大客户推销。地区边界、销售信贷等等变得混乱和产生冲突。

　　由于增加了新的渠道，公司将面临着渠道冲突。下面的例子说明IBM面临着三种渠道冲突：

　　1. 全国客户经理与现场销售员的冲突。全国客户经理依赖当地的现场销售员访问工厂和办公室的全国性客户，有时仅用一纸简单的通知。地区现场销售员可能收到好几位全国客户经理的访问要求，并且这妨碍了他自己的日常访问计划，也减少了他的佣金。销售员在与本人利益冲突时，可能与全国客户经理不合作。

2. 现场销售员与电信营销者的冲突。销售员经常抱怨他们的公司设立电信营销向小客户提供销售。但公司却告诉销售员，这节约了他们的时间以至能访问大客户和赚更多的佣金。然而，销售员并不这样认为。

3. 现场销售员与经销商的冲突。经销商包括增值再售商，它们从IBM购买电脑，并为目标买方增加特制软件，还有计算机零售商店，它们是自己上门者和小企业购买设备的出色渠道。在原则上，这些经销商只能从事小客户买卖，但它们中的许多在追逐大客户。它们经常提供特制软件安装和培训、更好的服务和比IBM的直销员更低的价格。当经销者跟在他们的客户后面时，直销员愤怒不已，并视他们在"竞争"，他们认为这些再售商分裂了他们与客户的关系。他们要求IBM停止向对大客户销售计算机的经销商供货。然而，如果IBM停止向这些成功再售商供货，IBM就会丧失很多业务。作为交换，IBM决定给销售员账面上的信贷，以补偿被积极的再售商抢走他们客户的损失。

冲突还产生于**知觉差异**（differences in perception）。制造商可能对近期经济前景表示乐观并要求经销商多备存货，但经销商却对经济前景不看好。

冲突的原因还在于中间商对制造商的巨大依赖性（great dependence）。例如，像汽车经销商的独家经销商，它们的前途受制造商产品设计和定价决策的紧密影响。这是产生冲突的隐患。

渠道冲突的管理

某些渠道冲突能产生建设性的作用。它能导致变化着的环境的更多的动力。当然，更多的冲突是失调的。问题不在于是否消除这种冲突，而在于如何更好地管理它。下面是几种管理冲突的机制。[28]

一个重要的解决方法可能是采用**超级目标**（superordinate）。渠道成员有时会以某种方式签订一个他们共同寻找的基本目标的协议。内容包括生存、市场份额、高品质或顾客满意。这种事情经常发生在渠道面临外部威胁，如更有效的竞争渠道、法律的不利规定或消费者要求改变时。他们联合起来排除威胁。

另一种有用的冲突管理是在两个或两个以上的渠道层次上**互换人员**（exchange persons）。例如，通用汽车公司的一些主管可能同意在部分经销商店工作，而某些经销商业主可以在通用汽车公司有关经销政策的领域内工作。可以推测，经过互换人员，一方的人就能接触另一方的观点和带来更多的理解。

合作（cooptation），包括参加咨询委员会和董事会等，对一个组织赢得另一个组织领导的支持是有效的，他们会感到其观点被另一方所倾听。一旦发起的组织认真对待另一组织的领导，该合作就会减少冲突。但发起的组织如果想赢得对方支持的话，它也会在其政策和计划的妥协上付出代价。

许多冲突的解决也可以通过贸易协会之间的联合协调来完成。例如，美国杂货制造商协会与代表大多数食品连锁店的食品营销协会进行合作，产生了通用产品条形码。可推测，该协会会考虑食品制造商和零售商的共同问题并有次序地解决它们。

当冲突是长期性或尖锐的时候，冲突方必须通过协商、调解或仲裁解决。**协商**(diplomacy)是一方派人或小组与对手方面对面地解决冲突。两方人员或多或少地共同工作产生共识以避免冲突尖锐化。**调解**(mediation)意味着由一位经验丰富的中立的第三方根据双方的利益进行调停。**仲裁**(arbitration)是双方同意把纠纷交给第三方(一个或更多的仲裁员)，并接受他们的仲裁决定。

在渠道关系中的法律和道德问题

在大部分地方，公司在法律之下能自由地开发和安排能适合它们的渠道。事实上，法律对渠道的影响是企图防止公司的排他性战术，因为这使其他公司不能利用它希望的渠道。我们在下面简明地研讨一下某些渠道工作中的法律问题，包括专营交易、专营地区、联结协议和经销商权利。

专营交易

许多生产商和批发商喜欢为它们的产品发展专营渠道。当销售者仅允许一定的售点经营其产品时，该战略就称为**专营分销**(exclusive distribution)。当销售者要求这些经销不能经营竞争者产品时，这战略就称为**专营交易**(exclusive dealing)。专营后双方的利益是销售者取得更忠实和可信赖的售点。专营交易契约必须遵守有关法律，法律要求它们不能实质性地减少竞争、产生垄断和双方必须是自愿签订协议的。

专营地区

专营交易经常涉及地区的销售协议。生产商可以同意在规定的区域内不销售给其他经销商。或者，买方可以同意只在自己的地区内销售。第一种做法增加了经销商的热情和义务。它也是完全符合法律的——销售者没有法律责任向超过他所希望的更多的售点销售。第二种做法是生产者努力防止经销者在本地区以外销售产品，这在法律上成为一个重要的待解决问题。一个痛苦的法律案例是在加州桑德安娜的 GT 自行车公司起诉巨人连锁商——科斯科(Costco)，后者出售 2 600 辆高定价的山地自行车时用了高折扣，它扰乱了 GT 在国外的经销商。GT 声称，它是首先在俄罗斯销售自行车的，这意味着只有它在俄罗斯经销。GT 坚持说，当折扣商得到排他的商品时，这是一种欺诈行为。[29]

搭售协议

拥有强有力品牌的生产商有时要求经销商经销它产品线下的部分或全部产品，这被称为**全产品线搭售**(full-line forcing)。这种搭售协议并非违法，但如果它们实质上降低了其他厂商的竞争能力时，它就违反了美国法案。

经销商权利

生产商可自由选择它们的经销商，但中止经销商的权利是有某些限制的。一般来说，生产商中止与经销商的关系要有"某些理由"。例如，如果经销商拒绝在有争议的法律协议下的合作，如专营交易或搭售协议，则生产商不能中止与经销商的合同。

小结

1. 大多数生产者不直接向最终用户出售商品，在生产者和最终用户之间存在着一个或更多的营销渠道，它们是执行着不同功能的营销中间机构。营销渠道决策是管理当局面临的最重要的决策。公司所选择的渠道将直接影响其他所有营销决策。

2. 公司利用中间机构是因为它们缺乏直接营销的客户资源，或直接营销并不可行，或它们在做更赚钱的其他事情。利用中间商的目的就在于它们能够更加有效地推动商品广泛地进入目标市场。中间商执行的最重要功能有：收集信息，促销，谈判，订货，融资，承担风险，占有实体商品，付款和所有权转移。

3. 制造商面临许多进入市场的选择。它们可以直接销售或使用一、二、三以及更多的中间渠道层次。决策使用哪一种渠道要求：(1)分析顾客需要；(2)建立渠道目标；(3)辨认和评价可供选择的主渠道，包括这些渠道的中间商类型和数量。公司必须决策在分销产品时采用的是哪一种策略，是专营、有选择性的或密集性的，它必须说清楚这些术语，并要对每个渠道成员负有责任。

4. 有效的渠道管理要求选好中间机构并激励它们。其目标是建立一个长期的伙伴关系，并使所有渠道成员盈利。个别的渠道成员必须根据事先建立的标准进行定期评估，并且在市场条件变化时，对渠道的安排进行修正。

5. 营销渠道的特性表现为连续性和有时出现的剧烈变化。三个最重要的变化趋势是垂直营销系统(公司式、管理式和合同式)，水平营销系统以及多渠道营销系统。

6. 所有的营销渠道都存在潜在的渠道冲突，和来自于目标不一致、不明确的任务与权利，在感觉上的差别和高相互依赖性而引起的竞争。管理这些冲突的方法是寻找超级目标，在两个或两个以上的层次上互换人员，赢得另一方渠道领导的合作和支持，鼓励参加咨询委员会和贸易协会之间的联合。

7. 渠道协议可能涉及到其他公司，所以产生某些法律和道德问题，包括专营交易、专营地区、搭售协议和经销商权利。

应用

本章观念

1. "中间商是寄生虫"和"除掉中间商，价格就会降下来"，这些是风行了几个世纪的指控。假定营销中间人被合法禁止，你现在想吃一个小麦面包，从种小麦的农民开始，阐明现行的分销系统如何工作。换句话说，小麦如何变为一个面包并到达你的手中？如果这一系统被取消，顾客为得到一个面包将做些什么？你认为一个面包将花费多少钱？

2. 从各种各样的企业、顾客及服务业中所得的经验证明，一个产品的最好分销渠道将随着产品生命周期而变化。一些能干的营销者告诫生产商根据产品生命周期把产品从一个渠道移到另一个渠道——直接销售给经销商、大型综合商店、折扣仓库，等等——如果它们想保持其竞争优势的话。为一无线钻孔机构思其经过产品生命周期每个阶段的渠道战略。

a. 该公司在每个阶段的战略性重点应是什么？

b. 在每个阶段应采用什么渠道？

c. 在产品生命周期的哪个阶段，利润最高？

d. 哪个阶段使用中间商最多，哪个阶段使用得最少？

3. 为以下产品建议些可供选择的渠道：(a)生产全新收割机的小公司；(b)小型塑料制品制造商，它研制了一种保持水瓶和食物冰冻的野餐袋；(c)无水箱式迅速热水器。每个可供选择渠道的优缺点是什么？

营销和广告

1. 图16A—1中的无线电棚屋(Radio Shack)广告以嘲弄的口吻反映了无线电话产品的密集性分销。为什么蜂窝电话及类似产品的制造商们会选择这样一种分销战略？为什么顾客所向往的服务产出水平成为了这则广告设计的基础？请解释。

2. 图16A—2是德贝纳姆斯(Debenlams)，英国百货商店业中的领头羊，展示其假日流行服装的一则广告，它是刊登在英国妇女杂志上的。德贝纳姆斯公司将可能从哪一种品牌的产品销售中赚取更高的利润，全国品牌还是零售品牌？德贝纳姆斯公司为在广告中展示其全国品牌而不是零售店品牌的产品会采

图 16A—1

图 16A—2

取什么行动？对于时装业来说，为什么百货商店是其重要的渠道合伙人？

聚焦技术

帮助顾客对网上零售商店提供的产品进行价格和服务比较的一些 Web 站点，其功能主要是起补充作用，为顾客们提供在渠道上的其他地方所得不到的比较信息。但是，许多制造商和渠道成员对这些便于比较购物的 Web 站点表示关注。因为这些 Web 站点倾向于使顾客把注意力集中在价格上而不是营销组合的其他部分。

针对计算机硬件和软件产品的一些比较，购物 Web 站点迅速发展起来，而新的 Web 也在试图为其他的产品目录提供这样的服务。阿克萨斯(Acses)站点就是一个很好的例子，它对因特网上的来自美国和欧洲的 25 家零售书店进行价格和服务方面的比较。去访问一下阿克萨斯网(www.acses.com/)并试着去寻找一本特别的书，同时阅读一下 FAQ 以对阿克萨斯有更多的了解。为什么消费者在访问著名的网上书店站点[例如，亚马逊(Amazon.com)]之前，要先去访问一下阿克萨斯站点？为什么图书出版社或零售商同意把它们的名字列在阿克萨斯站点上？为什么其他的站点也希望链接到阿克萨斯站点上？

新千年营销

大汽车市场(CarMax)，一个快速成长的圈外革新者，正在向传统的汽车经销商进行挑战，并且正在改变旧车的销售方式。把你的因特网浏览器对准它的网址(www.carmax.com)，点击导游图，以查看一下这个计算机售货亭并了解典型的大汽车市场商店的内部和外部环境；同时点击"汽车浏览器"以调出该公司计算机制作的汽车清单。对于那些想买私家车的消费者，大汽车市场如何才能达到他们所希望的服务产出水平？解释一下大汽车市场的服务产出水平是怎样为公司的快速成长和成功做出贡献的。

你是营销者：索尼克公司的营销计划

在任何制造商的营销计划中，营销渠道都是一个很基本的要素。通过计划营销渠道的设计、管理、评价和改进，制造商可以确保顾客在任何时候、任何地方，只要他们想买它们所生产的产品，他们就能买到。

你在索尼克公司(Sonic)是简·梅洛迪(Jane Melody)的助手，你负责对索尼克公司的立式立体音响的营销渠道进行管理。重新考虑一下索尼克公司目前的处境，然后，回答下面的关于营销渠道的几个问题(指出你还需要增加哪些研究)：

● 索尼克公司对其目前的渠道成员有什么评价？

● 对索尼克公司新产品的前向运动和残次产品的后向运动，它采用哪种渠道长度是最恰当的？

● 在决定渠道成员的数量时，索尼克公司是否应该采取专营、有选择性的或密集性分销的形式？为什么？

● 索尼克公司的顾客希望公司提供的服务达到什么水平？这些水平方面的要求对索尼克公司制定营销渠道战略有什么影响？公司应该如何来支持它的渠道成员？

仔细考虑你对以上问题所作的回答以及它们对公司营销行为的含义。然后，根据导师的指示，把你的意见和建议写进一个书面的营销计划中，或者把它们输入到营销计划程序软件中的营销战略部分中的营销组合／地点部分。

【注释】

[1] Louis W. Stern and Adel I. El-Ansary, *Marketing Channels*, 5th ed. (Upper Saddle River, NJ: Prentice Hall, 1996).

[2] E. Raymond Corey, *Industrial Marketing: Cases and Concepts*, 4th ed. (Upper Saddle River, NJ: Prentice Hall, 1991), ch. 5.

[3] Stern and El-Ansary, *Marketing Channels*, pp. 5 ~ 6.

[4] William G. Zikmund and William J. Stanton, "Recycling Solid Wastes: A Channels-of-Distribution Problem," *Journal of Marketing*, July 1971, p. 34.

[5] For additional information on backward channels, see Marianne Jahre, "Household Waste Collection as a Reverse Channel—A Theoretical Perspective," *International Journal of Physical Distribution and Logistics* 25, no. 2(1995): 39 ~ 55; and Terrance L. Pohlen and M. Theodore Farris II, "Reverse Logistics in Plastics Recycling," *International Journal of Physical Distribution and Logistics* 22, no. 7 (1992): 35 ~ 37.

[6] Ronald Abler, John S. Adams, and Peter Gould, *Spatial Organizations: The Geographer's View of the World* (Upper Saddle River, NJ: Prentice Hall, 1971), pp. 531 ~ 532.

[7] See Irving Rein, Philip Kotler, and Martin Stoller, *High Visibility* (New York: Dodd, Mead, 1987).

[8] For a technical discussion of how service oriented firms choose to enter international markets, see M. Krishna Erramilli, "Service Firms' International Entry-Mode Approach: A Modified Transaction-Cost

[9] Louis P. Bucklin, *Competition and Evolution in the Distributive Trades* (Upper Saddle River, NJ: Prentice Hall, 1972). Also see Stern and El-Ansary, *Marketing Channels*.

[10] Louis P. Bucklin, A *Theory of Distribution Channel Structure* (Berkeley: Institute of Business and Economic Research, University of California, 1996).

[11] Teri Lammers Prior, "Channel Surfers," *Inc.*, February 1995, pp. 65 ~ 68.

[12] Will Anderson, "Vendor Irate at Jersey Decision," *Atlanta Journal and Constitution*, October 17, 1996, p. R1; William McCall, "Nike Posts $72M Loss," The Associated Press, December 12, 1998; Philana Patterson, "Athletic Shoe Industry Hurt When Buyers Drag Feet," *Star Tribune*, December 26, 1997, p. 7B.

[13] For more on relationship marketing and the governance of marketing channels, see Jan B. Heide, "Interorganizational Governance in Marketing Channels," *Journal of Marketing*, January 1994, pp. 71 ~ 85.

[14] Arthur Bragg, "Undercover Recruiting: Epson America's Sly Distributor Switch," *Sales

and Marketing Management, March 11, 1985, pp. 45 ~ 49.

[15] Vincent Alonzo, "Brewski,"*Incentive*, December 1994, pp. 32 ~ 33.

[16] Philip McVey, "Are Channels of Distribution What the Textbooks Say?" *Journal of Marketing*, January 1960, pp. 61 ~ 64.

[17] These bases of power were identified in John R. P. French and Bertram Raven, "The Bases of Social Power,"in *Studies in Social Power*, ed. Dorwin Cartwright (Ann Arbor, MI: University of Michigan Press, 1959), pp. 150 ~ 167.

[18] See Bert Rosenbloom, *Marketing Channels: A Management View*, 5th ed. (Hinsdale, I L: Dryden, 1995).

[19] Miland M. Lele, *Creating Strategic Leverage* (New York: John Wiley, 1992), pp. 249 ~ 251. This fact struck the manufacturer of the Microfridge, a combination minirefrigerator and microwave oven.

[20] For an excellent report on this 1ssue, see Howard Sutton, *Rethinking the Company's Selling and Distribution Channels*, research report no. 885, Conference Board, 1986, 26 pp.

[21] Stern and El-Ansary, *Marketing Channels*, p. 189.

[22] of the Value-Adding Partnership,"*Harvard Business Review*, July-August 1988, pp. 94 ~ 101. See also Judy A. Siguaw, Penny M. Simpson, and Thomas L. Baker, "Effects of Supplier Market Orientation on Distributor Market Orientation and the CHannel Relationship: The Distribution Perspective,"*Journal of Marketing*, July 1998, pp. 99 ~ 111; Narakesari Narayandas and Manohar U. Kalwani, "Long-Term Manufacturer—Supplier Relationships: Do They Pay Off for Supplier Firms?" *Journal of Marketing*, January 1995, pp. 1 ~ 16.

[23] David A. Aaker, "Should you Take Your Brand to Where the Action Is?" *Harvard Business Review*, September 1, 1997, p. 135.

[24] Lee Adler, "Symbiotic Marketing,"*Harvard Business Review*, November-December 1966, pp. 59 ~ 71; and P. "Rajan"Varadarajan and Daniel Rajaratnam, "Symbiotic Marketing Revisited,"*Journal of Marketing*, January 1986, pp. 7 ~ 17.

[25] Robin Lewis, "Partner or Perish,"*WWD Infotracs: Strategic Alliances*, February 24, 1997, p. 4.

[26] See Rowland T. Moriarty and Ursula Moran, "Marketing Hybrid Marketing Systems,"*Harvard Business Review*, November-December 1990, pp. 146 ~ 155. Also see Gordon S. Swartz and Rowland T. Moriarty, "Marketing Automation Meets the Capital Budgeting Wall,"*Marketing Management* 1, no. 3 (1992).

[27] Bert C. McCammon Jr., "Alternative Explanations of Institutional Change and Channel Evolution,"in *Toward Scientific Marketing*, ed. Stephen A. Greyser (Chicago: American Marketing Associa-tion, 1963), pp. 477 ~ 490.

[28] This section draws on Stern and ElAnsary, *Marketing Channels*, ch. 6.

[29] Greg Johnson, "Gray Wail; Southern California Companies Are Among the Many Upscale Manufacturers Voicing Their Displeasure About Middlemen Delivering Their Goods into the Hands of Unauthorized Discount Retailers,"*Los Angeles Times*, March 30, 1997, p. B1. Also see Paul R. Messinger and Chakravarthi Narasimhan, "Has Power Shifted in the Grocery Channel?" *Marketing Science* 14, no. 2 (1995): 189 ~ 223.

第**17**章

管理零售、批发和市场后勤

科特勒论营销：

　　零售、批发和市场后勤都需要它们自己的营销战略。

本章将阐述下列一些问题：

● 中间商组织的主要类型有哪些？

● 中间商组织要进行什么营销决策？

● 中间商组织部门的主要趋势是什么？

　　在上一章，我们讨论了从想要建立和管理营销渠道的制造商的观点看待营销中间机构的问题。在本章，我们从中间机构(零售商、批发商和后勤组织)的角度，讨论它们是如何要求与制定其营销战略的。在这些中间机构中，有的很强大，甚至能控制制造商。它们越来越多地应用战略计划、先进的信息系统和复杂的营销工具。它们衡量效益的依据更多的是投资报酬率而不是毛利。它们更好地细分它们的市场，改善其市场目标和定位，并且正充满信心地推行市场扩展和多元化经营战略。

零售

　　零售(retailing)包括将商品或服务直接销售给最终消费者，供其个人非商业性使用的过程中所涉及的一切活动。零售商(retailer)或零售店(retail store)则是指它的销售量主要来自零售的企业。

　　任何从事这一销售活动的机构(不管是制造、批发商或者是零售商)都进行着零售活动。至于这些商品或服务是如何出售的(是通过个人、邮售、电话、自动售货机或因特网)，是在什么地方出售的(在商店、街上或消费者家里)，则无关紧要。

零售商的类型

零售机构多种多样，并且新形式在不断涌现。我们将探讨商店零售商、无商店零售商和零售组织。

今天的消费者对商品与服务有广泛的商店选购余地。许多最重要的零售店类型见表 17—1。也许最著名的零售商是百货商店。日本的百货商店诸如高岛屋(Takashimaya)和三越(Mitsukoshi)，每年吸引了大量的购买。这些商店的特点是长廊式的、卖各种小吃并设有儿童游乐场。

表 17—1   主要零售商类型

专业商店	经营一条窄产品线，而该产品线所包括的花色品种却较多。专业零售的例子有服饰商店、运动用品商店、家具店、花店及书店。一家服装店可以是单线商店；一家男子服装店就是一家有限产品线商店；而一家男子定制衬衣商店也许就是一家超级专业商店。例如，运动员鞋店，高个男士店，矮个专营店，特体商店
百货商店	经营多种产品线，通常有服装、家庭用具和日常用品，每一条线都作为一个独立的部门，由一名进货专家或者商品专家管理。例如，西尔斯，J.C. 彭尼，诺特斯通，布卢明代尔
超级市场	一种相对规模大，低成本，高销售量，自助服务式，为满足消费者对食品、洗衣和家庭日常用品的种种需求服务的零售组织。超级市场的经营利润仅占其销售额 1% ，占其资本净值的 10% 。例如，克罗格，安全之路，珍宝商店
便利商店	商店相对较小，位于住宅区附近，营业时间长，每天开门，并且经营周转快的方便商品。它们中的许多增加经营了外卖三明治、咖啡和馅饼。例如，7—11，环形 K
折扣商店	出售标准商品，价格低于一般商店，毛利较低，销售量较大。真正的折扣商店用低价定期地销售其商品，提供最流行的全国性品牌。折扣零售已经超越了一般商品而进入了特殊商品领域。如运动用品折扣商店、电器设备折扣商店和折扣书店等。例如，全部折扣商店：沃尔玛、凯马特；特殊品折扣商店：环路城、皇冠书店
廉价零售商	购买低于固定批发商价格的商品并用比零售更低的价格卖给消费者。它们经营过剩的、泛滥的和不规则的商品，它们用低价从制造商或其他零售商处进货。工厂门市部由制造商自己拥有和经营，它们销售多余的、不正常或不规范的商品。例如，米卡沙(餐具)、得克萨(鞋)、拉芙·罗兰(高档服装)。独立的廉价零售商是由企业家自己拥有和经营，或者是从大零售公司划出来的。例如，法林地下商店、洛曼斯、T.J. 麦克斯 仓库俱乐部(或批发商俱乐部)销售有限的有品牌名的杂货、器具、衣服和其他东西，参加者每年会费从 25 美元到 50 美元不等，便可得到高折扣。仓库俱乐部主要为小企业服务，并为政府机构、非营利组织和某些大公司服务。仓库俱乐部以大量的、低管理费、类似仓储设施的方式来经营，销售种类少。但它们提供最低价的商品，通常比超级市场和折扣商店低 20% ～ 40% 。它们不送货上门和进行赊账买卖。例如，山姆俱乐部、麦克斯俱乐部、价格成本合作社、BJ 批发俱乐部

超级商店	平均面积3.5万平方英尺,主要满足消费者在日常购买的食品和非食品类商品方面的全部需要,它们通常提供诸如洗衣、干洗、修鞋、支票兑换和付账等服务。近年来,一种称为"类目杀手"的新集团拥有特定产品线、门类繁多的商品和知识型的职员。例如,博德斯书和音乐,普尔斯马特,斯特普乐斯,家用百货和宜家
	综合商店代表了超级市场商店的向不断成长的药品和处方药品领域扩展的一种多样化经营,综合食品和药品商店的营业面积平均在55 000平方英尺。例如,珍宝和奥斯库
	巨型超级市场一般在80 000平方英尺~220 000平方英尺之间。它融合了超级市场、折扣商店和仓库售货的零售原则。其产品品种超过一般例行采购之物,而包括家具、重轻型器具、各类服装和许多其他物件。它的基本方法就是大面积陈列商品。用最少的商店人员,向那些愿意把重型器具和家具自行运送出店的顾客给予一定的价格折扣。它最早出现于法国。例如,家乐福、卡西奴(法国)、PCA(西班牙)、梅加(荷兰)
样品目录陈列室	应用于大量可供选择的毛利高、周转快的有品牌商品的销售。顾客在陈列室里开出商品订单,在该商店的发货地点对顾客送货上门。例如,服务商品公司

资料来源:For further reading, see Leah Rickard, "Supercenters Entice Shoppers," *Advertising Age*, March 29, 1995, pp. 1 ~ 10; Debra Chanil, "Wholesale Clubs: A New Era?" Discount Merchandiser, November 1994, pp. 38 ~ 51; Julie Nelson Forsyth, "Department Store Industry Restructures for the 90s," *Chain Store Age Executive*, August 1993, pp. 29A ~ 30A; John Milton Fogg, "The Giant Awakens," *Success*, March 1995, p. 51; and J. Doughlas Eldridge, "Nonstore Retailing: Planning for a Big Future," *Chain Store Age Executive*, August 1993, pp. 34A ~ 35A.

零售商店类型经历从发展到衰退的阶段,这可以称为**零售生命周期**(retail life cycle)。[1]一种零售商店类型在某个历史时期出现,经过一个迅速发展的时期,日臻成熟,然后衰退。老式的零售商店经过了很多年时间才发展到成熟阶段,但是新式的零售商店发展成熟所需要的时间就短得多。百货商店发展到成熟期花费了80年时间,而仓库零售门市部是一种更加现代化的形式,仅用了10年时间就成熟了。

商店类型的推陈出新可用**零售滚动**(wheel-of-retailing)假设来解释。[2]传统类型的商店的特征是为顾客提供多项服务,按成本给所售商品定价。这些高成本就为价格较低、服务较少的新型商店的出现提供了契机。新商店类型的出现是为了满足顾客对服务水平和具体服务项目的各种不同的偏好。零售商可在下列四种服务水平上定位:

1. 自我服务。用于许多零售业务,特别是方便商品,某种程度上也适用于选购品。自助是所有折扣业务的基础。许多顾客愿意自己进行寻找比较选择过程,以便节约金钱。

2. 自我选择。顾客自己寻找所需要的商品,尽管他们可以要求帮助。顾客通过寻找一位销售员为其商品收款之后即算完成了他们之间的交易。

3. 有限服务。提供较多的销售帮助,因为这些商店经营的选购品较多,顾客需要较多的信息和帮助。这类商店也提供一些服务,如赊账和退货。

4. 完全服务。销售人员准备在寻找—比较—选择过程的每一环节上都提供帮助。喜欢别人服务的顾客就愿意光顾这类商店。高昂的人员费用，伴随着较高比重的特殊品和周转较慢的商品以及较多的服务，这一切都导致了高成本零售。

将上述这些不同的服务水平与不同的商品经营范围这两者结合起来观察，我们便可区分出可供零售商使用的 4 种主要定位战略，见图 17—1。

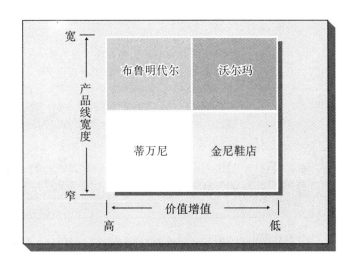

图 17—1　零售定位图

资料来源：William T. Gregor and Eileen M. Friars,"Money Merchandising: Retail Revolution in Consumer Financial Service"(Cambridge, MA: The MAC Group, 1982).

1. 布鲁明代尔(Bloomingdale)。这是一种以产品花色品种多、价值增值高为特色的商店。这种商店十分注意店堂的装潢设计、产品质量、服务和形象。其利润率较高,如果商店幸运地扩大销售量,获利将很多。

2. 蒂万尼(Tiffany)。其特点是花色品种少，价值增值高。这类商店树立了一个独特形象，趋向于销售量少、利润高的商品。

3. 金尼鞋店(Kinney Shoe)。其特点是产品线窄，价值增值低。这类商店往往被称为专业大商店，面向注重价格的顾客，它们设计的商店外观相似，集中进行购买、销售、广告和分销。

4. 沃尔玛(Wal-Mart)。其特点是产品线宽,价值增值低。它们强调低价,树立起价廉物美的商店形象。它们奉行薄利多销原则来获取低毛利。

虽然大多数主要货物和服务(97%)是由商店销售的，但是，非商店零售(nonstore retailer)比商店零售发展快很多，并已占到全部消费者购买量的12%。有一些观察家分析到 2000 年，将有 1/2 的综合商品零售总量将通过非商店渠道销售。非商店零售有 4 种类型：直接推销，直接营销，自动售货和购物服务。

1. 直接推销成为一个 90 亿美元的行业，有 600 多家公司在挨门挨户推销，或者在家庭推销会上推销。一对一推销中最有名的有雅芳、伊莱克斯、纳西维尔西南公司(圣经)、特普威器皿和玫琳凯化妆品公司开展一对多推销：一个销售员到一家主人家庭，邀请朋友参加聚会。销售员展示产品和接受订单。作为先锋的安利公司实行的是多层次(网络)营销。这些公司各种直接销售形式是独立的业务员作为它们产品的分销代表，他们又能再招聘和销售给再分销者进行，再分销者继续再招聘其他人销售他们的产品。一位分销者的报酬包括他所招聘的人的全部销售额的比例提成以及他自己向零售顾客直销的佣金。

2. 直接营销起源于邮购和目录营销(兰德·恩特，L. L. 比恩)。它包括电话营销(1-800-花店)，电视直复营销(家庭购买程序和信息商品，QVC)，以及电子购买(亚马逊网络，Autobytel 网络)。

3. 自动售货已经用于多种商品，包括带有很大方便价值的冲动型商品，如香烟、软饮料、糖果、报纸等，和其他产品，如袜子、化妆品、热食品快餐、纸面巾等。自动售货机遍及工厂、办公室、大零售店、加油店、旅店、餐厅以及其他许多地方。售货机向顾客提供了 24 小时销售、自我服务和新鲜的商品。

4. 购物服务是指一种为特定委托人服务的无店零售方式，这些委托人通常是一些大型组织，这些组织的成员就成为购物服务组织的成员，这些零售商同意给予购物服务组织的成员一定的折扣。

尽管许多零售商店拥有独立的所有权，但是，越来越多的商店正在采用某种合作零售形式。合作零售组织有规模经济效应，更大的采购能力，更广泛的品牌认知和更训练有素的员工。合作零售的主要形式有公司连锁商店，自愿连锁店，零售商店合作组织，消费者合作社，特许经营组织和商业联合大公司，其描述见表 17—2。关于特许经营的更详细介绍参见"营销视野——特许经营热"。

表 17—2   零售组织的主要类型

公司连锁	两个或两个以上的商店同属一个所有者所有和管理，经销同类商品。公司连锁在百货商店、综合商店、食品商店、药店、鞋店和妇女服装商店力量最强。它们的规模允许它们以低价大量采购。连锁组织能够聘用优秀管理人员，在定价、商品宣传、推销、存货控制和销售预测等领域实现科学管理。例如，铁塔唱片、费法、波特利·本
自愿加盟连锁店	由某个批发商发起，若干零售商参加的组织，从事大规模购买和统一买卖。例如，经营杂货的独立杂货商联盟(IGA)，经营五金商品的真价五金公司
零售商合作组织	由若干零售商组成，它们成立一个中心采购组织，并且联合进行促销活动。例如，联合杂货商，ACE 五金公司
消费者合作社	顾客自己所有的零售公司。消费者合作社由居民们捐款开设自己的商店，他们投票确定办店方针和选举管理小组。合作社成员则可按其个人的购买量多少分到相应的红利
特许经营组织	特许人(一家制造商、批发商或服务组织)和特许经营人(在特许经营系统中，购买拥有或者经营其中一个或几个单元的独立的生意人)之间的一种契约性联合。特许经营组织通常促销几十个产品和服务。例如，麦当劳、地铁三明治、必胜客，吉飞—卢贝、梅内克·穆夫拉斯、7—11 便利店
商业联合大公司	由几种不同的零售业务和形式联合组成的所有权集中的松散型公司组织，组织内各零售商的分销和管理职能实行若干程度的一体化。例如，爱利德·杜美克、PLC 经营唐金·杜纳之和巴斯金—罗比，以及英国的零售店及酒和酒类物品

特许经营热

　　对独立业主中新兴企业的调查表明，特许经营方式约占整个零售业的 35%，并且专家计到本世纪将会达到 50%。这一预计是很容易让人相信的，因为无论你走在城市的区或乡间的大道上，你随处可见麦当劳、吉飞—卢贝或 7—11。

　　特许经营是如何运作的呢？所有单个特许经营单位构成紧密联系的群体，而整个公司的经营体系是受被称为特许人的计划、监督和控制的。通常来说，特许经营具有以下三大特点：

　　1. 特许人将自己所拥有的商标等许可给被特许人使用，并向其收取一定的费用。

　　2. 被许可人为获得特许经营需支付一笔费用，当然这笔投入只是签订特许合同中的一小部分。初期费用包括租用设备和装置及租赁费，有时也包括常规的许可证费用。麦当劳的被许可人大约要投入 67.2 万美元的初期成本，并且在以后向特许人支付占其经营收入 4% 的服务费和租赁费。

　　3. 特许人向被特许人提供市场经营体系。麦当劳的被特许人需要参加一所设立在伊利诺伊布鲁克的特殊的"汉堡大学"，用 3 个星期学习如何经营管理，并且必须坚决按照食谱购买原料。

　　在成功的案例中，特许经营将使特许人和被特许人相互获利。对于特许人来说，特许经营将使其在较短的时间内进入市场。因为，首先被特许人由于自己是经营者，因而有着比单纯的雇员更高的工作积极性。其次，被特许人往往对当地的社会环境更为熟悉，能更好地扩大业务。对被特许人来说，可以获得使用已在市场上建立了威望同时被大多数人接收的品牌道德权力。他可以更容易地从金融机构获得贷款，刊登产品广告以及招聘广告。

　　由于特许经营在近年来的快速发展，许多特许人在国内市场中有着饱和的趋势。被特许人向联邦贸易委员会起诉其特许人的案例正在增长。最常见的诉讼是：指责特许人在被特许人已占领的地域内又设立了另一被特许人；特许经营的失败率要高于特许人原先所说明的；特许人夸大了他们所能给予的支持。

　　典型的争端往往由于特许人经营发展良好而被特许人收益只能维持基础生活而发生，一些特许经营的新发展方向可能会给双方带来发展：

　　● 与非同行的大公司合作。美国富士与一小时快照的发展者莫多照相之间的合作就是一个成功的实例。富士通过莫多照相的 400 个分支机构快速渗透了市场，而莫多照相也借助富士的品牌及广告效应有所发展。

　　● 向国外发展。快餐的特许经营在世界各国已十分普遍。如今麦当劳在海外已有10 600 家分支机构，它包括了公司销售和利润的 60% 左右。世界第二位的大比萨饼达美乐已在 60 多个国家销售；它还拥有蒂姆·霍顿和加拿大的最大连锁店。

　　● 在美国的非贸易领域使用特许经营。特许经营可以进入机场、体育馆、大学校园、医院、赌场、主题公园、休闲大厅，甚至是在游船上。

　　资料来源：Norman D. Axelrad and Robert e. Weigand, "Franchising — A Marriage of System Members." in *Marketing Managers Handbook*, 3d ed., eds. Sidney Levy, George Frerichs, and Howard Gordon (Chicago: Dartnell, 1994), pp. 919 ~ 934; Mey Whittemore, "New Directions in Franchising," Nation's Business, January 1995, pp. 45 ~ 52; "Trouble in Franchise Nation," Fortune, March 6, 1995, pp. 115 ~ 129; Carol Steinberg, "Millionaire Franchisees," Success, March 1995, pp. 65 ~ 69; and Deepak Agrawal and Rajiv Lal, "Contractual Agreements in Franchising: An Empirical Investigation," Journal of Marketing Research, May 1995, 213 ~ 221.

营销决策

今天的零售商为了招徕和挽留顾客，急欲寻找新的营销战略。过去，他们挽留顾客的方法是销售特别的或独特的花色品种，提供比竞争者更多更好的服务，提供商店信用卡使顾客能赊购商品。可是，现在这一切都已变得面目全非了。现在，诸如卡尔文·克连、依佐和李维等全国品牌，不仅在大多数百货公司及其专营店可以看到，并且也可在大型综合商场和折扣商店里买到。全国性品牌的生产商为全力扩大销售量，它们将贴有品牌的商品到处销售。结果是零售商店的面貌越来越相似。

在服务项目上的分工差异在逐渐缩小。许多百货公司削减了服务项目，而许多折扣商店却增加了服务项目。顾客变成了精明的采购员，对价格更加敏感。他们看不出有什么道理要为相同的品牌付出更多的钱，特别是当服务的差别不大或微不足道时。由于银行信用卡越来越被所有的商店接受，他们觉得不必从每个商店赊购商品。

百货商店面对着日益增加的价格的折扣商店和专业商店的竞争，正在进行东山再起的战争。历史上居于市中心的许多商店在郊区购物中心开设分店，那里有宽敞的停车场，购买者来自人口增长较快并且有较高收入的地区。其他一些则对其商店形式进行改变，有些则试用邮购和电话订货的方法。超级市场面对的是超级商店的竞争，它们开始扩大店面，经营大量的品种繁多的商品和提高设备等级，超级市场还增加了它们的促销预算，大量转向私人品牌，从而增加盈利。

现在，我们讨论零售商在目标市场、产品品种和采办、服务以及商店气氛、定价、促销和销售地点等方面的营销决策。

目标市场

零售商最重要的决策是确定目标市场。当确定目标市场并且勾勒出轮廓时，零售商才能对产品分配、商店装饰、广告词和广告媒体、价格水平等作出一致的决策。

有一些零售商的目标市场相当明确：

沃尔玛（Wal-Mart）   已故的山姆·沃顿（Sam Walton）及其兄弟1962 年在阿肯色州的罗杰斯开办了第一家沃尔玛折扣店。这是一家庞大的仓库式商店，旨在以最低价格向小城镇的美国人销售各种商品，从服饰到零件以及小型用具等。最近，沃尔玛在大城市建造了大楼。今天的沃尔玛在美国有 2 363 家折扣店，包括 454 个超级中心、444 家山姆俱乐部和 41 家折扣中心。它每年的销售额达 1 170 亿美元，成为世界头号零售商和第二大公司。它扩展沃尔玛附近的超级市场药店业务。沃尔玛的秘诀是：以小城镇的美国人为目标，倾听顾客意见，待员工如伙伴，严格控制各项费用。其写着"满意的保证"、"我们售价更低"的标语悬挂在每个商店大门的醒目处，用"向消费者致敬"的方式迎接顾客。沃尔玛常常成为零售业的先锋。它使用

631

"天天低价"定价法和电子数据交换，加快了仓库补货速度，现被其他零售商作为定点超越的目标，它作为美国大商品企业第一个进入全球零售行业。它已经在海外开设了 600 家商店——阿根廷、巴西、中国、韩国和墨西哥，并且还在增加。[3]

利明特(The Limited) 在 1963 年，莱斯利·H·韦克斯勒(Leslie. H. Wexner)借了 5 000 美元创建了利明特公司，开始时是以年轻、追求时尚、中等富裕妇女为目标的独家商店。该商店的各方面——服装花色品种、装置、音乐、色调、人员都很协调而迎合目标消费者的情趣。以后，他继续开设更多的新店，但是在 10 年之后，他的顾客已经不再是原来的那个"年轻"的群体了。为了招徕新一代的"年轻人"，他又开办了利明特速递公司。这些年来，他又开办或购进了一些目标连锁店，其中包括兰内·布朗公司、维多利亚的塞克列兹公司、勒内斯公司、巴斯和波迪工厂等。如今，利明特在美国经营了 5 400 家商店，并走向世界。它的总销售额 1998 年为 90 亿美元。[4]

零售商需要定期进行市场营销调研，以保证它们日益接近其目标顾客并使他们满意。同时，一个零售商定位必须要有某些弹性，特别是如果它在具有不同社会经济类型的地方管理售点，就更是如此。

产品品种和采办

零售商所经营的产品品种(product assortment)必须与目标市场可能购买的商品相一致。零售商必须决定产品品种组合的宽度(breadth)和深度(depth)。例如，在餐馆业，一家餐馆可以供窄而浅的品种(小型午餐柜)，窄而深的品种(各种熟食)，宽而浅的品种(自助食堂)，或者宽而深的品种(大饭店)。零售商在确定了商店的产品品种和质量水平后，其真正的挑战就开始了。挑战就是制定一种产品差异化战略。零售商可能采用几种产品差异化战略：

● 以竞争的零售商所没有的独特的全国性品牌为特色，如萨克斯公司可能获得特许权经销著名的国际设计师的服装。

● 以私人品牌商品为特色。如贝纳通和加普在它们的代表性商店自行设计服装。许多超市和药品连锁店也在日益增加私人品牌的比例。

● 突出其是大型有特色的销售活动，布鲁明代尔公司经常举办长期展销活动，在整个商店内突出销售琳琅满目的中国或印度等外国商品。

● 以新颖多变的商品为特色。贝纳通公司每个月都要变换部分商品，这样顾客就愿意经常光顾。罗曼斯公司则提供了新奇的抵押品(货物主人急需现金、清仓货与处理品)。

● 以率先推出最近或最新的商品为特色。夏普形象公司在销售世界各地的最新家用电器方面，领先于其他零售商。

● 提供定制商品的服务。伦敦哈敦的哈罗德公司除了出售男式时装成衣外，还为顾客定制西装、衬衫、领带等。

● 提供高目标的品种。林纳·布朗公司为体形胖大的成年女性提供各类货物。布鲁克斯通公司为那些想到"成年人玩具商店"购物的顾客提供特殊工具和饰品。[5]

一旦零售商对产品品种战略决策以后，它必须决定它的采办资源、政策和具体做法。在一家超级市场连锁店的公司总部，专家采购人员(有时叫做商品经理)具有开发品种搭配和听取销售人员介绍新品牌的责任。在一些连锁商店，这些采购人员有权接受或拒绝新品目，但是，在有些连锁店，他们的权力仅限于甄别一些显然要拒绝或接受的新品目上，否则他们就只能将新产品品目提交给连锁店所属的采购委员会审批。

即使一个品目已被一家连锁商店采购委员会接受，连锁商店的经理人员也许还是不经销它。大约 1/3 的商品是必须存货的，并且大约有 2/3 是由商店经理自行决策定购的。

制造商面临的主要挑战是设法使商店接受新品目，每周生产商提供给全美超级市场的新品目介于 150 种 ～ 250 种之间，但商店购买者的拒绝率为70%。制造商非常感兴趣的是采购者、采购委员会和商店经理人员所采用的产品接受标准。A. C. 尼尔逊公司发现购买者的受影响程度按重要性排列是，消费者接受的强烈证据，一个设计出色的广告、促销计划和对贸易的总财务刺激。

零售商正在迅速改善其采购技能，它们正在逐步掌握需求预测原理、商品选择、存货控制、店面安排和商品陈列，同时，它们正在大量利用计算机来保持目前的存货数量，计算经济的订购数量，准备订单和分析花在卖主和产品上的金额。超市连锁店现有用扫描仪数据管理每个商店的商品组合，这优于逐个商店的管理。

商店还在应用直接产品盈利率(direct product profitability，DPP)测量一个产品的在途成本：从它进仓库到被顾客从零售商处买走(接收、进库、打单、筛选、检验、安置和架位成本)。直接产品盈利率使再售商认识到，一个产品的毛利经常与直接产品利润无关。某些高数量产品可能有较高的在途成本，以至使它们没有利润和不能比低值产品获得更多的货架位置。

很清楚，制造商和卖方正面临着日益老练的零售买方。表 17—3 列示了一些卖主常采用的营销工具，用以改善提供给零售商产品的吸引力。考虑通用电气公司怎样主动为它的经销商建立更好服务的政策：

通用电气(General Electric)　在 20 世纪 80 年代以前，通用电气公司采用传统系统努力要求它的经销者堆积通用电气的设备，努力使经销商没有空间存放其他品牌，同时，它的销售人员只能推销通用电气的设备。通用电气公司随后感到该方法产生很多问题，特别是较小的独立的设备经销商不可能有大量的存货。这些经销商在与较大的多品牌经销商的价格竞争中压力很大。通用电气公司投资建立了一个交互模型称之为直接衔接系统。在该系统下，公司的经销商只拥有设备样品。它们依赖于"虚拟存货"来满足订单。经销商在一天 24 小时内都能向通用电气的订单处理系统申请提货，检查样品可用性，并在第二天交货。经销商还能得到最好的价格，从通用电气公司的信贷中融资，并在 90 天内免除利息。作为利益交换，经销商必须承担销售

通用电气公司的九大品目商品；其销售的通用电气产品占 50%；把它们的账簿给通用电气检查；通过电子基金交换系统每月向通用电气公司结账。其最明显的结果是经销商的毛利极大地提高了。通用电气公司也获得了好处。经销商更依赖于通用电气公司。公司能及时了解它的商品在零售水平上的实际销量，这帮助它更精确地安排生产。[6]

表 17—3   **销售方用于零售商的营销工具**

---

1. 合作广告，销售方同意支付零售商为推销卖方产品而花费的一部分广告成本

2. 产品转售前的标签，卖方在每一产品上贴上一张标签，标明产品的价格、厂家、规格、编号及颜色，这些标签有助于零售商在产品销完以后再订购该产品

3. 无存货采购，销售方保存存货，一接到通知，即将产品运送给零售商

4. 自动再订购系统，销售方提供各类表格，计算机则将零售商对商品的自动化再定购连接起来

5. 提供广告帮助，诸如有光泽的照片、广播稿

6. 特价，全店商品大减价促销活动

7. 给零售商以退货和交换的优惠权利

8. 为零售商将商品标价降低而作出的折让

9. 资助店内展示

服务与商店气氛

零售商还必须决定向顾客所提供的服务组合(service mix)：

● 售前服务包括：接受电话和邮购订货，广告，橱窗和店内陈列，试衣室，营业时间，时装表演，旧货折价收进。

● 售后服务包括：送货上门，礼品包扎，商品调整和退货、换货和定制、安装，代客刻字。

● 辅助服务包括：提供一般信息，兑换支票，免费停车，餐厅，修理，内部装饰，赊账信用交易，休息室，照看婴儿服务。

服务组合是一家商店区别于另一家商店的主要工具之一。

气氛(atmosphere)是其产品宝库里的另一个要素。每个商店都有一个实体的布局，从而使人们在店内容易或不容易走动。每个商店都有一个门面。商店必须精心构思，使其具有一种适合目标市场的气氛，使顾客乐于购买。殡仪馆应该是静谧、阴郁和平和的。而夜总会则应该是辉煌、喧哗和激动人心的。维克多里亚·西克兰特(Victoria Secret)经营被安排在"零售剧院"里，顾客感觉这是在罗曼蒂克的传奇故事之中，伴有强烈音乐和花的背景。超级市场发现改变音乐节奏会影响顾客的平均逗留时间和平均开支。有些精明的百货公司在特定柜台喷洒香水。饭馆也在进行 "环境包装"：[7]

随和餐馆(Casual Dining)　　随和餐馆是提供便餐的饭店，例如，奥利夫花园(Olive Garden)、红龙虾(Red Lobster)、T. G. I. 星期五和Outback 牛排屋等，已经发展成一个年产值370亿美元的产业了，而与此同时，曾被大肆宣扬的"主题餐馆"正陷入困境。两个著名的主题餐馆连锁店——时尚餐馆和行星好莱坞，关闭了它们的经销分店。这一现象说明要博得顾客青睐，单靠装饰还不够——食物必须味美；价格必须合理；菜单中提供的菜谱必须跟得上时代的变化。顾客们还希望有一个随和的家庭式的氛围。[8]

　　美利坚购物中心(Mall of America)　　美国最大的商业中心，明尼阿波利斯附近的美利坚购物中心是一个超大型的商业区，并且还有一个占地7英亩的娱乐公司。自1992年开业以来，它现在拥有共计400多家商店，12 000多个雇员。因为那里有4家主要的百货商店，即诺斯特罗、梅西、布罗门达尔和西尔斯，它成为来自世界各地的热情的购物者们的一个旅游胜地。现在它每年都要吸引3 500万～4 000万人来旅游观光，它使得该地区出现了许多旅馆和汽车旅馆，共有700个房间可以入住。美利坚购物中心的其他吸引人的地方是它拥有14个屏幕的大众影院，水底世界，一个交互作用的戴姆克利斯特陈列馆，高尔夫球场，一个热带雨林餐厅，还有一个爱情教堂，已有1 000多对夫妇在那里举行了婚礼。[9]

奥利夫花园(Olive Garden)的因特网主页。

价格决策

价格是一个关键的定位因素，它必须根据目标市场、产品服务分配组合和竞争的有关情况来加以确定。所有的零售商都希望以高价销售并能扩大销售量，但是往往难以两全其美。零售商大部分可分为高成本和低销售（如高级品商店）或低成本和高销量（如大型综合商场和折扣商店）两大类。在这两类中还可以进一步细分。例如，设在好莱坞贝弗利山的罗狄欧大道上的碧姬（Bijan）公司所售的服装的定价从 1 000 美元开始，鞋子的最低价格是 400 美元。另一个极端的例子是纽约的超级折扣商店，价格比一般的折扣商店还要低得多。

零售商还必须重视定价战术。大部分零售商对某些产品标价较低，以此作为招徕商品或是作为牺牲品，有时它们还要举行全部商品的大减价。它们对周转较慢的商品采取降低标价的方法。例如，一家鞋店打算在该店出售的鞋子中 50% 按正常标价出售，25% 按鞋子成本加成 40%，25% 按成本出售。

越来越多的零售商在放弃"促销定价"而偏向天天低价（DELP）。天天低价降低了广告费用，定价趋于稳定，使商店公平和可信赖性的形象加强，因而获得更多的零售利润。通用汽车公司的土星事业部，发出低价目表并拒绝与经销商讨价还价。沃尔玛在实践天天低价。费德（Feather）引证了一个报告指出，超市连锁店推行天天低价的盈利率一般比促销定价要高。[10]

促销决策

零售商广泛使用促销工作来产生交易和购买。它们发布广告，进行特价销售，发放节约金钱的赠券，最近增加了经常购买者的优惠活动，对店内食品样品品尝，以及在货架上或结账处摆放赠券等。每个零售商利用促销工具以支持并加强其形象定位。高级商店会在《时尚》和《哈泼》等流行时装杂志上刊登广告。高级商店对培训销售人员总是非常认真，教他们如何接待顾客，理解其要求并消除其疑虑，处理其意见。廉价零售商安排它们的商品促销可讨价还价和宣传省钱，同时又保留了服务和销售帮助。

地点决策

零售商总是强调说零售成功的三个关键因素是"地点，地点，还是地点"。顾客总是选择一家离他们最近的银行和加油站。百货商店连锁组织、石油公司和快餐特许经营店在选择其位置时特别谨慎。这个问题可以分解为在一国的哪些地区开店，然后是哪些城市，然后再是哪些具体的场所。例如，一个超级市场连锁组织可能决定在中西部和西南部地区经营；在中西部，是在芝加哥、密尔沃基和印第安纳波利斯等城市；在芝加哥，选择了 14 个销售点，大多数在郊区。近年来，两家廉价零售商 T. J. 麦克斯（Maxx）和玩具商店巨人玩具反斗城（Toys "R" Us）成为最经济选择地点的专家。这两家零售商把主要精力放在寻找有年轻家庭迅速增长的地区。

零售商可在中心商业区、地区购物中心、社区购物中心、购物区或在大商店内选择开设商店的地点。

● 中心商业区。城市中最古老、交通最拥挤的地区。常常称为"商业区"。商店和办公室租金一般较高。在 20 世纪 60 年代，大多数的商业区热情追逐办到城郊去，它导致零售设施的退化。但是，到了90年代，在许多城市中的公寓、商店和饭馆开始复兴，如丹佛、克利夫兰、西雅图和费城。

● 地区购货中心。在5英里~20英里的半径内设40家~200家商店。通常，一个购货中心突出一个或两个诸如J.C.彭尼或L&T的全国性大商店，大量的是小商店，许多是特许经营店。这些商场有吸引力是因为有宽敞的停车场，购物一次完成，有餐馆和娱乐设施。成功的商场租费高昂，但能获得商场利润的分配份额。

● 社区购货中心。是较小的商场，通常，一家大商店夹在20家~40家小商店之中。

● 购物区。为附近居民日常杂货、五金、洗衣、修鞋和干洗服务的一群商店，其间有一大建筑物。其服务对象开车5分钟~10分钟就能到达。

● 店中店。现在日益增加的现象是在大商店内设立一些著名的零售商(麦当劳、星巴克、内森、邓金·唐纳斯)，它们在大店内租借地方设立新的较小的单位或经营，这些场所也包括飞机场、学校、沃尔玛或百货公司。

由于顾客流量大和租金高这两者之间存在着矛盾，零售商必须为自己的商店选择最有利的地点。它们可使用各种不同的方法对设店地点进行评估，如统计交通流量，调查顾客购物习惯，分析有竞争能力的地点等。[11]有人曾经阐述过关于选择设店地点的几种模式。[12]

零售商可以通过检查四个指标，评估某个商店的销售效益：(1)平均每天经过的人数；(2)来店光顾的人数比例；(3)光顾的人中购货顾客的比例；(4)每次购买的平均金额。

零售业的发展趋势

在这里，我们可概括说明零售商在制定竞争战略时，必须考虑以下的主要发展趋势：

1. 新的零售形式不断涌现。银行在超市中设立了分支机构；加油站中开设了食品商店，其赚取的利润比给汽车加油赚的利润还要多；在书店中开设了咖啡屋。甚至，一些传统的零售方式又重新出现了，1992年，在美国购物中心，肖恩纳(Shawna)和兰迪·赫尼格(Randy Heniger)用小贩用的手推车来销售货物。现在，全国3/4的主要商业区中都可以看见有人推着手推车兜售东西，从休闲的服饰到避孕套，应有尽有。那些成功者每个人的销售额平均有30 000美元~40 000美元，而在12月份可以轻易地达到70 000美元的最高额。由于开始经营的平均成本仅需3 000美元，因此，这种用手推车来销售的方式使许多小型企业家们圆了他们经营零售商店的梦，并且他们又不需要投入大量的现金。这种销售方式使商业区吸引了更多的夫妻零售商，它为进行季节性商品的展销提供了机会，同时也为那些长期承租商场者带来了希望。

2. 新的零售形式的生命周期正在缩短。它们迅速被模仿和很快失去新意。

3. 电子时代极大地增加了非商店零售的机会。消费者可通过邮局，甚至电视、电脑和电话接受销售报价，并通过免费电话或电脑立即得到回答。

4. 当前在不同类型商店之间的竞争愈演愈烈。折扣商店、产品目录陈列销售店和百货公司都在为同一批顾客而竞争。连锁超市与小型独立自营商店的竞争成为热点。由于连锁店大量购物的能力、更优惠的贸易条款优于独立商人，连锁店增加的面积允许为顾客增设咖啡屋和卫生间。在许多地方，超级商店使邻近的独立商人歇业。例如在图书市场上，巴诺（Barnes & Noble）超市商店、博德斯书籍与音乐商店有时与独立商店开在一个街区，结果发生竞争或使小商店关门大吉。但有许多小独立零售商由于更了解它们的顾客和提供更有个性的服务，从而也蒸蒸日上。

5. 今天的零售商，无论是经营大众商品或是特殊品，都在驱向两极分化。超级零售商出现了。通过他的高级信息系统和购买力，这些巨型零售商使顾客得到强有力的价格优惠。[13]这些超级零售商正在利用完善的营销信息和后勤系统，向广大消费者传送价格适中的良好服务和大量产品。在这一过程中，它们不断排挤小制造商，小制造商变成了零售商的一个部门，因此，它们非常脆弱。而对于小零售商，它们根本没有足够的预算资金或购买力与超级零售商竞争。许多零售商甚至告诉最具实力的制造商，它们应该生产什么；如何定价和促销；何时和如何运送，甚至包括如何改进和组织其生产与管理。这些制造商惟有同意，别无选择。否则它们将可能失去 10% ～ 30% 的市场。

在竞争中来自"类目杀手"的威胁特别大。巨人零售商集中经营一种产品大类，如玩具反斗城、家居用品，办公用品（斯德普斯），这些大零售商抓住了某一特定商品门类的大多数份额，尽力降低制造商的个数。随着玩具反斗城控制了零售玩具 20% 的市场，导致今天六大玩具制造商主宰了美国玩具行业，但是在 10 年前，没有一家玩具制造商的市场份额超过 5% 。

6. 诸如西尔斯和梅西（Macy）等百货商店过去珍视它们的一站购齐的方便性。百货商店在逐渐让位给购物中心，它的特点是较少的百货部门，有大量的专业商店和停车场地。现在，拥有杂货与大量非食品的超级购物中心（如凯马特和沃尔玛）也在打破商场的一次购足的美梦。

7. 营销渠道的管理与计划的专业化程度越来越高。零售组织越来越多地设计并开设针对各种不同的生活方式的顾客群体的新形式商店。它们不拘泥于诸如百货公司之类的这一种形式，而是向前途无量的混合型企业发展，参见"新千年营销——华纳兄弟音像商店：通过特许经销获利"。

8. 技术作为竞争工具正变得日益重要。零售商正在使用计算机提高预测水平，控制仓储成本，用电子技术向供货商订货，在商店之间用电子邮件传递信息，甚至在店内用电子技术向顾客售货。它们采用电子收款系统[14]、电子转账、电子数据交换[15]、店内闭路电视和改进的商品处理系统等。

一种创新的扫描系统是购买追踪，这种像雷达一样的系统扫描柜台交易量。当新泽西州的萨克斯第五大街使用这种被称为购买者轨迹的系统后，它发现在上午 11 时到下午 3 时购买者较多。为了更好处理购买者流量，这家商店为柜台营业员调整了吃午饭时间。第一码头进口商（Pier One Import）用这种系统测试有关事情，如报纸广告对商店交易量的影响。结合交易量和销售数据，零售商认为它们能找到怎样把浏览到的信息转变为购买者的方法。[16]

9. 零售商正以其独特的形式和强大的品牌促销，日益快速地走向其他国家。[17]麦当劳、利明特、加普、玩具反斗城，由于它们高超的大营销战略，已成为全球耀眼的明星。许多美国零售商积极进入海外市场以增加利润。然而，当美国零售商向全球拓展时，它已明显地落在欧洲与远东的后面。美国零售商开展全球化的只有18%，而欧洲零售商为40%，远东为31%，在外国零售商中有英国的马莎、意大利的班内顿、法国的家乐福超市、瑞典的宜家家居商店、日本的八百伴超市。[18]

10. 随着越来越多的人需要一个地方聚会，例如咖啡屋、茶室、饮料吧、书店，丹佛城两家塔特尔特·科弗书店每年举办250多个活动，从民间舞到妇女会议。酒吧，如纽约的邮区城酒吧和西雅图的电车人俱乐部(由红镰刀酒厂经营)是提供品酒和供人消磨时间的地方。探索园是供孩子们玩的地方，它在室内使孩子疯狂但不打碎任何东西，使家长放松压力自由交谈。当然，还有现在到处都有的咖啡屋碾磨咖啡吧，如星巴克，它的数量在1989年为2 500家，估计到1999年增加至10 000家。[19]巴诺则是由一个书店的形式而改变成为聚会的乡村俱乐部：

巴诺(Barnes & Noble) 现在，美国国内最大的图书销售商，巴诺在美国每8本书中的1本就是由它售出的。通过制作自己商店的富有吸引力的、广受欢迎的站点，提供公众和文学活动、公众休息屋、咖啡馆、为孩子讲故事的地方、舒适的阅读区域、轻柔的音乐以及对书籍、杂志和音乐有巨大选择的场地，它取得了这种令人印象深刻的规模。巴诺在美国已经超过了1 000家商店，大约有一半是独立的，其余的在购物中心里。它也是因特网上的一个主要竞争者，仅次于亚马逊网站(Amazon. com)，排名第二。它在网页上的成功来自于有吸引力的、活泼的主页以及和诸如美国在线和微软网站主要站点的直接链接。[20]

新千年营销

华纳兄弟音像商店：通过特许经销获利

在把电影、电视和音乐故事转化为令人激动的新产品线方面，华纳兄弟(Warner Brother)公司是仅次于迪斯尼的排名第二的公司。从赋予充满活力的视听艺术的附件到为家庭提供的礼品，音像商店摆满了熟悉的影视卡通人物：巴格斯·波尼(Bugs Bunny)和罗尼·汤(Looney Toon)，蝙蝠人，罗格莱斯(Rugrats)，马特尔的热轮(Hot Wheel)。

作为一个与娱乐相关的商品零售方面的先驱者，华纳兄弟公司在全球的13个国家有185家音像商店。美国以外的音像商店大多属于合伙人所有并由他们经营。音像商店成为如何通过特许权拓展品牌的一篇教材。

来自罗尼·汤玩具工厂的玩具到处皆是。特许经销商中的许多成员也是巨人交易商(华纳兄弟的一个分公司)或来自华纳兄弟消费产品分部的一员，这种情况的特许经销商超过了3 700个，包括DC漫画，OZ男巫，哈娜·巴巴拉(Hanna Barbera)和罗尼·汤。

售价大多数是中等水平，也有一些极端的昂贵品，供热心的收藏者收集。许多商品包装巧妙，如来自透明胶片盒里包装的T恤衫。甚至，美国邮票里的巴格斯·波尼的喜好品也已上市。

特定事件在定期筹划着，特别是纽约城的旗舰店。大卫·波纳斯(David Boreanaz)，电视剧《黄色吸血鬼》的明星，公司制作了一张个人的外观照，这吸引了3 000个狂热者，并在2小时内把他们库存的黄色T恤销售一空。

音像商店提供了一种高能量的环境，可用于全家的娱乐，而且，大量的特许经销商把快乐的情感带到了家庭。它们不间断的说服性广告，为华纳兄弟公司的电影、电视演播和音乐提供了服务。

资料来源：Warner Bros. Web site, "Warner Bros. Studio Store Throws a Bash to Celebrate Marivin the Martian's 50th Year on Earth," *Business Wire*, July 26, 1998; "Warner Bros. Products and ENIC Announce Partnership," *Business Wire*, April 6, 1998; Dan Fost, "That's Entertainment," *Marketing Tools*, June 1, 1998, p. 36.

批发

批发(wholesaling)包括将商品或服务售予为了再售或企业使用而购买的人时所发生的一切活动。它不包括制造商和农民，因为他们主要从事生产，它也不包括零售商。

批发商[或称分销商(distributors)]和零售商有一系列不同的地方。首先，批发商较少注意促销、气氛和店址，因为它们的交易对象是商业顾客，而不是最终消费者。第二，批发交易通常大于零售交易，批发商所涉及的交易领域常常大于零售商。第三，在有关法律条令和税收方面，政府对于批发商和零售商也是区别对待的。

究竟为什么要使用批发商呢？制造商可以越过它们，而将产品直接售给零售商或最终消费者。一般来说，当批发商能更有效地执行下列一种或几种功能时，它们就会被利用：

● 推销和促销。批发商提供推销队伍，使制造能以小的成本开支接近许多小顾客。批发商接触面比较广，常常比遥远的制造商更多地得到买方的信任。

● 采购和置办多种商品。批发能够选择和置办其顾客所需要的商品和花色，这样就减少了顾客的大量工作。

● 批发商通过购买整车运载的货物，把整批货物分解成较小单元，为其顾客节省费用，整买零卖。

● 存货。批发商备有一定的库存，这样就减少了供应商和顾客的仓储成本和风险。

● 运输。批发商可以向买方快速地送货，因为它们比制造商近。

● 融资。批发商为其顾客提供财务援助，如赊购等；同时也为其供应商提供财务援助，如提前订货，按时付款等。

● 承担风险。批发商由于拥有所有权而承担了若干风险，同时还要承担由于偷窃、危险、损坏和过时被弃等所造成的损失。

● 提供市场信息。批发商向他们的供应者和顾客提供者和顾客提供有关竞争者各种活动、新产品、价格变化等方面的情报。

● 管理服务和建议。批发商经常帮助零售商改进其经营活动，如培训它们的推销员，帮助商店进行内部布置和商品陈列以及帮助建立会计制度和存货控制系统。它们还可以通过提供培训和技术服务，帮助产业客户。

批发商的发展和类型

美国批发商在过去的 10 年里，其综合增长率为 5.8% 。[21]有几个因素推动了批发在这几年中的发展。远离产品主要用户的大工厂的大规模生产日益发展；不针对某个订货单的事先生产大大发展；中间产品的生产者和用户日益增多；使产品在质量、包装和形式上适应中间用户和最终用户的需要日益增加。一些主要批发商类型的概述见表 17—4。

表 17—4   主要批发商类型

● 商业批发商。独立所有的商业企业，它们买下所经销商品的所有权，然后出售。在不同的行业里，其称呼有所不同，例如有中间商、分销商，或者工厂配售商。还可以细分为完全服务批发商和有限服务批发商

● 完全服务批发商。提供存货、推销队伍、顾客信贷、送货以及协助管理等服务。包括两种类型：(1)批发中间商主要向零售商销售，并提供全面服务。一般商品批发商经营几条商品线，而专线经营批发商经营一条或两条产品线。(2)工业分销商是向制造商而不是向零售商提供如存货、信贷和送货等的服务

● 有限服务批发商。向其供应者和顾客只提供极少的服务。现款交易运货自理批发商是只经营一些周转快的商品，卖给小型零售商，收取现款。卡车批发商主要执行销售和送货职能。它们经营一些容易变质的商品，用卡车将商品送到超级市场、小杂货店、医院、餐厅、工厂自助食堂和旅馆，现货现卖。直送批发商专门经营一些笨重的工业品，如煤、木材和重型设备等。它们收到订货单以后，就找一个制造商，由制造商按照双方议定的条件和送货时间，直接将商品运送给客户。专柜寄售批发商的服务对象是杂货商店和药品零售商。专柜寄售批发商用送货卡车将货送到商店，放上货架。它们为商品制定价格，保持商品新鲜，设置销售点商品陈列，以及保持存货记录等。专柜寄售批发商持有商品所有权，对已出售给消费者的商品开单收款。生产合作社在农场集中生产，然后卖给当地市场。合作社的盈利在年终分配给成员。邮购批发商向零售商、工业用户、相关顾客寄送商品目录，主要有珠宝、化妆品、专门食品和其他一些小商品。它们的主要顾客是边远小地方的商人。不用派推销员去访问顾客。订货配齐后，就可以邮寄，用卡车或者其他有效的运输方式送货

● 经纪人和代理商。不拥有商品、工业品所有权并且仅执行有限的几个功能。它们的主要功能就是促进买卖，为此，将获得销售价的 2% ～ 6% 作为佣金。经纪人和代量商一般也专门经营某条产品线，或者专门为某类顾客服务

● 经纪人。主要作用是为买卖双方牵线搭桥，协助谈判。由委托方付给他们佣金。他们不存货，不卷入财务，不承担风险。最常见的例子是食品经纪人、不动产经纪人、保险经纪人和证券经纪人等

● 代理商。不是代表买方，就是代表卖方，委托关系比较持久。制造商代理商代表两家或两家以上产品线互相补充的制造商。他们和各制造商就价格政策、地区、订单处理程序、送货和商品担保，以及佣金标准等方面订有书面协议。制造商代理商适用于服装、家电和电器产品等产品线。大多数制造商代理商都是些小单位，只有几个雇员。销售代理商被授予契约上的销售制造商全部产品的权利。销售代理商常见于纺织、工业机械设备、煤和焦炭、化学品和金属品等领域。采购代理商一般与买主建立长期关系，为其采购商品，经常为买主收货、验货、储存和送货。佣金商取得商品实体持有权，并处理商品销售的代理商。他们最擅长从事于农产品营销，受托于那些不愿自己出售产品和不属于生产合作社的农场主

● 制造和零售商分部和营业所。买方或者卖方不是通过独立批发商，而是自己进行批发业务。销售分部和营业所是制造商为了加强存货控制，改进销售和促销工作，经常开设自己的销售分部和营业所。销售分部备有存货，常见于木材、汽车设备和配件等行业。营业所不存货，主要用于小商品行业。采购办事处的作用与采购经纪人和代理商的作用相似，但前者是买方组织的组成部分。许多零售商在大的市场中心设立采购办事处

● 其他批发商。在某些特定的经济领域，可以看到一些特殊的批发商。包括农产品集货商(购买农民的产品)、散装石油厂和油站(联合购买油井的石油)、拍卖公司(拍卖汽车、设备等给经销商和其他商人)

批发商的营销决策

批发商最近几年来正经受着日益增长的竞争压力，它们面临着竞争的新力量、顾客的新需求、新技术和来自大的工业、机构及零售买主的更多的直接购买计划。结果，它们不得不制定合适的战略对策。一个主要的方法是通过更有效地管理其存货和应收账款以增加其资产生产率。它们必须在目标市场、产品品种和服务、定价、促销和销售地点等方面改进战略决策。

目标市场

批发商应该明确自己的目标市场，而不能企图为每一个人提供服务。它们可以按顾客的规模(如只面向大零售商)、顾客的类型(如只面向方便食品商店)、所需要的服务(如需要赊货的顾客)或者其他目标，选择一个目标顾客群。在这个目标顾客群里，它们可以找出较有利的顾客，设计有力的供应物，和顾客建立好的关系。它们可以提出一个自动再订购系统，建立管理培训和顾问制度，甚至还可以创办一个自愿连锁组织。对于那些盈利较少的顾客可以采取要求他们接受大额订货或增收小批量货的额外费用等。

产品品种和服务

批发商的"产品"是指它们经营的品种。批发商迫于巨大的压力，花色品种必须齐全，并且要备有充足的库存，以便随时供货。但是这样会影响盈利。今天，批发商正在重新研究应该经营多少品种最为适当，并且只选择那些盈利较多的商品。它们还在研究，在与顾客建立良好关系的过程中。何种服务最为重要，哪些服务可以取消，哪些应该酌收费用。这里的关键在于找出一种被顾客视为是有价值的独具一格的服务组合。

定价决策

批发商通常在货物成本上，按传统的比例加成，比如说20%以抵补自己的开支。其中，开支可占17%，余下30%就是利润。杂货批发商的平均利润一般在2%以下。现在，批发商正在开始试用新的定价方法。它们可能减少某些产品的毛利，以赢得新的重要的顾客。当它们能凭此扩大供应商的销售机会时，它们就会要求供应商给予特别的价格折让。

促销决策

批发商主要依赖它们的销售员获得促销目标。即使如此，大多数批发商依然把推销看成是一个推销员和一个客户的交谈，而不是把它当做向主要客户推销商品、建立联系和提供服务的协同努力。至于非人员促销，批发商可以从采用零售商所应用树立形象的技术中获得目标。它们需要发展一个整体促销战略，包括贸易广告、销售促进和公共宣传。它们还需要充分利用供应商的一些宣传材料和计划方案。

地点决策

在过去，批发商一般设在租金低廉、征税较少的地段，它们的物质设施和办公室也不花什么钱。批发商用于货物管理系统和订单处理系统的手段往往落后于现在可得到的技术。今天，有进取性的批发商通过开发自动化仓库（automated warehouses），缩短了货物处理过程，降低了成本，并且，通过先进的信息系统，提高它们的供应能力。下面是两个例子：[22]

麦克森(McKesson)　美国与加拿大最大的药物分销商麦克森，向各种各样的客户，包括医院、医生、护理所和药房存储和管理药品供应。它的零售药店包括连锁药房[如利德·爱得(Rite Aid)和CVS]、采购集团和独立机构。为了改进它的服务，麦克森采用订货应用软件供应药品。药品订单被迅速填写。由麦克森仓库的员工填写该订单，计算机系统自动地开列分类发票，药品装箱，然后交运输码头在第二天交货。这个系统还能根据订单自动从药品制造商处补货。

格雷杰(Grainger)　W. W. 格雷杰公司是美国和加拿大的一家企业对企业之间设备、元件和供应品的大分销商。它通过520个分支机构提供超过20万种产品。它发展和建设了包括一个国家、两个地区和6个区域性的分销中心，以保证产品的供应和快速服务。分销中心通过卫星网络联结，这样能减少对顾客的回复时间和提高销售额。格雷杰也提供了每天 24 小时的在线订购的网站。

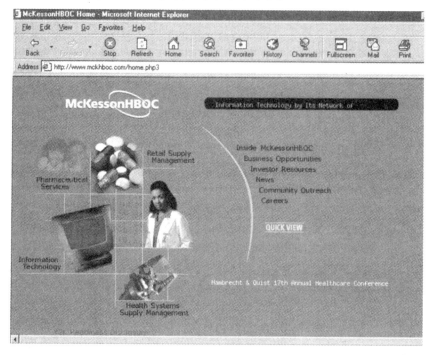

麦克森网站的主页。

罗斯奇(Lusch)、齐佐(Zizzo)和凯特林(Kenderine)研究了北美 136 个批发商，并从五个方面总结了他们改革后进步的论点。具体参见"营销备忘——批发分销商的高绩效战略"。

营销备忘

批发分销商的高绩效战略

罗斯奇等总结的论点如下：

1. 强化核心经营。几个批发商摆脱毛利经营法并重新集中于它们的核心功能。它们发展了在分销它们特定产品线方面的专门技术，这样，使制造商和零售商不能复制这种功能。

2. 扩展到全球市场。批发商，特别在化学品、电器和计算机领域的批发商，正在向加拿大、墨西哥以及欧洲和亚洲扩展。许多制造商愿意使用这些批发商网络扩展海外业务以建立它们自己的网络。

3. 用较少的资源做更多的事。批发商在技术方面加强了投资，包括编码和扫描，完全自动化的仓库，电子化数据的内部交换和高级的信息技术。这能够让它们去为那些不能或不愿自己投资的制造商或零售商提供服务。

4. 推行全面质量管理。它们不是仅仅评估销售额和产品的活动，有进取性的批发商转向管理流程，改进顾客认知工作。这包括高质量地评估它们供应商的产品，以及因此而增加的价值。随着批发商转向零缺陷顾客服务，制造商和零售商将会喜欢这种倾向，因为这有助于它们满足顾客的能力。

5. 营销支持哲学。批发商正在认识到它们的角色不仅仅是简单地关注供应商的兴趣，或者它们顾客的兴趣，而是通过担当营销价值链中一种有价值的成员，彼此间提供营销支持。

资料来源：Robert F. Lusch, Deborah Zizzo, and James M. Kenderdine, "Strategic Renewal in Distribution," *Marketing Management 2*, no. 2 (1993): pp. 20 ~ 29. Also see their Foundations of Wholesaling — A *Strategic and FinancialChart Book*, *Distribution* Research Program (Norman, OK: College of Business Administration, University of Oklahoma, 1996).

批发商的发展趋势

制造商总是拥有越过批发商的选择权，或者用更主动、积极的批发商来取代某个低效率的批发商的权利。制造商对于批发商的不满主要有：它们不积极地推销制造商的产品，而只是坐等订单；它们不肯多存货，以至不能尽快地供应顾客订货；它们不能向制造商提供有关市场现状和竞争情况的情报；它们不能吸引高质量的经理人员，以及降低自己的成本；它们为其服务所索取的费用太高。

当大型的制造商和零售商侵略性地转向直接购买程序时，批发商甚至表现出出局的倾向。但是，有见识的批发商认为它们遇到了挑战，并开始了自身业务的重组。大多数成功的批发分销商改革它们的服务，以满足它们的供应商和目标顾客的改变需要。它们认识到它们必须增加渠道的价值，必须通过投资更多的先进的材料处理技术和信息系统来减少它们的运作成本。

纳拉斯(Narus)和安德森(Anderson)向数名大型工业分销商进行过调查，发现它们用四种方法加强与制造商的联系：

1. 它们就制造商在营销渠道中应发挥哪些作用与之达成明确的协议。

2. 他们通过参观工厂，参加制造商协会的会议以及展销，深入了解制造商的要求。

3. 它们通过完成数量目标，及时付款并将信息反馈给制造商，以履行承担的义务。

4. 它们确定和提供附加价值服务以帮助它们的供应商。[23]

在繁荣的批发业跨入下一世纪之际，它也面临着许多挑战。它继续受到持久趋势的损害——价格上升和基于成本及质量而产生的供应商的离散。这个趋势促进走向垂直一体化，即制造商在努力通过拥有把商品带给市场的中间机构而控制市场份额，这种趋势在日益强化。

市场后勤

把商品送到顾客的过程传统上称为实物分配(physical distribution)。实物分配从工厂开始。经理努力选择一系列的仓库(储存点)和运输承运人，以适当的时间或最低的总成本，把生产的商品送到最终目的地。

最近，实物分配的观念扩大成更广泛的供应链管理(supply chain management)观念。供应链管理的起点要早于实物分配，注重于正确输入(原材料、组件和资本设备)过程；有效地把它们转化为制成品；分发到最终目的地。它甚至还扩展至研究公司的供应商自己怎样获得它们的输入品并转化为原材料。对供应链的透视能帮助一家公司辨认优秀的供应者和帮助它们在供应链中改进生产效率，这最终将使公司的成本下降。

不幸的是，供应链观点把市场仅仅看成是目的点。公司要有效率，首先应该考虑它的目标市场要求，然后，从这一点开始后向设计供应链。这个观点是市场后勤。

> 市场后勤(market logistics)是指对原料和最终产品从原点向使用点转移，以满足顾客需要，并从中获利的实物流通的计划、实施和控制。

它导致了对需求链(demand chain)的探索。下面举几个从需求链思考的例子。

● 一家软件公司通常把对它的挑战看成是生产和包装软件盘和手册，然后运送给批发商——它再运给零售商出售给顾客。顾客在家里或办公室拆开包装，花时间把软件输入硬盘。市场后勤提出的问题是：能否为顾客服务得更好。这里至少有两种交货制度是比较优秀的。第一种要求顾客拨通软件公司的电话，订购一个软件与付款，然后该软件通过电话线直接装用户硬盘。另一种是通用软件，可在顾客订购时由电脑工厂直接装入计算机。这两种方法免除了定价、包装、运输和存储数百万软盘和手册的麻烦。这种解决问题的方法同样可适用于音乐、报纸、录像游戏、电影和其他用于传播声音、文字、数据和印象的产品分销中。

● 以前，德国消费者通常一瓶一瓶买软饮料。一家软饮料制造商决定设计一种6瓶装在一起的包装，并进行试销。消费者的反应良好，肯定了6瓶包装的软饮料携带方便。零售商也表示赞赏，因为6瓶包装在货架上摆放很方便，而且促使人们一次购买的瓶数增加。制造商设计了一种适合商店货架上陈列的6瓶包装。尔后，将这些6瓶包装的软饮料运往商店的货箱和货盘也应运而生。工厂的经营管理重新加以调整，以适应新的6瓶包装的生产。采购部门就外出采购所需要的新原料。这种新包装的软饮料制成后，成了深受顾客欢迎的畅销品，制造商的市场份额大幅度地增加了。

● 世界上最大的家具零售连锁店宜家(IKEA)，能生产大大低于竞争者的成本并提供更高质量的家具。宜家成本节约的来源如下：(1)公司大量购进家具，从而获得低价格；(2)家具设计是可拆装形式，从而运输成本很低；(3)顾客自运回家，降低了送货成本；(4)顾客不要求商店组装他买的家具；(5)宜家与竞争者不同，采取薄利多销，总之，宜家在同样的家具上比竞争者少花20%的费用。

市场后勤任务要求建立由信息技术(IT)支持的整合后勤系统(integrated logistics systems，ILS)，包括材料管理、材料流动系统和实体分销。第三方供应商，诸如联邦快递后勤服务或罗德整合后勤公司(Ryder Integrated Logistics)，经常参与或管理这些系统。富豪汽车公司和联邦快递一起运作，在门波西建立了一个完整的存储卡车的仓库。当一位经销商用免费号码拨通应急电话需要汽车部件时，该部件可同一天运出，并在当晚送到机场或经销商的办公室，甚至是修理点的门店。

When Hewlett Packard wanted to reduce inventory investment, what was the first name that came to mind?

Bill.

罗德整合后勤公司的一个广告。

信息系统在市场后勤管理中起了关键作用，特别是来自于信息技术的计算机、销售终端、统一的产品编码、卫星追踪、电子数据交换（EDI）和电子资金交换（EFT）。这些技术的发展使公司能做到或提出诸如这样的允诺，"该产品将于明天早上 10 点在 25 号码头交货"，而对这种允诺的控制来自于信息管理。考虑下面两个例子。

超值（Supervalue） 超值公司是在明尼苏达州伊顿·波拉里经营干杂货的一个大批发零售商。它已经有经验运用"交叉进货"系统，一种把产品从供应商卡车搬送到分销中心，并不需放下来重新选择或重新运用容器封装服务，就送到商店卡车上的系统。在劳动和时间节省的承诺吸引下，正在超值交叉进一些高容量的产品，诸如纸张产品、牛奶和面包；大约 12% 的干杂货现在也采用交叉进货。在亚拉巴马州的亚马逊地区，超值的模型高技术分销中心从操作的效率和降低的成本中已经获利。[24]

卡特和巴克（Cutter & Buck） 卡特和巴克公司是一家在 1990 年建立的高级流行运动服装公司。1993 年，它进入高尔夫商店市场，而且看到了它在健康成长。到了 1996 年，卡特和巴克认识到它在使用签约仓库上有一个问题，即仓库是缺乏内部刺绣能力的组合。它编织衬衫需要传统的刺绣，而且与 14 种不同刺绣供应商交易的后勤是难以确定日期和控制的。因此，卡特和巴克作出了建立自己的仓库并在仓库里添置刺绣机器的重要投资决定。快速的周转，特别是在刺绣方面，已极大地改善了业务以及利润。[25]

市场后勤包括数项活动。第一个任务是销售预测，公司在预测基础上制定生产计划和存货水平。生产计划明确了采购部门必须订购的原料。这些原料通过内部运输送到工厂，进入接受部门，并被作为原材料存入仓库。原材料被转变为制成品。制成品存货是顾客订购和公司制造活动之间的桥梁。顾客的订货减少了制成品的库存，而制造活动则充实了库存商品。制成品离开装配线，经过包装、厂内储存、运输事务所的处理、装箱运输、地区储存，最后送达顾客，并提供服务。

管理层已越来越对市场后勤的总成本感到关切，这项总成本在某种情况下约占产品成本的30%～40%。例如在1993年，美国公司花费了6 700亿美元——10.5%的国内生产总值——来安排包装、捆扎、装货、卸货、分类、再装货、运输商品。在杂货业，它们考虑改进市场后勤以后，能为年经营成本减少10%，即300亿美元。一个常见的麦片早餐盒，从工厂到超市，经过有批发商、分销商、经纪人和其他合伙人等的复杂经手过程，共用104天。[26]面对这种昂贵的无效劳动，毫不奇怪，专家们称市场后勤是"成本经济的最后一道防线"。市场后勤成本较低会降低售价和获得高毛利。虽然建立市场后勤的成本也并不低，但一个计划优秀的市场后勤方案能成为竞争营销中的潜在工具。公司通过改进市场后勤来提供更好的服务、更快的循环时间或更低的价格，从而吸引更多的顾客。

如果公司的市场后勤建立不当会产生什么后果？公司如果不能及时供应商品，就会失去顾客。柯达公司为其新开发的即刻成像照相机在美国大做广告，但是它却没有给各零售店送去足够的照相机。顾客发现商店里没货，就改买宝丽来的照相机了。

　　莫西莫(Mossimo)　　设计师莫西莫·奇奴利(Mossimo Giannulli)售卖由他签名的印有莫西莫标签的男女运动服的收藏品，其中有男士领带、女士内衣和泳装，以及男女皆宜的日常服装。在洛杉矶的该公司向全国性的百货商店和专卖商店销售。最近，他降低高额经常性开支并集中于设计，莫西莫把他的扫描印刷分公司奇尼科(Giannico)卖给了威特兰德(Winterland)，圣弗朗西斯科的一家特许经营的私人商标服装的生产商。作为交易的一部分，威特兰德将制造所有的莫西莫的T恤衫和运动衫。该协议对双方都是有利的。由奇尼科提供的最新型的设备、仓库和计算机化的库存系统将会更有效率地为威特兰德运作服务，其中包括许多音乐团体，如黑街男孩，伊利克·克莱顿(Eric Clapton)以及利特·齐波林(Led Zeppelin)的特许服饰。[27]

市场后勤目标

　　许多公司都这样描述它们的市场后勤目标：以最低的成本，将适当的产品在适当的时间，运到适当的地方。可惜这一目标缺乏实际指导意义。没有一个实物分销系统能同时兼顾最佳顾客服务和最低分销成本。最佳顾客服务意味着大量的存货、足够的运输工具和许多仓库，这一切都将增加市场后勤成本。最低市场后勤成本意味着低廉的运输费用、低水准的存货和少量的仓库。

一个公司如果让每个市场后勤经理各自降低其成本，就不能获得实物分销的效益。市场后勤各环节发生的费用常常是从相反方向相互影响的。例如：

运输经理总是偏好铁路运输而反对空运，因为铁路运输的成本低。但是，由于铁路运输比较慢，火车送货减慢了流动资金的周转，延迟了顾客的付款，同时有可能导致顾客转向其他能提供迅速服务的竞争者购买。

装运部门利用便宜的集装箱以降低装运成本。这将导致商品损坏率的上升，引起顾客的不满。

存货经理希望存货少一点，以降低存货成本。但这一政策会造成脱销、文件往来增加、特别的生产安排和快速运货的高昂成本。

考虑到市场后勤的活动中包含着许多重要的选择，决策必须以整体系统为基础。设计市场后勤系统，首先要研究顾客需要什么和竞争者提供什么。顾客对几件事感兴趣：按时送货，供应者愿意满足顾客的各种需要，稳稳当当地搬运商品，供应者愿意收回次品并且立刻组织再供应，供应者愿意储备存货。

公司必须研究上述服务对于顾客的不同的重要性。例如，维修服务时间对于复印设备的购买者十分重要。于是，施乐公司提出一项服务输送标准，规定"无论在美国境内的什么地方，必须在接到服务请求后 3 小时之内，使瘫痪的机器恢复运转"。施乐公司设计一个服务部，用服务人员和零件实行就地服务。

公司在确定自己的服务标准时，必须参照竞争者的做法。一般要求提供至少和竞争者水平相同的服务。但是目标应该是利润最大化，而不是销售额。公司必须考虑在提供较高水平的服务时所产生的费用。有些公司提供服务很少，但是，售价也很低。有些公司提供的服务比竞争者多，但是价格也定得很高，以便抵补它们的高成本。

最后，公司必须制定市场允诺目标。可口可乐公司提出"把可口可乐存放在与需要近在咫尺之处"。有些公司甚至进一步给每个服务要素制定具体标准。

一家器具制造商确定了下列服务标准：在接到订货单后的 7 天内，至少有 95% 的中间商订货必须送达；以 99% 的准确性处理经销商的订货，对经销商有关订货情况的询问，必须 3 小时内作出答复；保证商品在运输中的损失不得超过 1% 。

在制定了一系列市场后勤目标后，公司就可以着手设计一个市场后勤系统，以最小的成本达到这些目标。每一个可能的市场后勤系统都包含了下式所表示的总费用：

$$M = T + FW + VW + S$$

式中：M——该系统的市场后勤成本；

T——该系统的运输总成本；

FW——该系统的仓储固定成本；

VW——该系统的仓库总变动成本(包括存货)；

S——该系统里由于平均的交货延误而失去销售额的总成本。

选定一个市场后勤系统，要求分析所提出的不同系统伴随的总成本(M)，然后选择一个总的分销成本为最小的系统。如果 S 难以测算的话，那么，公司可以致力于成本($T + FW + VW$)最小化来实现顾客服务的预定水准。

市场后勤决策

市场后勤涉及四个重要的决策问题：(1)如何处理订单(订单程序)？(2)商品储存地点应该设在何处(仓储)？(3)手头应该有多少储备商品(存货)？(4)如何运送商品(运输)？

订单程序

今天，大多数的公司努力缩短订单到收款的周期 (order-to-remittance cycle)，即拿到订单、交货到付款的这段时间。该周期包括许多步骤：销售员转交订单，订单输入和客户信用检查，存货与生产安排，订单和发票传递，收到货款。这个周期越长，顾客越不耐烦并且公司利润越少。但计算机使公司加快了这个进程。例如，通用电气的信息系统在接到订单以后检查顾客的资信水平，决定是否发货和在什么仓库发货。计算机发出装运单、顾客账单，更新存货记录，为新的存货发出生产指令，并把这些信息反馈给销售代表说明顾客订单已在处理之中——所有这一切所花的时间不到 15 秒钟。

莎莉(Sara Lee)　莎莉品牌衣饰公司是庞大的**莎莉**公司的一个分部，据说戴登·哈特森(Dayton Hudson)与他的供应商分享信息的愿望来自于把公司和竞争者区别开。戴登的全球商务系统(GMS)是一个比 60 个应用程序还要多的供应链系统，包括预测、订购，以及趋势分析等。戴登的公司中，诸如目标商店(Target)，可能从**莎莉**品牌衣饰公司那里订购一定数量的衬衫，它并没有制定更多的款式。当目标商店在接近交货日期时，它会分析颜色和大小的趋势。基于这些预测，**莎莉**进行了许多次试验，然后，目标商店开始试销它们。如果顾客购买了更多的海军式衬衫，目标商店就调整它的订单。结果**莎莉**和目标商店都只有较少的商品库存和较少的削价措施。[28]

仓储

每个公司在其商品待售的时候，必须把它们储存起来。储存的功能是必要的，因为生产和消费的周期很少一致。储存功能帮助缓和了预期数量上和时间上的差异。公司必须决定一个储存场所的数量。储存场所多，就意味能够较快地将货物送达顾客处。但是，仓储成本也将增加。

有些公司的仓库设在厂内或者工厂附近，有些公司则设在全国各地。公司可以拥有私人仓库，或者租用公共仓库。储备仓库(storage warehouses)的商品储存时间为中期到长期。中转仓库(distribution warehouses)从各个工厂和供应商那儿收到商品，然后，就尽快地发送出去。例如，国民半导体公司关闭了它的 6 家中转仓库和在新加坡建立了中央分销仓库以后，它的标准交货时间缩短了 47%，它的分销成本减少 25%，它的销售额增加了 34%。[29]

旧式的多层建筑仓库，伴随着它的缓慢的电梯和低效的货物管理程式，受到了来自新式的单层的自动化仓库(automated warehouse)的挑战，这种仓库装有由中心计算机控制的先进的货物管理系统。电脑读出商店的订单，根据商品编码指挥起重机和电动吊车集中商品，将商品运送到装货码头，并且开出发票。这些仓库减少了工人的工伤事故，降低了劳动成本，减少了商品被盗和破损率，并且加强了存货控制。当海伦·科蒂斯(Helene Curtis)公司用 3 200 万美元的新设备更换 6 个破旧仓库的设备后，它所管理的分销成本减少了40%。[30]

存货

存货水平代表了另一个影响顾客满意程度的决策。营销人员总是喜欢其公司备有充足的库存，以便随时满足顾客的订货。但是维持大量存货对于公司来说，在经济上并不合算。当对顾客的服务水平趋近 100% 时，存货成本将以加速度增加。管理层应该了解，销售量和利润的增加是否足以抵过较高的存货和加快订单程序所伴随的成本增加，然后再作出决策。

存货决策的制定包括何时进货和进多少货这两个方面。当存货下降时，管理层必须知道库存在什么水平要提出新的订货。这个库存水平称为订货(重新订货)点[order (reorder) point]。所谓订货点 20 就是指当库存的商品减少到 20 个单位时，就要重新订货。订货点则应该在由于脱销而造成的风险与存货过量所发生的费用这两者之间进行权衡之后决定。

另一个决策是进多少货。订货量大，订货次数就少。公司应该在订货处理成本和存货维持成本之间进行权衡。制造商的订货处理 (order-processing) 成本包括该产品的设备装置成本(setup cost)和营运成本(running cost)。如果设备装置成本比较低，制造商就可以经常性地生产该产品，其单位生产成本会是一个常数而与营运成本几乎相等。如果设备装置成本高，那么，制造商可以安排一个较长的生产周期，维持较大的库存量来降低每单位的平均成本。

订货程序成本必须和存货维持成本相比较。平均库存量越大，存货维持成本越高。这些维持成本包括仓储费用、资金成本、税金和保险费、折旧和报废。存货维持成本有时可能高达存货价值的 30%。这就意味着，营销经理如果希望公司维持较多的存货，他就应该表明，较大的库存量所增加的毛利将超过因库存量增加而造成的成本上升。

最佳订货量可以通过观察在不同的可能订货水平上订货成本与存货维持成本之和的情况来决定。图 17—2 表明，单位订货程序成本随着订货量增加而下降，这是因为订货成本被分摊到更多的单位上去的缘故。单位存货维持成本则随订货量增加而上升，这是因为每单位的储存时间相对地长了。这两条成本曲线垂直相加，即为总成本曲线。总成本曲线弯向横轴的最低点是最佳订货量 Q^*。[31]

准点生产方法(just-in-time production methods)改变了存货计划工作的具体做法。准点生产方法包括安排供应商按照需求量运送物料进厂。如果供应商是可以信赖的话，那么，生产商便可保持很低的库存水平，但又可满足完成顾客订货的标准。请研讨下面的例子。

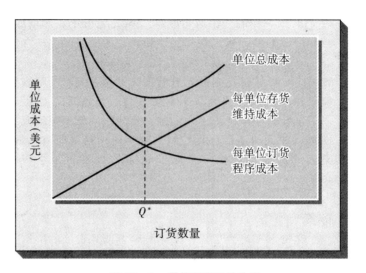

图 17—2 最佳订货量的决定

特斯科(Tesco) 特斯科是英国最大的连锁超市，建立了准点管理的市场后勤系统。它的管理层想要较大地减少昂贵的仓库成本。它用了一天补两次货的方法完成了这个任务。一般来说，它需要三种卡车来分别运送冷冻食品、冰箱食品和一般食品，结果，它设计了一种分割为三个空间的新型卡车同时运送这三种商品。

运输

营销人员应该对其公司的运输决策加以关注。运输工具的选择将影响到产品的价格、准时送货的执行和商品抵达时的损耗情况等等，而这些又将影响到顾客的满意程序。

公司在发货给仓库、经销商和顾客时，可在五种运输方式中进行选择：铁路、航空、卡车、水路和管道。托运人在为某个产品选择运输方法时，要考虑到速度、频率、可靠性、运载能力、可用性和成本等因素。如果托运人要求快速，空运和卡车是主要选择对象。如果目的是要谋求低成本，那么，水运和管道就是主要考虑对象。

托运人越来越多地将两种或两种以上的运输方式结合起来使用，这要归功于集装箱。集装箱(containerization)运输将商品装于箱内或挂车内，这方便了两种运输方式的调换。猪背(piggyback)联运是指铁路和卡车的联合运输；鱼背(fishback)联运是指水路和卡车的联合运输；火车船联运是指水路和铁路联合运输，空中卡车联运是指航空和卡车运输结合使用。每一种联运方式对于托运人都有某种独特的好处。例如，猪背联运比单独使用卡车运输便宜，同时也相当灵活和方便。

在选择运输方式时，托运人可以在私人运输、契约性运输和公共运输等方式中挑选。如果托运人拥有自己的卡车或飞机，该托运人就是一个私人运输商(private carrier)。契约性运输者(contract carrier)就是指某个独立的组织，按照所订的契约，向另一个组织出售运输服务。公共运输者(common carrier)按照规定时间提供预定地点之间的运输服务，它向所有的托运人都按标准价格收费。

关于市场后勤的组织教训

关于市场后勤的经验，管理决策层已得出体会。首先，公司应指定一名高级副总裁作为所有后勤因素的惟一联系点。这个负责人根据成本标准和顾客满意标准处理后勤执行工作。其目标是管理市场后勤活动以创造在合理成本下的顾客高度满意。这里有两个例子。

达林哥德(Darigold) 达林哥德公司，一家总部在西雅图的合作性牛奶公司，它是美国西部牛奶加工和牛奶产品的领导者。公司把生牛奶转换为国内和国际市场上的产品。它每年管理着 1 000 万条的订购线，并且具有复杂的定价要求。乔治·瑞尔森(George Ryerson)，达林哥德的信息系统主任，管理一套新的软件系统工具，它既能转换订购流程系统，也能改善顾客服务——把平均订购时间从订购开始到订购确认的 1 小时～8 小时减少到 5 分钟～10 分钟。他估计改善的效率将能更多地回报这一软件的成本。[32]

西尔斯(Sears) 西尔斯－罗巴克拥有一家巨大的信用卡公司叫西尔斯信用公司，该信用公司为超过 6 000 万的信用卡持有者服务，并占到西尔斯商店售出的所有商品交易的 50% 以上。为了改善顾客服务，西尔斯运用全面系统服务(TSYS)形成了一种战略联盟，一种第三方的信用卡流程服务。艾伦·J·莱克(Alan J. Lacy)，西尔斯信用公司的总裁，他强化了全面系统服务的能力，以更加快速和有效的追踪行为追回不轨人员的账户，从而改善了账户质量。莱克在经常的后勤(不管业务的大小)复核方面是很富盛名的，它能导致增加利润。[33]

市场后勤战略必须由企业战略驱动，而并非仅仅是考虑成本。后勤系统必须高度信息化并与所有重要部门建立电子网络。最后，公司建立的后勤目标不应低于或超过竞争者的服务标准，并应该由在后勤计划程序中的所有有关小组的成员参与。

小结

1. 零售包括将商品或服务售给最终消费者供其个人非商业使用这一过程中所发生的一切活动。零售商可分为商店零售商、非商店零售商和零售组织三类。

2. 就像产品一样，零售商店也经历着成长与衰退的历史阶段。当前的商店提供更多的服务来应付竞争，它们的成本和价格在上升，这就为在低价格上提供商品和服务组合的新零售形式打开了大门。零售商店的形式有：专业商店、百货商店、超级市场、便利店、折扣商店、廉价零售商(工厂门市部、独立的廉价零售商、仓库俱乐部)、超级商店(综合商店和巨型超级市场)、样品目录陈列室。

3. 虽然压倒多数的商品和服务是通过商店销售，但是非商店零售较之商店零售发展更为迅速。非商店零售主要形式有：直接推销(一对一推销、一对多和多层次网络营销)、直接营销、自动售货、购物服务。

4. 虽然许多零售商店拥有独立的所有权，但越来越多的商店正在采取某种合作零售的形式。零售组织有规模经济效应，例如更大的采购能力，更广泛的品牌认知和更训练有素的员工。合作零售的主要形式有：公司连锁商店、自愿连锁店、消费者合作社、特许经营组织和商业联合大公司。

5. 像所有的营销者一样，零售商必须制定营销计划，它包括的决策有：目标市场、产品品种和采办、服务和商品气氛、定价、促销、销售地点。零售商在作决策时，必须考虑当前零售行业的主要趋势。

6. 批发包括将产品或服务售给那些以再出售或企业使用为目的的用户的过程中所发生的一切活动。批发商帮助制造商将其产品有效地传送给遍布全国的许多零售商和工业用户。批发商执行许多职能，包括：销售和促销、采购和置办各种商品、整买零卖、储藏、运输、资金融通、风险承担、提供市场信息和提供管理服务及咨询。

7. 批发商分四类：商业批发商(完全服务批发商有批发中间商和工业分销商，有限服务批发商有现金交易运货自理批发商、卡车批发商、直送批发商、专柜寄售批发商、生产合作社和邮购批发商)；经纪人和代理商(包括制造商代理商、销售代理商、采购代理商和佣金商)；制造商和零售商的分部，营业所，采购办事处；其他批发商如农产品集货商和拍卖公司。

8. 像零售商一样，批发商还必须在其目标市场、产品品种和服务、定价、促销和地点等问题上作出决策。最成功的批发商是那些使它们的服务能满足供应商和目标顾客的需要，并认识到它们的存在是为渠道增加价值的人。

9. 实物产品和服务的生产商必须对市场后勤作出决策——用最好的方法存储和把商品和服务运送到市场目的地。市场后勤的任务需要供应商、采购代理商、制造商、营销者、渠道成员和顾客共同协作。后勤效率的主要获得来自于信息技术的先进性。虽然市场后勤的成本可能是高的，但一个计划优秀的市场后勤方案能成为竞争营销中的潜在工具。市场后勤的最终目标是满足顾客在效率和盈利上的要求。

应用

本章观念

1. 在这每一类别中识别一主要零售商并指出其商品品种是否深、广或杂。讨论在每种水平上可采用的广泛定位战略。零售商店：专业商店、百货商店、大众综合商店、超级市场、综合商场、巨型超级市场、折扣商店、样品目录陈列室。非商店零售：直接推销、邮购、在家购买、自动售货、购物服务。零售组织：公司连锁、自愿加盟连锁店、零售商合作组织、消费者合作社、特许经营组织、商业连锁公司。

2. 将零售滚动观念应用于经纪业。这一行业是如何开始的？几年来它是如何变化和发展的？现在这一行业处于何种地位？

3. 一公司的存货管理花费为30%。营销经理想要他公司的存货投资从400 000美元增长到500 000美元，他认为这样顾客会对其产品更忠诚、服务更强大，从而导致120 000美元的销售增长，销售总利润为20%。该公司应增加其存货投资吗？

营销与广告

1. 图17A—1展示了一份欧姆龙(Omron)的广告，它出现在一份美国国内的商业出版物上。它产品的特征之一是用于管理餐厅食品订购和支付的售点计算机系统。欧姆龙系统选择四个主要的市场后勤决策中的哪一个？为什么一个餐厅需要这种后勤系统的帮助？顾客从餐厅安装的欧姆龙系统装置中将如何获益？

图 17A—1

聚焦技术

清仓销售对于零售商减少过量的存货并快速卖掉它们，以腾出空间用于新的货物来说，是一种好方法。但是，清仓的零售商如何向它们的顾客宣传这些信息？目录零售商兰德·爱德（Land' End）用三种方法促进它的销售。首先，它定期邮寄库存过剩的充满特价销售的目录。其次，它在它的网站上一周两次邮寄新的销售清单，邀请顾客通过鼠标的点击来购买。第三，它邀请顾客经由电子邮件的业务通信，订购本周过剩的库存商品。

如果想了解兰德·爱德如何用计算机方法管理清仓销售，请访问它的网站（www. landsend. com）。浏览主页和点击库存过剩选项。在看完了一周两次的清仓销售邮寄后，点击订购库存过剩的新闻栏。兰德·爱德运用的是什么定价战略？在网上一周两次的邮寄销售单之外，为什么公司想通过电子邮寄销售新闻栏？为什么顾客想要订购？在网上邮寄销售信息之外，公司为什么会打印一份库存过剩的目录？

新千年营销

这些天来，专业商店销售特许商品是零售世界中最闪亮的一颗明星。考虑华纳兄弟音像商店，它在美国和12个其他国家有185个销售商店。通过访问这些连锁店的网站（www. studiostores. warnerbros. com／），在那里，巴格斯·波尼（Bugs Bunny）等的人物腾跃在为孩子、成年人、礼品和家里的页面上，你将能得到一个充满乐趣的商店氛围的提示。特许经营者从华纳兄弟音像商店的展示和销售商品的方法中如何获利？华纳兄弟如何组合知名人物的特许特征并从中获利？

你是营销者：索尼克公司的营销计划

由于在与最终消费者的关系上，零售商和批发商扮演着一种关键的角色。因为这种原因，在营销渠道中，制造商需要高效地管理它们与这些中间商的关系。

你的职责是负责对索尼克台式音响的渠道管理，包括建立和批发商和零售商之间的关系。再次检查公司的当前环境，特别是你的分销环境和计划。然后，回答下列与批发商和零售商有关的问题：

● 从理想化角度，索尼克欢迎什么类型的零售商经营它的产品？通过这些零售商销售，其优点和缺点是什么？
● 在目前经营索尼克产品的经销商中，何种类型的零售商看起来正在获得大众欢迎，而何种类型正在失去顾客？
● 在你理想化的清单里，索尼克让它的产品进入的零售商必须做什么？对索尼克来说这是一种优先权吗？
● 在索尼克的分销战略中，批发商应该扮演什么角色？为什么？

现在你已经检查了索尼克的零售和批发机会，并且，思考了对它的营销计划和目标的影响，总结你的计划和结论，把它们写进一个书面的营销计划中，或者，把它们输入到营销计划程序软件中的营销环境／渠道和营销战略／营销组合中。

【注释】

[1] William R. Davidson, Albert D. Bates, and Stephen J. Bass, "Retail Life Cycle," *Harvard Business Review* (November-December 1976), pp. 89 ~ 96.

[2] Stanley C. Hollander, "The Wheel of Retailing," *Journal of Marketing*, July 1960, pp. 37 ~ 42.

[3] Bill Saporito, "And the Winner Is Still... Wal-Mart," *Fortune*, May 2, 1994, pp. 62 ~ 70; Lorrie Grant, "An Unstoppable Marketing Force: Wal-Mart Aims for Domination of the Retail Industry—Worldwide," *USA Today*, November 6, 1998, p. B1.

[4] Hoover's Company Capsules, 1999.

[5] Laurence H. Wortzel, "Retailing Strategies for Today's Marketplace," *Journal of Business Strategy*, Spring 1987, pp. 45 ~ 56.

[6] See Michael Treacy and Fred Wiersema, "Customer Intimacy and Other Discipline Values," *Harvard Business Review*, January-February 1993, pp. 84 ~ 93.

[7] For more discussion, see Philip Kotler, "Atmospherics as a Marketing Tool," *Journal of Retailing*, Winter 1973 ~ 1974, pp. 48 ~ 64; and Mary Jo Bitner, "Servicescapes: The Impact of Physical Surroundings on Customers and Employees," *Journal of Marketing*, April 1992, pp. 57 ~ 71. Also see B. Joseph Pine II and James H. Gilmore, *The Experience Economy* (Boston: Harvard Business School Press, 1999).

[8] Shannon Stevens, "The Return of Red Lobster," *American Demographics*, October 1998; Chelsea J. Carter, "Theme Restaurants Face Trouble," Associated Press, December 17, 1998.

[9] Mall of America Web site; Kristen Ostendorf, "Not Wed to Tradition," Gannett News Service, January 5, 1998.

[10] Frank Feather, *The Future Consumer* (Toronto: Warwick Publishing, 1994), p. 171. Also see Stephen J. Hoch, Xavier Dreeze, and Mary E. Purk, "EDLP, Hi-Lo, and Margin Arithmetic," *Journal of Marketing*, October 1994, pp. 1 ~ 15.

[11] R. L. Davies and D. S. Rogers, eds., Store *Location and Store Assessment Research* (New York: John Wiley, 1984).

[12] See Sara L. McLafferty, Location Strategies *for Retail and Service Firms* (Lexington, MA: Lexington Books, 1987).

[13] Jay L. Johnson, "Supercenters: An Evolving Saga," *Discount Merchandiser*, April 1995, pp. 26 ~ 30.

[14] See Catherine Yang, "Maybe They Should Call Them 'Scammers,'" *Business Week*, January 16, 1995, pp. 32 ~ 33; Ronald C. Goodstein, "UPC Scanner Pricing Systems: Are They Accurate?" *Journal of Marketing*, April 1994, pp. 20 ~ 30.

[15] For a listing of the key factors involved in success with and EDI system, see R. P. Vlosky, D. T. Wilson, and P. M. Smith, "Electronic Data Interchange Implementation Strategies: A Case Study," *Journal of Business & Industrial Marketing* 9, no. 4 (1994); 5 ~ 18.

[16] "Business Bulletin: Shopper Scanner," *Wall Street Journal*, February 18, 1995, p. A1.

[17] For further discussion of retail trends, see Louis W. Stern and Adel I. El-Ansary, *Marketing Channels*, 5th ed. (Upper Saddle River, NJ: Prentice Hall, 1996).

[18] Shelley Donald Coolidge, "Facing Saturated Home Markets, Retailers Look to Rest of

World, " *Christian Science Monitor*, February 14, 1994, p. 7; Carla Rapoport with Justin Martin, "Retailers Go Global, "Fortune, February 20, 1995, pp. 102 ~ 108.

[19] Gherry Khermouch, "Third Places, "*Brandweek*, March 13, 1995, pp. 36 ~ 40.

[20] I. Jeanne Dugan, "The Baron of Books, " *Business Week*, June 29, 1998; and Hoover's Company Profiles, 1999.

[21] See Bert McCammon, Robert F. Lusch, Deborah S. Coykendall, and James M. Kenderdine, *Wholesaling in Transition* (Norman: University of Oklahoma, College of Business Administration, 1989).

[22] Hoover's Company Profiles, 1999, and company Web sites.

[23] James A. Narus and James C. Anderson, "Contributing as a Distributor to Partnerships with Manufacturers, " *Business Horizons*, September—October 1987. Also see James D. Hlavecek and Tommy J. McCulstion, "Industrial Distributors—When, Who, and How, " *Harvard Business Review*, March—April 1983, pp. 96 ~ 101.

[24] Susan Reda, "Crossdocking: Can Supermarkets Catch Up?" *Stores*, February, 1998.

[25] Diane Mayoros, "Cutter & Buck CHairman & CEO Interview, " *Wall Street Corporate Reporter*, August 6, 1998.

[26] Ronald Henkoff, "Delivering the Goods, "*Fortune*, November 28, 1994, pp. 64 ~ 78.

[27] "Mossimo Signs Manufacturing Agreement with Apparel Maker Winterland, " Business Wire, October 4, 1998.

[28] Tom Stein and Jeff Sweat, "Killer Supply Chains-Six Companies Are Using Supply Chains to Transform the Way They Do Business, " *Information Week*, November 11, 1998, p. 36.

[29] Henkoff, "Delivering the Goods, "pp. 64 ~ 78.

[30] Rita Koselka, "Distribution Revolution, "*Forbes*, May 25, 1992, pp. 54 ~ 62.

[31] The optimal order quantity is given by the formula $Q^* = 2\,DS/IC$, where D = annual demand, S = cost to place one order, and I = annual carrying cost perunit. Known as the economic-order quantity formula, it assumes a constant ordering cost, a constant cost of carrying an additional unit in inventory, a known demand, and no quantity discounts. For further reading on this subject, see Richard J. Tersine, *Principles of Inventory and Materials Management*, 4th ed. (Upper Saddle River, NJ: Prentice Hall, 1994).

[32] "Darigold Selects IMI to Enhance Order Fulfillment and Customer Service, " Business Wire, February 2, 1998.

[33] Sears Press Release, "Sears Announces Strategic Alliance with Total Systems, Inc. "May 14, 1998.

第**18**章

管理整合营销传播

科特勒论营销:

　　整合营销传播是一种从接受者的角度考虑全部营销过程的方法。

本章将阐述下列一些问题:

● 如何开展传播工作?

● 设计有效的营销传播方案的主要步骤是什么?

● 谁应对营销传播计划负责?

　　现代营销不仅要求开发优良的产品,制定有吸引力的价格,使它易于接受。公司还必须与它们现行和潜在的利益关系方和公众沟通。每个公司都不可避免地担当起传播者和促销的角色。对大多数公司来说,问题不在于是否要传播,而经常在于说什么、对谁说和怎样说。

　　营销传播组合(marketing communications mix)由五种主要传播工具组成:

　　1. 广告。由明确的主办人以付款方式进行的创意、商品和服务的非人员展示和促销活动。

　　2. 销售促进。各种鼓励、试用或购买商品和服务的短期刺激。

　　3. 公共关系与宣传。设计各种方案以促进或保护公司形象或它的个别产品。

　　4. 人员推销。与一个或多个预期购买者面对面接触以进行介绍、回答问题并取得订单。

　　5. 直接营销。使用邮寄、电话、电子信箱或因特网直接沟通,征求特定顾客和预期顾客的回复。[1]

　　第19章讨论广告、销售促进和公共关系;第20章讨论销售队伍和人员推销;第21章讨论直接和在线营销。

传播的过程

今天流行的见识是把传播作为公司和它的顾客在售前、售中、消费和消费后诸阶段的双向对话。公司必须不仅要自问："我们怎样接触到我们的顾客？"还要问："我们怎样发现一个方法使顾客接触到我们？"

表18—1列出了为数众多的传播概况。由于技术的突破，人们的传播方法可以是传统的媒体(报纸、收音机、电话、电视)，也可以通过较新的媒体形式(计算机、传真机、移动电话和寻呼机)。为了减少传播成本，新技术鼓励更多的公司从大众化传播方法走向目标传播和一对一的交流。

然而，公司的信息传播又远远超出这些特定的传播方式(见表18—1)。产品的式样和价格，包装的形状和颜色，销售人员的风度和穿着，场所的诱惑，公司的标准——所有这些都作为某种信息传递给购买者。一个品牌接触(brand contact)的强弱也在传播和强化购买者对公司的看法。整个营销组合必须融合传播公司连续一贯的信息和战略定位。

表18—1   通用的传播工具

广告	销售促进	公共关系	人员推销	直接营销
印刷和电台广告	竞赛、游戏	报刊宣传	推销展示陈说	目录销售
外包装广告	兑奖、彩票	演讲	销售会议	邮购服务
包装中插入物		研讨会	奖励节目	电话营销
电影画面	赠品	年度报告	样品	电子购买
宣传小册子	样品	慈善捐款	交易会与展销会	电视购买
招贴和传单	展销会	捐赠		传真邮购
工商名录	展览会	出版物		电子信箱
广告复制品	示范表演	关系		音控邮购
广告牌	赠券	游说		
陈列广告牌	回扣	确认媒体		
销售点陈列	低息融资	公司杂志		
视听材料	招待会	事件		
标记和标识语	折让交易			
录像带	交易印花			
	商品搭配			

传播过程的起点是审计所有可能反应的目标顾客是否有公司和产品的概念。例如，某些购买新电脑者会与其他人交谈，看电视广告，读报刊杂志，在因特网上浏览信息，在商店里观察电脑。营销者需要评估这些经验和印象在购买过程的不同阶段，哪一个有最大的影响力。这些见识将帮助营销者更有效地安排他们的传播费用。

为了使传播有效益，营销者需要了解有效传播的功能性要素。图18—1展示了一个传播模型的 9 个要素。2 个要素表示传播主要参与者——发送者（sender）和接受者（receiver），另 2 个表示传播的主要工具——信息（message）和媒体（media），还有 4 个表示传播的主要职能——编码（encoding）、解码（decoding）、反应（response）和反馈（feedback），最后一个要素表示系统中的噪音（noise）（如错乱的和竞争的信息，它干预了计划中的传播）。[2]

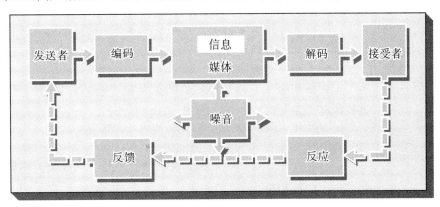

图 18—1　传播过程中的诸要素

这个模型强调了有效传播的关键因素。发送者必须知道要把信息传播给什么样的接受者，要获得什么样的反应。他们必须对信息进行编码，考虑目标接受者倾向于如何解译信息。他们必须通过能触及目标受众的有效媒体传播信息，建立反馈渠道，以便能够了解接受者对信息的反应。

要使信息有效，发送者的编码过程必须与接受者的解码过程相吻合。发送的信息必须是接受者所熟悉的。发送者与接受者的经验领域相交部分越多，信息越可能有效。信息源能编码，信息传播终点能解码，这需要各方所具有的经验为条件。这也把负担压在来自某一社会阶层的信息传播者身上（如广告人），他们要把信息有效地传播给另一个社会阶层（如工厂的工人）。

发送者的任务就是把他的信息传递给接受者。目标受众因为 3 个原因而可能接受这些预期的信息：

1. 选择性注意。人们每天受到 1 600 条商业信息的轰炸，只有 80 条被意识到和大约 12 条被刺激而有反应。因此，信息传播者必须设计能赢得克服分散注意力的信息。选择性注意解释了为什么用大胆的通栏标题，如 "如何赚 100 万"，就有很大吸引力的可能性。

2. 选择性曲解。接受者只想听符合他们信念的事。结果，接受者往往对信息加上些原来没有的内容（扩大），并不注意原信息的其他方面（扯平）。信息传播者的任务是力争使信息简明、清楚、有趣和多次反复，使信息的主要点得以传递。

3. 选择性记忆。人们只可能在他们得到的信息中维持一小部分的长期记忆力。如果接受者原先对目标的态度是肯定的，他或她所复述的又是支持性论点。这一信息就可能被接受，并有较强的记忆。如果接受者原先的态度是否定的，而且复述反对论点，信息就可能被拒绝，但也保持在长期记忆中。由于大多数的说服需要接受者再三考虑他或她本身的想法，因此，很多所谓的说服都是自我说服。[3]

信息传播者始终在寻找与接受者可说服程度相关的特性。有较高文化程度的人和知识分子被认为较不易被说服，但是这个论据没有说服力。一个能接受外界标准来指导自己行为或具有较少自我意识的人，很容易接受劝说。一个自信心不强的人也容易被劝说。[4]

菲斯克(Fiske)和哈特利(Hartley)勾勒了影响信息有效传播的一些常见因素：

● 传播者对接受者的控制权越强，接受者的变化或在他们身上所起的作用对于传播者就越有利。

● 信息与接受者的意见、信仰及倾向越一致，传播的效力就越大。

● 传播可能对不属于接受者价值系统中心的不熟悉的、轻微感觉的、非本质的问题产生最有效的转变作用。

● 当传播人被认为是有经验、地位高、较客观、和蔼可亲的人时，特别是有权力并能与人打成一片时，传播更可能有效。

● 社会环境、社会群体和相关群体，不论其是否公开承认，都是传递传播和产生影响的媒体。[5]

开发有效传播

开发有效传播有八个主要步骤。营销的信息传播者必须：(1)确定目标受众；(2)确定传播目标；(3)设计信息；(4)选择传播渠道；(5)编制总传播预算；(6)决定传播组合；(7)衡量促销成果；(8)管理和协调整合营销传播过程。

确定目标受众

营销信息的传播过程必须一开始就要在心目中有明确的目标受众：公司产品的潜在购买者、目前使用者、决策者或影响者；受众可能是个人、小组、特殊公众或一般公众。目标受众将会极大地影响信息传播者的下列决策：准备说什么，打算如何说，什么时候说，在什么地方说，向谁说。

印象分析

对受众分析的一个主要部分，是评价受众对公司的产品和竞争者的现有印象。

印象(image)是一个人对某一对象所具有的信念、观念和感想的综合体。人们对某个对象的态度和行动是受他们对这一对象的信念高度制约的。

第一步是采取下列熟悉量表(familiarity scale)测定目标受众对该对象的认知程度：

从未听说过　　仅仅听说过　　知道一点点　　知道相当数量　　熟知

对熟悉这一产品的回答者，可以问他们对产品喜爱程度如何，可用下列偏好量表(favorability scale)检验：

很不喜爱　　　　不怎么喜爱　　　　无定见　　　　较喜爱　　　　很喜爱

如果大多数回答者挑选前一、二类，那么，该组织必须解决这一否定的印象问题。

这两种量表结合起来能加深对信息传播这一问题性质的认识。举例来说，假设询问某一地区的居民对本地 A，B，C，D 四家医院的熟悉程度和态度，他们的回答经过平均计算后如图 18—2 中所示，A 医院得到最肯定的印象，大多数人熟悉并喜爱它；大多数人对 B 医院不太熟悉，但熟悉它的人喜爱它；熟悉 C 医院的人对它持否定态度，幸亏熟悉它的人不多；D 医院被认为是一所糟糕的医院，大家都知道它！

每家医院都面临不同的任务，A 医院必须维持它的好声誉和高的社会知名度；B 医院必须获得更多的人注意，因为只有那些注意它的人才知道它是家好医院；当人们对 C 医院印象不佳时，它需要找出人们不喜欢它的原因，采取步骤以改进工作；D 医院应该扭转它的不好形象，改进其质量，然后重新寻找公众注意力。

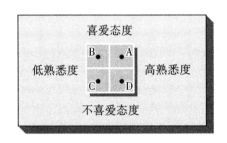

图 18—2　熟悉—喜爱程度分析

每家医院都需要进一步研究人们对其印象的特定内涵，通常所用的工具是语义差别法(semantic dimensions)。[6]它包括下列步骤：

1. 设计一组相关的量表。调查者询问人们以确定他们在考虑目标物时所使用的尺度。人们会被问及："当你在考虑一家医院时，什么是你所关心的?"如果某人回答："医疗质量。"这就应该划分为用相反形容词的两个尺度："医疗水平差"和"医疗水平高"。这就可以列为 5 个～7 个尺度，图 18—3 列示了医院的一组尺度的划分。

2. 减少相关量表的数量。量表的数量应保持在最低限度，以避免回答者在把 n 个目标划分为 m 个尺度时所产生的疲劳厌烦。有人认为基本有三种类型的量表：

● 评价量表(好—坏品质)。

● 能力量表(强—弱品质)。

● 行为量表(主动—被动品质)。

使用上述方法进行工作，研究者就能摒弃不会增加多少信息的冗赘的量表。

3.运用抽样方法选出一批回答者来试验这一评价工具。回答者被要求一次对一个目标提出评价。相反性质的形容词应随机排列，这样就不会把所有差的形容词都列在一面上。

4.平均结果。图18—3展示了回答者对A、B、C医院状况的平均结果(D医院省略)。人们对每家医院的印象用垂直的平均值线来表示，它概括了每个回答者对那个医院的平均的看法，A医院被认为是一家规模大而又现代化的、友好的和医疗水平高的医院，在另一端，C医院被认为是规模小的、陈旧的、冷漠的和医疗水平差的医院。

5.检查印象变异。因为每一个印象轮廓都是一条平均值线，所以它不能揭示实际印象的变异状况。是否每个人都正好如图中所示那样看待B医院，还是尚存在大量差异呢？在第一种场合我们会说，印象是高度特定型；在第二种场合，印象是高度分散型。某家机构可能不要太特定型印象。有些组织却喜欢分散型印象，致使不同组群在这一组织内满足不同的需要。

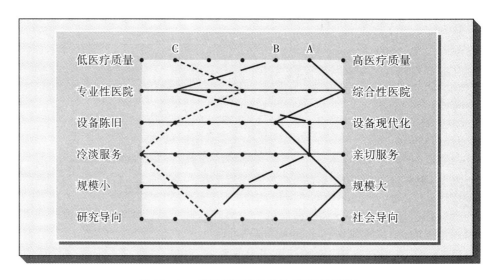

图18—3 对三家医院的印象(语义差别法)

现在，管理层对照现有印象，如果发现差距，就应定义期望印象。假设C医院希望公众对它的医疗质量、设备、友好态度等等有较满意的看法。管理层必须决定先填补哪个印象缺口。是期望改进医院的友好印象(通过人员训练计划)，还是设备的质量(通过更新)？填补印象缺口的成本是多少？它所需时间要多久？

一个组织试图改变它的形象，必须要有很大的耐心。在组织发生变化后很久，印象还是"粘附"着和持续着。印象的持续性可由这样的事实来解释，当人们一旦对某目标物有了某种印象，他们就倾向于坚持接受对该形象的认知。只有与该形象完全相反的信息才能引起他们对它的怀疑和接受新的信息，特别是在人们对已经变化的对象还没有连续的或新的第一手经验的时候。在万维网

664

上的罗克福特(Rockford)、米奇加(Michigan)，发现它的哈西·普比斯(Hush Puppies)品牌休闲鞋在失去它的时尚形象。然后，一个时尚设计师在哈西·普比斯上染上鲜艳的颜色。哈西·普比斯的形象从陈腐变为先锋派。"新"哈西·普比斯满足了需求，它的销售额从 1994 年的 3 万双发展到 1996 年的 1 700 万双。[7]

确定传播目标

当确认了目标受众及其特点后，营销信息传播者必须确定所期望的受众反应。营销人员可能要寻求目标受众的认知(cognitive)、情感(affective)和行为(behavioral)反应。换言之，营销人员要向消费者头脑中灌输些东西来改变消费者的态度，或者使消费者行动。这里，有几种不同的消费者反应阶段模式，图 18—4 列示了四种最著名的反应层次模式(response hierarchy models)。

所有这些模式假设购买者都依次经过认知、情感和行为这样三个阶段。这个连续的过程是学习—感觉—动作的过程，它被用于目标受众高度参与该产品项目并在认识上有很大的差异性，如购买汽车。另一个次序是动作—感觉—学习，它被用于受众对该产品项目高度参与但认识上很少或没有差异，如购买铝制框架。第三种次序是学习—动作—感觉，它被用于目标受众对该产品项目低度参与和认识上很少有差异，如购买盐。通过了解其所适用的次序后，营销人员就能把传播计划的工作做得更好。[8]

这里，我们假设购买者对该产品项目高度参与和有高度的差异性。因此，我们将研究影响层次效果(hierarchy-of-effects)模式(见图 18—4 第 2 列)。

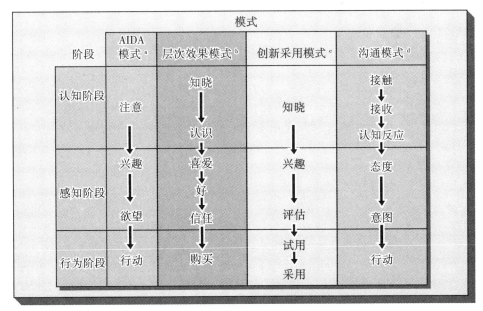

图 18—4　反应层次模式

资料来源：(a) E. K. Strong, *The Psychology of Selling* (New York: McGraw-Hill, 1925), p. 9; (b) Robert J. Lavidge and Gary A. Steiner, "A Model for Predictive Measurements of Advertising Effectiveness," *Journal of Marketing*, October 1961, p. 61; (c) Everett M. Rogers, *Diffusion of Innovation* (New York: Free Press, 1962), pp. 79 ~ 86; (d) various sources.

● 知晓。如果大多数的受众不知目标物，信息传播者的任务就是促使人们知晓，多半就是认知名称。这能用重复这一名称的简单信息来达到目的。尽管如此，促使人们知晓是要费一定时间的。假设一所在艾奥瓦州的名叫波特维莱(Pittsville)的小型学院要在内布拉斯加有 30 000 名高中生，他们是波特维莱学院潜在的有兴趣者，学院就可以制定一个目标，使 70% 的学生在一年内知道波特维莱学院的名字。

● 认识。目标受众可能对公司或产品有所知晓，但知道得并不太多。波特维莱学院可能要它的目标受众了解，它是一所位于艾奥瓦州东部的、在英语和语言艺术学方面有着优秀课程的四年制私立学院。它需要知道它的目标受众中有多少人对本学院一无所知、知道不多和知之甚多，这样，学院就可决定建立产品认识作为当前的信息传播目标。

● 喜爱。如果目标受众知道了目标物，他们对它的感觉如何？如果他们中的多数不喜欢波特维莱学院，信息传播者就得找出原因，然后开展一次信息传播的战役，以建立令人喜爱的感觉。如果这种不喜爱观点来自学校确有不完善之处，那么信息传播战役毋需实施，仅需改进学院的工作，然后把它的质量传递出去。良好的公共关系要求言行一致。

● 偏好。目标受众可能喜爱这一产品，但并不比对其他产品更偏好，在此情况下，信息传播者要设法建立消费者偏好。信息传播者可以宣扬产品的质量、价值、性能和其他特征。信息传播者在实施这些活动后，可以再测试受众的偏好，来检验上述活动是否成功。

● 信任。某一目标受众可能喜爱某一特定产品，但尚未发展到要购买它的阶段。如果某些中学的高年级学生喜爱波特维莱，但尚未确信要报考这所学院。信息传播者的工作，就是帮助学生建立起这样一种信念，去这所学院是最好的选择。

● 购买。最后，有些目标受众已处于信任阶段，但尚未达到作出购买的决定。他们可能在等待进一步的信息，计划着下一步行动。信息传播者必须引导他们迈出最终一步，而行动包括在提供的产品中，给予较低定价，给予商品补贴，在有限的范围内提供试用的机会。波特维莱学院可以邀请经过选择的高中学生参观校园和出席某些班级活动，或者，它可以为有愿望的学生提供奖学金。

设计信息

明确了期望受众以后，信息传播者就该开发一个有效的信息。在理想状态下，信息应能引起注意，提起兴趣，唤起欲望，导致行动(attention, interest, desire, action，AIDA 模式见图 18—4 第 1 列)。在实践中，能使消费者经历从知晓到购买的全过程的信息是没有的，但 AIDA 框架提出了合乎任何传播所需要的特性。

制定信息需要解决四个问题：说什么(信息内容)，如何合乎逻辑地叙述(信息结构)，以什么符号进行叙述(信息格式)及谁来说(信息源)。

信息内容

在决策信息内容时，管理层在寻找诉求（appeal）、主题（theme）、构思（idea）或独特推销计划（unique selling proposition）。诉求可区别为三类：理性、情感和道义。

理性诉求（rational appeals）是受众自身利益的要求。例如，它们显示产品能产生所需要的功能利益。能展示产品质量、经济、价值或性能的信息。人们普遍相信，行业购买者对理性诉求最有反应，他们具有对有关产品等级方面的丰富知识，受过辨认价值的训练，并且他们的选择需对别人负责。消费者在他们购买大额物品时，也被认为是会收集信息，并仔细地比较各种不同的选择的。他们将对产品质量、经济、价值和性能的诉求作出反应。

情感诉求（emotional appeals）是试图激发起某种否定或肯定的感情以促使其购买。营销者寻找合适的感情销售建议。产品可能与竞争品相类似，但对消费者有独特的联系（例如劳斯莱斯，哈雷·戴维森和劳力士）；商业广告追求这些联系。另外，信息传播者传播带有害怕、内疚和羞愧等要求的信息，以使人们去做该做的事（如刷牙、进行年度体检）或停止做不应该做的事（如吸烟、酗酒、滥用药物和饮食过量）。害怕性诉求在一定限度内是有效的，如果它并非很强烈的话往往最有效。一个调研报告指出，即不极端强烈也非极端弱的中性害怕性诉求较受人欢迎。这份报告进一步说，在来源可靠性高的情况下，害怕性诉求的效果会更好，并当传播的恐惧在可信和有效地被逐渐释放时，害怕性诉求将被唤醒。[9]

信息传播者也使用肯定性的情感要求，诸如幽默、热爱、骄傲和高兴。迄今尚未证明幽默性的信息必然比直率性的相同信息更有效。幽默性的信息可以吸引更多的关注，以及会造成对主办人更多的喜爱和信念。其他人坚持认为幽默会降低理解，减少它快速地受到欢迎，以及影响到产品本身。[10]下面是一个成功和一个不成功的运用幽默的例子。

乔·布科尔（Joe Boxer） 1978年，从东海岸到西海岸的广告牌上，男模特展示着卡尔文·克莱恩（Calvin Klein）设计的白色短裤。从那时起，这种原先很普通的服饰，也成了时尚服装的一种。许多大牌的设计者都开始设计此类服装，进入了这个23亿美元的市场。如何吸引住那些有品位的消费者，在这个市场取得优势成为一个艰巨的挑战。乔·布科尔选择幽默的营销方式，成功地将1985年1 000美元的初始投资变成了1亿美元的市场份额。他设计的产品与众不同，第一批服装由红色的花格呢制成，还配有一条可分离的浣熊毛尾巴。他的广告和促销方式也与众不同。它在万维网的网址 www. joeboxer.com（标语：穿干净的内衣），在一个月内吸引了超过100万人的点击。另一个著名的促销是与澳大利亚维珍航空公司的合作促销，该方案对那些购买了5套乔·布科尔产品的人们，给出了一张坐维珍到伦敦的免费的往返旅程机票。商场销售一空，而5架庞大的喷气式飞机被坐得满满的。[11]

联邦快递（FedEx） 联邦快递是美国最大的航空快递经营者，但不是海外最大的。联邦快递长期与有趣的电视广告协作：一个经典的广告是老板模仿他的秘书去寄一个包裹。但是，公司发现幽默并不总能适合于全世界。在它的第一次全球活动中，就有了这一结束语："这是世界性工作"，联邦快递集中强调它企业的全球业务。在一个广告中，一个在米兰的服装制造者发现她出现在日本的婚礼上，在那里，新娘正穿着一件她的睡衣。这项活动花费了 4 500 万美元，以最小的改动在 20 个国家运行，而不是像以前的广告那样，在每个国家都顾客化定制。大卫·金飞特（David Schonfeld），联邦快递公司的营销副总裁，解释了在方法上的改变："我们必须传递的最重要的信息是我们已成为一家全球性的公司。全球主题取代了过去的特定信息。我们的幽默性的广告已经完成了为它们设定的目标，但公司能承担让它的广告目标都被接触到是不可能的。"[12]

道义诉求（moral appeals）用来指导受众有意识地分辨什么是正确的和什么是适宜的。它常常被用来规劝人们支持社会事业。一个例子是"沉默 = 死亡"的诉求，它的口号是：奋发，艾滋病联合会在发起有力的宣传。

有些广告商相信，当信息与受众的看法稍有不一致时，信息便会具有最大说服力。只是陈述受众所相信的东西的信息不会引起人们太多的注意力，充其量也只不过增强受众的信念而已。但是，信息内容如果与受众的看法相去太远，就会在受众的心目中受到反驳，因而便不会让人们相信。

公司在不同的国家销售它们的产品时，必须准备不同的信息传播。例如，在对不同国家的护发产品广告中，海伦·科蒂斯调整它的信息内容。中档层次的英国妇女洗头频繁，而西班牙妇女正相反。日本妇女也不常洗头，因为她们怕把保护头发的油全洗掉。参见"新千年营销——全球广告和促销挑战"。

新千年营销

全球广告和促销挑战

多国公司在发展全球传播计划上遇到了大量的挑战。首先，它们必须决定产品是否适合这个国家。其次，它们必须确信它们选择的市场细分是合法的而且是符合惯例的。第三，它们必须决定是否广告风格在所有的国家是可以接受的或者是惯常的。第四，它们必须决定广告是用总部广告还是当地广告。

1. 产品。在伊斯兰教国家，啤酒、白酒和烈酒不能做广告或者出售。烟草产品在许多国家受到基本管制；现在，英国不仅想禁止烟草广告，而且也想禁止烟草公司向体育的赞助。全球协调化的化妆品规则，著名的如佛罗伦萨规则，正在得到讨论。规则条款如产品标签、产品安全、动物测试和更新成分清单，将对广告产生重大影响。

雅芳中国有限公司被中国政府强令停止向中国消费者直接销售，而且要开设零售商店，它需要新的广告和促销运动以重新把公司定位为一个零售商，而不是直接营销者。

2. 市场细分。可口可乐在不同国家市场细分片中有各种不同广告节目的广告库。由当地的和全球细分管理者决定哪一个广告片对哪一个细分市场运作的最好。最近，以一种通常相反的规则，使用一只多嘴的熊和一个想要变成狼的人，为俄国人发展了一系列的可口可乐广告在美国展示。当可口可乐的努蒂克(Nordic)分部的总裁米歇尔·奥尼尔说："这种方法最好地适应了全球特征的可口可乐，并为人们提供了一种特别的观察不同于他们自己的一种文化的视野。"

在许多国家，玩具制造商惊奇地学习这些经验，例如，在挪威和瑞典，电视广告不可以直接针对12岁以下的孩子。此外，瑞典正在游说以扩展到全部欧盟成员国都予以禁止。为了播放的安全，麦当劳在瑞典作为一个家庭餐馆为自己做广告。

3. 风格。广告的风格也是重要的，对比广告，虽然在美国和加拿大是可接受的甚至是很普通的，在英国通常是较少使用，在日本不被接受，在印度和巴西则是非法的。百事可乐发现它的比较性的口味测试广告，在日本被许多电视台拒绝，而且实际上导致了一场民事诉讼。中国对电视和电台广告有限制性的检查制度，例如，"最好的"这句话是受到禁止的，禁止的还有广告中"亵渎了社会传统"或者以"不合适的方式"出现妇女。在俄罗斯，当西耐克斯(Snickers)不断地用可怜的美国电视广告片的配音来轰炸时，它陷于困境。俄罗斯的滑稽演员接着开始到西耐克斯找工作，而且它的品牌名成为笑料。

4. 本地化或全球化。今天，通过在所有的市场上使用相同的广告，越来越多的多国公司尝试着建立一种全球品牌形象。联邦快递的第一个全球运动是全球工作之路。受立信，瑞典的电信业巨人，在一项全球性的电视运动中运用结束语"让自己聆听"花费了100万美元，其中特写了007，詹姆斯·邦德。当戴姆勒-奔驰(Daimler AG)和克莱斯勒(Chrysler)合并后成为世界第5大汽车公司时，它们在100多个国家举行了3周的广告活动，此活动由12页的杂志插页，9张报纸传播和一份被送到商业、政府和工会领导者，以及新闻媒介的24页的小册子组成。运动的结束语是"期待特别"，而且，它特写了公司中一起工作的人们。但即使一家公司喜欢强有力的公司标准，法规限制可能使它被强制适应。可口可乐的印度分公司被迫结束一项诸如好莱坞式的提供奖金的促销活动，因为它鼓励顾客为了赌博而购买，违反了印度的商业惯例。

资料来源：Brian S. Akre, "Employees and a Pair of Dummies Star in DaimlerChrysler's First Ad Campaign," *Ap Online*, November 15, 1998; Richard C. Morais, "Mobile Mayhem," *Forbes Magazine*, July, 6 1998, p. 138; Patti Bond, "Today's Topic: From Russia with Fizz, Coke Imports Ads," *Atlanta Journal and Constitution*, April 4, 1998, pp. E2; "Working in Harmony," *Soap Rerfumery & Cosmetics*, July 1, 1998, p. 27; Rodger Harrabin, "A Commercial Break for Parents," *Independent*, September 8, 1998, p. 19; T. B. Song and Leo Wong, "Getting the Word Out," *The China Business Review*, September 1, 1998; "U. K. Tobacco Ad Ban Will Include Sports Sponsorship," *AdAgeInternational. Com*, May 1997; "Coca-Cola Rapped for Running Competition in India," *AdAgeInternational. com*, February 1997; Avon Campaign Repositions Company in China, *AdAgeInternational. com*, July 1998; Christian Caryl, "We Will Bury You...With a Snickers Bar," *U. S. News & World Report*, January 26, 1998, p. 50; Naveen Donthu, "A Cross Country Investigation of Recall of and Attitude Toward Comparative Advertising," *Journal of Advertising*, 27 (June 22, 1998): 111.

信息结构

一个信息的有效性，像它的内容一样也依靠它的结构。耶鲁(Yale)大学霍夫兰特(Hovland)的研究已经在提出结论、单面与双面论证以及表达次序方面作了重大阐明。

某些早期的实验调查者认为，把结论阐述给受众比让受众自己寻求结论有效，但最近的调研指出，最好的广告是提出问题，让读者和观众自己去形成结论。[13]在下列情况下，提出结论可能导致负面的反应：信息传播者被视为不可信，或者，如果问题太简单明了或涉及个人隐私。提出一个过分明确的结论会限制对这一产品的接受。如果福特公司反复不停地强调野马(Mustang)牌汽车适用于年轻人，这种强烈的规定可能会阻碍被它所吸引的其他年龄群顾客的购买。刺激的模糊性能导致一个较宽广的市场界限和更多地任意选用某些产品。

有人认为，单面展示(one-sided presentations)产品的优点比暴露产品弱点的双面分析(two-sides argumentations)更有效。但双面信息在某种情况可能会更适合，特别是在这些弱点能联想到必须被克服时。亨氏(Heinz)用这种方法来处理广告内容"亨氏的番茄酱放久了才好吃"和立斯德林(Listerine)的广告信息"立斯德林一天不能用两次。"[14]双面信息对受过良好教育和最初的反对者受众更有效。[15]

最后，展示次序问题也是很重要的。[16]在单面信息的情况下，一开始就提出最强有力的论点，有助于引起注意和兴趣。这对其受众会不会注意到所有信息的报纸和其他媒体来说尤为重要。然而，这意味着采取一种渐降的表达方法。对一个已受其影响的受众，渐升的表达法可能更有效。在双面信息的情况下，问题是首先提出正面论点还是最后提出。如果受众原来是反对的，信息传播者从另一方面的论点来开始是较聪明的做法，让他或她提出其最有力的论点作终结。[17]

信息形式

信息传播者必须为信息设计具有吸引力的形式。在一个印刷广告中，信息传播者还将决定标题、文稿、插图和颜色。如果信息在电台播出，信息传播者还得仔细选择字眼、音质、音调。推销用过的二手汽车的播讲者的声音一定要与推销凯迪拉克新车有所区别。如果信息是通过电视或人员传播的，所有这些因素加上体态语言(非言语表达)，都得加以设计，展示者还须注意他们的脸部表情、举止、服装、姿势和发型，如果信息由产品或它的外包装传播，信息传播者必须注意颜色、质地、气味、尺寸和外形。

颜色在食品偏好方面起着重要的信息传播作用，当家庭主妇们面对放在棕、蓝、红、黄四种颜色的容器里的四杯咖啡作抽样调查(所有的咖啡质量都是相同的，但她们并不知道)，75%的人感到放在棕色容器里的咖啡味道太浓，近85%的人认为放在红色容器里的咖啡香味最佳。

信息源

有吸引力的信息源发出的信息往往可获得更大的注意与回忆，这就是广告人常用名人作为代言人的原因。当名人把产品的某一主要属性拟人化时，名人的广告效果大都较好。但代言人的可信程度同等重要。信息由具有较高信誉的信息源进行传播时，就更有说服力。医药公司要医生对它们产品的良好效能给予鉴定，是因为医生有高的可信度。反毒品官员常用前吸毒上瘾者的例子来告诫学生不要吸毒，因为吸毒上瘾者比老师更具有可信度。

信息源的可信度是由哪些因素构成的呢？专长、可靠性和令人喜爱性，这三个因素通常为人们所公认。[18]专长(expertise)是信息传播者所具有的、支持着他们的论点的专业知识。可靠性(trustworthiness)是涉及的信息源被看到具有何种程度的客观性和诚实性。朋友比陌生人或销售人员更可信赖。支付产品货款的比没有付款的人更可靠。[19]令人喜爱性(likebility)描述了信息源对观众的吸引力,诸如坦率、幽默和自然的品质,会使信息源更令人喜爱。可信度最高的信息源将是在这三方面均得高分的人。

如果某一个人对信息源和信息持肯定态度,或者对两者都持否定态度,这就是说存在着一致性的状态。如果某人对信息源持一种态度,对信息又持相反态度,那会发生什么事呢?假设一位家庭主妇听到一位知名人士在称赞一种她不喜欢的品牌,奥斯古特(Osgood)和坦纳鲍姆(Tannebaum)断言:态度将会朝着两个评价值之间相一致的量的增加方向而发生变化。[20]这时,这位家庭主妇不是对这一知名人士的尊敬减少,就是对这一品牌开始喜爱。如果她遇到这个知名人士下次在称赞另一个她不喜欢的品牌,她最终也可能对这位知名人士产生反感,并且对这一商品仍持否定态度。一致性原则(principle of congruity)说明,信息传播者能使用他们良好的形象来减少人们对某一商品所持的反感,但在这一过程中,也可能失去一部分受众对其的认同。

选择传播渠道

信息传播者必须选择有效的信息传播渠道来传递信息。例如,医药公司的销售员在访问忙碌的医生时不会超过10分钟。他们的介绍必须干净利落、快捷和有说服力。这造成医药公司的上门访问费十分高。因此,该行业必须采用一组沟通渠道的方法。这包括刊登杂志广告;发函(包括视听像带);赠送免费样品,甚至电信营销。医药公司主办诊疗会议,它们邀请并付费给许多医生,在周末的早晨听著名医生介绍药品,下午打高尔夫球或网球。晚上,由销售人员安排电话会议,邀请医生与专家讨论共同的问题,并由销售员举办与医生一起的小组午餐和晚餐。采用所有这些渠道方法以希望使医生建立一种对品牌医疗代理人的偏好。

信息传播渠道有两大类:人员(personal)和非人员(nonpersonal)的。这两者中也可以有许多子渠道。

人员传播渠道

人员传播渠道包括两个或更多的人相互之间直接进行信息传播。他们可能面对面,工作人员对听众,在电话里或通过电子信箱等进行信息传播。人员的信息传播渠道通过个人宣传和反馈的机会取得效益。

进一步的区分是在提倡者、专家和社会渠道之间。提倡者渠道(advocate channels)是由公司的销售人员在目标市场上与购买者接触所构成。专家渠道(expert channel)是由具有专门知识的独立的个人对目标购买者进行评述所构成。社会渠道(social channel)是由邻居朋友、家庭成员与目标购买者的交谈所构成。一个对欧洲7个国家的7 000名消费者的调查报告说,60%的新产品用户是受家庭和朋友的影响。[21]

许多公司敏锐地认识到口碑的力量。它们在寻找刺激这些社会渠道的方法，以便介绍它们的产品和服务。里吉斯·麦克肯纳(Regis McKenna)建议一家软件公司推出一个新产品时，最初推广给贸易出版社、舆论名人、财务咨询者等能提供较强口碑的人，然后向经销商，最后向顾客推广。[22]MCI 电信公司通过推出朋友和家庭活动来吸引顾客，它鼓励它的用户要求他们的朋友和家庭都使用 MCI 网络，两者都获得低电话收费率。参见"营销备忘——如何发展口碑参考资源建立业务"。

营销备忘

如何发展口碑参考资源建立业务

每天都在发生数以百计的要求别人介绍——朋友、亲戚、熟人、专业人员——从而推荐一个医生、管道工、旅馆、律师、会计师、建筑师、保险代理商、家庭装修或者财务顾问。如果我们在推荐方面有信心，我们通常将会充当推荐者。在这些事例中，推荐者像服务的寻求者一样为服务的提供者提供了潜在的好处。因此，服务提供者明显的有一种强烈的兴趣建立推荐资源。

两个主要的发展推荐或口头传播资源的优点是：

● 口头传播是可信的。口头传播是消费者对消费者的惟一的促销方法。一个忠诚满意的顾客吹捧与你有关的生意是每个企业主的梦想。满意的顾客不仅仅会重复购买，而且，他们也会为你的业务宣传，成为正在走动的、会说话的广告牌。

● 口头传播资源是低成本的。联系满意的顾客并使他们成为信息提供者花费相对少些。业务可能通过介绍者到介绍者，或者通过给予介绍者强化服务或者某种折扣，或者通过提供一种小型的礼品运动。

营销作者米歇尔·卡菲凯(Michael Cafferky)在《口碑传播营销出色网站》中提供了许多如何建立网络介绍资源的建议，现介绍下面五个。

1. 把你的顾客包含在制定或传递你的产品或服务中。这种个人的经验创造了积极的情感,引导他们谈论你的业务。

2. 征求来自顾客的证人。证人，一旦你得到他们，会作为一支你完全控制的编外销售队伍为你服务。他们按照其他的顾客理解的和容易联系的术语去表达。一种用来获得证人的战略是运用一种顾客反馈表，询问这类反馈，并同意引用它。

3. 对你的顾客讲述真实的故事。故事是传播名声的传播媒介中心，因为它们是通过感情的标准在沟通。一种被证明的运用这种故事的方法是用于公司的宣传小册子和业务通信方面。

4. 教育你最好的顾客。一些公司已发现，如果在关于兴趣、顾客忠诚和良好的愿望方面教育你最好的顾客，使他们在这些方面得到提高。你能选出一些与你最好的顾客沟通的主题，使他们获得最近的信息，并成为可信的资源人。一种特别的教育顾客的新方法将在你的公司网站上推出。

5. 对你的顾客提供最快的抱怨处理。一种快速回应在防止否定的口头传播的开始方面是重要的，因为一旦形成，关于产品和服务的否定的感情可能多年不会改变。当面临一种抱怨时，每个雇员的回应必须是："如何让这个人变得快乐？"

资料来源：Scott R. Herriott, "Identifying and Developing Referral Channels," *Management Decision* 30, no. 1 (1992): 4～9; Peter H. Riengen and Jerome B. Kernan. "Analysis of Referral Networks in Marketing: Methods and Illustration," *Journal of Marketing Research*, November 1986, pp. 37～38; Jerry R. Wilson, *Word of Mouth Marketing* (New York: John Wiley, 1991); and Cafferky's Free Word-of-Mouth Marketing Tips, 1999, available at www. geocities. com/wallstreet/cafferkys.

人员影响特别在下述两种情况中起了很大作用。一种情况是产品价格昂贵、有风险或购买不频繁。购买者可能是信息的急切寻找者。他们可能并不满足于一般媒体所提供的信息，而去寻找专家或熟人的介绍。另一种情况是该产品使人想起有关用户的状况或嗜好。在这种情况下，购买者会向其他人咨询，以免陷入窘境。

公司能采取几个步骤，以刺激人员影响渠道为他们的利益工作：

● 确定有影响力的个人和公司[23]，对他们下额外的功夫。在产品推销中，有时全行业会效仿某一率先实行革新的公司，因此，早期的销售努力应集中在采用创新的市场领先者上。

● 以优惠条件将产品提供给某些人以产生意见带头人。如开始时可以特别低的价格向中学网球队的成员提供一种新的网球拍。公司将希望这些中学网球明星能向其他中学生介绍他们的新球拍。又如丰田公司经常向较满意的顾客提供小礼品，只要他们向潜在购买者介绍并使公司受到电话采访。

● 通过有影响的社会团体进行工作，如音乐节目主持人、班主任和妇女组织的主席等。当福特公司的雷鸟(Thunderbird)牌汽车推出时，发邀请信给有关主管，提供他们当天汽车的使用权。在接受该项目的 15 000 人当中，有 10% 表示愿意购买，而 84% 的人则说他们会向朋友们推荐。

● 使用有影响的人物的见证广告：桂格麦片公司付给迈克尔·乔丹(Michael Jordan)数百万美元制作加德雷达(Gatorade)的商业广告。乔丹是世界顶级运动员，所以，作为运动饮料，他有可信赖性的联系，把他的个人能力和消费者特别是孩子们联系起来。

● 开发具有较高"谈论价值"的广告。带有高说服价值的广告语经常变成国人皆知的名言。在 20 世纪 80 年代中期，温迪公司(Wendy)的"牛肉在何处？"广告活动（说的是一位上了年纪的名叫克拉拉的女士问，在各种面包中，牛肉饼藏在何处？）创造了高的谈论价值。耐克的广告"现在就行动"创造了对那些拿不定主意或采取某种行动的人产生了一种普遍受欢迎的支配作用：现在就行动。

● 发展口碑参考渠道来建立业务。专业工作人员鼓励他们的客户把他们的服务介绍给其他人。牙科医生要求满意的病人介绍朋友和熟人，随后对他们的介绍表示感谢。

● 建立电子论坛。丰田公司利用美国在线(America Online)等网络公司服务，举办网上讨论经验论坛。

非人员传播渠道

非人员传播渠道有媒体、气氛和事件。

媒体(media)由印刷媒体(报纸、杂志、直接邮寄)、广播媒体(收音机、电视)、电子媒体(录音磁带、录像带、光盘、网页)和展示媒体(广告牌、指示牌、海报)所组成。大多数非人员信息都是通过购买媒体传播的。

气氛(Atmospheres)是"被包装的环境",这些环境有产生或增强购买者购买或消费产品的倾向。因此,律师事务所都用东方地毯和栎木家具来装饰以传送其稳重与成功的信息。[24]高级的旅馆用典雅的吊灯、大理石圆柱和其他有形的形象使豪华气氛具体化。

事件(events)是偶然用来对目标受众传递特别的信息。公共关系部门安排新闻发布会、开业庆典和赞助体育活动,以在每一位目标受众身上获得特殊的信息传播效果。

虽然人员信息传播经常比大众性信息传播更有效,但大众性媒体也是激发人员信息传播的主要方法。大众性信息传播通过两步法的信息流程来影响人们的态度和行为。观念常常从电台、电视和印刷品映入意见带头人的脑中,再由此流向较少主动性的那部分人的脑中。两步法的信息传播流有几种含义。第一,大众性媒体对公众舆论的影响不是直接的、有力的和自动的。它们的影响要由意见带头人来引导。人们属于社会的基本群体阶层,他们的意见在一个或更多的产品领域里是使人们言听计从的。第二,这个假设对这样一种看法即人们的消费模式基本上是受较高社会阶层潜移默化的影响提出挑战。正相反,在同一社会阶层中的人们是相互影响的,他们经常从意见带头人那里获得流行式样和想法。第三,两步传播法建议大多数信息传播者有针对性地把信息传递给意见带头人,让后者把信息再传给其他人,这样会更有效。医药公司一开始总是把它们的新产品试销给最有影响的医生。

信息传播的研究者正转向人际信息传播的社会结构观点。[25]他们认为社会是由派系(cliques),即小的社会群体构成的。派系成员的想法都是相似的,他们的密切关系促进了有效的信息传播,但同时也阻碍了新的观念进入这一社会派系。对此的挑战是创建一个更开放的系统,使社会派系在一个更大的环境中彼此交换更多的信息。这个开放系统得到担负联络和桥梁职能的人的帮助。联络者(liaison)是指与两个或更多的社会派系联系而又不属于其中的任何一个人。桥梁者(bridge)是指本人属于一个社会派系,他又和另一个社会派系的人挂钩的人。

编制总营销传播预算

公司面临的最困难的营销决策之一,是在促销方面应投入多少费用。百货业巨头约翰·沃纳梅克(John Wanamaker)说:"我认为我的广告费的一半是浪费掉的,但我不知道是哪一半被浪费掉了。"

所以,行业与公司投在促销上的经费大起大落就不足为怪了。在化妆品行业中,促销费用可能达到销售额的 30% ~ 50%,在机器制造业中仅为 5% ~ 10%。在一定的行业中,总能发现使用低的或高的促销费用的公司,飞利浦·莫里斯公司(Philip Morris)是个促销费用高的公司。当它收购了美乐酿酒公司

(Miller Brewing)，以及后来的七喜公司(7 – Up)后，就大量增加其总的促销费用。美乐公司追加的促销费用，使其市场份额在短短的几年中从 4% 提高到 19% 。

公司如何决定其促销预算呢？我们将描述目前使用的决定总预算或分项预算如广告预算的普通方法：量入为出法、销售百分比法、竞争对等法、目标任务法。

量入为出法

许多公司在估量了本公司所能承担的能力后安排促销预算。一位总经理用下面的话解释这一方法："为什么这是很简单的呢？首先，我上楼去找财务主管，询问他们今年能提供给我们多少经费，他说 150 万美元。尔后，老板来问我，你们要用多少，我就说：'嗬，大约 150 万美元'"。[26]

这种安排预算的方法完全忽视促销对销售量的影响。它导致年度促销预算的不确定性，给制定长期市场计划带来困难。

销售百分比法

许多公司以一个特定的销售量或销售价(现行的或预测的)百分比来安排它们的促销费用。一位铁路公司的经理说："我们在当年的 12 月 1 日决定下一年的拨款，在那一天我们将下个月客运收入加进去，然后取总数的 2% 作为新的一年的广告拨款。"[27]汽车制造公司以计划的汽车价格为基础，典型地按固定的百分比决定预算。石油公司按用它们的品牌出售的每加仑汽油的百分比中的一部分作为预算。

支持销售百分比法的人认为这种方法有以下好处。首先，销售百分比法意味着促销费用可以因公司的承担能力差异而变动。这使财务经理感到满意，他感到费用应与整个商业周期中的全部销售运动紧密联系。其次，这一方法鼓励管理层以促销成本、销售价格和单位利润的关系为先决条件进行思考。还有，这种方法鼓励竞争的稳定性，使竞争的企业在促销方面花费按销售百分比决定的大致相接近的费用。

尽管具有这些优点，销售百分比法还是缺少评判的依据。它使用循环的推理，把销售看成是促销的原因，而没有看成是促销的结果。这种方法导致根据可用的资金，而不是根据市场机会安排拨款。它不鼓励试用反循环性的促销试验或进取性的广告开支。依据历年销售波动制定的促销预算是与长期计划相抵触的，除非过去已这样做，或者竞争者正在这样做，否则按这一方法去选定一个具体的百分比是缺乏合乎逻辑的基础的。最后，它不鼓励设立确定每种产品和地区值得开支多少的促销预算。

竞争对等法

有些公司按竞争对手的大致费用来决定自己的促销预算。这种想法可用一位经理对商情机构的询问来说明："你有没有建筑业专门领域的一些公司的数字，能指明其总销售额中多少比例应用于广告？"[28]这个主管认为只要在广告方面花上与竞争者同样的销售额百分比的费用，他便可维持其市场份额。

支持这个方法的人有两点理由，一是竞争者的费用开支代表了这一行业的集体智慧，二是维持竞争对等有助于阻止促销战。

这些论点没有一个站得住脚。相信竞争者能更好地知道一个公司在促销方面应该花费多少，是没有根据的。公司的声誉、资源、机会和目标有很大不同，它们的促销预算很难作为一个标准。进一步而论，没有证据证明。建立在竞争对等基础上的预算能消除促销战的爆发。

目标任务法

目标任务法要求营销人员靠明确自己的特定的目标，确定达到这一目标必须完成的任务以及估算完成这些任务所需要的费用，来决定促销预算。这些费用的总数就是所提出的促销预算。

尤里(Ule)曾示范过怎样用目标任务法建立广告预算。假设海伦·科蒂斯推出一种新的女用除头屑清洁牌洗发水的步骤如下：[29]

1. 确定市场份额目标。这家公司预计市场有 5 000 万潜在使用者，并且确定了吸引其中 8% 即 400 万使用者的目标。

2. 决定广告应达到市场的百分率。广告商希望广告触及率达到 80%（4 000 万预期顾客）。

3. 决定已知其名的预期顾客中，有多少百分比能被说服试用该品牌。如果 25% 或者说 1 000 万预期顾客试用清洁牌，广告商就会高兴，因为他估计试用者中的 40% 或者 400 万人将会成为忠诚的使用者，这就是市场目标。

4. 决定每 1% 试用率的广告印象数字。广告商估计目标总体中每 1% 有 40 次广告印象(展露数)，就会带来 25% 的试用率。

5. 决定要购买的毛评点的数目。一个毛评点就是向目标总体中的 1% 一次显示。因为这家公司的广告覆盖率达到 80% ，每 1% 要获得 40 次显示，它就要花费 3 200 个毛评点的费用。

6. 根据购买每个毛评点的平均成本，决定必要的广告预算。向目标总体的 1% 展示一次广告印象的平均成本为 3 277 美元。所以，3 200 个毛评点在这个引入年内需要耗费 10 486 400(= 3 277 × 3 200)美元。

目标任务法具有如下好处，它要求管理层认真研究其有关花费、显露水平、试用率和常规用法之间关系的假设。

相对于改进产品、降低价格、增加服务等而言，促销应该受到多大的重视，这个问题取决于公司的产品处在其生命周期的哪一阶段，它们是初级产品还是差异很大的产品，它们是日常所需的还是必须出售的，或者还有其他考虑。从理论上说，总的促销预算应建立在从最后一美元促销费用所获的边际利润恰相等于在使用最佳的非促销方法时最后一美元所获的边际利润，然而，执行这一原则也并不容易。

营销传播组合决策

公司面临着把总的促销预算分摊到五个促销工具上的决策——广告，销售促进，公共关系和宣传，销售队伍，直接营销。同一行业中的公司，对如何划分它们的促销．预算有着很大的不同。雅芳公司把它的促销资金集中于人员推销，而露华浓公司则着重用于广告。在销售真空吸尘器方面，当胡佛公司（Hoover)更多地依靠广告时，伊莱克斯公司则着重于销售人员上门推销。

公司总是探索以一种促销工具取代另一种促销工具的方法，以获得更高效率。许多公司已经用广告、直接邮寄和电讯营销取代某些现场销售活动。其他公司增加了与广告有关的销售促进费用，以达到更快的销售。在促销工具中的这种替代性，解释了为什么在单个营销部门中的营销职能需要协调的原因。关于促销预算的更详细介绍，参见"营销视野——公司如何设定和分配它们的营销传播预算？"

营销视野

公司如何设定和分配它们的营销传播预算？

洛（Low）和莫尔（Mohr)访问了消费包装产品公司的经理，研究在营销传播预算设定和向广告、销售促进，以及贸易促进方面是如何分配的。它们通过一个品牌小组开发它们的预算，在形成了执行环境分析后，小组建立了营销目标和广泛的战略。在战略基础上预测品牌销售额和利润后，小组进行了对广告、消费者促进和贸易促进方面的内部预算分配。该小组往往依靠以前年度的预算分配，这可能意味着环境是稳定的，但不意味着快速多变的环境所要求的一种新的设定观点。品牌计划被呈报给最高管理层，它可能要求作某些改变。该修正的计划接下来也被执行了。

在本年中，品牌经理将根据竞争和经济发展调整分配。在临近期末，如果品牌不能完成它的利润目标，品牌经理经常会使用更多的销售促进来代替广告。

洛和莫尔在他们1998年的研究中也发现：

● 当品牌转换到产品生命周期的较为成熟的阶段后，管理者在广告上分配的预算较少，而促销方面较多。
● 当一个品牌与竞争者能较好地区分时，相对于促销管理者分配更多的广告费用。
● 当正式的回报集中于短期结果时，管理者相对于促销在广告方面分配较少的预算。
● 当零售商具有较大的影响力时，管理者相对于促销在广告上分配较少的预算。
● 当管理人员对公司有较为丰富的经验时，相对于消费者和贸易促进，他们倾向于在广告方面分配等比例的较多数量的预算。

资料来源：See George S. Low and Jakki J. Mohr, "The Advertising Sales Promotion Trade-Off: Theory and Practice" (Cambridge, MA: Marketing Science Institute, Report No. 92～127, October 1992); and their "Brand Managers' Perceptions of the Marketing Communications Budget Allocation Process" (Cambridge, MA: Marketing Science Institute, Report No. 98～105, March 1998). Also see Gabriel J. Beihaland DanielA. Sheine, "Managing the Brand in a Corporate Advertising Environment: A Decision-Making Framework for Brand Managers," *Journal of Advertising* 17 (June 22, 1998): 99.

促销工具

每种促销工具都有各自独有的特性和成本。[30]

广告

由于广告的多种形式和用途，作为促销组合的一个组成部分，要对它所具有的独特性质作出无所不包的概括是极困难的。[31]然而，应注意到下列性质：

● 公开展示。广告是一种高度公开的信息传播方式。它的公开性赋予产品一种合法性，同时也使人想到一种标准化的提供。因为许多人接受相同的信息，所以购买者知道他们购买这一产品的动机是众所周知的。

● 普及性。广告是一种普及性的媒体，它允许销售者多次重复这一信息。它也允许购买者接受和比较各种竞争者的信息。一个销售者所做的大规模的广告，以肯定的语气介绍销售者的经营规模、能力和成功。

● 夸张的表现力。广告可通过巧妙地应用印刷艺术、声音和颜色，提供将一个公司及其产品戏剧化的展示机会。

● 非人格化。受众不会感到有义务去注意或作出反应。广告对受众只能进行独白而不是对话。

广告一方面能用于建立一个产品的长期形象（如可口可乐广告）；另一方面，它能促进快速销售（如西尔斯的周末广告）。广告的某种形式，如电视广告，需要很大的预算，而其他形式，如报纸广告，只需要很少的预算。广告通过展示对销售产生影响，消费者认为，大量做广告的品牌必然提供"好的价值"。

我们要注意三种新的广告媒体。广告册（advertorials）是印刷品广告，它提供编辑内容，并且设计得与报纸和杂志内容没有区别。信息簇（informercials）是电视商业广告，它是30分钟电视节目，但实际是为产品说明或讨论做广告。由于它包括要求观众可用电话订购产品，因此，它可直接衡量销售结果。广告旗帜（banners）是建立在网页上的广告，它向点击旗帜的人提供报价和公司情况。

销售促进

尽管销售促进工具——赠券，竞赛，抽奖，等等——形式不同，但它们有三个共同特征：

● 传播信息。它们能引起注意并经常提供信息，把消费者引向产品。
● 刺激。它们采取某些让步、诱导或赠送的办法给消费者以某些好处。
● 邀请。它们包括明显地邀请顾客来进行目前的交易。

公司使用销售促进工具来产生更强烈、更快速的购买者反应。销售促进能引起短期的效果，例如，戏剧性的产品报价和宣传聪明的销售方法。

公共关系与宣传

对公关的要求基于它的三个明显特性：

- 高度可信性。新闻故事和特写对读者来说要比广告更可靠、更可信。
- 能够消除防卫。公共关系能接触到很多回避推销人员和广告的预期顾客。
- 戏剧化。公共关系有一种能使公司或产品引人注目的潜能。

营销人员倾向于少用公共关系。然而，一个深思熟虑的公共关系活动，同其他促销组合因素协调起来能取得极大的效果。

人员推销

人员推销在购买过程的最后阶段，特别在建立购买者的偏好、信任和行动时，是最有效的工具。人员推销有三个明显特性：

- 人与人面对面接触。人员推销是在两个人或更多的人之间，在一种生动的、直接的和相互影响的关系中进行。每一方都能在近距离地观察对方的反应。
- 人际关系培养。人员推销允许建立各种关系，从注重实际的销售关系直至深厚的个人友谊。销售代表会慎重地把他们顾客的兴趣爱好记在心里。
- 反应。人员推销会使购买者在听了销售谈话后感到有某种义务，感到有必要继续听取和作出反应。

直接营销

直接营销的形式多种多样，如直邮、电话营销、因特网营销，但它们都有以下明显的特征：

- 非公众性。信息一般发送至某个特定的人。
- 定制。信息为某人定制以满足他的诉求并发给他。
- 及时。信息准备得非常快捷。
- 交互反应。信息内容可根据个人的反应而改变。

建立营销传播组合的因素

公司在设计它们的促销组合时应研讨几个因素：它们销售产品的市场类型；采用推动还是拉引战略；怎样使有所准备的消费者购买；产品在产品生命周期中所处的阶段；以及公司的市场排列。

产品市场类型

促销费用的分配因消费者市场和企业市场的差异而不同（见图18—5）。经营消费品的营销者的排列次序是销售促进、广告、人员推销和公共关系。经营企业用品的营销者的排列次序是人员推销、销售促进、广告和公共关系。一般来说，人员推销着重用于昂贵的、有风险的商品以及为数不多的大卖主市场（此处指企业市场）。

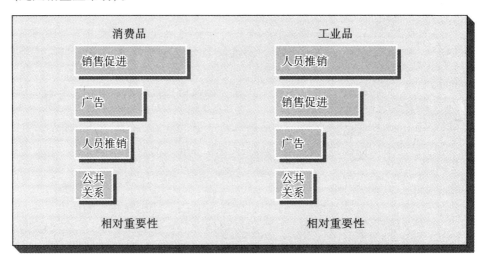

图 18—5　促销工具在消费品与企业用品中的开支

尽管在企业市场上，广告比销售访问略为次要，它依然起着重要的作用。广告能起下列作用：

● 建立知名度。广告能提供一个导入公司和它产品的概念。

● 促进理解。如果这一产品具有新的特点，广告可以进行有效地传递。

● 有效提醒。如果预期顾客已了解这个产品，但还未准备去购买，广告能不断地提醒他们，它比销售访问要经济得多。

● 产生提示。广告提供赠券和公司的电话号码，它是导致销售代表进行有效访问的途径。

● 合法性。销售代表能够采用有影响的公司做广告宣传，证明公司和它的产品合法性。

● 再保证。广告能提醒顾客如何使用产品，同时，对他们的购买再度给以保证。

广告在企业市场营销中的重要作用，已被一系列研究所强调。莫利尔（Morrill）说，广告结合人员推销，比不做广告能增加 23% 的销售。按销售量的百分比，确定的总促销费用可减少 20% 。[32]弗里曼（Freeman）在销售任务的基础上，设计了在广告和人员推销之间划分促销资金的一种正规模式，使每项任务执行时更经济节约。[33]莱维特的研究也表明了广告在企业市场中所起的重要作用。他的发现如下：

1. 公司的声誉有助于获得首先聆听和早先采用其产品的机会。因此，做能建立公司声誉的广告将有助于公司销售代表的工作。

2. 来自著名公司的销售代表，当他们充分地进行销售展示后，在销售上就能取得优势。但如果销售代表是来自不很有名的公司，但在销售展示上作了很大努力，那么就能克服这一不利因素。

3. 公司的声誉，对于那些复杂的、风险很大的、而采购代理人又较少受过专业训练的产品销售具有极大的帮助。[34]

李利恩（Lilien）在一个被称为顾问（ADVISOR）研究企业营销实践的主要方案中报告如下：[35]

● 工业公司平均的营销预算为销售额的7%，其中只有10%用于广告，其余的费用开支用在销售人员、展览会、促销和直接邮寄方面。

● 工业公司在广告花费上高于平均水平，它们的产品就会有较高的质量、独特性或购买频率，或客户增加较快。

● 当工业公司的客户较分散或顾客增长率较高时，就需要建立高于平均水平的营销预算。

人员推销在消费品营销中能做出重要贡献。有些消费品的营销人员不重视销售队伍，让他们主要从事收取每周的订单和巡视货架上存货是否充足的工作。一般人都认为："售货员只是做做把产品放到架子上的工作，倒是广告起了将它们销售掉的作用。"然而，一支有效率的、训练有素的销售队伍能做出以下四项重要贡献。

1. 增加存货位置。销售代表能影响经销商多存货，安排更多的货架空间，来展示公司的品牌。

2. 树立热忱。销售代表能通过生动地介绍本公司所做的广告和销售促进支援，树立经销商的热忱。

3. 传播式推销。销售代表与更多的经销商签约。

4. 关键客户管理。销售代表能负担起与最重要客户的联系责任从而增长业务。

推动与拉引战略

促销组合较大程度受公司选择推动或拉引的战略以创造销售机会的影响。推动战略（push strategy）要求使用销售队伍和贸易促销，通过销售渠道推出产品，制造商采取积极措施把产品推销给批发商。批发商采取积极措施把产品推销给零售商，零售商采取积极措施把产品推销给消费者。拉引战略（pull strategy）要求在广告和消费者促销方面使用较多的费用，建立消费者的需要欲望。如果这一战略是有效的，消费者就会向零售商购买这一产品，零售商就会向批发商购买这一产品，批发商就会向制造商购买这一产品。各公司对推拉战略有着不同的偏好。例如，利华兄弟公司偏重于推动战略，宝洁公司则偏重拉引战略。

购买者准备阶段

促销工具在不同的购买者准备阶段有着不同的成本效益。图18—6所示为四种促销工具的相对成本效益。广告和公共宣传，在创声誉阶段起着十分重要的作用。顾客的理解力主要是受广告和人员推销的影响，顾客的信服大都受人

员推销的影响，而广告和销售促进对他们的影响则较少。销售成交主要是受到
人员推销和强大的促销的影响。产品的重新订购也大都受人员推销和销售促进
的影响，并且在某种程度上广告的提醒也起了一定作用。

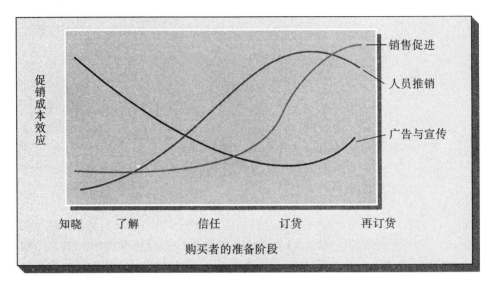

图 18—6　各种促销工具在购买者准备的不同阶段的成本效应

产品生命周期阶段

在产品生命周期的不同阶段，促销工具有着不同的效应。

● 在导入阶段，广告和宣传推广具有很高的成本效应，随后是人员推销，
取得分销覆盖面积和销售促进，以推动产品试用。
● 在成长阶段，由于消费者的相互转告，需求保持增长的势头，所有促销
工具都是需要的。
● 在成熟阶段，其重要度依次序为销售促进、广告、人员推销。
● 在衰退阶段，销售促进继续保持较强的势头，广告和宣传的成本效应则
降低了，而销售人员只需给产品最低限度的关注便可。一个在产品或服务生命
周期导入阶段的例子是好友宠物照顾公司的促销组合策划。

　　好友宠物照顾公司(Best Friends Pet Care)　在美国 16 个州开设
了 28 个宠物保护中心，为狗和猫提供住宿服务，包括清洁、日常护
理、锻炼和通宵住宿等。它每开一个新店，公司停止了有线电视广
告，并开始发送直接邮件，邀请人们来参观它的最新型的设施。它在
康涅狄格的蒙福特隆重开业时，引进了比苏文(Beethoven)，犬类电影
明星，并提出它和参观客可以免费合拍照片。这次促销吸引了 7 000
位参观者！一旦来到场内，参观者与专门训练过的工作人员一起参观
这些设施，这些专业人员运用了较高的个人销售方法。好友宠物照顾
公司正在使用一组发展战略，以使它的营销费用最大化。当它的预算

达到 5 位或 6 位数时, 它就拥有了更多的钱去为自己做广告和促销。[36]

公司的市场排列

市场领导者主要从广告而非销售促进中导出更多的利益。与之相反, 较小的公司在营销传播组合中使用销售促进的收益较大。

衡量结果

促销计划贯彻执行后, 信息传播者必须衡量它对目标受众的影响, 可以询问目标受众: 看到它几次, 他们记住哪几点, 他们对信息的感觉如何, 他们对产品和公司过去和现在的态度。信息传播者还应该收集受众反应的行为数据, 诸如多少人购买这一产品, 多少人喜爱它并与别人谈论过它。

图 18—7 提供了一个良好的信息反馈衡量的实例。观察品牌 A, 我们发现整个市场的 80% 的人是知道品牌 A 的, 其中 60% 的人已经试用过它, 试用的人中仅有 20% 对它满意。这表明信息传播方案在创造知名度方面是有效的, 但该产品未能满足消费者的期望。另一方面, 整个市场中仅有 40% 的人知道品牌 B, 其中仅 30% 的人试用过它, 但试用的人中有 80% 是对它满意的。在这种情况下, 信息传播方案需要加强发挥对品牌的满意程度。

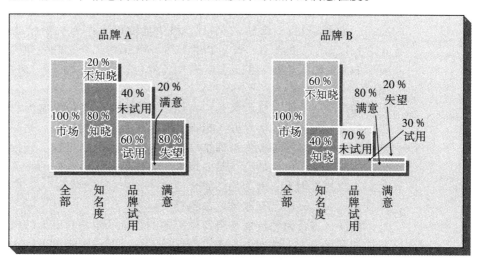

图 18—7　两个品牌的消费者现状

管理和协调整合营销传播

许多公司还主要依赖于一两种传播工具以完成它们的传播目标。它们不顾及在市场经济中已发生了巨大的变化, 特别是大众化市场的非整体性已发展到微型市场的多元化趋势, 它们各自要求自己的传播工具、新类型媒体的扩散,并且顾客的复杂性日益增加。名目繁多的通信工具、信息和受众者迫使公司要采用整合营销传播(integrated marketing communication，IMC)的观念。美国广告代理商协会(American Association of Adverting Agencies，4As)对它所作的定义是：

> 营销传播计划的概念是确认评估各种传播方法战略作用的一个综合计划的增加价值，例如，一般的广告、直接反应、促销和公关，并且组合这些方法，通过对分散信息的无缝结合，以提供出明确的、连续一致的和最大的传播影响。

下面是一个整合营销传播的创造性例子：

华纳－兰波特(Warner-Lambert)　华纳－兰波特是生产本纳德里品牌的公司，它想促销对过敏性病人的抗组织胺药。它通过广告和公关来增加品牌知名度，同时提供免费电话统计在某些地区的花粉过敏人数。结果，打电话来的人超过了发放免费样品、赠券和介绍产品利益的深度材料的人数。后来这些人都收到一本劝说怎样对付过敏问题的知识小册子。[37]

一个报告指出：在生产消费产品的大公司的最高管理层和营销主管中，超过70%的人喜欢用整合营销传播作为改进它们传播影响的工具。几家大广告代理商——奥格尔维和马瑟(Ogilvy & Mather)、扬和罗必凯(Young & Rubicam)、萨切萨切(Saatchi-Saatchi)，很快地取得了作为主要代理商在促销、公关和直接营销上的专业技术，以推行一站式销售。令它们失望的是，它们的顾客一般来说并不购买它们的整合营销传播包，还是喜欢用各自独立的广告代理商。

为什么会有阻力呢？大公司雇用了不同的信息传播专家为它们的品牌经理提供咨询。每一位传播专业人员没有其他传播工具的知识。这些传播者进而与他们要好的外部的专业代理商结成同盟，以反对一个超级广告代理公司抢走他们的传播责任。他们的论点是公司应为各个目标挑选最好的专业代理人，而不是二三流的代理人，因为他们属于超级广告公司。他们认为，广告代理商会把广告公司大部分的开支放进广告预算。

然而，整合营销传播将会产生更多的信息一致性和巨大的销售影响。它把责任加到每一个人的肩上——以前这是不存在的——经过千百次公司的活动，把公司、品牌形象与信息统一起来。整合营销传播将会改进公司的能力，使之带着恰当信息，在恰当时间和恰当地点影响恰当顾客。[38]杜克电力公司是北卡罗来纳的公用事业单位，它的最高管理层聘用整合传播项目公司(ICPT)帮助应用整合营销传播的电信网络。

杜克电力(Duke Power)　为了开发整合营销传播，杜克公司与公司员工进行长时间面谈，对客户调查，查询文献资料和对其他公司讨论"最佳实践"。在完成这些工作以后，ICPT提出四点建议：(1)杜克应把它的名声作为法人资产来管理；(2)公司开发和执行整合传播过程，以管理它的所有传播部门；(3)由于顾客对员工行为的反应超过了对特定计划方案的反应，所以，公司必须培训全体员工怎样传播的技术；(4)公司开发和强化战略数据库，以帮助预期顾客的利益，改进顾客满意和留住顾客。基于上述建议，ICPT设计了直接与公司业务过程联结的整合传播过程。[39]

整合营销传播的倡议者描述它是一种观察营销活动全局的方法，而非仅仅集中于某一方面。关于公司创立整合营销传播所需要的特定步骤，参见"营销备忘——整合营销传播检查表"。

营销备忘

整合营销传播检查表

作为管理层耳朵的营销者应该提出方案，以便公司在整合营销传播方面处于领先地位。这些方案常包括以下建议：

● 在整个组织中审查与信息相关的费用。把预算和任务具体细分，并使其合并成为一个整体预算过程，按产品、促销工具、产品生命周期等因素重新评估信息费用支出，并观察其带来的结果。同时把这些作为基础，以进一步改进这些应用手段。

● 创立绩效评估衡量方法，设计一个系统去评估信息的活动。既然整合营销传播试图去改变消费者的购买行为，这种行为必须被估量出来，以最终表明信息对利润底线的影响。投资报酬率的衡量既可以通过追寻一个公司自己的信息，也可以通过客户的数据获得。

● 开发数据库信息和问题管理来了解利益方。包括顾客、员工、投资者、购买者和在你传播计划各个阶段的其他利益关系方。

● 为公司和产品找出所有的连接点。通过这种方式去确定公司在何处需加强信息的使用。在每一个连接点都以这方式评估信息传播能力，无论是产品包装、零售陈列、股东大会，还是发言代理人等等。努力工作去确保你的顾客无论在何时，传播渠道畅通无阻。

● 分析影响本公司盈利的内部和外部趋势。寻找那些最需要信息传播帮助的地方。确定每个传播部门的长处和不足。再开发一个基于这些长处和不足的一揽子促销策略。综合运用这些手段去达到市场目标。

● 为本地每个市场开发一个商业和信息传播计划。综合这些计划，以形成全球传播战略。

● 招聘一个督导，其职责是确保公司的传播令人信服。这个举动将会加强集中计划和开发共享业绩测评的有效性。

● 开发出适合不同信息媒体的主题、语气和质量。这种工作者的持续性将会产生很大影响，并能减少一些部门之间不必要的重复劳动。创造出信息传播物时，要研讨如何被一定层次的受众所采纳，并确保每个传播物都能载有你公司独特的信息和销售点。

● 只雇用具有团队精神的员工。用这种新的整合方式训练员工，不仅仅限于每一个职能部门，让它们具有整体责任感，并善于承担新的责任，以使其更好地满足顾客需求。

● 把整合营销传播同管理过程联系起来。如参与式管理，这将导致一个全面整合的管理措施，以达到公司的目标。一个整合的战略应该允许每个传播部门在为公司使命而奋斗时，保持高效率。

资料来源：Adapted from Matthew P. Gonring, "Putting Integrated Marketing Communications to Work Today," *Public Relations Quarterly*, Fall 1994, pp. 45～48.

小结

1. 现代营销要求开发优良的产品，制定有吸引力的价格，使它易于为目标顾客所接受。公司还必须与它们现行和潜在的利益关系方和公众沟通。营销传播组合由五种主要传播工具组成：广告、销售促进、公共关系与宣传、人员推销、直接营销。

2. 传播过程由九个因素构成：发送者、接受者、编码、解码、信息、媒体、反应、反馈和噪声。为了使信息畅通，营销者必须把编码的信息与目标受众的通常解码过程相吻合。他们还必须通过有效的媒体转换信息给目标受众和开发反馈渠道以监视信息的接受率。

3. 开发有效的传播包括八个步骤：(1)确定目标受众；(2)确定传播目标；(3)设计信息；(4)选择传播渠道；(5)编制总传播预算；(6)设计传播组合决策；(7)衡量传播结果；(8)管理和协调整合营销传播。

4. 在辨认目标受众时，营销者需要熟练地贯彻和有偏向地分析，然后寻找封闭当前公众理解力和理想追求的缺口。传播目标可以是认知、情感和行为反应——即营销人员要向消费者头脑里灌输某些东西来改变消费者的态度，或使消费者行动。在设计信息时，营销人员必须仔细地研讨信息内容、信息结构、信息形式、信息源。传播渠道分为人员的(提倡者、专家和社会渠道)或非人员的(媒体、气氛和事件)。编制促销预算有多种方法，目标任务法要求营销者根据特定的目标制定预算，并有更详细的描述。

5. 在营销传播组合决策中，营销者必须检查每种促销工具的优势和成本。他们还必须研讨在销售中的产品市场类型；采用推动还是拉引战略，如何使准备阶段的顾客进行购买；产品的生命周期阶段和公司的市场排列。衡量促销组合的有效性包括询问目标受众，他们是否识别和记住这一信息。他们看它几次，他们记住哪几点，对信息的感觉如何，他们对产品和公司过去和现在的态度。

6. 管理和协调整个传播过程要求整合营销传播(IMC)。

应用

本章观念

1. 当确定一广告所包含的信息时，传播工作者必须决定哪类信息将对目标受众产生预期效果。把具有理智或情感诉求的以下印刷广告内容进行分类处理：(a)质量；(b)经济；(c)业绩；(d)恐惧；(e)内疚；(f)幽默；(g)骄傲；(h)同情。

解释为何你认为做广告人会选择这些诉求。你同意还是不同意该传播人的决定？

2. 主要的大众传媒——报纸、杂志、广播、电视及户外媒体——显示了它们在戏剧式表现、可靠性、吸引注意及传播的其他有价值方面能力的差别。描述每一种传媒的特征及它的优缺点。

3. 美国癌症协会(American Cancer Society)已雇用你研制整合营销传播计划。该计划将提醒人们癌的危害，并劝说人们不要在太阳下暴晒过度而造成皮肤癌。除此之外，这一运动还将提醒"在阳光下活动的人"如何预防这一疾病。分成五人一组，为美国癌症协会讨论整合营销传播计划。利用下表来帮助组织你们的思路。

项目名称	广告	公关	促销	直接反应
a. 健康目标				
b. 目的				
c. 意图				
d. 承诺				
e. 支持				
f. 个性				
g. 缺口				
h. 消费者接触点				

定义：

  a. 健康目标：在人类健康方面的传播目标。

  b. 目的：作为传播目标的受众。

  c. 意图：帮助目标受众达到健康目标的解决方法。

  d. 承诺：目标受众达到健康目标后所得的回报。

  e. 支持：传播中声明的可靠支持的来源。

  f. 个性：传播的"风味"——严肃、幽默等。

  g. 缺口：吸引目标受众的时间框架。

  h. 消费者接触点：能与目标受众建立联系的地点和最适合目标受众的媒体形式。

营销与广告

图 18A—1 是一幅投向企业市场的广告，描述了波奇公司（Bosch）作为百年传统老店在汽车产品上的创新，它包括了为收集更多信息的免费号码。你认为波奇通过在国内商业杂志上投放这一广告想要完成什么？作为一位企业市场的营销者，波奇可能在它的营销传播预算中应转向广告呢还是转向其他传播方式？为什么？

图 18A—1

聚焦技术

在整合营销传播下，每种品牌接触，不管进入何种传播渠道，从公司顾客的观点出发，它代表了一种战略角色。因为这种原因，有网站的公司需要确信它们的在线营销信息与其他的对销售影响较大的媒介信息是结盟的。

一家在这方面是专家的公司是麦当劳。它的电视、收音机和印刷品广告有一种相似的外表，而且通过媒介的内容是统一的。通过在线网，当前的广告访问主题也是传送这些内容。访问它的"新的是什么"（www.mcdonalds.com/whatsnew/usa/dssmcd/index.html），并指出该简短的在线广告与目前广告的相似性。麦当劳为什么仅仅为它的网站创造了这种特别的广告片段？它的可能的目标受众是谁？从这种在线信息中，麦当劳期待什么结果？

新千年营销

当更多的营销人员在新千年开始的时候，采用了他们的全球传播。在计划他们的全球广告和促销方面，他们必须回答四个问题：他们的产品对每个国家都合适吗？他们的目标市场细分是合法的而且是符合惯例的吗？他们的广告是可以接受的吗？他们的广告应当在总部还是本地创作？

为了了解跨国公司的营销人员如何解决这些问题，从你的网络浏览器点击联合利华网站（www. unilever. com/public/unilever/around/org-arwo. html）的"在全世界"部分。点击箭头靠近屏幕的右边，持续阅读公司的国际聚焦。然后，点击你屏幕左边顶部的"品牌"链接去查看该公司的食品清单，接下来联结本地品牌的网站。为什么联合利华称它是国际化的而不是全球化的？怎样区别它的产品和它的在线传播？

你是营销者：索尼克公司的营销计划

营销传播计划是每个营销计划内在的关键内容，因为它涉及公司与它们的利益方，包括顾客和预期顾客的利益。

你负责计划索尼克台式音响的整合营销传播项目。再看看公司的当前情况，也看看你已经计划的战略和营销组合项目。然后，回答关于索尼克公司营销传播的下列问题：

● 索尼克应当选择什么样的目标受众？它应当为每个目标受众制定什么样的传播目标？
● 什么信息形式和传播渠道(人员的或非人员的)是与每个目标受众最一致的？为什么？
● 索尼克应当如何建立它的营销传播预算？
● 在索尼克的营销传播组合中，哪一种促销工具将最具影响力？为什么？

相信你的营销传播计划将会支持索尼克的总体营销努力。现在，根据你导师的指导，以一种书面的营销计划总结你的想法，或把它们输入到营销计划程序软件中的营销组合/促销中。

【注释】

[1] The definitions are adapted from Peter D. Bennett, ed., *Dictionary of Marketing Terms* (Chicago: American Marketing Association, 1995).

[2] For an alternate communication model developed specifically for advertising communications, see Barbara B. Stern, "A Revised Communication Model for Advertising: Multiple Dimensions of the Source, the Message, and the Recipient," *Journal of Advertising*, June 1994, pp. 5 ~ 15.

[3] See Brian Sternthal and C. Samuel Craig, *Consumer Behavior: An Information Processing Perspective* (Upper Saddle River, NJ: Prentice Hall, 198), pp. 97 ~ 102.

[4] However, research byCox and Bauer showed a curvilinear relation between self-confidence

and persuasibility, with those moderate in self-confidence being the most persuasible. Donald F. Cox and Raymond A. Bauer, "Self-Confidence and Persuasibilityin Women, " *Public Opinion Quarterly*, Fall 1964, pp. 453 ~ 466; and Raymond L. Horton, "Some Relationships between Personality and Consumer Decision-Making, " *Journal of Marketing Research*, May 1979, pp. 233 ~ 246.

[5] See John Fiske and John Hartley, *Reading Television* (London: Methuen, 1980), p. 79. For the effects of expertise on persuasion, see also Elizabeth J. Wilson and Daniel L. Sherrell, "Source Effects in Communication and Persuasion Research: A Meta-Analysis of Effect Size, " *Journal of the Academy of Marketing Science*, Spring 1993, pp. 101 ~ 112.

[6] The semantic differential was developed by C. E. Osgood, C. J. Suci, and P. H. Tannenbaum, *The Measurement of Meaning* (Urbana: University of Illinois Press, 1957).

[7] John Bigness, "Back to Brand New Life, " *Chicago Tribune*, October 4, 1998; Chris Reidy, "Putting on the Dog to be Arnold's Job, " *Boston Globe*, August 28, 1998.

[8] See Michael L. Ray, *Advertising and Communications Management* (Upper Saddle River, NJ: Prentice Hall, 1982).

[9] See Michael R. Solomon, *Consumer Behavior*, 3d ed. (Upper Saddle River, NJ: Prentice Hall, 1996), pp. 208 ~ 210 for references to researcharticles on fear appeals.

[10] Kevin Goldman, "Advertising: Knock, Knock. Who's There? The Same Old Funny Ad Again, " *Wall Street Journal*, November 2, 1993, p. B10. See also Marc G. Weinberger, Harlan Spotts, Leland Campbell, and Amy L. Parsons, "The Use and Effect of Humor in Different Advertising Media, " *Journal of Advertising Research*, May-June 1995, pp. 44 ~ 55.

[11] William Kissel, "The Bottom Line, " *Los Angeles Times*, July 9, 1998, p. 1; Joe Boxer Web site; David B. Wolfe, "Boomer Humor, " *American Demographics*, July 1998.

[12] "FebEx Will Quit Joking Around Overseas, " *Los Angeles Times*, January 21, 1997, p. B20.

[13] See James F. Engel, Roger D. Blackwell, and Paul W. Minard, *Consumer Behavior*, 8th ed. (Fort Worth, TX: Dryden, 1994).

[14] See Ayn E. Crowley and Wayne D. Hoyer, "An Integrtive Framework for Understanding Two-Sided Persuasion, " *Journal of Consumer Research*, March1994, pp. 561 ~ 574.

[15] See C. I. Hovland, A. A. Lumsdaine, and F. D. Seffield, *Experiments on Mass Communication*, vol. 3 (Princeton, NJ: Princeton University Press, 1948), ch. 8; and Crowley and Hoyer, "An Integrative Framework for Understanding Two-sided Persuasion. " For an alternative viewpoint, see George E. Belch, "The Effects of Message Modality on One-and Two-Sided Advertising Messages, " in *Advances in Consumer Research*, eds. Richard P. Bagozzi and Alice M. Tybout (Ann Arbor, MI: Association for Consumer Research, 1983), pp. 21 ~ 26.

[16] Curtis P. Haugtvedt and Duane T. Wegener, "Message Order Effects in Persuasion: An Attitude Strength Perspective, " *Journal of Consumer Research*, June 1994, pp. 205 ~ 218; H. Rao Unnava, Robert E. Burnkrant, and Sunil Erevelles, "Effects of Presentation Order and Communication Modality on Recall and Attitude, " *Journal of Consumer Research*, December 1994, pp. 418 ~ 490.

[17] See Sternthal and Craig, *Consumer Behavior*, pp. 282 ~ 284.

[18] Herbert C. Kelman and Carl I. Hovland, "Reinstatement of the Communication in Delayed Measurement of Opinion Change, "*Journal of Abnormal and Social Psychology* 48 (1953):

325~327.

[19] David J. Moore, John C. Mowen, and Richard Reardon, "Multiple Sources in Advertising Appeals: When Product Endorsers Are Paid by the Advertising Sponsor," *Journal of the Academy of Marketing Science*, Summer 1994, pp. 234 ~ 243.

[20] C. E. Osgood and P. H. Tannenbaum, "The Principles of Congruity in the Prediction of Attitude Change," *Psychological Review* 62(1955): 42 ~ 55.

[21] Michael Kiely, "Word-of-Mouth Marketing," *Marketing*, September 1993, p. 6.

[22] See Regis McKenna, *The Regis Touch* (Reading, MA: Addison-Wesley, 1985); and Regis McKenna, *Relationship Marketing* (Reading, MA: Addison-Wesley, 1991).

[23] Michael Cafferky has identified four kinds of people companies try to reach to stimulate word-of-mouth referrals: opinion leaders, marketing mavens, influentials, and product enthusiasts. *Opinion leaders* are people who are widely respected withindefined social groups, such as fashion leaders. They have a large relevant socialnetwork, high source credibility, and a high propensity to talk. *Marketing mavens* are people whospend a lot of time learning the best buys (values) in the marketplace. *Influentials* are people who are socially and politically active; they try toknow what is going on and influence the course of events. *Product enthusiasts* are people who are known experts in a product category, such as art connoisseurs, audiophiles, and computer wizards. See *Let Your Customers Do the Talking* (Chicago: Dearborn Financial Publishing, 1995), pp. 30 ~ 33.

[24] See Philip Kotler, "Atmospherics as a Marketing Tool," *Journal of Retailing*, Winter 1973—1974, pp. 48 ~ 64.

[25] See Everett M. Rogers, *Diffusion of Innovations*, 4th ed. (New York: Free Press, 1995).

[26] Quoted in Daniel Seligman, "How Much for Advertising?" *Fortune*, December 1956, p. 123. For a good sicussion of setting promotion budgets, see Michael L. Rothschild, *Advertising* (Lexington, MA: D. C. Heath, 1987), ch. 20.

[27] Albert Wesley Frey, *How Many Dollars for Advertising?* (New York: Ronald Press, 1955), p. 65.

[28] Ibid., p. 49.

[29] Adapted from G. Maxwell Ule, "A Media Plan for 'Sputnik' Cigarettes," *How to Plan Media Strategy* (American Associationof Advertising Agencies, 1957 Regional Convention), pp. 41 ~ 52.

[30] Sidney J. Levy, *Promotional Behavior* (Glenview, IL: Scott, Foresman, 1971), ch. 4.

[31] Relatively little research has been done on the effectiveness of business-to-busi-ness advertising. For a survey, see Wesley J. Johnson, "The Importance of Advertising and the Relative Lack of Research," *Journal of Business & Industrial Marketing*, 9, no. 2(1994): 3 ~ 4.

[32] How Advertising Works in Today's Marketplace: The Morrill Study (New York: Mc-Graw-Hill, 1971), p. 4.

[33] Cyril Freeman, "How to Evaluat Advertising's Contribution," *Harvard Business Review*, July-August 1962, pp. 137 ~ 148.

[34] Theodore Levitt, *Industrial Purchasing Behavior: A Study in Communication Effects* (Boston: Division of Research, Harvard Business School, 1965).

[35] See Gary L. Lilien and John D. C. Little, "The ADVISOR Project: A Study of Industrial

Marketing Budgetss," *Sloan Management Review,* Spring 1976, pp. 17 ~ 31; and Gary L. Lilien, "ADVISOR 2: Modeling the Marketing Mix Decision for Industrial Products," *Management Science,* February 1979, pp. 191 ~ 204.

[36] Danielle McDavitt, "Best Friends Pet Care CEO—Interview," CNBC—Dow Jones Business Video, October 19, 1998.

[37] Paul Wang and Lisa Petrison, "Integrated Marketing Communications and Its Potential Effects on Media Planning," *Journal of Media Planning* 6, no. 2(1991): 11 ~ 18.

[38] See Don E. Shultz, Stanley I. Tannenbaum, and Robert F. Lauterborn, *Integrated Marketing Communications: Putting It Together and Making It Work* (Lincolnwood, IL: NTC Business Books, 1992); and Ernan Roman, *Integrated Direct Marketing: The Cutting-Edge Strategy for Synchronizing Advertising, Direct Mail, Telemarketing, and Field Sales* (Lincolnwood, IL: NTC Business Books, 1995).

[39] Don E. Schultz, "The Next Step in IMC?" *Marketing News,* August 15, 1994, pp. 8 ~ 9. Also see Birger Wernerfelt, "Efficient Marketing Communication: Helping the Customer Learn," *Journal of Marketing Research,* May 1996, pp. 239 ~ 246.

第19章

管理广告、销售促进和公共关系

科特勒论营销：

满意的顾客是最好的广告。

本章将阐述下列一些问题：

● 在广告开发过程中涉及哪些步骤和内容？

● 为什么销售促进日益增长，怎样制定销售促进决策？

● 公司怎样开发公共关系和公共宣传的潜力？

在本章，我们将探讨三种促销工具——广告、销售促进和公共关系的性质和应用。虽然它们的效用很难测量，但它们对营销绩效的贡献在日益增强。

开发和管理广告程序

我们对广告的定义是：

广告(advertising)是由明确的主办人发起，通过付费的任何非人员介绍和促销其创意、商品或服务的行为。

广告客户不仅包括商业性公司，也包括博物馆、慈善组织和政府机构，它们对各种目标公众做广告宣传。广告是一种经济有效的传播信息方法，不管它是为可口可口树立品牌偏好，还是教育国民禁毒。

各种组织用不同的方法做广告。在小公司里，广告是由销售或营销部门的人管理的，这些人和广告代理商一起工作。大公司有自己的广告部，该部门的经理向营销副总经理负责。广告部的工作是制定总预算，批准广告代理商的广告活动以及从事直接邮寄广告、中间商商品展示和其他一些广告代理商通常不干的广告活动。大多数公司都使用一个企业外的广告代理商，以帮助它们创建广告活动以及选择和购买媒体。

在制定广告方案时，营销经理首先必须确定目标市场和购买者动机。然后，他们才能接着作出制定广告方案所需的五项主要决策，也就是 5Ms：任务

(Mission)，广告的目的是什么？资金(Money)，要花多少钱？信息(Message)，要传送什么信息？媒体(Media)，使用什么媒体？衡量(Measurement)，如何评价结果？

图 19—1 对这些决策作了进一步描述，并在以后几节中展开。

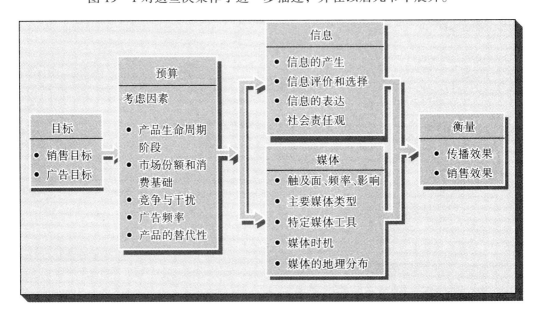

图 19—1　广告的 5Ms

建立广告目标

广告目标必须服从先前制定的有关目标市场、市场定位和营销组合诸决策。

许多特定的传播和销售目标都可由广告来传达。科利(Colly)在其著名的《为衡量广告效果制定广告目标》一书中列举了 52 种可能的广告目标。[1]他概述一个被称为 DAGMR(即上述书名 *Defining Advertising Goals for Measured Advertising Results* 的缩写)的方法，将各种广告目的转化成若干易于衡量的目标。所谓广告目标是指在一个特定时期内，对于某个特定的目标受众所要完成的特定的传播任务和所要达到的沟通程度。科利提供了下述例子：

在 3 000 万拥有自动洗衣机的家庭成员中，认识到品牌 X 为低泡沫洗涤剂并相信这种洗涤剂有较强去污力的人数，在一年中从 10% 上升到40% 。

广告的目标可根据通知、说服或提醒的作用来分类。

● 通知性广告(information advertising)主要用于一种产品的开拓阶段，其目的在于促进初级需求。所以，酸乳酪行业最初必须通知消费者有关酸乳酪的营养成分和各种用途。

● 说服性广告(persuasive advertising)在竞争阶段十分重要。这里，公司的目的在于建立对某一特定品牌的选择性需求。例如，奇弗斯·雷加尔(Chivas Regal)企图说服消费者，说该公司的苏格兰威士忌与众不同，具有独特风味。有些说服性广告属于比较广告(comparative advertising)的范畴，它通过与这一类产品中的其他一种品牌或几种品牌的比较来建立该产品的优越性。[2]伯克王（Burger King）设计了竞争性广告与麦当劳的产品对垒（伯克王的汉堡是煮熟的；而麦当劳是油煎的）。谢林–普劳（Schering-Plough）声称："奥柯克兰（OcuClear）眼药水减轻疼痛的时间比维新（Visine）长3倍。"在使用比较广告时，公司应确信它能证明其处于优势的宣传，并且不会遭到更强大的其他品牌产品的反击。比较广告在引出认知和同时影响动机时，效果较佳。[3]

● 提醒性广告（reminder advertising）在产品的成熟期十分重要。登载在杂志上的昂贵的4色印刷的可口可乐广告是为了提醒人们想起可口可乐。与此相关的一种广告形式是强化广告（reinforcement advertising），其目的在于让现有的购买者相信他们购买这种商品的决定是正确的。汽车广告应该经常描绘满意的顾客对自己新汽车的某些特色是如何享用的。

广告目标的选择应当建立在对当前市场营销情况透彻分析的基础上。如果产品种类在成熟期，而公司又是市场的领导者，并且产品的使用率低，因此，适当的广告目标应该是刺激消费者更多地使用这一品牌。如果产品种类是新推出的，公司不是市场领导者，而其品牌又优越于领导者，那么，适当的广告目标应该是通过广告宣传其品牌优于市场领导者。

决策广告预算

公司怎样才能知道广告支出的金额是否适当呢？如果公司的广告开支过低，则收效甚微；如果公司在广告方面开支过多，那么有些钱本来可以派更好的用场。有些批评者指责经营小包装消费品零售的大公司在广告上开销太多，它们惟恐钱花得不够而采用多花钱的保险做法，而工业公司低估公司与产品形象的能力，因此，一般在广告上花钱较少。[4]

广告有维持一段时期的延期效应。虽然广告被当做当期开销来处理，但其中一部分实际上是可以用来逐渐建立被称为品牌权益（brand equity）的无形价值的投资。当把500万资金投入资本设备上时，如果是分摊5年，在第一年仅仅开支了其1/5的成本。当把500万花在新产品推入市场的广告上，其全部成本必须在第一年销账。这种要公司在一年中承担全部广告费用的做法限制了新产品推出的数量。

在制定广告预算时要考虑五个特定的因素：[5]

● 产品生命周期阶段。新产品一般需花费大量广告预算以便建立知晓度和取得消费者的试用。已建立知晓度的品牌所需预算在销售额中所占的比例通常较低。

● 市场份额和消费者基础。市场份额高的品牌，只求维持其市场份额，因此其广告预算在销售额中所占的百分比通常较低。而通过增加市场销售来提高市场份额，则需要大量的广告费用。如果根据单位效应成本来计算，打动使用广泛品牌的消费者比打动使用低市场份额品牌的消费者花费较少。

● 竞争与干扰。在一个有很多竞争者和广告开支很大的市场上，一种品牌必须更加大力宣扬，以便高过市场的干扰声使人们听见。即使市场上一般的广告干扰声不是直接对品牌竞争，也有必要大做广告。

● 广告频率。把品牌信息传达到顾客需要的重复次数，对决定广告预算也有重要的影响。

● 产品替代性。在同一商品种类中的各种品牌（香烟、啤酒、软饮料）需要做大量广告，以树立有差别的形象。如果品牌可提供独特的物质利益或特色时，广告也有重要的作用。

营销科学的专家们考虑了上述这些因素，建立了一些广告开支模型。维达尔（Vidale）和渥尔夫（Wolfe）创立的模型从本质上说乃是要求增加广告预算；在此情况下，销售反应率越高，销售衰退率（顾客忘记了广告和品牌的比率）就越高，未开发的销售潜力也就越大。[6]另一方面，此模型遗漏了其他某些重要因素，例如竞争性广告率和公司广告的有效性。

约翰·李特尔（John Little）教授提出了一个确定广告预算的适应控制模型。[7]假设某公司根据最新的有关销售反应的函数情报，确定了本公司下一时期的广告开支。除了任意抽取的 $2n$ 个市场外，在所有市场中皆按此规定开支。然后，该公司在 n 个试验市场花费低于规定的广告费，以另外 n 个市场花费高于规定的广告费。这样，通过低、中、高三档广告支出的销售情况，就得到了平均销售量情报，这一情报可以用来更新销售—反应函数的参数。最后，借此最新函数来决定下一时期的最佳广告开支费。如果每个时期都进行一次这类附加试验，广告开支就会日益接近最佳广告开支水平。[8]

选择广告信息

广告活动与创意是有区别的。正如威廉·伯恩巴哈（William Bernbach）所说："光有事实是不够的，……不要忘记莎士比亚曾采用了一些陈旧故事情节，在他的生花妙笔下却可化腐朽为神奇。"请考虑下面的例子：

泰科·贝尔（Taco Bell） 泰科·贝尔 1994 年在快餐连锁店排名第 4，然而，它的收益在不断下降。在 1997 年，连锁店运用一种谈话性的电视节目。饥饿的小狗，用西班牙语言表述，意思是"我想要一些泰科·贝尔"，从而名声鹊起，它打动了 18 岁～35 岁顾客的心弦，以后，大量生产和推出的一种给人深刻印象的同类商品，诸如 T 恤衫、杂志、帽子和会说话的洋娃娃，而且这也为泰科·贝尔增加了收益。小狗形象促进了泰科·贝尔的销售，在 1997 年上升了 4.3%，同时，连锁店年终的销售额为 45 亿美元。泰科·贝尔现在一年在广告上花费 2 亿美元，并计划延长这种公共宣传的活动。[9]

很清楚，广告活动的创造性远比广告花费的金额更为重要。一个广告只有获得注意才能增加品牌的销售量。然而，现在的担心是两者的次序颠倒了。有创意的广告太少了。下面是一个迈尔斯公司阿卡–塞尔策解酸药的例子。

阿卡–塞尔策（Alka-Seltzer） 阿卡–塞尔策曾经从许多有创意的

广告中得益：在 1969 年，公司推出经典的广告片"监狱"，里面有 260 名囚犯，由演员乔治·拉弗特（George Raft）带头对监狱伙食造反，齐声敲杯子并高喊"阿卡－塞尔策"。同一年中，该公司又推出好几个经典的电视广告片，如"蜜月"，它表现这些药品挽救了一位新郎，在他的新娘烧出牡蛎和肉圆等丰盛菜肴后，广告打出一行容易记忆的语句"这是一个带香味的肉圆"。以后，这家公司为阿卡－塞尔策推出更经典的广告，如"试一试，你会喜欢它"；"我不能相信我能吃下全部东西"；"拍哒，拍哒，嘶嘶，我感到放松了"。然而，在过去的一些年里，产品导入了诸如波西特（Pepsid）和赞泰克（Zantac）双倍的解酸药，但阿卡－塞尔策的市场份额，1968 年解酸药市场有 25%，在 1998 年下降到 4.2% 以下。[10]

广告客户通过下列四个步骤开发一项创造性战略：信息的产生，信息的评价和选择，信息的表达，信息的社会责任观。

信息的产生

产品"利益"的信息应作为开发产品观念的一部分来加以确定。但即使在此观念下，还要为一些可能的信息留有余地。而且经过了一段时间，营销人员或许需要改变信息，特别是当消费者正在寻求产品的新"利益"或变化时更是如此。

富有创造性的人们运用不同的方法形成各种广告思想来实现广告诸目标。他们通过与顾客、经销商、专家以及竞争者的交谈，归纳性地进行创作。消费者是好主意的最重要来源。他们对于现有品牌的优势和不足的各种感觉为创造性战略提供了重要线索。利奥·伯内特认为："当我与我正打算向其推销的人进行面对面的接触时就要进行深入的谈话时，我力图在心里想像他们是什么样的人——他们如何使用这种产品以及使用的情况如何。"[11]

有些具有创造性的人运用演绎（deductive）框架来产生广告信息。马罗内（Maloney）提出了一种框架。[12]他认为购买者从一个产品中期望获得四种回报之中的一种：理性的，感觉的，社会性的或者自我满足。同时，购买者可以从使用结果经验、产品使用经验或者偶然使用经验中想像这些回报。综合这四种回报类型和三种经验，可以产生 12 种广告信息。例如，"使衣服更清洁"这一诉求，乃是源于使用结果之经验的理性回报，而"淡啤酒的色清味醇"这一短语则是一种与产品使用经验有关的感觉回报。

广告代理商在作出一项选择之前，应该制作多少主题广告方案备选呢？广告制作得越多，代理商找到第一流广告的可能性也就越大。然而，制作广告花费的时间越多，成本也越高。一个代理商为其客户创作和试验的备选广告，必有一个最适宜的数目。有幸的是，制作广告雏形的费用在电脑桌面出版技术的优势下已迅速下降。一个广告商创意部通过电脑文件库，在很短的时间内就可定格静止的影像形象和类型组合，等等。

信息的评价和选择

一个好的广告通常只强调一个销售主题。特威塔（Twedt）建议，广告信息可根据愿望性(desirability)、独占性(exclusiceness)和可信性(believality)来加以评估。[13]例如：

　　请捐 1 角银币(the March or Dimes)　　请捐 1 角银币组织为了向天生缺陷作斗争而募款，要寻找一个广告主题。有些广告信息产生于头脑风暴式小组会。它要求一组年轻父母按吸引力、独特性和可信性分别为每一条广告信息评分，最高分为 100。例如"每天有 700 胎儿死于天生缺陷"，这条信息在吸引力、独特性和可信性方面的分数分别为 70，62 和 80，而"您的下一个婴儿将患有先天性缺陷"这条信息得分分别为 58，51 和 70。第一条信息胜过第二条信息。[14]

　　广告客户应该进行市场分析和研究以确定哪一种诉求的感染力对目标受众最成功：

信息的表达

　　信息的影响不仅取决于它说什么，还取决于它怎么说。某些广告着重理智定位(rational positioning)，另一些着重情感定位(emotional positioning)。美国广告通常设计成对理性观念的诉求并展现了鲜明的特点和利益。如"使衣服更干净"、"迅速解除痛苦"等。日本的广告倾向于间接的并追求情感诉求，例如，日产(Nissan)公司的汽车广告表露的并非汽车，而是美丽的大自然，使你产生情感的联系和反应。

　　标题、文稿的选择等能对广告的效果产生不同的影响。莱利特·曼里(Lalita Manral)的研究报告说，她制定了两个广告方案用来测试广告不同方面的效果。第一个广告标题为"一辆新轿车"，而第二个广告标题提出了一个问题："这辆轿车是为你设计的吗？"第二个标题说明了一种称为贴标签(labeling)的广告战略，在这种战略中，顾客被标明是对这类产品感兴趣的人。两幅广告的不同在于，第一幅广告描述了汽车的特点，而第二幅描述了汽车的利益。经过试验，第二幅广告对产品在整个印象方面远胜于第一幅广告，读者对购买产品会产生兴趣，而且还有可能向朋友介绍。[15]

　　对于高度类似的产品，如清洁剂、香烟、咖啡和伏特加，广告信息的表达具有决定的作用。让我们研讨一下爱沙路伏特加的成功例子。

　　爱沙路伏特加(Absolut Vodka)　　伏特加一般被认为是商业产品。在伏特加市场，品牌偏好与忠诚者的数量是令人吃惊的。其主要的基础在于销售形象而不是产品。当瑞典品牌爱沙路 1979 年进入美国市场时，只令人失望地销售了 7 000 箱。到了 1991 年，销售突破 2 000 000 箱。爱沙路在美国成为最大的伏特加进口商，占领了市场的 65%。它在全球销量也增长很快。它的秘密武器是：目标营销、包装和广告战略。爱沙路瞄准复杂技术型、向上爬和富有的饮酒者。该伏特加的瓶子体现了与众不同的瑞典形象。该瓶子成为雕像，并成为天天广告的中心，展示诸如"爱沙路魔术"或"爱沙路偷窃"。著名的艺术家，包括沃霍尔(Warhol)、哈林(Haring)、沙夫(Scharf)，已为爱沙路设计了很多广告，并且，它的瓶子形象在广告中令人注目。爱沙路还聘请有个性的作家编写品牌的故事。广告设计通过《澳大利亚》、《纽约》和《虚幻市场》等杂志发布，吸引读者的注意力。[16]

在筹划广告的活动中，广告客户常常准备一份文稿策略说明书，描述所要做的广告的目的、内容、背景和语气等。下面是一份有关品食乐公司的一种名叫 1869 年牌饼干产品的广告策略说明书。

品食乐（Pillsbury） 品食乐此广告的目的在于使饼干食用者相信，他们现在可以买到一种听装饼干，味道与家庭自制的一样好，这就是品食乐公司的 1869 年牌饼干。广告内容要强调下列产品特性：它们看上去像家庭自制饼干；它们具有家庭自制饼干同样的特征；同时它们的味道也和家庭自制饼干相似。对于"味道如家庭自制"的背景将从两方面着手：(1)1869 年牌饼干是用一种特制的面粉作原料（一种很软的小麦面粉），这种面粉通常是家庭自制饼干的原料，听装饼干过去从未使用过；(2)运用美国传统饼干配制方法。广告的口吻将采用发表新闻的语调，带有一种十分亲切的、追思美国传统烘焙饼干质量的情调。

富有创造性的人现在必须为表达广告信息找到一种形式（style）、语调（tone）、修辞（words）和版式（format）。

任何广告信息都有下列不同的表达形式：生活片断、生活方式、引人入胜的幻境、气氛或想像、音乐、个性的象征、技术特色、科学证据和证词。"营销视野——把名人效应作为一种战略"描述了证词广告，我们参见下面的例子。

罗金（Rogaing） 用证词广告吸引男人，它许诺能重新长出 45% 的头发。格林·贝帕卡德（Green Bay Packers）队的橄榄球教练麦克·霍姆格伦（Mike Holmgren）在一场贝帕卡德队的比赛接线边徘徊时说："每个星期天，我知道 60 000 个朋友盯着我的头。"在展示一张值得注意的秃头的老照片后，霍姆格伦补充说道："每根头发都是一场大胜利"。犹他州爵士队篮球明星卡尔·马龙（Karl Malone）证实他在 5 个月内使用了罗金并获得了良好结果。制造商法拉马加·厄宾（Phamacia Upjohn）已经把它的广告预算从 1997 年的 3 000 万美元提高到了 1998 年的 5 000 万美元～6 000 万美元之间。[17]

营销视野

把名人效应作为一种战略

从远古时代起，营销者就把名人名字用在他们的产品上。一位经过精心挑选的名人至少能激发起对一个产品或品牌的注意力，就像萨奇（Sarah），约克公爵夫人——在弗根（Fergie）剧出名——显示了她是如何变得苗条而感谢体重监测者。或者，名人的神秘气氛也可转移到品牌上——比尔·科斯比（Bill Cosby）在吃一碗吉露-O时招待一群孩子。

选择一个合适的名人是一项创造性的工作。该名人应被普遍认可、有积极影响和对产品的高度适应性。已故的豪沃德·科西尔（Howard Cosell）被普遍认识，但在许多群体中有负效应。波罗西·威尔斯（Bruce Wills）受到普遍认识，并有积极影响，但不适宜做世界和平会议的广告。安迪·格里菲（Andy Griffith）、马里·斯特利普（Meryl Streep）和奥普雷·温弗利（Opran Winfrey）在许多产品上成功地做了广告，因为他们在知名度和被人喜爱上层次较高（在娱乐界称为Q因素）。

运动员名字在运动产品、饮料和服饰上特别有效。例如，前运动明星是迈克尔·乔丹（Michael Jordan），芝加哥公牛队篮球明星。据保守估计，乔丹在20世纪90年代通过赞助款项赚取了大约2.4亿美元。对他的赞助最有名的可能是耐克的运动鞋和衣服，乔丹已经为耐克集聚了52亿的收入。许多公司用迈克尔·乔丹促销它们的产品。在它们中有威尔森、可口可乐、MCI、强生产品、麦当劳、桂格麦片，以及罗亚万克（Rayoyac）公司。乔丹的形象不仅出现在广告中，而且这种信息被移植到T恤、玩具、活动和无数的其他项目中。对于这一切，乔丹是不介意的谦逊："真的，我从来没有想像到我自己对人们有如此重要的影响。"他说，"它是有趣的，但也是有许多责任的，而我不能轻易地承担那些责任"。

广告客户主要的担忧之一是他们的名人会卷入丑闻或陷于窘迫处境。棒球明星O.J.辛普森（Simpson）为赫茨（Hertz）出租车公司作了20年广告，直到1994年因谋杀妻子被控告而结束。迈克尔·杰克逊（Michael Jackson）因骚扰儿童而被百事可乐停止了其广告合同。而主持人西比尔·谢泼德（Cyball Shepherd）宣传他已停止吃牛肉的决定使牛肉理事会感到难堪。

由于经常发生名人丑闻，保险公司现在为广告客户提供风险保险。一家保险公司开始为名人的"死亡、残废和名誉受损"保险，抵消名人效应的失败和缺陷。作为选择，广告客户不一定会用真人来促销产品而选择一个"代言人"。例如，奥弗恩斯-科宁（Owens-Corning）用粉红豹促销它的粉红色绝缘材料已有20年左右，大都会人寿保险公司用花生少年来促销其保险政策。广告客户保护它们自己的其他方法是减少运用名人。通过神奇的技术，电视观众看到了屏幕传奇人物约翰·威尼（John Wayne）叫卖科拉斯（Coors）啤酒和弗莱特·阿斯泰尔（Tred Astair）与一台名叫清洁助手的吸尘器一起跳舞。

一些名人自愿参与赞助活动。最近，牛排评论家奥普雷·威夫利（Oprah Winfrey）、吸毒者罗斯·奥迪耐尔（Rosie O'Donnell）和《今日展示》气象人爱尔·罗卡（Al Roker）免费赞助了波巴汉堡、素食汉堡小馅饼。在食品和药物管理局放松了长期坚持的在电视商业广告节目中对处方药的限制后，美国ABC电视台的"美国，您早"节目主持人琼·罗顿（Joan Lunden），首次在电视上出现为克拉林顿（Claritin）的处方药做宣传。

资料来源:See lrving Rein, Philip Kotler, and Martin Scoller, *The Making and Marketing of Professionals into Celebrities* (Chicago: NTC Business Books, 1997); Roy S. Johnson and Ann Harrington, "The Jordan Effect," *Fortune, June 22, 1998*, pp. 130～138. Milt Freudenheim, "Influencing Doctor's Orders," *New York Times*, November 17, 1998, p. C1.

传播者还必须为了广告选择一种适当的语调。宝洁公司一贯采用一种肯定的语调。它的广告总是介绍产品最好的方面，不采用幽默的语调，以免转移人们对广告信息的注意力。与之相对比，斯特普尔斯（Staples）办公用品超级商店在为其相当世俗的产品做广告时，集中于表现幽默情境，而非产品本身。

广告用辞必须便于记忆和引起注意。下面左边的各种主题若没有右边富有创造性的短语，则会逊色不少：[18]

主题	创造性文稿
七喜不是一种可乐	"非可乐"
请乘公共汽车，省得你自己开车	"请乘公共汽车，让我们为您开车"
买东西只需翻一下电话簿	"请君以指代步"
我们租赁的汽车没有那么多， 所以，我们为顾客提供更多的服务	"我们加倍为您效劳"
红房子旅馆提供便宜住宅	"最便宜的旅馆是红房子"

标题的独创性尤为重要。标题有六种基本类型：新闻式（"前面是新的景气和更严重的通货膨胀……以及你在这方面能做些什么"）；问题式（"你最近买过它吗？"）；叙述式（"当我在钢琴前坐下时，人们哄堂大笑，但是一旦琴声扬起，他们就肃静无声了！"）；命令式（"请你把3个都试过以后再买"）；1—2—3法（"有12种方法可以减少您的所得税"）；如何—什么—为何（"他们为何不能停止购买"）。

版式的大小、色彩和插图等版式要素对于广告的效果和费用有很大的影响。广告中一个技术上的小小改进，往往会在几方面提高广告的吸引力。篇幅较大的广告能引起更多的注意，但其费用不一定按同比例增加。用四色的插图取代黑白说明，会提高广告效果，当然，成本也会随之上升。在经过有计划地安排广告不同因素的相对优势后，便可取得最佳递送效果。用新型电子仪器对眼的运动所作的研究表明，对广告的主导因素用战略的眼光加以安排，便可吸引消费者的注意力使之能从头到尾读完一个广告。

在联合包裹服务运送公司(UPS)的广告中，读者首先注意到它的标题。

从事印刷广告研究的一些研究者指出，图画（picture）、标题（headline）和内容（copy）的重要性是按下列顺序排列的：图画是首先引起读者注意的东西，必须具有足够强烈的吸引力，以吸引读者的注意力；其次，标题必须能有效地推动人们去读广告的文字；再就内容本身必须写得很好。即使如此，一则真正杰出的广告，受到接触此广告的读者所注意的人数还不足 50%；接触到此广告的人约有 30% 可能会回忆起标题的要点，约有 25% 的人会记得登广告者的名字，读过大部分广告正文的还不到 10%。然而，普通广告甚至还不能达到这些效果。

一项行业研究指出，在回忆和认知方面评分较高的广告具有如下特性：创新（新产品或新用途），"故事性诉求"（一种吸引人们注意力的方法），前后插图，展示表演，解决问题，以及成为某种品牌象征物的一些有关的人物角色。[19]

最近，批评家对大量的中性广告和广告语表示不满，特别是非指定代词"它"，如"可乐是它"；耐克广泛使用的"立刻用它"，以及那个异乎寻常犯规的广告，如美乐公司短命的广告声称："它是它和那是那"。[20] 为什么有这么多的广告如此类同？为什么广告代理人没有更多的创新？诺曼·W·布朗（Norman W. Brown），福特、科恩和贝尔丁（Foote，Cone & Belding）广告公司前负责人，说："许多广告缺乏创意是因为太多的公司追求舒适而不是追求创造性。"

信息的社会责任观

广告客户和它们的代理商必须保证它们"创造"的广告不超越社会和法律准则。大多数营销工作者致力于商业广告对消费者的公开性和诚实性。然而，错误也会发生，公共政策机构已制定了大量法律和规则以管理广告。

根据美国法律，公司必须避免虚假和欺骗广告。广告客户不可以作虚假说明，例如说产品能治某某病但实际不行。他们必须避免虚假展示，如在广告中用砂覆盖着有机玻璃而不是真砂布，以展示剃须刀能刮掉砂布上的砂子。

在美国，广告客户不可以创造有欺骗行为的广告，即使它在实际上无人相信；不可以在广告上说地板蜡能保护地板 6 个月，因为在一般情况下这是不可能的；不可以做广告说面包因为削得很薄而减少了卡路里。问题在于如何区别欺骗和"扩大吹捧"——仅仅是人们并不相信的夸张。

在美国，销售者必须避免诱售式广告，它用不合乎实际的假设来吸引购买者。例如，假如有销售者宣传 149 美元的缝纫机。当消费者试图购买这一广告产品时，销售者就不能拒绝，或降低产品性能，或展示其毛病，用不合理的交货时间而使购买者转买更昂贵的其他产品。[21]

为了实行社会责任，广告客户还必须谨慎地不冒犯任何道德团体、少数民族或特殊利益团体。考虑下面的例子：[22]

● 奈内克斯（Nynex）受到动物权利活动家的批评，因为它的广告展示了染上蓝颜色的兔子。

● 黑旗（Black Flag）杀虫剂的广告表现打死蟑螂的游戏，在退伍军人的抗议下改变了内容。

● 卡尔文·克莱因（Calvin Klein）服装广告把流浪汉卡特·莫斯饰以羽毛受

到联合抵制厌食营销协会的改击。

某些公司已经开始在社会责任的平台上建立广告活动。

道德基金(Ethical Funds)当人们购买道德基金股份时，他们知道基金管理者不想投资的公司包括产品中有军事武器、烟草、原子核能和那些有不公平雇员政策、差的环境记录，或者那些支持反动政策体制的公司。一个为道德基金开展的谈话性的广告运动展示了儿童图书馆和有抽烟导致癌症正在死亡的人们的图景。广告中问："你知道你的钱哪里去了？"

位于万格尼亚的道德基金公司总裁约翰·林斯威特(John Linthwaite)说，公司注重研究。它深入挖掘以清除那些不能满足道德标准的公司。在过去的 10 年中，道德基金已经从 1 亿美元资产递增到了20 多亿美元。[23]

媒体决策和绩效衡量

在选择信息后，广告客户的下一个任务是选择负载广告信息的媒体。这一步骤包括：决策预期的接触面、频率和影响；选择主要媒体类型；选择具体传播媒介工具；决定传播时间和决定地理媒体的分布。然后，对这些决策进行评价。

决定触及面、频率和影响

媒体选择(media selection)就是有关寻找向目标受众传达预期展露次数的展露的成本效益最佳的途径问题。

我们所谓的预期展露次数是指什么呢？广告可能以目标受众的某种反应为目标，例如，一定的产品试用水平。除了其他因素，产品试用率将取决于目标受众对产品品牌的知晓情况。假设产品使用率的上升是随着目标受众知晓水平递减的，如图 19—2(a)所示。如果广告客户以产品试用率 T^* 为目标，那么它就必须达到 A^* 品牌知名度。

下一个任务是决定多少次展露 E^*，才能导致 A^* 的目标受众知晓度。展露对于目标受众知晓度的作用取决于它的触及面、频率和影响。

● 触及面(R，reach)。在一定时期内，某一特定媒体一次最少能触及的不同的人或家庭数目。

● 频率(F，frequncy)。在一定时期内，平均每人或每个家庭见到广告信息的次数。

● 影响(I，impact)。使用某一特定媒体的展露质量价值(例如，食品广告登在《好管家》杂志上的影响就要比登在《警察公报》上好得多)。

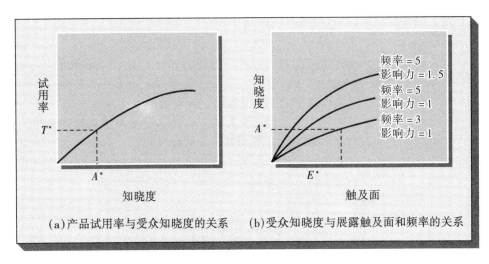

图19—2 试用、知晓度的展露功能之间的关系

图19—2(b)表明了目标受众知晓度和触及面的关系。当广告的触及面较小，展露频率较高，受众的知晓度也就相应提高。媒体计划者应清楚地认识到触及面、频率和影响之间的重要权衡点。假设媒体计工者有100万美元的广告预算，一般质量的展露每触及1 000人的成本是5美元。这就是说，广告客户可以购买2亿次展露：

1 000 000 美元／（5 美元／1 000）= 200 000 000（次）

如果广告客户打算将广告平均展露10次，那么用这笔预算可以触及2 000万人（200 000 000 × 10 = 20 000 000）。如果广告客户想采用每1 000次展露成本为10美元的质量较高的媒体，就只能触及1 000万人，除非他或她愿意降低预期的展露次数。

下列概念包含了触及面、频率和影响之间的关系：

● 展露总数（*E*）。这是触及面乘以平均次数，即 *E* = *R* × *F*。它又被称为毛评点（GRP）。如果某一媒体想要触及10%的家庭，平均展露次数为3，则该媒体的毛评点就是240（80 × 3 = 240）。如果另一媒体的毛评点为300，那么，它就具有更大的影响，但是，我们并不知道它的触及面和展露各为多少。

● 加权展露数（*WE*）。这是触及面乘平均展露频率，再乘以平均影响，即 *WE* = *R* × *F* × *I*。

媒体计划所要解决的问题如下：在一定预算水平下，所要购买的触及面、频率和影响的成本效益最佳组合是什么？一般而言，当推出新产品、侧翼品牌、扩展驰名品牌或购买并不频繁的品牌，或追求一个界定不清楚的目标市场时，触及面是最重要的。当存在强有力的竞争者、想要传达的信息复杂、消费者阻抗力较大或购买次数频繁时，频率是最重要的。[24]

许多广告客户认为，要使广告起作用，必须向目标受众多次展露。重复太少可能会造成浪费，因为它们没有被注意到。其他一些广告研究人员对多次展露的价值表示怀疑，他们认为，人们对同一个广告看了几次之后，不是感到厌烦，就是不再注意它了。克罗格曼（Krugman）曾经提出，一个广告展露三次就足够了。

第一次展露有独特的意义。正如任何东西的第一次显露一样，广告的第一次展露所得到的反应主要是"它是什么"的认知反应，对一个刺激物的第二次展露……将产生若干效果。一种是类似第一次展露的认知反应，这是由于目标受众在第一次接触广告时可能有许多地方遗漏了……而更多的则是一种"它有什么"的评价型反应来取代"它是什么"之类的反应……如果以评价的基础所形成的购买决策尚未转化为行动时，第三次展露可继续起一种提醒作用。第三次展露也是从这一已完成的广告插曲中开始脱身和撤回注意力。[25]

克罗格曼主张展露三次的论点必须加以说明。其意思指的是实际广告展露（advertising exposure）次数，即是实际上看过三次广告的人。这不能同媒介载体展露（vehicle exposure）次数混为一谈。如果看杂志广告的人只有读者的一半，或者如果读者每隔一期才阅读该杂志的广告，那么，广告的展露次数只是媒介载体展露次数的一半。多数的研究机构只估量媒介载体的展露次数，而不估量广告的展露次数。一个媒体战略家购买媒介载体展露次数必须超过三次才能达到克罗格曼所说的三次"命中"。[26]另一个造成广告重复的因素是遗忘。广告重复工作中有一部分是将广告信息输入记忆。关于产品品牌、产品类别或者广告信息的遗忘率越高，重复的次数也应该越多。但是，仅有重复也是不够的，广告的效果会减弱，目标受众会不耐烦。广告客户不应该仅做一个令人厌倦的广告，而应该通过广告代理公司推陈出新。例如，杜勒西尔（Duracell）有超过40个不同形式的广告作为它的基础广告。

在主要的媒体类型中选择

媒体计划者必须了解各类主要媒体在触及面、频率和影响等方面所具备的能力。表19—1描述了主要广告媒体的大致情况。

媒体计划者在媒体选择时，要考虑下列媒体变量：

● 目标受众的媒体习惯。例如对青少年，广播和电视是最有效的广告媒体。

● 产品。妇女服装广告登在彩色印刷的杂志上最吸引人，而宝丽来照相机广告则最好通过电视作一些示范表演。各类媒体的示范表演、形象化、解释、可信程度和色彩面具有不同的潜力。

● 广告信息。一条宣布明天有重要出售的信息就要求用广播或报纸作媒介。一条包含大量技术资料的广告信息，可能要求选用专业性杂志或者邮寄件作媒介。

● 费用。电视费用非常昂贵，而报纸广告则较便宜。当然，应该考虑的是每千人展露的平均成本，而不是总的成本。

关于媒体影响和成本概念，必须作定期再检查。长期以来，电视在诸媒体中一直居首位，而其他媒体经常被人忽略。然而，媒体研究人员开始注意到，由于商业广告增加，互相干扰，电视广告的效益正在下降（广告客户向电视观众传播大量的一闪而过的商业广告，使观众的注意力分散，广告影响减少）。

表 19—1　　　　　　　　　　　　各类主要媒体的概貌

媒体	优点	缺点
报纸	灵活，及时，本地市场覆盖面大，能广泛地被接受，可信性强	保存性差，复制质量低，相互传阅者少
电视	综合视觉、听觉和动作，富有感染力，能引起高度注意，触及面广	成本高，干扰多，瞬间即逝，观众选择性少
直接邮寄	接受者有选择性，灵活，在同一媒体内没有广告竞争，人情味较重	相对来说成本较高，可能造成滥寄"垃圾邮件"的印象
广播	大众化宣传，地理和人口方面的选择较强，成本低	只有声音，不如电视那样引人注意，非规范化收费结构，展露瞬息即逝
杂志	地理、人口可选性强，可信并有一定的权威性，复制率高，保存期长，传阅者多	广告购买前置时间长，有些发行量浪费了，版面无保证
户外广告	灵活，广告展露时间长，费用低，竞争少	观众没有选择，缺乏创新
黄页	本地市场覆盖面大，可信性强，广泛的接触率，低成本	高竞争，长的购买导入时间，创意有限
新闻信	非常高的选择性，全彩色，交互机会多，相对成本低	成本不易控制
广告册	灵活性强，全彩色，展示戏剧性信息	过量制作使成本不易控制
电话	使用人多，有接触每个人的机会	除非数量限制，否则成本不易控制
因特网	非常高的选择性，交互机会多，相对成本低	在有些国家，作为新媒体，用户少

由于有线电视与录像机的增多，商业电视上的"干涉"减少了其观众。更有甚者，电视广告费用的增加大大超过了其他媒体的成本。有些公司发现，综合使用印刷广告和电视广告，其效果常常比单独用电视广告好。

另一个检查的原因是由于不断有新媒体(new media)出现。例如，广告单和信息集。广告单是印刷品，提供已编辑的内容，它与报刊杂志的内容有区别；信息集是 30 分钟电视广告，但不宣传产品。在过去的 10 年中，户外广告的开支实质性地增加了许多。户外广告是一种出色的接触本地消费者细分片的重要途径。有线电视现在已成为美国家庭媒体的主渠道，每年的广告费达数十亿美元。有线电视系统更容易接触有选择的观众群体。

另一个推广新媒体的场所是商店自身。除了早期在商店的促销工具，例如走道尽头的展示和特价标签等，如今又增加了许多新的媒体工具。有些超市出租空间给公司作展示。它们设计了会说话的货架，推出影像售货车，车上有电脑控制的屏幕并提供顾客感兴趣的信息(花椰菜的维生素很丰富)和广告促销(本周金枪鱼降价 20 美分)。

广告开始出现在畅销书、电影和录像带上。书面材料，例如年度报告、申请表、目录单和新闻快报上也出现广告。许多公司在邮寄账单时也附有广告。有些公司甚至邮寄像带给潜在的顾客。其他新出现的媒体有：

● 数字化杂志。最新一些杂志不通过报摊来销售，而是经由在线服务机构或因特网来发行，如 *Trouble & Auitude*、*Word* 和 *Launch* 等。通过电子杂志来创办并发行这种做法比印刷品要便宜。经办一个专供 18 岁～34 岁的男子阅读的制作精致的印刷品，现在的起动资金至少需 1 000 万美元，而由电子杂志经办，则仅需 20 万美元～50 万美元。但是，尽管有些电子杂志为了确定市场价格而用数量计价，但电子杂志还是推销广告来赚钱。

● 交互式电视。电脑、电话、电视所组成的连接系统允许人们通过电视机参与程序以及信息的双通道交流。家庭购物网允许消费者通过电视观看到商品后下订单，而交互式电视允许消费者利用键盘，通过电视屏幕直接与销售员交流。迄今为止，交互式电视的技术还在试验阶段。

● 按需传真。按需传真大多数为商人所用，它允许商业机构将信息存储在一个传真技术程序中。需要信息的顾客只要拨打一个免费电话，传真程序便会在 5 分钟之内自动地把信息传真给顾客。这为顾客提供了每周 7 天、每天 24 小时的服务。这项服务的建立仅需 1 000 美元，并且商人们认为这是值得投资的。

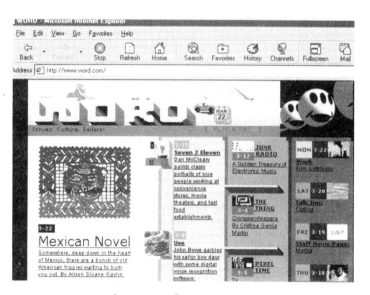

《数字化世界》主页：只有网络版。

正如我们所知道的那样，拉斯特（Rust）和奥利弗（Oliver）看到了激增的新媒体正在加速传统大众媒体广告的死亡。他们看到了越来越多的直接生产者与消费者之间的在彼此有利的情况下交流。生产商获得了更多的与他们顾客有关的信息，而且能把产品和信息定制得更好。顾客获得更多的控制，因为他们能选择是否去接受一种广告信息或不要接受。[27]参见"新千年营销——网站上的广告：公司攫取客户的反应"。

网站上的广告：公司攫取客户的反应

所有的迹象都表明因特网上的广告增长迅速。1997 年，在线广告收入达到 90 650 万美元，并在 2000 年底有望达到 43 亿美元。大量的网站用户也在扩展：今天，25% 的美国人每天都在使用因特网，而且该数量正在上升。

以网站为基础的广告将会成为公司的媒体组合的一个重要部分。大多数公司正在把大量的广告预算投向因特网。亚马逊（Amazon.com），一家在线书店零售商，与美国在线（AOL）签署了一份价值为 1 900 万美元的合约，租用美国在线主页上的广告空间。点击美国在线，你就能直接进入亚马逊的站点。

然而，许多公司是不愿意向网站支付广告费用。原因是：还没有一种可以信赖的方法来回答两个基本问题：多少人访问某一网站？并且，是什么类型的人访问了某一网站？在对这些问题不能回答的情况下，去比较因特网广告与相应的广播和印刷品广告的有效性来说是困难的。这个问题现在正在通过行业协会组织，诸如广告支持信息和娱乐联盟（CASIE）和交互广告局（IAB）进行协调。

因特网为何对某种广告主有如此的吸引力？一些有关网站的因素将有助于回答这个问题。

● 逐渐地，消费者将宁愿访问电子空间，而不是坐着通过一种渠道或者看瞬间即逝的信息。这种趋势给诸如宝洁、联合利华、吉列以及许多其他公司的大众市场营销人员带来了直接的挑战，这些营销人员中大多数把他们的 80% 之多的广告预算用在电视上。

● 与广告走向消费者不同，消费者可引导广告。考虑一家叫做约约德尼（Yoyodyne）的公司，它的客户包括人力资源公司（H&R Block）、读者文摘和 MCI。约约德尼设计了活动和竞赛（运用奖金），这导致客户网站的拥挤不堪。广告者必须提供一种电子邮件地址和选择站点去访问或向浏览者做广告，这有助于广告客户就有关它们的内容学习得更多。最近，被雅虎! 收购的约约德尼公司，1997 年有 100 多万的用户登录过。

● 强有力的搜索引擎将很快允许消费者通过所有的网站查找产品和讨价还价。朱格利（Junglee）和 C2B 技术公司是两个发展这种搜索引擎的电子商务公司。朱格利的目标是使消费者能够比较一种标准后进行购买，这在以前是很难想像的。C2B 的购物平台提供了关于将近 100 万产品网站购物信息和数百种与它们有联系的商人。什么样的广告客户可能不想通过这种富矿带而接触客户呢？

● 因特网允许销售者去按照需求建立他们的产品，因而，保持最小化的库存。戴尔计算机公司为顾客提供他们选择的声卡、录音版、声音监测器、扬声器，以及通过它的网站下载菜单的存储器。今天，戴尔正经由它的网址每天出售价值 600 万美元的产品，而且预期到 2000 年底，它的 50% 的销售额将会以网上销售为基础。

● 因特网是不受地域限制的。亚马逊向国外市场销售了 20% 的书籍，然而，一家实体性的书店对一个区域的服务仅几平方英里而已。

但是，网站不仅仅是另外一种媒体，它的操作经验与其他根本不同。它是每天生活中要逃避不断的障碍的地方。在线广告客户过去经常研究的是推——通过渠道推动你的产品。然而，网址不是属于推动战略的，它是有关拉引的。在线消费者能从电脑空间拉出他们想要的东西，而且把剩余的留在身后。网站广告客户必须有足够的创造性，使这些消费者拉动他们想要的信息。

资料来源：Gary Hamel and Jeff Sampler, "The E-Corporation: More than Just Web-based, It's Building a New Industrial Order," *Fortune*, December 7, 1998, p.80; Kim Cleland, "Marketers Want Solid Data on Value of Internet Ad Buys," *Advertising Age*, August 3, 1998, p.S18; Xavier Dreze and Fred Zufryden, "Is Internet Advertising Ready for Prime Time?" *Journal of Advertising Research* 38, no.3(1998): 7 ～ 18.

在各类媒体特性已定的情况下，广告客户应该决定如何对各类主要媒体分配预算。例如，品食乐公司决定在 20 个主要市场上推出它的饼干新品种，媒体预算如下：日间电视为 300 万美元，妇女杂志为 200 万美元，日报为 100 万美元和因特网网页广告费 5 万美元。

选择具体的媒体工具

媒体计划者下一步要选择一个具体的成本效益最佳的媒体工具。例如，广告客户决定了购买 30 秒的电视网络广告，在公众的黄金时间，与一个特别节目如"法律与指示"节目同播，费用为 15.4 万美元，与弗雷泽(Frasier)和 ER 同播，费用为 65 万美元，或与超级球赛同播，费用为 130 万美元。[28]媒体计划者可依靠媒体效果调查服务机构提供目标受众规模、组成和媒体成本的估计。

对目标受众规模有几种可行的衡量尺度：

● 发行量。登载广告的实体物体的数量。
● 目标受众。接触到媒体的人数(如果媒体是可传阅者，受众比发行量大很多)。
● 有效受众。接触媒体的具有目标特点的目标人数。
● 接触广告的有效受众。实际看到广告的具有目标特点的人们。

媒体计划人通常要计算某一特定媒体工具触及每千人的平均成本。如果《新闻周刊》上登张全页四色广告的费用为 84 000 美元，而《新闻周刊》的读者估计有 300 万人，则广告触及每千人的平均成本约为 28 美元。同样的广告登在《商业周刊》上可能花 30 000 美元，但是，触及人数仅 775 000 人，则每千人成本为 39 美元。媒体计划者宜根据每千人成本的高低将各种杂志排列成表，择其千人成本最低者加以考虑。杂志自身经常为它们的广告作"读者概况分析"，总结杂志的典型读者特征，如年龄、收入排列、居住地、婚姻状况和业余活动等资料。

对于这一最初的衡量结果还必须作若干修正。首先，这一衡量要根据目标受众性质加以修正。对于婴儿洗涤剂广告来说，一本拥有 100 万年轻母亲作为读者的杂志就有 100 万人次的展露价值，但是，如果这 100 万读者都是老人，那么，展露价值就等于零。其次，展露价值应按目标受众注意的可能性加以修正。例如，《时尚》杂志的读者就比《新闻周刊》的读者更注意广告。第三，展露价值还应按编辑质量(声望和可信程度)加以修正，编辑质量是因杂志不同而异的。第四，展露价值还应按杂志中不同的广告地位和额外服务加以修正(例如地区版、职业版和前置时间要求)。

媒体计划者越来越多地使用比较复杂的媒体效益衡量手段，并且把它们应用于数学模型中，以便找到最佳媒体组合。许多广告代理商运用计算机程序选择最初媒体，然后根据模型中所省略的主观因素对媒体作进一步修正。[29]

决定媒体时间安排

为了决策应用哪种媒体，广告客户面临着一个总体安排问题和一个具体安排问题。

总体安排问题包括广告客户必须决定如何根据季节变化和预期的经济发展来安排全年的广告。假设某产品的销售旺季是在7—9月，可销货70%，该公司面临三种选择。公司方面可以顺着季节的变化而调整其广告支出，也可以按季节变化相反的方向来安排广告支出，或者全年平均使用广告费。大多数公司都追随季节性广告政策。请考虑这个例子：

> 几年前，一家软饮料制造商开始增加淡季广告的经费，结果其品牌的非季节性消费有所增加，而且并未损害该品牌的旺季消费。其他软饮料制造商也开始这样做，其结果是出现了一种更加平衡的消费格局。以前的季节性集中广告实际上是一种自我满足的猜测。

福莱斯特(Forrester)曾建议采用他的"行业动态"法来测试季节性广告政策。[30]他认为广告对于顾客的知晓有种滞后的影响作用，知晓对于工厂销售也有一种滞后的影响作用，而工厂销售对于广告支出又有一种滞后的影响作用。这些时间关系均应加以研究，形成数学公式，输入计算机模拟模型。每一种时机策略都应进行模拟，以便评价其对于公司销售、成本和盈利的不同影响。拉奥和米勒也开发了一个滞后模型，把品牌份额逐个市场地同广告和促销费用联系起来。他们用利弗公司在15个分销地区的5种品牌对其模型进行了检验，把这些品牌的市场份额同在电视、印刷广告、减价和商业促销等方面的开支联系起来考虑，并且取得了成功。[31]

库恩(Kuehn)发展了一种探索经常购买、季节性强、价格低廉的日用品广告时机问题的模型。[32]他提出，正确的时机模型取决于广告延续力和顾客选择品牌的习惯行为。延续力(carryover)是指广告支出的作用随着时间的推移而逐渐衰退的速率。每月0.75的延续力就是指以往广告支出对本月的影响水平仅为上月的75%，而每月0.1的延续力则表示只有上月影响的10%。习惯行为(habitual behavior)是指和广告水平无关的品牌延续购买有多少。高习惯性购买，例如90%即表示不管营销刺激如何，90%的购买者都将重复购买这个品牌。

库恩发现，如果没有广告延续力或者习惯性购买，决策者宜采用销售百分比法则来制定广告预算。最佳广告支出时机模型应与预期的产业销售季节性变化形态相一致。但是，如果存在广告延续力或者习惯性购买，销售百分比预算方法就不是最佳方法。在这种情况下，最好使广告时机变动领先于销售曲线。广告支出的高峰宜在预期销售高峰之前出现，而广告支出的低潮则宜在销售低潮来到之前出现。延续力越高，领先时距也宜越长。此外，习惯性购买越多，广告支出也应越稳定。

短期安排问题是指在一个短时期内部署好一系列广告展露，以达到最大影响。

假设某公司决定在9月份这个月里购买30个广播广告节目。区别众多可能形式的方法如图19—3所示。该图最下面一行表示当月广告信息可以集中在本月的某一小部分时间内（"爆发式"广告），也可以连续不断地分散在全月时间内，或者间断性地分散在一个月时间内。最上面一行表示广告信息的出现可以采取水平式频率、上升式频率、下降式频率或交替式频率。广告客户的任务是决定何种分配形式最为有效。

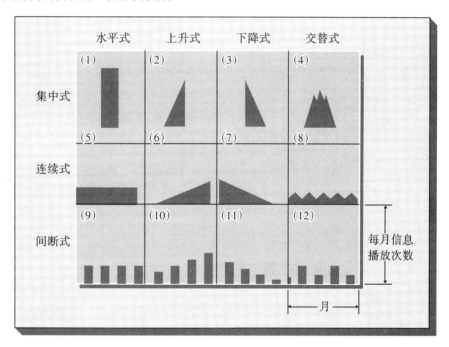

图19—3　广告时机形式分类

最有效的形式取决于产品性质、目标顾客、分配渠道以及与其他营销因素有关的广告传播目标。考察下面的例子：

一位零售商想公布季节前出售滑雪用具的消息。他知道，只有一部分人对此信息感兴趣。他认为目标购买者只需听到这信息1次～2次。他的目的是最大限度地扩大信息的触及面，而非重复程度。他决定以水平式的次数把该信息集中在销售的那几天里，同时，每天的广告时间不同，以避免同样的目标受众。她采用了图19—3中的模型(1)。

一位消声器制造厂的推销员打算使公众记清他的名字。但是，他并不需要持续不断地做广告，因为无论何时，路上行驶的车辆中只有3%～5%的车辆需要更换新的消声器，他选择了间歇型广告。此外，他了解到星期五是发工资的日子，于是他就在一周的其他日子少做广告，而在星期五则多做广告，他采用了图19—3中的模型(12)。

时机形式应考虑三个要素。购买者流动率(buyer turnove)，这是指新顾客在市场上出现的速率；速率越高，广告越是应该连续不断。购买频率(purchase frequency)，它是指某一时期内购买者平均购买产品的次数。购买频率越高，广告就应该越是连续不断。遗忘率(forgetting rate)，这是指购买者遗忘某种品牌的速率，遗忘率越高，广告就应该越是连续不断。

在推出一项新产品时，广告客户必须在广告连续性、集中性、时段性和节奏性中间作出选择。连续性是指在一定时期内均匀地安排广告展露。但由于广告成本高和销售量的季节变化，广告难以连续。一般说来，登广告者在市场扩大的情况下，当顾客频繁购买商品和购买紧缺有限的商品时应采用连续性广告。集中性是要求把所有的经费用在一段时间内。当产品集中在某一季节或假日里销售时，可采用这种形式。时段性是要求在某些时间播放广告，接着是一段时间的间歇，然后继之以第二时段广告。在经费有限、购买周期比较不频繁或出售季节性产品的情况下，可采用这种广告形式。节奏性是指连续以低重要度的水平开展广告活动，但不以间歇性的大量广告活动来加强其广告攻势的方法。这种形式是吸收连续性广告和间歇性广告的长处而创造出来的一种折衷的时间安排战略。[33]那些主张采用节奏性广告的人觉得，节奏性广告使观众更透彻地了解广告信息，而且可以省钱。

> **安修索－布希**(Anheuser-Busch) 安修索－布希公司的研究表明，百威(Budweiser)啤酒可以在某个特定市场上中止广告，至少在一年半时间内对其销售不会有什么影响。然后，公司方面集中做6个月的广告，销售增长率又将恢复到过去的水平。这一分析促使安修索－布希公司采取了节奏性广告策略。

决定在地理位置上的分布

公司在决策怎样分配它的广告预算时，必须考虑空间和时间问题。当公司在全国电视网络和全国宣传杂志上做广告时，它充当了"全国买主"。当它只是在几个地方或地区编辑的杂志上做广告，它成了"地区售点买主"。在这种情况下，广告从城市中心出发向外延伸40英里～60英里，这称为控制影响地区(ADIs)或被设计的营销地区(DMAs)。最后，公司只在当地报纸、电台或户外做广告，它成为"当地买主"。请研讨下列例子：

> **必胜客**(Pizza Hut) 必胜客从特许经营中征收4%的广告费。它把2%的预算用于全国媒体，2%用于地区和当地媒体。某些全国广告被浪费了，因为必胜客在有些地区售点比率较低。例如，即使该公司在全国有30%的特许经营市场份额，但有些城市可能只有5%的份额，而另一些城市为70%。高市场份额城市的特许经营者希望在他们城市花更多的广告费。但必胜客没有足够的钱用于全国市场。全国广告是有效的，但对各不同地区不一定有效。

评价广告效果

良好的广告计划和控制在很大程度上取决于对广告效果的衡量。然而，对于广告效果的基本研究却是出人意外地少得可怜。根据福莱斯特的看法：

"广告总费用的 1% 中的大约超过 1/5 的数额是用来了解如何使用其余 99.8% 的广告费用。[34]

大多数有关广告效果的衡量都涉及到处理一些具体的广告和活动之类的问题。大部分钱都被广告代理商花在对某一广告的预试方面，只有极小部分被用于广告效果的评价上。一个广告活动在一个或几个城市开展并评估其进行情况，然后再投入大笔预算在全国全面展开。有一家公司首先在菲尼克斯测试其新的广告活动，而这次广告活动彻底失败了，这样，公司便省下了本来要在全国范围开展广告活动的费用。

大多数广告客户都想衡量一个广告的传播效果，即广告对于消费者知晓、认识和偏好的影响。它们也想了解广告对销售的效果。

传播效果研究

传播效果研究(communication-effect research)乃是寻求判断一个广告是否有效。所谓文稿测试(copy testing)，它可以在广告进入现实媒体之前施行，也可以在它被印刷或广播之后施行。

广告预试有三种主要方法：第一种是直接评分法(direct rating method)，该方法要求顾客对广告依次打分。其评分表用表估计广告的注意力、可读性、认知力、影响力和行为等方面的强度(见图 19—4)。虽然这种测量广告效果的方法不够完善，但一个广告如获高分也可说明其具有潜在的有效性。组合测试(protfolio tests)是请消费者观看一组广告，而且他们愿看多久就看多久。然后请他们回忆所看过的广告，能记住多少内容就回顾多少内容，问者可以提示，也可以不提示。其结果就表明一个广告突出的地方及其信息是易懂易记的。实验室测试(laboratory tests)是有些研究人员利用仪器来测量消费者对于广告的心理反应的情况，如心跳、血压、瞳孔放大以及流汗情景。这类试验只能测量广告的吸引力，而无法测量消费者的信任、态度或者意图。表 19—2 描述了某些特定的广告研究技术。

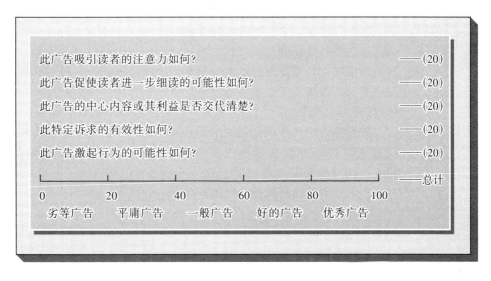

图 19—4　广告评分表

表 19—2　　　　　　　　　　　　　广告研究技术

出版物广告

斯特奇公司(Starch)及盖洛普－鲁滨逊公司(Gallup & Robinson)是两家广泛运用出版物预试的服务机构,其做法是先把测试的广告刊登在杂志上。广告登出后便把杂志分发给消费者中的调查对象。随后公司同这些被调查者接触并与之就杂志及其广告问题同他们谈话。回忆和认识的测试可用来确定广告的效果。斯特奇公司的做法则是制定三种阅读评分标准:(a)曾注意到,即声称以前曾在该杂志中见到过此广告的读者的百分率;(b)见过／联想到,即能正确辨认该产品和做此广告的广告客户的读者百分率;(c)认真读过,即声称看过该广告内容一半以上的读者的百分率。斯特奇还提出了一个广告标准,对一年中每种产品类别,分别按每种杂志的男女读者求得的平均分数表示,以便广告客户对其广告效果同竞争者的广告作比较分析

广播服务广告

家中测试。在目标消费者家中安放一台小像带机,然后测试广告

实验测试。建立模拟购买环境,向购买者展示测试的产品并给予他们一些用以在商业区的商店中购物的赠券。广告客户评估收回的赠券,便可估量到电视广告片对购买行为的影响力量

剧场测试。消费者被邀请到剧场观看尚未公开播映的新的电视系列片,同时插播一些广告片。在放映之前,被调查者简述在不同商品种类中他们比较喜爱的品牌;观看之后,再让被调查者在不同种类品牌中选择他们最喜爱的品牌。消费者偏好如有改变,则可表明电视广告片的说服力已起了作用

播放测验。这种测验是在普通电视节目中进行。被调查对象被召集在一起观看播放的节目,其中包括观看被测验的广告片,或者调查对象也可从已经观看过节目的人当中挑选。问他们能够回忆起多少内容

黑利(Haley)、斯塔福德(Stafforoni)和福克斯(Fox)评论当前的文稿测试方法变得这样熟练和容易,以致忽视了它们的规模限制。具体地说,这些方法趋向于太推理化和书面化,趋向于基本上依赖一种或另一种的反应者的回音。他们争辩说,营销者需要更多地注意广告的非书面因素,它在行为上能产生非常强烈的影响。[35]

广告客户还对测试已完成的广告活动的整个传播效果感兴趣。如果公司希望把品牌的知晓度从目标人口总数的 20% 提高到 50% ,但结果只提高到 30% ,这就说明某方面出了问题:不是公司广告开支不足,就是广告效果不好,再则就是忽略了其他某些因素。

销售效果研究

如果某个广告使品牌的知晓度提高 20% ,品牌偏好增加 10% ,那么将增加多少销售量呢?一般来说,广告的销售效果较之其传播效果更难于测量。除了广告因素外,销售还受到许多因素的影响,如产品特色、价格、可获得性和

竞争者行为等。这些因素越少，或者越能控制，广告对于销售的影响也就越容易测量。在采用邮寄广告时，销售效果最易测量，而在运用品牌广告或建立公司形象的广告时，销售效果最难测量。

公司一般对知道广告费过多还是过少感兴趣。回答这个问题可应用一个测量程式(见图19—5)。

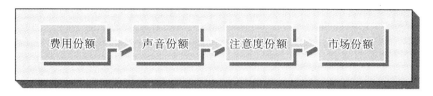

图 19—5　测量广告销售效果的程式

一个公司的广告费用份额来自声音份额，并由此获得它们的注意，而最终决定其市场份额。派克汉(Peckham)用数年时间研究了几种消费品的声音份额与市场份额的关系，他发现老产品为1:1，而122新产品为1.5～2.0:1.0。[36]利用这程式，我们假设三家著名公司在同一时间销售了某同一产品，资料如下：

公司	(1) 广告费用	(2) 声音份额	(3) 市场份额	(4) 广告有效率[(3)÷(2)]①
A	200万美元	57.1	40.0	70
B	100万美元	28.6	28.6	100
C	50万美元	14.3	31.4	220

① 广告以效益100为基本有效。低于100为相对无效广告水平；而高于100为高度有效。

公司A花费了整个行业广告总费用350万美元中的200万美元，因而其声音份额是57.1%，但其市场份额只是40%。用声音份额除市场份额，我们得出其广告有效率为70%，这说明公司A不是花费过多，便至少是花费不当。公司B花费了开支总额的28.6%，并且有28.6%的市场份额，结论是该公司花的钱效率高。公司C只花费开支总额的14.3%，然而达到市场份额的31.4%，结论是该公司花的钱效率特别高，因此也许应增加其费用。

研究人员常常试图通过历史分析法或者实验分析法来衡量销售影响。历史方法是指运用先进的统计技术将过去的销售和过去的广告支出在当前的或滞留的基础上联系起来分析。例如，帕尔达(Palda)研究了1908—1960年之间的广告支出对李迪亚·平克海(Lydia Pinkham)公司的混合蔬菜的销售的影响。[37]他计算了短期和长期的广告边际销售影响。在短期内，边际广告支出仅使销售增长50美分，这样，平克海公司的广告支出看来似乎太多了。但是，从长期来看，边际销售影响则扩大了3倍。帕尔达计算得出，在整个时期中，该公司广告的税后毛利率为37%。

蒙哥马利(Montgomery)和西尔克(Silk)估计了药物行业所运用的三个传播工具的销售效果。[38]一家药品公司将其38%的传播预算用于直接邮寄，32%用于样品和印刷品，而29%则用于杂志广告。但是，销售效果研究表明，杂志广告这一花费最少的传播工具的长期广告弹性却最大，其次是样品和印刷品，再次是直接邮寄。

其他研究人员运用实验设计来衡量广告的销售效应。例如：

> **杜邦(Dupont)** 杜邦公司是最早设计广告实验的公司之一。它的颜料部将56个销售区域分成高、中、低3种市场份额的区域。杜邦公司在其中1/3的区域采用正常数额的广告费；在另一个1/3区域花了正常数额的1.5倍的广告费；而在余下的1/3区域中花费了正常数额的3倍的广告费。在实验结束之时，杜邦公司估计了一下较高水平的广告支出创造了多少额外销售。结果发现，较高的广告支出所产生的销售增长呈递减率，而在杜邦公司的市场份额较高的区域里，销售增长也十分微弱。[39]

另一种是按地理区域分配广告预算的方法，公司研究不同的地理区域之间在市场规模、广告反应、媒体效能、竞争和边际利润等方面所使用的模型。厄本(Urban)研究出了一种使用这些地理标准的媒体配置模型来帮助解决预算分配的问题。[40]一般来说，越来越多的公司都在努力衡量广告支出的销售影响，而不再仅仅满足于传播效果的衡量。米尔华特·布朗(Millward Brown)国际公司多年来对英国进行跟踪研究。这些调研的一个关键课题是提供信息，以帮助广告决策制定者决策哪些广告能有助于品牌的发展。[41]

当前调研的归纳

广告专业调研者提出了对营销者有用的几个常用结论：[42]

● 广告对品牌转换的影响。特利斯(Tellis)分析了12种关键的经常购买的消费产品品牌后得出结论：广告对忠诚购买者的购买数量增加很有效，但对赢得新购买者效果不佳。广告对引导忠诚度并不一定产生积累效果；另一方面，产品特点、陈列和物价比广告有更强力的影响。[43]这些发现并不一定在广告圈内坐稳位置，有些人不同意特利斯的数据和推理。IRI市场调研公司通过一组控制实验发现，如果仅用一年的眼光来测试的话，广告效果会大大低估。

● 周围环境的影响。当广告信息与周围环境改变时，效果更有效。例如，一个"愉快"的广告在激烈的电视节目中比不激烈节目的转播更有效。[44]另外，人们更喜欢相信电视或无线电广告，并在广告深度卷入节目时，他们从正面理解所支持的品牌。[45]

● 正面与负面信息的影响。消费者对负面信息产生的反应甚于正面反应。例如，一个信用卡公司调查已有3个月没有使用卡的用户。对一组用户发出讲信用卡益处的信息，另一组是解释不用卡的损失。结果，损失导向的信息反应比益处导向要强烈得多，开始用信用证的比例是2:1以上，而前者的费用不到后者的一半。[46]

销售促进

销售促进是营销活动的一个关键因素。我们定义如下：

> 销售促进(sales promotion)包括各种多数属于短期性的刺激工具，用以刺激消费者和贸易商较迅速或较多地购买某一特定产品或服务。[47]

如果广告提供了购买的理由，而销售促进则提供了购买的刺激。销售促进的工具有：消费者促销(customer promotion)（样品、优惠券、现金返回、价格减价、赠品、奖金、光顾奖励、免费试用、产品保证、产品陈列和示范）；交易促销(trade promotion)（购买折让，广告和展示折让，免费产品），以及业务和销售人员促销(business and sales force promotion)（贸易展览会，销售员竞赛和特定广告）。

绝大多数组织都运用销售促进工具，这些组织包括制造商、分销商、零售商、贸易协会以及一些非营利机构。后者的例子有教会赞助的纸牌游戏、戏院聚会、纪念性宴会和抽奖活动。

10年前，广告与销售促进的比例大约为60∶40。如今，在许多消费包装品行业中，销售促进占总预算的65%～75%。销售促进的开支近20年来逐年增长，并且速度在加快。

有若干因素使销售促进迅速发展，特别是在消费者市场。[48]内部因素包括下列几方面：作为一个有效的推销工具，现在促销更多地为高层管理人员所接受；更多的产品经理有条件使用各种促销工具，并且产品经理们受到了要他们增加销售额的更大的压力。外部因素包括：品牌数量的增加；竞争对手频繁地使用促销手段；许多产品处在相类似的状态；消费者更看重交易中的优惠；经销商要求制造商给以更多的优惠；由于成本的提高，媒体的庞杂和法律的约束，广告效率已下降。

促销媒体的快速发展，已造成了促销喧嚣(promotion clutter)的局面，这与广告喧嚣相似。消费者可能会开始麻木，这时，优惠券和其他媒体会减弱其激发购买的作用。制造商将不得不设法克服喧嚣，如提供更大的优惠券补偿值，或使用更吸引人的购买点陈列或示范表演。

销售促进的目的

销售促进的工具具有各种特定的目标。免费样品会刺激消费者的试用，而免费的管理咨询服务则可巩固与零售商的长期关系。

销售者利用刺激型的促销方式来吸引新的试用者和奖励忠诚的顾客，提高偶然性用户的重复购买率。新的试用者有三种：同一产品类型中其他品牌使用者，其他产品类型使用者，经常转换品牌者。销售促进主要是吸引那些品牌转换者，因为其他品牌的使用者不会时常注意促销或者按照促销的意图而行动。而品牌转换者首先寻找的是低价格或赠券。但销售促进未必能促使他们成为忠诚的品牌使用者。在那些品牌相似性高的市场上使用销售促进措施，从短期看能产生高的销售反应，但是几乎没有持久的效益。在那些品牌相似性不高的市场中，销售促进可以更持久地改变市场份额。

今天，许多营销经理首先估算交易促销费用，然后是消费者促销的费用。余下的用于广告预算。然而，让广告落后于销售促进是很危险的。广告通常用于建立品牌忠诚，而销售促进会减弱品牌忠诚。但是，是否销售促进弱化了品牌忠诚度的问题，对不同的企业来说是不同的。销售促进，运用它不断的价格削减、折价券、奖金和表面质量，在购买者的观念里可能会减少所提供的产品的价值。购买者记住了价目表上价格是一篇冗长的虚幻故事。但是，在形成任何结论之前，我们需要区分价格促销(price promotions)和增加价值促销(added-value promotions)。下面的这些例子显示了有些类型的销售促进实际上是如何提升品牌形象的：

● 平松(Pine-Sol)，它是一种一般液体清洁剂的代理商推出的一种"在松树谷的平松"的有奖竞赛，在活动中，松树谷是电视肥皂剧"我的所有的孩子们"的栖息地。竞赛获奖者将会到洛杉矶旅行，与明星相会，并可以观看4天的电影。这种由普通的清洁剂代理商运用富有魅力的明星效应提升了平松的品牌形象。

● 托罗(Toro)，一个主要的草地割草机和铲雪机的制造商，想在9月初卖掉它的铲雪机。了解到大部分人会等到第一场雪后才购买，托罗提供了包括托罗降雪的保险：如果在1月前不下雪的话，公司承诺向9月份的每个购买者送还部分退款。这种销售促进不会损害而且可能有助于托罗的品牌形象。

● 哈根达斯，运用一种零钱免收，其免收零头为爱心捐献的促销活动，将省下来的价格零头捐赠，以支持公众电视。这种活动使哈根达斯成为"一个艺术的赞助者"，并提升了哈根达斯的形象。

● 阿克(Akai)，一家日本的立体声设备和电视机的制造商，通过运作增加价值的销售促进，在印度成为电视机的市场领导者。它对黑白电视机更换新的彩色电视机提供良好的折价物价值。在其他时间，伴随着一台新的电视机的购买，它将提供一种免费手表，或者计算器或收音机。这种经常的促销使阿克在印度成为一种非常流行的品牌，而且像索尼这样的竞争者是不会用同样的方式竞争的。

然而，如果某个品牌常靠价格来促销的话，消费者会认为它是便宜的品牌，通常只是在大减价时而买它。一个有名的品牌如果有30%以上的时间在打折扣时，那就很可能存在着危险。[49]处于优势的品牌只是偶尔地运用打折扣的办法，因为这些折扣的绝大部分将成为对现行用户的一种津贴。布朗对2 500名速溶咖啡购买者的研究结论如下：

● 销售促进在销售中产生的反应快于广告。
● 由于销售促进主要吸引追求交易优惠的消费者，这些消费者只要能获得交易优惠就会转换品牌，因此，销售促进不大会在成熟的市场内产生新的和长期购买者。
● 忠实的品牌购买者不会轻易地由于竞争性的促销而改变他们的购买形态。

● 广告表明它能够增强对一种品牌的主要的特殊偏好。[50]

有实例表明，价格促销不能维持企业的总销售额。

市场份额低的竞争者发现使用销售促进有利可图，因为它们负担不起可与市场领先者匹敌的大笔广告费。如果它们不提供交易折让就得不到售货货架，不给予消费者刺激就得不到消费者试用。弱小的品牌通常用价格竞争来设法提高其市场份额，但这对于产品类领导者来说作用不大，后者的发展是靠扩大整个产品的市场份额。[51]

这里的关键是许多消费包装品公司感到，它们使用较多的销售促进是出于不得已。凯洛格（Kellogg）、卡夫和其他一些市场领先企业宣称，它们将更强调企业的拉动力量，增加广告预算。它们声称，大量使用销售促进会降低品牌忠诚度，增加顾客对价格的敏感度，淡化品牌质量概念，偏重短期行为。

但是，范里斯（farris）和奎尔克（Quelch）不同意上述看法。[52]他们提出，销售促进提供了一系列对制造商和消费者至关重要的利益。销售促进使制造商得以调整短期内供求的不平衡。它们使制造商能够制定一个较高的牌价以测试什么样的价格水平才是上限。它们促使消费者去试用新产品，而不是墨守成规。它们促进了许多不同的零售形式，如天天低价商店、促销价格商店等，为消费者提供了更多的选择。它们提高了消费者对价格的敏感度。它们使制造商的商品销售超过了按牌价销售的数量，并达到可以获得规模经济的程度，从而降低了每单位产品的成本。它们有助于制造商更好地适应不同消费群体的需要。消费者本人则在享受优惠价的同时，体会了作为一个精明购买者的满意感。

销售促进的主要决策

一个公司在运用销售促进时，必须建立目标，选择工具，制定方案，预试方案，实施和控制方案，并评价结果。

建立目标

从基本的营销传播目标导出了促销目标，而基本的营销传播目标又是从开发特定产品的更加基本的营销目标中导出的。销售促进的具体目标一定要根据目标市场的类型的变化而变化。就消费者而言，目标包括鼓励消费者更多地使用商品和促其大批量购买；争取未使用者试用；吸引竞争者品牌的使用者。就零售商而言，目标包括吸引零售商经营新的商品目品和维持较高水平的存货，鼓励它们购买过季商品，鼓励储存相关品目，抵消竞争性的促销影响，建立零售商的品牌忠诚和获得进入新的零售网点的机会。就销售队伍而言，目标包括鼓励他们支持一种新产品或新型号，激励他们寻找更多的潜在顾客和刺激他们推销过季商品。[53]参见"营销备忘——作为品牌建设者的销售促进"。

营销备忘

作为品牌建设者的销售促进

建立品牌知名度是一个长期的过程。一个品牌今天在做什么，预示着它明天将会做什么。销售促进是短暂而临时的，它们是否是一种价格削减，对其他品牌的竞争，折价券或一些其他的动机?这里有一些关于如何让一个销售促进成为一种有影响的品牌建设工具的建议。

- 确信促销是合适的。一家新商店开业、一家公司的周年纪念以及其他的庆典对开展一项促销都是很好的理由。它们把名字放在了最前沿。春季开学或返校时间的庆祝不是开展促销活动的好原因，因为它们太普通了。
- 联系品牌形象的促销。例如，生日和周年纪念是好主意。哈根达斯能在6月9日阿根廷国庆日前后，为它的DDL冰激凌(阿根廷当地的口味和名字)开展一场促销活动。
- 观察每个销售工作，包括它能做的和作为一种传播工具的促销工作。一个促销活动是一个宣传品牌的许多声音中的一种;如果它表达正确，它会有助于建立品牌知晓度。例如，拜尔(Bayer)阿司匹林开展一项折价券促销，虽然提供了一种价格削减，但运用促销强化了拜尔的名称。

资料来源:Adapted from Jacques Chevron, "Branding and Promotion: Uneasy Cohabitation," *Brandweek*, September 14, 1998, p. 24.

选择消费者促销工具

促销计划者应该把市场的类型、促销目标、竞争情况以及每一种促销工具的成本效益考虑进去。

消费者促销的主要工具已列入表19—3。我们可以将制造商促销和零售商促销与消费者促销区分开来。后者包括削价、特色广告、零售优惠券、零售竞赛和奖金等。我们还可以将这些销售促进工具区分为"消费者特许权"和"非消费者特许权"。前者是指随一笔交易而送出的一份销售信息，如一条销售信息包括赠送免费样品和优惠券，或者买某种产品可获奖励等。非消费者特许权的销售促进工具包括减价包装，与产品无关的消费者奖励、竞赛和抽奖活动，消费者退款以及交易折让等。

表 19—3 主要的消费者促销工具

- 样品。样品是指免费提供给消费者或供其试用的产品。样品可以挨家挨户地送上门，邮寄发送，在商店内提供，和其他产品一块儿附送，或作为广告品。例如，利华兄弟公司非常相信其新颖的浪花牌洗涤剂，以至它分送了价值 4 300 万美元的免费样品给 4/5 的美国家庭
- 优惠券。优惠券是一个证明，证明持有者在购买某特定产品时可凭此优惠券按规定少付若干钱。优惠券可以邮寄、附进其他产品包装内，也可刊登在杂志和报纸广告上。其回收率随分送的方式不同而不同。优惠券可以有效地刺激成熟期产品的销售，诱导对新产品的早期使用。例如，宝洁公司将福佳牌咖啡打入匹兹堡市场时，通过邮寄的方法向该区域的家庭提供一种优惠券，当它们购买一磅重罐装咖啡时可获 35 美分的价格折让，并在罐内还装有一张减价 10 美分的优惠券

● 现金折扣(折让)。现金折扣是在购物完毕后提供减价，而不是在零售店购买时。消费者购物后将一张指定的"购物证明"寄给制造商，制造商用邮寄的方式"退还"部分购物款项。例如，托罗十分聪明地选择了在冬季尚未来临之际发起了一场铲雪机的促销攻势，声称如果届时在买主所在地的降雪低于平均水平，则予以退款

● 特价包(小额折价交易)。向消费者提供低于常规价格的少额销售商品的一种方法。其做法是在商品包装上或标签上加以附带标明。它们可以采取减价包的形式(如原来买一件商品的价格现在可买2件)，或者可以采取组合包的形式，即将两件相关的商品并在一起(如牙刷和牙膏)。例如，空气清新剂公司有时在特价包中把几种空气清新剂放在一起，像喷雾器、地毯清洗剂和固体的空气清新剂

● 赠品(或礼物)。以较低的代价或免费向消费者提供某一物品，以刺激其购买某一特定产品。一种是附包装赠品，即将赠品附在产品内，或附在包装上。免费邮寄赠品，即消费者交还诸如盒盖之类的购物证据就可获得一份邮寄赠品，如UPC编码的盒子。自我清偿性赠品，即以低于一般零售价的价格向需要此种商品的消费者出售的商品。例如，桂格麦片公司举行了一次促销活动，它在健尔·拉森牌狗食品的包装内放入了价值500万美元的金币和银币

● 奖品(竞赛、抽奖、游戏)。奖品是指消费者在购买某一物品后，向他们提供赢得现金、旅游或物品的各种获奖机会。抽奖则要求消费者将写有其名字的纸条放入一个抽签箱中。游戏则在消费者每次购买商品时请他参加游戏，如纸牌游戏、填字游戏等，这些有可能中奖，也可能一无所获。例如，一家英国烟草公司在每一产品包装内放一张奖券，如果中奖的话，中奖人可获多达1万美元的奖金

● 光顾奖励。它是指以现金或其他形式按比例地用来奖励某一主顾或主顾集团的光顾。例如，大多数航空公司搞的"经常乘机者计划"；马里奥特旅馆采用"忠诚的住客"计划来奖励达到一定积分的住客

● 免费试用。邀请潜在顾客免费试用产品，以期他们购买此产品。例如汽车经销商鼓励人们免费试用，以刺激人们的购买兴趣。

● 产品保证。由销售者保证，按规定产品无明显或隐含的毛病，如果在规定期内出毛病，销售者将会修理或退款给顾客。日本汽车公司提供的汽车保用期之长远远超过它们的竞争者。例如，克莱斯勒汽车公司提供了为期5年的汽车保用期，保用期之长远远超过通用汽车公司和福特汽车公司，因此引起消费者的注意。西尔斯百货公司提供了汽车蓄电池寿命期内终身保修

● 联合促销。两个或两个以上的品牌或公司的优惠券、付现金折款和竞赛中进行合作，以扩大它们的影响力。各公司的销售人员则促使零售商参与这些促销活动，通过增加陈列和广告面积使它们更好地显露出来。例如，购买几箱罐装水晶淡软饮料、口味选择者牌咖啡和凯布勒牌盒装饼干后，MCI为长途电话用户提供10分钟免费电话

● 交叉促销。交叉促销是用一种品牌为另一种非竞争的品牌做广告。例如，纳比斯科(Nabisco)公司的饼干广告说，它们包装中有赫尔希巧克力棒，并且该包装盒在购买赫尔希(Hershey)产品时还能折价

续前表

● 售点陈列和商品示范。售点陈列和商品示范表演在购买现场即在销售现场举行。可惜，许多零售商不喜欢放置来自制造商的数以百计的陈列品、广告牌和广告招贴。对此，制造商作出的反应是提供较好的售点陈列资料，并将它们与电视或者印刷品宣传结合起来运用，并且帮助零售商布置现场。例如，雷格(L'Eggs)女用连裤袜展示是有史以来最有创造性的售点陈列之一，也是这个品牌获得成功的一个主要因素

资料来源：For more information, see "Consumer Incentive Strategy Guide," *Incentive*, May 1995, pp. 58 ～ 63; William Urseth, "Promos 101," *Incentive*, January 1994, pp. 53 ～ 55; William Urseth, "Promos 101, Part II," *Incentive*, February 1994, pp. 43 ～ 45; Jonathan Berry, "Wilma! What Happened to the Plain Old Ad?" *Business Week*, June 6, 1994, pp. 54 ～ 58; Kapil Bawa, Srini S. Srinivasan, and Rajendra K. Srivastava, "Coupon Attractiveness and Coupon Proneness: A Framework for Modeling Coupon Redemption," *Journal of Marketing Research*, November 1997, pp. 517 ～ 525.

当销售促进与广告结合起来使用时，它就显得最为有效。一项研究表明，单纯价格促销，仅使销售量增加 15% 。当它与广告相结合时，销售量增加 19% ；当它与广告和售点展示相结合时，销售量增加了 24% 。[54]

许多大公司都有一名销售促进经理，专门帮助品牌经理选择适当的销售促进工具。下面的例子显示了某公司是如何确定合适的销售促进工具的：

某公司推出一种新产品，并在 6 个月内获得 20% 的市场份额。其渗透率为 40% (即在目标市场上至少购买一次该产品的比例)。其重复购买率为 10% (首次试用者再次或多次重复购买该产品的比例)。该公司需要产生更多的忠诚用户。附优待券包装是形成更多的重复购买的合适办法。但是，如果重复购买率已较高，如果为 50% ，那么公司应当尽力去吸引更多的新试用者，这时采用邮寄优待券的办法比较恰当。

选择交易促销工具

制造商使用一系列交易促销工具(见表 19—4)。出人意料的是，用于交易促销的资金(46.9%)要多于用于消费者促销的费用(27.9%)，媒体广告为 25.2% 。制造商在交易上耗资有四个原因：

1. 可以说服零售和批发商经销制造商的品牌。由于货架位置很难取得，制造商只得经常靠提供减价商品、折扣、退货保证、免费商品或支付权利金(称为货架折让)来获得货架。一旦上了货架，就能保住这个位置。

2. 可以说服零售商和批发商比平时分销更多。制造商可用数量折的办法，使中间商在其货栈和商店内分销更多的产品。制造商认为，当中间商 "满载" 着制造商的产品时，它们会更加努力地分销。

3. 可能会使零售商通过宣传产品特色、展示以及降价来推广品牌。制造商可能要求在走道尽头展示产品，或改进货架的装饰，或张贴减价告示。它们可根据零售商的 "完成任务证据" 来向零售商提供折扣。

4. 可以刺激零售商和推销人员推销产品。制造商可通过提供促销资金、销售帮助、表扬项目、奖品和销售竞赛来提高零售商的推销积极性。

价格折扣(又称发票折扣或价目单折扣)。在某段指定的时期内，每次购货都给予低于价目单定价的直接折扣。这一优待鼓励了经销商去购买一般情况下不愿购买的数量或新产品。中间商可将购货补贴用作直接利润、广告费用或零售价减价

折让。制造商提供折让，以此作为零售商以某种方式突出宣传制造商产品的补偿。广告折让用以补偿为制造商的产品做广告宣传的零售商。陈列折让则用以补偿对产品进行特别陈列的零售商

免费商品。制造商还可提供免费产品给购买达到一定数量或某种质量特色或有规模的中间商，即额外赠送几箱产品。制造商也可提供促销资金，或者附有公司名称的特别广告赠品

资料来源：For more information, see Betsy SPethman, "Trade Promotion Redefined," *Brandweek*, March 13, 1995, pp. 25 ~ 32.

制造商在交易促销上的花费可能要比他们愿意花费的更大。购买力越来越集中在少数大型零售商手中，这就提高了中间商要求获得制造商财务资助的本钱，它们以对消费者促销和开展广告宣传为交换条件来获得这种资助。[55]中间商已开始依赖来自于制造商的促销资金。任何一个竞争者如果单方面地中止提供交易补贴，中间商就不会帮助它分销产品。

由于竞争性销售促进活动的兴起，公司销售人员和品牌经理之间的冲突随之产生。公司销售人员反映，零售商在得到更多的交易促销资金后才会将公司的产品保留在货架上，而品牌经理则希望将其资金用于针对消费者的促销活动上或用于广告宣传上。因为销售员比坐在总部办公室的品牌经理更了解当地市场。有些公司则将相当一部分销售促进预算分给销售员使用。

制造商在交易促销中还存在着几个挑战。首先，它们发现要迫使零售商保证它们会做它们同意做的事，这是困难的。制造商越来越坚持要看到零售商的实际促销证据后才支付这些补偿。第二，更多的零售商正在进行超前购买，即在交易期间购买的商品数量多于它们在该期间可以售出的数量。零售商对它们购买 12 星期或更长时间的存货能得到每箱减价 10% 的折扣可能会表现出兴趣。而制造商发现它们不得不安排大于原计划的产量，并承担由于临时轮班和加班加点所引起的费用。第三，零售商还在大搞转移工作，即在制造商提供交易优惠的地区购买超过实际所需的商品箱数，然后将这些商品运往无交易优惠的地区去销售。制造商正在努力处理超前购买和交易优惠的问题，如限制它们将要折价出售的商品数量，或者生产和交付的商品数量少于超量的订货量以设法保持平稳的生产状态。[56]

综上所述，制造商感到贸易促销已变成一场噩梦。它包括许多生意前奏，管理是复杂的，制造商在这些方面大部分赔了钱。凯文·普赖斯(Kevin Price)对贸易促销作了如下的描述：

> 10 年前，零售商只是制造商脚后跟的一只汪汪叫的狗，虽然有妨害，但只稍有刺激，你喂它，它就走开了。今天，它是一头公牛，并且它想撕裂你的手和脚。你很想看它跟跄而去，然而你太忙于防御以至无能为力……今天，制造商的贸易促销管理已成为总裁级的问题。[57]

选择业务和销售队伍的促销工具

公司花费数十亿资金用于业务和销售队伍的促销(见表19—5)。这些工具用于下列目的:收集有关业务线索,加深顾客印象,奖励客户以及激励销售人员努力工作。公司通常为每个业务促销工具制定预算,并保持每年的年度平衡。

表 19—5　　　　　　　　　　　　　主要的业务促销工具

> **贸易展览会。** 行业协会一般都组织年度商品展览会和集会。向特定行业出售产品和服务的公司在商品展览会上租用摊位,陈列和表演它们的产品。美国每年有5 600个以上的展览会吸引了8 000万人参观。商品展览会的参观者少则几千人,多则7万人,如一些大饭店和旅馆举办的大型展销会。参加的商人可望得到如下一些好处:找到新的推销线索,维持与老顾客的接触,介绍新产品,结识新顾客,向现有顾客推销更多的产品,用印刷品、电影及视听材料说服教育顾客
>
> 企业营销者每年将35%的促销预算用于商品展览会。他们要作出一系列的决策,包括参加哪个商品展览会,如何将展览厅布置得富有吸引力,如何有效地追踪销售线索等
>
> **销售竞赛。** 销售竞赛是一种包括推销员和经销商参加的竞赛,其目的在于刺激他们在某一段时期内增加销售量,方法是谁成功就可获得奖品。许多公司出资赞助,为其销售员举办年度竞赛,或更为经常的竞赛。优胜者可以获得免费旅游、现金或礼品等。当比赛目标与可以衡量和可以达到的销售目标联在一起时(如发现新客户,恢复老客户),则效果尤为显著。否则,雇员会认为这类目标毫无根据而放弃参加这类竞赛活动
>
> **纪念品广告。** 纪念品广告是指由销售员向潜在消费者或顾客赠送一些有用的但价格不贵的和有公司名称及地址的物品,有时还要送给顾客一条广告信息。常用的物品有圆珠笔、日历和笔记本等。一个研究报告指出,超过86%的制造商供应给它们的销售员这些特定的物品

制定方案

在制定促销方案时,营销已把几种媒体搀进整体活动的观念中去。克里·E·史密斯(Kerry E. Smith)作了如下描述:

> 为了把一个高溢价的啤酒品牌拉进小酒馆,一场游戏活动创造出来了,它利用电视广告以吸引消费者,直接邮购以刺激分销者,支援零售商的售点,为消费者开展电信营销,服务机构处理电话操作,数据由操作员输入,然后电脑软件和硬件与它相联结……公司利用电信促销,不仅为了把产品拉入零售渠道,而且还辨认出顾客群,产生消费主要对象,建立数据库,寄送优惠券和产品样品以及进行折扣处理。[58]

为了决策使用某一特定的刺激,营销者要考虑几个因素。

首先,他们必须确定所提供刺激的大小。若要使促销获得成功,最低限度的刺激物是必不可少的。较高的刺激程度会产生较高的销售反应,但其增加率却是递减的。

第二,营销经理必须制定参与条件。刺激物可向每个人或者经挑选的团体提供。赠品可以仅仅提供给那些递交了盖过购买证明章的消费者。彩票对某些人,如某些州的消费者、公司人员的家属、不够年龄的人等可不予提供。

第三，营销者还必须决定促销的持续时间。如果销售促进的时间太短，许多顾客就不可能尝到甜头，因为他们可能来不及再次购买。如果持续的时间太长，交易优待则会失去其"当时发挥作用"的效力。据一位研究人员指出，理想的促销持续时间约为每季度使用3周时间，其时间长度即是平均购买周期的长度。[59]当然，理想的促销周期长度要根据不同产品种类乃至不同的具体产品来确定。

第四，营销者还必须选择一个分发的途径。一张减价15美分的折价券可以通过这样几种途径来分发：如放在包装内在商店里分发，邮寄或附在广告媒体上。每一种分发方法的到达率、成本和影响都不同。

第五，营销经理还要决定促销时机。例如，品牌经理需要制定出全年促销活动的日程安排。日程安排包括生产、销售和分销。有时需要一些临时性的促销活动，这就要求短期内组织协作。

最后，营销者必须确定促销总预算。促销总预算可以通过两种方式拟定。一种是从基层做起，营销人员根据所选用的各种促销办法来估计它们的总费用。促销成本是由管理成本(印刷费、邮费和促销活动费)加刺激成本(赠品或减价成本，包括回收率)乘以在这种交易中售出的预期单位数量而组成的。就一项赠送折价券的交易来说，计算成本时要考虑到只有一部分消费者使用所赠的折价券来购买。就一张附在包装中的赠券来讲，交易成本必须包括奖品采购和奖品包装成本再扣减因包装引起的价格增加。

另一种更通常使用的制定促销预算的方法，是按习惯比例来确定各促销预算费占总促销预算的若干百分比。举例说，牙膏的促销预算占总促销预算的30%，而洗发液的促销预算就可能要占到总促销预算的50%。在不同市场上对不同品牌的促销预算百分比是不同的，并且受产品生命周期的各个阶段及促销的竞争者的促销支出的影响。

预试方案

虽然销售促进方案是在经验的基础上制定的，但仍应经过预试以求明确所选用的工具是否适当，刺激的规模是否最佳，实施的方法效率如何。斯特朗(Strang)认为促销通常可以快速地不花多少钱就能测试。他说一些大公司在它们进行每一次全国性促销时，常在选定的市场区域中，对不同的策略进行预试。[60]企业可邀请消费者对几种不同的可能的优惠办法作出评价和分等，也可以在有限的地区范围内进行试用性测试。

实施和控制方案

营销经理必须对每一项促销工作确定实施和控制计划。实施计划必须包括前置时间和销售延续时间。前置时间(lead time)是开始实施这种方案前所必需的准备时间。它包括：最初的计划工作，设计工作，以及包装修改的批准或者材料的邮寄或者分送到家，配合广告的准备工作和销售点材料，通知现场销售人员，为了别的分销店建立地区的配额，购买或印刷特别赠品或包装材料，预期存货的生产，存放到分销中心准备在特定的日期发放，最后，还包括给零售商的分销工作。[61]

销售延续时间(sell-in time)是指从开始实施优待办法起到大约95%的采取

此优待办法的商品已经在消费者手里的结果为止的时间。

评价结果

制造商可用三种方法对促销的效果进行衡量：销售数据，消费者调查和经验。

第一种方法包括使用扫描器检查销售数据，它可用信息资源公司和尼尔逊公司的计算机数据。营销者可分析各种类型的人对促销的有利态度，促销前的行为，购买促销产品的消费者后来对品牌或其他品牌的行为。假定一个公司在促销前有 6% 的市场份额，在促销期间突升到 10% 的市场份额，促销结束后又跌到 5% 的市场份额，过些时间又回升到 7% 的市场份额。显然，促销吸引了新的试用者也刺激了原有消费者更多的购买。促销后销售量下降，这是由于消费者减少了他们的存货所致。长期地回升到 7% 的市场份额说明这个公司获得了一些新顾客。

一般而言，当销售促进活动能将竞争对手的顾客拉过来试一下较优的产品并使这些顾客永久地转换过来，那么这项促销是十分有效的。如果本公司产品并不比竞争者好多少，那么产品的市场份额可能又回到促销前的水平。促销仅仅改变了需求的时间，并没有改变总需求。促销有时可以获利，但是大多数情况下是赚不到钱的。一个研究报告说，在超过 1 000 项促销活动中，只有 16% 是收支相抵的。[62]

假如需要更多的信息，可用消费者调查去了解多少人记得这次促销，他们的看法如何，多少人从中得到好处，以及这次促销对于他们随后选择品牌行为的影响程度。[63]销售促进也可以通过实验加以评估，这些实验可随着促销措施的属性如刺激价值、促销期间长短和分销中介等等的不同而异。例如，赠券被送到一个消费者小组成员中一半的家庭里，扫描器数据用来追踪赠券是否使更多的人立即购买产品或在将来购买。然后，这些信息被用来计算通过促销而产生的年收入的增加数。

除了评估各种特定的促销费用方法外，管理层还应注意其他可能的成本问题。第一，促销活动可能会降低对品牌的长期忠诚度，因为更多的消费者会形成重视优待的倾向而不是重视广告的倾向。第二，促销费用实际上要比估计的更为昂贵。一部分促销费不可避免地落入了非目标消费者手中。第三，其他的成本还包括一些特别的生产管理费、销售人员的额外工作费和手续费。第四，某些促销方式可以刺激零售商，但它们要求给予额外的交易折让，否则就不愿合作。[64]

公共关系

公司不仅要建设性地与它的顾客、供应者和经销商建立关系，而且它也要与大量的感兴趣的公众建立关系。我们对公众作如下定义：

公众(public)是任何一组群体，它对公司达到其目标的能力具有实际的或潜在的兴趣或影响力。公共关系(public relations，PR)包括设计用来推广或保护一个公司形象或它的个别产品的各种计划。

公众有促进或阻碍公司达到其目标的能力。公共关系往往是营销工作的第一步，以后还要有一系列的促销计划。一家聪明的公司采用具体的步骤来管理与它有关的关键公众的关系。大多数公司有一个公共关系部来策划它们的关系。公关部门监视组织的各种公众，发布信息和传播，以建立良好信誉。当负面的公共宣传发生时，公关部门要充当调解者。工作出色的公关部应花费时间向管理层提出咨询意见，建议采用积极方案并消除有问题的活动，从而在第一地点就不让负面公共宣传出现。公关部门负责开展下述五项活动：

1. 与新闻界的关系。用最正面的形式展示关于本组织的新闻和信息。
2. 产品公共宣传。为某些特定产品做宣传的各种努力。
3. 公司信息传播。通过内部和外部信息传播来促进对本机构的了解。
4. 游说。与立法者和政府官员打交道，以促进或挫败立法和规定。
5. 咨询。就公众事件问题、公司地位和公司形象向管理当局提出建议。它包括在公众确认产品不稳定并出了产品灾祸时提出建议书。[65]

营销公关

营销经理与公关专业人员并不总是有共同语言的。其中一个主要的差异是，营销经理更着重于第一线的工作，而公关专业人员则将其工作视作传播信息。但这种情况正在改变。公司正在要求设立一个营销公关（marketing public relations，MPR）的专门机构，直接帮助公司进行公司推广或产品推广以及塑造形象。因此，如同融资公关和社团公关那样，营销公关也将服务于一个特定的主顾，即营销部门。[66]

营销公关以前被称作公众宣传（publicity），公众宣传的任务被认为是抓住教育空间——不付费的——在各种印刷品和广播媒体上获得的报道版面，以促销或"赞美"某个产品、服务、创意、某个人和组织。而营销公关的内容远远超过了单纯的公众宣传。营销公关有助于完成下述任务：

● 协助新产品上市。它在玩具上获得惊人的商业成功，例如青少年喜欢的忍者神龟、梅迪·莫菲（Mighty Morphin）的超人和彭尼（Beanie）儿童玩具，它们都从公众宣传中得到好处。

● 协助成熟期产品的再定位。在 70 年代，报纸对纽约市的评价极其糟糕，直到"我热爱纽约"的运动开始改变了该市的形象。

● 建立对某一种产品的兴趣。公司和同业公会已利用公关活动来重新建立人们对诸如蛋品、牛奶、牛肉和土豆等正在衰退的产品的兴趣，并扩大对茶叶、猪肉和橙汁等产品的消费。

● 影响特定的目标群体。麦当劳公司在西班牙人和黑人社区资助一项建立良好的邻里关系的特别活动，从而也建立了公司的商誉。

● 保护已出现公众问题的产品。强生公司挽救其濒临绝境的泰诺（Tylenol）产品的主要手段就是高明地运用了营销公关，当时，泰诺胶囊两次被毒药污染。

● 建立有利于表现产品特点的公司形象。艾科卡（Iacocca）的演讲和自传有助于为克莱斯勒公司建立一个全新的胜利者的形象。

由于广告的作用力有所削弱，营销经理正在更多地求助于公共关系。一项对286名美国营销经理的调查表示，3/4的被调查者反映他们的公司正在运用营销公关。他们发现公共关系无论对新产品还是原有产品在建立其知晓度和品牌知识方面有着特殊的效果。有些情况已证明，营销公关的成本效益高于广告。不过，营销公关必须同广告一起规划。营销公关需要大量的预算，该预算也许还得从广告开支中提取。[67]另外，营销经理必须在运用公共关系各种做法时掌握更多的技巧。吉列公司要求每一个品牌经理为公共关系活动制定一个包括多种情况的预算，并要求未运用营销公关的经理说明原因。

显然，借助于一部分广告费用，创造性的公共关系可以在公众知晓方面产生难忘的影响力。公司无须为宣传媒体的空间和时间付费。公司需给编撰和传播报道情节和主管某些活动的人员付费。但是，假如公司编出一个有趣的情节，所有的新闻媒体就会加以宣传，这就相当于价值数百万美元的广告，并且这种宣传比广告的信用度还要高。一些专家指出，公共宣传对消费者的影响大约相当于广告的5倍。

下面是两个创造性地应用营销公关的例子：

英特尔和奔腾芯片（Intel and Pentium Chip） 1994年，英特尔奔腾芯片的用户开始注意到一个问题，但公司拒绝调换芯片，除非电脑用户证明计算机的运算被打乱（该缺点仅为影响操作）。面对着消费者的失望和愤怒，英特尔营销公关人员开始挽救危机，开展一对一的公司和零售商、奔腾用户的密集性营销，在全世界网络中导入奔腾调换服务（根据要求提供免费更换）。英特尔不仅向媒体或大客户做工作，它也努力一对一地接触顾客群，而不论客户的大小或是个体。公司动员了内部的大量人员，把它们安排在电话线上与有关的任何人谈话，营销人员飞遍全美国，以访问大客户和更换奔腾芯片。在1994年圣诞节的前几个星期，英特尔派它的雇员到零售商店为顾客服务。英特尔营销公关结果挽救了它的信誉，而在几星期前还面临着严重的危机。[68]

微软和视窗95（Microsoft and Windows 95） 在1995年8月24日，即Windows 95首次进入市场以前，没有任何关于该产品的广告，但目前它已人人皆知。华尔街杂志估计，在6月1日至8月25日之间，有近3 000条关于Windows95的新闻，共6 852篇报道，约300多万字。世界各地的微软人员共同宣传600英尺长的Windows 95巨型横幅，在纽约的总部大楼也被粉刷成象征Windows 95的红、黄、绿三色。微软公司使《伦敦时报》的日发行量达150万份。当Windows95最终在市场上开始销售时，成千上万的人竞相排队购买。在它上市一周内，单就美国市场就有10.8亿美元的销售额，这对于一个仅售90美元的产品来说无论如何是不能算差的了。这一事实给了我们如此一条经验：销售前期，良好的公共关系促销会比将资金大量投入广告上更为有效。

营销公关的主要决策

在考虑何时与如何运用公共关系时，管理层必须建立营销目标，选择公关信息和公关媒体，谨慎地执行公关计划，并评估公关效果。营销公关的主要工具见表19—6。[69]

表19—6 主要的营销公关工具

公开出版物。公司大量依靠各种传播材料去接近和影响其目标市场。它们包括年度报告、小册子、文章、视听材料、商业信件和杂志，去接近和影响其目标市场

事件。公司可通过安排一些特殊的事件来吸引对其新产品和该公司其他事件的注意。这些事件包括记者招待会、讨论会、郊游、展览会、竞赛和周年庆祝活动。以及运动会和文化赞助等，以接近目标公众

新闻。公关专业人员的一个主要任务是：发展或创造对公司和其产品或人员有利的新闻。新闻的编写要求善于构想出故事的概念，广泛开展调研活动，并撰写新闻稿。但公关人员的技巧应超过制作新闻的技巧，争取宣传媒体录用新闻稿和参加记者招待会，这需要营销技巧和人际交往技巧

演讲。演讲是创造产品及公司知名度的另一项工具。艾科卡在许多听众面前具有超人魅力的谈话，大大推动了克莱斯勒汽车的销售。公司负责人应经常通过宣传工具圆满地回答各种问题，并在同业公会和销售会议上演说。这些做法树立了公司形象

公益服务活动。公司可以通过向某些公益事业捐赠一定的金钱和时间，以提高其公众信誉。大公司通常要求其经理支持一些社会活动。在另一些场合，公司则在某项特定的事业捐赠金钱。越来越多的公司应用事业相关营销(cause-related marketing)，以建立公众信誉

形象识别媒体。在一个高度交往的社会中，公司不得不努力去赢得注意。公司至少应努力创造一个公众能迅速辨认的视觉形象。视觉形象可通过公司的标识、文件、小册子、招牌、企业模型、业务名片、建筑物、制服标记等来传播

建立营销目标

营销公关对实现下述目标发挥重要作用：

● 建立知晓度。公共关系可利用媒体来讲述一些情节，以吸引人们对某产品、服务、人员、组织或创意的注意力。

● 树立可信性。公共关系可通过社论的报道来传播信息以增加可信性。

● 刺激销售队伍和经销商。公共关系对于刺激销售队伍和经销商的热诚非常有用。在新产品投放市场之前先以公共宣传方式披露，就便于帮助销售队伍将产品推销给零售商。

● 降低促销成本。公共关系的成本比直接邮寄和广告的成本要低得多，越是促销预算少的企业，运用公共关系就越多，以便能深入人心。

对每次的营销公关活动都应该定具体的目标：

加利福尼亚州葡萄酒制造商（Wine Growers of California） 加利福尼亚州一位葡萄酒制造商请一家叫做丹尼尔·J·埃德尔曼（Daniel J. Edelman）的公共关系公司为它进行公共宣传，以便使美国人确信喝葡萄酒是快快乐乐过好日子的内容之一，并要提高加州葡萄酒的形象和增加其市场份额。为此确立了以下这些公共宣传的目标：（1）编写有关葡萄酒的故事，并设法登载在最著名的杂志和报纸上；（2）撰写酒类对健康有许多益处的故事文章，送给医疗事业单位进行宣传；（3）针对年轻的成年人市场、大专院校市场、政府单位和各种少数民族市场，制定特定的公共宣传方案。

鉴于公关人员将继续通过大众媒体去接触它们的目标公众，营销公关正在不断地借助直接响应营销技巧和技术来逐一接触目标受众成员。公关专家汤姆斯·L·哈里斯(Thomas L. Harris)就公关和直接响应营销如何一起工作以实现特定的营销目标提出建议：[70]

● 在媒体广告开始前建立市场兴奋。例如，一种新产品的公共宣传在获得公众和为产品的戏剧化方面提供了一个独特的机会。

● 建立一种核心的消费者基础。营销人员正在不断地认识到保持消费者忠诚的价值，因为保持一位消费者比获得一位新的消费者的花费少很多。

● 与消费者建立一对一的关系。营销人员能运用电话热线和800号码，加上因特网，与个体的消费者建立和保持关系。

● 把满意的顾客转化为推广者。分析顾客数据库和顾客档案能产生满意的顾客，它们能成为角色模范和产品的代言人。

● 影响有影响力的人物。这些影响者可以是像教师、医生、药剂师一类的权威人物，也可以是一些不同类型的直接面对顾客的人，如美容师或个人培训师。

选择公关信息和载体

经理必须确认一个产品是否具有有趣的故事可做报道。假设有一所相对来讲不知名的学院希望得到更多的公众认知，宣传人员就要为它寻找可能有的故事。该院教师队伍中的成员有没有什么不平常的背景，或正在从事什么不寻常的项目?有没有开设新课和特别课程?校园里正在发生着什么有趣的事件?

假如可供报道的故事不够充分，宣传人员应该建议该学院发起做几件有新闻价值的事。这时，宣传人员从事的与其说是找新闻不如说是创造新闻。这类主意可包括召开较重要的学术讨论会，邀请名人讲话，举行记者招待会。每一事项都是针对不同目标受众编写各种各样新闻报道的一个机会。

事件创造(event creation)是非营利组织为筹措资金做公共宣传所使用的一种特别重要的技巧。资金筹措者发展了许多创造特别事件的技能，例如，周年庆祝活动、艺术展览会、拍卖会、义演晚会、纸牌游戏、图书廉卖、糕点廉卖、竞赛、舞会、聚餐、博览会、时装表演、在不寻常的地方举行聚会、长期连续播放节目、捐赠物品拍卖、观光旅游和徒步比赛。一旦创造了某种类型的事件，例如徒步比赛，竞争者就会纷纷竞相推出新的花样，像阅读比赛、自行车比赛和慢跑比赛。[71]

营利性组织也可使用各种事件来引起公众对其产品和服务的注意。富士胶卷公司在其大规模的庆祝活动期间，派人驾驶小飞艇飞越了修复一新的自由女神像，此举对其竞争对手柯达公司是一个嘲弄，因为柯达公司在那里没有一个永久性的摄影展览馆。安休斯－布希公司在布鲁克林区举办了一次世界黑人摩托车花式表演赛，吸引了 5 000 多名观众。宝洁公司选择了与它的产品同名的巴里·马尼罗（Barry Manilow）作音乐巡回演出。因为它想吸引马尼罗的中年妇女歌迷成为它的洗衣粉目标市场顾客。

一个出色的营销公关能够甚至可为一般普通产品发现和创造生动的宣传题材，例如猪肉（"另一种白色的肉"）、大蒜和土豆。下面是一个猫食的例子。

九命猫食（9-Lives Cat Food）　在猫食的许多著名品牌中有星闪食品（Star-Kist Food）公司"九命猫"猫食，这个品牌的形象一直是围绕着一只名叫莫丽丝的猫展开的。李奥·伯内特（Leo Bunrtt）广告代理公司为它的广告创造了莫丽丝（Morris），为的是能对有猫的家庭和养猫爱好者塑造一只活生生的、生活在人们中间的逼真的猫的形象。它请了一家公共关系公司为它进行公共宣传，于是这家公司建议和执行了下面这些设想：(1)在 9 个主要市场发起一个寻找和莫丽丝"长相相似"的猫的竞赛；(2)写了一本名叫《莫丽丝，一个亲切的传记》的书；(3)设立一种称作"莫丽丝"的令人垂涎的铜质雕像奖赠给在地区猫展上得奖的猫的主人；(4)倡议发动一个"收养猫月"，以莫丽丝作为正式的"猫的发言人"；(5)分发一本照管猫的名叫《莫丽丝法》的小册子。这些公共宣传的步骤巩固了该品牌在猫食市场上的份额。

执行计划

执行公共关系要求小心谨慎。就拿在宣传媒体上发表故事来讲，一个重大故事是容易发表的，但大多数故事并不重大，可能通不过繁忙编辑的审查。公关人员的主要资产之一就是他与刊物编辑的私人友谊。公关人员要把媒体编辑看成是一个需要满足的市场，为的是让那些编辑能采用他们的故事。

评估效果

由于营销公关常与其他促销工具一起使用，故其使用效果很难衡量。但如果公共关系使用在其他促销工具行动之前，则其使用效果较容易衡量。有效营销公关最常用的三种衡量方法是：展露度，知名度、理解和态度方面的变化，销售额和利润贡献。

衡量营销公关效益的最简易的方法是计算出现在媒体上的展露（exposures）次数。公共宣传人员向委托人提供一本剪报簿，在其中排出了所有关于产品新闻报道的信息媒体，并作出一个如下概要说明：

媒体的覆盖范围包括新闻和图片以栏计算长 3 500 英寸，分布在 350 种出版物中，其联合发行量达7 940万；在290个广播台播出2 500分钟，估计拥有6 500万听众；在160个电视台中，播出660分钟，估计拥有9 100万观众。假如这些时间和版面以广告费来购买，它总计为1 047 000美元。[72]

展露度的这种衡量方法并不是十分令人满意的。它不能指明实际上到底有多少人读了或者听到某种信息以及后来它们又想了些什么。无法知道信息触及的受众的净人数，因为出版物的读者是有重复的。

一个较好的衡量方法是由营销公关活动而引起的产品的知名度（awareness）、理解（comprehension）或态度（attitude）方面的变化（考虑了其他促销工具的影响之后）。这需要调查这些变动的前后变化水平。例如，有多少人记得所听到的消息？有多少人奔走相告（口碑衡量）？听过后有多少人改变看法？例如，美国土豆协会获悉，"土豆具有丰富的维生素和矿物质"的人数已从开始宣传活动前的36%上升到宣传活动后的67%，在产品理解方面，这是一个重大的进步。

如果资料可以获到的话，分析销售额和利润是最令人满意的衡量方法。例如，通过莫丽丝猫的公共关系活动，九命猫牌的销售提高了43%。然而广告和促销也起了促进作用，它们的贡献当然要考虑。假设总销售额已增加了1 500 000美元，管理层估计营销公关的贡献将是增加的总销售额的15%，那么，营销公关的投资报酬率可作如下估计：

总销售额增加	1 500 000美元
估计由于公共关系而提高销售额	225 000美元
产品销售的贡献毛利（10%）	22 500美元
营销公关计划总直接成本	−10 000美元
通过公共关系投资增加的贡献毛利	12 500美元

营销公关投资报酬率（12 500美元／10 000美元）＝125%

若干年后，我们可以期望营销公关在公司的传播努力中将会扮演更为重要的角色。

小结

1. 广告是由明确的主办人发起，通过付费的任何非人员介绍和促销其构思、商品或服务的行为。广告客户不仅有商业性公司，也包括慈善组织、非营利机构与政府机构，它们也对各种公众做广告宣传。

2. 广告方案制作包括五个步骤。第一，建立广告目标。第二，制定广告预算，其考虑因素有：产品生命周期阶段，市场份额和消费者基础，竞争与干扰，广告频率和产品替代性。第三，选择广告信息，决定怎样来产生信息；用愿望性、独占性和可信性来评价各种信息；广告信息的表达要用最恰当的形式、语调、用词和版式，并且要有社会责任感。第四，决策应用哪些媒体，包括选择广告预期的接触面、频率和影响，然后根据发行量、目标受众、有效受众和接触广告的有效受众，选择达到预期结果的传播媒体。第五，评价广告的传播和销售效果。

3. 销售促进包括多数属于短期性的各种刺激工具，用以刺激消费者和贸易商较迅速或较大量地购买某一特定产品或服务。

4. 销售促进的工具包括消费者促销(样品、优惠券、现金折款、特价包、赠品、奖品、光顾奖励、免费试用、产品保证、联合促销、交叉促销、销售现场陈列和商品示范)；交易促销(价格折扣、折让和免费商品)；业务和销售队伍促销(贸易展览会和集会、销售代表竞争和纪念品广告)。

5. 公司在应用销售促进时，必须确定促销目标，选择促销工具，制定、预试、执行和控制促销方案，并评估其效果。大多数人都同意，销售促进短期内能增加销售和市场份额，但长期效应未必会产生。另外，营销者在销售促进的各种形式上面临着一系列的挑战，特别是高成本支持的促销活动。

6. 公众是任何一组群体，它对公司达到其目标的能力是有实际的或潜在的兴趣或影响力。公共关系包括各种设计后用于推广或保护一个公司形象或它的个别产品的活动。许多公司今天应用营销公关以支持它们的营销部门来协调或推广产品和树立形象。营销公关作为广告开支的一部分，可以潜在地影响公众的知晓度，并且它更具有创造性。公共关系的主要工具有：事件、新闻、演讲、公益服务活动和形象识别媒体。

7. 在考虑何时和怎样应用营销公关时，管理部门必须建立营销目标，选择公关信息和媒体，谨慎地执行计划和评价结果。结果评价通常包括：展露度和成本考虑；知名度、理解、态度的变化；销售额和利润贡献。

应用

本章观念

1. 虽然你的公司知道坏名声会对它的将来有长久的反面影响，但它要求各级管理部门不论遇到好消息还是坏消息都能坦然地暴露在新闻界的面前。个人或分成小组，帮助公共关系部门的职员研制一个 10 条媒体访问一览表。这个一览表将被所有很可能受到印刷媒体或电子媒体提问的管理者使用。

以下是你开头的两条：

● 如一记者打电话来，确定打电话的原因及要探寻的信息。假如你不能当场回答或你需要附加信息，答应在他或她的所给期限前给该记者回电话。然后，设法确保这样做。

● 别期望新闻报道和你所叙述的或写下的完全一致。为报道中出现的一些混淆做好准备，但如果错误不是主要的，别要求更正。

2. 假定一种剃须后用的美容品将在一个限定时期内价格下降 9 美分(换句话说，制造商将以低于正常价 9 美分出售给零售商或批发商)。通常该产品售 1.09 美元，其中的 0.4 美元代表了销售费用之前制造商的利润。品牌经理希望在此价格下能售出 100 万瓶。促销的管理费用估计为 1 万美元。

a. 确定这一促销的总费用。

b. 假设该公司预计在无促销的情形下可卖出 80 万瓶，这还值得进行促销吗？

3. 一狗食罐头制造商正试图在媒体 A 和媒体 B 之间进行选择。媒体 A 有 1 000 万读者，整页广告要价 2 万美元(每千人 2 美元)；媒体 B 有 1 500 万读者，整页广告要价 2.5 万美元(每千人 1.67 美元)。在决定哪个媒体更好前，该狗食制造商还需要其他什么信息？

营销与广告

1. 爱沙路伏特加(Absolut Vodka)的广告总是特写它的与众不同的瓶子，如在图 19A—1 中显示的那样。按照信息展示、风格和形式，分析这个广告。这个广告最有冲击力的部分是什么？如果标题和文字比图片更为突出的话，该广告会更有效吗？为什么？

2. 在图 19A—2 中，吉露－O(Jell-O)的销售促进广告在复活节前出现在美国妇女杂志上。"复活节鸡蛋"实际上是一种新的季节性产品，吉露－O 鸡蛋的品牌叫吉奇拉斯(Jigglers)。该广告告诉消费者如何通过拨打 800 电话或者登陆吉露－O 网址去订购。如果在某种特定日期内，它以一种较低的价格以及 1 美元的象征性的运输与交易费成交，公司提供快速送货的服务。在这个广告中，吉露－O 使用了什么消费者促进工具？在消费者使用它的产品时，吉露－O 期望如何获利？为什么消费者将会响应这种销售促进？

图 19A—1

毋庸置疑，这瓶子的设计和商标属于 V&S
Vin & Sprit AB。

图 19A—2

聚焦技术

在计划一项广告活动时，营销人员的一个主要的忧虑是在每个媒体上能接触到多少人。但营销人员怎样能够精确计量电子空间里的广告展露度？一家在这一领域经营卓越的公司是尼尔森媒体研究公司(Nielsen Media Research)——由于它发布的电视收视率而闻名——它已经与网络收视公司(NetRatings)合作，通过追踪3 500个以上的因特网用户的典型样本的使用情况，来测量网站和旗帜广告(Banner)的上网率。

通过网络收视和尼尔森测试技术的应用，不仅被大多数人看到的网站和旗帜广告得到监测，而且有多少人已经点击了旗帜广告正在得到测算。进入网络收视网址(www. netratings. com)查看它的产品和服务，并查阅一些最近的报告。网络收视的测算就有关因特网广告从大体上能告诉营销人员什么？关于特定站点和旗帜广告能告诉营销人员什么？为什么一位营销人员将对多少人访问了雅虎! 网址感兴趣？

新千年营销

当许多广告客户前往网上促销它们的商品时，它们将寻找来自特定的促销公司的帮助，诸如雅虎! 收购的约约德尼已设计了各种活动和内容来引导访问者进入客户网址。其他的在线销售促销公司，有奖参与建设者(Sweepstakes Builder, SB)以建立电脑空间的有奖参与促销而闻名。这种类型的销售促进帮助客户建立兴趣，推动网上交易，而且引导客户一次又一次地重新来到它们的站点。

访问SB的网址(www. sweepstakes. com/home. htm)，并阅读有关它的促销信息，包括各种有奖参与的包装和选项。你认为广告客户为何需要使用有奖参与(或其他的促销)来支持它们的网站呢？什么类型的目标将是一家在线广告客户想要通过SB发展的一项有奖参与的促销？广告客户应当如何评估这些促销的效果？

你是营销者：索尼克公司的营销计划

广告、销售促进和公共关系是任何营销计划中最显眼的。营销人员计划这些项目时特别谨慎，因为它们为产品、价格和分销提供了支持。

作为简·梅洛迪的助手，你负责索尼克的台式立体声系统的促销计划。抽一些时间浏览公司现有的情况和你已经输入营销计划中的信息。现在，为了计划你的促销战略回答下面的问题(指出对其他数据的需求并在必要时开展调查)：

● 你应当使用广告去促销索尼克的产品吗？如果是，你将会制定什么样的广告目标，而且你将如何来衡量你的效果？

● 你想要与你的目标受众交流什么信息? 什么媒体是最合适的以及为什么?

● 你应当使用消费者或交易促销或两者都需要？哪种促销工具对索尼克的条件是最合适的？你运用这些工具想获得什么？

　　● 你应该运用公共关系去促销索尼克和它的产品吗？如果是，你的营销目标是什么？什么信息和传播媒体将是你要使用的以及为什么？

　　接下来考虑你的广告、销售促进和公共关系计划怎样影响索尼克的整体营销努力。然后，根据你导师的指导，以一种书面的营销计划总结你的想法或把它们输入到营销计划程序软件中的营销战略部分中。

【注释】

[1] See Russell H. Colley, *Defining Advertising Goals for Measured Advertising Results* (New York: Association of National Advertisers, 1961).

[2] See William L. Wilkie and Paul W. Farris, "Comparison Advertising: Problem andPo-tential," *Journal of Marketing*, October1975, pp. 7 ～ 15.

[3] See Randall L. Rose, Paul W. Miniard, Michael J. Barone, Kenneth C. Manning, and Brian D. Till, "When Persuasion Goes Undetected: The Case of Comparative Advertising," *Journal of Marketing Research*, August 1993, pp. 315 ～ 330; Saniay Putrevu and Kenneth R. Lord, "Comparative and Noncomparative Advertising: Attitudinal Effects under Cognitive and Affective Involvement Conditions," *Journal of Advertising*, June 1994, pp. 77 ～ 91; Dhruv Grewal, Sukumar Kavanoor, and James Barnes, "Comparative Versus Noncom-parative Advertising: A Meta-Analysis," *Journal of Marketing*, October 1997, pp. l ～ 15; Dhruv Grewal, Kent B. Monroe, and P. Krishnan, "The Effects of Price-Com-parison Advertising on Buyers' Perceptions of Acquisition Value, Transaction Value, and Behavioral Intentions," *Journal of Marketing*, April 1998, pp. 46 ～ 59.

[4] For a good disctlssion, see David A. Aaker and James M. Carman, "Are You Over-ad-vertising?" *Journal of Advertising Research*, August-September 1982, pp. 57 ～ 70.

[5] See Donald E. Schultz, Dennis Martin, and William P. Brown, *Strategic Advertising Campaigls* (Chicago: Crain Books, 1984), pp. 192 ～ 197.

[6] M. L. Vidale and H. R. Wolfe, "An Oper-ations-Research Study of Sales Response to Advertising," *Operations Research*, June 1957, pp. 370 ～ 381.

[7] John D. C. Little, "A Model of Adaptive Control of Promotional Spending," *Operations Research*, November 1966, pp. 1075 ～ 1097.

[8] For additional models for setting the advertising budget, see Gary L. Lilien, Philip Kotler, and K. Sridhar Moorthy, *Marketing Models* (Upper Saddle River, NJ: Prentice Hall, 1992), ch. 6.

[9] "The Best Awards: Retail／Fast-Food," *Advertising Age, May 18, 1998, p S8; Karen Benezra, "Taco Bell Pooch Walks the Merch Path,"* *Brandweek*, June 8, 1998, p. 46; Bob Garfield, "Perspicacious Pooch Scores for Taco Bell," *Advertising Age*, March 9, 1998, p. 53.

[10] Michael Wilke, "Carville, Matalin Talk Up Alka-Seltzer Brand," *Advertising Age*, November 23, 1998, p. 26.

[11] See "Keep Listening to That Wee, Small Voice," *in Communications of an Advertising Man* (Chicago: Leo Burnett Co.,1961), p. 61.

[12] John C. Maloney, "Marketing Decisions and Attitude Research," in *Effective Marketing Coordination*, ed. George L. Baker Jr. (Chicago: American Marketing Association, 1961),

pp. 595 ~ 618.

[13] Dik Warren Twedt, "How to Plan New Products, Improve Old Ones, and Create Better Advertising," *Journal of Marketing*, January 1969, pp. 53 ~ 57.

[14] See William A. Mindak and H. Malcolm Bybee, "Marketing Application to Fund Raising," *Journal of Marketing*, July 1971, pp. 13 ~ 18.

[15] Lalita Manrai, "Effect of Labeling Strategy in Advertising: Self-Referencing versus Psychological Reactance" (Ph. D. dissertation, Northwestern Univenity, 1987).

[16] James B. Amdorfer, "Absolut Ads Sans Bottle Offer a Short-Story Series," *Advertising Age*. January 12, 1998, p. 8.

[17] Yumiko Ono, "Bulletins from the Battle of Baldness Drug—Sports Figures Tout Rogaine for Pharmacia," *Wall Street Journal*, December 19, 1997, p. B1.

[18] L. Greenland, "Is This the Era of Positioning?" *Advertising Age*, May 29, 1972.

[19] David Ogilvy and Joel Raphaelson, "Research on Advertising Techniques That Work— And Don't Work," *Harvard Business Review*, July – August 1982, pp. 14 ~ 18.

[20] Joanne Lipman, "It's It and That's a Shame: Why Are Some Slogans Losen?" *Wall Street Journal*, July 16, 1993, p. A4; Paul Farhi, "The Wrong One Baby, Uh-Uh: Has Madison Avenue Lost It?" *Washington Post*, February 28, 1993, p. C5.

[21] For further reading, 3ee Dorothy Cohen, *Legal Issues In Marketing Decision Making* (Cincinnati, OH: South-Western, 1995).

[22] Kevin Goldman, "Advertising: From Witches to Anorexics: Critical Eyes Sautinize Ads for Political Correctness," *Wall Street Jornal*, May 19, 1994, p. B1.

[23] Adapted from Sandra Cordon, "Where High Road Meets Bottom Line: Ethical Mutual Funds Avoid Companies Deemed Socially Irresponsible," *The London Free Press*, October 9, 1998, p. D3.

[24] Schultz et al., *Strategic , Advertising Campaigns*, p. 340.

[25] See Herbert E. Krugman, "What Makes Advertising Effective?" *Harvard Business Review*, March-April 1975, p. 98.

[26] See Peggy J. Kreshel, Kent M. Lancaster, and Margaret A. Toomey, "Advenising Media Planning: How Leading Advertising Agencies Estimate Effective Reach and Frequency" (Urbana: University of Illinois, Department of Advertising, paper no. 20, January 1985) . Also see Jack Z. Sissors and Lincoln Bumba, *Advertising Media Planning*, 3d ed. (Lincolnwood, IL: NTC Business Books, 1988), ch. 9.

[27] Roland T. Rust and Richard W. Oliver, "Notes and Comments: The Death of Advertising," Journal of Advertising, December 1994, pp. 71 ~ 77.

[28] Gene Accas, "Prime Prices Fall with Shares," *Broadcasting & Cable*, September 28, 1998, p. 36; "Hilfilger Hikes Ads to New Level: First Designer to Go Super Bowl Route," *Daily News Record* 28, no. 7 (January 16, 1998): 2.

[29] See Roland T. Rust, *Advertising Media Models: A Practical Guide* (Lexington, MA: Lexington Books, 1986).

[30] See Jay W. Forrester, "Advertising: A Problem in Industrial Dynamics," *Harvard Business Review*, March-April 1959, pp. 100 ~ 110.

[31] See Amber G. Rao and Peter B. Miller, "Advertising/Sales Response Functions,"

Journal of Advertising Research, April 1975, pp. 7-15.

[32] See Alfred A. Kuehn, "How Advertising Performance Depends on Other Marketing Factors," *Journal of Advertising Research,* March 1962, pp. 2 ~ 10.

[33] See also Hani i. Mesak, "An Aggregate Advertising Pulsing Model with Wearout Effects," *Marketing Science,* Summer 1992, pp. 310 ~ 326; and Fred M. Feinberg, "PUlsing Policies for Aggregate Advertising Models," *Marketing Science,* Sunner 1992, pp. 221 ~ 234.

[34] Forrester, "Advertising," p. 102.

[35] Russell I. Haley, James Staffaroni, and Arthur Fox, "The Missing Measures of Copy Testing," *Journal of Advertising Research,* May-June 1994, pp. 46 ~ 56. (Also see this May-June 1994 issue of the *Journal of Advertising Research* for more articles on copy testing.)

[36] See J. O. Peckham, *The Wheel of Marketing* (Scarsdale, NY: privately printed, 1975), pp. 73 ~ 77.

[37] Kristian S. Palda, *The Measurement of Cumulative Advertising Effect* (Upper Saddle River, NJ: Prentice Hall, 1964), p. 87.

[38] David B. Montgomery and Alvin J. Silk, "Estimating Dynamic Effects of Market Communications Expenditures," *Management Science,* June 1972, pp. 485 ~ 501.

[39] See Robert D. Buzzell, "E. I. Du Pont de Nemours & Co.: Measurement of Effects of Advertising," in his *Mathematical Models and Marketing Management* (Boston: Division of Research, Graduate School of Business Administration, Harvard University, 1964), pp. 157 ~ 179.

[40] See Glen L. Urban, "Allocating Ad Budgets Geographically," *Journal of Advertising Research,* December 1975, pp. 7 ~ 16.

[41] See Nigel Hollis, "The Link Between TV Ad Awareness and Sales: New Evidence from Sales Response Modelling," *Journal of the Market Research Society,* January 1994, pp. 41 ~ 55.

[42] In addition to the sources cited below, see David Walker and Tony M. Dubitsky, "Why Liking Matters," *Journal of Advertising Research,* May-June 1994, pp. 62 ~ 74; Karin Holstius, "Sales Response to Advertising," *International Journal of Advertising* 9, no. 1, (1990): 38 ~ 56; John Deighton, Caroline Henderson, and Scott Neslin, "The Effects of Advertising on Brand Switching and Repeat Purchasing," *Journal of Marketing Research,* February 1994, pp. 28 ~ 43; Anil Kaul and Dick R. Wittink, "Empirical Generalizations About the Impact of Advertising on Price Sensitivity and Price," *Marketing Science* 14, no. 3, pt. 1, (1995): G151 ~ 160; and Ajay Kalra and Ronald C. Goodstein, "The Impact of Advertising Positioning Strategies on Consumer Price Sensitivity," *Journal of Marketing Research,* May 1998, pp. 210 ~ 224.

[43] Gerald J. Tellis, "Advertising Exposure, Loyalty, and Brand Purchase: A Two-Stage Model of Choice," *Journal of Marketing Research,* May 1988, pp. 134 ~ 144. Also see "It's Official: Some Ads Work," *The Economist,* April 1, 1995, p. 52; Dwight R. Riskey, "How TV Advertising Works: An Industry Response," *Journal of Marketing Research,* May 1997, pp. 292 ~ 293.

[44] See Michael A. Kamins, Lawrence J. Marks, and Deborah Skinner, "Television Commercial Evaluation in the Context of Program Induced Mood: Congruency versus Consistency Effects," *Journal of Advertising,* June 1991, pp. 1 ~ 14.

[45] See Kenneth R. Lord and Robert E. Burnkrant, "Attention versus Distraction: The Interactive Effect of Program Involvement and Attentional Devices on Commercial Processing," *Journal of Advertising,* March 1993, pp. 47 ~ 60; Kenneth R. Lord, Myung-Soo Lee, and Paul L. Sauer,

"Program Context Antecedents of Attitude Toward Radio Commercials," *Journal of the Academy of Marketing Science*, Winter 1994, pp. 3 ~ 15.

[46] See Yoav Ganzach and Nili Karashi, "Message Framing and Buying Behavior: A Field Experiment," *Journal of Business Research*, January 1995, pp. 11 ~ 17.

[47] From Robert C. Blattberg and Scott A. Neslin, *Sales Promotion: Concepts, Methods, and Strategies* (Upper Saddle River, NJ: Prentice Hall, 1990). This text provides the most comprehensive and analytical treatment of sales promotion to date.

[48] Roger A. Strang, "Sales Promotion — Fast Growth, Faulty Management," *Harvard Business Review*, July-August 1976 pp. 116 ~ 119.

[49] For a good summary of the research on whether promotion erodes the consumer franchise of leading brands, see Blattberg and Neslin, *Sales Promotion*.

[50] Robert George Brown, "Sales Response to Promotions and Advertising," *Journal of Advertising Research*, August 1974, pp. 36 ~ 37. Also see Carl F. Mela, Sunil Gupta, and Donald R. Lehmann, "The Long-Term Impact of Promotion and Advertising on Consumer Brand Choice," *Journal of Marketing Research*, May 1997, pp. 248 ~ 261; Purushottam Papatla and Lakshman Krishmamurti, "Measuring the Dynamic Effects of promotions on Brand Choice," *Journal of Marketing Research*, February 1996, pp. 20 ~ 35.

[51] F. Kent Mitchel, "Advertising/Promotion Budgets: How Did We Get Here, and What Do We Do Now?" *Journal of Consumer Marketing*, Fall 1985, pp. 405 ~ 447.

[52] See Paul W. Farris and John A. Quelch, "In Defense of Price Promotion," *Sloan Management Review*, Fall 1987, pp. 63 ~ 69.

[53] For a model for setting sales promotions objectives, see David B. Jones, "Setting Promotinal Goals: A Communications Relationship Model," *Journal of Consumer Marketing* 11, no. 1 (1994): 38 ~ 49.

[54] See John C. Totten and Martin P. Block, *Analyzing Sales Promotion: Text and Cases*, 2d ed. (Chicago: Dartnell, 1994), pp. 69 ~ 70.

[55] See Pual W. Farris and Kusum L. Ailawadi, "Retail Power: Monstedr or Mouse?" *Journal of Retailing*, Winter 1992, pp. 351 ~ 369.

[56] See "Retailers Buy Far in Advance to Exploit Trade Promotions," *Wall Street Journal*, October 9, 1986, p. 35; Rajiv Lal, J. Little, and J. M. Vilas-Boas, "A Theory of Forward Buying, Merchandising, and Trade Deals," *Marketing Science 15*, no. 1 (1996), 21 ~ 37.

[57] "Trade Promotion: Much Ado About Something," *PROMO*, October 1991, pp. 15, 37, 40.

[58] Quoted from Kerry E. Smith, "Media Fusion," *PROMO*, May 1992, p. 29.

[59] Arthur Stern, "Measuring the Effectiveness of Package Goods Promotion Strategies" (paper presented to the Association of National Advertisers, Glen Cove, NY, February 1978).

[60] Strang, "Sales Promotion," p. 120.

[61] Kurt H. Schaffir and H. George Trenten, *Marketing Information Systems* (New York: Amacom, 1973), p. 81.

[62] See Magid M. Abraham and Leonard M. Lodish, "Getting the Most OUt of Advertising and Promotion," *Harvard Business Review*, May-June 1990, pp. 50 ~ 60.

[63] See Joe A. Dodson, Alice M. Tybout, and Brian Sternthal, "Impact of Deals and Deal

Retraction on Brand *Switching,*" *Journal of Marketing Research,* February 1978, pp. 72 ~ 81.

[64] Books on sales promotion include Totten and Block, *Analyzing Sales Promotion: Text and Cases:* Don E. Schultz, William A. Robinson, and Lisa A. Petrison, *Sales Promotion Essentials,* 2d ed. (Lincolnwood, IL: NTC Business Books, 1994); John Wilmshurst, *Below-the-Line Promotion* (Oxford, England: Butterworth/Heinemann, 1993); and Robert C. Blattberg and Scott A. Neslin, *Sales Promotion: Concepts, Methods, and Strategies* (Upper Saddle River, NJ: Prentice Hall, 1990). For an expert systems approach to sales promotion, see John W. Keon and Judy Bayer, "An Expert Approach to Sales Promotion Management," *Journal of Advertising Research,* June-July 1986, pp. 19 ~ 26.

[65] Adapted from Scott M. Cutlip, Allen H. Center, and Glen M. Broom, *Effective Public Relations,* 8th ed. (Upper Saddle River, NJ: Prentice Hall, 1997).

[66] For an excellent account, see Thomas L. Harris, *The Marketer's Guide to PUblic Relations* (New York: John Wiley, 1991). Also see *Value-Added PUblic Relations* (Chicago: NTC Business Books, 1998)

[67] Tom Duncan, *A Study of How Manufacturers and Service Companies Perceive and Use Marketing PUblic Relations* (Muncie, IN: Ball State University, December 1985). For more on how to contrast the effectiveness of advertising with the effectiveness of PR, see Kenneth R. Lord and Sanjay Putrevu, "Advertising and Publicity: An Information Processing Perspective," *Journal of Economic Psychology,* March 1993, pp. 57 ~ 84.

[68] Kate Bertrand, "Intel Starts to Rebuild," *Business Marketing,* February 1995, pp. 1, 32; John Markoff, "In About-face, Intel Will Swap Its Flawed Chip", *New York Times,* December 21, 1994, p. A1; T. R. Reid, "It's a Dangerous Precedent to Make the Pentium Promise," *The Washington Post,* December 26, 1994, p. WBIZ14.

[69] For further readng on cause-related marketing, see P. Rajan Varadarajan and Anil Menon, "Cause-Related Marketing: A Co-Alignment of Marketing Strategy and Corporate Philanthropy," *Journal of Marketing,* July 1988, pp. 58 ~ 74.

[70] Material adapted from Thomas L. Harris, "PR Gets Personal," *Direct Marketing,* April 1994, pp. 29-32.

[71] See Dwight W. Catherwood and RIchard L. Van Kirk, *The Complete Guide to Special Event Management* (New York: John Wiley, 1992).

[72] Arthur M. Merims, "Marketing's Stepchild: Product Publicity," *Harvard Business Review,* November-December 1972, pp. 111 ~ 112. Also see Katerine D. Paine, "There Is a Method for Measuring PR," *Marketing News,* November 6, 1987, p. 5.

第**20**章
管理销售力量

科特勒论营销：

成功的销售员首先关心顾客，其次才是关心产品。

本章将阐述下列一些问题：

- 公司在设计销售队伍时应作什么决策？
- 公司怎样招聘、选择、训练、指导、激励和评价一支销售队伍？
- 怎样改进销售员在推销、谈判和建立关系营销上的技能？

美国的公司在人员推销上的年开支超过 1 400 亿美元——比其他任何商业推广方式的开支都大。在美国有 1 100 多万人从事销售和与销售有关的工作。[1]

营利性和非营利性的机构都设有自己的销售队伍。大学的招生办公室是大学招收新生的销售力量。教会用教徒委员会吸引新教徒。美国农业推广服务中心派出农业专家向农场主推广应用新的农作方法。医院和博物馆通过募捐同捐款人保持关系并向他们募集资金。

实际上，销售代表(sales representative)一词在我们的领域中包括了一个广泛的职责范围，麦克默里(McMurry)对销售职责作了以下的分类：[2]

1. 送货员。此种职位的销售人员，其工作主要是发送产品(例如，牛奶、面包、燃料和汽油)。

2. 接单员。此种职位的销售人员主要是室内接单员(例如，男子服饰用品商店柜台里的售货员)或是外勤接单员(例如，访问市场经理的肥皂销售员)。

3. 特派访问使者。该销售员的职责是建立良好的信誉，培养现有或预期客户，而不是承接订单(例如，凭处方出售的药厂的新药访问员)。

4. 技术员。该职位人员的工作重点放在技术知识服务上(例如，工程销售员，主要为客户公司提供咨询服务)。

5. 需求创造者。该职位的人员创造性地推销有形产品(例如，吸尘器、冰箱、木挡板和百科全书)或无形产品(例如，保险、广告服务或教育)。

6. 解决问题出售者。这些销售员用经验解决顾客的问题，比较多的是计算机产品和服务系统(例如，计算机或传播系统)。

已没有人争辩销售队伍在营销组合中的重要性。然而，公司对维持销售队伍昂贵的和日益增长的成本(工资、佣金、奖金、出差费用和好处费)非常敏感。因为人员销售的访问费平均成本从 250 美元上升到 500 美元，而达成一次交易一般要访问 4 次，于是每笔交易就需要 1 000 美元～2 000 美元。[3]因此，公司需要仔细考虑在什么时间和怎样来使用销售代表。毫不奇怪，公司在寻找能替换它的以邮寄和电话为基础的销售单位来减少现场销售费用。同时，公司对保留下来的销售队伍通过更好的挑选、培训、指导、激励和报酬来提高其效率。

销售队伍的设计

销售人员是公司与顾客之间的纽带。对许多顾客来说销售代表是公司的象征，反过来，销售代表又从顾客那里给公司带回许多有关顾客的有用信息。因而，对于销售队伍的设计问题，公司必须作最认真的考虑，制定销售队伍的目标、战略、结构、规模和报酬方式(见图 20—1)。

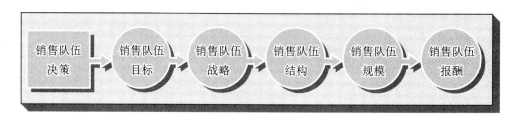

图 20—1　设计和管理销售队伍的步骤

销售队伍目标

公司必须仔细地确定它们期望销售队伍要达到的特定目标。老的观念是销售队伍应该"销售，销售，再销售"。在 IBM 公司，销售员是"推销金属制品"，而施乐是"出售盒子"。销售人员有销售定额，好的销售人员能满足或超过他们的定额。后来的一个主意是，销售代表应该知道怎样解剖顾客的问题和提出解决它的建议。销售员一开始并不是销售特定的产品。相反，它们向预期客户展示它们的公司能帮助客户提高盈利率。它们寻求使自己的公司与客户公司成为"分享利润的合伙人"。

除了销售以外，销售员将执行下述一个或几个特定的任务：

● 寻找客户。销售代表负责寻找新客户或主要客户。
● 设定目标。销售代表决定怎样在预期顾客和客户之间分配时间。
● 信息传播。销售代表应熟练地将公司产品和服务的信息传递出去。
● 推销产品。与顾客接洽，演示产品，回答顾客的疑问并达成交易。

● 提供服务。销售代表要为顾客提供各种服务——对顾客的问题提供咨询意见，给予技术帮助，安排资金融通，加速交货。

● 收集信息。进行市场调查和收集情报。

● 分配产品。在产品短缺时将稀缺产品分配给顾客。

许多公司对其销售队伍的目标和活动都有比较明确的规定。例如，有一家公司指示它的销售代表，要将 80% 的时间花在现有顾客身上，20% 的时间花在预期顾客身上；85% 的时间用于推销既有产品，15% 的时间推销新产品。如果公司不规定这样的比例，那么，销售代表很可能会把大部分时间花在向现有顾客推销既有产品上，因而忽略新产品和新客户方面的工作。

销售代表的工作任务组合因经济状况的不同而不同。在产品短缺时期，许多行业的销售代表认为，它们没有东西可以推销。于是，某些观察家匆忙得出了结论，认为销售代表是多余的，可以取消。然而这种观点忽略了销售员的另外一些作用——分配产品，劝慰不满意的顾客，将公司补救缺货计划的信息传递给顾客，推销那些公司在供应上并不短缺的其他产品。

在产品过剩时期，销售代表竞争激烈以赢得顾客偏好。公司评判销售代表不仅看他们的销售量，而且看他们赢得顾客和创造利润的能力。下面是两个例子：

达芙妮(Tiffany)   达芙妮这个名字使人自动地想起了昂贵的珠宝，而且这种形象在零售商营销的每个方面都在得到培养。一项在销售地板上的交易可能会像一种投资，因此，管理层培训自己的零售人员成为顾问而不是严格意义上的销售人员。因为消费者不是一个专家，销售人员的产品知识是顾客服务的一个重要方面。销售人员要被训练成能提供关于质量和宝石切割建议和意见的专家以适应并满足各种人，帮助他们在各种价格范围可以得到选择。甚至在销售较为便宜的产品时，诸如一箱信纸或一条领带，销售人员知道这些商品是购买达芙妮的一部分，它体现达芙妮购物的经验和声誉。他们也知道一位满意的顾客常常是一位潜在的回头客。

除了它的零售人员外，达芙妮还有 155 个现场销售代表为公司的顾客提供服务。一种针对公司销售人员的内部培训项目持续 6～8 周，而且只有在新雇员已经证明精通了销售技巧、知识和产品后，他们才被允许同顾客做生意。[4]

马里奥特旅馆(Marriott Lodging)   通宵膳宿对商旅顾客可能是一种巨大而循环往返的开支，因此，马里奥特通过使它们的雇员保持有效的成本来追求它的主要客户。管理这些顾客生意的销售专业人员的工资的一部分是建立在长期顾客关系基础上的。这些主要客户的管理人员除了提供减价比率以外，还有多种方法让它们的顾客满意。作为马里奥特的代表，主要的客户经理负责解决问题和安排客人要求的任何特别的服务。通过学习顾客的业务，客户经理能帮助顾客计划旅程。通过整个马里奥特组织内一起工作的员工个人的支持，客户经理能提供所有的马里奥特特色服务。[5]

公司必须战略性地充分运用其销售队伍，在适当的时间以适当的方式访问恰当的顾客，销售代表与顾客接洽有以下几种方式：

- 销售代表与顾客。一名销售代表亲自或通过电话和顾客交谈或与商厦内的顾客交谈。
- 销售代表对一群购买者。一名销售代表向客户采购组介绍产品。
- 销售小组对一群购买者。一个销售小组(例如公司职员、销售代表和销售工程师)向一个客户采购组展示并介绍产品。
- 推销会议。销售代表和公司参谋人员同一个或几个顾客讨论存在的问题和相互的机会。
- 推销研讨会。公司一组人员向买主单位的技术人员讲述有关产品技术的发展状况。

今天的销售代表经常扮演客户经理的角色，安排购买机构与销售机构各种人员之间的联系。销售工作越来越需要进行集体活动，需要其他人员的支持配合，例如高层管理层，它们在交易过程中起着越来越重要的作用，特别是对全国性大客户和在主要销售时尤其如此；技术人员，在顾客购买产品过程中，在购买前、购买后提供有关技术情况；顾客服务人员，它们向顾客提供安装、维修和其他服务；办公室职员，包括销售分析人员、订单执行人员和秘书。杜邦提供了一个以销售小组导向的成功的例子。注意到谷物生长需要它们不常供应的除草剂，杜邦任命了一个由化学家、销售和营销主管和专业人士组成的小组解决这个问题。它们开发出这一产品，第一年销售额高达 5 700 万美元。[6]

为了以维持市场为中心，销售人员应该了解如何分析销售数据，测算市场潜力，收集市场情报，以及开发营销战略和计划。销售代表需要掌握营销分析的技巧，而且这些技巧在高层次的销售管理中是特别重要的。如果销售人员像理解销售一样理解营销的话，营销人员相信在长期的运作中销售队伍将会更加具有效率。

公司一旦明确了方法，便可使用专职销售员或聘请合同式销售员。一个直接(公司)销售队伍[direct (company) sales force]由专门为公司推销的全日制或非全日制销售员组成。这个销售队伍包括在办公室利用电话处理业务和接受潜在买主访问的内部销售队伍(inside sales force)和亲自旅行并访问顾客的现场销售队伍(field sales force)。合同式销售队伍(contractual sales force)包括制造商销售代表、销售代理商或经纪人，它们根据达到的销售额收取佣金。

销售队伍结构

销售队伍战略还包括如何组织销售队伍以对市场产生最大的影响。如果公司只对分布在许多地方的最终用户销售一种产品，这时候的销售队伍结构是较为简单的，可以采用以地区安排销售队伍的结构。如果公司是向各类客户销售多种产品，那么可按产品或按顾客来安排销售队伍的结构。表 20—1 对最常见的销售队伍结构作了归纳。"营销视野——大客户管理——它是什么和它如何运作"分析了对大客户的管理，一种销售队伍结构中的特殊形式。

表 20—1　　　　　　　　　　　　　　销售队伍的不同结构

● 地区式结构。每个销售代表被指派负责一个地区，作为该地区经销该公司全部产品线的惟一代表。这种结构有许多好处。第一，销售员的责任明确。第二，地区责任能促使销售代表与当地商界和个人加强联系。第三，由于每个销售代表只在一个很小的地理区域内活动，因而旅费开支相对较少

● 区域大小。区域可按同等销售潜力或相等的工作量设计。按同等销售潜力划分区域能给每个销售代表提供相同的收入机会，也给公司提供了一个衡量销售代表工作成绩的方法。然而，区域间顾客的密度是不相同的，不同的区域虽有同等潜力，销售情况却可以大不相同。或者，还可用相等销售工作量来规划销售区域，使每个销售代表都能全力从事自己主管区域内的推销任务

● 区域形状。区域由一些较小的地区单元，如县或州所组成，这些单元合在一起以一定的销售潜力和工作量为基础形成一个推销区域。划分区域时要考虑自然界线的位置，相邻区域的一致性、交通便利与否等因素。区域的形状会影响销售成本、覆盖的难易和销售代表对工作的满意程度。今天，在划分销售区域时可用计算机模型来设计均衡紧密程度、工作量或销售量，并能设计出最短出差时间

● 产品式结构。销售代表了解公司产品的重要性，加之产品事业部和产品管理的发展，使许多公司有了按产品线组织其销售队伍的结构。特别当产品技术复杂、产品间毫无关联或产品类别很多时，按产品专门化组成销售队伍就显得特别适用。柯达公司使用许多销售人员来推销其胶卷产品；而另一批销售人员则经营由需要懂技术的人员来经营的复杂产品

● 市场式结构。企业常常按行业或顾客类别来组织销售队伍。公司对不同行业，甚至不同的顾客安排不同的销售人员。IBM 公司最近在纽约为金融界和经纪人客户分别设立了单独的销售处，在底特律为通用汽车公司设立另一个销售处，在附近的迪邦又为福特汽车公司设立另一个销售处。这种市场专门化结构的最明显的好处在于每个销售人员对顾客的特定需要非常熟悉。其主要缺点是，如果各类顾客遍布全国，那么企业的每个销售员都要花费很多的旅行开支

● 复合式结构。公司在一个广阔的地理区域内向许多不同类型的顾客推销多种产品时，将以上几种组织销售队伍的方法混合起来使用。销售代表可以按地区—产品、地区—客户、产品—客户等进行分工。一个销售代表对一个或几个产品线经理和部门经理负责。例如，摩托罗拉管理着 4 种销售队伍：(1)直接市场销售队伍，它由技术、应用和质量工程师和为大客户服务的人员组成；(2)地区销售队伍访问在不同地区的成千上万个顾客；(3)分销队伍访问和指导摩托罗拉的分销商；(4)内部销售队伍做电信营销和根据电话与传真接订单

营销视野

大客户管理——它是什么和它如何运作

大客户(也成为关键客户、全国客户、全球客户或看家客户)经常被挑选出来予以特

别关注。在许多地点有很多分部的重要顾客被签订大客户合同，合同中为所有的顾客部门提供了统一的价格和一致的服务。一位大客户经理监督外出销售代表在他们的地域内访问客户工厂。大客户工作包括由具有交叉功能的处理各方面关系的人员组成的大客户程序开展协作性的活动。公司最大的客户可能会得到一支由交叉功能的人员组成的战略性的客户管理队伍来管理，队伍成员固定地为一个顾客服务，并且它们经常呆在顾客方便的办公室内。例如，宝洁公司安排了一个战略性的客户管理小组与在阿肯色州本顿维尔沃尔玛总部的工作人员一起工作。宝洁和沃尔玛已经通过供应链共同合作节约了300亿美金，而且，毛利润大约上升了11%。

如果一家公司有几个这样的客户，它可能会组建一个大客户管理部门。一个普通的公司大约管理75个主要客户。像施乐这样的公司管理大约250个大客户。除了大客户代表外，施乐对这些客户中的每一个安排了"集中执行官"，使这个人与客户公司的主管人员保持着某种关系，用施乐公司的全球客户营销主任的话说："这样将会对大型机器有较好的理解，而不仅仅是售出的机器。"在一个典型的大客户管理部门，平均每位大客户经理管理9个客户。大客户经理们专门向全国销售经理汇报工作，全国销售经理向负责营销和销售的副总裁报告而该副总裁按顺序向首席执行官汇报。

大客户的管理工作因多种原因正在不断发展。由于企业合并、收购而顾客集中程度增加，少数顾客占了公司销售额的大部分，这样20%的大客户可能占了公司营业额的80%。另外，许多顾客是集中购买某些特定商品，而不是仅向当地单位采购，这就给它们带来了更多向卖方讨价还价的机会，卖方必然更重视大客户。再有一个因素就是随着产品越来越复杂，买方组织里更多的部门卷入采购选择过程，而一般销售员可能不具备向大客户进行有效推销所需的权威或覆盖能力。

在组织大客户管理方案时，公司要面对许多大问题，包括如何挑选大客户；如何对它们进行管理；如何发展、管理和评估客户经理；如何组织大客户管理机构；当地大客户管理部门应在组织中处于什么地位。

公司有几个选择大客户的标准。它们观察客户的采购数量(特别是对公司的高盈利产品)，采购和集中性，在各地理位置上对服务的高水平要求，大客户可能是价格敏感者并希望与公司建立长期的合作伙伴关系。

大客户经理有许多责任：掌握一份合同的要点；发展和培养顾客的业务；理解顾客决策流程；识别附加价值的机会；提供具有竞争力的情报；销售谈判，以及协调顾客服务。大客户经理在它们自己的组织内必须是能动员小组人员，如销售人员、研究与开发人员、制造者等一起来满足顾客的需求。大客户经理的典型评估要求是关于它们在培养它们客户的业务份额上的效率和它们实现的年度利润和销售数量的目标。

公司在把它们最得力的销售员选为大客户经理时常常犯错误。这两种工作的技术要求是不同的。一位大客户经理说："我的位置并非是销售员，而是一位我们客户的'营销顾问'，而我们公司有能力的销售员在公司产品的流向上与我们正相反。"

主要客户通常收到许多以它们购买数量为基础的有利的价格，但是，营销人员不能惟一地依赖这一动机来保持顾客忠诚度。这里总是有某种风险，竞争者能参与竞争或打击某项价格，或者由于增加了成本可能迫使其提高价格。许多大客户寻找附加价值远远多于要求一种价格优势。它们欣赏个别有贡献性要点的合同；单独开账单；特别的保证；电子数据交换；优先发运；预先的信息沟通；顾客定制化的产品，以及有效的保养、维修和升级服务。除了这些实际的考虑外，还有一种价值的良好愿望。与大客户管理人员、销售代表和其他为大客户的业务提供价值的人员和那些在那项业务成功中有既定的和个人兴趣的人们的关系，这些都是成为激发一位忠实顾客兴趣的原因。

资料来源：For further reading, see John F. Martin and Gary S. Tubridy, "Major Account Management," in *AMA Management Handbook*, 3d ed. ed. John J. Hampton (New York: Amacom, 1994), pp. 3～27; Sanjit Sengupta, Robert E. Krapfel, and Michael A. Pusateri, "The Strategic Sales Force," *Marketing Management*, Summer 1997, pp. 29～34; Robert S. Duboff and Lori Underhill Sherer, "Marketing Management," Summer 1997, pp. 21～27; Tricia Campbell, "Getting Top Executives to Sell," *Sales & Marketing Management*, October 1998, p. 39. More information can be obtained from NAMA (National Account Management Association), www.nasm.com.

著名的公司需要随着市场和经济条件的变化来修订它们的销售队伍结构。IBM 公司是一个杰出的例子：

IBM 公司　　IBM 公司在电脑行业中失去市场的原因有两条。第一，它没有看到个人电脑是未来的潮流。第二，由于它在营销和销售组织上的官僚和庞大而失去了对顾客的接触。该公司的组织结构是地区化的，销售代表小组为各行各业顾客服务。IBM 公司代表获得了教授他们的顾客电脑技术的美誉——在城里有最大的游戏节目，这意味着教育公众如何使用 IBM 公司的产品。但是，该公司"一种规格教育所有人"的方法逐渐地使领悟电脑的顾客离开它。IBM 公司的代表努力说服 GTE 公司把主机改为价格不贵的电脑组成的网络，并推出拥有的主机，而根本不考虑 GTE 的意见。这家 GTE 离开了 IBM 公司并转向惠普公司。最后，丢失了市场份额和巨大的销售队伍维持成本促使 IBM 重新考虑和重组它整体的销售和营销方法：

● 在 1990—1994 年，总部销售和营销的人员从 15 万人裁减至 7 000 人。IBM 公司不仅减少了销售人员，并且它把办公地点从豪华的办公室移至无福利的仓库大楼。

● 销售人员以前由地区经理管理，即在他们所属的地区内负责所有的行业销售，现在由各专业行业的地区主管管理。该公司根据 14 个行业垂直地重组了它的销售队伍，这些行业包括财务、石油和零售等。

● 在销售队伍中保留行业和产品专家的组合体。例如，一位主管访问了在旧金山的美洲银行，发现银行需要一种软件，她就通知该地区的软件专家出售该软件。

● 销售代表是咨询活动家而非只推销订单或产品。他们的任务是为客户解决问题，甚至意味着介绍电脑技术。

● 顾客可以选择 IBM 公司的服务。有些顾客需要 IBM 公司的业务顾问、产品专家或系统整合专家为他们建立公司信息系统；另一些顾客偏好 IBM 公司的电话销售代表与他们联系。

销售队伍规模和报酬

公司一旦确定了销售队伍的战略和结构，便可着手考虑销售队伍规模。销售代表是公司极具生产力和最昂贵的资产之一。因为销售代表人数增加就会使销售量和成本同时增加。

一旦公司确定了它利用销售队伍进入的顾客的数目后，它经常用工作量法确定销售队伍的规模。这个方法包括有以下五个步骤：

1. 将顾客按年销售量分成大小类别。

2. 确定每类客户所需的访问次数（对每个顾客每年的推销访问次数），这反映了与竞争对手公司相比要达到的访问密度是多大。

3. 每一类客户数乘上各自所需的访问数便是整个地区的访问工作量，即每年的销售访问次数。

4. 确定一个销售代表每年可进行的平均访问次数。

5. 将总的年访问次数除以每个销售代表的平均年访问数即得所需销售代表数。

假设某个公司估计全国有 1 000 个 A 类顾客和 2 000 个 B 类顾客；A 类顾客一年需访问 36 次，B 类需 12 次。这就意味着公司需要每年能够进行 60 000 次访问的销售队伍。假设每个销售代表平均每年可做 1 000 次访问，那么公司需要 60 个专职销售代表。

许多公司面临着削减成本的巨大压力，正在收缩它们的销售队伍，因为销售部门是成本最大的部门之一。研讨一下可口可乐的埃米德，它是一家由可口可乐公司特许经营的美国公司。

可口可乐埃米德（Coca-Cola Amatil）　埃米德有一支访问小牛奶吧（角落商店）的销售队伍。这些负责牛奶吧的销售代表每天要访问 30 次，要安排充足的时间以接收订单和展示新产品。埃米德看到访问的费用——工资、汽车、电话费、办公费用等——是时间和金钱的大量浪费。现在，埃米德通过新电信营销部门与这些小客户打交道，而现场代表很少与牛奶吧打交道而把精力集中在大客户身上。每个牛奶吧每周就接触一次，或是当它需要接触或在接到电话要求访问时。这种安排的结果是降低了每张订单的成本，并使小客户在财务上得益。

为吸引高素质的销售代表，公司应拟定一个具有吸引力的报酬计划。销售代表总是喜欢有固定收入。对成绩较好的给予奖励，对他们的经验和工龄，在支付报酬时也应给予公正的考虑。另一方面，管理层应强调控制、节省和简便。某些管理层的目标会与销售代表的目标发生矛盾。因此，为什么不仅在不同行业里有不同的报酬计划，而且同一行业的各公司间，报酬计划也存在着很大的差异，这就不奇怪了。

管理层必须对有效报酬计划的水准和内容作出决定。报酬水准必须与同类销售工作和所需能力的"当前市场价格"有某种联系。例如，1998 年平均每个有经验的销售员的收入达到 110 000 美元。[8]如果销售人员的平均报酬水平已确定，那么个别公司只能依行情付给。报酬低会导致推销人员招聘不足或质量不高，报酬太高又没有必要。然而销售员的报酬水准并不常常是明确定的。各行业并不经常性地公布销售队伍报酬水准的数据，而且公布的数据一般都不够详细。

公司必须对报酬的四个组成部分作出决定——固定金额、变动金额、费用、福利补贴。固定金额(fixed amount)是薪金，用于满足销售代表收入稳定性的需要。变动金额(variable amount)，可以是奖金、红利或利润分成，用以刺激和奖励销售代表所作的较大的努力。费用津贴(expense allowances)使销售代表有可能进行必要或需要的推销工作。福利补贴(benefits)，如休假工资、生病或意外事故时的福利、养老金以及人寿保险，则是用于提供安全感和工作满足感的。一个通行的方法是将销售员总收入的70%加以固定，余下的30%由其他组成。在工作中当非销售职责对销售职责的比率很大时，或是销售工作技术复杂时，应该强调固定报酬，而当销售额呈周期性或同个人努力与否有很大关系时，则应强调变动报酬。

固定的和变动的报酬产生了三种基本的销售队伍报酬方法——纯薪金制、纯佣金制和薪金佣金混合制。只有1/4的公司采用纯薪金制和纯佣金制。3/4的公司采用两者的结合，然而，薪金与刺激的比例各个公司相差很大。[9]

纯薪金制计划有几个优点：它提供给销售代表稳定的收入，使他们更愿意去完成非销售活动，并非用刺激来增加对客户的销售。从公司的眼光看，纯薪金制计划使管理简单化和降低了销售队伍的流动性。其优点如下：它吸引了更好的销售人员，提供了更多的激励，减少了督导和控制了销售成本。混合制的计划是取了两者的优点和减少了它们的缺点。

结合固定和变化的支付报酬计划，公司可以把那些差异较大的战略目标与销售人员的工作联结起来。某些公司看到新趋势是不强调以销售量作为衡量报酬的因素，而是偏好盈利率、顾客满意和顾客维系。例如，IBM作为销售队伍奖励的一个内容，通过顾客调查获得数据，作为顾客满意基础奖奖励销售人员。[10]

销售队伍的管理

一旦销售队伍的目标、战略、结构、规模和报酬方式确定之后，公司应着手销售代表的招聘、挑选、训练、指导、激励和评价。进行这方面的决策，有许多不同的政策和程序(见图20—2)。

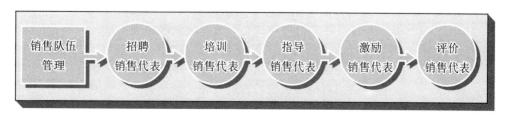

图20—2　销售队伍的管理

招聘和挑选销售代表

销售队伍工作要获得成功，中心问题是选择高效率的销售代表。一项调查的结果表明：27％的销售代表创造了52％的销售额。除销售效率上的差别之外，用错人要算是最大的浪费。所有行业的年平均销售人员流动率20％。当销售人员离岗时，招聘与训练新销售员的成本(加在销售损失成本中)将会高达5万美元～7.5万美元，并且，太多的新人也会使销售减少。[11]

人员流动造成的经济损失只是总成本的一部分。一个公司留用下来的新的销售代表，他得到的直接收入平均约占直接销售成本的一半左右。如果一个新的销售代表一年的收入是5万美元，另外5万美元则是奖金、交际费、监督费、办公室租金、各种办公用品费用和秘书费用，那么，这个新的销售代表就必须创造出足够的毛利抵偿10万美元销售成本。如果毛利率是10％，那么至少要销售100万美元，才能使公司不盈不亏。

倘若我们知道销售代表必须具备的素质，那么，挑选销售代表就不会有什么困难。一个好的出发点是询问顾客他们喜欢和偏爱销售人员的哪些品质。大多数顾客说，他们希望销售代表是诚实、可靠、有知识和会帮助人的。公司在挑选时应寻找这一类人。

另一个方法是寻找公司内最成功的销售人员的品质。查尔斯·加菲尔德(Charles Garfield)研究了优秀成功者后，其结论是超级销售员具有下列品质：能承受风险、具有强烈的使命意识、有解决问题的癖好、认真对待顾客和仔细做好每次访问。[12]罗伯特·迈克默里(Robert McMurry)这样写道：“我认为一个具有高效率推销个性的销售员是一个习惯性的追求者，一个怀有赢得和抓往他人好感的迫切需求的人。”[13]他列出了超级销售员具有五项品质：“旺盛的精力，强烈的使命意识，对金钱的追求，坚韧不拔的毅力，挑战异议、跨越障碍的癖好。”[14]梅耶(Mayer)和格林伯格(Greenberg)开列了一张最短的优秀销售员特征表。他们得出的结论是这样的：好的销售员最基本的品质的两方面：感同力(empathy)，即善于从顾客角度考虑问题；自我驱向(ego drive)，即达成销售的强烈的个人意欲。[15]

企业管理层订出选择标准之后，就可着手招聘。人事部门可通过各种途径寻找应聘者，包括由现有销售代表引荐、利用职业介绍所、刊登广告招聘以及在学生中挑选。但是要大学生从事推销却很困难。很少有大学生对推销工作感兴趣。不愿推销的大学生提出这样的理由：“销售只是一种工作而不是职业”，“想要成功就得欺骗”，以及“工作无保障，旅途奔波太厉害”。为反驳这些观点，公司招聘部门可以强调销售员的工资起点，收入机会多，营销和销售工作提供一条诱人的升职道路，美国各大公司总裁有1/4是从事营销和销售开始的这一事实。招聘过程可以是一次非正式的单独面谈，可以是长时间的测试和谈话，不仅与应聘者本人，而且还要与其配偶接触。[16]如果配偶不准备支持销售员“离开家庭”的生活方式，这个聘用就会有问题。

许多公司对销售员应聘者进行正式的测验。虽然测验成绩只是一种参考条件，其他条件还包括个人品质、推荐人意见、个人工作简历、会见者的反应，某些公司如IBM、智虑(Prudential)、宝洁、吉列公司非常重视测验。吉列公司声称，这类测验使人员流动减少了 42%，这种方法同新销售代表后来在销售组织中取得进步是密切相关的。

销售代表的培训

有许多公司一雇到销售代表便派他们去实地工作，公司向他们提供样品、订单簿、区域情况介绍。然而这类销售代表的工作大都做得不够理想。一家大型食品公司的副总裁在一个大型超级市场花了一星期时间观察了 50 次向匆忙的买主推荐产品的销售陈述。下面便是他所观察到的现象：

> 大多数销售员都事先准备不充分，一些基本的问题都不能回答，甚至连访问时要完成的任务都不明确。他们并不把推销访问视作是事先应该研究准备好的专业性介绍。他们没有真正地了解一个繁忙的零售商的需要和欲望。[17]

今天的顾客已不能忍受不称职的销售员。顾客有更多的需求和面临更多的供应。顾客希望销售人员有深度的产品知识，能提供主意改进顾客的选择，是有效和可信赖的。这就要求公司在人员培训上有更高的投资。

现在一个新销售代表可能要参加几星期到几个月时间的训练。工业品公司平均训练期限一般为 28 周，服务公司为 12 周，消费品公司为 4 周。在 IBM 公司，新销售代表要接受 密集性的入门培训。以后每年有 15% 的时间参加额外训练。

培训计划有如下几项目标：

● 销售代表需要了解公司并明白公司各方面的情况。
● 销售代表需要通晓本公司的产品。
● 销售代表需要深入了解本公司各类顾客和竞争对手的特点。
● 销售代表需要知道如何作有效的推销展示。
● 销售代表需要懂得实地推销的工作程序和责任。

人们在不断探索着新的培训方法，例如角色扮演，敏感性训练，录音带、录像带和光盘的应用，程序化的学习，观看有关销售技术的影片。IBM 公司使用的是称为信息窗口的自我学习范例。信息窗口由个人计算机和激光录像盘组成。受训者与屏幕上的某一特定行业的经理扮演者进行访问实习。该扮演者能根据销售员的话作出不同的应答。

由于销售自动化技术使销售代表从办公室中解放出来走上大街，它也使得传统的室内培训方法变得昂贵起来。销售代表光在办公室是不够的，但他们在室内或在路上时，常常被文字和信息工作搞得不知所措。然而，现在的技术帮助他们提高了效率。许多公司如今应用以光盘为基础的交互训练。例如，坦德姆电脑公司的代表过去抱怨他们没有收到公司发给他们的打印文件和训练材料。现在，现场代表自己拥有微型训练室——他们只要简单地在手提电脑上插入光盘便可。[18]

销售代表的监督

对新销售代表并不只是分配一个推销区域、给予报酬、进行训练就算完事——还要对他们进行监督。各公司对自己销售代表指导的密切程度是不同的。如果销售代表报酬的绝大部分以佣金方式支付，一般可不加监督。而那些领薪金和必须明确负责某些客户的销售人员应受到严格的监督。

制定客户访问标准

在 1989 年，销售人员的平均日访问次数是 4.2 次，比 20 世纪 80 年代早期的 5 次有所减少；而麦格劳－希尔公司的调查说现在只有 4 次。[19]减少的趋势是由于电话、传真机和电子邮件的使用增加；自动订单系统的可靠性也有所增加；由于更好的营销调研信息使市场定位更精确。

通过访问究竟每年能从每个客户身上实现多少销售额？梅吉（Magee）叙述了一次实验，他将客户任意地分为 3 组。[20]销售代表对第一组客户每月花费低于 5 小时的推销访问时间，第二组花费 5 小时～9 小时，第三组花费 9 小时以上。结果表明，增加访问时间能增加销售额。剩下的问题是销售额的上升幅度与销售成本的增加的幅度是否相当。最近的一个报告建议，今天的销售代表对较小的、利润不高的客户花去了太多的时间，实际上，他们应把销售努力集中于较大和更有营利性的客户身上。[21]

制定预期客户访问标准

公司通常对新客户的推销时间作出规定。斯拜特·弗雷特（Spector Freight）公司要求销售代表把 25% 的时间用于预期客户，如果访问预期客户三次都不见成效，就应该放弃那家客户。

企业之所以要规定预期客户访问标准，原因是多种多样的。如果放任不管，很多销售代表会把他们的大部分时间用于现有客户。现有客户的数目已经熟知，销售代表靠他们总能达成一些交易。而一个预期客户也许一笔生意也做不成。有些公司组织特派访问使者来开发新客户。

有效地支配销售时间

许多研究报告指出，最好的销售员是懂得怎样有效地管理时间的。[22]一种方法有效的计划工具是表面配置器软件，它是一种订单自动准备过程程序。在马萨诸塞州布林顿的康生特公司是这种在短时间内节约时间的生产商：

康生特公司（Concentra Corporation） 表面配置器（Configurator）软件，像一个网站一样，把顾客与所有的卖主资源相联系，但是，这个软件的执行是要通过销售人员的。在销售访问中，销售人员和他们公司的工程师和设计者向没有发展他们自己的技术专业意见的客户技术专家介绍产品的应用。来自自己公司办公室的定价信息也能够被访问。一位销售代表能输入客户公司关心的如产品的定制和需要的时间表信息。整合所有的信息，表面配置器软件能在几分钟内有效地写完指令。如果环境要求改变，例如根据送货或付款的要求，销售代表能快速而容易地更新协议。除了节约时间之外，表面配置器软件减少错误并建立了商誉。每一个人，包括销售中的销售工程师、业务代表以及客户，能从同一资源中，在相同的时间内获取同样的信息，因此，在传输过程中没有丢失任何东西。康生特的客户通过它的表面配置器软件程序增加了销售额和减少了损耗。[23]

另一种是时间—责任分析法(time-and-duty analysis)，该方法能帮助销售代表更好地安排他们的时间和增加他们的效率。销售代表的时间可用于以下几个方面：

● 准备。销售人员花时间收集信息和计划他们的访问策略。
● 旅行。某些工作的旅行时间要超过整个工作时间的50%，使用较快的交通工具可以缩短旅行时间——然而必须承认，这会增加费用。
● 用餐和休息。销售代表有一部分工作时间是用于就餐和休息的。
● 等候。包括在客户办公室等候的时间。这段时间是没有用的时间，除非充分利用它来撰写报告、拟订计划。
● 推销。与买主面谈或通电话的时间。
● 管理工作。时间花费在撰写报告，开单收款，参加销售工作会议，与公司其他成员商讨生产问题、交货、开单收款、销售活动及其他事务上的时间。

由于有这么多的事情要办，难怪实际面对面的推销时间仅仅只占了整个工作时间的25%！[24]各公司为更有效地安排销售队伍的工作时间，正在不断寻求可行的方法。这类方法中有训练销售代表使用"电话的力量"，简化记录的格式，用计算机制定访问计划和路线安排，提供有关顾客和竞争者的信息。

为了减少外勤销售员的时间需求，许多公司增加了内勤销售员的规模和责任。纳拉斯和安德森在对135家电子产品分销商的调查中发现，平均57%的销售人员是内勤销售员。[25]对此，经理们提出如下理由：外勤销售员访问成本逐步上升，电子计算机和革新的电信设备的使用日益广泛。

内勤销售员有三种类型：一是技术支持人员(technical support people)，他们提供技术信息和解答顾客的问题。他们主要在电话电脑公司和在线服务上。二是销售援助人员(sales assistants)，他们为外勤推销人员在事务性工作方面提供支持，他们在访问前确定约会时间、进行信用调查、跟踪交货进程和当顾客们无法与外勤销售代表取得联系时解答他们提出的问题。三是电信营销人员(telemarketers)，他们用电话找到新的客户线索，审查其资格，并向他们推销。一位电信营销人员在一天之内可通过电话同50位顾客联系，相比之下，一位外勤销售员一天只能接触4个顾客。他们在执行交叉销售同类产品；增加订单；介绍新的公司产品；开发新客户和激活老客户；对被忽视的客户增加注意；跟踪和核实直接邮购者的资格。

内勤销售员为外勤销售代表省下时间，使他们把更多的时间用于对主要客户的销售工作，寻找新的主要预期客户并将其转变为现实客户，为方便客户在电脑设备上装设电子订购装置，从而获得更多的一揽子订单和系统合同。同时，内勤销售员可用更多时间检查库存，跟踪订单执行进程，与较小客户进行电话联系等工作。外勤销售代表的报酬主要以刺激性报酬为基础，而内勤销售代表则以薪金或薪金加奖金为基础。

另一个戏剧性的突破是因为采用了新的技术设备——台式和手提式计算机、录像机、可视光盘、自动电话、电子邮件、传真机、电话会议和录像电话等。销售人员事实上已经"电子化"了。不光是销售和存货信息的传递大大加快，而且专门在光盘上以计算机为基础的决策辅助系统也已为销售经理研制出来。关于运用销售自动化增加效率的更详细介绍，参见"新千年营销——个人接触的自动化操作"。

新千年营销

个人接触的自动化操作

现代销售代表可以获得的多种技术资源配置，如网站、笔记本电脑、软件、打印机、调制解调器、传真复印机、电子邮件、移动电话以及寻呼机等，它们不断为销售代表创造了与顾客个人接触的更多的机会。销售代表在一种新型的关系上处理这种特定的时间安排，在买主和卖主间销售出更多的产品。传统方式的销售代表先了解顾客的需要，然后提供产品或服务，并进入密室与顾客会面，这种销售已经被一种新的模式所代替。在关系营销中，一位销售代表注重一种长期的伙伴关系，在这种关系中彼此协作，共同确定需要和发展、维护以及更新，为顾客定制的产品服务以满足他们的需要。

对销售人员最有价值的一种电信工具是公司的网站，而它的最有用的内容是作为一种勘查工具。公司网站会帮助定义公司与每个客户的关系和确定每次销售访问的业务保证。网站向不同的潜在客户提供了一种介绍。根据这种网站的性质，内部订单甚至可能在网上进行。在比较多的复杂交易中，网站提供了一种买主联系卖主的方法，例如，通过一种与电子邮件地址的链接，帕尔公司（Pall），一个液体过滤和提纯技术的制造商，直接发电子邮件给公司首脑，直接向相应的销售代表提供指导。由网站产生的质量和数量已促使公司能在业务名片和广告中注明它的主页。

在使用一个销售或支持销售的网站方面，并非人人都有这样的成就。格兰奇（Gringer），一家工业品供应公司，在它的内部的努力中很少有支持性的结果。它的顾客登陆网址数低于1%，而且，1998年它来自网上销售的财政收入低于1%。管理层得出了它的市场是不能在电子购物者中的结论。许多购买它的产品的代表是保护植物者或植物管理者，他们尚不在网上。因此，格兰奇正在放慢网上商务之路，它的网上旗帜广告可能是被关注它的顾客们访问的。

这些不同的经验为公司考虑在销售效果上使用网站的方针阐明了需求。在得州仪器公司，网络小组已经发展了一套有效运用媒体的规则，特别是企业对企业的销售中。得州仪器公司细心地估计目标市场上因特网的使用问题：是有吸引力的图解对预期顾客重要呢，还是他们更关注快速的下载数据？哪一种浏览者支持这一市场，而且网站接触到他们了吗？如果市场是国际化的，站点的内容在英语外的市场中可以利用吗？让网站成为一种有效的销售工具要求在媒体和站点内容方面都是专家。站点能吸引和保持顾客仅仅是当信息保持了最近的，而且以一种访问者易接近的和富有吸引力的方式，它们既是技术化的，也是按照传播方式出现的。通过解决不要求复杂介入的问题，而且，允许在最好的面对面的讨论问题方面花费更多的时间，因特网上的销售支持了关系营销。

资料来源：Charles Waltner，"Pall Corp. Wins Business with Info-Driven Web Site，" *Net Marketing*，October 1996；Beth Snyder，"Execs: Traditional Sales Still Key，" *Net Marketing*，May 1998；John Evan Frok，Grainger's Buy-in Plan，"*Business Marketing，*" November 1998，pp. 1，48；Ralph A. Oliva，"Rules of the Road Add to Success，" *Marketing Management*，Summer 1997，pp. 43～45.

行动(ACT!)是许多销售代表必备的软件包。

销售代表的激励

有些销售代表不需要管理层的指导就会尽其所能努力工作。对他们来说，推销是世界上最迷人的工作。他们雄心勃勃，又有创业精神。然而，大多数销售代表是需要鼓励和特殊的刺激才会努力工作的。现场销售尤其如此：

● 现场销售工作经常会遭到挫折，销售代表大多单独工作，工作时间长短不定，他们经常远离家室。他们面临着咄咄逼人的竞争对手；相对于顾客而言，他们处于低人一等的地位；他们常常缺乏足够的赢得客户所必须的权力，他们有时会失去曾因努力工作而获得的大量订单。

● 大部分人如果没有特殊刺激，例如金钱方面的获得、社会承认，就不会全力以赴地努力工作。

● 销售代表有时会为个人的问题烦恼，例如家庭成员生病，婚姻不美满或者负债。

丘吉尔（Churchill）、福特（Ford）和沃克（Walker）研究激励销售代表的问题。[26]他们的基本模式说：对销售人员的激励越大，他或她作出的努力便越大，更大的成绩将会带来更多的奖赏，更多的奖赏将会产生更大的满足感，而更大的满足感将产生更大的激励作用。这种模式的意思是：

● 销售经理应能使销售人员认识到，通过更加努力推销或经过培训后把工作做得更精明，便可推销更多的产品。但是如果销售量主要取决于经济条件或竞争行动的话，这种连锁反应便会受到某种程度的损害。

● 销售经理应能使销售人员认识到，得到成绩突出奖是要付出额外努力的。但是，在确定奖励标准时，如果只凭主观臆断，定得过低或定得不合理，这种联动作用就会受到损害。

研究人员应进一步衡量各种可行奖励的重要性。最有价值的奖励是工资，随后是提升、个人的发展和作为某群体成员的成就感。价值最低的奖励是好感与尊敬、安全感和表扬。换句话说，工资、有出人头地的机会和满足内心的需要，对销售人员的激励最为强烈，而需要安抚和安全感的激励较弱。研究人员还发现，激励因素价值的大小根据 销售人员人文特征的不同而不同：

● 年龄较大、任期较长的销售人员和那些家庭人口多的人对金钱奖励最为重视。

● 未婚的或家庭人口少的和通常受到较多正式教育的年轻人认为较高层次的奖励（表扬、好感与尊重、成就感）更有价值。

激励因素因国家不同而异。把金钱激励放在第一位的，在美国是 37%，而用同样的方法对加拿大的销售人员只有 20% 才认为是第一位的。澳大利亚和新西兰的销售员对一张支票的激励表现出最少的热情。[27]

销售定额

许多公司给销售代表订立一年的销售定额，定额可以依销售金额、单位销售量、毛利、推销努力或活动、产品种类来确定。报酬经常与定额完成情况联系在一起。

销售定额是在制定年度营销计划时产生的。公司首先要规定一个能达到的合理预期销售额。这是以后规划生产、工人数量以及资金需要的基础。管理层制定各地区的销售定额，一般都高于销售预测，销售定额定得高于销售预测可以促使销售经理和销售人员尽最大的努力去工作。如果定额完不成，公司却仍可以实现其销售预测。

每个地区的销售经理将地区的定额在销售代表中间进行分配。分配定额有三种流派。高定额派（high-quota school）所定的定额高于大多数销售代表实际能达到的水平。他们认为高定额能刺激销售员更加努力地工作。中等定额派

(modest-quota school)所定的定额，大多数销售队伍都能完成。他们认为销售队伍能完成定额是公平的，因而，就能获得信任。可变定额派（variable-quota school）认为销售代表之间存在着个人差异，因而可以给某些人定较高的定额，某些人应定中等定额。

一个普遍的观点是：一个销售员的定额至少应等于该人上年销售加上其销售量与上年销售的差额的若干成，该比值越大，销售员对压力的反应就越积极。

辅助激励措施

公司用许多方法刺激销售队伍努力工作。定期的销售会议（sales meetings）为销售代表提供了一个社交场所，一次日常例行性工作的休息，一次同"公司老板"进行交谈的机会，一次表明感情的机会以及与较大的群体交往相识的机会。销售会议是一个重要的沟通和激励工具。

公司还组织销售竞赛（sales contests）以激励销售队伍比平常更努力地工作。奖品可以是汽车、旅游、皮大衣、现金或表扬。此项竞赛的奖励面应适当放宽，使较多的销售人员能有得奖的机会。在 IBM 公司，有 70% 的销售人员组织了 100% 俱乐部。他们的奖励是 3 天的旅游包括一次公开的宴会和一枚金蓝色的饰针。销售竞赛日期不应预告通知，否则，一些销售人员会把一些销售推迟到销售竞赛开始时进行；此外，还有些人可能会在竞赛期间虚报销售量，让顾客表示购买意向而在销售竞赛过后却不能实现。

无论一次销售竞赛是集中销售一种特定的产品，还是一个限定时限内的产品，或者是一种最高收益者的普通认识上的回报都应当是相称的。得到较好工资的销售代表们的收入大部分是激励性的旅游、奖品与一张等价支票。考虑奥肯达特的方案：

奥肯达特（Okidata） 新泽西州圣罗拉尔的奥肯达特计算机打印公司，认为承认销售代表是工资奖金的组成部分。在一场销售竞赛中，卖出商品表示销售代表的成功，这种方式定期举行。它的总裁俱乐部是另外一种强有力的激励。达到公司年度目标的销售代表和他们的配偶得到一次世界级的为期 5 天的旅行奖励。一个由《刺激》杂志举行的销售代表的民意测验说，奥肯达特了解如何激励它的销售员。那些收入超过 10 万美元的人和奥肯达特其他得奖成员得到团体旅行的奖励的优先权。他们重视与其他的最佳销售员的认识和友谊。[28]

有些公司不用传统的报酬方法激励它们的销售人员并获得了巨大的成功：

创造职业公司（Creative Staffing） 安·麦加多（Ann Machado）是创造职业公司（一个雇员服务公司）的创办人和业主，她给她的销售代表和非销售员工的报酬有昂贵的晚餐、聚会、开车购物、狂欢、鲜花、温泉会议、烹调课和额外的度假时间。她的公司要求所有部门努力开发奖励的方法，麦加多的秘密是让员工确知他们想要的奖励，并怎样把它赚出来。然后，她批准这个项目。麦加多说："让员工选择他们

自己的报酬和目标，然后批准它们。" [29]

销售代表的评价

我们曾经叙述过销售监督工作的前导作用，即管理层告知并指导销售代表应做什么和激励他们去做好。但是，好的前导需要有好的反馈。而好的反馈意味着经常从销售代表那儿获得评价他们工作成绩的信息。

信息的来源

管理层从几方面获得有关销售代表的信息。最重要的来源是销售报告。其他来源有：个人观察所得，顾客的信件及抱怨，消费者调查以及同其他销售代表的交谈。

销售报告分为两类：未来活动计划和已完成活动的记录，前者最好的例子是销售员工作计划，通常由销售代表在一个星期或一个月之前做好上交。计划上详细写明准备做的访问和要走的路线。这类报告能使销售员计划并安排好他们的活动，告知管理当局他们的行踪，为管理层衡量他们的计划与成就提供依据。这样也可以看出各个销售代表"计划他们的工作和执行他们的计划"的能力。

许多公司要求销售代表起草一年的地区营销计划（territory marketing plan），其中要提出发展新客户、增加与现有客户交易的方案。这类报告使销售代表扮演了市场经理和利润中心的角色。销售经理对这些计划加以研究、提出建议。根据这些报告制定销售定额。

销售代表将完成的销售活动记录在访问报告（call reports）中。访问报告使销售经理及时掌握推销员的活动、顾客账户状况，并提供对以后的访问有用的情报。

这些报告为销售经理选择反映销售成绩的主要指标提供了原始数据。主要指标有：（1）每个销售员每天的平均销售访问次数；（2）平均每次销售访问的时间；（3）每天销售访问的平均收益；（4）每次销售访问的平均费用；（5）每次销售访问的招待费用；（6）每100次销售访问收到订单的百分比；（7）每一时期的新客户增加数；（8）每时期失去的客户数；（9）销售队伍费用占总成本的百分比。

正式评价

销售队伍的报告加上其他报告和观察结果，为评价销售代表提供了原始资料。关于评价的方法有以下几种。其中一种评价方式是，把销售代表目前的成绩与过去的成绩进行比较。表20—2是一个例子。

从这张表中，销售经理可以了解到一个销售员的许多情况。总销售额逐年在增长（第3行），但这未必证明他工作得很好。产品分析表明，产品B销售额的增长高于产品A（第1、2行）。从给他的产品销售定额来看（第4、5行），产品B销售的增加可能是牺牲产品A的结果。公司的毛利（第6、7行）表明产品A是产品B的2倍。该销售人员可能以牺牲较为有利可图的产品为代价，推销了销量较多而利润较少的产品。尽管在1998—1999年（第3行）他的总销售增加了 1 100 美元，但他整个销售毛利实际下降了 580 美元(第 8 行)。

表 20—2   **销售代表业绩的评价表**   单位：美元

		地区:密德兰	
		销售代表:约翰·史密斯	
	1996 年	**1997 年**	**1998 年**	**1999 年**
---	---	---	---	---
1. 产品 A 销售额	251 300	253 200	270 000	263 100
2. 产品 B 销售额	423 200	439 200	553 900	561 900
3. 全年总销售额	674 500	692 400	823 900	825 000
4. 占产品 A 定额的百分比	95.6	92.0	88.0	84.7
5. 占产品 B 定额的百分比	120.4	122.3	134.9	130.8
6. 产品 A 总利润	50 260	50 640	54 000	52 620
7. 产品 B 总利润	42 320	43 920	55 390	56 190
8. 总利润	92 580	94 560	109 390	108 810
9. 销售费用	10 200	11 100	11 600	13 200
10. 销售费用占年销售额比例	1.5	1.6	1.4	1.6
11. 访问次数	1 675	1 700	1 680	1 660
12. 每次访问成本	6.09	6.53	6.90	7.95
13. 平均客户数	320	324	328	334
14. 新客户数	13	14	15	20
15. 失去客户数	8	10	11	14
16. 每个客户平均销售额	2 108	2 137	2 512	2 470
17. 每个客户平均利润	4 289	292	334	326

　　尽管总费用占总销售额的比率是控制住了(第 10 行)，但销售费用却在不断地上升(第 9 行)。销售费用上升趋势与访问次数的增加没有什么关系(第 11 行)，可能主要是由于该销售人员发展了一些新客户的原因(第 14 行)。然而从每年失去客户数的上升趋势可以看出，他在寻找新客户时，很可能忽略了与现有客户的联系(第 15 行)。

　　最后两行表明了每个客户的销售额和毛利的水平与趋势。这些数值如果与全公司的平均值相比较，才会更有意义。如果该销售人员给每个客户的平均毛利比公司的平均数低，那么很可能是他选错了客户，或者他没有用足够的时间与客户交往。再看他的年访问次数(第 11 行)，要少于公司销售员做的平均访问次数。如果他经管的地区的距离与其他销售员的平均路途距离并无大的差异，那就意味着他可能没有全天工作，或者没有计划好他的访问路线，或者不能减少等待的时间，或者是他在某些客户身上花费了过多的时间。

　　销售代表可能在推销产品上非常有效，但在对待顾客上得分不高。他也许略胜于竞争者一筹，或他的产品更好，或他不断用新客户来代替他不喜欢的老顾客。越来越多的公司衡量顾客满意的方法，不仅分析它们的产品和顾客支持服务水平，还分析销售人员的服务水平。收集对销售人员、产品和服务的顾客意见可用信函调查表或电话访问进行。

评价的内容通常包括销售员对公司、产品、客户、竞争对手、经管地区和职责的了解。个人的性格，如风度、仪表、言谈、气质等也可进行评价。销售经理还可以检查销售员动机和服从上级方面的问题。[30]

销售经理还应该检查销售代表是否了解有关法规知识。例如，销售员不能说谎或强调购买产品的好处来误导消费者。美国法律规定，销售员的陈述必须与广告内容相一致。在业务推销中，销售员不可以贿赂采购代理人或其他能影响销售的人。他们不可以用贿赂或行业间谍活动来获得有用的竞争者的技术或商业秘密。最后，销售员不可以用暗示这些东西是不真实的等手法来诽谤竞争者或竞争者的产品。[31]

人员推销的原则

人员推销是一项古老的艺术。它已经形成了许多理论和原则。成功的销售员除了天性，还有许多因素，他们受过分析法和与顾客交流方面的训练。我们将讨论人员推销的三个主要方面：推销技术，谈判和关系营销。[32]图20—3描述了这个系统的三个方面。

图20—3　管理销售队伍：改进绩效

推销技术

今天的公司每年要花数亿美元用于训练提高销售人员的推销技术，每年几乎可以出售上百万本有关推销的书籍、像带和光盘。这些书都用了一些诱人的书名，诸如《推销中的问题》，《绿光推销》，《赢得销售和避免走向死胡同的秘密武器》，《你决不会被拒绝》，《有力说明的奥秘》，《教你101种销售法》，《靠拢！靠拢！靠拢！怎样赢得销售》，《明天早晨怎样赚钱》，《武士式推销》，《世界级的推销》。其中畅销最持久的一本书是戴尔·卡内基(Dale Carnegie)写的《如何赢得朋友和影响别人》。

所有的销售员训练方法都试图将销售员从一个被动的订单承接者转变为积极的订单争取者。订单承接者(order takers)是凭以下假设开展工作的：消费者了解自己的需要，他们讨厌任何施加影响的做法，喜欢有礼貌和谦逊的销售员。训练销售员成为订单争取者(order getters)，有两种基本的方法，销售导向方法和顾客导向方法。销售导向方法(sale-oriented approach)用高压式推销技术进行训练，例如用于推销百科全书和汽车等商品时的推销技巧。这种推销方法假设顾客一般不会购买，除非对其施加压力，认为顾客受灵巧的介绍和投其所好的态度的影响就会购买，认为顾客签出订单后不会反悔，或者即使反悔也无碍大局。

顾客导向方法(customer-oriented approach)是训练销售员解决客户问题的能力。销售员要学会如何去识别顾客的需要并提出有效的解决方法。这种推销方式假定：顾客具有构成公司营销机会的潜在需求，他们会采纳好的建议，忠实于将他们的长远利益放在心上的销售代表。从营销观念来看问题，解决问题者要比强行销售者或承接订单者具有更能为人们所接受的销售员的形象。

没有一种销售方法可以在任何情形下都非常有效。但大多数的销售训练计划在有效的销售过程中都要经过一些主要的步骤。这些步骤如图 20—4 所示，下面我们将讨论这个问题。[33]

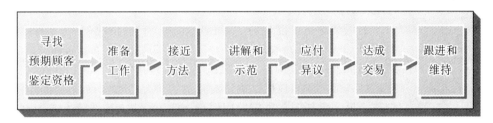

图 20—4 有效推销的主要步骤

寻找预期顾客和鉴定资格

销售程序的第一步是识别和鉴定预期顾客。从历史上看，大多数公司要求它们的销售员自己寻找线索。然而现在，越来越多的公司负起寻找和鉴定顾客的责任，所以，销售员可以用他们宝贵的时间把自己工作做得更好：推销。公司可以通过以下几个方法寻找线索：

● 检查数据资料(报纸、名录、光盘)以搜索名字。企业可以从商业名单销售公司，如邓白氏、R. L. 帕克(Polk)和 TRW 处购买名单。
● 在贸易展览会上设立房间促进来客访问。
● 访问现有顾客询问预期顾客的姓名。
● 培养其他能提供线索的来源，如供应商、非竞争性的推销代表、银行家和贸易协会负责人。
● 加入预期客户所在的组织和协会，以接触他们。
● 从事能引人注意的演讲和写作活动。
● 通过电话、邮件和因特网寻找线索。
● 未先通报偶然拜访各办事处(兜揽生意)。

公司然后对潜在的顾客，通过邮件或电话估计他们的利益和财务能力。其线索可分类为热线、温线和冷线预期顾客。热线预期顾客要派现场销售人员去访问，温线预期顾客用电话追踪。在一般情况下，一个预期顾客需要访问 4 次才能完成业务交易。

有些公司开展原始的销售探寻方法，如约翰·迪尔公司：

约翰·迪尔(John Deere)　1993年，由于农用设备需求下降，竞争活动加剧，迫使迪尔的管理层创造一种策略，即让计时工资的装配工人去寻找和接触预期中的客户。迪尔派出有专长和知识的工人，横跨北美地区展示公司产品给经销商和农民。这些工人还在没有预约的情况下对当地农民进行访问，讨论具体的问题。顾客看到这些新"代表"诚实，而且是制造迪尔产品的第一线工人。一旦这些新代表用自己制造和全面质量方案的专长介绍和争取到预期客户时，公司然后决策怎样在适当的时间派出销售代表作进一步的展示或与他们成交。[34]

准备工作

销售员应尽可能多地了解预期客户公司的情况(它需要什么、谁参与购买决策)和采购人员的情况(性格特征、购买风格)。可以向标准资料来源(穆迪手册、标准普尔行业调查、邓白氏手册)、向熟人和其他人询问该公司的情况。推销员应确定访问目标：确定潜在的客户是否够资格，收集他们的信息，达成交易。另一个任务是决定采用哪种访问方法最好，它可以是一种私人拜访、电话访问或者信函访问。访问的最好时机也必须予以考虑，因为许多预期客户在一定的时间内十分繁忙。最后，销售员还得考虑对客户的全面销售战略。

接近方法

销售员应该知道初次与客户交往该如何会见和向客户问候，使双方的关系有一个良好的开端，这包括销售员的仪表、开场白和随后谈论的内容。销售员所穿的衣着应尽量与顾客的衣着相类似(例如，在得克萨斯州，男子喜欢敞着衬衣领子，不系领带)；对待顾客要殷勤而有礼貌；避免做一些使人分心的动作，如在地板上踱来踱去，或者盯着对方看等；开场白要明确，如："史密斯先生，我是ABC公司的比尔·琼斯，我们公司和我本人都非常感谢您对我的接见，我将尽力使这次访问对您和贵公司都有所帮助。"接下来便可讨论某些主要问题或恭听，以了解购买者和他们的进一步的需要。

讲解和示范

现在，销售员可以按照"爱达"(AIDA)模式——争取注意(attention)、引起兴趣(interest)、激发欲望(desire)和见诸行动(action)——向购买者介绍该产品的"故事"。销售员也使用特征(feature)、优势(advantages)、利益(benefits)和价值(value)方法(FABV)。特征描述了一个市场提供物的物理特点，如一个芯片的处理速度或存储能力。优势描述了为什么这些特征能向顾客提供优势。利益描述了该提供物提交的经济、技术、服务和社会利益。价值描述了它的总价值(经常用金钱表示)。在推销过程中常犯的一个错误是过分强调产品特点(产品导向)，而忽略了顾客的利益(营销导向)。

公司的推销讲解有三种方式，最古老的就是固定法(canned approach)，这是一个将各个要点背熟的推销讲话。它基于刺激——反应这一思维过程，即顾客处于被动地位，销售员可通过使用正确的刺激性语言、图片、条件和行动等说服顾客购买。公式化方法（formulated approach）也是基于刺激—反应这一思维过程的，所不同的是先了解买主的需要和购买风格，然后再运用一套公式化的方法去向该类顾客推销介绍。

需要满足法（need-satisfaction approach）是通过鼓励顾客多发言以了解顾客的真正需要为起点。这种方法要求销售员有善于倾听别人的意见并能解决实际问题的能力。销售员扮演一个有业务知识的咨询角色，他希望帮助顾客省钱或赚更多人的钱。

销售员改进展示的方法可借助小册子、挂图、幻灯片、投影、音响和录像带、产品样品和以电脑为基础的仿真器。视觉辅助器可以显示一个产品如何工作和提供它的其他信息。小册子可成为顾客参考的资料。在集体讲解中，电子幻灯和类似软件代替了挂图。这些程序使销售代表要非常专业化地编制屏幕视觉材料和下载到观众的手提电脑中。强生兄弟公司（Johnson & Johnson）先进灭菌产品事业部使用的视觉辅助器是一台包括5个零件的小型录像机，所有这些都能容易地拼装在一个公文包大小的包袋里。电脑动画片展示给观众该灭菌系统的内部过程，它比实际商品提供了更多的信息，而且，这个系统是可携带的。[35]

应付异议

顾客在产品介绍过程中，或在销售员要他们订购时，几乎都会表现出抵触情绪。心理抵触（psychological resistance）包括：对外来干预的抵制，喜欢已建立的供应来源或品牌，对事物漠不关心，不愿意放弃某些东西，对销售代表有不愉快的联想、偏见，有反对让别人摆布的倾向，不喜欢作决定，对金钱的神经过敏态度。逻辑抵触（logical resistance）可能包括对价格、交货期或者是对某些产品或某个公司的抵制。要应付这些抵触情绪，销售员应采取积极的方法。请顾客说明他反对的理由，向顾客提一些他们不得不回答的他们自己的反对意见的问题，否定他们意见的正确性，或者，将对方的异议转变成购买的理由。如何应付反对意见是谈判技巧的一部分。

达成交易

现在，销售员该设法达成交易了。有些销售员的推销活动不能达到这一阶段，或者在这一阶段的工作做得不好。他们缺少信心，或对要求顾客订购感到于心有愧，或者不知道什么时候是达成交易的最佳心理时刻。销售员必须懂得如何从顾客那里发现可以达成交易的信号，包括顾客的动作、语言、评论和提出的问题。达成交易有几种方法。销售员可以要求顾客订货，重新强调一下协议的要点，秘书填写订单，询问顾客是要产品A还是产品B，让顾客对颜色、尺寸等次要内容进行选择，或者告诉顾客如果现在不订货将会遭到什么损失。销售员也可以给予购买者以特定的成交劝诱，如特价，免费加量赠送，或是赠送一件礼物。

跟进和维持

如果销售员想保证顾客感到满意并能继续订购，这最后一步是必不可少的。交易达成之后，销售员就应着手履约的各项具体工作：交货时间、购买条件及其他事项。销售员接到第一张订单后，就应制定一个后续工作访问日程表，以保证顾客能适当地安装好，及时提供指导和服务。这种访问还可以发现存在的问题，使顾客相信销售员的关心，并减少可能出现的任何认识上的不一致。销售员还应该制定一个客户的维持和成长计划。

谈判

大多数企业使企业的推销术包含了谈判技术。买卖双方须就价格和其他交易条件达成协议。销售应该在不作任何可能有损于盈利率的让步的情况下获得订单。

营销要关心交换活动及确立与交换条件有关的方式。在惯例化交换（routinized exchange）中，交换条款都按照实施计划中定价和分销规定的条件确定。在谈判交换（negotiated exchange）中，价格和其他交换条件均通过双方的计价还价，由两方或多方人员通过谈判达成长期的有约束力的协议。虽然价格常常被认为是谈判活动的主要内容，但并不是谈判的惟一内容，谈判的内容还包括：合同完成的期限，所交货物和服务的质量，货物数量，融资、风险、促销和货物管辖权和产品安全等方面。

营销人员发现自身需要在谈判中具有一定的素质和技巧，以便更有效地开展谈判。其中最重要的因素包括：事先准备与谈判主题有关的知识、计划技巧和在压力和不确定情况下清晰与迅速反应的思维能力、语言表达能力、倾听技术、判断能力和一般性智慧、正直、说服对方的能力和耐心。[36]

何时谈判

李（Lee）和多布勒（Dobler）列出了以下几种情况，这时开始一项交易的谈判是适当的：

1. 许多因素不仅对价格，而且对质量和服务都有影响的时候。
2. 无法准确地预先确定将冒哪些业务风险的时候。
3. 所购买的货物品目需要很长生产时间的时候。
4. 由于订单变化太多，因而生产经常被打断的时候。[37]

恰当的谈判往往存在着一个协议区（zone of agreement）。[38]协议区可以看做是对所有参与计价还价的人都存在的可接受的讨价还价的结果，这个概念见图20—5。如果讨价还价有两方参加，譬如一方是制造商，另一方是经销商之一，双方价格谈判中，各自都在私下里确定了一个可以接受的价格限度，即卖方有一个保留价 s，这是他可以接受的最低价格。合同的最终价格 x，如果低于 s，则意味着比没有达成交易还要糟糕。而如果 $x>s$，那么卖方可以获得盈余。很明显，卖方当然希望盈余越大越好，同时又要能与买方保持良好的关系。同样，买方也有一个保留价 b，即他愿意支付的最高价格，如果 $x>b$，那么买方就可以有盈余。如果卖方的保留价低于买方的保留价，即 $x<b$，那么就存在着一个协议区，并且最后的价格将由讨价还价来决定。

了解或大概估价出另一方的保留价，卖方把自己的保留价定得比实际数高一些，或买方把自己的保留价定得比实际数低一些，显然是有好处的。然而，买卖双方对保留价透露的程度，他们是运用保留价格抑或故意运用真真假假的策略，这些都要视讨价还价者的个性、谈判的环境以及对未来关系的期望而定。

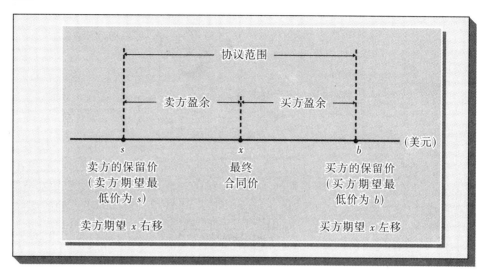

图 20—5　谈判协议区

资料来源：Reprinted by permission of the publishers from *The Art and Science of Negotiation*, by Howard Raiffa, Cam bridge, MA: The Belknap Press of Harvard University Pres copyright 1982 by the President and Fellows of Harvar College.

制定讨价还价战略

讨价还价包括开始讨价还价之前的战略决策，和在具体讨价还价谈判过程中的战术决策。

讨价还价战略(negotiation strategy)是为实现谈判目标的良好机会而采取全面探讨的一种谋略。

有的谈判者建议向对手采取"强硬"战略，也有人认为"温和"战略效果会更好。费希尔(Fisher)和尤里(Ury)则提出了另外一种战略，即"有原则的谈判"战略，这个问题的更详细介绍，参见"营销备忘——有原则的讨价还价谈判方法"。

营销备忘

有原则的讨价还价谈判方法

在著名的"哈佛谈判项目"的研究中，罗杰·费希尔(Roger Fisher)和威廉·尤里(William Ury)总结出"有原则谈判"的四个要素。

1. 将人与问题分开。各方必须理解对方的观点，并设法体会到对方提出这一观点的感情程度，但集中在各方的利益上，而非他们的个人差异上。主动地听取对方的发言，并且有所反应，相互沟通对问题的看法，从而改善和得到一个满意解决的机会。

2. 集中在利益上而不是在立场上。利益与立场的区别类似于解决问题和期望结果或打算和结局。集中在利益上而不是在立场上，谈判各方更容易找到取得共同利益的共同点。

3. 创造对双方都有利的交易条件。设法找到一个更大的馅饼，而不是争论切开的馅饼每一块该有多大。寻求对双方都有利的选择方案，帮助双方找到共同利益之所在。

4. 坚持客观的标准。坚持协议中必须体现不受哪一方单方面立场左右的公正客观标准。这个方法避免了一方必须赢得另一方的局面，双方都在能接受的临界点上获得公平的解决方案。

资料来源：Adapted from Roger Fisher and William Ury, *Getting to Yes: Negotiating Agreement Without Giving In*, rev. ed. (Boston: Houghton Mifflin, 1992), p. 57.

谈判者在讨价还价时会运用各种战术。讨价还价战术是指在谈判过程中的具体细节上所采用的战略。传统的讨价还价战术可参见表20—3。费希尔和尤里提出了一些与他们的有原则谈判战略相一致的战术方面的建议。如果谈判另一方实力强时，他们提出最好的办法是了解自己的"BATNA"——谈判协议的最佳备选方案（Best Alternative to a Negotiated Agreement）。如果双方不达成协

表 20—3	传统的讨价还价战术
故作热情	装出十分热心的样子，这样会增加对方对你的信任，使对方相信按你的条款达成交易是对的
漫天要价	谈判时给自己留下较大的后退余地。开始时要价很高，作出让步后，仍能按较高的价格达成交易，所得的赚头比起开始要低价而达成交易的要大得多
得到一个有威望的盟友	搬出与某个有威望人物或有影响项目的关系，你就可以使对方接受较低的价格，因为他（她）认为通过这笔交易将间接与之发生关系的人或项目是有"威望"的
亮出底牌	表明立场并告诉对方，已无法再作让步
权力有限	与对方真诚谈判，但准备签约时，可告以："我还得向上司请示"
鹬蚌相争，渔翁得利	你可让几个竞争者知道你正在同时与他们谈判。把同竞争者的会谈安排在同一时间，并使他们都等着见你
分而制之	如果对方是一个谈判小组，先用你的建议说服对方的个别成员，被说服的那个人便会帮助你游说其他成员
拖延时间	完全离开谈判一段时间，情况缓和一些之后，再回来重新继续谈判。离开的时间可长（推说将离开本地）可短（到盥洗室思索一会儿）
不动声色	对对方既无表情也不说话，对对方施加的压力也无动于衷。坐在那里像个大傻瓜，保持冷漠的面孔
静观以待	如果你能比对方等待更久，你可能会赢得更大的胜利
互相让步	最先提出建议的人，吃亏最小
试探气球	正式作出决策之前，你先通过所谓可靠消息来源透露你的决定内容，这样就可以探得他方对你的决定的反应
出其不意	让你的对手对你在总战术方面明显的、猛烈的、戏剧性的、突然的变化感到心慌意乱。使预见无门——让你的对手期望你的行动

议，那么通过自己的备选方案，提出衡量其他意见是否可行的标准。这样就避免了一方因对手强大而被迫接受不利条件的可能。

另外一些讨价还价战术是对付对方为自己的利益而玩弄欺骗、歪曲、权势手段的。当另一方采用威胁手段，或采取要么接受要么放弃的战术的时候，或者在谈判桌旁装出胜利者的姿态神气活现时，该采取什么相应的策略？为作出姿态，谈判者应清楚地意识到对方所采用的战术，明确提出问题，并对对手这种战术提出是否合理和需要的质疑——也就是说，应就这种战术进行谈判。如果这些都失败了，那就采用 BATNA，在对方停止采用这类手段之前，终止谈判。坚持这种防卫性的原则要比对对方进行反击更为有效。

关系营销

人员推销和谈判的原则是以交易导向(transaction-oriented)的，因为他们的目标是达成这场交易。然而，在许多情况下，公司并非只简单地寻求立即销售，它的目标是建立供应商和顾客的长期关系。公司希望能向客户表示，它有能力用高级的方法为他们的需要服务。尼尔·拉克姆(Neil Rackham)发明一种方法，他称为 SPIN 推销法[情景(Situation)／问题(Problem)／内涵(Implication)／需要支付(Need-payoff)]。作为老练的销售人员，在他的区域应知道如何提出问题、聆听和学习。尼尔·拉克姆训练销售人员提出四种探测性类型的问题：

1. 条件问题。这些问题询问有关因素或探测购买者的当前条件。例如，"你正在使用什么系统为你的顾客开发票呢？"

2. 疑难问题。这些问题涉及到买主经历的疑问、困难和不满意。例如，"系统的哪部分导致了错误？"

3. 关联性问题。这些问题询问对一位买主的疑问、困难或不满有关的结果或影响。例如，"这个问题对你公司人员的生产影响如何？"

4. 需要——报酬问题。这些问题询问一个目标问题的价值或用途。例如，"如果你们公司能减少 80% 的错误，你将会节省多少开支？"

拉克姆建议公司，特别是那些销售复杂产品或服务的公司，应该让它们的销售人员从按部就班转向预测前途中的问题和需求，转向证明供应商的卓越能力，以及得到一份长期的委托。这种方法映射出许多公司从追求一种直接的销售转向发展长期顾客关系。[39]

今天，越来越多的公司正在把它们的重点从交易营销转向关系营销。今天的顾客规模庞大并且常常是全球化的。他们更偏好的供应商是：能为许多地区的分部销售与交付系列化协作产品和服务；能在不同的地区迅速解决问题；与客户更接近以改进产品与操作过程。然而不幸的是，大多数公司不能满足这些要求，它们的产品由独立的销售员推销并很难集合在一起。当地区销售员要求帮助时，公司的全国客户经理可能会拒绝。公司的技术员不愿意花更多的时间培训顾客。

为了赢得和维持客户，公司认识到销售小组是一个关键。它们还认识到对销售小组的要求并不是处理产品的过程。它们需要修订它们的报酬系统以给客户信用赊账；它们必须建立更好的销售员目标和衡量方法；它们必须在培训计划中强调工作小组的重要性，同时必须认识尊重个人创新精神的重要性。[40]

关系营销的基础前提是集中关注和连续注意重要客户的需要。销售人员与主要客户打交道，在他们认为客户可能准备订购时进行拜访，邀请客户共同进餐，并要求客户对他们的业务提些有价值的建议。他们应该关心关键客户，了解他们存在的问题，并愿意以多种方式为他们服务。

当一个关系管理程序被适当地执行时，组织应像对待产品管理一样，一开始就把客户管理作为自己的工作重点。同时，公司应认识到，当有一个强大和有保证的活动冲击关系营销时，在某些场合就会失效。作为极限，公司必须调整细分市场和特定的顾客，以使关系管理有盈利的反应。（作为启发内容，参见"营销视野——在什么时间和怎样运用关系营销"。）

营销视野

在什么时间和怎样运用关系营销

巴巴拉·杰克逊（Barbara Jackson）认为关系营销并不是在所有情况下都有效，但使用得当却是极为有效的。她认为交易营销更适合于眼光短浅和低转换成本的顾客，例如商品购买者。一位购买钢材的顾客可询问几家钢材供应商，并向一家能提供最优条件的供应商购买。一家钢材供应商过去曾特别具有吸引力或反应敏感，但这并不等于说明它会自动地赢得下一次交易；它的条件必须具有竞争性。

另一方面，关系营销投资用于具有长远眼光的和高转换成本的顾客，如办公室自动系统的购买者，则效果更好。一个意欲购置大型系统的顾客在对互相竞争的供应商的情况作了认真的研究之后，大概会选定一个可提供长期维修服务和现代工艺技术水平的供应商做生意。顾客与供应商都在这种关系中投入了大量的金钱与时间。该顾客会发觉要转向另一位卖主会造成极大的经济损失，而且风险很大；而销售商则会发觉失去这位顾客将会是一个巨大的损失。杰克逊把这种顾客称为"为了得利而有所损失的顾客"。

在"为了得利而有所损失"的情况下，内部供应商和外部供应商两者所面临的挑战却有所不同。就内部供应商而论，其整体战略是使顾客难以转向其他供应商。内部供应商将开发与竞争的产品不能兼容的产品系统，并安装用于库存管理和交货的专用订货系统。另一方面，外部供应商设计的产品系统可与顾客的产品系统兼容，易于安装和掌握，可为顾客节省大量金钱，并可随时间不断得到改进。

安德森（Anderson）和纳罗斯（Narus）认为，交易营销与关系营销的对象适用范围并不在于行业问题，而在于特定顾客的希望。有些顾客看重高的服务利益并与供应商长期捆在一起。另一些顾客希望削减其成本，否则转向更低成本的供应商。在这种情况下，公司只有同意通过减少服务来降低成本，以保持该顾客。例如，该顾客可能放弃免费送货、某些培训等，因为他是注重以交易为基础而不是以关系为基础。一旦公司削减其自己的成本比其价格减少更多的话，交易导向的顾客将会盈利。

资料来源：Barbara Bund Jackson, *Winning and Keeping Industrial Customers: The Dynamics of Customer Relationships* (Lexington, MA: D C. Heath, 1985); and James C. Anderson and James A. Narus, "Partnering as a Focused Market Strategy," *California Management Review*, Spring 1991, pp. 95 ~ 113.

小结

1. 销售人员是公司联结其顾客的纽带。对许多顾客来说，销售代表是公司的象征；反过来，销售代表又从顾客那里给公司带来许多顾客的信息。

2. 销售队伍设计要求目标、战略、结构、规模、报酬方面的决策。销售队伍的目标包括：寻找客户，设定目标，信息传播，推销产品，提供服务，收集信息和分配产品。销售队伍的决策要求选择较有效的推销方法的组合。销售队伍的结构选择需要按地理位置、产品或市场(或把它们结合起来)划分区域。销售队伍的规模是要估计总的工作量和多少推销时间(从而得出销售员数量)。销售队伍的报酬要求决策采用哪种类型的薪金、佣金、奖金、费用、福利补贴，以及顾客满意占销售代表总报酬的比例是多少。

3. 对销售队伍的管理包括五个步骤：(1)招聘和挑选销售代表；(2)培训销售代表在销售技术和公司产品、政策、顾客满意导向上的知识；(3)销售队伍的监督，帮助他们有效地安排时间；(4)销售队伍的激励，平衡他们的定额、金钱奖励和辅助鼓励措施；(5)评价销售代表个人和小组的绩效。

4. 有效率的销售员掌握分析方法和精于客户管理，以及懂推销技术。没有一种销售方法在任何情况下都非常有效，但大多数的销售训练计划包括七个步骤：寻找预期顾客和鉴定资格，准备工作，接近方法，讲解和示范，应付异议，达成交易，跟进和维持。

5. 推销的第二方面工作是谈判，它是以双方都满意的条件达成交易的艺术。第三方面是关系营销，这是在买卖双方间集中建立长期、互利的关系。

应用

本章观念

1. 据说每笔销售都可分为两部分——由销售员完成的那部分和由销售员所属组织完成的那部分。公司应向销售员提供什么以帮助增长总体销售？销售经理和销售代表的工作有何区别？

2. 许多年复一年取得良好销售和利润的组织——如戴尔计算机、诺特斯通(Nordstrom)、默克、四季(宾馆连锁)[Four Seasons(hotel chain)]、范加特集团(Vanguard Group)、沃尔玛、中西部快递(Midwest Express)、亨氏、家用百货公司、联合包裹服务运送公司(UPS)和杜邦(DuPont)——它们取得这样的成绩在某种程度上是因为他们有良好的销售管理,例如:

● 戴尔计算机在计算机技术的应用中始终保持和用户的联系。戴尔为用户提供保证、升级及终身技术支持。到达用户手中的计算机已装有一个操作系统。该公司还进行认真的培训计划，以帮助公司的市场销售人员通过远距离销售和直接邮购出售计算机和高级技术。

● 诺特斯通热情地关注着每一位顾客并保持以前购买的数据库。这样，它的销售人员能为顾客以后的购买提供更好的帮助。顾客们保持着对该品牌的极度忠诚。

从余下的公司中任选 3 家，准备一份关于良好的销售管理如何促成全盘成功的简短报告(3 页～5 页)。

3. 对下面每种情况，指出对销售人员是否应在基本工资或佣金计划上给予奖励。解释你的回答。

a. 非销售责任(如提供技术服务、给予公共关系时间、设置陈设)是最重要的。

b. 推销任务是复杂的并牵涉到销售小组，如数据处理设备或重型机械的销售。

c. 关键目标通过新客户争取更大销售额。

d. 公司高度需要无须很多监督的企业销售代表。

e. 销售显示了显著的季节性特点，某些时期销售额很高，某些时期很低。

f. 公司的主要目标是来自每一笔交易的销售额的增长。

g. 公司积极寻求和用户的长期关系及为有优势的顾客服务。

h. 推销任务是如此平常以至于它就相当于拿订单，例如批发和出售消费者使用的大路货。

营销与广告

1. 福特公司使用图 20A—1 的广告，它刊登在《拉蒂娜》(Latina)杂志上，预期顾客进入经销商展示厅。接着，销售代表走过来，询问有关的预期顾客的需要，而且讨论福特车各种模型的特征和优点。你认为经销商销售代表需要什么类型的培训？他们应如何筛选预期顾客？对于经销商销售代表来说，为什么良好的跟进和维持技巧是重要的？

图 20A—1

2. 在图 20A—2 中显示的施乐广告是适应生产诸如彩色画册营销材料组织的。这个广告指导有兴趣的阅读者拨打免费电话并询问一位"施乐色彩专家"。该专家可能是销售代表的六个类型中的哪一种？这种特别的销售任务中的哪一种是销售代表可能执行的？

图 20A—2

聚焦技术

自动化销售管理软件帮助公司提高了它们的销售代表的生产力，并且比较好地整合了整个营销和公司战略的销售活动。在这一技术中的领先者是特林罗奇（Trilogy），它的销售连锁软件包括管理销售工资、合同、定价、建议书以及销售过程的其他方面的内容。

访问特林罗奇网站，阅读关于它的销售连锁软件（www. trilogy. com/products/selling-chain. asp）。点击"销售佣金"（SC Commission）键（在左边的产品栏中），阅读关于这个程序的销售工资部分，使用这个软件的有惠普公司等的销售经理。销售经理可能会用什么标准评估他们的销售代表的绩效？为什么一位销售经理关注销售代表产生的销售额的同时，也要追踪盈利性？

新千年营销

许多公司正在运用它们的网站作为在销售代表和它们的客户之间建立长期关系的工具。一个例子是得州仪器公司，它创造了一种先进复杂的网站，以支持它多种产品线包括计算器和半导体的销售。

访问得州仪器公司的网站（<u>www. ti. com/</u>）。点击私人政策（Privacy Polity）（在页面底部），了解它为何从访问者那里收集信息。然后，返回主页并点击TI&ME键（在顶部右边）去查看访问者将如何定制他们在网站上看到的东西。得州仪器公司运用从访问者收集来的信息做什么？为什么一位顾客想要定制这一网页？为什么得州仪器公司想要它的顾客建立顾客定制化的网页？这可能在顾客和他们的销售代表之间产生什么影响？

你是营销者：索尼克公司的营销计划

许多营销人员——包括非营利组织和营利组织——包括在营销计划中的人员推销。但是，由于维持一支销售队伍需要高额开支，所以，许多营销人员正在用邮件和电话销售代替一些人员上门和销售拜访。

在索尼克公司，你正在帮助简·梅洛迪经理计划公司的台式音响产品线的销售战略。花几分钟时间，浏览索尼克的现有条件和你已经设计的营销战略。然后，回答下列关于索尼克运用人员推销的问题：

● 索尼克的销售队伍应访问谁？销售队伍怎样支持索尼克的营销计划和目标？索尼克能从主要客户管理中获利吗？
● 索尼克应当为它的销售队伍制定什么样的销售目标和定额？
● 哪种类型的工资分配制度比较适合公司的销售队伍？
● 索尼克应该为新的和已有的销售代表提供什么培训？

一旦你已经回答了这些问题，思考对索尼克的整体营销目标和它的营销组合的关系。在你的导师指导下，把你的答案和推荐内容打印成一份书面的营销计划，或者输入到营销计划软件的营销战略/销售队伍部分和销售预测部分中。

【注释】

[1] See Rolph Anderson, *Essentials of Personal Selling: The New Professionalism* (Upper Saddle River, NJ: Prentice Hall, 1995); and Douglas J. Dalrymple, *Sales Management: Concepts and Cases,* 5th ed. (New York: John Wiley, 1994).

[2] Adapted from Robert N. McMurry, "The Mystique of Super-Salesmanship," *Harvard Business Review,* March-April 1961, p. 114. Also see William C. Moncrief Ⅲ, "Selling Activity and Sales Position Taxonomies for Industrial Salesforces," *Journal of Marketing Research,* August 1986, pp. 261 ~ 270.

[3] For estimates of the cost of sales calls, see *Sales Force Compensation* (Chicago: Dartnell's 27th Survey, 1992), and *Sales & Marketing Management's* 1993 sales manager's budget planner (June 28, 1993), pp. 3 ~ 75.

[4] Sarah Lorge, "A Priceless Brand," *Sales & Marketing Management,* October 1998, pp. 102 ~ 110

[5] Sanjit Sengupta, Robert E. Krapfel, and Michael A. Pusateri, "The Strategic Sales Force," *Marketing Management,* Summer 1997, p. 33.

[6] Christopher Power, "Smart Selling: How Companies Are Winning Over Today's Tougher Customer," *Business Week*, August 3, 1992, pp. 46 ~ 48.

[7] Ira Sager, "The Few, the True, the Blue," *Business Week*, May 30, 1994, pp. 124 ~ 126; Geoffrey Brewer, "IBM Gets User-Friendly," *Sales & Marketing Management*, July 1994, p. 13.

[8] For estimates of sales reps' salaries, see *Sales & Marketing Management*, October 1998, p. 98.

[9] Luis R. Gomez-Mejia, David B. Balkin, and Robert L. Cardy, *Managing Human Resources* (Upper Saddle River, NJ: Prentice Hall, 1995), pp. 416 ~ 418.

[10] "What Salespeople Are Paid," *Sales & Marketing Management*, February 1995, pp. 30 ~ 31; Power, "Smart Selling," pp. 46 ~ 48; William Keenan Jr., ed., *The Sales & Marketing Management Guide to Sales Compensation Planning: Commissions, Bonuses & Beyond* (Chicago: Probus Publishing, 1994.)

[11] George H. Lucas Jr., A. Parasuraman, Robert A. Davis, and Ben M. Enis, "An Empirical Study of Sales Force Turnover," *Journal of Marketing*, July 1987, pp. 34 ~ 59.

[12] See Charles Garfield, *Peak Performers: The New Heroes of American Business* (New York: Avon Books, 1996); "What Makes a Supersalesperson?" *Sales & Marketing Management*, August 23, 1984, p. 86; "What Makes a Top Performer?" *Sales & Marketing Management*, May 1989; and Timothy J. Trow, "The Secret of a Good Hire: Profiling," *Sales & Marketing Management*, May 1990, pp. 44 ~ 45.

[13] McMurry, "The Mystique of Super-Sales-manship," p. 117.

[14] Ibid., p. 118.

[15] David Mayer and Herbert M. Greenberg, "What Makes a Good Salesman?" *Harvard Business Review*, July-August 1964, pp. 119 ~ 25.

[16] James M. Comer and Alan J. Dubinsky, *Managing the Successful Sales Force* (Lexington, MA: Lexington Books, 1985), pp. 5 ~ 25.

[17] From an address given by Donald R. Keough at the 27th Annual Conference of the Super-Market Institute, Chicago, April 26 ~ 29, 1964. Also see Judy Siguaw, Gene Brown, and Robert Widing II, "The Influence of the Market Orientation of the Firm on Sales Force Behavior and Attitudes," *Journal of Marketing Research*, February 1994, pp. 106 ~ 116.

[18] Robert L. Lindstrom, "Training Hits the Road," *Sales & Marketing Management*, June 1995, pp. 10 ~ 14.

[19] *Sales Force Compensation* (Chicago: Dartnell's 25th Survey, 1989), p. 13.

[20] See John F. Magee, "Determining the Optimum Allocation of Expenditures for Promotional Effort with Operations Research Methods," in *The Frontiers of Marketing Thought and Science*, ed. Frank M. Bass (Chicago: American Marketing Association, 1958), pp. 140 ~ 156.

[21] Michael R. W. Bommer, Brian F. O'Neil, and Beheruz N. Sethna, "A Methodology for Optimizing Selling Time of Salespersons," *Journal of Marketing Theory and Practice*, Spring 1994, pp. 61 ~ 75.

[22] See Thomas Blackshear and Richard E. Plank, "The Impact of Adaptive Selling on Sales Effectiveness Within the Pharmaceutical Industry," *Journal of Marketing Theory and Practice*, Summer 1994, pp. 106 ~ 125.

[23] "Automation Nation," *Marketing Tools,* April 1997; Scott Hample, "Made to Order," *Marketing Tools,* August 1997.

[24] "Are Salespeople Gaining More Selling Time?" *Sales & Marketing Management,* July 1986, p. 29.

[25] James A. Narus and James C. Anderson, "Industrial Distributor Selling: The Roles of Outside and Inside Sales," *Industrial Marketing Management* 15 (1986): 55 ~ 62.

[26] See Gilbert A. Churchill, Jr., Neil M. Ford, and Orville C. Walker Jr., *Sales Force Management: Planning, Implementation and Control,* 4th ed. (Homewood, IL: Irwin, 1993). Also see Jhinuk Chowdhury, "The Motivational Impact of Sales Quotas on Effort," *Journal of Marketing REsearch,* February 1993, pp. 28 ~ 41; Murali K. Mantrala, Prabhakant Sinha, and Andris A. Zoltners, "Structuring a Multiproduct Sales Quota-Bonus Plan for a Heterogeneous Sales Force: A Practical model-Based Approach," *Marketing Science 13,* no. 2 (1994): 121 ~ 144; Wujin Chu, Eitan Gerstner, and James D. Hess, "Costs and Benefits of Hard-Sell," *Journal of Marketing Research,* February 1995, pp. 97 ~ 102.

[27] "What Motivates U. S. Salespeople?" *American Salesman,* February 1994, pp. 25, 30.

[28] Kenneth Heim and Vincent Alonzo, "This Is What We Want!" *Incentive,* October 1998, pp. 40 ~ 49.

[29] "A Gift for Rewards," *Sales & Marketing Management,* March 1995, pp. 35 ~ 36.

[30] See Philip M. Posdakoff and Scott B. MacKenzie, "Organizational Citizenship Behaviors and Sales Unit Effectiveness," *Journal of Marketing Research,* Agust 1994, pp. 351 ~ 363.

[31] For further reading, see Dorothy Cohen, *Legal Issues in Marketing Decision Making* (Cincinnati, OH: South-Western, 1995).

[32] For an excellent summary of the skills needed today by sales representatives and sales managers, see Rolph Anderson and Bert Rosenbloom, "The World Class Sales Manager: Adapting to Global Megatrends," *Journal of Global Marketing* 5. no. 4 (1992): 11 ~ 22.

[33] Some of the following discussion is based on W. J. E. Crissy, William H. Cunningham, and Isabella C. M. Cunningham, *Selling: The Personal Force in Marketing* (New York: John Wiley, 1977), pp. 119 ~ 129.

[34] Norton Paley, "Cultivating Customers," *Sales & Marketing Management,* September 1994, pp. 31 ~ 32.

[35] "Notebook: Briefcase Full of Views: Johnson and Johnson Uses Virtual Reality to Give Prospects an Inside Look at Its Products," *Marketing Tools,* April 1997.

[36] For additional reading, see Howard Raiffa, *The Art and Science of Negotiation* (Cambridge, MA: Harvard University Press, 1982): Max H. Bazerman and Margaret A. Neale, *Negotiating Rationally* (New York: Free Press, 1992); James C. Freund, *Smart Negotiating* (New York: Simon & Schuster, 1992); Frank L. Acuff, *How to Negotiate Anything with Anyone Anywhere Around the World* (New York: American Management Association, 1993); and Jehoshua Eliashberg, Gary L. Lilien, and Nam Kim, "Searching for Generalizations in Business Marketing Negotiations," *Marketing Science* 14, no. 3, pt. 1 (1995): G47 ~ G60.

[37] See Donald W. Dobler, *PUrchasing and Materials Management,* 5th ed. (New York: McGraw-Hill, 1990).

[38] This discussion of zone of agreement is fully developed in Raiffa, *Art and Science of*

774

Negotiatin.

[39] Neil Rackham, *SPIN Selling* ( ) New York: McGraw-Hill, 1988). Also see his *The SPIN Selling Fieldbook* (New York: McGraw-Hill, 1996); and his latest book, coauthored with John De Vincentis *Rethinking the Sales Force* New York: McGraw-Hill, 1996.

[40] See Frank V. Cespedes, Stephen X. Doyle, and Robert J. Freedman, "Teamwork for Today's Selling," *Harvard Business Review,* March-April 1989, pp. 44 ~ 54, 58. Also see Cespedes, *Concurrent Marketing: Integrating Product, Sales, and Service* (Boston: Harvard Business School Press, 1995).

第**21**章

管理直接营销和在线营销

科特勒论营销：

今天营销活动的多数正在从地点营销走向计算机营销。

本章将阐述下列一些问题：

● 直接营销的益处是什么？

● 公司怎样用整合的直接营销来取得竞争优势？

● 顾客数据库是怎样支持直接营销的？

● 直接营销用什么渠道来接触个别的预期顾客和现行顾客？

● 在线渠道提供什么样的营销机会？

● 在直接营销和在线营销中要注意哪些公共道德问题？

今天，载体的激增使更多的公司能直接向顾客销售它们的产品和服务，而无须中间机构。现行的载体(印刷品和广播、目录单、直接邮寄和电话营销)通过传真机、电子邮件、因特网和在线服务而畅通无阻。公司日益增多地使用所有的载体向现行顾客直接发盘报价和确定新的预期客户。直接营销使大公司更精确地定制它们的供应品并测量结果。

直接营销的成长和益处

美国直接营销协会(Direct Marketing Association，DMA)对直接营销的定义如下：

> 直接营销(direct marketing) 是一种为了在任何地方可度量的反应或达成交易而使用的一种或多种广告载体的交互作用的市场营销体系。

这一定义强调一个可衡量的反应，主要是针对从顾客处获得订单。因此，直接营销可被称为直接订货营销(direct-order marketing)。

今天，许多直接营销者发现他们扮演的角色越来越广泛，他们可以与顾客建立长期的关系[直接关系营销(direct relationship marketing)]。[1]直接营销者给从他们顾客的数据库中经选择的顾客非经常性地寄出生日贺卡、信息资料或小赠品。航空、旅馆以及其他一些企业通过经常性的赠品活动和俱乐部计划，以建立强有力的顾客关系。

直接营销和电子购买的发展

通过传统的直接营销渠道(目录单、直接邮寄和电话营销)的业务量在迅速发展。美国 1997 年零售额的年增长率约 3% 左右，而邮购目录单和直接邮件销售额年增长率约为 7% 。这些销售发生在消费者市场(53%)、企业(27%)和慈善募捐(20%)。通过目录单和直接邮件销售额的估计每年购买数为 3 180 亿美元。人均年直接销售为 630 美元。[2]

造成直接营销的迅速增长的原因有许多因素。市场"高度多样化"导致了对有区别偏好的市场补缺数量的日益增加。高昂的驾车开支、交通堵塞、停车的麻烦、时间的短缺、缺乏零售店的销售帮助以及结账时排队等，这些都刺激了在家购买。消费者欣赏一天 24 小时、一周 7 天的免费电话号码的直接营销者以及他们为顾客的服务。通过联邦快递、空运、UPS 公司的第二天送货制度和它的便利也是促进直接营销的一个主要因素。此外，许多连锁店一直疏于专门性商品的及时进货，这就给直接营销者推销这些产品给有兴趣的购买者提供了机会。计算机负载能力和顾客数据库的发展，使直接营销者得以为他们想要出售的产品直接找到最佳的预期顾客。业务营销者越来越多地转向直接邮寄和电信营销，是因为通过销售队伍的业务市场的费用越来越高。

电子传播在迅速增长。1997 年，因特网的用户在全世界达到 1 亿网民，在美国为 6 700 万人。因特网的交易量每 100 天翻一番。全球有 150 万个网站。麦肯锡咨询公司(McKinsey Company)估计到 2002 年，电子商务销售增长到 3 270 亿美元。[3]"信息高速公路"的创建使革命性的通商方法成为可能。电子商务(electronic business)是由电子方式支持的买卖双方研究、通信和潜在交易过程中的常用术语。电子市场(electronic market)是由网站发起的：(1)描述出售方的产品的服务；(2)让买方搜寻信息，确定他们的需要或欲望，使用信用卡签发订单。然后，该产品以实物形式送到顾客家中或办公室，或以电子交换形式传送，例如，软件直接可以输入到顾客的电脑中。

直接营销的益处

直接营销给顾客带来许多好处。在家中购物有趣、方便并能避免嘈杂之累。它节约了时间和向消费者导入大量更多的商品选择。他们通过浏览邮寄目录单和网上购物服务，比较商品，为自己和别人订购商品。工业品采购者也能从中获得好处，尤其是不必花费很多时间与销售员会面，便可了解各种产品和服务的情况。

直接营销给销售员也带来了一系列的好处。一个直接营销者几乎可以购买到各种人的邮寄名单：左撇子、超重者、百万富翁、新生儿等等。然后，这类信息可以个性化和定制。比亚·派瑟伍特(Pierre Passavnt)指出："我们的记忆库中存有几百条信息。我们将选出 1 万个具有 12 种或 20 种或 50 种不同性格的家庭，并送给它们非常符合其个性的激光打印信件。"[4]直接营销者还可以与每一个顾客建立长期性联系。新生儿的母亲将定期收到邮件，这些邮件介绍各种新衣服、玩具和伴随婴儿成长所需的其他物品。雀巢的婴儿食品事业部不断为新生儿母亲建立数据库，寄出 6 种有个性化的礼物包，在婴儿生命的关键阶段提出忠告意见。

直接营销可以十分具体地选择一个适当的时刻接近预期顾客。直接营销所送出的资料有较多的人阅读，因为它选那些有兴趣的预期消费者作为寄送对象。直接营销允许测试不同的媒体和不同的信息，以寻找到最有效的方法。直接营销者还利用保密使竞争者无从发现直接营销策略。最后，由于顾客的反应是很容易测量的，所以，直接营销者可以决定最能盈利的方案。

整合直接营销的扩大使用

尽管直接或在线营销十分热门，但大多数公司依然将其摆在它们传播—促销组合中最不重要的位置。公司的广告和人员推销部门获得大部分经费，并非常苛刻地守护着这些预算。销售人员甚至把直销看做是对其原来地盘的一种威胁。销售代表发现他们后来地盘上的销售额因直销或电话营销而下降。

然而，公司逐渐认识到在应用传播工具时整个系统观点的重要性。有些公司除聘用信息主管（Chief Information Officer，CIO）外，还聘用传播主管（Chief Communication Officer，CCO）。CCO 是监督广告促销、公关和直接—在线营销的专业人士。其任务是建立适当的总传播预算和把它分配到每个传播工具中去。在线营销的传播活动有不同的名称：整合营销传播（integrated marketing communications，IMC）、整合直接营销（integrated direct marketing，IDM）和最大化营销（maximarketing）。[5]

不同的传播工具怎样在活动计划中整合呢？设想一个营销人员使用一种传播工具建立一个通信和销售预期目标作"一次性出击"的难度。单一传播媒体、单一步骤活动的例子可能是包括一次邮寄报价一种炊具。单一传播媒体、多步骤活动将包括连续向预期顾客寄送邮件，以激发其购买。例如，杂志出版商向一家庭主妇寄去 4 次征订单通知，从而使读者续订了杂志。一种更为有力的方式是多媒体、多步骤活动。研讨下列步骤：

有关一项新产品的新活动→具有反馈机能的已付费广告→直接邮件→实施电话营销→面对面销售访问→持续性沟通

例如，康柏可能推出一种新的便携式电脑，首先安排在新商店以激起人们的兴趣。然后，康柏安排整页广告，提供免费小册子"怎样购买电脑"。紧接着，康柏公司向回应者邮寄这些小册子，并承诺得到这些小册子的人在其零售店可特价购买一台新电脑。假定有 4% 的人是在收到小册子后去订购电脑。康柏公司的电话营销者就会电话给 96% 未购买的人，提醒他们去享受这种优惠。再假定又有 6% 的人去购买电脑。那么对于剩下的未购电脑的人，公司将推出直接的一对一电话询问，或邀请其参加在当地零售店举行的展示会。即使这些预期顾客并不准备购买，这种持续性传播也是必要的。

伊拉·罗曼（Ernan Roman）说，使用这种紧迫反应（response compression），在确定时间内接二连三地运用多种媒体，可以提高信息的影响力和认知度。其核心思想是在一个特定的时间内有选择地使用不同媒体以较大幅度地增加销售，同时抵消不断增长的成本。罗曼以花旗银行推出的家庭财产贷款的广告为例。花旗银行没有采用常规的"邮件加 800 免费电话"，而是采用"邮件加优惠券加 800 免费电话加往外地电话营销加印刷品广告"。尽管后一种计划将耗费更高的成本，但较这单纯的直接邮件，它增加了 15% 的新客户。罗曼得出如下结论：

> 在一种能够产生 2% 响应的邮件回收之后，再加上"800 免费电话订货"服务，那么，通常情况下响应率可以增加 50% ～ 125%。如果再加上非常熟练的、整合的外线电话营销服务，则可以使响应率增加到 500%。与一般的邮件相比，向一个企业增加交互作用，营销渠道也将使 2% 的响应率突然增加到 13%。而在整合媒体所产生的费用按每份订单计算是十分有限的，因为响应率很高。……在营销方案中增加媒体将导致总体反应率上升……因为不同的媒体将吸引不同的人作出反应。[6]

瑞波（Rall）和考林斯（Collins）设计的模型使直接营销技术成为一般营销过程中的驱动力量。[7]该模型建议建立顾客数据库，并使直接联系营销全面参与营销过程。最大化营销由接近预期顾客、达成交易和发展关系等一系列步骤组成。更详细的资料，参见"营销视野——整合营销中的最大化营销模型"。

营销视野

整合营销中的最大化营销模型

瑞波和考林斯的最大化营销模型包括九个步骤，现介绍如下：

1. 目标最大化。要求营销者确定和识别其产品的最佳目标顾客。首先要确定可以购买的或者准备购买的顾客名单，或从顾客数据库中找出那些有浓厚兴趣的、有能力购买的以及准备购买的顾客名单。此外，"最佳顾客"的标准还包括定期购买，很少拒绝征订要求，没有怨言和按时付款。大规模营销者可以使用诸如电话、报纸增刊和杂志插页等大众媒体进行直接广告宣传，"钓取"预期顾客。

2. 媒体最大化。使直接营销者评估各种媒体，从中选择那些有助于双向沟通和易于测量结果的媒体工具。

3. 成交率最大化。要求以每个顾客反应的成本为基础，来评估广告活动，而不是按在大众广告中所惯用的每千人展露成本。

4. 知晓度最大化。应寻找这样的广告信息，它将超越各种干扰，通过"完全头脑"广告，直达顾客的心里，影响一个人的理性和感情。

5. 行动可能性最大化。强调广告必须诱导购买，或者至少要促使预期顾客向着采取购买行动前进一步。具体方法包括这类陈述，如"请来函索取更多的信息"和"回复的优惠券须于 9 月 30 日前使用有效"。

6. 协同性最大化。包括寻找利用广告同时做几件事的途径，例如将建立知晓度和直接回复，促进其他分销渠道以及与其他广告主分摊成本等结合在一起。

7. 联系性最大化。要求将广告与销售联系在一起，它要求预算中的大部分集中于那些最可能的顾客身上，而不是仅仅花钱向全世界散布认知信息。

8. 销售最大化。通过数据库，要求营销人员运用交叉销售和介绍新产品等手法直接与认识的顾客联系。营销人员不断用有关顾客的信息充实信息库，从而形成一个自己的广告媒体。今天，按照顾客终生价值最大化的目标，许多营销者越来越热衷于建立忠诚顾客，就如他们热衷于追求顾客实施购买行动一样。

9. 分销最大化。它是指营销者建立其他渠道以接近顾客。例如，一个直接营销者开设一家零售店，或者在一个现成的商店里租用一些货架，或者一位零售商发表一个商品目录，或者像通用食品公司这样的制造商直接向顾客出售优质咖啡。

资料来源：Summarized from Stan Rapp and Thomas L. Collins, *Maximarketing* (New York McGraw-Hill, 1987). Also see their *Beyond Maximarketing: The New Power of Caring and Daring* (New York: McGraw-Hill, 1994), for specific companies and cases of successful maximarketing.

花旗银行、美国电话电报公司、IBM 公司、福特公司和美国航空公司利用整合直接营销与顾客建立了互利的联系。零售商，如萨克斯第五大街、波鲁皇特尔和好莱坞的福特来德利克定期发出商品目录，以增加其店内销售。直接营销公司诸如 L. L. 比恩公司、埃迪·鲍尔公司、富兰克林·明托公司和高新形象公司等利用直接营销邮寄订单和电话订货获得了成功，它们在作为直接营销者建立了强有力的品牌名称后，开始设立零售店。

顾客数据库和直接营销

唐·佩珀(Don Pepper)和马莎·罗杰斯(Martha Rogers)列了一张大众化营销与它们称为一对一营销(one-one marketing)之间的对比表(见表 21—1)。[8]通过直接营销，公司能知道它们的个别顾客情况，定制其产品、报价、信息、送

表 21—1　　　　　　　　　大众化营销与一对一营销的对比

大众化营销	一对一营销
顾客平均化	顾客个别化
顾客匿名	顾客概貌
标准产品	定制的市场提供物
大众化生产	定制生产
大众化分销	个别化分销
大众化广告	个别化信息
大众化促销	个别化刺激
单向信息	双向信息
规模经济	范围经济
市场份额	顾客份额
全部顾客	有盈利顾客
顾客吸引力	顾客维持

资料来源：Adapted from Don Peppers and Martha Rogers, *The One-to-One Future* (New York: Doubleday / Currency, 1993). See their Web site: www.1to1.com/articles/subscribe.html.

货方式和付款方式，最大化地满足顾客的诉求。今天的公司有一个强有力的顾客数据库：

顾客数据库(customer database)被用于有组织地收集关于个人顾客或预期顾客的综合数据，这些数据是当前的、可接近的和为营销目的所用的，它引导产生名单，审核资格，销售产品或服务，或维持客户关系。数据库营销(database marketing)是建立、维持、使用顾客数据库和其他数据库(产品、供应商、零售商)的过程，其目的是联系和交易。

许多公司混淆了顾客邮寄与顾客数据库的关系。一张顾客邮寄单(customer mailing list)是一组简单的姓名、地址和电话号码。而顾客数据库包括了更多的信息。在企业对企业营销中，顾客概貌包括该客户过去买的产品和服务，过去的销量和价格，关键联系人(和他们的年龄、生日、爱好和喜欢的食品)，竞争的供应商，当前合同履行状况，预计顾客下几年中的开支，在销售与服务中定性地评估竞争优势和劣势。在消费者营销中，顾客数据库包括个人的人文统计资料(年龄、收入、家庭成员、生日)，心理统计(活动、兴趣和意见)，过去的购买和其他相关的信息。例如，目录销售公司法加哈特(Fingerhut)在它巨大的顾客数据库中拥有3 000万家庭各自的1 400条信息。

数据库营销经常被用于企业对企业营销和服务零售业(旅馆、银行和航空公司)。包装商品零售商(沃尔玛、威顿书店)使用较少。但其中的某些消费品包装公司(桂格麦片、罗尔顿·普林娜和耐比斯科公司)已进入这领域。一个开发良好的顾客数据库是公司取得竞争优势的专有资产。

用顾客数据库的信息装备起来后，一个公司获得目标市场精确的数据库甚于大众化营销、市场细分或补缺营销。公司能辨认更小的顾客群并获取针对性强的营销报价和传播。例如，兰德应用"数据库"的技术确定目录衣服购买者的不同群体；最近，统计出它辨认了5 200种不同的细分片！根据唐纳利营销公司年度的促销活动调查，56%的制造商和零售商已拥有或在组建数据库，另有10%准备建立，85%相信它们需要数据库营销以迎接新千年的竞争。[9]

公司使用数据库的方法有以下四种：

1. 确定预期顾客。许多公司通过广告它们的产品和提供物来产生销售。该广告一般有某些类型的反馈特征，如反馈公司卡或免费电话号码。从这些反馈信息中建立数据库。公司通过数据库的分类来确定最佳预期顾客，然后向他们发函、打电话或上门联系，努力把他们转化为顾客。

2. 决定哪些顾客应收到特定的报价单。公司为报价单建立理想目标顾客评价标准。然后，从顾客数据库中搜索最接近理想标准的顾客。诸如利明特(The Limited)、联邦快递、美国银行和美国西部公司等现在正在创造最大的数据库，从而能精确地找到获利和非获利顾客。它们利用数据比较复杂的营销组合和服务成本，从而保持每一个顾客对他或她可能带来的收益。下面是美国西部公司如何运作的例子：

美国西部公司(US West) 一年两次，美国西部公司筛选它的顾客清单，寻找潜在的带来更多利润的顾客。公司的数据库包括了200个之多的观察每个顾客的电话数据。通过注意人文统计的轮廓，加上本地对长途电话的组合或者一位消费者是否有声音邮件，美国西部公司能估计出其的潜在支出。接着，公司决定顾客的可能的电信预算开支。在这种知识的装备下，美国西部向这些顾客花费多少营销费用提出了种种建议方案。[10]

通过收集这些顾客的反应率，公司更精确地调整目标。在销售中，公司建立一个自动生成活动系统：一周后发出感谢信；5 周后发出新的报价单；10 周后(如果顾客没有回复)打电话给他并提供一个特定的折扣。

3. 强化顾客忠诚。公司通过记忆顾客的偏好，发出适当的礼物、折扣券和有趣读物等等，激发顾客的兴趣和热情。下面是两个例子：

芬格赫特(Fingerhut)　芬格赫特应用数据库营销和关系建立技巧后，使这家目录公司成为美国国内最大的直接邮寄营销公司。芬格赫特的数据库不仅装满了诸如年龄、婚姻状况以及孩子的数量等地理人文统计资料，而且它也追踪顾客的爱好、兴趣、生日等。它与向人们发送同样的目录和信件不同，芬格赫特制作了建立在每个顾客可能去购买的产品基础上，并且，它运用数据库建立长期关系。通过常规的和特定的促销，如年度有奖参与、免费礼品以及延期付款等，它与顾客保持着持续的接触。现在，公司在网站上充分应用了它的数据库营销。

玛斯(Mars)　玛斯不仅是糖业的领头人，也是宠物食品的领头人。在德国，玛斯编辑了拥有猫的每户家庭的名单和各种情况。玛斯获得这些名字是通过接触兽医和免费提供的小册子《怎样照料您的猫》，凡要这本小册子的人需填写问卷。最后，玛斯(除了其他信息外)还了解猫的名字、年龄和生日。现在，玛斯每年为德国家庭寄发猫的生日卡，猫食样品或玛斯品牌的折扣券。猫的主人会欣赏它吗？当然！

4. 促进顾客再购买。公司可以安装自动邮寄程序(自动营销)，发送生日贺卡或周年纪念卡、圣诞购物提示或淡季促销物给数据库中的顾客。该数据库可帮助吸引顾客及时购买。考察下面的例子：

现代在线公司(Streamline Inc)　当顾客送来他们的购买清单时，这家以波士顿为基地的在线送货服务公司与当地的杂货店、音像店以及干洗店等填写和送出订单。然而，现在公司在加快步骤：现代在线建立了顾客买了什么和什么时候买的数据库。基于你的过去的行为，现代在线的软件创造了一种系统，并在它的记录中显示一位顾客在可能缺少某种产品时，自动地发送电子邮件予以提醒。电子邮件促进用户重新向现代在线公司订购。结果是：一年平均花费 6 000 美元的现代在线顾客，90% 以上是重复购买。[11]

数据库需要有大量的投资。公司必须投资计算机硬件、数据库软件、分析程序、传播线和熟练人员。数据库系统必须是用户友好和适合于各种营销的团体使用的。使用一个管理良好的数据库应该使销售收入弥补它的成本。以迈阿密为基地的皇家卡里皮游艇公司在这一领域就很成功。数据库营销提供即兴登游艇服务，它帮助在船上载满客人。空房间越少意味着游艇公司的利润越高。

然而，许多事情在数据库营销中不谨慎也会失败。例如，在 CNA 保险公司，5 位程序员工作 9 个月把 5 年以上的客户数据装进一台电脑，但发现数据被错误编码。即使编码正确，因为人们可能搬家、停止购买或兴趣变化的原因，数据也必须定期更新。

数据库营销者另外一个要关心的问题是顾客隐私。例如，美国运通（American Express）长期被看成是一家保护隐私问题的领先者，它不出售特定顾客交易的信息。但是，当它宣布与知识基础营销公司（Knowledge Based Marketing Inc.）（该公司将有 1.75 亿美国人由美国运通卡接受的交易数据）成为合作伙伴时，它发现自己的目标消费者利益被侵犯。美国运通中止了这种合作。美国在线（America Online），也以隐私提倡者为目标，它只进行一项销售捐献者电话号码的计划。[12]

直接营销的主要渠道

直接营销能通过大量的渠道来达到预期和现行顾客。这些渠道包括：面对面推销，直接邮寄，目录营销，电话营销，电视和其他直复媒体营销，购物亭营销和网上渠道。

面对面推销

直接营销最基础和最原始的形式是销售访问。今天，大多数公司较多地依靠专业销售队伍访问预期客户，发展他们成顾客，并不断增加业务。或者，它们聘用制造商代表和代理执行直接推销的任务。另外，许多消费者公司也应用直接队伍：保险代理商，股票经纪人，以及聘用业务或专职人员组成的直销组织，例如，雅芳、安利、玫琳凯（Mary Key）和特普威公司（Tupperware）。

直接邮寄

直接邮寄营销包括向一个有具体地址的人寄发报价单、通知、纪念品或其他项目。应用经高度选择的邮寄清单，直接营销者每年要发出几百万的邮件——信件、传单、折叠广告和其他"长翅膀的销售人员"。一些直接营销者还寄送音带、录像带，甚至计算机盘片给预期和现行顾客。NTCE 器材公司寄送免费录像带，介绍它器具的使用方法和对健康的益处。福特向那些对公司在计算机刊物上的广告作出反应的消费者寄了一种名为"磁盘驾驶试验"的计算机磁盘。磁盘上的"菜单"提供有关福特车的技术详细说明和生动的图片，并回答经常会碰到的问题。

直接邮寄之所以日益流行，是因为它能更有效地选择目标市场，可实现个性化，比较灵活，以及较易检测各种结果。尽管该方法每千人接触成本较之采用大众化广告媒体要高，但所接触的人成为顾客的可能性较大。1993年，45%以上的美国人通过直接邮寄购买了一些商品。同年，慈善募捐通过直接邮寄募集了500亿美元。一项经良好设计的直接邮件资料被录在印第安纳州波利斯城的公共电视—电台的捐助活动中。

WFYI—TV（印第安纳波利斯城） 这幅令人吃惊的图画片的结果，是由扬和拉腊莫尔（Young and Laramore）广告公司为印第安纳波利斯公共电视—电台 WRYI 创造的，它超过了所有的内部设计方案。活动在起初的9个月内筹集了350万美元，而它的5年目标500万美元。仅仅发出了500份宣传单，因此，平均每份宣传单的回报是7 000美元。广告代理商通过运用一种免费邮寄有关电视、电台财务困难状况的方法：薄纸板、橡皮邮票，以及布满灰尘的磁带等被用来创造了一种介绍邮件。一个银色的电视机阐述了这一信息："1969年，印第安纳波利斯是美国没有一个公共电视台的最大的城市"。翻过这页，附件上写着"它会再次这样"，而且你看到电视与布满灰尘的磁带放在一起。跟着的一个小册子提供了一份电视台18年历史的时间表。在黑色的线上是里程碑和成就。下面用红色表示设备失败。当时间表打到1996年，费用已成为一项令人生气的、不能阅读的红色墨水的大斑点。[13]

到目前为止，所有的信件都是书面的并由美国邮政部门、电报部门或承运人如联邦快递、敦豪、空运速递等处理的。但现在出现了三种新的传递形式。

1. 传真传递（fax-mail）。传真机使一方的书面文件通过电话线传到另一方。今天的电脑也能作为传真机提供服务。传真发送与接收几乎同步。营销者用传真机向预期顾客发送传真报价单、销售情况和事件。公司与个人的传真号码都公布在公共指示栏上。

2. 电子邮件（E-mail）。它从电脑中发出一个信息或文件直接传送到另一方。这信息即时到达但被储存起来，直到接收方打开电脑。营销者开始发出销售通知、报价和其他信息给电子信箱——有时给少数的个人，有时给大的集团。

3. 声音邮件（voice-mail）。这是一种在电话地址中能接收和储存的口头信息。电话公司销售这项服务以替代应答器。某些营销者设置程序处理大量的电话号码，把销售信息留在接收声音的邮件箱内。

为了构建一个有效的直接邮寄活动，直接营销者必须决定他们的目标、目标市场和预期顾客、报价要素；测试直接营销要素；衡量直销活动成功率。

目标

直接营销者的目标是收到预期顾客的订单。规划是否成功是通过响应率来判断的。2%的响应率通常被认为不错，但是，这一比率根据产品类型和价格有很大区别。

直接邮寄也有其他的目标，例如，寻找预期顾客线索，强化顾客关系，通知和教育顾客为以后的购买做准备。

目标市场和预期顾客

直接营销者应该辨别那些最可能购买、最愿意购买或者准备购买的顾客和潜在消费者的各种特性。鲍伯·斯通（Bob Stone）提出应用R—F—M公式[即近期购买（recency）、购买次数（frequency）、购买金额（monetary amout）]，公式将顾客进行排队，并从中进行选择。最佳的顾客目标应该是那些最近购买过的、经常购买的以及花钱最多的顾客，按不同的R—F—M水平给每位打分，然后得到每一位顾客的总分：分数越高，该顾客就越有吸引力。[14]

预期顾客可以根据诸如年龄、性别、收入、受教育程度、购买邮购商品的历史等变量来加以识别。有时，其他一些因素也可作为很好的细分标准。如 年轻妈妈是婴儿服装和婴儿玩具的主要顾客；大学生将购买打字机、计算机、电视机和服装等；新婚夫妇将考虑买房子、家具、家用电器和向银行贷款。另一个有用的细分标准就是消费者生活方式，例如，计算机迷、烹调迷、户外活动迷等。对业务市场来说，邓白氏在经营提供丰富数据的信息服务。

在企业对企业的直接营销中，预期的主顾经常不是一个人，而是一群人或是一个包括决策制定者和决策影响者的委员会。参见"营销备忘——当你的顾客是一个委员会时……"当你在精心设计一个针对企业买方的直接邮寄活动时，这些都是有用的建议。

营销备忘

当你的顾客是一个委员会时……

数据库营销和直接邮寄的一个好处是你能够根据需要修改格式，并向你的目标客户提供推销信息，业务市场的营销人员能够设计出一系列具有内在联系的邮件，将它邮寄给决策制定者和决策购物者。以下是一些有用的小建议，他们可增加你向委员会性质的客户推销商品并获得成功：

● 当你在设计邮件时，记住大部分的商业邮件在达到目标客户手中之前，都要经过一次、两次甚至更多次的筛选。你在设计邮件时一定要记得这一点。

● 对于给每一个委员会性质的顾客发送的邮件都需制定计划和预算。在向这些客户发送邮件时，把握时机和多重披露是最关键的两个因素。顾客的购买行为越谨慎，你在顾客面前将会花费更多的时间，需要多次重复联系。

● 只要有可能，就要按每一个人的姓名和头衔，给每一个人都寄一份邮件。如果某一个人变换了他的工作，这时在邮件上写上他的头衔将有助于办公室里的邮件筛选员以另一种方式重新发送你的邮件。

● 在给你能有的目标客户发送邮件时，不必采用相同的格式和同样大小。看起来要贵一些的信封可能是寄给主席或首席执行官的，但是，用便宜一些的信封、更一般化的格式寄给其他的决策影响者，也可以收到相同的效果。

● 告诉你的委员会顾客，你正在与该组织中的其他成员联系。

● 使那些决策影响者认为这一项购买行为很重要，他们可能成为你最大的支持者。

● 当与不同的人联系时，确保你已经预想到了，并且正针对他们各自的购买目的和异议进行工作。

● 当你的数据库或邮件清单不能帮助你与所有的关键人物联系上时，就要寻求帮助。让那个你正给他寄信的人进一步把你的信息传递给恰当的人。你甚至需要附上一个单独的信封，根据将收到这封信的人的需要附上路线图和销售信息。

● 当你在设计主要邮件时，一定要弄清楚那些对这个购买决策感兴趣，并将参与该决策制定的人的姓名和头衔，把他们添加到你的数据库中，并确信你正以某种方式与他们进行沟通。

● 对于基本内容相同的信要写不同的版式，提供不同的服务，这件事即使看起来很烦琐和很花钱，但是，它的回报也是很大的。例如，决策的最终制定者可能对估算的投资回报感兴趣，而其他人却可能对日常的利益更感兴趣，如安全性、便利性、节省时间性。根据你的目标客户的不同需要定制不同的服务。

资料来源：Adapted from Pat Friesen, "When Your Customer Is a Committee...," *Target Marketing*, August 1998, p. 40.

目标市场一旦被确定后，直接营销者就需要获得目标市场上可能的顾客名单。这里便要动用邮寄名单以获得和建立邮寄单数据库。公司最佳预期客户是过去已买过公司产品的顾客。通过广告反馈也能增加名单数量。直接营销者也可以从名单经纪人那儿购买其他的名单。但这些名单有各种问题，例如名字的重复、资料不全、地址已废弃不用等。较理想的名单还应包括有关人文统计和心理特征的信息，直接营销者通常在为同样内容购买追加的名单之前，应对其名单样本作一次测试。

报价要素

奈斯（Nash）认为产品战略由五个要素构成——产品、报价、媒体、分销方式和创新策略。[15]所幸的是，这些要素都能加以测试。

直接邮寄营销者在计划这些要素之外，还必须决定邮件自身的五个内容：信封封面，推销信，广告传单，回复表格和信封。下面是一些注意点：

● 如果信封上印有颜色很漂亮的图案，或用一些花样能诱人打开信封，如宣布一场比赛、一份奖品，或给人一点好处，那么，这个信封的封面就会更有效。而当信封上有一张色彩鲜艳的纪念邮票，或者地址是手写的或用打字机打的，或者信封的大小、形状标准与普通信封不同，信封的效果也会更好。《哈波》杂志因其封面上的煽动性标题而闻名："内部信息：政府将你的银行国有化的秘密计划。基督徒中的未婚者们鉴定问卷调查表的年代。根据奥利夫·诺斯的说法，世界应是什么样的。华尔街怎样计划从艾滋病中获利。"还有一些信封则印有一些令人神魂颠倒的东西，布特罗姆(Boardroom)公司的广告撰稿人梅尔·马丁(Mel Martin)如是说。像下面这些悦耳易记的标题，年复一年地在信封上出现来为布特罗姆公司做宣传："信用卡公司有什么秘密没有告诉你"或者"在飞机上千万不要吃什么东西"。[16]

● 推销信应使用私人称谓，开头要用醒目标题。信应使用优质纸打印，使用的页数要恰到好处。计算机打印的信通常比印刷信件有更大的吸引力，在信封尾写上附录可提高响应率，同样，在所签姓名前边加上头衔也是很重要的。

● 在很多情况下彩色的广告传单也会提高响应率并可弥补它的成本。

● 在回复表格上应印有免费电话号码，并附有一个盖章的收据单，以使对方满意。

● 附上一个邮资已付的回复信封则会戏剧性地增加响应率。

测试要素

直接营销的重要优势之一便是它能够在一个真实的市场条件下对组成提供战略的各个要素的效能进行测试，例如，产品特色、价格、媒体、邮寄名单等。

直接营销者必须记住，直接营销广告的响应率通常低估了该广告的长期影响。假设只有2%的人看了直接营销萨生尼特(Samsonite)箱包的直接邮寄广告后导致直接邮购，但是，有相当一部分人知道了这一品牌的箱包(如果直接邮件的较高的可读性)，有一部分人可能准备过些时候就去买(他们可能邮购或到一个零售店去买)，甚至，一些看过有关直接邮件价格的人会向其他人介绍萨生尼特箱包。为了更多地理解它对促销的影响，有些公司在测量直接营销影响力时还包括对品牌的知晓度、打算购买的意向和口头流传等。

衡量活动的成功性：寿命价值

通过增加计划的直销活动的费用，直接营销者可以事先计算出达到保本所需要的响应率。这个响应率必须将退货和不能收回的货款排除在外。退货能使一个本来十分成功的直接营销前功尽弃。直接营销者应该分析退货的原因：没有及时送货，次品，在运输途中受损，不像广告中所说的那么好，或者处理订货单有误，等等。

通过对以往的直销活动的仔细分析，直接营销者可以不断地改善他们的业绩。甚至当某一场直销活动亏了本，它依然可能是有利的。考虑下面的例子：

假设一个会员制组织花了10 000美元搞了一次吸引新会员的活动，结果吸纳了100个新会员，每位付70美元。看上去这场活动似乎亏了3 000美元(=10 000 - 7 000)，但是，如果80%的新会员第2年还延续其会员资格，那么这一组织没有花任何努力又得到了5 600美元。现在组织当初投资的10 000美元收到了12 600美元(=7 000 + 5 600)。要算长期的保本率，就不能只考虑第1年的响应率，还应该考虑每一年的续订比率以及持续多少年。

上面例子说明了有关顾客寿命价值(customer lifetime value)的概念，我们曾在第 2 章中作了介绍。[17]顾客的最终价值并非在某一次邮寄时便显露出来，顾客的最终价值乃是他在一段时间内的总的采购额减去他获得商品和保留商品所耗费的成本。在计算一个平均客户时，要计算平均持续时间、每年的客户开支和平均毛利(对机会成本的适当折扣)，减去获得平均客户的成本。这个公式在用于非平均客户时要加以调整。数据咨询公司声称，它能从 3 次或 4 次的少数交易中估计出顾客寿命价值。这些信息使营销者调查传播的性质和频率，以便与顾客寿命价值相匹配。

在估算出顾客寿命价值后，公司可将其传播在更富有吸引力的顾客身上。这些努力包括给顾客寄送各种信息，有些信息并不向顾客推销任何商品，而只是保持对公司及其产品的兴趣，例如，寄送免费的公司刊物、各种通知和生日贺卡等，所有这些都是为了与顾客建立良好的关系。

目录营销

目录营销发生于当公司把一种或更多的产品目录邮寄给会有可能签订单的地址时。它们可能邮寄全部商品(full-line merchandise)目录、特定消费品(specialty consumer)目录和业务(business)目录，一般是印刷品但有时也有光盘、录像带或在线信息。J. C. 彭尼和施皮尔(Spiegel)公司发送大众商品目录，萨克斯第五大街寄送特定服装目录，雅芳销售化妆品，W. R. 格雷丝(Grace)销售奶酪，宜家销售家具。格兰杰(Grainger)、马克(Merck)和其他公司向其预期和现行客户发送邮购目录业务。

目录销售业是一项巨大的业务——拥有 870 亿美元产值的目录业在 1993—1998 年间，每年以 8% 的速度快速增长。虽然没有一个人能够确切地知道每年有多少个新的消费者目录建立，但该行业的经理们估计在 1996—1998 年间共建立了 200 个～ 300 个消费者目录。直接营销协会估计目前共有 1 万种商品通过邮件订购目录方式取得。一个经常从目录商那儿购物的人，在假期内仅一个星期就会收到 70 个目录单。然而，流入消费者信箱的目录单数量不是衡量这个行业发展的惟一标准。目录商利用因特网也获得了巨大的发展——约 3/4 的目录公司通过因特网展示它们的商品，并获取订单，兰德·恩迪公司的 Web 站点，首建于 1995 年，现在每年要收到 18 000 份电子邮件向它询价，它已经超过了其邮寄的印刷品答复信件数量。[18]

邮购业务的成功很大程度上依靠公司仔细管理顾客名单，尽量避免重复或坏账出现的能力；谨慎控制存货的能力；提供优质产品以及树立一个鲜明的顾客利益为重的形象的能力。一些邮购目录公司为了突出自己，经常在其商品目录上增加一些文字色彩或信息特征，寄赠一些小样品，开设热线电话回答各种问题，向其最好的顾客寄送礼物以及将一部分利润捐赠公众事业。在威斯康星的兰德·恩迪公司的目录内容编辑使它与竞争者能明显区别开来。

兰德·恩迪(Land's End)　1985 年，兰德·恩迪公司开始销售一些著名作家的散文和小说，例如加里森·凯拉(Ganison Keillor)和大卫·马默德(David Mamet)，它的目标是吸引那些受过很好教育的顾客，结果这种与众不同的风格导致了人们对第 2 个目录单的预期，并

且使它同其他的充满顾客信箱的数不清的目录单区别开来，特别是在假期间。兰德·恩迪公司目录的印刷件，也因其对产品细节的详尽内容而与众不同。"顾客对他们所买的产品了解得越多，对兰德·恩迪公司就越好。"该公司创作部主管如是说。[19]

此外，一些目录公司，如内蒙-马歇斯（Neman-Marcus）和斯比格（Spiegel），将其目录录像带寄给他们最好的客户和预期主顾，或者，把他们的目录在因特网上发布，在后一种情况他们节约了大量的印刷和邮寄费用。[20]

亚洲和欧洲的消费者也意识到了这种目录销售业的狂潮。在20世纪90年代，美国的一些目录公司如L. L. 比恩、兰德·恩迪、伊特·波拉和帕塔谷尼亚开始在日本开展业务，并取得了很大的成功。在短短的几年里，外国的目录公司（大部分来自美国，还有一些来自欧洲）赚取了在日本通过邮件方式订购的目录市场，营业额达200亿美元市场份额的5%。L. L. 比恩公司的国际销售额中有90%来自日本。美国公司在日本成功的一个原因是，它们针对特定的消费群提供高质量的商品。几十年来，日本的消费者都在回避日本的目录业，因为它们的每一件东西（从廉价的衣服、首饰到尿布、狗食）都是乱七八糟的。美国的目录单还经常包括另两项在日本不寻常的东西：不需担保的人身保险；顶尖模特的照片。

消费者目录公司，如蒂法尼（Tiffany）、帕塔谷尼亚、伊特·波拉和兰德·恩迪，同时也正在进军欧洲市场。业务市场的营销人员也正占领欧洲市场。国外市场，主要是欧洲的销售，使很多公司的收入增加，如营销办公产品的维金公司（Viking）、计算机和网络设备的营销商波莱克·波克斯公司（Blank Box），营销内科、牙科、兽科所需产品的哈利·斯西公司（Herry Schen）。维金1997年第一季度销售额的62%是由于其国际扩张带来的，而其在美国国内的销售收入仅增长8%。维金在欧洲获得成功是因为在欧洲不像在美国有那么多的超市，而且欧洲人对邮购的方式易于接受。波莱克·波克斯公司能在国际范围内得到发展亦是归功于其客户服务政策，它在欧洲没有一个政策能与之相媲美。该公司目前在世界上近80个国家都有业务，包括提供技术支持，89%的订单在收到的当天就可将所要求的商品运送出去，并且为其产品在按期保修的基础上，再延长两年的保修。[21]

当然，目录公司通过在线和因特网发布它们所有的目录信息，这样，目录公司能够比以前更好地与全球的消费者保持联系。它们还节省了相当可观的印刷和邮寄费用，同时又提供了一些独特的服务。虽然伊特·波拉公司的在线目录服务还没有取代其有纸化的目录服务，但它通过在线服务的方式也能使顾客有机会"试穿"衣服！

伊特·波拉公司（Eddie Bauer Inc.） 在西雅图的休闲服装生产商伊特·波拉公司，最近试图在因特网上树立其品牌形象。它让顾客进入一个"虚拟试衣间"试穿衣服。虽然伊特·波拉网站的访问者将看到和他们在零售商的目录单上以及商店里所看到的一样的卡其布、牛仔裤、针织衫，但是这个网站仅仅是一个电子销售广告传单。如果顾客想知道休闲毛衣和卡其布衣服穿在一起会是什么样子，或者将运动

夹克与毛呢裤子穿一起将是什么样子，他们只需单击鼠标，把所需的衣服拖拽在一起，看看它们搭配在一起时是什么样子。因为访问该站点的顾客中有一半人以前从没有在伊特·波拉公司购过物，他们经历在线是其与公司的第一次重要接触。虚拟试衣间以及其他特殊服务使第一份合同的签订成为一件值得纪念的事。[22]

伊特·波拉公司的因特网主页:顾客可以进入一个"虚拟试衣间"试穿衣服。

电话营销

电话营销(telemarketing)是指利用电话接线员来吸引新顾客，联系老客户以确定他们的满意程度或接受订单。就日常的接受订单而言，它被称为电话销售(telesales)。许多顾客常规是通过电话方式来订购商品和服务的。近来，电话营销中又派生出一大批的家庭银行业务，1989 年，英国米德兰银行设立的第一指令(First Direct)公司，完全是靠电话来运营的(后来，增加了传真机和因特网)；它没有任何分支机构或办事处，但已拥有 85 万客户，并且每个月都要增加 12 500 个新客户。米德兰代表了金融业发展的未来。[23]

电话营销已成为一项主要的直接营销工具。1998 年，电话营销者对消费者和企业的产品和服务达 4 082 亿美元。美国家庭平均每年收到 19 次征求订货的电话，打出 16 次要求订货的电话。

有些电话营销系统是全国自动的。自动拨号录音信息处理机(ADRMPs)可以拨号，播放有声广告信息，通过答复机装置或将电话转给总机接受感兴趣的顾客订货。

电话营销日益被应用在企业和消费者的营销中。兰翎（Raleigh）自行车公司使用电话营销，减少了人员销售时所必需的与经销商接触的费用。第一年，销售队伍的差旅费减少了 50% ，而一个季度的销售额则上升了 34% 。随着可视电话的应用，电话营销正得到改进，它将逐渐取代费用昂贵的实地销售访问，虽然不能完全替代。越来越多的销售人员，虽然实现的销售额已经达到了 5 位数或 6 位数，但却未曾与客户会过面。有了电子商务，销售人员与客户都更加方便，销售差旅费将会下降。

有效的电话营销取决于选择适当的电话营销者，对他们进行严格的培训，并且给予适当的激励。电话营销人员应具有令人愉快的嗓音和热情，并且对于许多产品来说，女性营销人员比男性营销人员更有效。刚开始时，推销人员应训练使用稿子，然后，逐渐训练其脱开稿子，做到能即兴推销。如果对方看来成为顾客的可能性不大，营销者应该知道如何结束这种谈话。电话应该在适当的时候打，如给企业界的客户，应选择上午晚些时候和下午；而打给家庭，则可以选择晚上 7 点到 9 点。电话营销管理者应激励电话营销员多接订单，如给第一个接到订单的人适当的奖励，或者给接到订单最多的人发奖等。由于电话营销涉及私人问题和每次的接触成本比较高，精心选择名单是十分重要的。

其他媒体的直复营销

直接营销者利用一切主要媒体向潜在的客户提供直接服务。报纸和杂志上刊登了大量的广告出售书籍、电器，提供度假服务及其他商品和服务，客户可通过拨打免费电话来订购，广播中的广告一天 24 小时都为听众提供服务。电视也在三个方面被直接营销者用来提高其销售额。

1. 直复广告。拨号媒体（Dial Media）推销金萨（Ginsu）水果刀的广告便是一个好例子。这个广告做了 7 年，卖了 300 万把水果刀，价值约达 4 000 万美元。最近，一些公司推出了类似的长达 30 分钟～60 分钟的商业信息片（内容一般是有关戒烟，治疗秃顶或者减肥等），然后，播出某位使用了该产品或服务后获得满意效果的证明，并包括一个免费电话号码征求订货或查询更进一步的信息。克莱斯勒公司设计了"克莱斯勒陈列柜"，一个 30 分钟的商业信息片，在克莱斯勒 300M、LHS 和库科特（Concorde）中，展示克莱斯勒公司新产品品牌、外形设计、性能、操作及其质量担保方面的特点。它在全国有线电视网络和联合航空公司空中电视中被广播过。商业信息片的盈利性比大多数人所认为的更强，在销售高价商品时发挥了很多的作用。它们与成千上万的可能的客户一起分享产品所带来的利益，每单位订单的费用通常与直接邮寄费或广告印刷费差不多，甚至更低一些。在 1998 年估计有 15 亿美元的销售额是商业信息片带来的，在仅仅一年的时间里它们带来了共计 1.2 亿美元的直接销售额，是零售商店内该产品销售额的 2 倍～5 倍。[24]

2. 家庭购物频道。某些电视频道是用来推销商品或服务的。家庭购物网（HSN）是最大的一个，该频道一天 24 小时播出。产品类别从珠宝、台灯、玩具娃娃、服饰到电动工具、电子消费品等等。节目主持人通常提出一个较低价格，顾客可通过免费电话订购商品，所订购的货物则在48小时内送到。在1993年，超过2 200万的成年人看了家庭购物节目，1 300万人从这个节目中购买了商品。

3. 视频信息和双向交互电视。它是一种通过电缆或电话线联结消费者电视和销售商商品目录的双向装置。消费者使用一台专门联结该系统的键盘装置，便可按动键盘订购商品。现在，许多研究者在把电视、电话和电脑联结进这种双向交互电视。

购物亭营销

一些公司设计了"顾客订货机"，称为购物亭（Kiosk）（与自动售货机相对应），并将其放置在商店、机场和其他一些场所内。例如，佛劳逊鞋业（Florsheim Shoe）公司在它的几个分店里都装有这类机器，顾客可以向机器说明他或她所要的鞋的式样、颜色和尺码。然后，机器便会按顾客的要求在屏幕上显示出佛劳逊鞋子的图像。如果顾客所需要的某种鞋在本店没货，他或她也可以拨打旁边的电话，并输入信用卡的号码以及送货地点，这些鞋将会送货上门。

21世纪的营销：电子商务

直接营销的最先进的渠道还是电子渠道。电子商务（electronic commerce, e-commerce）这个术语描述了多种多样的电子操作平台。例如，通过电子数据交换系统（EDI）把订单发送给供应商；利用传真和电子邮件来处理交易；利用自动提款机、EFTPOS和智能卡来方便付款和获取数字化的现金；利用因特网和在线提供服务。所有这些都涉及在一个"市场空间"从事商业活动，而这个市场空间是与真实的"市场地点"相对应的。[25]

在电子商务中存在两种现象：数字化（digitalization）和连通性（connectivity）。数字化包含把文本数据、声音、画像转化成"比特流"，使其能以惊人的速度从一个地方被发送到另一个地方。连通性是指构建网络并展现这样一个事实，即世界上的许多商务都是通过网络展开的，网络把不同的人和不同的公司联系起来了。当这些网络只是联系着公司内部的人员时，则被称为内部网（intranets）；当它们把将来公司和它的供应商及客户联系起来则被称为外部网（extranets）；当它们把使用者联系至一个惊人大的"信息高速公路"上时，则被称为因特网。

通过因特网进行的购物活动不仅限于计算机硬件和软件，机票、图书、音乐、食品、鲜花、酒类、服装、电器的购买，也越来越多地使用电子商务。通过因特网进行的交易，其交易量越来越高，涵盖了各种各样的商品和服务。通过因特网进行的金融交易量有了相当可观的增长（股票交易、家庭银行、保险销售）。富莱斯特（Forrester）研究公司预测到2002年电子商务将达到3 270亿美元。[26]在这里，我们将着重介绍电子商务渠道的两种类型。

1. 商业渠道。许多公司都发布了网上信息和在线营销服务，它们能够被那些已经申请网上服务和交纳月费的人们看到。最著名的网上服务提供者，在线服务业中的巨人——美国在线(AOL)拥有大约 1 400 万的用户，微软网络(MSN)和普罗格利(Prodigy)分别拥有 245 万和 100 万用户，远远落后于美国在线。[27]这些网上渠道向用户提供多种服务：信息(新闻、图书、教育、旅行、运动、参考资料)、娱乐(趣味和游戏)、购物服务、交流机会(布告栏、论坛、聊天室)、电子邮件。

2. 因特网。因特网是一个全球性的计算机网站，它使瞬时的和全球范围内的交流成为可能。随着用户友好的万维网(World Wide Wed)的一些网站浏览器软件的开发，例如，网景导航器(Netscape Navigator)和微软因特网探测器(Microsoft Internet Explorer)，促进了因特网的使用急剧上升。用户们可以在因特网上冲浪，并且充分体验整合文本、绘图、画面以及音响效果。用户们可以在因特网上发送电子邮件，交流观点，购物，获取新闻和有关食谱、艺术以及商业方面的信息。虽然每个用户必须向因特网服务商支付费用以便与因特网挂接，但是，因特网本身是免费的。

在线消费者

总的来说，因特网的网民是比较年轻的，他们更富裕，所受的教育也更好，而且一般男性较多。但是，随着更多的人涌入因特网，电子空间变得越来越主流化和多样性。年轻的用户更多的是用因特网来进行娱乐和社交活动。但是，45% 的 40 岁或 40 岁以上的人，他们利用因特网来进行投资和一些更严肃的活动。一般地，因特网用户对其所提供信息的评价很高，而对那些仅是兜售商品的消息的评价不好，他们自己决定将收到关于什么商品或服务的营销信息，以及在什么情况下收到这些信息。在在线营销中，是消费者而不是营销人员，有设置进入的权利，并且控制了市场上的互动作用。

因特网"搜索引擎"，例如，雅虎！、信息搜索(Infoseek)和向外引证(Excite)，使消费者们能够接通各种各样的信息源，使他们在购物时获取的信息更多，洞察力更强。在这个新的信息资源丰富的管理制度中，购买者获得了以下的一些购买能力：

1. 他们可以获得针对多种品牌的客观信息，包括成本、价格、性能和质量，而不需要依靠制造商或零售商来获取这些信息。

2. 他们首先提出对广告和信息的要求，然后，制造商们必须满足这种要求。

3. 他们可以设计他们所想要的各种产品。

4. 他们可以利用软件代理商，在许多销售商中寻找商品和服务。

买方所获取的这些新的能力，意味着在信息时代的交换过程里顾客是发起者和有控制力的。营销人员和他们的销售代表在顾客邀请他们参加交换过程前是无能为力的，甚至，在营销人员进入交换过程以后，也是由顾客们规定交易规则，并且借助代理商和中间人的帮助把他们自己隔离起来。顾客们界定了什么样的信息是他们所需的，什么样的商品和服务是他们感兴趣的，什么样的价格是他们愿意支付的。在许多方面，这种由顾客发起并控制的营销方式完全改变了历史上的营销实践。

考虑一下现在人们利用因特网来购买汽车或者获得家庭抵押贷款的例子：

埃德蒙兹（www.edmunds.com）　这个网站提供一组第三方的关于购买汽车的客观信息。以下说明了这个过程是如何运作的：

● 购买汽车的人可以通过比较埃德蒙兹站点中所提供的汽车的性能、质量和经销商的边际成本来开始他们的搜索和评价过程。他们可以把搜索范围限定在某些制造商和样式范围内，并且进行一一比较。他们可以通过和制造商合作，要求埃德蒙兹给他们邮寄一些符合其需要的小册子，提供有关他们所选中的制造商和样式的信息。

● 他们可以通过进入埃德蒙兹城堡大厅的讨论区，和其他的已经购买了或者拥有这些汽车的顾客交流，从他们那里获得一些意见，他们甚至可以访问某些 Web 站点，观看那些曾和某些特定的经销商之间有过不愉快经历的顾客们的抱怨，请查阅（www.fordsucks.com 和 www.bmwlemon.com）。

● 在不远的将来，买者们将能够预约在预定的时间里试开许多品牌和样式的汽车，这项活动将由埃德蒙兹公司和其合伙人汽车组合（CarMax）公司或者全国汽车（AwtoNation）公司赞助。他们可以在他们所喜爱的牌子的汽车中从容比较，而不会受到来自经销商的销售压力，而且不用去访问品牌专营经销商。在约会事先安排好后，顾客们就能够试开他们所需的那种品牌的汽车，而不致出现差错。

● 当顾客决定购买某种品牌和样式的汽车时，他们可以规定他们所需的性能和选择权，并且可以要求埃德蒙兹公司的汽车合伙人比德尔（www.autobl.com）充当其购买行为的代理商。该公司将通知当地的几家汽车经销商，告诉它们某种汽车的销售前景，并且邀请它们为这项生意竞争投资。

● 购买者可以通过利用埃德蒙兹公司生意上的其他合伙人对该笔交易进一步作出分析，他们可以事先做准备使他们有资格从国民银行那里获得贷款；从担保金（Warranty Gold）公司那里获得展期担保；从 GEICO 公司那里购买汽车保险；从 J. C. 威特尼（Wbitney）公司那里获得汽车配件。

家庭主人（Homeowner—www.himeowner.com）　未来的家庭汽车的购买者可以研究家庭抵押贷款率和利息率变化的趋势，利用一些财务手段对贷款进行分析，并且预订一个电子邮件服务，使他们获得有关贷款利率变动趋势的信息。他们可以通过网络，从许多提供家庭抵押服务的公司那里申请家庭财产抵押并且在一个交易月内获得答复。此外，他们还可以与特定地区和附近地区的经纪人保持联系。

在线营销：广告和非广告

为什么在线服务会如此普及？他们为潜在购买者提供了三个好处：[28]

● 方便。无论顾客在何地，每天 24 小时都能订购产品。他们无须外出、寻找停车地点和穿过无数的走道去发现和考察商品。他们无须直接到商店，就能发现需要的产品是否缺货。

● 信息。顾客能发现关于公司产品和竞争者之间的大量比较信息，但无须离开办公室或房间。他们能集中分析其目标的标准，如价格、质量、性能和适用性。

● 较少争辩。在网上服务中，顾客不面对销售人员和不必把自己的考虑和情感因素公开出来。

在线服务也给营销者提供了好处：

● 针对市场条件迅速调整。公司能迅速地增加产品，改变价格和规格。

● 降低成本。网上营销者避免了商店维持和伴随着的租用、保险和公用事业费用。它们应用数字式商品目录，大大减少了打印和邮寄纸面目录的成本。

● 建立了关系。网上营销者能与消费者交流和更多地了解他们。营销者还能装载有用的报告或免费软件文件或邮函上的样品进入系统。消费者能下载这些项目放入电子信箱。

● 受众规模。营销者可了解有多少人访问了它们的网点，多少人停下来参与。这些信息能帮助营销者改进它们的产品和广告。

很清楚，营销者将需要使用网上服务来发现、接触、传播和销售。网上营销至少有五个优点。第一，无论大小公司都能承受它。第二，与印刷及广播媒体相比较，广告在这里没有真正的限制。第三，相对于第二天交付的邮件甚至传真，信息存取和恢复更快。第四，网站可以被世界各地的人在任何时间内访问。第五，购买过程保密和快捷。

然而，并不是每一个公司或每一种产品都可以采用在线营销的方式。对于那些顾客寻求最大限度地订货便利（如图书和音乐）或者寻求尽可能低成本（如股票交易或浏览新闻）的产品和服务来说，因特网是有用的。当顾客们需要有关性能和价值差异方面的信息时，因特网也是有用的。对于那些需要事先接触或者检查的产品，因特网的用处就要小得多。但是，即使在这种情况下，也有例外。谁会想到有些人会从戴尔公司或特普威公司订购昂贵的计算机而却不事先看一下或试一下。人们通常通过在线方式订购鲜花和酒，而不需要事先看一下。考虑下面的几个例子：

卡莱克斯和科罗拉(Calyx & Corolla，C &C)　　C&C 公司是由一个有远见的企业家拉什·M·欧文特斯(Rath M. Owades)创建的出售鲜花的直接零售商店。顾客们可以通过拨打电话 1 – 800 – 877 –

0998，或在 C&C 公司的 Web 站点（www.calyxandcorolla.com）上发一份要求订货的方式，从一个含四种颜色的目录中订购鲜花，而在该站点上还有各种鲜花的图案。订货单立即被送到 C&C 公司所属的 25 个种花企业中的一个手中，该花商负责挑选出所需的花并进行包装，然后通过联邦快递把鲜花送到订货者手中。当这些花到达订货者手中时，它们要比从那些售点零售商那儿订购的花新鲜，持续的时间要长大约 10 天。欧文特斯把她的成功归功于其使用的一个复杂的信息系统以及她和联邦快递公司和花商的强有力的联盟。

幻景酒吧（Virtual Vineyards, www.virtualrin.com） 幻景酒吧是一个优秀的品酒师彼得·格兰尼夫（Peter Granoff）和硅谷的一个工程师罗伯特·奥森（Robert Olson）共同创建的，该站点创建的主要目标就是使人们能够容易地从生产商那里，寻找到和订购那些很难找到的酒类、食品和礼物，幻景酒吧拥有 300 多种酒，分别来自美国加州和欧洲的 100 个酒厂，它还拥有来自 70 个生产商的约 200 种食品和礼物。诸如"浸渍法是什么意思"这类难以回答的问题，也可以在网站上找到答案。幻景酒吧拥有一个品酒俱乐部，每月活动一次。其 Q&A 栏目中有考克·杜克斯、"食品丸"、酒和食品的搭配建议和"彼得的品尝图"——形象地画出了每一种酒在味道上的特征。其提供的最新服务是由数字感谢（Digital Think），一家出版以网络为主的培训课程的出版商，提供酒类欣赏自学课程，该课程是在网络上教授的。当然学生们必须提供他们自己的酒！[29]

卡莱克斯和科罗拉的主页内容还包括联邦快递的标志：联邦快递是它们的运输人。

开展在线营销

营销人员可以通过在因特网上创建一个电子站点来进行在线营销；参与论坛、新闻组、布告栏和网络社区的讨论；使用电子邮件和网络投放服务。

电子站点

成千上万的公司都在因特网上建立了一个站点。许多 Web 站点为使用者们提供各种各样的服务。

一个公司可以通过两种方式在网络上建立其电子站点：它可以从一个提供在商业服务的公司那里购买一个席位或者可以建立自己的 Web 站点，从一个提供在线商业服务的公司那里购买一个席位，意味着在一个提供在线服务的计算机中租赁存储空间，或者把公司自己的计算机同提供在线服务的购物中心链接起来。例如，J. C. 彭尼连接到了美国在线计算机服务和帕罗蒂基上。提供在线服务的公司通常为那些要求服务的公司设计一个商店前台，那些公司要为其所接受的在线服务支付一笔年费并加上该公司在线销售额的一个很小的比例作为代价。

还有一种可供选择的方法是许多公司创建了它们自己的网站，它们大多是在专业的网站设计机构的帮助下建立的。这些站点有两种基本形式：

1. 公司的网站。公司在该站点提供有关公司历史、使命、企业文化、产品和服务，以及公司地理位置方面的基本信息，该站点可能还会提供有关其目前发生的事件、财务数据和就业机会方面的信息。这些站点的创建是为了以电子邮件的方式回答顾客提出的问题，与顾客建立更加密切的关系，以及使顾客对该公司感兴趣。它们被用来与消费者们进行相互间的交流，而这种交流通常是由消费者发起的，具有讽刺意味的是最近的一项研究表明快速成长的硅谷中的公司(是他们推动了因特网的革命)，都未能提供基本的公司信息。谢利·泰勒联合会(The Shelly Tayhr and Assouiations)研究了高科技公司中的 50 个公司的网站，包括思科、雅虎!和埃克斯特(Excite)，发现许多站点很难让顾客、投资者和潜在的雇员与其保持联系并收集信息。大部分的站点对于那些找工作的人来说其所起的作用要好些，但是在被调查的公司中几乎有一半的公司没有让求职者递交电子申请，有 84% 的公司没有注明该工作岗位在站点上的限制日期。对于营销人员来说，从中应该吸取的教训是：注意一些基本的内容，例如，提供姓名、电话号码和日期，并使顾客轻易地实现网上购物。[30]

2. 营销网站。这种站点的设计、创建是为了拉近现有的和预期的顾客与购物营销或其他营销结果的距离。该站点可能包括一个目录、购物秘诀和一些促销活动的特征，例如，优惠券、促销活动或者竞赛。为了吸引更多的人访问该网站，公司在报纸和广播中做广告宣传该网站，并且通过象征性的广告吸引进入其他的网站。

设计一个第一眼就被吸引住并且很有趣以至于人们会重复对其进行访问的 Web 站点是一个关键性的挑战。早期的 Web 站点，大部分是以文本为基础的，它们逐渐被那些能同时提供文本、声音和图片的生动复杂的 Web 站点所替代，（例如，可以看一下 <u>www.gap.com</u> 站点或者 <u>www.1800Flowers.com</u>）。为了鼓励用户再次访问该站点，公司之间相互竞争，提供最新的新闻故事和一些特殊的服务。以下是几个设计得较好的公司的 Web 站点的例子：

> **克尼利克**（<u>www.chniglce.com</u>）　该 Web 站点提供有关化妆、美容秘诀、新产品介绍和定价方面的优质信息，教授人们如何用一种方法来估计皮肤的类型，有一个布告栏、婚礼指南以及访问专家。它同时还提供在线购物服务。
>
> **庭院**（<u>www.garden.com</u>）　该 Web 站点提供了一个"花园设计者"，让访问者来创建并且保存他们最满意的花园设计图，之后它会向访问者建议一些植物和设施以把他们的设计变为现实。它同时还提供在线购物和联邦快递送货服务。

企业市场营销实际上是电子商务业发展的驱动力，至少有 50 个大的企业，包括雪佛莱、福特汽车公司、通用电气公司和麦克斯，投资了数百万美元在 Web 系统的建设上，以使公司的购买行为自动化。结果是：过去要花费 100 美元加以处理的发票现在仅需花费 20 美元。到贸易处理网络中来，这一倡议将使通用电气公司到 2003 年为止每年可节省 3 000 万美元。如果公司通过因特网采购，那么你可以确信那些在因特网上销售商品的公司在利润排名中位居前列。西科公司、戴尔公司、英格兰姆·麦克罗公司和英特尔公司通过它们的 Web 站点销售额已经达到了几十亿美元，并且它们正在为将来做准备。未来，几乎所有公司的业务都将在因特网上展开。对于电子交换来说，Web 站点同时也是一个很好的媒介，借助那些 Web 站点，生意场上的买方和卖方可以跨过地理上的界限做交易。下面是一个例子：

> **医疗设备网**（Medical Equip Net）　1996 年，辛西·舒斯特（Cynthia Schuster）创建了医疗设备网，为市场中的公司、医生的办公室和医院中已使用过的或重新翻新的医疗器械提供买卖服务。因为这个二级市场是以交易为中心的，并且在地理分布上是分散的，该站点开辟了另一个更有效节约成本的销售渠道。那些利用该站点来销售其设备的公司，其获取的利润正在显著地增大。例如，到 1998 年为止，设立在加州洛杉矶公司，利用医疗设备网销售了估计 100 万美元的产品。[31]

公司不仅需要确保它们的 Web 站点设计得好，信息含量高，而且必须确保它们没有让网上冲浪者和潜在的顾客们感到束手无策。大部分的营销人员在他们所有的促销文化中都粘贴了同样的 URL（一个 Web 站点地址）。然而，如果某人访问该站点是为了寻找某一特定产品的信息，他通常需要先浏览几个项目，诸如公司的企业文化、历史或公司董事们的简历后才能看到所需的信息。或者，为了看到他要找的产品的信息，顾客可能需要浏览许多页，以至于他失去了兴趣，从而退出。这个问题使许多公司设计了"微型站点"——针对特定场合或产品的更小的、专门化的站点。大型的电影制作公司为新的影片创建了单独的站点，而不是让人们在公司的主页中找。现在，其他的公司也在以下情形下使用了微型站点：新产品发布、促销活动、竞赛、招聘、关键传播，为那些点击横幅广告的用户提供有关特定的信息以及媒体关系。公司应该考虑为任何一种可能情形创建微型站点，在这些站点中，特定的详细信息必须制作得让人们能够轻易并快速地获得。[32]

在线广告

公司可以通过三种方式在网络上做广告，它们可以在那些主要提供商业在线服务的公司为它们提供的特定栏目部分粘贴分类广告，也可以在特定的因特网新闻组中粘贴广告，这些新闻组是为了商业目的而创建的。最后，公司可以为在线广告支付一笔费用，当订阅者们在网上冲浪时，这些在线广告就会弹现在用户面前。这些在线广告包括窗口广告、弹跳式窗口、"收录器"（在屏幕上来回出现的易懂的标语）和"路障"（满屏的广告，用户们必须点击通过它才能到达其他的屏幕）。

在线广告正以两位数字的速度在发展。1998 年，在线广告费用支出估计为 20 亿美元。与其他的广告媒体所花费用相比，这些费用还是合理的。例如，在 ESP 网运动区（ESP Net Sports Zone, www. espnet sports zone. com）上所花的广告费用每年约 30 万美元，而该站点每个星期吸引 50 多万的冲浪者和每周 200 万的"点击"。为了销售在线广告，雅虎! 雇用了 100 个电子空间销售员，他们将展示如何把在线广告送到具有特定利益或居住在特定地区人的手中。

还有，冲浪者往往忽视了大部分窗口横幅旗帜广告。它的其中一个测量指标就是"点击率"，该指标显示了有多少计算机用户将他们的鼠标指针对准一则广告并点击它以索取更多的信息。当点击率低于 1% 时，广告商们担心他们选错了站点。广告商们要求采用更好的指标来反映广告的影响。网络广告在大多数广告商的多种促销的行为中仅仅是扮演着一个次要的角色。[33]

论坛、新闻组、布告栏和网络社区

公司可以决策参加或者资助因特网上的论坛、新闻组和布告栏，它们将会吸引一些带有特殊兴趣的群体。论坛（Forums）是在线商业服务中的讨论团体。论坛可能运作着一个图书馆、一个聊天室，让人们进行实时的信息交流，甚至，它还有一个分类的广告目录。美国在线（America Online）以其拥有 14 000 个聊天室而引以为豪。最近，它还引入了一个"朋友表"，当有朋友也在线上时，它会提醒其成员，以使他们能够瞬时地交换信息。

新闻组（Newsgroups）是因特网上的一种论坛形式翻版。然而，它对那些粘贴和阅读特定话题信息的人有所限制。因特网用户可以直接参加新闻组而不需要预约。成千上万个新闻组涉及了每一个可以想像到的话题：健康饮食，照顾你的盆景，交换关于最近上演的肥皂剧情节的观点等。

布告栏系统（Bulletin Board Systems，BBSs）是针对某一特定话题或团体的专门化的在线服务项目。60 000 多个布告栏系统涉及了许多话题，诸如度假、健康、计算机游戏和房地产等。营销人员可以参加这些新闻团体和布告栏系统，但是，要注意不要把一种商业口吻带到这些团体中来。

网络社区(Web Communities)是由商业资助的 Web 站点，在那里，成员们聚集在网络上，对于他们共同感兴趣的问题交换观点。其中一个成功的网络社区是农业在线(www.agriculture.com)，在那里，农民们和其他人能够看到一些商品的价格、最近的农业新闻，还有各种类型的聊天室。该站点每个月要吸引500 万的访问者。父母浓雾(Parent Soup，www.parentsoup.com)是一个网络社区，有 200 000 多位父母花费时间在网上收集信息，和其他父母聊天，或者与其他相关的网点保持联络。

在线购物的人们是在日益创造产品信息，而不仅是消费产品。他们和因特网上的有兴趣的群体一起讨论与某产品有关的信息，结果使"网络语言"和"口碑"一起成为影响人们购买行为的一个重要因素。

电子邮件和网络投放器

公司也可以和众多提供网络投放服务的站点签订协议，例如，点投放(Pointcast，www.pointcast.com)和伊富新(Ifusion，www.ifasion.com)，这些站点将会把顾客所需的消息，自动下载到接受者的个人计算机上。只需每个月缴纳一定的费用，订阅者就可以指定其所需的频道和话题——新闻、公司信息、娱乐信息等任何他们想收到的内容。当网络投放器自动地将顾客所感兴趣的信息传送到他们的计算机屏幕上时，他们只要坐在那里等待就可以了。网上营销人员看到这是一个向订阅者发送信息和广告的好机会，而订阅者又不必事先提出订阅要求。他们把它称为"推动"程序。然而，网络投放器必须注意不要把电子邮件垃圾下载到订阅者的计算机上。[34]

公司可以鼓励预期和现有的顾客们以电子邮件的方式向公司发送一些问题、建议，甚至是抱怨的话。顾客服务代表们会很快地对这些信息作出回答。公司还可以设计以因特网为基础的电子邮件清单。利用这个清单，网上营销人员可以向顾客发送新闻信件，特定产品信息，或者根据顾客的购物历史提供促销服务，提醒其顾客所需的服务要求或者更新保证要求，或者对特定事件的声明。

然而，在利用电子邮件作为一种直接营销工具时，公司必须十分小心，不至于让顾客觉得它是一个"罐头肉"。未经要求的电子邮件被人们称为是罐头肉(spam)。那些已经习惯于在其信箱里经常收到一些垃圾信件的消费者们，如果在他们的电子邮件信箱内发现一些营销广告，他们经常会很愤怒。因特网上有许多罐头肉。在使用网(Usenet)的用户中平均每天所发送出的大约 500 000份信息中，约有 300 000 份是罐头肉。这个问题已经变得如此重要，以至于美国在线和电脑服务(Computer Serve)已经和众多声名狼藉的罐头肉的创作者之一——电脑推广(Cyber Promotions)打了多次官司，电脑推广公司曾为许多组织机构发送大量的电子邮件。结果是，美国许多个州，包括联邦政府，都建议要制定规章制度来限制或禁止传播罐头肉。

然而，尽管存在被人们认为是罐头肉的可能，一些营销人员还正竞相利用电子邮件营销的潜力，而且他们知道该如何做。[35]参见"新千年营销——如果你希望听到我们的推广广告，那么点击这里：用电子邮件的方式改写直接邮寄的规则"。

如果你希望听到我们的推广广告，那么点击这里：
用电子邮件的方式改写直接邮寄的规则

通过电子邮件发送营销广告的公司要经历一条前途既光明但又很危险的道路。任何的一步错误，例如，把电子邮件发送给了一个并不需要的顾客，都会一夜之间毁了公司的声誉。然而，如果公司对于电子邮件的使用恰到好处的话，它不仅能够建立起与客户的联系，而且可以获得超额利润，并且，其所花的费用仅仅是直接邮寄所花费用的一小部分。

越来越多的公司开始走这条路，因为电子邮件营销可以带来许多看得见的好处。因特网使营销人员可以立即与成千上万的预期和现有的顾客取得联系。研究表明，80%的因特网用户在36小时内会对收到的电子邮件作出答复，而在直接邮寄活动中，平均答复率仅为2%。同时，与在线营销的其他方式相比，电子邮件是一个无可非议的赢家。看一下"点击通过"率。每当用户连接到公司的主页或销售站点时，就发生了一次点击通过——无论他们是观看了一个站点的窗口广告，还是发送一个电子邮件。旗帜广告的点击通过率已经降到了1%以下，而电子邮件的点击通过率约为80%。还有一项就是成本。纸张、打印、邮寄的费用都很贵，而且一年比一年更贵。微软公司每年要花费将近7 000万美元用于直接邮寄活动。现在，这个软件业中的巨人每个月要发送出2 000万份电子邮件，但其所花的费用要比直接邮寄少得多。

然而，这其中存在着要注意的因素。为了实现一个较高的点击通过率，或者为了让电子邮件的接受者们尽快作出答复，营销人员必须遵循电子邮件营销的基本规则：征得消费者的同意。例如，作为一个在网络上进行直接营销的先驱者和扬扬迪尼（Yoyodyne）公司（最近被雅虎！所收购）总裁，塞思·戈丁（Seth Godin），甚至提出了以征得客户允许为基础的营销（permission-based marketing）。戈丁用这个词组来描述一种新的电子邮件营销模式。依照戈丁的话来说，消费者厌烦了那些他们不想要的营销广告。通过利用因特网的人机对话功能，让消费者决定他们需要得到什么样的电子邮件，而使用征得消费者允许为基础的营销将使它得到好处。戈丁把以征得消费者许可为基础的营销比作约会；如果公司在与消费者的第一次接触中就表现得很好，这就会增进消费者对公司的信任并促使他们接受公司以后所提供的各种服务。

艾米加（Iomega）公司在其电子邮件营销中成功地利用了以征得消费者许可为基础的营销方式，它营销计算机外围的存储设备，如目前很流行的Zip驱动器。艾米加公司进行了多次电子邮件营销活动，每次都是以已登记的顾客为基础而开始的。从它的选择清单中，艾米加仅向那些允许艾米加公司向其发送电子邮件的顾客发送出电子邮件。通过把目标集中在那些愿意收到这些电子邮件的顾客身上，公司可避免在因特网上遭到拒绝，并且增加其收到答复的概率或者增加其销售额。

鉴于消费者对收到大量的垃圾邮件很是愤怒，他们总是把它们扔到垃圾堆里。这些愤怒的消费者，可能会在网上进行反击。他们只需很快地发一份电子邮件给朋友们，给该公司服务名单上的所有人，或者给其他Web站点上的用户，或者是建立他们自己的Web站点来反对该公司，这样一个愤怒的消费者几乎可以立即让那个冒犯他的公司名誉扫地。因为这个原因，那些有效利用电子邮件进行营销的公司不仅让愿意"进来"的用户"进来"，而且每一次当他们要"出去"时，也让他们"出去。"例如，在罗迈加公司，每一份电子邮件，即使是发送给那些已登记同意接收其他邮件的顾客，也为其提供了随时"出去"的机会。

然而，征求同意和为他们提供"出去"机会，仅仅是设计一个成功的电子邮件营销活动的一个方面，你必须能够提供一些有价值的供应品。以下是电子邮件营销人员中的先驱者们所遵循的其他一些重要的准则。

● 给顾客一个必须作出答复的理由。扬扬迪尼公司使网上冲浪者们有强烈的欲望要去读这些电子邮件广告和网上广告。创新的直接营销公司利用电子邮件形式上的小游戏、清道夫搜索清除和瞬间就知道输赢的活动来吸引顾客。到目前为止，不止100万的因特网冲浪者已经同意会去阅读来自某些公司的产品信息，这些公司有斯普瑞特(Sprint)公司、读者文摘(Reader's Digest)公司和大联盟棒球(Major League Baseball)公司等，用户的目的是为了争夺奖品，如一次去加勒比海的旅行或者是一袋金子。

● 使你的电子邮件的内容个性化。网络使公司能够根据顾客过去的购买情况或合作情况，将其发送的电子邮件的内容个性化。同时，顾客也更乐于接受个性化的信息。电脑书店亚马逊(Amazon.com)站点，通过根据顾客过去的购物情况，向那些愿意接受建议的顾客发送电子邮件并提出一些建议，赢得了许多忠诚的客户。IBM公司的"聚焦于你的新闻文摘"站点将有选择的信息直接发送到顾客的电子邮件信箱中。那些同意接收新闻信件的顾客可以从一个有兴趣的话题概况清单中选择他们所要的内容。

● 为顾客提供一些他从直接邮寄邮件中所得不到的东西。直接邮寄活动需要花费大量的时间去准备、实施并最后将信件寄来。因为电子邮件营销的实施要快得多，所以它们能够提供一些对时间敏感的信息。网络上的一个旅游站点如旅游城(Travelcity)不断地向顾客发送被称之为票款手表(Fare Watchers)的电子邮件，它提供最后一分钟的廉价机票。美特俱乐部(Club Med)站点利用电子邮件向其数据库中的34 000个顾客提供尚未售出的折价的度假方案。

如果营销人员根据所有这些规则来从事其营销活动，他们很可能使电子邮件成为最热门的新型营销载体之一。

资料来源：Nicole Harris, "Spam That You Might Not Delete," *Business* Week, June 15, 1998, pp. 115～118. Matt Barthel, "Marketer: Banks Miss Web's Real Strength— Relationships, " *American Banker*, October 21, 1998, p. 19; Jay Winchester, "Point, Click, Sell, "*Sales & Marketing Management,* "November 1998, pp. 100～101; Michelle L. Smith "One to One: Put the Customer in the Information Driver Seat and Build Better Relationships,"Direct Marketing, January 1998, pp. 37～39; Roberta Fusaro, "More Sites Use E-Mail for Marketing," Computerworld, October 19, 1998, pp. 51～54; Mary Kuntz, "Point, Click—And Here's the Pitch," *Business Week,* February 9, 1998, pp. ENT8～ENT10.

在线营销的前景和挑战

依照在线营销的最热情的倡导者们的话来说，在线营销将会给经济生活中的许多内容带来深刻的变化。消费者能够直接订货将会严重伤害某些特定团体的利益，尤其是旅行社、股票经纪人、保险推销员、汽车经销商和书店老板们的利益。这些中间人将会被网上服务的中间人所替代。[36]同时，一些新的中间人将以新的网上中间人的形式出现，他们被称为信息中间人(informediaries)，他们帮助消费者更方便地购物并且获得更低的价格。下面是三个例子：

马西米（mySimin，www.mysimon.com）　这个网站是一个聪明的购物代理商，它帮助消费者找到若干目录中的最好的商品，包括图书、玩具、计算机和家用电器。一个人如果想要买一台数码相机，可以访问该网站，先点击相机，然后点击数码相机，再点击比如说是富士（Fuji）MX700，就可以发现提供该种相机的多个经销商中哪一个的价格最低。

价格线（Priceline，www.priceline.com）　这个网站使要购买汽车的人可以指定他们想要的品牌、样式、价格、选择方法、取车日期和最大的行车里程。价格线网站把这个可能的订货单传真给汽车经销商，并且将最好的经销商报告给要买汽车的那个人，然后他可以确定是否购买。对于这项服务，购买汽车的人要支付25美元，汽车经销商要支付75美元。

人寿保险购买者（Lifeshopper，www.lifeshopper.com）　这个网站使消费者能够指定他们想要的人寿保险的类型。该站点会把各个保险公司提供的价格以发送电子邮件的方式告诉消费者。

热情的网络营销迷们还认识到网络营销正改变着世界商务活动。在线营销人员可以进入一个全球性的市场。今天，亚马逊（Amaion，www.amaion.com）所售的书中有20%以上是卖给了外国人。奎尔奇和克莱因认为，因特网将使中小型企业（SMSs）的国际化进程加快。[37]规模经济的优势将会减少，全球性的广告费用将会减少，生产特定产品的小企业将会有一个更大的世界市场。

同时，对网络不那么热心的评论者们叙说了网络营销人员所面临的许多挑战：

● 消费者的接受能力和购买行为是有限的。网民们上网更多的是去冲浪而不是购物。实际上，估计仅有18%的冲浪者们定期地利用网络进行购物或者获取商业性的服务，例如获取旅行信息。今天大部分的网上购物者是企业机构而不是单个消费者。

● 在人文和心理上扭曲的网络用户。网民与一般人相比，层次水平更高，对技术更重视，这使他们成为计算机电子设备和金融服务设施的最合适的使用者，但却并不是主流产品的最合适的使用者。

● 杂乱无章。因特网提供了成千上万个Web站点和惊人的信息。浏览网络会使人心烦。许多站点至今没有被人们注意，甚至已经访问过的站点，要么在8秒钟之内就吸引了人们的注意，要么就是被人们忽略而转换进入到了另一个站点。

● 安全问题。消费者担心不诚实的闯入者会拦截他们的信用卡号码。公司担心其他公司为了搞间谍活动或阴谋破坏，会侵犯它们的计算机系统。虽然因特网正在变得越来越安全，但是，在新安全措施发展的步伐和新破解密码方法出现的步伐之间始终存在着较量。

● 道德上的担忧。消费者担心会侵犯他们的隐私，公司可能未经同意就使用了他们的姓名和其他信息，例如把他们卖给其他客户。1997年，美国联邦贸易委员会称对674家商业性Web站点的调查表明，有92%的站点收集了顾客的个人信息，但是，只有14%的站点坦白了它们利用这些信息做了些什么。从那以后，政府干预的威胁逼使越来越多的网络商公布其保护私人权利的政策。另一个对个人自由权利方面的担忧是网络营销人员对"烧机"的普通使用。烧机是安排一些文本文件，它被安装在用户的计算机上是为了识别那些再次访问该网站的人。虽然烧机使用户不再需要在他们每次访问一个Web站点时，都确认他们自己的身份，并且输入他们的口令。但他们同时却监视着用户的每一个举动。烧机可以告诉网络商，顾客在不同的产品上所停留的时间，使网络商可以跟踪这些网上购物者，并且利用这些信息在他们再次访问该站点时给予他们一定的优惠。[38]还有一个道德方面的问题，即因特网虽然使水平高的消费者的购物行为更有效，但却使那些较少有机会上因特网的相对贫穷的消费者要支付更高的价格。

● 消费者反击。正如网络通过向消费者提供比以前更多的产品信息，从而将权力转移到了消费者手中一样，它也为他们提供了一个更强有力、更有效的方法来表示他们的不满甚至是愤怒。许多大名鼎鼎的公司，如宝马、苹果电脑、联合航空公司和伯克王等，经常被愤怒的消费者或以前的雇员在流氓 (Rogue)网页上发泄。成千上万的人都可以看到诸如"斯纳普(Snapple)在下沉"或者"沃尔玛搞欺骗"这样的网页内容。这些网页中的信息可能非常生动，但是，它们也可能会散播一些没有根据的传闻。虽然某些公司，尤其是一些强大的公司对这些网页不予理会，但是，其他的公司可能会非常关注，所以去雇用一些公司来监视这些网站的活动。[39]

马西来的主页：全世界最大的智力产品代理商。

使用直接营销中的公共道德问题

直接营销者和他们的顾客一般是互惠互利。然而，也会偶然发生阴暗面：

● 激怒。许多人发现日益增加的硬性销售的征求情况令人生厌。他们不喜欢直复的电视广告声音太响、太长和老是讲个没完，特别是在吃饭的时候或晚间来的突然电话访问，很差的未受训练的来访者，以及通过自动拨号记录信息机的计算机访问。

● 不公平。有些直销员采取不公平的优势对待掌握较少技术的购买者。电视导购剧和信息很可能是最坏的陷阱。它们讲好听的话，展示精美的东西，宣称大减价，"这是最后一次"的时间限制以及并非容易买到等，来捕获缺少销售防御的购买者。

● 欺诈。某些直销者设计邮件和文稿误导购买者。他们可能扩大产品尺寸、绩效或所谓"零售价"。政治基金募捐者有时拿看上去像官方文件的信封、类似的剪报、假荣誉证和奖章来欺骗群众。某些营利组织假装搞研究调查，而实际上它们发出有导向问题的信息或向消费者施加压力。联邦贸易委员会每年收到成千上万的投诉，这也涉及假冒慈善基金的欺诈行为。同时，购买者认识到他们已经受挫折并警告权力机构，小偷常常也会设计新阴谋。

● 侵犯隐私权。隐私权的侵犯也许是涉及直销行业的最棘手的公共政策。消费者似乎每次通过邮政或电话订购产品、抽奖、申请信用卡或订购杂志，他们的姓名、地址和购买习惯就会被输入某些公司建立数据库。许多批评家担心营销者太了解消费者的生活，并利用这些知识的优势不公平地对待消费者。他们发问：美国电话电报公司会向营销者出售经常打800免费电话求购货物的顾客的名字吗？信用卡发售机构汇编和出售新近申请信用卡人的名单是正确的吗？出售驾驶证持有者的名字和地址以及身高、重量和性别信息，这可使服装设计者为高个和过重的人设计特殊的衣服，是正确的吗？

直接营销行业正在关注这些问题。它们知道，这些问题将日益对消费者的态度产生负面影响，降低直销反应率，使更多的地方和联邦法律进行干涉。所以，大多数的直接营销者应向消费者提供他们需要的相同的东西：诚实和良好设计的、将会使消费者赏心悦目的营销供应品。

小结

1. 直接营销是一种为了在任何地方产生可度量的反应或达成交易而使用的一种或多种广告载体的交互作用的市场营销体系。直接营销被广泛地应用于消费者市场、企业市场和慈善募捐。

2. 一种最有用的直接营销工具是顾客数据库，它被用于有组织地收集个人顾客或预期顾客的综合数据。公司应用这些数据确定预期顾客，决策哪些顾客应收到特定的报价单，强化顾客忠诚度和促使他们再购买。

3. 直接营销应用大量广泛的渠道来与预期和现行顾客建立联系。其老的形式有销售访问。直接邮寄营销包括向一个有具体地址的人寄发报价单、通知、纪念品或其他项目。目录营销和电话营销是直接营销中最普遍的形式。电视直复营销和传播以及在线营销，家庭购买频道和录像文本和交互活动电视的重要性在日益增长。其他的媒体形式，如杂志、报纸和收音机也可用于直接营销。

4. 为了成功，直接营销者必须仔细地计划他们的活动。他们必须目标精确地对准他们的目标市场和预期顾客，设计报价要素，测试这些要素和衡量直销活动的成功率。

5. 在线营销活动的渠道有两种：商业在线服务和因特网。在线广告对买方提供方便，对卖方成本较低。公司上网可选择创建电子商店前台；发布在线广告；参与论坛、新闻组和布告栏，网上传播；使用电子邮件和网络投放器。

6. 虽然有些公司把直接与在线营销放在营销和传播组合的次要地位，但大多数公司已开始实践整合营销传播，或称整合直接营销。整合直接营销的方案把多种媒体方法用于广告，比单一传播方案更为有效。

7. 直接营销者和他们的顾客一般是互惠互利的。但营销者应谨慎地避免过分激怒消费者、不公平的要求、直接欺诈或侵犯顾客隐私权等问题。

应用

本章观念

1. 美国西北大学整合营销专家唐·E·舒尔茨(Don E. Schultz)说他接到营销工作者的电话。电话里说："我们听你说(或者你的书或与你的一些客户交谈，或其他什么)，我们也准备进入整合营销的传播。我们知道数据库是你正在研究的全过程的心脏。"他们继续说他们的产品是什么，并问："计算机应有多大？我们应买哪种软件？"为什么这些问题对于刚开始使用数据库营销的公司是错误的？他们首先应问什么问题？一旦数据库建立并运行后，该公司应采取什么预防措施？

2. 描述以下公司的营销目标和目标市场。每家公司会从因特网购物服务中得到什么好处？(a) 西尔斯；(b) 萨克斯第五大街；(c) 威廉斯－索罗马(Williams-Sonoma)；(d)蒂克马斯特 (Ticketmaster)；(e) 豪马克 (Hallmark)；(f) 美林证券 (Merrill Lynch)；(g)计算机美国 (CompUSA)；(h) 环球航空公司(TWA)。

3. 如我们今天所知，零售商品目录是直接营销的一种形式。现在一些零售商店正通过邮政或报纸传送商品目录以增加店内销售。零售店为什么决定发行商品目录单？为什么一家已开展零售业务的零售商店决定进入邮购业务制作商品目录单？

营销和广告

1. 许多非营利性的组织机构，例如，地球权力法律保护基金(Earthjustice Legal Defense Fund)利用直接答复式的广告来吸引捐助。图21A—1是一本杂志中的一则广告，它要求消费者拨打一个免费的电话号码或者访问一个网站，并且承诺支持律师们保护珍稀动植物的斗争。这则广告说："你不必是一个律师才加入本组织。"该基金为消费者提供了什么服务？对这则广告作出答复后，消费者能得到什么好处？用对这则广告作出答复的人们的名字，地球权力法律保护基金可能会作出什么事？为什么？

图 21A—1

聚焦技术

数据挖掘的过程是一个复杂的计算机化的分析过程，营销人员能利用它从反映顾客购物信息的数据库中发现一些有意义的东西。通过数据挖掘，营销人员可以确定哪些顾客是某一特定服务项目的最佳承担者。他们还可以猜出哪些顾客使他们获得盈利最多，然后设计出特定的记忆程序，使这些客户对他们更加忠诚。

数据库和数据挖掘的使用越来越多，这些会引起哪些道德和公众问题？消费者能否退出某些公司的数据库系统？当公司将消费者的姓名和其他个人信息添加到数据库中时，是否应该通知消费者一声？你认为数据库中对个人信息的收集和使用是否需要政府管制？举例支持你的回答。

新千年营销

随着越来越多的公司加入到电子商务中，它们应该不要为了增加产品的销售而向消费者发送一些他们不想要的电子邮件，从而激怒了消费者。指导因特网上的行为的不成文的规则，耐特奎特(Nettquette)建议营销人员需要先征得顾客许可再向其发送营销广告，并且告诉顾客在任何时间如何阻止这些促销性的电子邮件的流入。

要了解以征得客户许可为基础的营销是如何进行的，可以访问一下艾米加(Iomega)公司的网站(www.iomega.com)，该公司主要生产 Zip 驱动器和其他计算机存储设备。该公司不断开展竞赛活动，以鼓励人们在其网站注册登记。点击它的任何一个竞赛活动，然后阅读一下注册登记表格。你注意到艾米加公司在征求你的同意以决定是否给你发送各种营销资料和是否把你的姓名交给其他营销人员使用。艾米加公司还会问你一些其他的问题，例如你拥有该公司生产的哪一种产品？艾米加公司为什么会问你对其所生产产品的拥有情况？该公司为什么想把你的姓名和其他营销人员共享？如果你同意把你的姓名交给其他营销人员使用，你将会得到什么好处？

你是营销者：索尼克公司的营销计划

随着电子商务的不断发展，越来越多的营销人员在他们的营销计划中包含了在线营销以及直接营销和在线营销相结合的方式。甚至那些通过批发商和零售商来销售其产品的制造商们也开展直接营销和在线营销相结合的多载体、多阶段活动，以增强其营销传播的效果。

你在索尼克公司是简·梅洛迪的助手，你负责制定和协调公司的台式立体音响系统的营销计划。再看一下索尼克公司目前的情况，它的目标和战略，同时再看一下你过去设计的其他营销组合计划，然后，回答以下有关为索尼克公司设计直接营销和在线营销方面的几个问题：

● 如果索尼克公司缺乏一个好的数据库系统，但它需要了解有关顾客(消费者市场)和经销商(业务市场)的哪些方面的信息？它将如何收集这些信息？

● 索尼克公司如何利用直接营销或者在线营销来支持对消费者的促销和交流？它如何利用直接营销或者在线营销来支持对商人的促销和交流？

● 对于购买索尼克公司产品的消费者们，哪些信息和渠道是最适合发送给他们的？对于购买索尼克公司产品的零售商，又有哪些信息和渠道是最适合发送的？你建议搞一些什么方案，这些方案应安排在什么时候进行？

● 索尼克公司如何利用其网站和消费者及零售商进行交流？

考虑一下你所建议的在线营销和直接营销活动将如何和索尼克公司的其他活动相配合，并且支持公司的目标和战略的实现。根据导师的指示，总结一下你的建议，把它写到一个书面的营销计划中，或者，把它输入到营销计划程序软件中的营销组合部分和程序及战术部分。

【注释】

[1] The terms *direct-order marketing and direct relationship markering* were suggested as subsets of direct marketing by Stan Rapp and Tom Collins in *The Great Marketing Turnaround* (Upper Saddle River, NJ: Prentice Hall, 1990).

[2] Figures are for 1997 and supplied by National Mail Order Association, tel: 612 – 718 – 1673.

[3] For an update on the most recent statistics, go to www. commerce. net/nielsen/.

[4] Pierre A. Passavant, "Where Is Direct Marketing Headed in the 1990s?" an address in Philadelphia, May 4, 1989.

[5] Don E. Schultz, Stznley I. Tannenbaum, and Robert F. Lauterborn, *Integrated Marketing Communications* (Lincolnwood, IL: NTC Business Books, 1993); Ernan Roman, *Integrated Direct Marketing: The Cutting Edge Strategy for Synchronizing Advertising, Direct Mail, Telemarketing, and Field Sales* (Lincolnwood, IL: NTC Business Books, 1995); Stan Rapp and Thomas L. Collins, *Maximarketing* (New York: Mcgraw-Hill, 1987), and *Beyond Maximarketing : The New Power of Caring and Daring* (New York: McGraw-Hill, 1994). ·

[6] Roman, *Integrated Direct Marketing*, p. 3.

[7] Rapp and Collins, *Maximarketing*.

[8] See Don Peppers and Martha Rogers, *The One -to -One Future* (New York: Doubleday/Currency, 1993).

[9] Jonathan Berry, "A Potent New Tool for Selling: Database Marketing," *Business Week*, September 5, 1994, pp. 56 ~ 62; Vincent Alonzo, "'Til Death Do Us Part," *Incentive*, April 1994, pp. 37 ~ 41.

[10] "What've You Done for Us Lately?" *Business Week*, September 14, 1998, pp. 142 ~ 148.

[11] Nicole Harris, "Spam That You Might Not Delete," *Business Week*, June 15, 1998, pp. 115 ~ 118.

[12] Bruce Horovitz, "AmEx Kills database deal after privacy outrage," *USA Today*, July 15, 1998, p. B1.

[13] Debra Ray, "'Poor Mouth' Direct Mail Brochure Nets $3. 5 Million in Contributions," *Direct Marketing*, February 1998, pp. 38 ~ 39.

[14] Bob Stone, *Successful Direct Marketing Methods*, 6th ed. (Lincolnwood, IL: NIC Business Books, 1996) . Also see David Shepard Associates, *The New Direct Marketing*, 2nd ed. (Chicago: Irwin, 1995); and Amiya K. Basu, Atasi Basu, and Rajeev Batra, "Modeling the Response Pattern to Direct Marketing Campaigns," *Journal of Marketing Research*, May 1995, pp. 204 ~ 212.

[15] Edward L. Nash, *Direct Marketing: Strategy, Planning, Execution*, 3d ed. (New York: McGraw-Hill, 1995).

[16] Rachel Mclaughlin, "Get the Envelope Opened!" *Target Marketing*, September 1998, pp. 37 ~ 39.

[17] Also see Richard J. Courtheoux, "Calculating the Lifetime Value of a Customer, in Roman," *Integrated Direct Marketing*, *pp.* 198 ~ 202. Also see Rob Jackson and Paul Wang, *Strategic Database Marketing* (Lincolnwood, IL: NTC Business Books, 1994), pp. 188 ~ 201.

[18] Bruce Horovitz, "Catalog Craze Delivers Holiday Deals," *USA T*, December 1, 1998, p. 3B.

[19] Erika Rasmussen, "The Lands' End Diference," *Sales & Marketing Management,* October 1998, p. 138.

[20] For more reading , see Janice Steinberg, "Cacophony of Catalogs Fill All Niches," *Advertising Age,* October 26, 1987, pp. S1 ~ S2.

[21] Mari Yamaguchi, "Japanese Consumers Shun Local Catalogs to Buy American," *Marketing News,* December 2, 1996, p. 12; Cacilie Rohwedder, "U。S Mail-Order Firms Shake up Europe— Better Service, Specialized Catalogs Find Eager Shoppers," *Wall Street Journal,* January 6, 1998; Kathleen Kiley, "B-to-b Marketers High on Overseas Sales," *Catalog Age,* January 1997, p. 8.

[22] De'Ann Weimer, "Can I Try (Click) That Blouse (Drag) in Blue?" *Business Week,* November 9, 1998, p. 86.

[23] See David Woodruff, "Twilight of the Teller?" *Business Week,* European Edition, July 20, 199i, pp. 16 ~ 17.

[24] "Infomercial Offers Multiple Uses," *Direct Marketing,* September 1998, p. 11; TimHawthorne, "When and Why to Consider Infomercials," *Target Marketing,* February 1998, pp. 52 ~ 53.

[25] See Jeffrey F. Rayport and John J. Sviokla, "Managing in the Marketspace," *Harvard Business Review,* November—December, 1994, pp. 75 ~ 85. Also se their "Exploiting the Virtual Value Chain," *Harvard Business Review,* November — December 1995, pp. 141 ~ 150.

[26] Forrester Research, Inc. has presented some of the following estimates for the year 2002: Durable goods, $99 billion; wholesaling of office supplies, electronics goods, and scientific equipment, $89 billion; travel, $7. 4 billion; consumer purchases of computer hardware and software, $3. 8 billion; and books, music, and entertainment, $3. 8 billion. See H. Green and S. Browder, "Cyberspace Winners: How They Did It," *Business Week,* June 22, 1998, pp. 82 ~ 85.

[27] "Making AOL A-O. K.," *Business Week,* January 11, 1999, p. 65; MSN and Prodigy statistics from Jupiter Communications survey, February 1998.

[28] See Daniel S. Janal, *Online Marketing Handbook 1998 Edition: How to Promote, Advertise and Sell Your Products and Services on the Internet* (New York: John Wiley 1998).

[29] Gerald D. Boyd, "Cyberspace Caters to Wine Buffs," *San Francisco Chronicle,* May 8, 1998, p. 4.

[30] Don Clark, "Study Finds Many Tech Firms' Web Sites Lack Basic Information for Customers," *Wall Street Journal,* August 19, 1998, p. B5.

[31] Melanie Berger, "It's Your Move," *Sales & Marketing Management,* March 1998, pp. 44 ~ 53.

[32] Greg Hansen, "Smaller May Be Better for Web Marketing," *Marketing News,* January 19, 1998, pp. 10, 13. For an excellent discussion of ways to attract viewers to Web sites, see Richard T. Watson, Sigmund Akselsen, and Leyland F. Pitt, "Attractors: Building Mountains in the Flat Landscape of the World Wide Web," *California Management Review,* Winter 1998, pp. 36 ~ 56.

[33] See George Anders, "Internet Advertising, Just Like Its Medium, Is Pushing

Boundaries," *Wall Street Journal*, November 30, 1998, p. 1.

[34] See Mary J. Cronin, "Using the Web to Push Key Data to Decision Makers," *Fortune*, September 29, 1997, p. 254.

[35] Jay Winchester, "Point, Click, Sell," *Sales & Marketing Management*, November 1998, pp. 100 ~ 101.

[36] See Joseph Alba, John Lynch, Barton Weitz, Chris Janiszewski, Richard Lutz, Alan Sawyer, and Stacy Wood, "Interactive Home Shopping : Consumer, Retailer, and Manufacturer Incentives to Participate in Electronic Marketplaces," *Journal of Marketing*, July 1997, pp. 38 ~ 53.

[37] J. A. Quelch and L. R. Klein, "The Internet and International Marketing," *Sloan Management Review*, Spring 1996, pp. 60 ~ 75.

[38] Nick Wingfield, "Making the Sale—A Marketer's Dream: The Internet Promises to Give Companies a Wealth of Invaluable Data About Their Customers. So, Why Hasn't It?" *Wall Street Journal*, December 7, 1998, p. R20.

[39] Stephanie Armour, "Companies Grapple with Gripes Posted on Web," *USA Today*, September 16, 1998, p. 5B.

第**22**章
管理整体营销努力

科特勒论营销：

　　营销组织必须重新界定它的角色，即从管理顾客之间活动走向整合管理公司所有面向顾客的过程。

本章将阐述下列一些问题：

● 公司组织演变的发展趋势是什么？

● 在各种公司中营销和销售是怎样组织的？

● 营销部门与公司其他部门的关系是什么？

● 公司应通过哪些步骤来建立一个强有力的顾客导向的组织？

● 一个公司怎样改进它的营销执行技能？

● 有哪些工具能帮助公司审计和改进它们的营销活动？

　　我们现在从讨论战略和战术营销管理转入对它本身的管理。我们的目标是考察公司怎样组织、执行、评价和控制营销活动。

公司组织的趋势

　　公司经常需要重组它们的业务和营销活动，以便适应业务环境上的重大变化，例如，经济全球化、政策管制的解除、电脑技术和电信的进步、市场分裂成碎片。公司对环境快速变化的主要反应包括以下内容：

　　● 重新策划。安排团队去做一些工作以增强顾客价值，并且试图打破各职能部门间的界限。

　　● 利用外源。如果某些商品和劳务从外部销售商那里购买价格更便宜、质量更好，公司会更加愿意从它们那里购买更多的商品和劳务。

　　● 定点超越。学习"在实践中做得最好的公司"，以提高公司的业绩水平。

● 与供应商的合作。增强与少数几个、但是价值增值很大的供应商的合作。

● 与顾客的合作。与顾客保持更密切的联系以提高公司的经营业绩水平。

● 企业合并。收购或兼并同行业中的其他公司以获取规模经济效益。

● 全球化战略。努力实现"思维全球化"和"运作本土化"。

● 扁平化战略。减少各层次组织机构的数量以便于更加接近消费者。

● 集中化战略。确定哪些业务和顾客是最具有盈利性的并且把重点放在它们的身上。

● 向员工授权。鼓励个人提出更多的想法和采取更加积极主动的行动，并授予他们一定的权利。

所有这些趋势无疑会对营销活动的组织和实践产生一定的影响。传统意义上，营销人员是充当中间人的角色，通过理解顾客的需要并把顾客的心声传达给组织机构中的各个不同的职能部门的这些活动来索取报酬，而这些不同的职能部门然后再针对顾客所提出的需要采取行动。在这种营销观念下，它是假定公司很难与顾客取得联系，并且顾客也不能与其他职能部门发生直接关系。但是，在一个已经网络化的企业中，每一个职能部门都可以与顾客取得联系，尤其是用电子计算机进行数据处理的部门。营销部门不再是惟一的一个与顾客发生关系的部门；相反，营销部门的职责是整合所有针对顾客的工作使其成为一个整体，这样当顾客与公司发生关系时，他们所见到的是类似的面孔，所听到的是同一种声音。

营销组织和形式的变化还可以从另一个方面来观察，即参照体育运动来考察营销活动。参见"营销视野——从体育运动来类推营销机构的变化"。

营销视野

从体育运动来类推营销机构的变化

有关团队精神在实现公司营销目标中的作用这一点已经谈论很多了。迈克尔·哈默（Michael Hammer），管理方面的顾问，从足球比赛中类推出一个相对扁平化的组织机构的作用。每一个进攻队员和防守队员都有各自特定的职责，但是，他们必须通过与其他队员的合作，才能真正履行这些职责。教练在建议教练和防守教练的协助下纵观该队比赛计划实施的全过程。另外，个人教练为每个队员进行个别指导。当队员们对变化了的环境作出反应时，他们必须对好几个不同的教练的指示作出反应。有时，还需要个人主动性的发挥。与此相类似，公司经理对公司中所有职员的工作进行指导。经理在做这些工作时，能力不一定比雇员强，但是，他们的职责是对整个工作过程中的各个部门进行协调，并且当必要时，对单个员工进行鼓励和指导。像一个足球队一样，有效的组织机构不应该有太多的管理层，否则，最高管理者就会远离实际工作过程，以至于提不出什么指导性的建议。

管理战略顾问阿德里安·J·斯罗沃基（Adrian J. Slywotzky）从体育运动的另一方面作了类推。他把足球运动描述成是 20 世纪 60 年代—70 年代的商业活动：在比赛进行中，足球运动的节奏是很快的，但是，在场间休息时间里却很安静。与此类似，那些已取得比赛成功的大公司在它们开始下一轮比赛之前要休整一番，以便于让整个公司喘一口气。斯罗沃基把 20 世纪 80 年代商业运作中的快节奏比作是篮球运动。加速新产品上市的步伐变得越来越重要，尤其是对那些电子设备生产商来说。然后，到了 20 世纪 90 年代，商业运作的步伐就像是在下棋。每一步运作都是战略性的，然而，比下一步棋更加重要的是对整个运作模式的把握。知道有可能会改变每一步骤的位置，并且有一系列的备选行动可供选择，这样会使每一个棋手有能力对环境的变化作出调整。今天，像那些知道每一个新的比赛规则和战略并且不断练习各种新技能的运动员一样，每一个商业领域中的严肃的队员都在设计他们的行动，锻炼他们的身心，试图赢得比赛的胜利。

资料来源：Michael Hammer, "Beyond the End of Management," in Rethinking the Future, ed. Rowan Gibson (London: Nicholas Brealey, 1996), pp. 94~105; Adrian Slywotsky, Value Migration : How to Think Several Moves Ahead of the Competition (Boston: Harvard Business School Press, 1996), pp. 7~8, 18~19.

营销组织

多年来，市场营销从一个简单的销售部门演变成为一个复杂的群体组合。我们将考察公司营销部门是怎样演变、怎样组织，以及是如何与其他部门相互配合工作的。

营销部门的演进

营销部门的发展过程可划分为六个阶段。公司可以发现自己正处于这些阶段中的某一个阶段。

阶段 1：简单销售部门

小公司习惯上由一名主管销售的副经理领导，该副经理既负责管理销售队伍，自己也直接从事某些推销活动。如果公司需要进行市场调研或做广告，这些工作也由主管销售的副经理聘请外部力量帮助[见图 22—1(a)]。

阶段 2：销售部门兼有营销职能

随着公司的扩大，公司需要增加某些职能。例如，东海岸(East Coast)公司计划向西部扩展，它首先要进行营销调研以了解顾客的需要与市场潜力。如果它要在西部立足，还必须对它的名称与产品进行广告宣传。因此，主管销售的副总经理就需要雇用营销调研经理和广告经理来执行这些职能。他还可以雇用一名营销主任，负责对这些职能的规划与管理[见图 22—1(b)]。

阶段 3：独立的营销部门

公司的不断发展，使得它有理由投资市场营销的其他职能：营销调研，新产品开发，广告和销售促进，顾客服务。尽管如此，销售副总经理还是继续把过多的时间与精力放在销售队伍上。公司总经理最终也将认识到，设立一个相对独立于主管销售副总经理的营销部门是有好处的。营销副总经理与销售副总经理一道，向总经理或常务副经理负责[见图22—1(c)]。在这个阶段，销售和营销是公司组织机构里应当密切合作的两个相互独立的职能部门。

这种安排使总经理有可能对公司的发展机会和存在的问题有比较正确的看法。现假定这个公司丢了一些买卖。销售副总经理可能建议：增加销售人员，提高销售报酬，开展销售竞赛，或进行销售培训，或者为使产品易于推销而削价。该营销副总经理将分析影响市场销售的力量。公司是不是落在了顾客的后面？目标顾客是怎样看待公司及与竞争对手产品的关系？产品的性能、式样、包装、服务、配销、促销方式等的变动是否正确？

阶段4：现代营销部门

虽然销售副总经理与营销副总经理的工作理当步调一致，但实际上，他们之间的关系常常带有互相竞争和互不信任的色彩。销售副总经理不情愿让销售队伍在营销组合中的重要性有所降低，而营销副总经理则寻求在扩大非销售队伍的预算上有更多的发言权。

营销经理的任务是确定机会，制定营销战略和计划。销售员的责任是执行这些计划。营销者依赖于营销调研，努力确定和了解细分市场，花费时间在计划上，从长计议，其目标是产品利润与获得市场份额。销售者与他不同，依赖于实际经验，努力了解每位购买者，花费时间在面对面的推销上，从短期利益考虑问题，并努力完成销售定额。

如果销售活动和营销活动之间冲突太大时，公司总经理可以将营销活动置于销售副总经理的管理之下，也可以交由常务副总经理处理那些可能出现的矛盾，或者也可以由营销副总理全权处理这类事务，包括负责对销售队伍的管理。许多公司终于采纳了最后一种解决办法，并形成了现代营销部门的基础，即由营销副总经理领导营销部门，管理下属的全部营销职能，包括销售管理[见图22—1(d)]。

阶段5：有效营销公司

一个公司可以有一个出色的营销部门，但在营销上可能会失败，这也取决于公司的其他部门对顾客的态度和它们的营销责任。如果它们把营销都推向营销部门并说"他们是做营销工作的"，该公司就不可能有效地执行营销职能。只有公司的全体员工都认识到他们的工作是选择该公司产品的顾客所给予的，该公司就成为有效的营销公司。[1]

阶段6：以过程和结果为基础的公司

许多公司现在把它们的组织结构重新集中于关键过程而非部门管理。部门组织被许多人看成是顺利执行职能性业务过程的障碍，例如，在新产品开发、顾客获得和维持、订单履行和顾客服务工作上。为了获得过程结果，公司现在可任命过程负责人，由他管理跨职能的训练小组工作。然后把营销人员和销售员作为过程小组成员参与活动。最后，营销人员对这个小组可以有一个实线联系责任，而营销部门与它是虚线联系责任。每个小组定期发出对营销部门营销人员的成绩评价。营销部门还有责任作计划以训练它的营销员工，安排他们参入新的小组并评价他们的总成绩[见图 22—1(e)]。

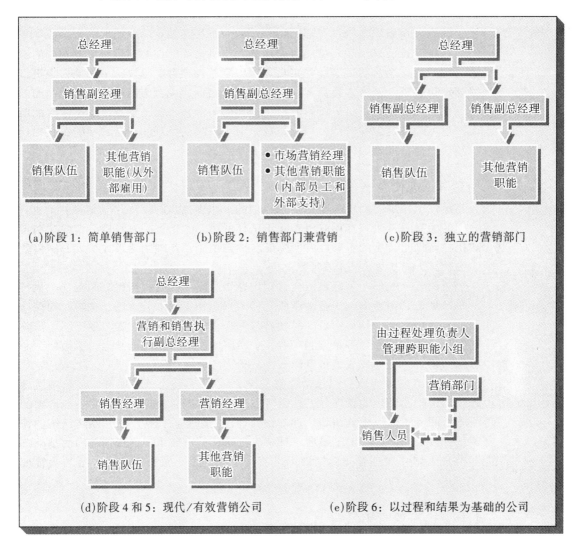

(a)阶段 1：简单销售部门　　(b)阶段 2：销售部门兼营销　　(c)阶段 3：独立的营销部门

(d)阶段 4 和 5：现代/有效营销公司　　(e)阶段 6：以过程和结果为基础的公司

图 22—1　营销部门演进的各个阶段

组织营销部门

现代营销部门有多种组织方法。营销部门的组织形式有：职能型、地区型、产品型或顾客市场型。

职能型组织

最常见的营销组织形式由各种营销职能专家组成，他们分别对营销副总经理负责，营销副总经理负责协调他们的活动。从图 22—2 中可以看到这种机构里有五种专业人员。除此之外，还可以根据需要增加其他专业人员，如顾客服务经理、营销计划经理和实体分配经理。

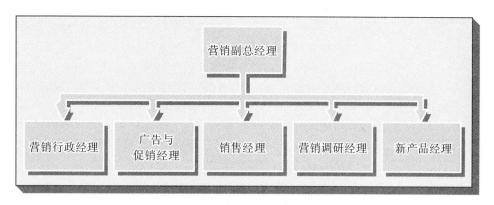

图 22—2　按职能设置的营销机构

在营销部门内部保持平稳的工作关系是一个相当大的挑战。西斯比特斯（Cespedes）指出，公司应改进在现场销售（field sales）、顾客服务（customer service）和产品管理小组（product management groups）之间的关键联系，因为它们都是影响顾客满意的重要因素。他还对怎样紧密协调这三个关键营销小组提出了几种方法。[2]

按照营销职能设置的营销机构主要优点是易于管理。但另一方面，随着公司产品品种的增多和市场的扩大，这种组织形式越来越暴露出其效益太低的弱点。首先，由于没有人对任何产品或市场担负完全的责任，因而就会发生某些特定产品和特定市场的计划工作不完善的情况，未受到各职能专家偏爱的产品就会被搁置一旁。其次，各职能部门都争相要求使自己的部门获得比其他部门更多的预算和更重要的地位，营销副总经理不得不经常仔细审核相互竞争的各职能部门的专家所提出的各种要求，并面临着如何进行协调的难题。

地区型组织

一个从事全国范围销售的公司，通常都按照地理区域安排它的销售队伍（有时还包括其他营销职能）。一位负责全国的销售经理领导 4 位区域销售经理，区域销售经理领导 6 位地区销售经理，这地区经理领导 8 位直接销售经理，直接销售经理再领导 10 位销售人员。

有些公司为了支持销量较高的特色市场的营销努力，增加了地区营销专家（area marketing specialists），即地区或本地的营销经理。例如，一个市场可能是迈阿密，它的拉美裔人口占 46%，而它邻近的福特·劳德戴尔市场，拉美裔只有 6.7%。在迈阿密地区的营销专家对迈阿密的顾客及贸易组成了如指掌，他们帮助总部的营销经理，调节迈阿密的营销组合力量和长期计划，销售公司在迈阿密的产品。

有几个因素刺激加快了地区型和本地化的进程。美国大多数产品的大众化市场已缓慢地细分为大量的更小的目标市场：婴儿潮、年长公民、黑人市场、单身父母。[3]改进的信息和营销调研技术也在刺激地区型销售组织。从商店柜台扫描器中得来的数据使产品销售从一个商店到另一商店的快速运输成为可能，这帮助公司发现当地的问题和机会。零售商热衷于与自己促销努力有关和针对在自己城市和附近地区顾客的本地方案。因此，为了使零售商高兴，制造商必须制定本地化的营销计划。

金宝汤料(Campbell Soup) 金宝汤料公司创建了许多成功的地区品牌。它在西南部销售辣味兰切路红豆汤，在南部销售克雷汤，并且在西班牙裔居住地区销售红豆汤。对西北部人，他们喜欢的腌菜要非常酸，它就创造了齐斯特小黄瓜。这些或其他一些品牌适应了地区口味，增加了金宝汤料的实际年销售量。但更意味深长的是，它重组其全部的营销经营以适应地区战略。它把它的市场划分为22个地区，每一地区有设计当地营销方案的责任，并且也有自己的广告与促销预算。该公司安排总营销预算15% ～ 20%支持地方营销。在各个地区，金宝汤料公司的销售经理和销售人员根据当地市场需要和条件，创造性地做广告和促销。

在金宝汤料公司的国际营销战略中还涉及到对地域差别的调整。1991年，它在香港开业的一家餐馆主要是针对亚洲市场设计各种菜谱；同时，它针对拉丁美洲市场配制各种有辛辣味道的汤。在包装和广告上，它也考虑到了地域和国别上的差别。例如，在日本是不使用罐头的，许多购物的人都是徒步去购物的；在墨西哥，大罐头却很受欢迎，因为那里的家庭一般都比较大；在波兰，汤的消费量特别大而且大部分汤都是自制的。金宝汤料通过提供8种经过浓缩的含3倍汤料分量的汤吸引了众多的职业母亲，这种汤的制作非常快捷，并且也很容易。[4]

另一些推行地区型营销的有麦当劳，现在它的地区型广告占总广告预算的50%；美国航空公司认识到，在冬季，芝加哥和西南部的旅行需要是完全不同的；安休瑟－布辛(Anheuser-Busch)按照民族和地理来再细分它的地区型市场，并为每个子市场设计广告活动。

地区型可以与部门专营一起进行。部门专营(branchising)意味着授权公司的地区或当地商店像特许代营一样经营。IBM公司最近对它的部门经理讲"放开手脚从事你的业务"。因此，这些部门类似于利润中心，当地的经理有更多的战略自由度和刺激。

地区型还适用于多国公司在全球化的运作。桂格麦片公司把欧洲总部放在布鲁塞尔，英国石油公司在新加坡经营其亚洲和中东的基础业务创新。[5]花旗银行也在创新：

花旗银行(Citibank) 作为全球银行，它必须考虑怎样为它在各地的主要全球客户服务。其解决方法是：为每个全球客户指定一位母公司客户经理并在公司的纽约总部办公，每位母公司客户经理为世界各国设立一个地区客户经理网络，一旦特定的客户需要服务时，立刻调动他们提供服务。

产品或品牌管理组织

生产多种产品和品牌的公司，常常建立一个产品(或品牌)管理组织。这种产品管理组织并没有取代职能性管理组织，只不过是增加另一个管理层次而已。产品管理组织由一名产品主管经理负责，下设几个产品大类经理，产品大类经理之下再设各个具体产品经理去负责各具体的产品。在公司所生产的各产品差异很大，或产品品种数量太多，或在按职能设置的营销组织无法处理的情况下，建立产品管理组织是适宜的。卡夫公司在它的邮购部门建立了产品管理组织，对麦片、儿童食品和饮料等各大类食品，都有专门的产品经理分管。在麦片产品里，又有各产品经理分管营养麦片、含糖儿童麦片、家用麦片和其他各种麦片。

产品和品牌经理有以下的任务：

● 发展产品的长期经营和竞争战略。

● 编制年度营销计划和进行销售预测。

● 与广告代理商和经销代理商一起研究广告的文稿设计、节目方案和宣传活动。

● 激励推销人员和经销商经营该产品的兴趣和对该产品的支持。

● 不断收集有关该产品的性能、顾客及经销商对产品的看法、产品遇到的新问题及新销售机会的情报。

● 组织产品改进，以适应不断变化的市场需求。

这些任务是消费品经理和工业品经理所共有的。然而，消费品经理所经营的产品品种，显然比工业品经理所经营的品种数目少，这样，他们就能够在广告和销售促进活动方面投入更多的时间。他们通常都是较年轻和受教育程度较高的人。相比之下，工业品经理较多考虑的是产品技术方面的问题和产品还有无改进设计的可能。他们花费较多的时间与实验室人员和工程技术人员进行商讨。他们同推销人员和大客户保持密切关系。

产品管理组织有好几个方面的优点。第一，产品经理能够将产品营销组合的各要素较好地协调一致起来。第二，产品经理能比一个专家委员会更快地就市场上出现的问题作出反应。第三，那些较少品牌产品，由于有产品经理专管，可以较少地受到忽视。第四，产品管理组织对年轻的经理们来说，是一个经受锻炼的大好场所，因为在那里几乎可以涉及公司经营的每一个领域的活动（见图22—3）。

然而，产品经理组织并非没有缺点。

第一，产品经理的组织设置会产生一些冲突或摩擦，其中最典型的是，产品经理们未能获得足够必要的权威，以保证他们有效地履行自己的职责。他们得靠劝说的方法来取得广告部门、销售部门、生产部门和其他部门的配合。虽然别人说他们是"小总经理"，但实际上他们常常只被人看做是低级别的协调者。他们要处理大量的日常文书工作，他们经常不得不争取别人的理解和支持，才能做好事情。

第二，产品经理虽然能成为自己所经营的产品的专家，但很难成为公司其他功能的专家。他们既要摆出专家的样子，又会在真专家面前相形见绌。当产品需要依赖某种特殊专长（如广告）的时候，产品经理就会处于这样的窘境。

第三，产品管理系统常常开支过高。起初，只指定一个人经管一种主要产品，后来，又会安排另一些人去专管其他的小商品。每一产品经理都忙得不亦

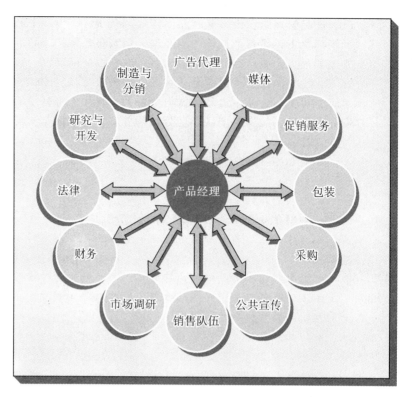

图 22—3　产品经理相互关系

乐乎，他们就要求增加一名助理品牌经理。人员增加了，工资支出也随之增加。与此同时，公司其他职能性专业人员，如文告设计、包装、广告媒体、促销、市场调查、统计分析等专业人员，数量也在不断增加。公司由于产品经理人员和各职能性专业人员的结构过于庞大，而加重了开支负担。

第四，品牌经理任期通常都很短，过不了几年，他们可能被调去经管另一种品牌或另一种产品，或者离开公司另谋高就。他们较短的工作任期，使公司的营销计划也只能是短期的，从而影响了产品长期优势的建立。

第五，分裂的市场使品牌经理很难开发一个从总部角度出发的全国战略。品牌经理必须更多地研究地区贸易群体和更依靠当地的销售队伍。

皮尔逊(Peason)和威尔逊(Willson)为了改善产品经理制度的工作，提出了五项措施：[6]

1. 明确规定产品经理对产品管理所承担的职责范围。

2. 建立一个战略发展与检查程序，为产品经理的工作规定恰当的职责范围。

3. 在规定产品经理和职能性专业人员责任时，要仔细考虑那些可能产生矛盾冲突的方面。

4. 建立一个正式的程序，使产品经理部门和职能部门间所发生的冲突，都能提交最高管理层研究。

5. 建立一个能衡量产品经理工作成效的制度。

第二种方法是把产品经理的方式改为产品小组的方式。在产品管理组织中的产品小组的结构有三种类型(见图 22—4)。

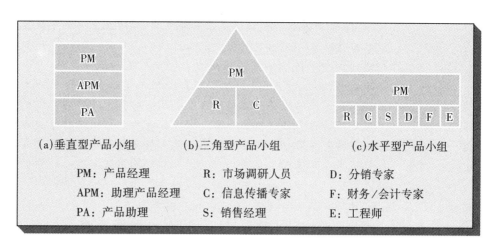

图 22—4 产品小组的三种类型

1. 垂直型产品小组。这种小组由一个产品经理、一个助理产品经理和一个产品助理组成[见图 22—4(a)]。产品经理是产品管理小组的负责人，负责对其他人员的管理与协调工作。助理产品经理协助产品经理工作，并做一些文书事务处理工作。产品助理专门负责文书的处理和各种外勤。

2. 三角型产品小组。这种小组由一名产品经理和两名专业的产品助理组成，一名助理比方说负责营销调研，另一名助理负责信息传播[见图 22—4(b)]。豪马克公司(Hallmark)也采用营销小组的方式，由一名市场经理负责(小组负责人)，配有一名营销经理和一名分销经理。

3. 水平型的产品小组。这种小组由一名产品经理加上几名营销和非营销专业人员组成[见图 22—4(c)]。3M 公司的业务小组由来自推销、营销、实验室、工程技术、会计和营销调研等各部门的代表组成。陶氏谷物公司(Dow Corning)建立的小组有 5 人～8 人；每个小组管理一个产品、市场或过程。

第三种方法是取消次要产品的产品经理，让其余的每一个产品经理兼管两个或更多的小产品。这一方法，对那些具有相似需要的一组产品颇为适用。这样，化妆品公司就不必再分设各产品经理，因为化妆品都能满足一个共同的需要——美容；而卫生用品公司却有必要给头痛药品、牙膏、肥皂和洗发液分设产品经理，因为这些产品的用途和对消费者的吸引力各不相同。

第四种方法是引进类目管理(category management)，公司集中在产品类目上管理它的品牌。下面是两个例子：

通用汽车(General Motors) 在通用汽车公司中，产品是按照汽车的品牌分类的，每一个部门生产某一品牌的多种产品来吸引特定的市场细分群。当然，凯迪拉克是该行业中身份地位的象征；别克(Buick)企图吸引那些专业人士如医生和律师等；庞蒂亚克(Pontiacs)和奥德斯汽车(Oldsmobiles)是为那些喜欢漂亮形象的人设计的；而切夫罗莱斯(Chevrolets)是为那些只是为了寻找一种实用的交通工具的普通人设计的。这些区别可以追溯到阿尔富莱德·斯隆(Alfled Sloan)

的思想："为每一个钱包设计一种汽车"。但是，若干年后，每一个汽车事业部不再能够辨别出它们各自的顾客目标，因为每一个事业部都试图为整个汽车购买市场生产出全部样式的汽车。1994年罗纳德·泽利拉(Ronald Zarrella)被聘担任通用汽车公司北美分部营销部门的副总裁，他的任务是重新为5个事业部的5个品牌树立形象。在他的领导下，每个品牌都有一个品牌经理和一个汽车生产线的主管。品牌经理的职责是调查该品牌的市场并且确保营销过程中的所有工作都是针对这个特定的目标市场——包括产品策划和设计、广告、商品化和定价。汽车生产线主管的职责是监视满足目标顾客需要的某一汽车生产线的发展。不能支持该事业部形象的某些产品，如别克(Buick)、云雀(Skylark)、路主(Roadmaster)和切夫罗莱斯·卡波拉依斯(Chevrolet Caprice)，就不再生产了。[7]

卡夫(Kraft) 卡夫食品公司以前是经典的品牌管理结构，每个品牌为组织货源和市场份额而自相残杀，现在转变成以类目为基础的结构并设置类目业务主任（"产品整合管理者"），他们是跨职能的小组，由营销、研究与开发、消费者促销和财务等代表组成。类目业务主任负有广泛的责任和有基层工作的能力。他们不仅从事营销，也有责任确定时机改进供应链，把它们作为下一步广告的发展基础。卡夫的类目小组与过程小组协同工作搞好每个产品大类，并且与顾客小组一起致力于服务好每个主要顾客(见图22—5)。[8]

类目管理也并非是万能良药。它是产品驱动而非顾客驱动系统。高露洁(Colgate)最近已从品牌管理(高露洁牙膏)转换成类别管理(牙膏)，再进入新阶段，即"顾客需要管理"（口腔健康）。这最后一步最终使组织把重点置于顾客需要之中。[9]

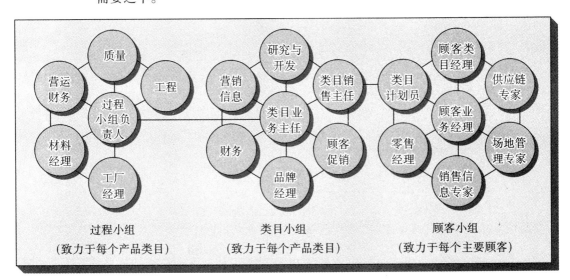

图22—5 卡夫公司的小组管理

资料来源：Michael George, Anthony Freeling, and David Court, "Reinventing the Marketing Organization," *The McKinsey Quarterly* no. 4, (1994)：43～62.

市场管理组织

多数公司把产品向多种多样的市场销售。例如，佳能公司的设备，既卖给一般消费者，也卖给企业和政府机构这些不同的市场。美国钢铁公司的钢铁既卖给钢铁公司，又卖给建筑公司和公用事业部门。当客户可以按不同购买行为或产品偏好分为不同的用户类别的时候，设立市场管理组织是颇为理想的。一名市场主管经理管理几名市场经理(又称市场开发经理、市场专家或行业专家)。市场经理开展工作所需要的职能性服务由其他职能性组织提供。

市场经理实质上是参谋人员，而不是第一线指挥人员。他们的职责与产品经理相类似。市场经理负责制定主管市场长期计划的年度计划。他们需分析主管市场的动向。分析公司应向该市场提供什么新产品。他们的工作成绩常用市场份额的增加状况进行判断，而不是看其市场现有的盈利状况。这种市场管理组织制度有着与以往产品管理组织制度相同的优缺点。其最大的优点是，市场营销活动是按照满足各类显然不同的顾客的需求来组织和安排的，而不是集中在营销职能、销售地区或产品本身。

许多公司正在按照市场系统重新安排它们的营销机构，改变成以市场为中心的组织(market-centered organizations)。施乐公司已把公司按地理区域进行推销改为按行业进行推销。惠普也从地区型销售方法中走出来，现在的结构是把销售人员集中在各个行业的业务中。

有好几个调研报告已证明以市场为基础组织的有效性，斯莱特(Slater)和纳瓦(Narver)创建了一套市场性组织的工作方法，并进一步分析它对业务的促进作用。他们找到了对商业与非商业企业市场导向起正面效果的大量因素。[10]

产品管理/市场管理组织

生产多种产品并向多个市场销售的公司，趋向于采用矩阵型组织(matrix organization)。现在考察杜邦公司的例子。

杜邦(Dupont) 杜邦公司是按矩阵结构设置营销机构的先锋(见图 22—6)。它的纺织纤维部内分别设有主管人造丝、醋酸纤维、尼龙、奥纶和涤纶的产品经理，同时也设有主管男式服装、女式服装、家庭装饰和工业用料等市场的市场经理。产品经理负责制定各自主管纤维品种的销售计划和盈利计划，集中精力研究如何改善自己主管纤维品种的盈利状况和如何设想增加这些纤维的新用途。他们的日常工作之一就是同各市场经理接洽，请他们估计该种纤维在他们市场上的销售量。另一方面，市场经理则负责开发有盈利前景的市场去销售杜邦公司现有的产品和将要推出的新产品，他们必须从市场需求的长远观点出发，更多地注意培植适应自己主管市场需要的恰当产品，而不仅仅是只管推销杜邦公司的某种纤维产品。在制定计划时，他们需与各产品经理磋商，了解各种产品的计划价格和各种原材料的供应状况。各市场经理和各产品经理的最终销售预测总计数应该是相同的。

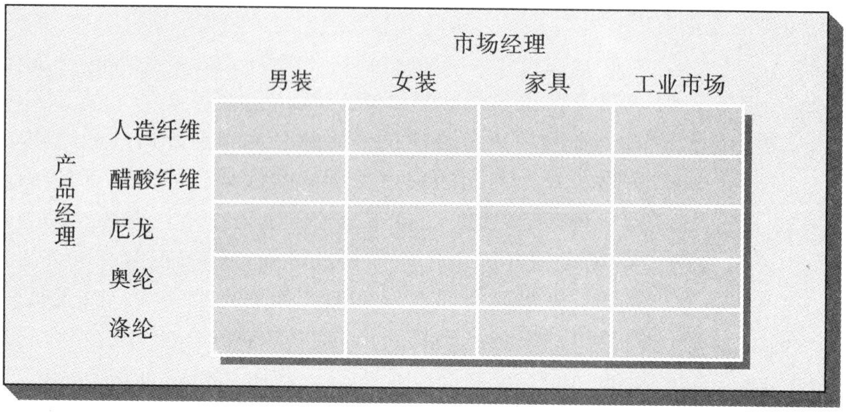

图 22—6　产品管理与市场管理组织制度

类似于杜邦的公司还可以再向前走一步，即把市场经理作为采购者和把产品经理作为供应商。例如，男式服装的市场经理可被授权从杜邦的产品经理处采购纺织品纤维，但如果杜邦内部的价格太高，也可以外部购买。这种制度迫使杜邦的产品经理追求效益。如果杜邦的产品经理敌不过竞争供应者的"公平价格"，那就产生一个问题，杜邦有没有生产这种纤维的必要。

这种矩阵管理组织制度对那些多品种、多市场的公司来说是符合需要的。这种制度也有其不足之处，即费用大而且容易产生矛盾与冲突。此外，还会存在权力与责任应落实在何处的问题，许多麻烦问题中，有两件值得一提：

1. 销售队伍应该如何组织。是按人造纤维、尼龙和其他各种纤维品种分别组织销售队伍呢？还是按男式服装、女式服装或者其他市场来分别组织销售队伍？或者销售员队伍不必是专业化的？（营销概念赞成按市场而不是按产品来组织销售队伍。）

2. 由谁负责制定各个产品在各个市场上的价格。尼龙产品经理是否应该有决定所有市场上的尼龙价格的权力呢？假如男式服装部的市场经理发觉要是尼龙价格不作特别让步就会丧失市场，那该怎么办？（然而，作者的观点是产品经理应保留在定价上的最终权力。）

在 20 世纪 80 年代初期，许多公司放弃了矩阵组织结构。但在今天，矩阵组织又出现并发展成"业务小组"的形式，它由全日制的专业人士组成并向小组的头头汇报。其主要区别是今天的公司提供了能使矩阵型组织兴旺的正确内容——强调平稳和狭窄的小组组织，工作集中于削减跨职能的水平管理而以业务过程为中心。[11]

公司事业部组织

随着多产品公司经营规模的扩大，公司常把各大产品部门升格成独立的事业部。事业部下再设自己的职能部门和服务部门。这样就产生了另一个问题，那就是公司总部应当保留哪些营销服务和营销活动？

实行了事业部制的公司，对这个问题也回答不一：

● 公司不设营销部门。有些公司不设公司一级的营销部门。它们认为，各事业部设立营销部门，即设立公司一级的营销部门没有什么实际作用。

● 公司保持适当的营销部门。有些公司，在公司一级设有规模很小的营销部门，主要承担以下的职能：(1)协助最高管理当局全面评价营销机会；(2)应事业部的要求向该事业部提供咨询方面的协助；(3)帮助营销力量不足或没有营销部门的事业部解决营销方面的问题；(4)促进公司其他部门的营销观念。

● 公司拥有强大的营销部门。有些公司设立的营销部门，除担负前述的活动外，还向各事业部提供各种营销服务，例如，专门的广告服务、销售促进服务、营销调研服务、销售管理服务和其他杂项服务。

是不是所有的公司都在逐步趋向于采用上述三种模式中的某一种模式呢？回答是否定的。事实上，有些公司最近刚开始设立公司一级的营销参谋班子，而其他一些公司已经把营销部门加以扩大，也有一些公司却缩小了营销部门的规模和职能范围，甚至还有一些公司已经撤销了它。

公司一级的营销参谋班子在公司不同的发展阶段所发挥的作用也不相同。大多数公司通常都是先从在各事业部设置规模较小的营销部门着手，再设立公司一级的营销参谋班子，通过教育、宣传和提供各种服务，把营销工作推向各事业部。其后，公司一级营销参谋班子中的某些成员被充实到各事业部的营销部门担任领导。随着事业部营销部门的日渐扩大，公司一级营销部门能向事业部提供的协助也就日益减少。有些公司决定公司一级营销部门已完成其使命而予以撤销。[12]

营销与其他部门的关系

原则上讲，企业的各种职能应当相互协调、紧密配合，以实现该企业的总体目标。然而，实际上企业各部门之间的关系却常常以激烈的竞争和严重的误解为其特点。部门间的矛盾，有些是在对什么是企业最大利益的问题上持不同意见而引起的；有的是由于对部门利益与公司利益间权衡抉择所引起的；还有一些矛盾不幸却是由于部门间的老框框和偏见所造成的。

在典型的组织体系中，各部门都须通过自己的活动和决策来满足顾客的需求。按照市场营销观念，所有部门都需要"考虑顾客"和为满足顾客需要和期望而工作。营销部门是乐于承担这一责任并发挥作用的。主管营销的副总经理有两大任务：(1)在对以顾客需求为导向获得更深刻理解的基础上，协调整个公司的全部营销活动；(2)与主管财务、生产等的副总经理们协调部门之间的活动及关系。

然而，对于营销部门究竟比其他部门更多地拥有多大的影响和权威，才能保证营销活动协调一致，很少有一致意见。一般说来，营销副总经理必须依靠说服而不是权力进行工作。其他部门也一直强调自己部门任务的重要性，从而抵制满足顾客利益的行动。这样就必然导致各个部门都从自己部门的角度去确定公司的目标和各种问题。结果，部门之间在利益方面的冲突也就无法避免。我们简要地讨论一下各个部门所关注的问题。

研究与开发部门

公司对开发新产品的期望，常常因研究开发部门同营销部门间的糟糕关系而受到挫折。这两个部门代表着公司里两种不同的文化观念。[13]研究开发部门由科学家和技术人员组成，他们以对科学的好奇心和超然的地位而自豪，他们喜欢攻克技术难题而对销售能否获利不甚关心，他们喜欢在较少受人监督或较少谈及研究成本的情况下工作。然而，营销部门是由营业导向的人所组成的，他们以对市场有实际的了解而自豪，他们喜欢看到有更多的具有销售特色的新产品向顾客推销，他们不得不注重产品的成本。双方都会抱着消极的老框框去看待对方。营销人员认为研究开发部门的人追求技术质量的最大化，而非设计顾客需要的产品。而研究与开发部门的人则认为营销人员是惯耍花招的惟利是图的商贩，对销售的兴趣胜过对产品技术特点的兴趣。

在技术驱动和营销驱动并重的公司里，研究开发同营销建立了有效的机构协调关系，为取得成功的以市场为导向的创新而共同承担责任。研究开发人员的责任不仅是发明创造，而且关注产品成功的推出。营销人员的责任不仅是追求新的销售特性，而且要正确辨认顾客的需要和偏好。

格普特(Gupta)、雷杰(Raj)和威尔蒙(Wilemon)的结论是：创新的成功与研究开发—营销一体化密切相关。[14]研究开发—营销一体化的工作可采用以下几种方法：[15]

● 共同举办研讨会，达到相互了解和尊重对方的意图、目标、工作作风和遇到的问题。

● 将每一个新项目同时分配给一名研究开发人员和一名营销人员，让他们在整个项目研究过程中密切合作。同时，研究开发与营销部门应在项目执行初期，共同确定营销计划的目标。

● 与研究开发部门的合作，要一直延续到销售时期，包括制定复杂的技术手册，举办贸易展览，向顾客作商品的售后调查，甚至做一些销售工作。

● 双方产生的矛盾应由高层管理当局解决，随后要制定一个明确的程序。在同一个公司中，研究开发部门与营销部门应向同一个副总经理报告。

默克(Merck) 默克公司 Web 站点中的描述揭示了该公司中各个部门间的密切关系："默克公司是一个世界性的研究公司，该公司发现并研究、制造和销售提高人与动物的健康水平的商品和服务。"默克公司的研究主要集中在处方药品的研制上——默克公司是这些产品的最大的销售商——其营销过程中的许多努力都花在对药品和制药信息的宣传上。其出版物包括：《默克公司索引》，一本单册的技术方面的百科全书；《默克公司手册》，据说是世界上使用最广泛的医学方面的课本；《默克公司药品信息手册——家庭版》是《默克公司手册》(它是纯英语版本的默克手册)和《默克公司的兽医手册》。另外，发表在专业杂志上的文章报道了默克公司的各项研究活动。像它的竞争对手们一样，默克公司向医生们和其他健康方面的专家们提供一些用于广告宣传的小册子和录像带，告诉他们该公司所生产的药品的好处。默克公司向有选择性的消费者做广告宣传，因为他们不是总选择所指定的药品。马克迈尔特(Maxalt)，一种治疗偏头痛的药品并不是直接向消费者做宣传。然而，电视中频繁的商业广告却激励了那些寻

求治疗秃发的人向他们的医生询问有关波罗比利(Properia)药品的问题。[16]

工程技术部门

工程技术部门负责寻找设计新产品和生产新产品过程中所需要的实用方法。工程师们对技术的质量、较低的成本和简便的制造工艺感兴趣。如果营销人员要求生产多种型号的产品,特别是要求用定制元件而不是用标准元件去生产特色产品的时候,工程技术人员就会和营销人员发生矛盾。工程技术人员认为营销人员要求的只是在产品上"摇铃吹口哨"引人注目,而不是注重产品的内在质量。不过这种情况,在那些由懂得生产技术的人担任营销经理的公司里并不突出,因为他们能与工程师们较好地沟通思想。[17]

采购部门

采购经理负责以尽可能低的价格得到所需数量和所需质量的原料及元件的供应。他们认为,营销经理在一条产品线里同时推出多种型号的产品,会要求进行许多库存品种的小批量采购,而不是少数品种的大批量采购。他们认为营销人员对订购的材料和元件坚持提出过高的质量要求,他们讨厌营销人员的不正确的预测,这种盲目预测使得采购部门在不利的价格条件下仓促订货,并在别的时间里积压了过多的库存。

制造部门

制造部门的人负责使工厂顺利进行生产,在恰当时候,以恰当的成本生产出恰当数量的恰当产品。他们成天忙于处理生产过程中出现的机器故障、原料库存断档、劳资纠纷和工效下降等各种问题。他们认为,营销人员对工厂的经济或政策了解甚少。营销人员则埋怨工厂生产能力不足、交货迟延、质量控制不力、售后服务欠佳。然而,营销人员则常提出不正确的销售预测,建议投产的产品难以生产且型号过多,向顾客许诺的服务项目内容超出了合理的范围。

营销人员看不到工厂可能遇到的困难,他们注意的只是顾客方面的要求,诸如要货迫切、到货有缺陷和售后服务不足等事情。营销人员对为满足顾客的要求导致生产成本上升的问题却不甚关心。这个问题不仅是部门间信息沟通不良的问题,而且还是部门间在利益方面的实际冲突。

公司可以有多种方法解决这种冲突。在制造驱动(manufacturing-driven)的公司里,公司的全部活动和工作都是为了保证生产顺利地进行和降低成本。公司倾向于生产简单的产品,希望产品线窄一些,而生产的批量大一些。那些要求短时间集中生产交货的推销活动,在这些公司里减少到了最少的限度。顾客对延期交货也只能等待。

在营销驱动(marketing-driven)的公司里,公司的目标是全力满足顾客需要。有一家生产卫生用品的大公司,营销人员提出试制某一产品,制造部门的人就不顾加班成本和短期生产等而生产它,结果制造成本高昂,而且变化不定,产品质量也欠稳定。公司需要发展一种平衡的制造和营销导向,在这种导向下,双方都处于重要的地位,双方共同确定哪些是公司的最大利益。解决矛盾的途径可以是举行研讨会,互相了解对方的意见,可以是设立联席会议、互派联络员、实行相互交换人员的计划和选定最为有效的行动方针的分析方法。[18]

公司的盈利能力很大程度上取决于制造—营销部门的良好工作关系。营销人员必须较好地了解新制造战略——弹性工厂、自动化和使用机器人、准点生产、质量管理小组等的营销潜力。制造战略取决于公司是否想通过低成本、高质量、多品种或快捷服务来获胜。制造也可成为一种有限的营销工具，它可邀请购买者参观工厂以评价它的管理能力。

营运

制造（manufacturing）这个术语用于工业企业生产有形产品。而营运（operations）是用于创造和提供服务的行业。例如，在旅馆，营运部门的人包括前台接待员、门卫、男女服务员等。由于营销需要保证公司的服务水平，因此，营销与营运共同工作是十分重要的。如果营运人员没有顾客导向和促动因素，在口碑中起负面作用，最终也会损害企业。营运人员可能会倾向于自己的方便性、表现一般的态度和提供习惯性的服务，而营销者想要这些员工集中于顾客的方便，表现积极和友好的态度并提供出色的服务。营销人员必须完全了解这些提供服务者的能力和心态，不断地帮助他们改进他们的态度和能力。

财务部门

财务经理为能评价各业务部门的盈利问题而感到自豪。但是，在碰到营销开支问题的时候，他们就无精打采了。营销副总经理要求大笔的预算用于广告、促销活动和促销人员的开支，但花了这些钱究竟能增加多少销售额却不能保证。财务经理就怀疑营销人员所作的预测都是为自己作打算的，他们认为营销人员没有花足够的时间认真考虑营销支出与销售额间的关系，没有认真考虑把预算用于更能盈利的方面。他们认为营销人员轻率地杀价去争取订货，却不考虑如何通过定价去获得盈利。他们指责营销人员"只知道价值而不知道成本"。

然而，营销经理常常认为财务人员"只知道成本而不知道价值"。他们指责财务人员把钱袋攥得太紧，不肯花钱用于长期市场开发的投资，似乎财务部门的人员过分保守、躲避风险，以致错过了许多宝贵的机会。要解决这些问题，办法就是对营销人员给予更多的财务知识的培训和对财务人员给予更多的营销训练。财务主管人员要运用财务工具和理论，支持战略营销工作。

会计部门

会计人员觉得，营销部门提交的销售报告拖拖拉拉，很不及时。他们对销售人员与客户达成的特别条款交易十分反感，因为这类交易需要特别的会计手续。营销人员则不喜欢会计部门在产品线各产品上分摊固定成本的做法。品牌经理可能觉得，自己主管产品的实际盈利要高于账面上反映的盈利状况，原因在于会计部门给它摊派了较多的管理费用。他们还希望会计部门提供有关各个销售渠道、各个销售地区、各种订购数量等的销售额与盈利率的特别报告。

信贷部门

信贷部门的职员负责检查潜在客户的信用状况，决定是否拒绝或控制向值得怀疑的客户提供信贷。他们认为，营销人员对谁都做买卖，甚至对那些支付有困难的人也做买卖，而营销人员则常常觉得信贷标准订得太高；他们认为，"完全没有坏账"的观点实际上会使公司在销售和盈利方面遭受许多损失，他们感到，他们花了极大力气找来了顾客，听到的却是这些顾客并非是好的销售对象的闲话。

建立全公司营销导向的战略

许多公司开始认识到，它们并非是真正市场和顾客驱动——它们是产品或销售驱动。有些公司，如巴克斯特、通用汽车、壳牌和 J. P. 摩根，在努力重组它们自己，成为真正的市场驱动公司。这个任务是不容易的。它并不是光有总经理发表演说并鼓励每个员工"考虑顾客"那么简单。这个变化将体现在工作和部门定义、责任、刺激和关系上。"营销备忘——审计：公司各部门的特征确实是顾客驱动"是一份审计表，它列出了评估哪一个公司部门是真正顾客驱动的标准。

营销备忘

审计：公司各部门的特征确实是顾客驱动

研究与开发	它们花费时间来会见顾客和倾听问题
	它们对营销部门、制造部门和其他部门的每一新项目表示欢迎
	它们以最好的竞争产品为基准和寻求"同行最佳"的解决方案
	它们征求顾客反应和建议作为项目方案
	它们在市场反馈的基础上不断地改进和琢磨产品
采购	它们是预先积极地寻找最好的供应商,而不是仅仅为了业务在选择供应者
	它们与为数不多的提供高质量的供应商建立长期关系
	它们不会为了节约成本而降低质量标准
制造	它们邀请客户参观他们的工厂
	它们拜访客户的工厂以观察客户是怎样使用公司产品的
	它们为实现一个重要的交货计划的诺言,会超时工作
	它们不断地寻找用更快和/或更低成本来生产商品的方法
	它们不断地改进产品质量,目标是零缺陷
	只要能提高盈利能力,它们满足顾客要求为其"定制"产品
营销	它们研究顾客需要的欲望,以更好地界定市场细分片
	它们从目标细分片的长期利润潜力出发来分配营销力
	它们为每个目标细分片开发能盈利的提供物
	它们不间断地衡量公司形象和顾客满意度
	它们不断地收集与评估新产品构思、产品改进和服务,以满足顾客需要
	它们影响公司的所有部门和雇员,在思维和实践中以顾客为中心

销售	它们对顾客的行业有专业知识
	它们努力给顾客"最好的解决问题的答案"
	它们坚决履约
	它们向产品开发主管部门反馈客户的需要和主意
	它们为相同顾客作长时期的服务
后勤	它们建立了高标准的服务交付时间,并始终如一地满足这个标准
	它们经营一个对顾客彬彬有礼的服务部门,能回答问题、处理投诉、解决问题、使顾客满意和及时提供服务
会计	它们定期提供"盈利能力"报告,包括产品、市场细分片、地理区域(行政区或销售地区)、订货数量和个别客户情况
	它们定制顾客需要的发票,有礼貌和快速回答顾客问题
财务	它们理解与支持代表营销投资的营销费用开支(如形象广告),它可以产生长期的顾客偏好与忠诚
	它们根据顾客的财务要求定制财务包
	它们对客户信用能迅速决策
公关	它们散布对公司有利的新闻,"破坏控制"不利新闻。
	它们充当为使公司政策和实践得更好的内部顾客与拥护者
其他与顾客有接触的人员	他们是能干的、有礼貌的、愉快的、可信赖的、可靠的和有影响力的

如果公司首席执行官希望创造一个市场和顾客驱动的公司,将要采取哪些步骤?

1. 说服有需要的其他经理变为顾客驱动。首席执行官必须以身作则,示范强烈的顾客观点并对在组织中作出成绩者予以奖励。

2. 任命一个营销工作组。这个营销工作组的成员包括首席执行官以及销售、研究开发、采购、制造、财务、人事部门副总经理及某些其他关键性人员。

3. 得到外界帮助和指导。一些咨询公司在推广营销思想方面,富有经验而且颇有办法。

4. 改变公司内的报酬结构。当采购和制造部门从成本降低中得到报酬,它们就会拒绝接受因提高服务质量而要求的成本支出。当财务把重点放在短期利润绩效上时,它们就会反对为建立顾客满意和忠诚的营销投资。

5. 聘用能干的营销专家。公司需要一位能干的营销经理,他不仅管理营销部门,还能得到尊重并影响其他经理。多事业部门的公司可以建立一个强有力的协调营销部门,以便从协商和加强各部门的营销计划中得益。

6. 制定强有力的内部营销训练计划。应当为公司的最高管理层、事业部的经理、营销和销售人员、制造管理人员、研究与开发人员等举办设计优良的营销研讨班。通用电气、摩托罗拉和阿瑟·安德森在运行这些计划。

7. 建立现代营销计划工作体制。计划工作的程序要求经理们首先得考虑营销环境、营销机会、竞争趋势和营销的其他问题。然后，经理们为特定产品和细分片准备营销战略以及进行销售与利润预测，并说明工作绩效。

8. 建立年度营销卓越认可计划。公司应该鼓励业务单位相信，它们制定的计划应有具体内容和结果。用特别的仪式奖励优胜者。这些计划将散发给其他业务单位作为"营销思想的样板"。实行这种计划方法的有阿瑟·安德森、贝克顿－迪金森(Becton-Dickinson)和杜邦公司。

9. 考虑从以产品为中心的公司重新组织成以市场为中心的公司。转变为市场中心意味着建立一个以该市场需要为核心的组织，并协调计划，为每个细分市场和主要客户提供公司的产品。

10. 从以部门为重点转变为以过程—结果为重点。公司一旦辨认决定其走向成功的基本业务过程，便应该指派过程负责人和交叉培训小组，以重组和执行这些过程。

杜邦公司是一个成功地从内向型文化转向外向型文化的公司。杜邦公司在首席执行官理查德·赫克特(Richard Heckert)的领导下，主动发起建立了一个"营销社团"(marketing community)。一些部门重新建成市场线。杜邦公司还推出了一系列营销的管理训练研讨班，已经参加的有300名高层人员、2 000名中层人员和14 000名员工。杜邦公司建立了一个集团营销奖励方案，并且从杜邦公司在全世界的雇员中奖励了32位杜邦员工，他们在开拓创新营销战略、服务改进等方面做了贡献。[19]它用大量的计划工作和耐心来说服经理人接受这个事实，顾客是公司业务和未来的基石，并且这也是做得到的。

营销执行

我们现在转而讨论营销人员怎样才能有效地执行营销计划。一个好的营销战略计划，如果执行不当，是不大会有成效的。我们对营销执行定义如下:[20]

营销执行(marketing implementation)　是将营销计划转化为行动和任务的过程，并保证这种任务的完成，以实现营销计划所制定的目标。

一个好的营销战略计划，如果执行不当，是不大会有成效的。请分析下列例子:

一家化学公司认识到顾客没有从竞争者那里得到优良服务。该公司决定使顾客服务成为它的战略契机。当战略失败时，事后调查表明是由于一些执行上的失误。顾客服务部门持续不被最高管理层所重视和得到帮助，其人员不足，能力差的经理们被安置在这里。更进一步，公司的奖励制度持续地把重点放在成本和现行盈利上。公司失败于未能作出对执行这一战略所要求的变动上。

这里，"战略"一词涉及营销活动是什么和为什么的问题，而"执行"一词涉及什么人在什么地方、什么时候、怎么做的问题。战略和执行在某一个战略"层次"里是紧密相关的，这就意味着在其较低层次里战术性任务的执行。例如，最高管理层作出一个"收割"产品的决策必须演变成特定的行动和任务。

波诺马(Bonoma)认为能够影响有效实施营销计划方案的因素有四类：

1. 诊断技能。当营销计划执行的结果未达到预期目标时，低销售率究竟是由于战略欠佳造成的，还是执行不当的结果？如果是执行问题，问题是什么？

2. 确定公司层次。营销执行问题，可能发生在三个层次上：营销职能，营销规划，营销政策。

3. 营销执行和评估技能。为使计划成功履行，营销者必须掌握其他技能：分配技能来预算资源，组织技能来开发一个有效的工作组织，相互配合技能，通过影响别人来完成自己的工作。

4. 评价技能。营销者还需要监控技能来评价营销活动的结果。[21]

对于一个非营利组织来说，执行一个营销计划所需的技能与营利性的企业在执行营销计划中所需的技能是一样的，这一点是由阿尔文·艾利歌舞影剧院发现的。

阿尔文·艾利(Alvin Ailey)　像许多非营利性文化组织一样，该公司自1958年由阿尔文·艾利创建以来，看起来好像总是在负债经营，尽管它能够吸引满堂的宾客。按照成本的特性分析，推出一种新产品的成本要比仅通过卖票所获得的收入要多得多，而艾利没有能力筹集货金来经营这家公司，同时，他个人也没有兴趣做这件事。当艾利在1989年去世后，杰迪思·贾米森(Jadith Jamison)，一个主要的舞蹈演员接替他，担任了公司的主管，她成功地改变了公司的财务状况，使其出现了盈余。她的成功在很大部分上归功于她激励别人实施营销计划的技能。1993年，当该公司实现在一年内就将其赤字额减半的业绩时，美国艺术基金会(National Art Stabilization)批准向其提供相应的资金。从那以后，一个行政主管和几个支持她的员工，他们在营销和管理上的技能与该公司的艺术特长相匹配，成功地使该公司一直处于相互监督之中。两组很有经验的市场营销人员在执行该营销计划，一组是董事会成员，他们当中的许多人是大型财务公司的主管或者他们的配偶是这些大型财务公司的主管。另一组人员是从其他公司中招聘的，他们利用与艾利公司的联系为他们自己公司的营销活动服务。例如，哈尔斯索斯公司(Healthsouth)向舞蹈演员提供免费的身体治疗，并且从与运动医疗诊所连锁店的营销活动的联系中获得好处，杰加公司(Jaguar)即阿尔文·艾利公司的官方汽车提供商，捐赠了一大笔钱来交换这个称号，并且有权在广告中使用阿尔文·艾利的字样和成为其邮件清单列表中的一员。艾利公司的观众中几乎一半是来自非洲裔的美国人，而43%的观众年龄在19岁～39岁之间，艾利公司正给它的合伙人提供着一个重要的市场，并且也赢得了这些合伙人的热情支持。[22]

评价和控制

因为在营销计划实施过程中将发生许多意外情况，营销部门必须连续不断地监督和控制各项营销活动。虽然有效的营销控制十分必要，但是许多公司并无适当的控制程序。下面是在对不同行业的 75 家规模不一的公司所作的一项调查中得到的结论。其主要结果如下：

● 小公司的营销控制比大公司弱。它们在建立明确目标和制定制度来衡量绩效等方面的工作做得很差。

● 有不到一半的公司不了解它们个别产品的盈利率。约 1/3 的公司在确定和淘汰软弱产品方面尚无正规的检查程序。

● 一半公司无法将其价格与竞争者进行比较，无法分析仓储和分销费用，无法分析退货原因，无法对广告有效性进行正式评价和检查销售队伍的访问报告。

● 许多公司花 4 个星期～ 8 个星期的时间来制定控制报告，而这些报告常常是不精确的。

表 22—1 归纳出了四种营销控制的方法：年度计划控制、盈利能力控制、效率控制和战略控制。

表 22—1 　　　　　　　　　　　　　营销控制类型

控制类型	主要负责人	控制目的	方法
1. 年度计划控制	高层管理层中层管理层	检查计划目标是否实现	销售分析,市场份额分析,费用—销售额比率,财务分析,市场基础的评分卡分析
2. 盈利能力控制	营销审计人员	检查公司在哪些地方赚钱,哪些地方亏损	盈利情况:产品,地区,顾客群,细分片销售渠道,订单大小
3. 效率控制	直线和职能管理层,营销主计人员	评价和提高经费开支效率以及营销开支的效果	效率:销售队伍,广告,促销和分销
4. 战略控制	高层管理者,营销审计人员	检查公司是否在市场、产品和渠道等方面,正在寻求最佳机会	营销效益等级评核,营销审计,营销杰出表现,公司道德与社会责任评价

年度计划控制

年度计划控制的目的在于保证公司实现它在年度计划中所制定的销售、利润以及其他目标。年度计划控制的中心是目标管理(management of objectives)，包括四个步骤(见图 22—7)。首先，管理层必须在年度计划中建立月份或者季度目标，作为水准基点。第二，管理层必须监视在市场上的执行成绩。第三，管理层必须对任何严重的偏离行为的原因作出判断。第四，管理层必须采取改正行动，以便弥合其目标和执行实绩之间的缺口。这可能要求改变行动方案，甚至改变目标本身。

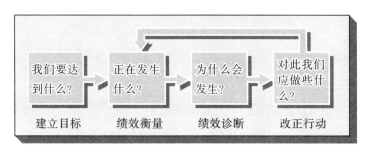

图 22—7 控制过程

这一控制模式适用于组织的每一个层次。企业最高管理者建立一年的销售目标和利润目标。这些目标被分解成每个较低层次的管理层的具体目标。于是，每个产品经理就要达到某个销售水平和成本水平。每个地区经理和每个销售代表也被责成完成若干目标。最高管理层定期检查和分析结果，并且查明需要采取哪些改进措施。

经理运用五种方法来检查计划执行绩效：销售分析，市场份额分析，营销费用—销售额分析，财务分析和顾客满意度追踪。

销售分析

销售分析(sales analysis)根据销售目标衡量和评价实际销售情况的构成。对这一分析有两个特定工具。

销售差异分析(sales-variance analysis)用以衡量在销售目标执行中形成缺口的不同要素所起的相应作用。假设年度计划要求在第一季度销售 4 000 个小工具，1 美元一个，即 4 000 美元。在这季度末，却只销了 3 000 个小工具，而且是 80 美分一个，即 2 400 美元。销售绩效差异为 1 600 美元，即为预期销售额的 40% 。现在问题是：这一未完成额中有多少是由于价格降低所造成，多少是由于销售量下降所造成？下列计算回答了一这问题：

$$\begin{array}{l} \text{由于价格下降} \\ \text{所造成的差额} \end{array} = (1.00 \text{ 美元} - 0.80 \text{ 美元}) \times 3\,000 = 600 \text{ 美元} \qquad 37.5\%$$

$$\begin{array}{l} \text{由于销售量下降} \\ \text{所造成的差额} \end{array} = 1.00 \text{ 美元} \times (4\,000 - 3\,000) = \underline{1\,000 \text{美元}} \quad \underline{62.5\%} \\ \hphantom{xxxxxxxxxxxxxxxxxxxxxxxxxxxxxxxxxxxxxxxxxx} 1\,600 \text{美元} \quad 100.0\%$$

几乎有 2/3 的销售差额是由于没有实现销售量目标所造成的。公司应该对其预定的销售量目标为何没有实现加以仔细地调查研究。

微观销售分析也许能对上述问题作出答复。微观销售分析(microsales analysis)将分别从产品、销售地区以及其他有关方面考察其未能完成预定销售份额的原因。假设该公司在三个地区销售，预期销售量分别为 1 500 个单位、500 个单位和 2 000 个单位，总数为 4 000 个单位的小工具。而实际销售量分别是 1 400 单位、525 单位和 1 075 单位。这样，地区 1 按预定销售计算，只完成 93%；而地区 2 则超额 5%；地区 3 却有 46% 未完成！地区 3 是造成困境的主要原因。销售经理可以对地区 3 进行检查，看一下下面何种假设可以解释这种糟透了的执行结果：地区 3 的推销代表在磨洋工或者有些私人问题；有个重要的竞争者闯入了这一地区；或者这一地区的国民生产总值下降。

市场份额分析

公司的销售额并不能表明公司相对于竞争者的绩效如何。因此，管理层需要追踪它的市场份额。市场份额的衡量有三种方法：公司总的市场份额是指其销售在行业总销售中所占的比例。服务市场份额是指其销售额占其所服务市场的总销售额的比例。公司的服务市场（service market）是指所有能够和愿意购买它的产品的购买者。服务市场份额总是大于其总的市场份额。一个公司的服务市场份额可能接近 100%，而其总的市场份额可能很低。相对市场份额是将其销售和最大竞争者的销售相比的百分比。相对市场份额超过 100% 的公司就是市场领导者。相对市场份额正好 100%，则说明该公司和市场头号公司不相上下。某公司的相对市场份额上升，意味着该公司的市场成长速度快于最大竞争对手的速度。

然而，来自市场份额分析的这些结论还受到下面条件的限制：

● 有关影响一切公司的外部力量都相同的假设往往是不真实的。美国卫生部有关吸烟危害性的报告引起了香烟总销售量的波动，但是，这种波动对于各企业的影响程度并不一致。享有高质量过滤嘴香烟声誉的公司受损的程序相对轻一些。

● 有关某公司绩效应按所有公司的平均绩效来加以评价的假设并非总是有效的。公司的绩效应与它最接近的竞争者绩效相比较而得出。

● 如果有一个新公司进入这一行业，那么，每一个现有企业的市场份额都可能下降。这里，一个公司市场份额的下降并不意味着该公司的经营管理比其他公司差。一个公司市场份额的减少取决于新企业对该市场的冲击程度。

● 有时，市场份额的下降是公司为了改进盈利状况而精心安排的。例如，管理层可能放弃某些无利可图的顾客或产品，以便改进盈利状况。

● 市场份额会因为许多偶然因素而发生波动。例如，一笔大宗买卖发生在某个时期的最后一天，或是发生在下一阶段的第一天，这也会影响市场份额。不是所有的市场份额变动都具有营销方面的意义。[23]

经理们必须仔细地通过产品线、顾客类型、地区或其他有关方面来分析市场份额的变动。分析市场份额变动的一个有效途径是考虑下面四个要素：

总市场份额 = 顾客渗透率 × 顾客忠诚度 × 顾客选择性 × 价格选择性

式中：

● 顾客渗透率是指所有向该公司购买的顾客占所有顾客的百分比。

● 顾客忠诚度是指顾客从该公司所购买的商品量占这些顾客向其他同类产品的供应商所购商品数量的百分比。

● 顾客选择性是指该公司的顾客平均购买量与某个一般公司的顾客平均购

买量之比。

● 价格选择性是指该公司的平均价格与所有公司的平均价格之比。

现在，假设该公司以金额表示的市场份额在这一时期下降了。总市场份额公式提供了四种可能的解释：公司失去了某些顾客(较低的顾客渗透率)；现有顾客从该公司购买较少一部分他们所需的供应品(较低的顾客忠诚度)；该公司所留下的顾客规模较小(较低的顾客选择性)；公司价格与竞争者相比已向下滑动(较低的价格选择性)。

营销费用—销售额分析

年度计划控制要求保证公司在实现其销售目标时，没有过多的支出。这里要看的关键百分比是营销费用对销售额之比。在某公司中，此比例为30%，它包括五项费用对销售之比：销售队伍对销售额之比(15%)；广告对销售额之比(5%)；促销对销售额之比(6%)；营销调研对销售额之比(1%)；销售管理费用对销售额之比(3%)。

管理层应该监控这些营销开支比率。它们可能出现一些不为人注意的小波动。但是，超过正常范围的波动正是引起麻烦的原因。每个比率在各个时期的波动可以在控制图表(见图 22—8)上进行追踪。此图表显示，广告开支和销售额之比率通常在 8% 到 12% 之间波动，100 次里面约有 99 次。但是在第 15 期上，这一比率超过了控制上限。有两种假设分别可以解释这一现象：(1)公司对支出方面的控制依然正常，这一情况代表某种偶然事件的再现。(2)公司方面对开支失去了控制，应该寻找原因。如果不调查以判断环境是否发生变化，不调查的风险在于有些变化确实存在，这样公司可能会落伍。如果对环境进行调查，则要冒此调查可能会一无所获、浪费时间和精力的风险。

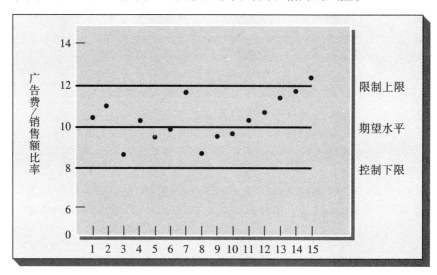

图 22—8   控制图表模型

连续观察所得的情况即使在控制限度内也必须加以注意。注意从第 9 期开始，开支和销售比率就稳步上升。遇到应作为独立事件出现的 6 个连续上升的值的概率只有 1/64。[24]这一不正常的现象有时会促使公司在第 15 期观察之前进行一次调查。

财务分析

费用—销售额之比应放在一个总体财务构架中进行分析，以便决定公司如何赚钱，在什么地方赚钱。营销者越来越倾向于利用财务分析来寻找提高利润的战略，而不是仅仅限于扩大销售的战略。

管理层利用财务分析来判别影响公司净资产报酬率(rate of return on net worth)的各种要素。[25]图22—9表明了一家大型连锁店零售商的主要影响因素以及举例说明的一些数字。此零售商的资本净值报酬率为12.5%。净资产报酬率是两种比率的乘积，即公司的资产报酬率(return on assets)和其财务杠杆率(financial leverage)的乘积。要提高资本净值报酬率，公司就必须提高净利润与总资产之比，或者提高其总资产与资本净值之比。公司方面应该分析它的资产构成(即现金、应收账款、库存以及厂房设备)，并且注意是否能改善它的资产管理。

资产报酬率是两种比率，即净利率(profit margin)和资产周转率(asset turnover)的乘积。对于零售来说，图22—9的净利率显得低了些，而资产周转率则较正常。营销主管可以试用下列两种方法来改进工作：(1)通过增加销售额或削减费用提高利润率；(2)通过增加销售额或减少承担完成一定销售额水平的资产(如存货、应收账款等)来提高资产周转率。[26]

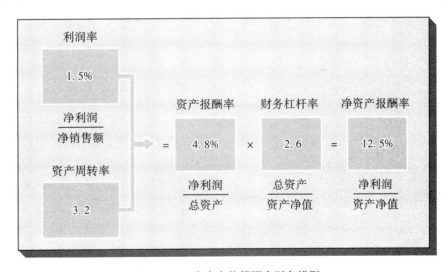

图22—9 资产净值报酬率财务模型

以市场为基础的评分卡分析

大多数公司的衡量系统准备了财务业绩的评分卡，但这牺牲了质量标准。因此，公司应准备两张以市场为基础的评分卡，以反映公司业绩和提供可能的预警信号。

第一张是顾客绩效评分卡(customer-performance scorecard)，它记录公司历年来以顾客为基础的工作：

- 新顾客；
- 不满意顾客；
- 失去顾客的相关服务质量；
- 目标市场知晓率；
- 目标市场偏好；
- 相关的产品质量；
- 相关的服务质量。

对每一个衡量要建立标准，如果当前的衡量结果出轨的话，管理层应采取行动。

第二张是利益关系方绩效评分卡(stakeholder-performance scorecard)。公司要追踪各种对公司业绩有重要利益和影响的组成人员的满意度：员工、供应商、银行、分销商、零售商、股东。再次，为各个群体建立标准，当某一或更多的群体不满增加时，管理层应采取行动。[27]现在考察惠普的方案：

> **惠普**(Hewlett-Parkard) 惠普公司的每一个部门都把它们的业绩评价建立在以顾客为基础的评分卡之上，该评分卡对商业中18个～20个基本准则作了记录。某些基本准则，例如顾客的满意度和送货的及时性，要在所有的部门间进行排名；其他的指标是根据各个部门的业务性质来制定并考核的。于是，公司就能够估计其营销战略对销售和利润的影响，并且确定哪些领域业绩水平的提高会导致产量的提高。
>
> 关注以顾客为基础的标准来评价公司的成功与否导致了20世纪90年代中惠普公司的全球账务管理(GAM)程序的诞生。随着这个世界上最大的公司购买了与计算机有关的产品和服务，从对性能最强的硬件的购买转变为对生产力最强的软件的购买，然后，探索能够解决其全球化业务中出现问题的电子答案，惠普公司成为了一个问题解答方面的合伙人和顾问。GAM系统改善了惠普公司高层管理人员和客户公司之间的关系。销售部门的一个高层主管被任命为全球账务管理的经理，他在公司的总部提供有关账务管理方面的网上服务。管理顾客主要信息的官员对公司的需要提供了许多建设性的观点，而全球账务管理方面的经理则帮助提供解决问题的方案。[28]

盈利能力控制

下面是一个银行对盈利能力的研究摘录：

我们发现，私人机构的产品20%～40%是没有获利能力的，并且其中将近60%的账目是亏损的。

我们的研究表明，多数企业一半以上的关系客户是无利可图的，30%～40%只勉强保本，经常只有10%～15%的关系客户能产生大部分利润。

我们对地区银行分支系统的盈利能力的研究，得出了一些令人惊讶的结果……30%的银行分支机构缺乏盈利能力。[29]

很清楚，公司必须衡量其不同的产品、地区、顾客群、贸易渠道和订货量的盈利率。这方面的信息将帮助管理层决定哪些产品或者营销活动应该扩大、收缩或者取消。

营销盈利率分析的方法

我们将利用下述例子说明营销盈利率分析的各个步骤：

某割草机公司的营销经理要判断通过三种不同的零售渠道：五金商店、园艺工具商店和百货商店出售割草机的盈利率。其损益表如表22—2所示。

表22—2　　　　　　　　　　简化的损益表　　　　　　　　　单位：美元

销售额		60 000
销售产品成本		39 000
毛利		21 000
各项费用		
工资	9 300	
租金	3 000	
供应品	3 500	
		15 800
净利		5 200

步骤1：确定职能性费用

假设表22—2所列的各项开支是由销售产品、广告、包装和运送产品、开账单和收款等活动引起的。第一个任务是衡量每项活动将引起多少费用。

假设销售代表的工资占的工资支出大部分，其余的则是广告经理、包装和运送商品的工人和一位会计的工资。将9 300美元分为5 100美元，1 200美元，1 400美元和1 600美元。表22—3表明了工资支出在这4项活动中的分配。

表22—3还表明了3 000美元租金在这4项活动中的分配。由于销售代表们不在办公室里工作，因此在推销中并不发生建筑物租金费用。大多数场地费和租用的设备都用于包装和运送商品。一小部分场地则是为广告经理和会计办公之用。供应品支出包括促销材料、包装材料、运输用的燃料以及办公文具等。这个账目中的3 500美元，并再次被分配到构成供应品费用的各项职能性活动中去。

表22—3　　　　按性质划分的费用转化为按职能划分的费用　　　　单位：美元

自然账户	总计	销售	广告	包装和运送	开单和收款
工资	9 300	5 100	1 200	1 400	1 600
租金	3 000	—	400	2 000	600
供应品	3 500	400	1 500	1 400	200
合计	15 800	5 500	3 100	4 800	2 400

步骤2: 将职能性费用分配给各个营销实体

下一个任务是衡量伴随每一种渠道的销售所发生的职能支出。先研讨销售努力结果。销售努力结果用每个渠道的销售数表示。这个列在表22—4的销售栏目里。这一时期共有275次销售访问。因为总的销售费用为5 500美元(见表22—3),所以平均每次访问的销售费用为20美元。

表22—4 向各渠道分配职能性费用的依据

渠道类型	销售	广告	包装和运送	开单和收款
五金商店(美元)	200	50	50	50
园艺工具商店(美元)	65	20	21	21
百货商店(美元)	10	30	9	9
职能性支出(美元)	5 500	3 100	4 800	2 400
÷单位个数	275	100	80	80
平均(美元)	20	31	60	30

广告费用可以根据不同渠道提出的广告数进行分配。因为一共要做100个广告,所以平均每个广告成本为31美元。

包装和运送费用按照每一种渠道提出的订单数进行分配;开单和收款费用的分配也以此为根据。

步骤3: 为每个营销渠道编制一张损益表

现在可以为每一种渠道准备一份损益表(见表22—5)。由于五金商店的销售占总销售额的一半(60 000美元的一半,即30 000美元),所以其产品销售费用也占一半(39 000美元的一半,即19 500美元)。这样,五金商店的毛利是10 500美元。毛利还必须减去五金商店所耗费的各种职能性支出。根据表22—4,五金商店在总共275次的销售访问中占到200次。按每次20美元投入的计算,五金商店必须承担4 000美元的销售开支。表24—5还表明五金商店的广告目标是50个广告。以每个31美元计算,五金商店要承担1 550美元

表22—5 各渠道的损益表

	五金商店	园艺工具商店	百货商店	整个公司
销售额	30 000	10 000	20 000	60 000
商品销售成本	19 500	6 500	13 000	39 000
毛利	10 500	3 500	7 000	21 000
各项费用				
推销(每次访问20美元)	4 000	1 300	200	5 500
广告(每个广告31美元)	1 550	620	930	3 100
包装和运送(每一订单60美元)	3 000	1 260	540	4 800
开单(每一订单30美元)	1 500	630	270	2 400
总费用	10 050	3 810	1 940	15 800
净利润(净损失)	450	(310)	5 060	5 200

广告费。五金商店的其他职能性支出也可按照同样的原则计算。结果五金商店的总支出为 10 050 美元。从毛利中减去这笔费用，通过五金商店出售商品的利润只有 450 美元。

对于其他渠道也可重复上面的分析。通过园艺工具商店出售，公司将亏损；而通过百货商店的销售，公司实际上获得了它的绝大部分利润。这里要注意的是，每个渠道的销售总额并不是每个渠道所获净利的可靠的指标。

决定最佳改正行动

如果由此认为应该放弃园艺工具商店和可能时还包括五金商店，以便集中经营百货商店，那将是天真的。首先需要回答下列问题：

- 购买者在多大程度上是根据零售商店的类型对不同品牌进行选择的？
- 关于这三种渠道的重要性的未来趋势如何？
- 针对这三种渠道而作出的公司营销战略是不是最佳的？

在对上述问题作出回答的基础上，营销管理层才能评价下列五种相互替代的行动：

- 对处理小额订货收取特别费用。
- 向园艺工具商店和五金商店提供较多的促销帮助。
- 减少园艺工具商店和五金商店的销售访问次数和广告次数。
- 不要从整体上放弃某种渠道，只要剔除每种渠道中最弱的零售单位。
- 按兵不动。

总之，营销利润分析表明了不同渠道、产品、地区或其他营销实体的有关利润情况。它既不证明放弃不盈利的营销实体乃是最佳行动方针，也不说明如果放弃了这些不重要的营销实体后就可能改善盈利情况。

直接成本与全部成本

和所有的信息工具一样，营销利润分析既可以指导营销经理行动，也可能使经理们误入歧途，这取决于他们对这些方法及其局限性的理解程度。上面的例子显示出，在选择向营销实体分配职能性费用的根据时所存在的某种主观武断性。例如，在分配销售费用时以"销售访问的次数"为根据，而从原则上讲，"销售员工作小时数"更能反映实际成本。之所以采用前者作为根据，是因为它只包含较少的记录和计算。

其他的判断因素也会影响盈利能力的分析。此问题是在评价营销实体绩效中，究竟是分配全部成本还是仅限于直接成本和可追溯成本。上述公司的例子回避了这一问题，而假设只有简单成本适合营销活动。然而，在营销成本的实际分析中不能回避这个问题。必须区别三种不同的成本：

1. 直接成本（direct cost）。这是指直接分配给那些引起这些费用的营销实体的成本。例如，销售佣金就是销售地区、销售代表或者顾客群的利润分析中的一项直接成本。当公司的每一个广告只针对公司一个产品时，广告支出就是产品利润分析中的一项直接成本。其他一些有具体目的的直接成本是推销人员工资、供应品和差旅费。

2. 可追溯的共同成本(traceable common cost)。这是指只能间接地，然而是按照一个言之成理的基础分配给营销实体的成本。上述例子中的租金便是按照这一方式分析的。

3. 不可追溯的共同成本(nontraceable common cost)。这是指高度主观地分配给各营销实体的成本。细想一下"公司形象"支出费用。将这笔费用平均地分配给所有的产品是不客观的，因为各种产品从公司形象的建立中所获得的好处并不相同。根据不同产品的销售量按比例分配也是一种武断行为，因为除了公司形象外，产品销售还受到许多其他因素的影响。难以分配共同成本的其他典型例子是管理层的工资、税金、利息和其他管理费。

在营销成本分析中包括直接成本是无可争议的。而对于其中要包括可追溯的共同成本的考虑则略有争议。可追溯的共同成本归并了随营销活动规模的大小而变动的费用和在最近的将来可能不随之变动的费用。如果割草机公司舍弃了园艺工具商店，由于契约方面的原因。它可能要继续支付同样的租金。在这种情况下，公司的利润由于目前通过园艺工具商店出售所造成的损失(310美元)而不能立刻上升。

这里主要的争议在于不可追溯的共同成本是否应该分摊给营销实体，这类分摊被称为全部成本法。提倡这一方法的人认为，要确定真实的盈利率，必须把所有的成本最终都分摊进去。但是这一论点把用于财务报告的会计数据同为决策和利润计划提供数量依据的会计数据混为一谈了。全部成本法有三个主要缺点：

1. 当不可追溯共同成本的主观分配方法为另一种方法所取代时，不同营销实体的相对的盈利率会发生根本性变化。

2. 主观武断使经理们陷入了混乱。他们认为这对于他们工作的评价是被扭曲了。

3. 对不可追溯的共同成本加以考虑，可能会削弱对真实成本的控制。业务管理层在控制直接成本和可追溯共同成本方面最为有效。主观分配不可追溯共同成本，可能会使他们花费较多的时间去考虑如何避免在成本分配中过于武断，而不是更好地去管理可控制成本。

公司对采用作业成本会计(activity-based cost accounting，ABC)的兴趣在日益增加，它可反映各种不同作业的真正盈利能力。这个工具"能够使经理清楚地了解在产品、品牌、顾客、设备、地区或分销渠道上的总收益与消费者资源"[30]。为了改进盈利率，经理们审核后，可以根据情况减少对执行各种作业的资源，或用较低的成本产生或获得更多的资源。否则，管理层就对产品提价以便从顾客处获得巨量的支援资源。作业成本会计的贡献在于使管理层不只把注意力集中于把劳动力或材料的标准成本作为全部成本的分配，而且紧紧抓住了供应给各个产品、顾客和其他实体的实际成本。

效率控制

假设利润分析揭示了公司在若干产品、地区或者市场方面的盈利情况不妙。要解决的问题就是，是否存在更有效的方法来管理销售队伍、广告、促销和分销等绩效不佳的营销实体活动。

有些公司建立了营销主计长(marketing controller)的职位以帮助营销人员提高营销效益。营销主计长在主计长室工作，但在企业的营销方面也是专家。在诸如通用食品、杜邦、强生公司里，他们对营销费用和结果进行高级复杂的财务分析。他们检查利润计划的保持记录，帮助制定品牌经理的预算，衡量促销活动的效率，分析媒体使用成本，评价顾客与地区盈利率，教育营销人员懂得营销决策中的财务意义。[31]

销售队伍效率

各级销售经理都应该掌握自己地区的销售队伍效率的几个关键的指标：

● 每个销售人员平均每天进行销售访问的次数。
● 每次销售人员访问平均所需要的时间。
● 每次销售人员访问的平均收入。
● 每次销售人员访问的平均成本。
● 每次销售人员访问的招待费。
● 每100次销售人员销售访问的订货单百分比。
● 每一期新的顾客数目。
● 每一期丧失的顾客数目。
● 销售队伍成本占总成本的百分比。

当公司开始调查销售队伍效率时，它常常会出现一系列可改进的地方。当通用电气公司发现销售代表访问顾客的次数过于频繁时，公司方面就能够缩小它某个事业部的销售队伍规模，而不减少销售量。一家大型航空公司发现，它的销售员既搞销售，又搞服务，于是公司就将服务工作转交给工资较低的职员去干了。另一家公司经过时间—职责调查研究后，找到了减少生产过程中空闲时间比例的有效途径。

广告效率

许多经理认为，要衡量他们从广告支出中获得多少好处几乎是不可能的。但是，至少要掌握下述统计资料：

● 每一种媒体类型、每一个媒体工具触及每千人的广告成本。
● 注意、看到或联想和阅读印刷广告的人在其受众中所占的百分比。
● 消费者对于广告内容和有效性的意见。
● 对于产品态度的事前事后衡量。
● 由广告所激发的询问次数。

● 每次调查的成本。

管理层可以采取一系列步骤来改进广告效率，包括做好产品定位，明确广告目标，预试广告信息，利用计算机指导选择广告媒体，购买较好的媒体广告时段以及做好广告事后测验等工作。

销售促进效率

销售促进包括几十种激发买主购买兴趣和试用产品的方法。为了提高促销效率，管理层应该坚持记录每一次促销活动及其成本和对销售的影响。企业管理层应注意下述统计资料：

● 优惠销售所占的百分比。
● 每一美元的销售额中所包含的商品陈列成本。
● 赠券的回收率。
● 一次演示所引起的询问次数。

如果公司委任一位促销经理，那么这位经理可以观察不同促销活动的结果，然后，向产品经理提出最有效的促销措施。

分销效率

管理层应该调查研究分销经济。有几种模式可用来提高存货控制、仓库位置和运输方式的效率。一个经常发生的问题是，当公司遇到销售增长很快时，分销的效率可能会下降。彼得·森杰(Peter Senge)描述了这种情景，急剧增加的销售带来了公司来不及实现约定的交货时间(见图 22—10)。[32]这导致顾客对公司有意见并最终使销售下降。管理层的反应是增加销售人员以便有把握获得更多的订单。销售人员成功了，但交货时间更没有保证。管理层需要认识到真正的瓶颈在哪里，并向生产和分销能力作更多的投资。

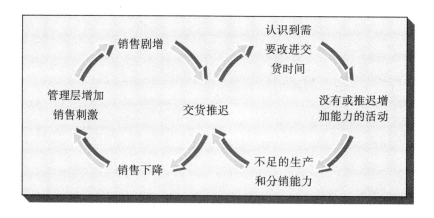

图 22—10   在销售订单和分销效率中的动态活动

资料来源：Adapted from Peter M. Senge, The Fifth Discipline. © 1990 by Peter M. Senge. Used by permission of Doubleday, a division of Bantam Doubleday Dell Publishing Group, Inc.

战略控制

随着时间的推移，公司必须经常对其整体营销目标和效益作出缜密的评价。营销的目标、政策、战略和方案可能会迅速过时。每个公司应该定期对其进入市场的总体方式进行重新评价。这里有两种工具可以利用，即营销效益等级评核和营销审计。公司还应完成营销杰出企业评核和道德—社会责任评核。

营销效益等级评核

这里有一个实际的例子：

> 某重要工业设备公司总经理检查了该公司各事业部的年度业务计划，发现若干事业部的计划缺乏营销素质。他召见了公司负责营销的副总经理，对后者说道：

> 我对于我们这些事业部的营销质量很不满意。营销质量很不稳定。我要求你找出我们哪些事业部在营销方面比较强，哪些一般，哪些比较弱。我想知道这些事业部是否了解和执行以顾客为导向的营销。我要求对每个事业部的营销情况进行评分。我要求每一个营销薄弱的事业部拿出一份在今后几年中改进营销效益的计划。我要求每个营销薄弱的事业部明年在向营销导向发展方面获得明显的进展。

> 公司负责营销的副总经理同意上述意见，同时意识到这是一项十分艰巨的任务。他第一件想做的事便是根据每个事业部在销售增长、市场份额和盈利等方面的业绩来评价其营销效益。他认为工作业绩好的事业部就是出色地以营销为导向的，而工作业绩差的事业部便是忽视营销导向的。

然而，良好的结果可能是由于某个事业部的适时适地，而不是有效的营销管理。而另一个事业部尽管有完善的营销计划工作，结果却可能并不理想。

一个公司或一个事业部的营销效益可以从营销导向的五种主要属性的不同程度上反映出来：顾客观念（customer philosophy），整合营销组织（integrated marketing organization），充分的营销信息（adequate marketing information），战略导向（strategic orientation）和工作效率（operational efficiency）。参见"营销备忘——营销效益等级评核表"。大多数的公司和部门可以用此表进行等级评定。[33]

营销备忘

营销效益等级评核表

（每个问题选一答案）

顾客观念

A. 企业管理层是否认识到根据其所选市场的需要和欲望设计公司业务的重要性？

0 □ 企业管理层主要考虑如何把现有产品或新产品出售给任何愿意购买的人。

1 □ 企业管理层考虑为范围广泛的市场提供同等效率的服务。

2 □ 企业管理层考虑为其所选市场的需要和欲望服务，这些市场都是在慎重分析市场长期成长率以及公司的潜在利润以后而选定的。

B. 企业管理层有否为不同的细分市场开发不同的产品和制定不同的营销计划。

0 □ 没有。

1 □ 做了一些工作。

2 □ 做得相当好。

C. 企业管理层在规划其业务活动时是不是着眼于整合营销系统观点(供应商、渠道、竞争者、顾客、环境)？

0 □ 不是。企业管理层只是致力于向其当前的顾客出售和提供服务。

1 □ 有一点。 企业管理层尽管将大量的精力集中在向当前的顾客出售商品和提供服务方面，但是也从长远观点考虑了它的渠道。

2 □ 是的。企业管理层从整合营销系统观点出发，了解由于系统中某个部分的变化可能给公司带来的各种威胁和机会。

整合营销组织

D. 对于各重要的营销功能是否有高层次的营销整合和控制？

0 □ 没有。销售和其他营销功能没有高层次的整合协调，并有一些非生产性的摩擦。

1 □ 有一点。各个重要的营销职能部门有形式上的整合和控制，但是缺乏令人满意的合作和协调。

2 □ 是。各重要营销职能部门被高度有效地整合在一起。

E. 营销企业管理层是否有效地和市场研究、制造、采购、实体分配以及财务等其他部门的企业管理层进行合作？

0 □ 否。人们抱怨说营销部门向其他部门提出的要求和需要的费用是不合理的。

1 □ 还可以。尽管各部门一般都倾向于维护本部门利益，它们之间的关系还是融洽的。

2 □ 是。各部门能有效地进行合作，并且能从全局考虑，从公司的最高利益出发来解决问题。

F. 新产品制作过程是如何组织的？

0 □ 这一制度未明确规定，管理不善。

1 □ 这一制度形式上是存在的，但是缺乏有经验的人员。

2 □ 这一制度结构完善，配备了专业人员。

充分的营销信息

G. 最近一次研究顾客、采购影响、营销渠道和竞争者的营销调研是何时进行的？

0 □ 若干年以前。

1 □ 一两年前。

2 □ 最近。

H. 企业管理层对于不同的细分市场、顾客、地区、产品、 渠道和订单及潜在销售量和利润的了解程度如何？

0 □ 一无所知。

1 □ 略有所知。

2 □ 了如指掌。

I. 在衡量不同营销支出的成本效益方面采取了什么措施?

0 □ 很少或者没有措施。

1 □ 有一些措施。

2 □ 有大量措施。

战略导向

J. 正规营销计划工作的程度如何?

0 □ 企业管理层很少或者没有正规的营销计划工作。

1 □ 企业管理层制定了一个年度营销计划。

2 □ 企业管理层制定了一个详细的年度营销计划和一个精心制定的每年更新
的长期计划。

K. 现有营销战略的质量如何?

0 □ 现有战略不明确。

1 □ 现有战略明确,但只是代表传统战略的延续。

2 □ 现有战略明确,富有创新性,根据充足,合情合理。

L. 有关意外事件的考虑和计划做得如何?

0 □ 企业管理层很少或者不考虑意外事件。

1 □ 企业管理层尽管没有正式的意外事件应付计划, 但是对于意外事件有一
定的考虑。

2 □ 企业管理层正式辨认最重要的意外事件,制定了应付意外事件的计划。

工作效率

M. 在传播和贯彻最高管理层的营销思想方面做得如何?

0 □ 很差。

1 □ 一般。

2 □ 很成功。

N. 企业管理层是否有效地利用了各种营销资源?

0 □ 否。相对于所要完成的工作来讲,营销资源是不足的。

1 □ 做了一些。营销资源足够,但是它们没有得到最充分的利用。

2 □ 是。营销资源充足,并且对它们进行了有效的部署。

O. 企业管理层在对眼前变化作出迅速有效的反应方面是否显示出良好的能力?

0 □ 否。销售和市场信息不很及时, 企业管理层的反应比较迟钝。

1 □ 有一点。企业管理层一般可以获得及时的销售和市场信息,但其反应快
慢不一。

2 □ 是。企业管理层建立了若干专门制度,用以收集最新信息,并能及时反应。

总得分

这一量表可按下述方式运用。对每一个问题选定一个适当的答案。然后,
把各题的分数加起来——总分应该在 0 分～30 分之间。 下列分数分别表示不

同水平的营销效益：

0 ～ 5 = 无　　　　6 ～ 10 = 差　　　　11 ～ 15 = 普通

16 ～ 20 = 良　　　21 ～ 25 = 很好　　26 ～ 30 = 优秀

资料来源：Philip Kotler, "From Sales Obsession to Marketing Effectiveness," *Harvard Business Review*, November-December 1997, pp. 67 ～ 75. Copyright © 1977 by the President and Fellows of Harvard College; all rights reserved.

营销审计

发现薄弱环节的公司和事业部，应该着手进行一次更彻底的研究，即营销审计。[34]

营销审计（marketing audit）是对一个公司或一个业务单位的营销环境、目标、战略和活动所作的全面的、系统的、独立的和定期的检查，其目的在于决定问题的范围和机会，提出行动计划，以提高公司的营销业绩。

让我们探讨一下营销审计的4个特性：

1. 全面性。营销审计并不限于若干麻烦的地方，而是涉及一个企业全部主要的营销活动。如果它仅仅涉及销售队伍，或者定价，或者某些其他的营销活动，那么，它便是一种功能性审计。尽管功能性审计也十分有用，但是有时它们可能会使企业管理层迷失方向，以致看不到问题的真实原因。例如，销售人员工作流动过多，可能并不是销售人员培训不力或者报酬微薄的问题，而是公司产品和促销软弱的征兆。一次全面的营销审计通常能更有效地找到公司营销问题的真实原因。

2. 系统性。营销审计包括一系列有秩序的诊断步骤，包括诊断组织的宏观和微观环境、营销目标和战略、营销制度和具体的营销活动。然后，在诊断基础上制定、调整行动计划，包括短期计划和长期计划，以提高组织的整体营销效益。

3. 独立性。进行营销审计可以通过六种途径：自我审计、交叉审计、上级审计、公司审计处审计、公司任务小组审计和局外人审计。自我审计是指经理利用一个检查表，评价自己的业务活动，这种方式可能有一定的用处，但是大多数专家认为，自我审计缺乏客观性和独立性。[35]3M公司成功地利用了公司审计处，根据需要向各事业部提供营销审计服务。[36]但是，一般而言，最好的审计大多来自于外界经验丰富的顾问，这些人通常具有必要的客观性和独立性，有许多行业的广泛的经验，对本行业颇为熟悉，同时，可以集中时间和注意力从事审计活动。

4. 定期性。典型的营销审计都是在销售量下降、推销人员士气低落或者其他公司发生问题之后才开始进行的。具有讽刺意味的是，公司之所以陷入困境，部分原因正是它们没有在顺利的时候检查营销活动。定期营销审计既有利于那些业务发展正常的公司，也有利于那些处境不佳的公司。

营销审计的第一步是公司高级职员和营销审计人员一起开一个会，拟定有关审计目标、涉及面、深度、资料、来源、报告形式以及时间安排的协议。应该精心地准备一份详尽的计划，包括会见何人、询问什么问题、接触的时间和地点等等，这样就能使审计所花的时间和成本最小化。营销审计的基石准则是，不能仅仅靠公司经理收集情况和意见，还必须访问顾客、经销商和其他外界人士。许多公司既不真正了解其顾客和经销商对公司的看法，也没有充分理解顾客各种需要的价值判断力。

营销审计由检查公司营销形势的六个主要组成部分构成。这主要审计问题则列在表 22—6 中。

表 22—6 营销审计的构成内容

第一部分　营销环境审计

宏观环境

A. 人文统计

　　人文环境中有哪些主要的发展变化和趋势会成为公司的机会和威胁？为适应这些发展变化和趋势，公司方面采取了哪些行动？

B. 经济

　　在收入、价格、储蓄和信贷等方面有哪些主要发展变化将影响公司？相应于这些变化和趋势，公司方面采取了哪些行动？

C. 生态

　　公司所需要的那些自然资源和能源的成本和可获性的前景如何？有关公司对在污染和环境保护方面的作用表示过什么关心？公司采取了哪些步骤？

D. 技术

　　在产品技术方面存在哪些主要变化？在加工技术方面呢？公司在这些技术领域里的地位如何？有什么重要的一般代用品可以替代此产品？

E. 政治

　　哪些法律将影响营销战略和战术？在污染控制、就业机会均等、产品安全、广告、价格控制等领域发生了哪些影响公司营销战略的变化？

F. 文化

　　公众对于企业和公司生产的产品持何态度？在消费者和企业的生活方式和价值观念方面发生了哪些与公司有关的变化？

任务环境

A. 市场

　　在市场规模、成本率、地理分销和盈利方面有哪些变化？有哪些主要细分市场？

B. 顾客

　　在公司声誉、产品质量、服务、销售队伍和价格等方面，顾客和潜在顾客是如何评价公司及其竞争者的？不同的顾客群是如何作出购买决策的？

C. 竞争者

　　有哪些主要竞争者？他们的目标和战略，他们的优势和劣势以及他们的规模和市场份额分别是什么？有哪些趋势将影响未来的竞争和产品的替代品？

D. 分销和经销商

通过哪些主要的商业渠道向顾客传送产品？各种商业渠道的效率和成长潜力如何？

E. 供应商

生产所用急需原料的可获性之前景如何？在诸供应商的销售模式中存在哪些变化趋势？

F. 辅助机构和营销公司

运输服务的成本和可获性之前景如何？仓储设备的成本和可获性之前景如何？财务资源的成本和可获性之前景如何？公司的广告代理商和市场营销调研公司的效率如何？

G. 公众

对于公司来说，哪些公众代表了某种特定机会，哪些代表了问题？公司采取了什么步骤以便有效地应付每一类公众？

第二部分　营销战略审计

A. 企业使命

企业使命是否用市场导向的术语明确地阐述出来？它是否可行？

B. 营销目标和目的

公司和营销目标是否用明确的目的陈述出来，以指导营销计划和执行实绩的衡量？营销诸目标是否与公司的竞争地位、资源和机会相适应？

C. 战略

企业管理层能否明确地表达其达到营销目标的营销战略？此战略是否具有说服力？此战略是否适应产品寿命周期的阶段、竞争者的战略以及经济状况？公司方面是否运用了细分市场的最好根据？它是否运用可靠的准则评价细分市场，并且选择了若干最适当的细分市场？公司方面是否确定了每个目标细分市场的实际轮廓？公司方面是否为每个目标细分市场制定了一个正确的市场地位和营销组合？营销资源是否被合理地分配给营销组合的主要构成要素，即产品质量、服务、销售队伍、广告、促销和分销？预定用于完成这些营销目标的资源是足够还是太多？

第三部分　营销组织审计

A. 正式结构

对于影响顾客满意程度的公司活动，营销主管人员是否具有足够的权力和责任？营销活动是否按功能、产品、最终用户和地区最理想地进行组织？

B. 功能效率

营销部门和销售部门之间是否保持良好的沟通和工作关系？产品管理系统是否在有效地工作？产品经理能不能计划利润水平，还是只能确定一下销售量？有无营销组织需要进一步培训、激励、监督或评价？

C. 部门间联系效率

营销和制造、研究开发、采购、财务、会计以及法律等部门之间是否存在什么需要注意的问题？

第四部分　营销制度审计

A. 营销信息系统

　　营销情报系统是否产生有关顾客、潜在顾客、分销和经销商、竞争者、供应商以及各种公众的市场发展变化方面的真实的、足够的和及时的信息？公司决策者是否要求进行充分的市场调研？他们是否利用了这些调研结果？公司方面是否运用最好的方法进行市场和销售预测？

B. 营销计划系统

　　营销计划工作系统是否经过很好的构思，是否有效？销售预测和市场潜量衡量是否正确地加以实施？销售定额的制定是否建立在适当的基础上？

C. 营销控制

　　控制程序是否足以保证年度诸目标的实现？企业管理层是否定期分析产品、市场、销售地区和分销渠道的盈利情况？营销成本是否定期加以检查？

D. 新产品开发系统

　　公司是否被很好地加以组织以收集、形成和筛选新产品构思？公司在向新产品构思投资之前是否进行适当的概念调研和商业分析？公司方面在推出新产品之前是否作过适当的产品和市场试销？

第五部分　营销生产率审计

A. 盈利率分析

　　公司不同的产品、市场、地区和分销渠道相应的盈利率分别是多少？公司方面是否要进入、扩大、缩小或放弃若干细分市场？其短期的和长期的利润结果如何？

B. 成本效益分析

　　哪些营销活动看来花费过多？能否采取一些降低成本的步骤？

第六部分　营销功能审计

A. 产品

　　产品线目标是什么？这些目标是否合理？现有产品线是否满足这些目标？产品线应向上、向下或上下同时延伸或收缩吗？哪些产品应该逐步淘汰？哪些产品应该增加？买主对于本公司和竞争者产品的质量、特点、式样、品牌等方面的知识和态度如何？产品战略的哪些方面需要进一步改进？

B. 价格

　　价格目标、政策、战略和定价程序分别是什么？定价所依据的成本、需要和竞争等的标准和程序如何？顾客是否认为本公司所定价格与其所供应之物的价值相符？有关需求的价格弹性、经验曲线影响以及竞争者的价格和定价政策等，企业管理层知道些什么？价格政策与分销商、经销商和供应商的要求以及政府法令相一致，其程序如何？

C. 分销

　　分销目标和战略是什么？有否足够的市场覆盖面和服务？下列渠道成员的有效性如何：分销商，经销商，制造商代表，经纪人，代理商，等等？公司方面是否应考虑改变其分销渠道?

D. 广告、销售促进和公共宣传

公司的广告目标是什么? 它们是否合理? 广告用量是否适宜? 广告预算如何确定? 广告主题及其文稿是否有效? 顾客和公众对于本公司广告有哪些想法? 广告媒体是否经过精心挑选? 公司内部广告人员是否足够? 销售促进预算是否足够? 是否充分而有效地利用了各种销售促进工具,如赠送样品、赠券、展销和销售竞赛等? 公共宣传预算是否足够? 公共关系部门的职员是否精明强干并且富有创造性?

E. 销售队伍

本组织的销售队伍目标是什么? 销售队伍规模是否足以完成公司诸目标? 销售队伍是否按适当的专业(地区、市场、产品)原则组织的? 是否有足够(或者太多)的销售经理指导现场销售代表? 销售报酬水平和构成是否提供了足够的刺激和报偿? 销售队伍是否显示出高度的信念、能力和努力? 制定份额和评价业绩的程序是否合适? 与竞争者的销售队伍相比,公司的销售队伍有何特点?

营销杰出企业评核

公司对成绩优秀企业的最佳实践的业绩进行评价,可应用另一工具。在表22—7 中列出差的、好的和杰出企业在营销实践中的区别。其结论将显示出企业的劣势和优势。它清晰地反映出公司应在哪些方面努力才能变为在市场上的杰出经营者。

表 22—7 评价营销杰出企业:最佳实践

差的	好的	杰出的
产品驱动	**市场驱动**	**市场导向**
大众市场导向	细分市场导向	补缺导向和顾客导向
产品提供物	附加产品提供物	解决顾客问题提供物
产品质量平均	高于平均质量	出人意料的好
服务质量平均	高于平均质量	出人意料的好
最终产品导向	核心产品导向	核心能力导向
功能导向	过程导向	由外向内导向
对竞争者有反应	以竞争者为超越对象	跳跃式前进超过竞争者
供应者开发	供应者偏好	供应者伙伴关系
经销商开发	经销商支援	经销商伙伴关系
价格驱动	质量驱动	价值驱动
平均速度	高于平均速度	出人意料地快速
等级制度	网络	团队工作
垂直一体化	平行组织	战略联盟
股东驱动	利益关系方驱动	社会驱动

道德与社会责任评价

公司需要用最后一种工具来评价它们究竟是否真正实行道德与社会责任营销。我们相信，企业的成功和不断地满足顾客与其他利益方，是与采用和执行高标准的企业与营销条件紧密结合在一起的。世界上最令人羡慕的公司都遵守为人民利益服务的准则，而不仅仅是为了它们自己。参见"新千年营销——为公平用工进行的营销活动"。

企业的实践活动经常受到攻击，因为企业往往处于进退两难的困境，它们不知道什么是正确的。这使人回想起霍华德·鲍恩（Howard Bowen）的关于业务人员责任的经典问题：

> 他在推销方法中是否侵犯了人们的隐私权，如在上门推销中……他采用的方法是否包含了夸大宣传、投机、赠券、兜售和其他战术等给人有怀疑的甜头而使人晕头转向？他是否采用"高压"战术来说服人们购买？他是否企图用无止境地推出新模式和新式样方法来加快商品的废弃速度？他是否要求和试图强化物质主义动机，并且在"赶时髦浪潮"。[37]

很清楚，公司的标准底线不应该只是衡量公司的效益。在许多业务方面，它必须处理好业务与道德的关系。在推销问题上有诸如行贿或偷窃商业秘密的问题；在广告问题上有诸如虚假和欺骗广告的问题；渠道问题上有诸如专营业务和联结协议的问题；产品问题上有诸如产品质量和安全的产品保证和专利权保护的问题；包装问题上有诸如准确的标志和稀缺材料利用的问题；价格问题上有诸如价格协定、价格差别化和再售价格维持的问题；竞争问题上有诸如建立进入障碍、掠夺性竞争的问题。

提高社会责任营销的水平要求三路出击。第一，社会应尽可能地应用法律来规范违法的、反社会的或反竞争的行为。第二，公司必须采用和发布书面的道德准则，建立公司的道德行为习惯，要求它的人员有完全的责任心来遵守道德和法律指南。第三，个别的营销者必须在与其顾客和各类利益关系方进行特定交易中实践社会道德。

当公司进入新千年时，未来前途蕴涵着财富的机会。技术进步体现在太阳能、在线电脑网络、有线和卫星电视、基因工程和通信的发展上，正如我们所知它们在改变着世界。同时，社会经济、文化和自然环境的力量将对营销与业务实践施加新的限制。能够用社会责任方法创造出新的解决办法和价值的公司是最有可能成功的公司。现在考察工作资产公司的例子。

工作资产（Working Assets） 工作资产公司在长途电话业务上与AT&T、MCI和斯普瑞特公司的竞争方式，同大运输公司之间的竞争方式是一样的：低收费，声音通过光缆的清晰传输，接线员的高效率工作和方便的电话卡。但是，它还提供了一项独一无二的服务来吸引市场补缺者。在广告语"我们使你的声音能够被听见"下签名的顾客认为他们是人类进步事业的支持者。在它的每个月的电话消费清单上，公司提供了有关目前的两个热点话题方面的信息，并且附上有影响力的人的姓名和电话号码，顾客可以免费给他们打电话。顾客可以把一个事先准备好的信封寄给这些领导人物，让他们代表他或她支付话费。顾客还可以投票支持那些非营利组织，把他们每月电话费的

1% 捐赠给这些非营利组织。为了呼吁目标市场中的顾客保护环境，工作资产公司使用可重复利用的纸张和大豆制成的墨水，每消耗掉 1 吨纸，公司将要种 17 棵树。在它所开展的所有业务中，公司都有一套前后一致的公司资质方面的章程并要求符合市场道德的要求。对于那些需要进一步采取措施来吸引他们的人，工作资产公司提供了在一月之内有效的赠券让他们免费获得本－杰利（Ben and Jeny）公司提供的冰冻的甜品，本－杰利公司是另一个支持人类进步事业的公司。工作资产公司的理想化的做法对其经营业务产生了有利的影响。工作资产公司连续 5 年被《公司》（Inc）评为是它的公司清单中增长速度最快的公司，并且在《财富》、《新闻周刊》、《纽约时报》、《华盛顿邮报》中被报道过。

新千年营销

为公平用工进行的营销活动

全球化是服装行业所面临的一个事实，从各种价位的衣服、饰品和鞋类的生产到营销都实现了全球化。标签上写着一家美国公司的名字，但它也可能是其他国家生产的，经常是拉丁美洲和太平洋地区的欠发达国家。20 世纪 90 年代中期的许多新闻报道使公众认识到了这样一个事实，即许多这类产品是由工资低、工时长、劳动条件恶劣的血汗工厂中的工人们生产出来的。关于生产耐克运动鞋的亚洲工厂的不利的故事很多，以至于公司成立了一个独立的委员会来专门调查这些事情。许多持怀疑态度的消费者仍然怀疑该调查的结果。在写给他们当地报纸主编的信中，他们声称拒绝在购买这些产品时支付高价，以使那些拥有百万资产的运动员们通过在广告中签名就可以变得更富有，而那些工厂的工人们挣的工资还不足以维持生活。与此类似，霍德斯（Honduras）的一条服装生产线的消息也带来了负面的影响，并且引起了电视台一个聊天节目的主持人卡西·李·吉弗特（Kathie Lee Gifford）的注意。

1996 年 8 月，18 个组织机构的代表，包括时装生产商、零售商、工会代表和人权组织代表聚集在白宫服装业股东协会上，企图制定一个美国时装业所应具备的工作条件的各方都能够自愿接受的标准。他们在许多条款上达成了一致意见，包括禁止雇用强制性的劳工或者 14 岁以下的儿童，符合工厂所在国法律要求的最低工资限额，每周最多工作 60 小时并且至少有一天休息，保障工人不受到骚扰和虐待，承认工人有组建工会和集体示威游行的权利。由生产商、工会和人权组织代表组成的一个监察组织，将负责确保这些条款的履行，并且保证对于那些符合标准的工厂挂上"无血汗"的字样。

1998 年，由股东学会组成的一个特别工作组公布了他们准备成立公平劳工联合会作为监督机构的计划。但是，到该年年底，该协议失去了许多重要的支持。股东协会中的许多成员抱怨他们被排除在制定有关标准和监督程序细节的谈判过程之外。UNITE（服装业的工会组织），退出了股东协会以示抗议。与此同时，美国服装业制造商联合会，因为对白宫股东协会的进程失去了耐心，而制定了它们自己叫做"有责任感的服装生产"（RAP）的章程，与前面的标准基本相似，并且设立了它们自己的鉴别机构，美国、亚洲、拉丁美洲的 30 个工厂首先执行了这个章程。属于美国服装业制造商联合会成员的工厂和不属于该联合会成员的工厂都可以来咨询有关方面的信息。

虽然 UNITE 和它的同盟者们担心制造商们仅仅是在表面工作上有所改进，担心对工厂进行鉴定和摘掉"血汗"的牌子仅仅是一个假相，但是，劳资双方的分歧揭示了他们的共同的信念：在任何一个雇主的工厂中，工人都应该被认为是一个能够决定工厂生死命运的重要的人物。公平用工实践是一个很关键的营销问题，同时，也是一个涉及到公司伦理道德方面的问题。

资料来源：Vanessa Groce, "Chronicle," Earnshaw's Infants', and Girls' and Boys' Wear Review, October 1996, p. 36; Steven Greenhouse, "Voluntary Rules on Apparel Labor Prove Hard to Set," New York Times, February 1, 1997, pp. A1, A7; "No Sweat? Sweatshop Code is just first step to end worker abuse," Solidarity, June—July, 1997, p. 9. See also the Web sites of UNITE, Corporate Watch, and the America Apparel Manufacturers Association.

小结

1. 现代营销组织经历了六个阶段的演进，今天的那些公司可以在每一阶段中被发现。在第 1 阶段，公司只有简单的销售部门。在第 2 阶段，它们增加了实际的营销功能，如广告和营销调研。在第 3 阶段，创立独立的营销部门以处理日益增多的辅助营销功能。在第 4 阶段，分设营销和销售经理。在第 5 阶段，公司所有的员工都以市场和顾客为导向。在第 6 阶段，营销人员主要从事跨职能小组的活动。

2. 现代营销部门的组织可以有多种形式。有些公司按照职能特征来设置，而另一些公司集中于地理和地区的管理。还有一些公司强调产品和品牌管理或市场细分片管理。某些公司建立了包括产品和市场经理的矩阵组织。最后，有些公司强化公司的营销工作，而另一些限制公司营销，也有另一些把营销仅限制在事业部。

3. 有效的现代营销组织需要强化合作和以顾客为中心，这包括公司的各部门：营销、研究与开发、工程、采购、制造、营运、财务、会计和信贷。

4. 一个好的营销战略计划，如果执行不当是不大会有成效的。执行营销计划要求有：发现和诊断一个问题的技能；对公司存在问题的层次作出评估的技能；执行和评价执行结果的技能。

5. 营销部门必须连续不断地监督和控制各项营销活动。年度计划控制是保证公司在该计划中设置的销售、利润和其他目标的完成。年度计划控制的主要工具有：销售分析，市场份额分析，营销费用—销售额分析，财务分析，以市场为基础的评分卡分析。

6. 盈利率控制，寻求、衡量与控制不同的产品、地区、顾客群、销售渠道、订单大小等的盈利率。盈利率控制的一个重要内容是制作一张损益表。

7. 效率控制是集中寻找提高销售队伍、广告、销售促进和分销的效率。

8. 战略控制要求定期承担对公司和它在市场上战略方法的再评价，使用的工具有营销效益评核和营销审计。公司还应进行道德—社会责任评核。

应用

本章观念

1. 重写营销审计构成内容的问题(见表 22—6),从而反映与你的行业有关的内容。尽你所能,具体详细地写下这些问题。如果目前你没有被雇用,可为一家你曾工作过的公司或将来你将为之工作的公司重写这些问题。

2. 一个工业设备大型制造商在每一个主要城市都派遣了一名销售人员。地区销售经理监督几个城市的销售代表。首席营销主任想评估不同城市的利润贡献。以下各项费用如何被分配到每个城市?费用包括: (a)向顾客寄送账单的总费用; (b)地区销售经理开支; (c)全国性杂志广告; (d)营销调研。

3. 飞利浦北美照明公司(NAPLCO)想把它的电灯泡作为美国第三品牌放在超市货架上(通用电气占据市场的 60%, 西层电气占市场的 20%)。在过去的 5 年中,灯泡购买变化不大。灯泡成为杂货店每平方英尺储存货物中最有利可图的商品。飞利浦北美照明公司认为它的 Norelco 电灯泡有强大声誉,与已经证实的制造高质量灯泡的有目共睹的技能及带给超级市场的利润,必定会使这一计划非常成功。在完成消费者调查后,它生产了新型巧妙的重点供电陈列品和新颖的灯泡透明保护包装。陈列品包含 12 类最受欢迎的灯泡。(大多数超级市场都有 50 种类型的灯泡, 将这数字翻一番可排满一整列货架。)对于诸雷科灯泡,公司决定不作任何消费者广告而主要依赖给推销员的佣金。它还决定用一个中间商而不雇用自己的销售员。在两年半后,Norelco 灯泡的总销售额为 110 万美元,远远低于预计的 750 万美元。 从操作执行的观点看,你认为这一计划为何会失败?

营销与广告

1. 当康阿格拉公司(ConAgra)首次推出三种新口味的健康选择香薄型三明治,如图 22A—1 中的广告所示时,它要求营销部门与采购部门、生产部门、财务部门、会计部门以及信贷部门的工作协调。概括地说出在公司研制和生产这三种新口味的产品时,营销部门如何与以上所列的其他部门沟通。

聚焦技术

大型的多国公司需要经过一个特定的困难时期来解决在协调和控制各部门间和国家间的营销活动中所出现的复杂问题,更不要说是处于不同时区内的国家问题了。每一个参与计划制定过程的人都可以利用科学技术的方法来平衡各个角色及其职责,避免出现交叉,并且为更有效地执行计划铺平道路。

要想看一下这种软件中的一个样本窗口,可以访问哥白尼克斯(Copernicus)公司的网站,该公司是一家营销战略咨询公司(www. copernicusmarketing. com/

图 22A—1

market/docs/planners. htm）。哥白尼克斯公司的软件是根据每一个公司的需要定制设计的，它会告诉你，谁应该对哪一项活动负责。该软件同时还包括了公司的使命、远见和目标，以及营销目标和一整套的预算、预测和计划安排。这项技术可以在公司的内部网上运行，这样每一个参加营销计划制定的人都可以看到它。为什么预算和计划安排对于营销控制来说很重要？为什么在经理制定每一年的营销计划时，必须参考公司目标和营销目标？

新千年营销

随着服装业的日益全球化，公平用工对于美国的一些公司来说成了一个高度关注的营销问题，同时，它也是一个涉及到公司伦理道德方面的问题。最近的一些新闻报道揭示了拉丁美洲和太平洋地区的一些服装生产厂中的工人们的困境：工资低，工作时间长，有时甚至被虐待。

借助你最喜欢的搜索引擎（例如，Metafind. com）寻找有关这个关键问题的最新消息。同时，也可以访问国际劳工事务局站点中的美国劳工局来获取更多的信息（www. dol. gov/dol/ilab/）。在世界上其他国家开设服装生产厂的那些美国公司最近有没有被指控有不公平用工行为？这些公司对指控有什么反应？针对这些问题，美国政府采取什么措施了吗？

你是营销者：索尼克公司的营销计划

任何一个营销计划如果没有经过组织、实施、评价以及对整个营销过程中所做工作的控制，那么，这个营销计划就是不完善的。除了确定营销进程以实现财务目标和其他目标外，营销人员还应该制定计划以审查和改进他们的营销活动。

你在索尼克公司是简·梅洛迪的助手，你的职责是为索尼克公司如何进行其生产的台式立体声音响的营销活动提供建议。回顾一下公司目前的状况，同时看一下你为索尼克公司的营销计划所制定的目标、战略以及程序。现在，回答以下的几个有关对公司的营销活动进行管理的问题：

● 对于索尼克公司的营销部门和销售部门来说，采用哪种组织形式是最恰当的？
● 要想建立一个更加以市场和顾客为导向的组织形式，索尼克公司应该做哪些事情？
● 在索尼克公司的营销计划中应该包含哪些控制措施？
● 怎样对公司的营销活动以及伦理道德和社会责任方面的营销活动的水平进行评价，索尼克公司应该做些什么事情？

在你回答完这些问题后，把你的建议总结写进一个书面的营销计划中，或者把它们输入到营销计划程序软件的控制部分中。

【注释】

[1] See Frederick E. Webster Jr., "The Changing Role of Marketing in the Corporation," *Journal of Marketing*, October 1992, pp. 1 ～ 17. Also see Ravi S. Achrol, "Evolution of the Marketing Organization: New Forms for Turbulent Environment," *Journal of Marketing*, October 1991, pp. 77 ～ 93; and John P. Workman Jr., Christian Homburg, and Kjell Gruner, "Marketing Organization: An Integrative Framework of Dimensions and Determinants," *Journal of Marketing*, July 1998, pp. 21 ～ 41.

[2] See Frank V. Cespedes, *Concurrent Marketing: Integrating Product, Sales, and Service* (Boston: Harvard Business School Press, 1995), and *Managing Marketing Linkages: Text, Cases, and Readings* (Upper Saddle River, NJ: Prentice Hall, 1996).

[3] Robert E. Lineman and John L. Stanton Jr., "A Game Plan for Regional Marketing," *Journal of Business Strategy*, November—December 1992, pp. 19 ～ 25.

[4] Scott Hume, "Execs Favor Regional Approach," *Advertising Age*, November 2, 1987, p. 36; "National Firms Find that Selling to Local Tastes Is Costly, Complex," *Wall Street Journal*, February 9, 1987, P. B1; Paul A. Herbig, *Handbook of Cross-Cultural Marketing* (New York: International Business Press, 1998), pp. 45 ～ 46.

[5] "... and Other Ways to Peel the Onion," *The Economist*, January 7, 1995, pp. 52 ～ 53.

[6] Andrall E. Pearson and Thomas W. Wilson Jr., *Making Your Organization Work* (New York: Association of National Advertisers, 1967), pp. 8 ~ 13.

[7] Dyan Machan, "Soap? Cars? What's the Difference?" *Forbes*, September 7, 1998; Bill Vlasic, "Too Many Models, Too Little Focus," *Business Week*, December 1, 1997, p. 148.

[8] Michael George, Anthony Freeling, and David Court, "Reinventing the Marketing Organization," *The McKinsey Quarterly* no. 4 (1994): 43 ~ 62.

[9] For Further reading, see Robert Dewar and Don Schultz, "The Product Manager, an Idea Whose Time Has Gone," *Marketing Communications*, May 1989, pp. 28 ~ 35; "The Marketing Revolution at Procter & Gamble," *Business Week*, July 25, 1988, pp. 72 ~ 76; Kevin T. Higgins, "Category Management: New Tools Changing Life for Manufacturers, Retailers," *Marketing News*, September 25, 1989, pp. 2, 19; George S. Low and Ronald A. Fullerton, "Brands, Brand Management, and the Brand Manager System: A Critical-Historical Evaluation," *Journal of Marketing Research*, May 1994, pp. 173 ~ 190; and Michael J. Zenor, "The Profit Benefits of Category Management," *Journal of Marketing Research*, May 1994, pp. 202 ~ 213.

[10] Stanley F. Slater and John C. Narver, "Market Orientation, Customer Value, and Superior Performance," *Business Horizons*, March—April 1994, pp. 22 ~ 28. See also Frederick E. Webster, *Market-Driven Management: Using the New Marketing Concept to Create a Customer-Oriented Company* (New York: John Wiley, 1994); John C. Narver and Stanley F. Slater, "The Effect of a Market Orientation on Business Profitability," *Journal of Marketing*, October 1990, pp. 20 ~ 35; Bernard Jaworski and Ajay K. Kohli, "Market Orientation: Antecedents and Consequences," *Journal of Marketing*, July 1993, pp. 53 ~ 70; and Rohit Deshpande and John U. Farley, "Measuring Market Orientation," *Journal of Market-Focused Management* 2 (1998): 213 ~ 232.

[11] Richard E. Anderson, "Matrix Redux," *Business Horizons*, November—December 1994, pp. 6 ~ 10.

[12] For further reading on marketing organization, see Nigel Piercy,] *Marketing Organization: An Analysis of Information Processing, Power and Politics* (London: George Allen & Unwin, 1985); Robert W. Ruekert, Orville C. Walker, and Kenneth J. Roering, "The Organization of Marketing Activities: A Contingency Theory of Structure and Performance," *Journal of Marketing*, Winter 1985, pp. 13 ~ 25; Tyzoon T. Tyebjee, Albert V. Bruno, and Shelby H. McIntyre, "Growing Ventures Can Anticipate Marketing Stages," *Harvard Business Review*, January—February 1983, pp. 2 ~ 4; and Andrew Pollack, "Revamping Said to be Set at Microsoft," *New York Times*, February 9, 1999, C1.

[13] Gary L. Frankwick, Beth A. Walker, and James C. Ward, "Belief Structures in Conflict: Mapping a Strategic Marketing Decision," *Journal of Business Research*, October—November 1994, pp. 183 ~ 195.

[14] Askok K. Gupta, S. P. Raj, and David Wilemon, "A Model for Studying R & D-Marketing Interface in the Product Innovation Process," *Journal of Marketing*, April 1986, pp. 7 ~ 17.

[15] See Willian E. Souder, *Managing New Product Innovations* (Lexington, MA: D. C. Heath, 1987), ch. 10 and 11; and William L. Shanklin and John K. Ryans Jr., "Organizing for High-Tech Marketing," *Harvard Business Review*, November — December 1984, pp. 164 ~ 171;

and Robert J. Fisher, Elliot Maltz, and Bernard J. Jaworski, "Enhancing Communication Between Marketing and Engineering: The Moderating Role of Relative Functional Identification," *Journal of Marketing*, July 1997, pp. 54 ~ 70.

[16] David J. Morrow, "Struggling to Spell R-E-L-I-E-F," *New York Times*, December 29, 1998, pp. C1, C18; "JAMA Study Shows Merck-Medco's Partners for Healthy Aging Program Significantly Reduces the Use of Potentially Harmful Medication by Seniors," *Business Wire*, October 12, 1998.

[17] See Robert J. Fisher, Elliot Maltz, and Bernard J. Jaworski, "Enchancing Communication Between Marketing and Engineering," *Journal of Engineering*, July 1997, pp. 54 ~ 70.

[18] See Benson P. Shapiro, "Can Marketing and Manufacturing Coexist?" *Harvard Business Review*, September—October 1977, pp. 104 ~ 14. Also see Robert W. Ruekert and Orville C. Walker Jr., "Marketing's Interaction with Other Functional Units: A Conceptual Framework and Empirical Evidence," *Journal of Marketing*, January 1987, pp. 1 ~ 19.

[19] Edward E. Messikomer, "DuPont's 'Marketing Community'," *Business Marketing*, October 1987, pp. 90 ~ 94. For an excellent account of how to convert a company into a market-driven organization, see George Day, *The Market-Driven Organization: Aligning Culture, Capabilities and Configuration to the Market* (New York: free Press, 1999).

[20] For more on developing and implementing marketijng plans, see H. W. Goetsch, *Developing, Implementing & Managing an Effective Marketing Plan* (Chicago: American Marketing Association; Lincolnwood, IL: NIC Business Books, 1993).

[21] Thomas V. Bonoma, *The Marketing Edge: Making Strategies Work* (New York: Free Press, 1985). Much of this section is based on Bonoma's work.

[22] Emily Denitto, "New Steps Bring Alvin Ailey into the Business of Art," *Crain's New York Business*, December 7, 1998, pp. 4, 33.

[23] See Alfred R. Oxenfeldt. "How to Use Market-Share Measurement," *Harvard Business Review*, January—February 1969, pp. 59 ~ 68.

[24] There is a one-half chance that a successive observation will be higher or lower. Therefore, the probability of finding six successively higher values is given by $(1/2)^6 = 1/64$.

[25] Alternatively, companies need to focus on factors affecting *shareholder value*. The goal of marketing planning is to increase shareholder value, which is the] *present value* of the future income stream created by the company's present actions. *Rate-of-return analysis* usually focuses on only one year's results. See Alfred Rapport, *Creating Shareholder Value*, rev. ed. (New York: Free Press, 1997).

[26] For additional reading on financial analysis, see Peter L. Mullins, *Measuring Customer and Product Line Profitability* (Washington, DC: Distribution Research and Education Foundation, 1984).

[27] See Robert S. Kaplan and David P. Norton, *The Balanced Scorecard* (Boston: Harvard Business School Press, 1996).

[28] Richard Whiteley and Diane Hessan, *Customer Centered Growth* (Reading MA: Addison Wesley, 1996), pp. 87 ~ 90; and Adrian J. Slywotzky, *Value Migration: How to Think Several Moves Ahead of the Competition* (Boston: Harvard University Press, 1996), pp. 231 ~ 235.

[29] The MAC Group, *Distribution: A Competitive Weapon* (Cambridge, MA: MAC Group,

1985), p. 20.

[30] See Robin Cooper and Robert S. Kaplan, "Profit Priorities from Activity-Based Costing," *Harvard Business Review,* May-June 1991, pp. 130 ～ 135.

[31] Sam R. Goodman, *Increasing Corporate Profitability* (New York: Ronald Press, 1982), ch. 1. Also see Bernard J. Jaworski, Vlasis Stathakopoulos, and H. Shanker Krishnan, "Control Combinations in Marketing: Conceptual Framework and Empirical Evidence," *Journal of Marketing,* January 1993, pp. 57 ～ 69.

[32] See Peter M. Senge, *The Fifth Discipline: The Art and Practice of the Learning Organization* (New York: Doubleday Currency, 1990), ch. 7.

[33] For further discussion of this instrument, see Philip Kotler, "From Sales Obsession to Marketing Effectiveness," *Harvard Business Review,* November—December 1977, pp. 67 ～ 75.

[34] See Philip Kotler, William Gregor, and William Rodgers, "The Marketing Audit Comes of Age," *Sloan Management Review,* Winter 1989, pp. 49 ～ 62. For an interesting alternative approach, see the Copernican Decision Navigator, available from Copernican at (617) 630 ～ 8705.

[35] Useful checklists for a marketing self-audit can be found in Aubrey Wilson, *Aubrey Wilson's Marketing Audit Checklists* (London: McGraw-Hill, 1982); and Mike Wilson, *The Management of Marketing* (Westmead, England: Gower Publishing, 1980) . A marketing audit software program is described in Ben M. Enis and Stephen J. Garfein, "The Computer-Driven Marketing Audit," *Journal of Management Inquiry,* December 1992, pp. 306 ～ 318.

[36] Kotler, Gregor, and Rodgers, "The Marketing Audit."

[37] Howard R. Bowen, *Social Responsibilities of the Businessman* (New York: Harper & Row, 1953), p. 215. Also N. Craing Smith and Elizabeth Cooper-Martin, "Ethics and Target Marketing: The Role of Product Harm and Consumer Vulnerability," *Journal of Marketing,* July 1997, pp. 1 ～ 20.

译者后记

当我们把本书的译稿交付中国人民大学出版社时，眼前常常会浮现出一个老人在用一个特大号的放大镜，认真翻译这本巨著的情景。记得在 20 世纪 80 年代，梅汝和教授根据上海市老市长汪道涵同志的指示，翻译美国菲利普·科特勒的《营销管理》，国人并不了解市场学和科特勒的著作。当时，首次印刷只有 2 000 多本，并销售了很长时间。

党的十一届二中全会以后，梅汝和教授在全国率先提出了引进现代市场学的建议。并于 1979 年开始在上海财经学院招收市场学方向的研究生，这是新中国第一代由自己培养的市场学的研究生。之后，梅教授在全国各地广泛演讲，并著书立说，为市场学在中国的普及，推动企业的改革与发展做出了重要贡献。梅汝和教授还十分注意加强与海外学术界的联系，不断引进市场学的最新理论，积极推动中国市场营销理论体系的建设，为我国的经济建设培养了大量有用的人才。

1986 年 7 月，科特勒访问中国，在汪道涵市长举行的宴会上，科特勒对梅教授说，他对中国的企业经理、学者和学生们学习现代经营管理和市场营销实践的兴趣和热忱，留下了十分深刻的印象。中国的经济改革已及时地开展起来，这将使中国不仅在国内市场，而且在国际市场增强它的经济力量。市场营销科学提供了一整套关于生产适合于国内和国际消费产品的概念、技术和实践。营销要求企业在设计、生产和销售产品之前，清楚地确定它们的目标市场和顾客的需要。这样，企业生产出来的产品将能更好地同顾客利益相一致，并将更容易地销售出去。

由于梅教授对市场学的杰出贡献，他长期担任中国市场学会顾问、中国高等院校市场学研究会顾问和上海市市场学会会长，曾被美国传记中心颁发 20 世纪近 25 年来最有影响的 500 名杰出人物成就奖状和列入特辑，被英国剑桥国际传记中心列入《1992—1993 年国际名人录》等。在 2000 年 10 月 6 日的追悼大会上，中国市场学会和中国高等院校市场学研究会以及全国各地所有的市场学（协）会敬献了花篮，充分表达了中国市场学界对他的缅怀之情。

梅汝和教授一生勤奋笔耕，留下了许多论文、专著和译著，其中最有影响的是由他主译的这本《营销管理》，他从 1984 年的第五版开始，不断翻译更新版本。在他去世前的一个月，还在坚持翻译《营销管理(新千年版·第十版)》。但在本书出版之际，他却离我们而去，再也看不到这本著作了。

　　作为他的亲人和学生，我们谨将此书献给我们最敬爱的人——梅汝和教授。

梅清豪

2001 年 1 月

图书在版编目(CIP)数据

营销管理(新千年版·第十版)／【美】科特勒(Kotler, P.)著；梅汝和，梅清豪，周安柱译；梅清豪校
北京：中国人民大学出版社，2001
(工商管理经典译丛·市场营销系列)
书名原文：Marketing Management: Millennium Edition, Tenth Edition
ISBN 7-300-03746-1

Ⅰ. 营…
Ⅱ. ①科…②梅…
Ⅲ. 企业管理 - 市场营销学
Ⅳ. F274

中国版本图书馆 CIP 数据核字(2001)第 11966 号

工商管理经典译丛·市场营销系列

营销管理

(新千年版·第十版)

[美]菲利普·科特勒　著

梅汝和　梅清豪　周安柱　译

梅清豪　校

出　　版：中国人民大学出版社　　Prentice Hall 出版公司
发　　行：中国人民大学出版社
　　　　　（北京中关村大街 31 号　邮编 100080）
　　　　　邮购部：62515351　门市部：62514148
　　　　　总编室：62511242　出版部：62511239
　　　　　本社网址：www. crup. com. cn
　　　　　人大教研网：www. ttrnet. com
经　　销：新华书店
印　　刷：涿州市星河印刷有限公司·

开本：787×1092 毫米 16 开　印张：55.25　插页：3
2001 年 7 月第 1 版　　2011 年 12 月第 16 次印刷
字数：1 258 000

定价：78.00 元
（图书出现印装问题，本社负责调换）